PSYCHOLOGIE SOCIALE

Kenneth J. Gergen
Swarthmore College

Mary M. Gergen
Pennsylvania State University (Delaware)

Sylvie Jutras
Université de Sherbrooke

avec la collaboration de Claude Hamel

Éditions Études Vivantes

Psychologie sociale, 2e édition

Traduction de *Social Psychology* de Kenneth J. Gergen et Mary M. Gergen.
  Copyright © 1981 by Harcourt Brace Jovanovich Inc. New York
Traduction et adaptation des chapitres 3 et 12 de *Social Psychology,* Second
  Edition, de Kenneth J. Gergen et Mary M. Gergen.
  Copyright © 1986, by Springer-Verlag New York Inc.

Édition et production: **Les Éditions de la Chenelière inc. (Montréal)**

  Coordination: Audette Simard
  Révision linguistique: Monique Michaud
  Correction d'épreuves: Patrick Gunsett
  Maquette de couverture, photocomposition et montage:
  Les Ateliers C.M. Inc.

Éditions Études Vivantes
Groupe Éducalivres inc.
955, rue Bergar
Laval (Québec) H7L 4Z6
Téléphone: (514) 334-8466
Télécopieur: (514) 334-8387

ISBN 2-7607-0529-3

Dépôt légal 3e trimestre 1992
Bibliothèque nationale du Québec
Bibliothèque nationale du Canada

Imprimé au Canada
3 4 5 6 7 8 9 S 9 8 7 6 5

À nos enfants

Erika, Florence, Jean-Sébastien,
Laura, Lisa, Michael et Stan,
en pensant à demain.

Avant-propos

Une toute nouvelle édition

En 1984 paraissait *Psychologie sociale*, traduit et adapté de *Social Psychology*. L'accueil fait par les professeurs et les étudiants québécois, canadiens et européens fut des plus favorables et constitua, tant pour les traducteurs-adaptateurs que pour les auteurs originaux, une récompense de taille pour leur labeur. Mais le temps passe, la société évolue, tout comme la psychologie sociale. Cette réception du public francophone nous a poussés à vouloir lui offrir une version mise à jour digne de sa confiance et de l'intérêt porté à la première édition. Ainsi stimulés et forts des suggestions et commentaires des professeurs qui ont utilisé ce manuel dans sa version en français depuis près de huit ans, nous avons entrepris de rédiger une édition qui réponde encore mieux aux besoins des étudiants et des professeurs du milieu francophone. Depuis les années soixante-dix, l'un d'entre nous (K. G.) s'est attaché à faire valoir le point de vue selon lequel la psychologie sociale doit tenir compte des particularités culturelles et historiques des phénomènes qu'elle étudie. Nous avons cherché à mettre ce principe en pratique dans la présente édition de *Psychologie sociale,* et c'est dans cet esprit que Sylvie Jutras s'est jointe à Kenneth et Mary Gergen.

Dans la présente édition, deux nouveaux chapitres, sur le soi et sur la santé, ont été inclus, tandis que le chapitre 2 sur la perception sociale a été remanié pour permettre un traitement plus approfondi et plus à jour. Pour garder le même nombre de chapitres — rythme scolaire oblige —, les chapitres sur la moralité et sur le pouvoir ont dû être retirés. Nous avons cependant gardé certaines sections de ces chapitres qui nous paraissaient particulièrement importantes et nous les avons intégrées avec soin dans d'autres chapitres. Divers remaniements structurels ont également été effectués à l'intérieur des chapitres. Ces changements correspondent dans l'ensemble à ceux qui ont été apportés à la deuxième édition anglaise, parue en 1986. Mais nous sommes heureux d'offrir à nos lecteurs une deuxième édition de *Psychologie sociale* qui possède ses caractéristiques propres et qui constitue pour nous un progrès par rapport à la précédente.

La caractéristique la plus fondamentale est sans doute l'*importance accordée aux travaux québécois, canadiens et même européens dans tout l'ouvrage.* En raison de son objet, la psychologie sociale est une discipline vivante, le plus souvent centrée sur des problématiques quotidiennes. Sur le *plan pédagogique*, il nous paraissait donc pertinent de ramener souvent l'étudiant à des faits qui le préoccupent et à une réalité qu'il connaît. Aussi avons-nous donné de multiples exemples tirés de l'actualité ou de faits divers connus des jeunes francophones. C'est ainsi que dans des encadrés nous abordons plus en détail des thèmes comme ceux de la santé et des MTS chez les jeunes, de l'accès des femmes à des postes de pouvoir, ou de la violence conjugale et familiale. Par ailleurs, la *réalité* des États-Unis n'est pas en tous points semblable à celle qui est vécue par les étudiants québécois, acadiens, franco-ontariens, belges, suisses ou français. Nous ne prétendons pas offrir un panorama de l'ensemble des travaux dirigés par des psychologues sociaux du monde francophone. Même si la majorité des recherches effectuées par les francophones, qui sont citées dans cet ouvrage, proviennent de chercheurs québécois, le lecteur sera mis en contact avec des travaux francophones d'ailleurs.

En de nombreuses occasions, les recherches menées par des francophones sont intégrées directement dans le texte. Par ailleurs, plusieurs des encadrés reflètent l'engagement des psychologues sociaux francophones à mieux comprendre les problèmes de leur société et à tenter d'y apporter des solutions. Comme le lecteur le constatera, cette façon de faire et de voir la psychologie sociale, directement issue de Kurt Lewin, a profondément marqué le développement de la discipline au Québec. Enfin, illustration du principe selon lequel la psychologie sociale doit être étudiée dans un *contexte culturel et historique*, nous avons à quelques reprises montré que les conclusions de travaux américains ou de travaux qui datent d'une autre période, ne sont pas toujours reproduites dans les travaux effectués auprès d'autres communautés culturelles, à d'autres époques. L'étudiant est ainsi amené à constater qu'il est toujours nécessaire de tenir compte du contexte dans lequel s'effectuent des études psychosociales. Bien sûr, le manuel ne reflète pas essentiellement des phénomènes sociaux québécois ou canadiens, et le lecteur y trouvera l'ensemble des informations présentes dans les manuels américains courants.

Une deuxième caractéristique majeure de la présente édition de *Psychologie sociale* est certainement l'*accent mis sur la relation entre l'individu ou le groupe et l'environnement physique et social*. Les questions environnementales sont devenues très préoccupantes dans notre société. Aussi avons-nous consacré à ce sujet un chapitre *entier* qui aborde des thèmes de la psychologie de l'environnement, sous un angle psychosocial. De plus, une attention soutenue est apportée aux questions environnementales tout au long des chapitres.

Une troisième caractéristique du présent manuel, par rapport aux éditions de 1984 et de 1986, est bien sûr la mise à jour par l'*exposé de nombreux travaux publiés depuis à travers le monde*. Cela se reflète tout particulièrement dans des domaines qui ont connu une effervescence remarquable ces dernières années: la santé et l'environnement et, en ce qui a trait à certains changements sociaux, la violence, les rôles des femmes dans la société et la discrimination, par exemple.

Quant à la forme, quelques modifications ont été apportées, comme des photographies plus locales ou plus contemporaines, de plus longues listes de lectures suggérées en français à la fin de chaque chapitre (grâce à la productivité remarquable des chercheurs francophones ces dernières années) et un glossaire entièrement revu, intégrant plus d'une soixantaine de nouveaux concepts. Afin de mieux situer les étudiants, nous avons dans la plupart des cas mentionné l'affiliation universitaire ou professionnelle des chercheurs québécois, canadiens ou européens dont nous avons cité les travaux.

Remerciements

Il nous fait maintenant extrêmement plaisir de remercier ceux et celles qui ont contribué à ce que cet ouvrage voie le jour. Nous remercions tout d'abord les nombreux chercheurs du Québec, du Canada et de l'Europe qui, de diverses façons, nous ont aidés à mieux faire connaître les travaux effectués par les francophones, principalement en répondant à notre enquête sur les recherches psychosociales menées en milieu francophone. Bien sûr, le présent ouvrage ne peut constituer une recension complète des travaux effectués par des francophones en psychologie sociale. Nous avons dû faire des choix, et presque toujours uniquement par souci de cohérence avec la trame du livre.

Nous remercions tout particulièrement les collègues suivants dont les commentaires et les suggestions ont contribué à améliorer le manuel à différents égards: Richard Ashmore, Ellen Berscheid, Richard Bourhis, Jim Bryan, Hélène Cadrin, Claire Chamberland, Robert Cialdini, Michael Conway, Ed Donnerstein, Alice Eagly, Olga Favreau, Jeffrey Fisher, Russell Geen, Gaston Godin, George Gœthals, Martin Greenberg, Louise Guyon, Karl Hakmiller, David Hamilton, Raymond Hétu, Jérome Kagan, David Kipnis, René L'Écuyer, George Levinger, Darwyn Linder, Monique Lortie-Lussier, Daniel McGillis, Norman Miller, Jill Morawski, Jean Morval, Walter Neff, Geneviève Paicheler, Paul Paulus, James Pennebaker, Harry Reis, Lise Renaud, Guy Romano, Stéphane Sabourin, Yves Saint-Arnaud, Kelly Shaver, Harold Sigall, Ivan Steiner, Abraham Tesser, Francine Tougas, Richard Tremblay, Ladd Wheeler, Russell Wiegel et Lauren Wispe.

Différents professeurs qui ont utilisé la première édition du manuel nous ont fait des commentaires et des suggestions, et ils nous ont témoigné leurs vifs encouragements; nous leur en sommes profondément reconnaissants.

Plusieurs personnes nous ont apporté un soutien tangible — et intangible — au cours de cette entreprise: Jocelyne Boivin, Manon Giroux, Fanny Guérin, Claudette Richard et Richard St-Onge du *Groupe de recherche sur les aspects sociaux de la prévention*, de l'Université de Montréal. Leur assistance technique fut extrêmement précieuse et nous les en remercions. De même, Sylvie Jutras a grandement apprécié le *soutien social* (un concept dont nous reparlerons souvent dans cet ouvrage) de ses nouveaux collègues de la Faculté des lettres et sciences humaines de l'Université de Sherbrooke.

Nos sincères remerciements vont à Annie Sentieri d'Études Vivantes; sans sa ténacité, le projet n'aurait probablement jamais été entrepris. Nous avons également apprécié la collaboration de tous les instants de Audette Simard des Éditions de la Chenelière. Nous remercions également Monique Michaud qui s'est acquittée avec brio et bonne humeur de la révision des textes. Le manuel fut réalisé en partie pendant que l'une d'entre nous (S. J.) bénéficiait d'une bourse de chercheuse du Conseil de recherches en sciences humaines du Canada; cela a grandement facilité les choses. Enfin, notre reconnaissance va à Claude Hamel qui fut un collaborateur précieux à toutes les étapes.

En terminant, nous remercions nos enfants et notre entourage de leur patience et de leur soutien tout au long de notre entreprise.

Kenneth J. Gergen
Mary M. Gergen
Sylvie Jutras
Montréal, juin 1992

Introduction

Les objectifs poursuivis

Comme dans la première édition, en rédigeant le présent manuel nous avons poursuivi les quatre objectifs suivants: proposer une explication cohérente des principales théories dans le domaine, montrer la valeur et la portée de la recherche empirique, faire voir la contribution du savoir psychosocial dans la vie réelle et présenter tout cela sous la forme la plus intéressante et la plus utile à l'étudiant lecteur.

La cohérence théorique   L'accent sur les théories débute au chapitre premier. Nous y comparons les orientations behavioriste, cognitive, et des règles et des rôles. Ces paradigmes forment le contexte des chapitres qui suivent. Nous montrons comment ces orientations ont influé sur les questions posées et les explications proposées pour expliquer divers types de comportement social. Ces orientations se retrouvent dans tous les chapitres.

L'importance de la recherche   Dans chaque chapitre, nous avons tenté de présenter, de façon structurée, le grand éventail de données recueillies par les chercheurs du domaine. Nous croyons que les résultats de recherche sont essentiels pour donner du poids aux idées théoriques. Par sa lecture, l'étudiant devrait acquérir une compréhension fondamentale de la place de la recherche en psychologie sociale et dans la société.

Des applications étendues   Tout au long de l'ouvrage, nous avons tenté de bien montrer que la psychologie sociale est une discipline qui peut avoir des applications significatives dans la vie. Nous soulignons ce que la psychologie sociale peut apporter en ce qui a trait aux façons dont les gens organisent leur vie et à la solution de problèmes tels que la discrimination raciale et sexuelle, la violence, la pauvreté, la maladie, la dégradation des conditions environnementales, et ainsi de suite.

La clarté de la présentation pour favoriser l'apprentissage   Pour qu'un manuel soit utile, il doit retenir l'attention du lecteur. Nous espérons que notre style d'écriture, y compris notre utilisation d'anecdotes et d'exemples, attirera le lecteur et maintiendra son intérêt. Les professeurs qui utilisent *Psychologie sociale* nous ont dit que malgré la densité de contenu du manuel, nous ne devions pas chercher à le vulgariser. Nous avons toutefois tenté chaque fois que cela était possible de faciliter l'apprentissage aux étudiants.

Chaque chapitre commence par une liste des objectifs d'apprentissage liés au contenu exposé. Pour faciliter la lecture, nous proposons dans le texte des définitions de termes techniques. Nous nous arrêtons fréquemment pour faire des révisions et, à la fin de chaque chapitre, nous présentons des résumés point par point. Afin de bien faire saisir les liens entre les différents concepts et théories présentés dans le manuel, nous attirons fréquemment l'attention du lecteur sur la relation à des contenus présentés dans d'autres chapitres. Dans chaque chapitre, des encadrés complètent le texte; nous y explorons des sujets de recherche nouveaux, de même que des applications intéressantes. Très fréquemment, ils font référence à des travaux québécois, canadiens ou européens; cela devrait permettre à l'étudiant francophone de saisir de façon plus évidente en quoi la psychologie sociale peut permettre de mieux comprendre la réalité quotidienne.

Pour inciter l'étudiant qui le désire à aller plus loin, nous avons inclu à la fin de chaque chapitre une liste de lectures suggérées en français et en anglais. Deux principes ont guidé le choix de ces lectures. Dans certains cas, nous avons mentionné des ouvrages majeurs dans le domaine qui fait l'objet du chapitre. Dans d'autres, nous avons voulu ouvrir des pistes au lecteur en proposant des ouvrages ou des chapitres d'ouvrages qui traitent d'aspects moins présents dans notre exposé. Un glossaire de termes clés se trouve à la fin de l'ouvrage. Chaque mot du glossaire est imprimé en gras dans le texte lorsqu'il est abordé pour la première fois dans un chapitre.

La structure de l'ouvrage

Une logique spécifique sous-tend la structure de l'ouvrage. Dans le premier chapitre, nous commençons par initier l'étudiant au domaine, en présentant la théorie et la recherche de façon générale, puis en abordant des théories et des méthodes spécifiques. Dans les cinq chapitres suivants, nous concentrons notre attention sur l'individu, en étudiant les processus de pensée et les sentiments qui sont les plus importants dans les relations avec autrui. Traitant des processus psychologiques, les chapitres 2 sur la perception sociale, 3 sur le soi, 4 sur l'attraction, 5 sur le préjugé et la discrimination et 6 sur le changement des attitudes posent les fondements du reste de l'ouvrage. Nous nous tournons alors vers l'extérieur, dans la direction de la conduite sociale. Dans les chapitres 7 sur l'action sociale positive, 8 sur l'agression et 9 sur l'influence sociale, nous explorons la relation entre les processus psychologiques d'un côté, et l'action sociale de l'autre. Puis, nous mettons l'accent sur la relation. Dans les chapitres 10 sur l'échange social et 11 sur l'interaction dans les groupes, notre point de mire est l'interdépendance des actions des gens, c'est-à-dire la façon dont le comportement de chaque personne dépend des actions des autres. Finalement, dans les chapitres 12 et 13, nous abordons deux domaines d'application de la psychologie sociale: la santé, et l'environnement physique et social.

Une organisation interne caractérise également la présentation de chaque chapitre. Après une mise en situation, nous commençons chaque section par des idées et des résultats d'intérêt majeur. À la fin de ces exposés, nous énonçons souvent quelques réserves possibles relativement aux principaux arguments présentés. Les exposés simples, sans équivoque, sont certainement faciles à comprendre. Toutefois, la psychologie sociale n'est malheureusement pas simple et ses conclusions sont loin d'être définitives. Nous croyons que ce serait rendre un mauvais service à l'étudiant et à la profession que d'omettre des indices qui témoignent des interrogations et de la création continues au cœur de la vie scientifique.

Toutes les considérations précédentes, de la logique de l'organisation aux stratégies de présentation, ont influé sur notre choix du contenu traité. Nous avons tenté de choisir des travaux intéressants, pertinents et qui présentent une valeur scientifique. Nous donnons toute l'attention voulue aux travaux classiques, à la théorie et aux recherches qui forment les fondements de la discipline. Nous explorons aussi les champs les plus passionnants des recherches contemporaines. De plus, pour ceux qui se préoccupent de l'avenir de la discipline, nous présentons de nouvelles pistes de réflexions et de recherches. Nous espérons que cette fois encore nous aurons atteint nos objectifs et que ce manuel saura être utile à son lecteur.

Table des matières

Chapitre 3

Le soi 69

Chapitre 4

L'attraction interpersonnelle 105

Chapitre 5

Le préjugé et la discrimination 141

Chapitre 6

Le changement des attitudes 183

Chapitre 7

L'action sociale positive 219

Chapitre 8

Chapitre 13

La psychologie sociale et l'environnement 421

1

La théorie et la recherche en psychologie sociale

Science sans conscience n'est que ruine de l'âme.

Rabelais

Objectifs d'apprentissage

☐ Après l'étude du présent chapitre, vous devriez être capable

1. de définir la psychologie sociale et d'expliquer en quoi elle se distingue de disciplines connexes telles la sociologie, l'anthropologie et les sciences politiques;

2. d'expliquer les effets de l'évolution de la psychologie sociale sur la théorie sociale et de faire ressortir les différences entre les premières théories sur le comportement social et les théories modernes;

3. de définir ce qu'est la théorie et de distinguer les caractéristiques des théories formelles et informelles;

4. de traiter de chacun des buts principaux de la recherche sociale: la description de la vie sociale, la prédiction sociale et la démonstration de la théorie;

5. d'énoncer les principales caractéristiques des trois orientations majeures en psychologie sociale: le behaviorisme, la théorie cognitive, et la théorie des règles et des rôles;

6. d'identifier les différences entre la théorie behavioriste, la théorie cognitive et la théorie des règles et des rôles;

7. d'expliquer pourquoi il est difficile de comparer la valeur de ces trois théories sur des bases objectives;

8. d'esquisser les principales méthodes de recherche utilisées en psychologie sociale et de les comparer: l'étude d'archives, l'étude sur le terrain, l'enquête par interview ou par questionnaire et la méthode expérimentale;

9. d'exposer les problèmes auxquels doit faire face le psychologue social quant aux biais, à la sélection des sujets et aux questions d'éthique.

☐ *Stéphane, un jeune architecte prometteur, a gagné une bourse fort convoitée qui lui permet de voyager pendant six mois pour découvrir les richesses architecturales du monde. Stéphane se met en route en septembre, laissant à la maison sa femme et ses deux jeunes enfants. À la mi-octobre, bouleversé, il revient chez lui. Il s'est aperçu que, sur le plan émotif, il lui était impossible de survivre sans les siens. Ne pouvant pas payer le voyage pour toute la famille, Stéphane a décidé d'y mettre un terme.*

☐ *Depuis son entrée au collège, il y a près de deux ans, Dominique se donne entièrement à ses études. Elle sort très peu, passant tout son temps à travailler. Elle obtient maintenant la récompense de ses efforts; elle vient d'être acceptée en médecine à l'université de son choix. Elle pourra donc réaliser le souhait de son père décédé prématurément juste avant son entrée au collège. Avant la mort de son père, Dominique lui a solennellement promis de lui succéder dans la profession médicale.*

☐ *Dernièrement, Robert a été congédié. À l'emploi d'une compagnie de construction depuis plusieurs mois, il conduisait une bétonnière. Un jour, tôt le matin, en faisant une livraison, il était passé en face du logement de son amie et avait aperçu la décapotable de son meilleur ami garée devant la porte. Robert a alors déversé tout le chargement de ciment dans l'automobile.*

Qu'ont en commun ces trois événements de la vie quotidienne? Chacun témoigne de l'importance majeure des relations personnelles dans la vie des gens. Stéphane a renoncé à une bourse prestigieuse en raison de son attachement profond pour sa famille. Dominique a fait à son père une promesse qui dictera le cours de sa vie. La colère de Robert devant la tromperie lui a fait faire un geste d'éclat, mais fort coûteux. Qu'il s'agisse de se faire des amis, de maintenir une relation amoureuse, d'éviter des incidents fâcheux ou simplement d'essayer de vivre en harmonie dans une société complexe, les relations interpersonnelles dominent la vie et influent sur les projets et les buts des individus.

Ces événements de la vie quotidienne ont un autre point commun: ils nous rendent perplexes. Stéphane, Dominique et Robert semblent avoir laissé leurs émotions dominer leur raison. Stéphane est retourné chez lui plus tôt que prévu. Tous les individus seraient-ils aussi attachés à leur famille? L'obligation contractée par Dominique envers son père semble excessive. Comment se fait-il qu'une personne tienne une promesse toute sa vie, alors que d'autres la rompent rapidement? Par ailleurs, le comportement de Robert ne pouvait que lui amener du désagrément. Pourquoi a-t-il déversé le ciment dans l'automobile de son ami, alors qu'il aurait pu se venger de façon moins coûteuse? Le monde des relations quotidiennes soulève une multitude de questions comme celles-ci. Y trouver des réponses demande beaucoup de temps et d'énergie.

Ces anecdotes posent des questions qui intéressent précisément les psychologues sociaux. Les relations humaines sont d'une importance capitale pour nous tous et elles sont souvent difficiles à comprendre. Il convient donc de les étudier soigneusement et de bien les expliquer. Le psychologue social tente de mener à bien ce genre d'études. Il propose des explications et tente de démontrer leur relation avec la vie quotidienne. La majorité des psychologues sociaux espèrent, par leur travail, améliorer la condition humaine. En proposant des idées et des réponses nouvelles, ils souhaitent que les gens retirent de la vie plus de satisfaction. Comme vous le montrera cet ouvrage, l'éventail des préoccupations des psychologues sociaux est très vaste. Voici quelques-unes des questions qu'ils se posent. Comment les gens se perçoivent-ils les uns les autres? Pourquoi les gens développent-ils des sentiments d'attraction et d'hostilité? Comment les attitudes se forment-elles et comment changent-elles? Pourquoi les gens se font-ils du mal entre eux ou, au contraire, pourquoi s'entraident-ils? Peut-on concevoir des environnements physiques qui favorisent les bonnes relations entre les gens?

Qu'est-ce que la psychologie sociale?

La **psychologie sociale** peut être définie comme une discipline où l'on *étudie de façon systématique les interactions humaines et leurs fondements psychologiques*. Une étude systématique comprend habituellement les trois composantes principales suivantes.

1. *Le développement d'une théorie.* Le psychologue social tente de *décrire* et d'*expliquer* des aspects de la vie sociale en utilisant des énoncés clairs, logiques et interreliés. D'une part, ces énoncés théoriques permettent aux gens de comprendre le monde de façon organisée. D'autre part, ces énoncés expliquent pourquoi les choses se produisent comme elles le font. Généralement, les explications sont fondées sur des **concepts** psychologiques, tels que la pensée, l'affect, l'attitude, les attentes ou les règles.

2. *L'appui empirique à la théorie.* En plus de décrire et d'expliquer, le psychologue social cherche à *appuyer les propositions théoriques* par des données soigneusement recueillies. Une variété de stratégies et de techniques de recherche (expériences, observations sur le terrain, analyse de documents historiques) peuvent être ainsi utilisées pour illustrer la force et l'importance d'une théorie.

3. *L'encouragement à l'action.* Nombreux sont les psychologues sociaux qui croient que l'étude systématique est incomplète si elle ne mène pas à l'action sociale. Les résultats des travaux théoriques et empiriques devraient être à la disposition des autres psychologues sociaux et du public. Les idées théoriques devraient pouvoir être appliquées, que ce soit dans les relations familiales ou amicales, avec des individus de sa communauté ou encore lors de l'élaboration de politiques publiques. Lorsque les idées sont mises en pratique, il devient possible de les évaluer, de découvrir leurs faiblesses et de les réviser.

Il n'existe pas de frontière précise entre la psychologie sociale et d'autres champs de la psychologie, comme l'apprentissage, le développement et la personnalité. Bien que les spécialistes de ces domaines ne centrent pas leur attention sur les interactions sociales, ils partagent plusieurs intérêts avec les psychologues sociaux. C'est ainsi, par exemple, que les concepts de la psychologie de l'apprentissage sont employés dans le présent ouvrage pour expliquer l'agression humaine (*voir le chapitre 8*), que des concepts reliés au développement sont utilisés pour expliquer le préjugé (*voir le chapitre 5*) et que des concepts de personnalité servent à expliquer l'altruisme (*voir le chapitre 7*).

L'intérêt des psychologues sociaux pour les interactions humaines est également partagé par des sociologues, des politicologues et des anthropologues. Alors, comment la psychologie sociale se distingue-t-elle de ces disciplines? Encore une fois, les frontières entre ces disciplines ne sont pas définies clairement. Néanmoins, deux différences notables permettent de distinguer la majorité des travaux de sociologie ou de sciences politiques des travaux de psychologie sociale. Ces différences sont les suivantes.

1. *L'unité d'analyse.* En psychologie sociale, l'entité étudiée est l'*individu* en tant qu'acteur, ou encore le petit groupe. La question principale est de savoir comment l'individu mène ses relations avec les autres. Par opposition, le point de mire des études en sociologie et en sciences politiques est la grande institution ou le groupe (par exemple, l'Assemblée nationale, le Parti québécois, la profession médicale ou le système d'éducation).

2. *La base de l'explication.* En psychologie sociale, les *processus intérieurs de l'individu* constituent le centre d'intérêt principal. Les psychologues expliquent les conduites humaines par les pensées, les émotions, les attitudes et d'autres processus intérieurs. Les sociologues et les politicologues n'utilisent généralement pas de tels concepts psychologiques pour expliquer le comportement d'un groupe. Les sociologues et les politicologues expliquent les conduites des institutions ou des groupes à l'aide de concepts tels que les divisions organisationnelles, la distribution du pouvoir, la rigidité de la hiérarchie et d'autres processus semblables qui sont extérieurs à l'individu. Leurs explications de la conduite d'un groupe reposent donc sur les propriétés du groupe et non de l'individu.

Les psychologues sociaux ont beaucoup d'intérêts communs avec les anthropologues sociaux. Plusieurs psychologues sociaux se sont engagés activement dans la comparaison des patterns sociaux de diverses cultures (Triandis et Brislin, 1980). Ces deux disciplines ont tendance à utiliser l'individu comme unité d'analyse principale et à utiliser des concepts psychologiques pour expliquer le comportement. Toutefois, une différence majeure distingue la majorité des psychologues sociaux de leurs collègues anthropologues. Le psychologue social recherche les *similitudes entre les gens des diverses cultures*. À l'inverse, l'anthropologue social s'intéresse d'abord à la façon dont les *cultures se différencient les unes des autres*. Habituellement, les anthropologues essaient de comprendre les patterns de relations humaines à *l'intérieur* de cultures distinctes. Ils cherchent des réponses à des questions telles que: Qu'est-ce qui caractérise le comportement type des Japonais, des Trobriandais, des Ik? Ils se demandent également comment ces patterns se distinguent les uns des autres et comment ils se distinguent des patterns occidentaux.

Dans le présent chapitre, nous présenterons quelques postulats fondamentaux de la psychologie sociale. Nous regarderons comment le psychologue social aborde les problèmes du comportement humain et nous examinerons les embûches et les problèmes associés à ce travail. Nous présenterons d'abord un bref historique de l'évolution de la psychologie sociale moderne à partir de la philosophie sociale, en considérant ce que la psychologie sociale y a ajouté. Nous aborderons ensuite les deux principaux produits de la psychologie sociale, la théorie et la recherche. Nous verrons ce que les psychologues espèrent accomplir par leurs théories et leurs collectes de données, ainsi que les raisons de leurs efforts. Nous décrirons les orientations théoriques principales de la psychologie sociale contemporaine: les orientations behavioriste, cognitive, et des règles et des rôles. Une forte concurrence existe entre ces points de vue, mais peut-être ne vous semblera-t-elle pas toujours évidente. Finalement, nous en viendrons aux méthodes de recherche. Nous considérerons les principales méthodes, leurs avantages et leurs limites.

L'évolution de la psychologie sociale moderne

L'intérêt pour les problèmes reliés à l'interaction humaine n'est pas nouveau. Les théories sur le comportement social ont même précédé les réflexions systématiques sur le monde physique et y ont exercé une influence. En réalité, plusieurs des concepts fondamentaux utilisés dans les premières études formelles sur les phénomènes physiques ont été tirés des premières théories sur la vie sociale (Durkheim, 1895). Des philosophes comme Platon, Aristote, Kant, Hegel, Locke, Bentham, Mill, Hobbes et Rousseau ont réfléchi de façon approfondie et créative à la manière dont les gens en viennent à agir comme ils le font. Leurs travaux établirent les bases de la psychologie sociale moderne. Depuis des siècles, on cherche sérieusement à comprendre les relations humaines. Qu'apporte donc de plus la psychologie sociale moderne? Comment se distingue-t-elle des travaux de recherches antérieurs? Il y a deux réponses à cette question. La première est reliée à la théorie, la seconde, à la méthode.

La théorie dans l'évolution d'une discipline scientifique

Au siècle dernier, la discipline de la psychologie sociale n'existait pour ainsi dire pas. La réflexion sociale était généralement confinée à une partie limitée de la philosophie. Aujourd'hui, très nombreux sont les psychologues de tous les pays qui se consacrent à l'étude systématique du comportement social. Le développement du domaine s'est fait à un rythme phénoménal. Plus de 90 % de toute la recherche en psychologie sociale a été réalisée au cours des trente dernières années (Shaver, 1977). En 1908, paraissait le premier manuel nord-américain de psychologie sociale. Cet ouvrage, rédigé par William McDougall, traitait presque entièrement du pouvoir de contrôle des instincts biologiques sur la vie sociale. Moins de cent cinquante chercheurs y étaient cités, dont plus des deux tiers n'étaient pas des psychologues. Par opposition, dans le présent ouvrage, nous abordons une douzaine de sujets principaux, dont la perception sociale, l'attraction, le préjugé, le changement des attitudes, l'agression, l'altruisme et les processus de groupe. Aujourd'hui, l'influence des **instincts** est un aspect d'intérêt relativement secondaire. Comme chez plusieurs auteurs contemporains, la liste de nos références comprend quelques milliers de noms et la majorité des chercheurs cités sont des psychologues sociaux.

L'évolution de la psychologie sociale a eu deux effets notables sur la théorie sociale. Premièrement, la pensée sociale s'est enrichie et est devenue plus complexe. Les premières formulations théoriques tendaient à être *simples* et *souveraines* (Allport, 1985). C'est-à-dire que les formulations reposaient souvent sur un principe de base unique et que toutes les réponses aux questions complexes de la vie sociale étaient issues de ce principe intégrateur. Par exemple, les philosophes Jeremy Bentham et John Stuart Mill ont élaboré la doctrine de l'**hédonisme** selon laquelle les conduites humaines sont dirigées par la recherche du plaisir et l'évitement de la douleur. Au contraire, Hobbes (1651) croyait que la force principale de **motivation** est le **pouvoir**. D'après lui, le désir du pouvoir ne cesse qu'avec la mort. Le théoricien français Gabriel Tarde, pour sa part, affirmait que la tendance innée de l'être humain à imiter ses semblables est la «clé du mystère social». Pour Tarde, «la société est **imitation**» (1903).

Comme vous le verrez, chacune de ces motivations, le plaisir, le pouvoir et l'imitation, demeure fort intéressante pour le psychologue social. Cependant, les formulations simples et souveraines se sont évanouies à mesure que la profession progressait au profit de l'émergence de points de vue multiples sur les problèmes sociaux. Aujourd'hui, les psychologues sociaux considèrent qu'un éventail plus large de facteurs motive le comportement. Aussi, ils tentent de comprendre l'ensemble de ces facteurs et d'en tenir compte dans toute leur complexité. C'est ainsi qu'aujourd'hui, par exemple, aucun psychologue social ne soutiendrait que le pouvoir est le seul facteur important dans la vie sociale.

Le développement de la psychologie sociale a eu pour deuxième effet d'accroître la préoccupation pour l'application de la théorie. La plupart des premiers penseurs sociaux étaient des philosophes. Ils se préoccupaient moins que les psychologues d'aujourd'hui de savoir comment la théorie peut permettre de résoudre les *problèmes concrets* auxquels nous devons faire face quotidiennement. Cette préoccupation s'est développée en partie en raison des problèmes engendrés par l'immigration massive en Amérique du Nord (Apfelbaum, 1978) et en partie en réponse aux besoins des industriels qui croyaient que l'on pouvait faire produire des travailleurs comme des machines (Baritz, 1980; Schwartz, Lacey et Schuldenfrei, 1978; Sokal, 1978). Pourtant, c'est peut-être la Seconde Guerre mondiale qui a le plus stimulé l'application de la théorie. Les psychologues ont effectivement participé à l'effort de guerre. Ainsi, en 1939, l'Association américaine de psychologie énonçait une résolution encourageant les psychologues américains à étudier les aspects de la vie américaine et les opinions reliés à la sauvegarde des libertés fondamentales et de la paix.

La préoccupation des psychologues sociaux pour l'application de leurs théories apparaît nettement dans les théories sur les préjugés (*voir le chapitre 5*), le changement des attitudes (*voir le chapitre 6*), le conformisme (*voir le chapitre 9*) et la productivité de groupe (*voir le chapitre 11*). De plus, ces dernières années, on s'est beaucoup préoccupé en psychologie sociale de questions reliées à la santé physique et mentale (*voir le chapitre 12*) et à l'environnement (*voir le chapitre 13*).

Bref, le développement de la psychologie sociale a apporté deux changements majeurs au caractère de la théorie sociale. Premièrement, en comparaison des **théories simples et souveraines** du passé, la théorie psychosociale s'est enrichie et est devenue plus complexe. Deuxièmement, en raison des relations étroites entre la psychologie sociale et des institutions telles que le gouvernement et l'industrie, une grande partie des recherches théoriques ont été poussées vers la solution de problèmes sociaux.

Le développement des habiletés d'observation

Nous avons vu comment les théories contemporaines se distinguent des travaux effectués par les penseurs sociaux du passé. Une autre différence importante réside dans l'arsenal de techniques d'observation qui sont à la disposition des psychologues d'aujourd'hui. Comme vous vous en doutez, les progrès des sciences naturelles sont en grande partie à l'origine du développement d'outils fort précieux dans les sciences sociales. La caractéristique la plus remarquable des sciences naturelles est l'accent qui est mis sur l'observation rigoureuse. Les chercheurs en sciences sociales se sont rendu compte qu'ils devaient adopter des procédés semblables pour que leurs études sur le comportement humain soient fructueuses.

C'est dans cet esprit que Norman Triplett a conduit, en 1897, l'une des premières études systématiques sur l'activité sociale. Triplett cherchait à découvrir les effets de l'environnement social sur la performance humaine. Il se demandait si diverses tâches pouvaient être accomplies plus efficacement en la présence ou en l'absence d'autres personnes. Il s'interrogeait sur l'influence de la compétition sur la performance individuelle. Pour trouver réponse à ses questions, Triplett a tout d'abord examiné les fiches de cyclistes ayant accompli un parcours de 40 km dans l'une des trois conditions suivantes: (1) course contre la

Encadré 1-1

Les gestes à travers le temps et l'espace

Comment réagiriez-vous si l'un de vos amis sortait son pouce de ses deux premiers doigts tout en gardant le poing fermé? Il se peut que ce signe n'ait aucun sens pour vous. Il ne vous dirait rien et vous ne vous en préoccuperiez probablement pas. D'après Desmond Morris et ses collègues (1979), vous auriez été blessé ou insulté par ce geste si vous aviez vécu en Italie au XIIe siècle. Morris a étudié les gestes à travers l'histoire et les cultures, il a découvert que ce geste représentait une insulte pour les Italiens du Moyen Âge. S'il n'a pas de signification pour la plupart des Nord-Américains, il est fort reconnu dans plusieurs communautés européennes. Il est intéressant de constater, néanmoins, qu'aujourd'hui ce geste n'est plus considéré comme une insulte, mais plutôt comme un signe d'excitation sexuelle. Le pouce symbolise le pénis, et les doigts repliés, les parties génitales féminines. La signification sexuelle de ce geste précède son insinuation insultante. Elle remonte à la Grèce antique où l'on portait comme porte-bonheur de petites amulettes représentant ce geste. Les esprits du mal, croyait-on, seraient tellement fascinés par les organes génitaux féminins qu'ils seraient distraits de leurs buts.

Regardez le geste représenté à la page suivante. Le majeur est croisé sur l'index. Si un ami fait ce geste en votre présence, vous croirez probablement qu'il vous souhaite bonne chance. Si un Nord-Américain fait ce geste devant un Européen, ils se comprendront fort bien. Les deux communautés utilisent ce symbole comme signe de chance ou comme signe protecteur. Par ce geste, on dit en réalité: «J'espère que tout ira bien». Selon Morris et ses collègues, cette signification

montre, (2) course avec un entraîneur et (3) course en compétition. Triplett se demandait dans quelle condition la vitesse atteinte serait le plus élevée. Les résultats ont montré que la présence d'une autre personne facilite grandement la performance. Courant seuls contre la montre, les cyclistes ont atteint une vitesse moyenne de 39 km/h. En présence d'un entraîneur, la vitesse moyenne s'est élevée à 50 km/h. La situation de compétition n'est pas parvenue à améliorer significativement la vitesse. La vitesse moyenne obtenue était alors d'environ 52 km/h. Poursuivant son travail en laboratoire, Triplett a démontré l'effet positif de la présence d'autrui sur la performance chez des sujets qui devaient calculer, sauter ou remonter un moulinet de canne à pêche. Au chapitre 11, nous aborderons plus en détail les effets de la **facilitation sociale**.

Depuis le début du siècle, l'accent mis sur l'observation s'est grandement accru. Avec les années, la méthodologie de recherche est devenue hautement sophistiquée. Des techniques d'observation électronique permettent maintenant de prendre des mesures précises du comportement dans un cadre social. Par ailleurs, il est possible de prélever des échantillons représentatifs de la population, grâce aux techniques de sondage. Des procédés statistiques ont été mis au point pour établir des évaluations solides de la **fiabilité** ou de la constance des résultats obtenus. Le comportement social est maintenant minutieusement décrit. Les rapports de recherche représentent actuellement l'un des principaux produits de la discipline. En effet, quelque 90 % de tous les articles publiés dans la prestigieuse revue *Journal of Personality and Social Psychology* rapportent les résultats d'études expérimentales.

Les buts de la théorie

C'est parce qu'ils désirent aider les membres de la société à mieux vivre que les psychologues sociaux s'intéressent aux théories et à l'observation précise du comportement interpersonnel. Mais comment les théories et les recherches permettent-elles d'atteindre ce but? En quoi

particulière tire son origine des premiers chrétiens. Plutôt que faire publiquement le signe de la croix, ils faisaient ce geste, exprimant ainsi de façon discrète le souhait que l'Esprit Saint accompagne un des leurs. Cette signification n'est cependant pas adoptée par tous les habitants du globe. Dans plusieurs communautés, ce geste sert à annuler un mensonge. Les enfants croisent leurs doigts lorsqu'ils disent un mensonge. En Turquie, aujourd'hui, ce geste ne symbolise ni la chance ni le désir d'annuler un mensonge, mais il indique plutôt une amitié profonde. Les deux doigts de la main semblent représenter deux personnes qui n'en font plus qu'une. Cela ne représente-t-il pas l'expression «être comme les deux doigts de la main»?

C'est ainsi qu'un mot ou un geste peuvent revêtir plusieurs significations. De plus, la signification des gestes peut varier avec le temps et selon les diverses cultures.

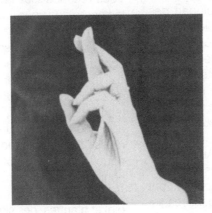

peuvent-elles aider les gens? Prenons d'abord la théorie. Qu'est-ce qu'une théorie et à quoi sert-elle?

Une **théorie** peut être définie comme un ensemble de propositions reliées de façon logique qui décrivent et expliquent un domaine d'observation. Chacun se construit des théories informelles sur le comportement social. Certains croient, par exemple, que les gens commencent à résister au changement social au moment où ils deviennent plus à l'aise financièrement. D'autres peuvent croire que lorsque l'amour pour une personne augmente, les sentiments chaleureux pour les autres diminuent. Considérons un exemple additionnel. Vous seriez probablement d'accord pour dire que les gens qui s'habillent comme vous auraient plus tendance à vous aider, le cas échéant, que des personnes qui s'habillent différemment de vous. Cette proposition *décrit* probablement assez précisément votre expérience générale. Vous accepteriez probablement aussi la formulation suivante. Les gens vêtus comme vous auraient plus tendance à vous

rendre service que ceux vêtus différemment, parce qu'ils vous percevraient comme l'un des leurs et comme probablement inoffensif. Il s'agit ici d'une *proposition*, ou d'un énoncé qui *explique* pourquoi il y a une relation entre un habillement similaire et le fait de rendre service. Lorsque nous utilisons une proposition théorique pour prédire un comportement qui n'a pas encore été observé, nous énonçons une **hypothèse**. Ainsi, si dans une ville étrangère on vole votre portefeuille, il est possible que vous utilisiez l'hypothèse de l'habillement similaire pour choisir la personne à qui demander de l'aide.

En quoi les théories des psychologues sociaux sont-elles différentes de celles que l'on utilise de façon informelle? Tout d'abord, les psychologues sociaux énoncent *explicitement* leurs théories et tentent de les rendre *publiques*. Bien que la proposition sur la relation entre l'habillement similaire et le fait de rendre service puisse ne pas vous surprendre, la plupart des gens n'ont jamais exprimé aussi nettement cette idée. Elle demeure implicite, non formulée. Le psychologue social rend publics ces énoncés, pour que l'on puisse examiner ses théories de façon critique et préciser clairement leurs forces et leurs faiblesses. La proposition sur l'habillement similaire résisterait-elle à l'examen critique? Probablement pas. Une femme en robe du soir serait-elle susceptible de recevoir de l'aide d'une autre femme en tenue de soirée pour changer un pneu crevé? Lorsqu'une théorie devient explicite, qu'elle est soumise à la critique, il devient possible de la développer et de l'enrichir ou encore de la rejeter.

En plus de rendre publiques leurs théories, les psychologues sociaux cherchent à formuler des *propositions générales*, c'est-à-dire des énoncés explicatifs non spécifiques. La plupart des théories que les gens bâtissent quotidiennement s'appliquent à des aspects très spécifiques de leur vie. Il se peut que vous ayez des théories implicites sur la façon dont vos parents vont réagir à votre performance scolaire ou sur la manière dont vos amis vont réagir à vos goûts musicaux. Par opposition, les psychologues sociaux essaient de formuler des propositions qui s'appliquent à un large éventail de circonstances. Ainsi, plutôt que de s'attacher à la similitude dans les styles vestimentaires, les psychologues sociaux ont cherché à comprendre comment les gens réagissent devant ceux dont les opinions, le style d'entrée en relation et d'autres caractéristiques générales sont semblables aux leurs (*voir le chapitre 4*). Les propositions sur la similitude dans le style vestimentaire seraient vues comme un aspect secondaire d'un problème plus général. Les psychologues sociaux désirent en fait que leurs théories soient suffisamment générales pour s'appliquer à un large éventail de circonstances.

Enfin, les psychologues sociaux s'efforcent de bâtir des théories qui soient *logiques* et *cohérentes*. La majorité des théories implicites sont remplies de contradictions. À un certain moment, quelqu'un peut croire que les gens ont réellement besoin de sécurité et de stabilité dans leur vie et, à d'autres moments, croire qu'ils ont surtout besoin de changements. Une autre personne peut croire que les gens recherchent l'amour plus que tout et croire en même temps que les gens, aujourd'hui, essaient d'éviter les relations profondes. En construisant des théories, le psychologue social s'efforce d'éviter ce genre de contradictions. Lorsque des contradictions sont découvertes, le théoricien entreprend souvent de réviser sa théorie ou de la développer davantage.

Ayant exposé les caractéristiques de la théorie psychosociale, nous pouvons aborder plus directement la question suivante. Qu'est-ce que les psychologues sociaux espèrent accomplir grâce à leurs théories? Nous examinerons trois buts principaux: accroître la compréhension, augmenter la sensibilisation et donner accès à de nouvelles façons de se comporter.

La théorie pour comprendre

Pour bien saisir le premier but du théoricien social, songez à ce fait intéressant. Vous comprenez la majorité des actions d'autrui: parler, sourire, s'asseoir, marcher dans la rue, se tenir par la main. Vous reconnaissez la signification de ces activités parce que vous l'avez apprise dans le passé. Le comportement des autres n'arrive pas préemballé en unités organisées et compréhensibles. Au contraire, chaque membre d'une culture donnée doit apprendre à reconnaître que certains patterns de comportement constituent des unités distinctes (parler, s'asseoir, sourire). De plus, chacun apprend qu'il doit faire appel à ces unités pour réussir à communiquer avec les autres. En Amérique du Nord, par exemple, les enfants apprennent que certains patterns de comportement sont des signes d'hostilité (montrer le poing, par exemple) et d'autres, des signes d'affection (une caresse ou un baiser, par exemple). Ces gestes varient d'une culture à une autre et à travers le temps. C'est ainsi que plusieurs des gestes insultants en Amérique du Nord aujourd'hui n'auraient pas été reconnus comme des actions significatives dans la Perse du XVIIIe siècle.

Avec le temps, les membres d'une culture apprennent à donner des étiquettes verbales à ces diverses unités de comportement. Certaines actions sont étiquetées comme des *insultes* et d'autres sont classées comme des *compliments*. Une fois les étiquettes verbales établies, beaucoup d'informations sur le monde peuvent être transmises d'une personne à une autre. Les gens peuvent discuter de leurs problèmes communs et trouver ensemble des solutions. C'est ainsi que pour le nouveau venu, qu'il soit un jeune enfant ou un visiteur étranger, apprendre la langue d'une culture signifie développer une façon de comprendre le monde et apprendre à communiquer efficacement à son sujet. Les psychologues sociaux travaillent de façon semblable. Ils essaient de discerner des patterns de vie sociale et créent des mots pour que les gens puissent échanger sur ces modes. Leurs théories permettent de comprendre et de communiquer aux autres cette compréhension. Plusieurs psychologues sociaux se préoccupent, par exemple, de la qualité de la vie urbaine. Pour comprendre cette dernière, il importe d'isoler des faits ou des phénomènes et de créer des termes pour les désigner. L'un de ces phénomènes est celui de l'*inconnu amical* (Milgram, 1977). L'inconnu sympathique ou amical est une personne que l'on voit assez souvent pour la reconnaître, mais avec laquelle on n'a de fait aucune relation. En raison de la présence des inconnus amicaux, la vie dans les grandes villes n'est peut-être pas aussi impersonnelle et anonyme qu'on le croit généralement. Ainsi, les gens peuvent se sentir comme s'ils étaient en compagnie d'individus qu'ils «connaissent», même s'ils ne communiquent pas réellement avec eux. Grâce au théoricien qui a formé ce concept de l'inconnu sympathique, on a pu reconnaître ce genre de soutien social silencieux et communiquer à ce sujet.

La théorie pour sensibiliser

Les psychologues sociaux ont également cherché à établir des prédictions quant aux événements en cours. Dans la foulée des chercheurs en sciences naturelles, les théoriciens sociaux ont espéré que leurs théories permettraient de prédire avec fiabilité la venue d'un divorce, le succès personnel, la tension raciale ou l'élection d'un premier ministre. Bien que dans le domaine plusieurs personnes croient qu'il sera possible un jour d'énoncer de telles prédictions, il semble de plus en plus que cette vision soit beaucoup trop optimiste. Deux raisons majeures motivent de tels doutes. D'une part, les aspects de la vie sociale sont soumis à de fréquents changements. Les désirs des gens, leurs croyances, leurs besoins et leurs espoirs changent avec le temps. Rien ne peut donc laisser croire qu'un rapport détaillé sur un comportement énoncé aujourd'hui constituera une base adéquate pour prédire les comportements dans une période ultérieure (Cronbach, 1975; Gergen, 1973). D'autre part, une prédiction précise est menacée par les **effets de révélation**. C'est-à-dire que les gens peuvent être éclairés par la théorie et changer leurs activités en conséquence. Il en résulte que l'on ne peut plus se servir de la théorie pour prédire avec succès les comportements (Scheibe, 1979). Si vous connaissiez une théorie qui prédirait que vous allez divorcer, vous feriez probablement tout ce qui est en votre pouvoir pour maintenir une bonne

relation conjugale. La théorie n'aurait donc pas réussi à prédire votre comportement.

En raison de ces problèmes, plusieurs psychologues sociaux ne croient plus que la prédiction *ferme* doive être l'un des buts premiers de la théorie. Les théories doivent plutôt servir à sensibiliser, à identifier les facteurs susceptibles d'influer sur la vie quotidienne des gens et à porter à leur attention les conséquences possibles de leurs actions. Même si les théories ne permettent pas de faire des prédictions précises, elles peuvent se révéler extrêmement utiles pour suggérer ce qui peut arriver et pourquoi. Grâce à ces suggestions, il devient possible pour chacun d'entre nous de mieux nous préparer à l'avenir.

La théorie pour libérer

Pour plusieurs femmes qui se sentaient confinées au rôle de ménagère, le mouvement féministe a eu un effet libérateur. Les femmes ont de plus en plus pris conscience du fait que leur rôle traditionnel est le résultat de mythes culturels relatifs aux différences entre les hommes et les femmes. C'est ainsi qu'elles ont commencé à chercher d'autres styles de vie. De même, les psychologues sociaux s'efforcent de bâtir des théories qui augmentent chez l'individu la prise de conscience de déficiences dans ses activités actuelles et qui lui permettent par ailleurs de le guider vers des options plus fructueuses. Utilisées de cette façon, les théories peuvent libérer les gens de certaines contraintes de leur vie quotidienne.

Ces aspirations théoriques ont été conçues au départ dans les années 1920 par un groupe de chercheurs sociaux à l'Institut de recherche sociale, à Francfort. Ce groupe, souvent appelé l'École de Francfort (Jay, 1973), a été fortement influencé par les écrits de Karl Marx. Ses membres étaient particulièrement préoccupés par les grandes inégalités sociales produites par le système capitaliste dans lequel ils vivaient. Ils soutenaient que le système capitaliste continuait à prospérer en partie parce que les gens avaient cessé de s'interroger sur ses postulats fondamentaux. Il fallait donc proposer des théories critiques qui identifieraient les lacunes dans les postulats fondamentaux des gens. D'après eux, cela permettrait aux gens de mieux saisir les possibilités d'un système marxiste. Même si leurs critiques ne reposent pas essentiellement sur une vision marxiste, plusieurs psychologues perpétuent cette préoccupation en remettant en question une vision trop étroite de la psychologie sociale. C'est

ainsi que Sampson (1978) a caractérisé la psychologie sociale comme congruente avec une société capitaliste, libérale, de classe moyenne, dominée par les hommes et l'éthique protestante.

Plusieurs psychologues sociaux d'aujourd'hui croient donc que leur profession doit continuer à soulever des questions reliées aux croyances ou aux postulats qui concernent la *vie sociale*. Ils espèrent que les gens s'ouvriront aux idées nouvelles en présentant des théories qui proposent des solutions de rechange au *statu quo*. Une théorie qui offre ces possibilités peut être appelée **théorie générative** (Gergen, 1982). Ces théories remettent en question les postulats habituels d'une culture, elles donnent aux gens l'occasion de s'interroger sur ce qu'ils croyaient vrai auparavant, permettant ainsi de choisir de nouvelles options plutôt que de continuer à conserver des croyances dogmatiques. Prenons, par exemple, une «vérité» typique. Dans la majorité des théories des gens à propos de l'éducation des enfants, on retrouve le postulat selon lequel une relation harmonieuse entre les parents est essentielle au bonheur des enfants. Les parents qui croient cela peuvent faire des efforts pour que leur relation soit amicale, du moins en apparence. Ce postulat fondamental détermine donc leur conduite. Pourtant, un autre individu peut croire en la théorie contraire et soutenir que les parents devraient pouvoir donner libre cours à leurs émotions. Ils devraient faire

connaître leurs désaccords et se laisser aller à leurs sentiments hostiles, de sorte que les enfants apprennent à faire face à un monde fait de vrais individus qui ne soient pas qu'artificiels. Ce genre de théorie, opposée aux croyances généralement acceptées, est générative. Elle pousse les gens à essayer d'autres options.

En résumé, les théories sur le comportement social peuvent être utiles en rendant l'univers social plus compréhensible, en rendant les gens plus sensibles aux facteurs qui influent sur leur vie et en les aidant à trouver de nouveaux modes de conduite. Nous nous tournerons maintenant vers la recherche et nous verrons ce qu'elle permet d'accomplir.

Les fruits de la recherche

Peu de psychologues sociaux se contentent de théoriser. Généralement, ils essaient de relier leurs théories à des travaux empiriques. Ils cherchent ainsi à fournir de l'information sur des patterns de comportement social passés et présents, à prédire les événements à venir et à augmenter la force de la théorie par la démonstration. Dans cette section, nous discuterons de ces buts centraux de la recherche en psychologie sociale. Plus loin dans ce chapitre, nous décrirons les principales méthodes de recherche utilisées dans le domaine.

La description de la vie sociale

Avez-vous déjà songé à la proportion de la population qui consomme du crack, à l'étendue des préjugés contre les Juifs orthodoxes et la communauté haïtienne à Montréal, ou à l'importance de la communauté gaie dans la société contemporaine? La façon dont les gens considèrent ces questions influe sur leurs actes, qu'il s'agisse de voter, de choisir une carrière, de choisir un lieu de résidence, et ainsi de suite.

On laisse souvent au critique social, à l'éditorialiste ou au politicien la tâche de décrire la vie sociale. Pourtant, la majorité de leurs propos reposent sur des points de vue personnels et peut-être biaisés parce qu'ils viennent de personnes qui ont recueilli peu d'information systématique et qui ne se soucient pas toujours de la valeur de leur échantillonnage ni de la fiabilité de leurs observations. Les psychologues sociaux, au contraire, s'inquiètent fort de ces questions. Ils ont construit un ensemble de méthodes qui permettent d'obtenir de l'information fiable sur la vie sociale.

Pour illustrer la façon dont la recherche systématique peut vous permettre de mieux comprendre les aspects de la vie sociale, considérons le problème de la brutalité policière. Le 24 juin 1968, lors du traditionnel défilé de la Saint-Jean à Montréal, la violence éclate. Les manifestants protestent contre le Premier ministre du Canada, Pierre Elliot Trudeau, assis sur l'estrade d'honneur, qui doit briguer les suffrages le lendemain. La police réplique: longues matraques des policiers à cheval, brigade anti-émeute, motocyclistes, coups de fouets dans la foule. Les policiers frappent même des spectateurs du défilé qui protestent contre leur brutalité. Dans son éditorial du 25 juin, le directeur du *Devoir* de l'époque, Claude Ryan, parle de «brutalité indigne de policiers civilisés». La brutalité, les abus ou même la simple négligence des membres du corps policier ont retenu énormément l'attention dans de nombreux pays occidentaux. Même dans les pays démocratiques, la police abuse parfois de son pouvoir; elle harcèle, attaque physiquement et va même jusqu'à tuer des gens relativement sans défense. Les journaux relatent fréquemment des faits de cet ordre. Mais quelle est la réaction du public devant la brutalité policière? Les gens s'en préoccupent-ils? Et, si oui, pourquoi ne font-ils pas collectivement quelque chose à ce sujet?

Afin d'explorer de telles questions, des chercheurs ont enquêté auprès d'un échantillon de plus de onze cents personnes choisies de façon aléatoire dans toute la population américaine (Gamson et McEvoy, 1970). Les personnes interrogées devaient, entre autres choses, donner leur opinion sur les énoncés suivants: (1) la police a tort de frapper des manifestants non armés, même si ces derniers injurient le policier; (2) la police utilise souvent plus de force que nécessaire; (3) un homme qui insulte un policier a raison de se plaindre s'il reçoit des coups. Dans l'analyse des données, les chercheurs ont classé les répondants en deux groupes: ceux qui étaient plutôt ou fortement d'accord pour critiquer la violence policière et ceux qui ne s'y opposaient pas.

Les résultats de cette recherche se sont révélés à la fois surprenants et décevants. Parmi les Blancs des États-Unis, seulement 27 % s'opposaient à la violence policière. Il n'y eut presque aucune opposition à la violence policière chez les citoyens de plus de cinquante ans, à l'aise financièrement et républicains. Mais qu'en était-il des Noirs, ceux qui, aux États-Unis, souffrent le plus souvent de la violence policière? D'après les résultats, 69 % des individus de ce groupe

Une manifestation à Baie-Comeau. Le comportement des policiers lors d'arrestations ou de manifestations fait souvent la une des journaux. En 1990, par exemple, la population s'est élevée contre l'entreposage des BPC près de Baie-Comeau. Souvent, la discrimination raciale ou envers certains groupes, comme les gais, est liée à l'abus policier. D'après vous, quelle est l'opinion *réelle* de la population à l'égard du comportement abusif des policiers?

s'opposaient à la violence policière dans chacun des cas cités plus haut. Les individus blancs, jeunes et instruits partageaient ces sentiments.

Ces résultats ont apporté sur le comportement social une information nouvelle qui suggère qu'une des principales raisons de la brutalité policière aux États-Unis était l'approbation de la majorité. La police n'a donc pas réellement à s'en faire si elle abuse des droits des individus qui s'écartent quelque peu du rang. Ces résultats apportent également des informations susceptibles de promouvoir le changement social. Vivre en démocratie ne donne pas à la majorité le droit de persécuter impunément la minorité. Ainsi, il devient possible d'utiliser des recours légaux et politiques lorsque la minorité est la cible principale de la brutalité policière. Enfin, il semble que les jeunes et les personnes instruites peuvent jouer un rôle particulier pour changer la situation.

La prédiction sociale

En plus de décrire la vie sociale, la recherche peut jouer un rôle important dans le domaine de la prédiction. La société fait face à un nombre imposant de problèmes pour lesquels des prédictions fiables seraient précieuses. Par exemple, la vie de plusieurs serait améliorée si les autorités scolaires pouvaient prédire quels sont les étudiants aptes à faire de bons médecins, si les jeunes pouvaient prédire les mariages susceptibles d'échouer ou si les législateurs pouvaient prédire les réactions de leurs électeurs à une nouvelle loi. La prédiction sociale est toujours hasardeuse; il est beaucoup plus facile de prédire le temps qu'il fera. Les événements sociaux changent constamment et les prédictions peuvent être renversées par l'apparition d'événements imprévus. Il est difficile, par exemple, de prévoir les fluctuations du marché boursier, principalement parce que les prix du marché peuvent être influencés par presque n'importe quoi, tantôt par un communiqué du premier ministre, tantôt par les rumeurs d'une guerre lointaine. Cependant, à l'aide de méthodes appropriées, il est possible de formuler des prédictions circonscrites au sujet de la vie sociale, prédictions qui seront probablement plus justes qu'une simple impression subjective.

Pour illustrer cela, prenons le problème de l'énergie. Selon les prévisions des écologistes, il serait urgent de réduire notre consommation d'énergie. Pourtant, il n'est pas du tout évident que les gens changeront facilement et à court terme leurs façons de faire à ce sujet. Il est néces-saire de recourir à des programmes et à des politiques pour convaincre les gens de modifier leurs habitudes. Mais de quels types de programmes ou de politiques avons-nous besoin? Il serait beaucoup trop coûteux d'expérimenter tous les programmes possibles. Serait-il possible de faire des prédictions pour identifier les programmes les plus prometteurs?

Une façon d'améliorer la prédiction est de découvrir pourquoi les gens continuent de consommer beaucoup d'énergie, même si les médias font régulièrement état des conséquences désastreuses de notre consommation effrénée d'énergie en Occident. Est-ce parce qu'ils ne croient pas aux éventualités tragiques de ce type de comportement? Est-ce que les économies réalisées individuellement n'en valent pas la peine? Ou est-ce plutôt simplement qu'ils ne veulent pas abandonner leur confort? Au début des années 70, une crise de l'énergie sévissait en Amérique du Nord et particulièrement aux États-Unis. C'est dans ce contexte que des chercheurs ont demandé à une centaine de couples de répondre à un questionnaire portant sur leur utilisation de l'énergie (Seligman et coll., 1979). Trois aspects étaient abordés: s'ils croyaient en l'existence d'une crise d'énergie, dans quelle mesure ils s'efforçaient d'économiser de l'argent et quels étaient leurs désirs de confort? Par ailleurs, les chercheurs avaient demandé aux répondants la permission de prendre des relevés de leur compteur d'électricité pendant les mois d'été, au moment où les climatiseurs étaient susceptibles d'être employés.

Forts de ces données, les chercheurs ont pu examiner la relation entre l'utilisation d'énergie et les attitudes devant la crise. Les résultats ont montré que le confort était le facteur le plus significatif pour expliquer l'utilisation d'énergie. Les gens pour qui le confort était important utilisaient beaucoup d'électricité. Ceux qui accordaient moins d'importance au confort utilisaient comparativement très peu d'énergie. Les opinions quant à la crise de l'énergie ou les attitudes à l'égard de l'épargne n'influaient pas significativement sur l'utilisation d'énergie. Il semble donc clair que le confort devrait être pris en considération dans l'élaboration de programmes visant l'économie d'énergie et non seulement la conscientisation des gens aux menaces d'une surconsommation pour l'environnement. Grâce à des résultats de recherche semblables, il devient possible d'élaborer des plans plus efficaces que ceux qui ne seraient fondés que sur des impressions subjectives.

La démonstration de la théorie

Nous avons vu que la théorie permet de comprendre des événements, de faire voir les conséquences possibles d'une action et de créer des solutions de rechange au *statu quo*. Pourtant, il arrive souvent que les théories doivent elles-mêmes être illustrées. Pour en faire voir la pertinence, il convient d'appuyer les théories par des données concrètes. La théorie identifie-t-elle bien les facteurs ou les processus qui influent sur nos vies quotidiennes, ou n'est-elle qu'une spéculation d'intellectuels? Le théoricien ne peut *prouver* que sa vision est juste, pas plus qu'aucune théorie ne peut rendre compte de tous les phénomènes. En fait, les théories servent de lentilles; elles aident les gens à voir les choses un peu différemment. Aussi, le théoricien doit pouvoir présenter des faits qui démontrent la pertinence de sa théorie dans la vie quotidienne.

Pour bien comprendre cet argument, considérons une étude sur les stratégies de **handicap intentionnel** (Berglas et Jones, 1978). Les théoriciens ont suggéré que les gens sont souvent incertains quant à leurs capacités exactes. Tantôt ils réussissent, tantôt ils échouent. Ils sont donc rarement certains de leurs forces réelles. L'incertitude peut conduire les gens à se donner des handicaps lorsqu'ils sont soumis à un test, c'est-à-dire qu'ils font quelque chose qui rend la réussite encore plus difficile. Ainsi, s'ils échouent, ils n'ont pas à se dire qu'ils sont peut-être réellement incapables. Par contre, s'ils réussissent, ils détiennent la preuve qu'ils sont vraiment habiles. Un étudiant qui, par exemple, s'enivre la veille d'un examen important s'impose peut-être un handicap intentionnel. Le matin suivant, l'échec peut être mis sur le compte de l'alcool et non sur celui d'une intelligence déficiente. Si l'étudiant est reçu haut la main à l'examen, il pourra se sentir supérieur d'avoir surmonté le handicap de son excès de la veille.

Les gens s'imposent-ils un tel handicap intentionnellement ou ce raisonnement n'est-il que pure spéculation? Des données recueillies par Berglas et Jones nous sont utiles ici. Ces chercheurs ont expliqué à des étudiants volontaires qu'ils participaient à une recherche pour établir les effets de diverses drogues sur les capacités de résolution de problèmes. Les sujets effectuaient tout d'abord un exercice préliminaire de résolution de problèmes. Les chercheurs s'étaient arrangés pour que la moitié des sujets aient confiance en leurs possibilités et pour que l'autre moi-

tié ne se sentent pas sûrs d'eux-mêmes. Au moment de passer le test important mesurant leurs aptitudes, les étudiants avaient à choisir entre deux drogues. L'«Actavil» devait améliorer la performance, tandis que le «Pandocin» devait avoir des effets nocifs sur la performance. D'après les chercheurs, les individus peu sûrs de leurs habiletés ont particulièrement tendance à adopter des stratégies de handicap intentionnel. Cela les empêche de se voir comme des incapables. Ainsi, dans l'expérience décrite ici, les chercheurs se sont dit que le handicap intentionnel serait démontré si les sujets rendus inquiets choisissaient le Pandocin, alors que ceux dont la confiance était moussée préféraient l'Actavil.

La démonstration s'est-elle révélée efficace? Comme vous pouvez le voir à la figure 1-1, les résultats appuient l'argument du handicap intentionnel. En choisissant une drogue susceptible de réduire leur performance, les étudiants peu sûrs d'eux semblaient chercher à se donner un handicap. Ceux qui se savaient habiles ne cherchaient pas de handicap comme les précédents. Ces résultats ne prouvent pas la théorie du

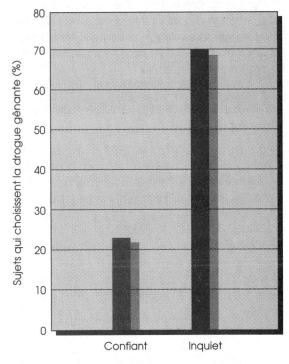

Figure 1-1   Les gens inquiets craignent-ils le succès?

Un pourcentage très élevé de sujets qui se croyaient médiocres en ce qui a trait à la résolution de problèmes ont choisi une drogue qui était censée entraver leur réussite à un test. (Adapté de Berglas et Jones, 1978.)

handicap intentionnel. Toutefois, ils suggèrent que le handicap intentionnel est une stratégie souvent adoptée par des individus qui doivent faire face à des évaluations menaçantes. Cette démonstration nous amène donc à porter une plus grande attention à l'argument des théoriciens et à croire davantage en l'existence du handicap intentionnel dans la vie de tous les jours.

En résumé, la recherche minutieuse peut fournir de l'information fiable sur la société, permettre des prédictions circonscrites et illustrer les théories sur l'interaction sociale. Maintenant que nous avons exploré les principales utilisations de la théorie et de la recherche, nous pouvons examiner des théories et des méthodes de recherche spécifiques en psychologie sociale.

Les orientations théoriques principales en psychologie sociale

Les orientations behavioriste, cognitive, et des règles et des rôles constituent les trois principales positions théoriques en psychologie sociale. La lecture du présent ouvrage vous familiarisera avec chacun de ces points de vue. Nous décrirons ici les postulats fondamentaux de chaque position et nous verrons comment elles se distinguent l'une de l'autre.

La théorie behavioriste: une tradition qui se perpétue

Entre les années 1920 et 1950, la psychologie américaine a été largement dominée par la théorie **behavioriste**. Cette dernière repose sur le postulat selon lequel l'action humaine est d'abord gouvernée par les événements extérieurs. Les expériences célèbres de Pavlov sur le conditionnement de chiens furent les premières à appuyer solidement cette position. Pavlov (1927) a montré que les chiens peuvent apprendre de nouveaux patterns de comportement si l'expérimentateur manipule les stimuli de manière systématique. Le behavioriste John B. Watson (1919) soutenait que, en utilisant judicieusement la récompense et la punition, il était possible de modeler et de former le comportement des enfants pour répondre à n'importe quel besoin de la société. Le livre *Social Psychology*, de Floyd Allport, publié en 1924, mettait l'accent sur le pouvoir qu'a l'environnement de modeler le comportement. Allport était optimiste. Selon lui, les psy-

chologues parviendraient à découvrir les lois relatives au rapport entre le comportement et l'environnement, c'est-à-dire les conditions spécifiques dans lesquelles l'environnement influe sur le comportement.

Le théoricien qui soutient que le comportement humain s'explique entièrement en fonction de l'environnement est appelé *behavioriste radical*. Le plus connu des behavioristes radicaux contemporains est B.F. Skinner. D'après ce dernier, tous les patterns de comportement sont créés, maintenus ou abandonnés à la suite de récompenses ou de punitions environnementales (Skinner, 1948, 1971). La majorité des psychologues sociaux n'endossent pas cette forme radicale du behaviorisme. Ils croient plutôt que les processus psychologiques tels que la pensée, la motivation et les sentiments doivent être pris en considération. Ce **néo-behaviorisme**, qui a largement remplacé le **behaviorisme radical**, accorde toujours une très grande importance aux événements environnementaux. Toutefois, ces événements sont significatifs en raison de leur influence sur les états psychologiques responsables du comportement. Ainsi, le behavioriste radical se préoccupe des effets directs de la récompense et de la punition sur le comportement, alors que le néo-behavioriste dirait plutôt que la récompense et la punition influent sur les attitudes ou les sentiments qui, à leur tour, influent sur les actions.

Comme vous le découvrirez dans d'autres chapitres, la position néo-behavioriste a stimulé énormément les réflexions et les recherches en psychologie sociale. La pensée behavioriste a marqué les travaux sur le changement des attitudes (*voir le chapitre 6*), l'action sociale positive (*voir le chapitre 7*), le conformisme et la soumission (*voir le chapitre 9*) et l'échange de comportements (*voir le chapitre 10*). L'approche behavioriste a été particulièrement utile, car elle a incité les chercheurs à identifier des événements environnementaux étroitement reliés aux actions des gens. Souvent les gens aiment croire qu'ils accomplissent des choses simplement parce qu'ils ont envie de les faire. Il est clair cependant qu'«avoir envie de le faire» peut dépendre de la situation spécifique. Les behavioristes soutiennent que, en comprenant mieux l'effet des événements environnementaux, il devient possible de prévoir leur influence (la fonction de sensibilisation vue précédemment). On peut alors exercer un contrôle sur les événements, de sorte que les gens soient amenés à avoir envie d'agir d'une façon plutôt que d'une autre. De telles possibilités peuvent avoir des conséquences extrêmement importantes. Si l'on connaît bien les facteurs qui influent sur le port du condom, par exemple, on peut mettre en œuvre des programmes de santé communautaire pour inciter les gens à adopter cette pratique.

Pour comprendre comment se traduit l'orientation behavioriste dans l'action, examinons une étude classique menée par William Verplanck et ses étudiants (1955). Ils désiraient savoir s'il est possible de diriger le cours de la conversation par le recours subtil à la récompense et à la punition. Dans ce but, chaque étudiant de la classe de Verplanck dénichait des situations où il, ou elle, pouvait s'isoler avec une autre personne, observer l'heure discrètement et crayonner sur un bout de papier. Les conversations eurent lieu dans des chambres de résidences d'étudiants, des restaurants, des salons et même au téléphone. L'étudiant engageait d'abord une conversation polie. Pendant une période de dix minutes, il n'appuyait ni ne rejetait les dires de l'autre. Pendant ce temps, l'étudiant notait soigneusement le nombre d'opinions émises par son copain ou sa copine. Il avait l'air de griffonner, mais, en réalité, il utilisait un code d'observation. Au cours de cette première période, l'on établissait le **niveau de base** du nombre d'opinions émises par l'individu. La manipulation expérimentale survenait après cette période. L'étudiant utilisait à ce moment l'approbation sociale comme récompense pour augmenter le nombre d'opinions émises. Chaque fois que l'autre énonçait une opinion, l'étudiant répondait par «tu as raison», ou «je suis d'accord», ou encore il souriait et approuvait par un signe de tête. Encore une fois, le griffonnage permettait de noter le nombre d'opinions émises. Après dix minutes d'approbation, l'étudiant cessait de donner du renforcement. Il ne réagissait pas aux opinions émises ou bien les désapprouvait subtilement. Les résultats de ce procédé se sont révélés saisissants. Par rapport à son propre niveau de base, chacun des vingt-quatre individus testés a augmenté le nombre d'opinions exprimées durant la période de renforcement. Puis, vingt et un sur vingt-quatre l'ont réduit au cours de la période de désaccord (ou de punition).

En résumé, selon le postulat behavioriste, les actions humaines sont d'abord gouvernées par des événements extérieurs. Le psychologue social d'orientation behavioriste s'intéresse particulièrement à l'influence puissante de l'environnement sur les interactions humaines.

La théorie cognitive: on se tourne vers l'intérieur

Plusieurs rejettent le point de vue behavioriste sur la prépondérance des influences environnementales. Ils préfèrent une perspective où l'on met plus d'accent sur les processus intérieurs. Les théoriciens de la psychologie cognitive défendent fortement ce point de vue. La théorie **cognitive** met l'accent sur l'effet des pensées et des interprétations des gens quant à l'activité sociale. Si les expériences de Pavlov ont influé sur les premiers théoriciens behavioristes, les théoriciens de la cognition ont trouvé leur inspiration chez les psychologues de la Gestalt. Le mot allemand **Gestalt** signifie «forme». Les psychologues gestaltistes, comme Wolfgang Kohler (1947) et Kurt Koffka (1935), s'intéressaient particulièrement à la façon dont les processus intérieurs de l'individu imposent une forme au monde extérieur. Pour bien comprendre cela, regardez les points présentés ci-dessous. Vous ne voyez probablement pas six points isolés.

$$\bullet \qquad \qquad \bullet$$
$$\bullet \qquad \bullet \qquad \bullet \qquad \bullet$$

Dans votre esprit, vous voyez plutôt deux groupes de points disposés en deux triangles. Les groupes de points et les triangles ne sont pas des objets réels qui ne font qu'attendre d'être vus. Les processus mentaux intérieurs imposent ces patterns à la réalité. Sachant cela, vous pouvez comprendre le pourquoi des guerres entre les behavioristes et les tenants du point de vue cognitif (Gergen, 1979). Alors que les premiers croient que les événements environnementaux influent sur les gens, les derniers croient que la perception que les gens ont des événements constitue ce qui influe le plus sur leur comportement.

Les travaux de Kurt Lewin (1890-1947) ont eu une influence prépondérante sur le développement de l'orientation cognitive en psychologie sociale. Plusieurs psychologues voient en Lewin le fondateur de la psychologie sociale moderne. Après s'être enfui de l'Allemagne nazie, il fonda, en 1945, le *Centre de recherches sur la dynamique des groupes,* au Massachusetts Institute of Technology. Lewin était très doué sur le plan théorique et il était très habile à stimuler la recherche. De plus, il désirait vivement résoudre des problèmes sociaux concrets. Tous ces éléments ont eu des effets profonds sur l'évolution de la psychologie sociale. Plusieurs de ses

Encadré 1-2

La psychologie sociale, deux conceptions d'autrefois

On dit souvent que les origines de la psychologie sociale moderne remontent aux travaux de deux penseurs du XIXᵉ siècle, l'un Français, l'autre Allemand. Le Français Auguste Comte (1798-1857) était vivement impressionné par les progrès réalisés en sciences naturelles et par les possibilités offertes par la connaissance scientifique d'améliorer la condition humaine. Comte espérait parvenir à classifier tous les domaines de la pensée scientifique et à montrer comment les diverses classes de connaissances étaient reliées entre elles. Il croyait que le savoir progresse par stades, de sorte qu'un certain nombre de connaissances dans diverses disciplines est nécessaire pour que d'autres disciplines puissent avancer (Allport, 1985). Les mathématiques, par exemple, étaient considérées comme une discipline scientifique primaire, puisque aucune autre science ne peut avancer sans qu'il soit possible de mesurer, de calculer et de procéder à une variété d'opérations mathématiques. Pour Comte, le point culminant de toutes les sciences serait la morale, soit l'étude de l'individu dans son milieu social. Il soutenait que la croissance de cette discipline dépendait des connaissances établies en biologie et en sociologie. La biologie apporterait la connaissance de l'organisme humain, soit le système nerveux, les hormones, et ainsi de suite. Quant à la sociologie, elle fournirait les connaissances fondamentales sur les sociétés dans leur ensemble. La morale, elle, traiterait des actions des individus dans la mesure où ces actions dépendraient à la fois de la biologie et de la société. La nouvelle science reconnaîtrait à la fois le fonctionnement interne du corps et les caractéristiques de la société. La morale aurait aussi des applications importantes: elle aiderait à résoudre les problèmes moraux de la société. Dans la morale, science et religion ne feraient plus qu'un (Samelson, 1974).

Certains aspects de la pensée de Comte transparaissent toujours dans la psychologie sociale. Bien que les psychologues sociaux modernes ne fondent pas leurs travaux sur la biologie ou la sociologie, des échanges dynamiques persistent avec ces disciplines (Boutilier, Reed, Svendsen, 1980; Evans, 1980; Strœbe et coll., 1981). De façon générale, les psychologues sociaux d'aujourd'hui ne croient pas que la science peut résoudre des questions morales ou qu'elle devrait

---

étudiants sont devenus des chefs de file de la discipline.

Lewin est le premier psychologue social à avoir proposé une théorie générale du comportement social humain. Le principe suivant est au cœur de sa théorie du **champ** (1935, 1972). Ce qui détermine d'abord le comportement est la façon dont l'individu se représente le monde sur le plan psychologique. S'appuyant sur son expérience dans les tranchées lors de la Première Guerre mondiale (Marrow, 1969), Lewin soutenait que le paysage physique, c'est-à-dire les collines, les rigoles, les arbres et les fourrés, apparaît complètement différemment au soldat qui cherche

à se défendre et au promeneur qui se balade tranquillement à la campagne. Lewin suggère donc que la façon de construire le monde sur le plan psychologique peut varier selon les besoins intérieurs ou les buts poursuivis. Il proposa une façon de dépeindre le monde psychologique. Influencé par la physique théorique, Lewin voyait le monde psychologique comme un champ. Ce champ perçu par l'individu se construit à partir de toutes les influences interreliées qui agissent sur son comportement. Le champ ou l'espace de vie se compose de régions interdépendantes: l'acteur ou la personne (P) et l'environnement (E). D'après Lewin, l'**espace de vie** d'un individu est

devenir une religion. Cependant, dans la tradition comtienne, on cherche à utiliser les connaissances psychosociales pour améliorer la condition humaine. L'intérêt des apports de la psychologie sociale relativement à la morale apparaîtra lors des discussions sur le préjugé (*voir le chapitre 5*), l'action sociale positive (*voir le chapitre 7*), l'agression (*voir le chapitre 8*) et les considérations environnementales (*voir le chapitre 13*).

Le psychologue allemand, Wilhelm Wundt (1832-1920), voyait les choses autrement. Rappelons que Wundt est celui qui a mis sur pied le premier laboratoire de psychologie. Il croyait que, pour comprendre le comportement social, la connaissance des sciences naturelles telles que la biologie n'était pas nécessaire (Blumenthal, 1975, 1977). D'après Wundt, les actions humaines reposent sur des idées ou des pensées. Les idées ne sont pas des substances naturelles pour lesquelles la biologie peut fournir des informations; elles sont des créations sociales. Les gens développent et modifient leurs idées avec le temps, au fur et à mesure qu'ils entretiennent des relations avec autrui. Ainsi, les origines des idées comme l'honneur, le devoir, l'amitié ne peuvent être éclairées par des études portant sur la physiologie humaine. Ces notions sont créées par des gens, à des moments spécifiques et à des fins particulières. Pour Wundt, le but de cette nouvelle discipline, appelée Volkerpsychologie («psychologie culturelle»), était d'étudier l'origine et la modification de la pensée dans la société. Wundt soutenait que pour comprendre le présent il faut regarder comment il s'est développé.

La préoccupation de Wundt en matière de développement et de modification de la condition psychologique trouve un écho dans la psychologie sociale moderne (Martindale, 1975; Morawski, 1979; Simonton, 1984). Néanmoins, la majorité des psychologues sociaux ne s'intéressent pas aux comportements antérieurs, mais aux comportements actuels. Ils essaient de comprendre ces comportements en soi et non en rapport avec le passé. Les préoccupations de Wundt quant à la fonction des idées ou de la pensée dans la vie sociale demeurent cependant un centre d'intérêt majeur. La question de la pensée, ou la cognition, est une préoccupation centrale dans les exposés sur la perception sociale (*voir le chapitre 2*) et le préjugé (*voir le chapitre 5*).

La psychologie moderne n'a donc pas suivi les lignes précises tracées par ces premiers penseurs. Pourtant, Comte et Wundt ont tous deux eu une influence importante dans le domaine.

habituellement très complexe. Les gens distinguent différents aspects du soi (P): il peut s'agir, par exemple, des qualités et des défauts physiques. Ils font également la distinction entre diverses propriétés de l'environnement (E). Selon les besoins et les désirs *du moment*, la région de la personne ou celle de l'environnement peut se fragmenter.

Voyons comment Lewin aurait pu schématiser l'espace de vie d'un soldat au front et celui de quelqu'un qui se promène dans un parc par un beau dimanche après-midi. Vous pouvez voir, à la figure 1-2, que le soldat, qui pense d'abord à l'ennemi, ne fragmente pas la région P de son espace de vie. Le promeneur du dimanche qui médite sur sa personne peut faire un grand nombre de distinctions dans cette même région. De la même façon, le soldat sur la ligne de front peut distinguer plusieurs aspects du paysage, alors que le promeneur du dimanche ne verra peut-être qu'un terrain agréable, relativement indifférencié.

La théorie lewinienne du champ est relativement peu utilisée aujourd'hui en psychologie sociale, mais elle a le mérite d'avoir attiré l'attention sur les constructions mentales qui influent sur le comportement. Les processus cognitifs sont aujourd'hui d'un intérêt majeur pour les psychologues sociaux. La majorité de ces derniers

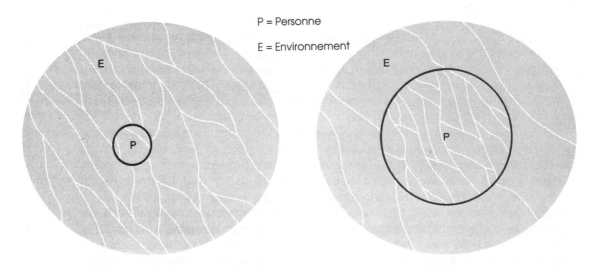

P = Personne

E = Environnement

L'espace vital d'un soldat au front   L'espace vital d'un promeneur du dimanche

Figure 1-2   L'espace de vie: l'individu et l'environnement psychologique

La théorie du champ de Lewin prend en considération les caractéristiques de l'acteur ou de la personne (P) et de la situation dans laquelle l'activité a lieu ou l'environnement (E). Lewin aimait définir ses concepts spatialement. Dans cette illustration de son modèle, la réalité psychologique du soldat effrayé est nettement différente de celle du promeneur du dimanche détendu.

Fritz Heider, Adelbert Ames et Kurt Lewin. Pendant l'été 1946, Lewin visite le collège Dartmouth en compagnie de son ami Fritz Heider, dont les travaux sont présentés aux chapitres 2 et 5. Ils s'y rendirent pour voir les démonstrations sur la perception visuelle du psychologue Adelbert Ames. Heider, Ames et Lewin sont présentés dans l'ordre habituel, sur cette photo tirée de la collection personnelle de Ames.

croient que (1) les gens construisent leurs mondes de différentes façons et que (2) ces constructions psychologiques influent de façon décisive sur les actions des individus. Nous étudierons plus en détail l'orientation cognitive dans les exposés sur la perception sociale (*voir le chapitre 2*), le soi (*voir le chapitre 3*), le préjugé (*voir le chapitre 5*) et la cohérence cognitive (*voir le chapitre 6*).

Nous voyons donc que la théorie cognitive met l'accent sur les processus mentaux. Pour le psychologue social qui adopte cette orientation, l'intérêt principal porte sur l'effet des pensées et des interprétations des gens quant à l'activité sociale.

La théorie des règles et des rôles: ce qu'il faut faire

Les orientations behavioriste et cognitive sont aujourd'hui extrêmement importantes en psychologie sociale. Ces deux positions se retrouvent aussi dans d'autres domaines de la psychologie, comme l'apprentissage, le développement et la cognition. Il existe cependant un troisième point de vue qui tire ses origines de la sociologie. Cette approche, l'**orientation des règles et des rôles**, est née de l'intérêt des sociologues pour les patterns d'activité sociale examinés sur une grande échelle. Les sociologues explorent des questions telles que celle-ci: comment un grand nombre d'individus peuvent-ils vivre dans une harmonie relative? Pour expliquer ces patterns de comportement adaptatif, quelques sociologues ont proposé que les gens partagent des *règles* qui guident leur conduite dans le temps. Lorsque ces règles sont largement adoptées et que les gens sont d'accord pour y obéir, même les relations les plus complexes peuvent se vivre aisément. On peut remplacer ce concept de règle par celui de *rôle*. D'après les théoriciens qui croient que les rôles influent fortement sur le comportement, les gens peuvent être vus comme les acteurs d'une pièce où chaque individu joue sa partie. Ainsi, la société peut être harmonieuse si tous les gens jouent le rôle qui leur est prescrit.

Il existe plusieurs différences importantes entre l'orientation des règles et des rôles, et les positions behavioriste et cognitive. Comme nous l'avons vu, la théorie behavioriste met l'accent sur la relation entre le comportement et les événements extérieurs, comme la récompense ou la punition. Les théoriciens des règles et des rôles accordent beaucoup moins d'importance aux événements extérieurs. Ils s'intéressent plutôt à la façon dont des règles intériorisées guident la conduite. En mettant l'accent sur les règles et sur la conduite, le théoricien des règles et des rôles, contrairement au théoricien de la cognition, ne s'intéresse pas tellement à la façon dont une personne interprète ou perçoit l'information du monde extérieur.

L'approche des règles et des rôles est particulièrement utile pour comprendre les échanges entre les gens et la façon dont ils négocient entre eux le sens à donner aux événements: que signifie un sourire ou un clin d'œil fait dans un bar, comment interpréter une bévue faite en public? Le théoricien des règles et des rôles se préoccupe des règles qui régissent les relations, par exemple entre des personnes qui se reçoivent à dîner ou qui mettent fin à une union. Nous présenterons l'approche des règles et des rôles dans notre analyse de la construction de la réalité (*voir le chapitre 2*), des stratégies de présentation de soi (*voir le chapitre 3*), de l'attraction sociale (*voir le chapitre 4*) et de l'offre d'aide (*voir le chapitre 7*).

Parce qu'elle fait voir que souvent la personnalité n'est pas en jeu dans une situation, la théorie des règles et des rôles peut être utilisée pour libérer les gens, c'est-à-dire pour les aider à voir le monde d'une façon qui les affranchit de leurs anciens patterns de conduite et les encourage à essayer de nouvelles façons de se comporter. Les théoriciens des règles et des rôles proposent une vision qui remet en question le point de vue traditionnel selon lequel la personnalité est déterminante. Selon leur perspective, la personnalité est surtout le reflet de l'ensemble des rôles adoptés par un individu devant un auditoire donné. Les personnalités seraient alors des «créations du moment provoquées par la reconnaissance de situations» (DeWaele et Harré, 1976). De nouveaux rôles peuvent être trouvés si l'individu accepte de laisser de côté ses anciens patterns et cesse de s'excuser en disant «je n'y peux rien, c'est ma personnalité».

Le concept de maladie mentale peut être revu à partir de la perspective des règles et des rôles. Dans notre société, la maladie mentale est généralement considérée comme le produit d'une personnalité perturbée. On croit que les malades mentaux ont des problèmes profonds et durables, et qu'ils ne peuvent rien à leur situation. Cependant, d'après la perspective des règles et des rôles, la maladie mentale est souvent régie par certaines règles et elle est apprise un peu comme un rôle dans une pièce de théâtre. Selon Thomas Szasz (1974), plusieurs personnes qui souffrent de maladie mentale agissent comme elles le font afin de provoquer des effets particuliers qui correspondent aux règles non écrites de nos institutions sociales. La personne admise dans un hôpital psychiatrique apprend les règles qui dictent le comportement d'un patient. Elle apprend aussi à jouer le rôle d'un malade mental. Le patient qui n'apprend pas ces règles est puni par l'institution. Le personnel de l'hôpital ne fait pas que prendre soin des patients. En fait, par ses traitements spécialisés, il enseigne au patient les avantages qu'il y a à agir comme un être diminué (Goffman, 1961).

Afin d'illustrer cette idée, les chercheurs ont montré que les patients en soins psychiatriques sont tout à fait capables de modifier leur comportement pour paraître plus ou moins malades (Braginsky, Braginsky et Ring, 1969). Lorsqu'ils sont interviewés par le personnel professionnel, ils sont capables d'amplifier ou de minimiser l'importance de leurs symptômes, selon qu'ils veulent obtenir leur congé ou qu'ils veulent rester à l'hôpital. Au cours des dernières années, l'approche des règles et des rôles a apporté une véritable libération à plusieurs patients en soins psychiatriques. Sous l'impulsion de Szasz et d'autres, les portes des hôpitaux psychiatriques se sont ouvertes et des lois ont été établies pour prévenir l'internement involontaire. Ce fut là une des origines importantes du mouvement de désinstitutionnalisation que l'on a connu dans nos établissements de soins prolongés.

Un autre exemple de recherche qui illustre l'intériorisation de règles et de rôles est l'étude dirigée par Jacqueline Massé de l'Université de Montréal. Les chercheuses s'interrogeaient sur les raisons qui expliquent pourquoi certaines mères célibataires gardaient leur enfant, alors que d'autres le confiaient pour adoption (Massé, St-Arnaud et Brault, 1981). Premièrement, leur étude a montré que les mères célibataires qui percevaient une plus forte stigmatisation sociale de la part de leur groupe immédiat étaient davantage portées à s'étiqueter comme déviantes. Deuxièmement, le sentiment d'être perçues par autrui comme déviantes et le sentiment d'être déviantes les conduisaient à renoncer à l'enfant, symbole de leur déviance. Ces mères avaient ainsi tendance à se comporter conformément à l'attente du groupe, et à endosser le rôle de déviante qu'on leur attribuait.

En résumé, nous pouvons dire que l'*orientation des règles et des rôles* explique le comportement des gens par des règles intériorisées que les gens suivent ou par des rôles qu'ils jouent dans la vie quotidienne. Il en résulte un comportement social ordonné lorsque les gens suivent les règles ou les rôles appropriés dans diverses situations sociales. Nous avons vu comment l'orientation des règles et des rôles peut être utilisée comme agent libérateur. Elle a permis de remettre en question le postulat traditionnel selon lequel les actions des gens sont absolument déterminées par leur personnalité. La théorie des règles et des rôles suggère que des changements dans le style de vie peuvent être faits en tout temps.

Les perspectives théoriques et les valeurs humaines

Les trois perspectives principales en psychologie sociale (behavioriste, cognitive, et des règles et des rôles) ont stimulé la pensée et les recherches sur le comportement social. Vous vous demandez peut-être maintenant quelle est la meilleure des trois perspectives. Est-il possible de faire un choix? Une façon de répondre à cette question serait de découvrir quel point de vue est le plus juste, c'est-à-dire quel est celui qui coïncide le mieux avec les faits de la vie sociale. Cependant, il est impossible de comparer ces perspectives sur une base factuelle. Il y a deux raisons à cela. Premièrement, les chercheurs qui ont été influencés par chaque perspective mettent l'accent sur des phénomènes différents. Le théoricien behavioriste regarde les relations entre les stimuli observables et les réponses comportementales. Le théoricien de la cognition se préoccupe surtout des processus perceptuels. Par opposition, le théoricien des règles et des rôles s'intéresse à la façon dont les gens négocient ou jouent leurs rôles dans des situations sociales. Deuxièmement, lorsque les théoriciens des trois approches considèrent les mêmes phénomènes, ils ne sont pas nécessairement en désaccord quant aux faits. Ils les interprètent simplement différemment. Crier à l'aide peut être vu par un théoricien behavioriste comme une réponse apprise, par le théoricien d'orientation cognitive, comme le résultat de la perception du danger, et par le théoricien des règles et des rôles, comme une partie de la scène à jouer lorsque de l'aide est nécessaire. Chaque théorie présente donc une façon différente de décrire et d'expliquer l'action humaine. Chacune propose une vue différente du monde, parce qu'elle met l'accent sur une réalité différente.

Y a-t-il d'autres moyens de comparer les perspectives théoriques? Les théories peuvent être jugées en fonction des valeurs humaines (Gergen, 1978; Sampson, 1977; Shotter, 1977). Comment les valeurs humaines entrent-elles en jeu? Chaque perspective théorique établit certains postulats sur la nature humaine. Ces postulats ont des implications sur la façon dont les gens devraient agir les uns envers les autres et sur la sorte de société que l'on favorise pour l'avenir. Une perspective théorique peut donc agir subtilement en soutenant ou en entravant certaines formes de vie sociale. En conséquence, d'après les défenseurs de ce point de vue, les perspectives devraient être évaluées en fonction du style de vie qu'elles semblent favoriser. Ces jugements pourraient et devraient reposer sur les propres valeurs de chacun et de chacune.

Considérons la perspective behavioriste. Les behavioristes voient en grande partie dans l'action humaine le produit de l'hérédité et de l'environnement. L'action humaine est soumise à des lois de nature déterministe, tout comme celles qui régissent le mouvement des étoiles et les marées. La théorie behavioriste a donc le mérite de proposer à l'individu le sentiment d'un monde social ordonné, que l'on peut comprendre et pour lequel on peut faire des prédictions. Cependant, des critiques soutiennent que si le comportement est déterminé par des récompenses et des punitions, il n'est plus possible de parler de liberté ni de dignité humaine. L'individu ne peut tirer fierté de ses bonnes réalisations et n'a pas à se sentir coupable de ses mauvaises actions. Si les gens n'assument plus la responsabilité de leurs actions, les règles du bien et du mal ne s'appliquent plus. Et si ces règles ne tiennent pas, qu'est-ce qui assure la cohésion d'une société organisée (Shotter, 1980)? De plus, la théorie behavioriste suggère à la limite que les gens n'exercent aucun contrôle sur leurs actions. Mais les gens qui ont l'impression de n'être que poussés par les événements deviennent souvent dépressifs; ils se sentent impuissants et ont l'impression de n'avoir aucun pouvoir sur ces événements.

L'orientation cognitive a, elle aussi, des implications positives et négatives pour la société. Plusieurs la supportent parce qu'elle glorifie l'autonomie de l'individu. Pour le spécialiste de la cognition, les processus de pensée individuelle exercent une fonction déterminante dans la vie sociale. Pour faire progresser la société, il faut encourager la créativité individuelle. Cependant, les critiques de cette orientation suggèrent qu'elle met trop l'accent sur l'individu (Sampson, 1980). Si les gens voient la société comme la juxtaposition d'individus pleinement autonomes, l'individu doit entièrement porter la responsabilité de ses échecs et la notion de solidarité ne veut plus rien dire. À la limite, on pourrait blâmer les nombreux groupes de notre société qui sont aux prises avec des problèmes. Cette critique porte à réfléchir.

Enfin, l'orientation des règles et des rôles est fort intéressante en ce qu'elle met l'accent sur la liberté et la responsabilité, mais aussi sur l'interdépendance des acteurs sociaux. Les gens peuvent agir selon les règles et les rôles prescrits, mais ils peuvent aussi choisir d'enfreindre les règles ou de jouer un autre rôle. Les critiques suggèrent cependant que l'orientation des règles et des rôles mine le sentiment de confiance des gens. Si ces derniers croient que tous ne font que jouer des jeux ou des rôles sur la scène de la vie, comment est-il possible d'avoir confiance en quiconque? Les relations semblent dès lors superficielles et fragiles. N'importe qui, à n'importe quel moment, peut choisir de quitter le jeu ou de prendre un autre rôle ailleurs.

En résumé, nous voyons que dans chaque perspective théorique on interprète la vie sociale différemment. Ces perspectives ne se comparent pas facilement sur des bases objectives. Chaque perspective soutient ou entrave certaines formes d'activité sociale. Aussi les valeurs personnelles sont-elles d'une importance capitale pour l'évaluer. Le débat sur les implications des diverses valeurs persistera sans doute longtemps.

Les méthodes de recherche en psychologie sociale

Nous avons vu jusqu'à maintenant quelques-uns des buts de la recherche en psychologie sociale. Nous décrirons maintenant les principales méthodes de recherche utilisées pour exécuter ces travaux. Nous accorderons notre attention à quatre méthodes: l'étude d'archives, l'étude sur le terrain, l'enquête par interview (ou par questionnaire) et la méthode expérimentale. Nous les considérerons l'une après l'autre, en nous attachant à leurs avantages et à leurs limites. Nous terminerons en abordant le problème de l'éthique dans la recherche en psychologie sociale.

Encadré 1-3

Une comparaison de quatre orientations théoriques

L'orientation behavioriste radicale

Cette approche met l'accent sur le stimulus et sur la réponse comportementale de l'organisme. On ne se préoccupe pas de ce qui se passe à l'intérieur de l'individu.

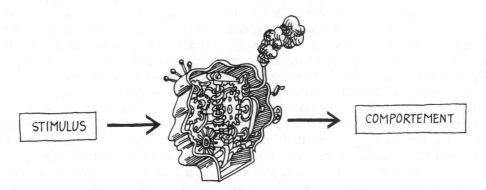

L'orientation néo-behavioriste

Cette approche reconnaît les propriétés psychologiques de l'organisme qui jouent un rôle important dans la relation entre le stimulus et la réponse comportementale. Les mécanismes internes sont en quelque sorte déclenchés par les événements du monde extérieur.

L'étude d'archives: une aventure dans le passé

Si vous désiriez savoir ce à quoi la vie ressemblait sous Napoléon, comment vous y prendriez-vous? L'une des possibilités serait d'examiner les journaux, les autobiographies et les registres officiels de l'époque. De tels documents et registres constituent les **archives** de la période. Les archives peuvent être très utiles au psychologue social qui s'intéresse aux patterns sociaux qui s'étendent sur une longue période ou qui dépendent de conditions historiques particulières (Gergen, 1973; Rosnow, 1978). Par exemple, les patterns d'interaction à l'intérieur des familles ont grandement changé au cours du dernier siècle (Gadlin, 1978), tout comme le mode de vie des personnes âgées et celui des femmes (Ruddick et Daniels, 1977). Étant donné l'évolution sociale, on peut difficilement comprendre les patterns d'interactions

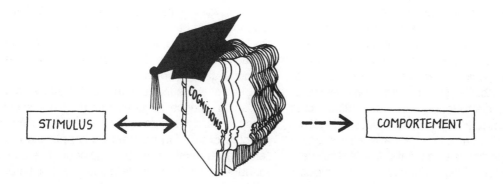

L'orientation cognitive

Cette approche met l'accent sur l'importance des processus de pensée de l'individu, lesquels organisent et interprètent les propriétés de l'environnement. Les conséquences comportementales sont habituellement moins considérées.

L'orientation des règles et des rôles

Cette approche met l'accent sur les règles intérieures ou les prescriptions de rôles accessibles à l'individu dans toute situation. L'intérêt principal porte sur la définition de ces règles et de ces rôles, et sur leur relation avec la conduite sociale. Les propriétés du stimulus environnemental ne sont pas importantes en soi.

sociales du passé à partir de notre compréhension de ceux qui prévalent aujourd'hui. Les recherches d'archives constituent l'une des meilleures façons d'explorer de tels changements, particulièrement dans une perspective de psychologie sociale historique (Gergen et Gergen, 1984).

Regardons comment l'étude d'archives fonctionne dans la pratique. Simonton (1984) désirait savoir pourquoi certaines périodes de l'histoire sont marquées par des poussées d'énergie créa-tive, alors que d'autres périodes ne semblent caractérisées que par des contributions de peu de conséquence. Durant la Renaissance italienne, par exemple, les arts ont été florissants comme jamais auparavant. Par opposition, le Moyen Âge n'a amené en Europe que bien peu d'avance-ments dans les domaines artistique ou scientifi-que. Quels sont les facteurs qui amènent les gens à être particulièrement créatifs dans une période et à l'être moins dans une autre? Afin d'explorer cette question, Simonton a établi une liste de quelque cinq mille individus hautement créatifs qui ont vécu entre l'an 700 avant Jésus-Christ et l'an 1840 après Jésus-Christ. Connaissant la date approximative de la naissance de chaque individu, Simonton a pu identifier certaines périodes de créativité florissante. Ensuite, Simonton a examiné des documents historiques afin d'identifier sous quels aspects spécifiques ces périodes différaient. Il s'intéressait particulièrement à la relation entre les conflits politiques et la créativité. Il se disait que de fortes dissensions politiques ou idéologiques à l'intérieur d'une nation amènent souvent les gens à réfléchir, les motivent à prendre parti et les mettent en contact avec des idées opposées. Les conflits politiques ou les divisions pourraient donc favoriser la créativité dans les arts, les lettres et les sciences.

Après avoir obtenu des évaluations fiables de l'instabilité politique de chaque période, Simonton compara les périodes hautement créatives avec les périodes faibles sur le plan de la créativité. Ses résultats suggèrent que, exception faite des périodes de guerre ou de révolution, les périodes les plus créatives semblent coïncider avec des périodes d'instabilité politique. C'est ainsi que l'examen minutieux des archives auquel a procédé Simonton a fourni une nouvelle information sur le passé: les bouleversements sociaux, et non le calme, se sont révélés bénéfiques pour le travail créateur.

Les études d'archives peuvent porter sur des faits récents. Une telle étude a été conduite sur la violence conjugale (*nous reparlerons de ce grave problème social au chapitre 8*). De quelle façon la presse traite-t-elle des cas de violence conjugale? Si le traitement est sensationnaliste, peut-être cela encourage-t-il la violence. Si par contre la presse informe réellement sur tous les aspects du problème, il se peut qu'elle ait un effet positif en contribuant à diminuer la prévalence du problème: les gens devraient être davantage capables de l'identifier et de le dénoncer formellement ou informellement.

Auger et Gagné (1991) voulaient savoir si la couverture du meurtre d'Hélène Lizotte par son ex-conjoint, en août 1987, a été uniquement sensationnaliste ou si elle a été associée à une modification du traitement de la violence conjugale dans la presse écrite montréalaise. Les faits, tels que relatés par les chercheuses, sont les suivants. L'ex-conjoint d'Hélène Lizotte avait été accusé de voies de fait graves et de menaces de mort à son endroit. Il fut libéré faute de preuves. Deux semai-

nes après sa libération, il enlève Hélène Lizotte à son travail devant trois témoins, malgré l'interdiction de la cour d'entrer en contact avec elle. Dix jours plus tard, le corps de la jeune femme battue et assassinée d'une balle dans la tête est retrouvé dans un boisé.

Les chercheuses ont analysé les articles portant sur la violence conjugale dans trois quotidiens montréalais, sur une période de 16 mois: huit mois avant le drame (au moment de l'application de réformes en matière de violence conjugale commandées par le ministre de la Justice) et huit mois après l'événement. Auger et Gagné ont constaté une augmentation du nombre d'articles sur la violence conjugale après le meurtre d'Hélène Lizotte. Toutefois, la proportion des articles consacrés aux conséquences judiciaires de la violence conjugale a augmenté tandis que diminuait l'importance des articles relatant uniquement la description factuelle de cas de violence conjugale.

Bien que cette recherche ne permette pas de déterminer l'influence du drame Lizotte, ni de sa couverture de presse sur l'incidence de la violence conjugale, elle met en lumière des changements dans des pratiques sociales (le traitement de l'information) qui témoignent de l'évolution des préoccupations dans notre société.

L'étude sur le terrain

Bien que les recherches dans les archives puissent nous éclairer de façon saisissante, la plupart des psychologues sociaux s'intéressent au présent. La *recherche sur le terrain* est peut-être le moyen le plus direct d'acquérir des connaissances sur la vie contemporaine. Dans ce genre d'études, le chercheur tente d'enregistrer de façon précise et systématique les activités des gens dans leur milieu naturel. Le chercheur peut prendre des notes ou enregistrer sur bande sonore ou vidéo. Des recherches sur le terrain ont été entreprises dans des classes, lors de réunions sociales, à des coins de rues, dans des milieux de travail, dans des maisons privées et même dans des toilettes publiques.

Lorsqu'une **étude sur le terrain** se limite à une seule personne, à un seul groupe ou à une occasion unique, on parle habituellement d'**étude de cas**. En raison du nombre réduit de personnes ou d'occasions observées et en raison du petit nombre d'observations effectuées, il est impossible d'énoncer avec certitude des généralisations à partir des faits constatés. Cependant, l'étude de cas peut être un excellent moyen de mettre le chercheur sur la piste d'idées ou d'hypothèses à vérifier dans des études plus approfondies. En effet, l'expérience de première main dans un milieu donné fournit souvent au chercheur de l'information très intéressante. Dans une étude de cas classique, un chercheur s'est joint à une bande d'adolescents italiens qui se tenaient à un coin de rue (Whyte, 1943). Le chercheur était préoccupé par la tendance populaire à croire que les jeunes des ghettos sont désorganisés, sans personnalité, sans foi ni loi. Or, il a pu constater qu'au contraire la bande était une organisation très structurée, qui avait ses propres lois de participation. Il y avait de plus une loyauté et une éthique propres au groupe. Enfin, des liens étroits existaient entre le groupe et le voisinage. Il existe donc des lois d'organisation propres à certains groupes ou à certaines sociétés, qui peuvent échapper à l'observateur extérieur.

La recherche sur le terrain ne se limite pas à une personne, à un groupe ou à une occasion uniques. L'électronique permet l'enregistrement des activités d'un grand nombre d'individus (Ginsburg, 1979). C'est ainsi, par exemple, que des chercheurs ont analysé des douzaines de conversations téléphoniques pour découvrir un rituel largement répandu, utilisé pour mettre fin aux conversations (Albert et Kessler, 1978). Le rituel comprend quatre parties. Presque invariablement, l'une des deux personnes résume la conversation (par exemple: «Je suis bien contente que tu puisses m'accompagner samedi.»). Ensuite, on donne une justification pour terminer la conversation («Il faut absolument que je finisse d'étudier pour mon cours demain.»). Alors, pour bien s'assurer que la raison invoquée ne semble pas inamicale, on dit quelque chose de gentil («J'ai vraiment hâte de te voir samedi.»). Finalement, on évoque la continuité dans la relation («Je vais peut-être te rappeler d'ici là.»). Lors de votre prochaine conversation téléphonique avec un ami ou une amie, voyez si vous vous comportez selon ce rituel.

La recherche sur le terrain est la meilleure méthode pour obtenir de l'information sur les activités quotidiennes des gens. Lorsque tout va bien, elle attire l'attention sur des patterns de comportement que l'on n'avait pas remarqués auparavant. Cependant, dans ce genre de recherches, les sujets savent qu'ils sont observés et ils n'agissent pas comme ils le feraient normalement. Lorsque les gens modifient leur comportement parce qu'ils se savent observés, on parle de *réponse réactive* (Selltiz, Wrightsman et Cook, 1976). Afin de faire échec à ce genre de réponse, les psychologues ont conçu des **mesures discrètes** qui permettent de noter le comportement des gens sans qu'ils en soient conscients (Webb et coll., 1966). Par exemple, dans une entreprise, les noms inscrits dans les cases des enveloppes réutilisables constituent une mesure discrète du flux de communication. On peut également utiliser des caméras cachées pour filmer les activités des foules, des enfants au jeu ou des piétons.

La recherche sur le terrain n'est pas sans problèmes. L'observation demande beaucoup de temps. Les idées ou les sentiments des gens ne peuvent pas être explorés. De plus, cette stratégie soulève des questions éthiques. Est-il correct d'étudier le comportement des gens sans leur consentement, de violer d'une certaine façon leur intimité? Nous reviendrons sur le problème de l'éthique en psychologie sociale à la fin du chapitre.

La recherche-action

Les recherches sur le terrain sont parfois effectuées dans une perspective de **recherche-action** (*La recherche-action, enjeux et pratiques*, 1981; Goyette et Lessard-Hébert, 1987). Nous avons vu que Lewin était profondément préoccupé par les problèmes sociaux concrets. Il propose ainsi l'approche générale de la recherche-action qui «s'appuie sur cette idée centrale de la production d'un savoir qui se développe dans et par l'action réalisée par des groupes sociaux» (Rhéaume, 1982). En recherche-action, on ne se borne pas à utiliser un savoir existant, on tend «simultanément à créer un changement dans une situation naturelle et à étudier les conditions et les résultats de l'expérience effectuée» (de Bruyne et coll., 1974). Comme le constatent Mayer et Ouellet (1991), il n'existe pas de définition absolue de la recherche-action. Une définition intéressante toutefois est celle qui provient d'un groupe de professeurs réunis à l'Université du Québec à Chicoutimi, lors d'un colloque sur la recherche-action. «La recherche-action est un processus dans lequel les chercheurs et les acteurs, conjointement, investiguent systématiquement une donnée et posent des questions en vue de solutionner un problème immédiat vécu par les acteurs et d'enrichir le savoir cognitif, le savoir-faire et le savoir-être, dans un cadre éthique mutuellement accepté» (Collectif, 1981: cité par Mayer et Ouellet, 1991). C'est selon une optique de recherche-action que Holahan (1980) a tenté d'améliorer la participation sociale des patients d'une unité de soins psychiatriques. La stratégie de changement environnemental est fondée sur une collaboration entre les «chercheurs intervenants» et les acteurs. Dans sa recherche à l'hôpital psychiatrique, Holahan a d'abord cherché à établir un climat de confiance avec les usagers (principalement le personnel) de l'aile où a été menée l'étude. Il a ensuite déterminé le niveau d'apparition des comportements jugés souhaitables au regard de la thérapie. À ce moment, il a fait prendre conscience aux acteurs de l'existence de problèmes reliés à l'environnement. Par exemple, il pouvait s'agir, dans une salle de séjour, de la disposition des fauteuils qui ne permet pas la communication entre les patients. Le rôle du psychologue, dans ce cas, est de bien veiller à ce que les acteurs ne se sentent pas menacés dans leur autonomie et à ce qu'ils s'engagent dans un projet qu'ils considèrent le leur et qui l'est réellement. Par suite des décisions prises et des changements apportés par l'équipe, Holahan a procédé à l'évaluation de la procédure pour s'assurer que les objectifs visés avaient bien été atteints. Cette démarche d'évaluation clôturant la recherche-action est une condition essentielle pour qu'on tire profit de l'expérience, tant en ce qui regarde le processus même de changement que les résultats atteints.

Dans ce genre d'intervention en milieu institutionnel, les tactiques de collaboration peuvent améliorer la motivation au changement et elles permettent de s'assurer que l'intervention est pertinente, c'est-à-dire cohérente avec les buts et les valeurs du groupe client. Du côté du chercheur, l'expérimentation à travers l'action offre de grands avantages, car elle permet de faire ressortir des dynamismes cachés de la vie en société ou des relations interpersonnelles en rapport avec l'environnement. Il serait probablement impossible d'identifier ces dynamismes autrement qu'en modifiant ce qui les soutient à l'intérieur d'une situation réelle. C'est ainsi que la recherche-action vise à la fois deux finalités, celle de la recherche où l'on tente traditionnellement de développer la connaissance et celle de l'action où l'on essaie de les appliquer (Ketterer, Price, Politser, 1980). Tant en France qu'au Québec, des recherches-actions ont été réalisées dans divers contextes: mentionnons, par exemple, la santé et la santé au travail, l'éducation pour les adultes, la réinsertion des chômeurs dans le travail, la violence conjugale (voir Mayer et Ouellet, 1991).

L'enquête par interview ou par questionnaire

Plusieurs psychologues sociaux ont recours à l'**interview**. Ils questionnent les gens sur leur comportement, leurs intentions, leurs idées et leurs préférences. L'interview peut prendre la forme d'un questionnaire; les gens répondent alors par écrit à des questions imprimées. Plusieurs chercheurs croient que la seule bonne façon de découvrir les structures psychologiques sous-jacentes aux actions des gens est de le leur demander directement (Allport, 1935; Harré et Secord, 1972). Le **sondage d'opinion publique** est peut-être la forme la plus répandue de recherche par interview. Grâce à cette stratégie, de grands échantillons représentatifs de la population sont questionnés, soit en personne, soit au téléphone. Le sondage par interview est peut-être la meilleure méthode qui soit pour décrire les caractéristiques générales d'une culture à n'importe quel moment. Il est ainsi possible d'obtenir une information fiable sur à peu près n'importe quel sujet que les gens se sentent à l'aise d'aborder. Les enquêtes sur la santé auprès de la population sont un exemple courant d'application dans notre société. Ainsi, l'enquête Santé Québec (Émond et coll., 1988) a permis de connaître l'état de santé physique et mentale de la population du Québec à partir d'un échantillon représentatif de chacune des régions sociosanitaires.

S'intéressant à la relation entre la popularité d'une émission de télévision et la violence présentée, deux chercheurs américains ont eu recours au sondage d'opinion publique. Plusieurs critiques sociaux affirment que la violence présentée à la télévision a des effets nocifs sur la société. Les réseaux de télévision ont répondu à ces arguments en disant qu'ils ne peuvent pas éliminer complètement la violence parce que c'est ce que les gens veulent voir. La violence favorise-t-elle la popularité des émissions? Afin d'étudier cette question, les chercheurs ont utilisé les données des cotes d'écoute (Diener et Defour, 1978). Ils ont utilisé les résultats de sondages pour mesurer la popularité de plusieurs épisodes de différentes émissions qui montrent de la violence. Les chercheurs ont demandé à des observateurs indépendants d'établir le taux de violence présent dans soixante-deux épisodes de onze émissions différentes. Ils ont alors examiné la corrélation entre la popularité de chaque épisode et le taux de violence présent.

Essentiellement, une **corrélation** est une mesure de la relation entre deux variables. Dans le cas qui nous préoccupe, la corrélation permet de voir dans quelle mesure les variations de la popularité des émissions sont associées aux variations du taux de violence. Vous avez peut-être vu dans d'autres cours de psychologie que le *coefficient de corrélation* est l'indicateur numérique du degré de relation. Le coefficient peut varier de + 1, lorsqu' il y a une corrélation positive parfaite, à − 1, en présence d'une corrélation négative parfaite. Trois exemples de corrélation sont présentés à la figure 1-3. Si chaque augmentation de la popularité des émissions était associée à une augmentation de la violence, une corrélation de + 1 serait obtenue. Une corrélation négative parfaite (− 1) apparaîtrait si chaque augmentation de popularité était associée à une diminution de la violence. S'il n'y avait aucune relation entre les deux mesures, le coefficient de corrélation s'approcherait de zéro. En fait, ce résultat est ressorti de la recherche de Diener et Defour. Le coefficient de corrélation entre la popularité des émissions et la violence présentée n'était que de 0,05. Ce faible coefficient indique qu'il n'y a pas de relation fiable entre les taux de violence et la popularité.

Comme on l'a dit précédemment, la recherche par interview peut être extrêmement utile pour sonder les pensées et les sentiments des gens, et pour obtenir de l'information sur une culture. Néanmoins, l'étude présentée précédemment illustre l'une des limites principales de l'enquête par

interview. Dans cette méthode, on analyse généralement les données par des corrélations. Cela permet de voir à quel point il existe une relation entre deux **variables**, comme la popularité d'une émission et le taux de violence qu'elle présente. Cependant, les corrélations n'indiquent pas si seule la première variable est responsable des variations de la seconde. Diener et Defour, par exemple, se demandaient si seule la violence est responsable des variations de la popularité. Pour une étude plus fiable de la question, il faudrait s'assurer (1) que la nature violente des émissions a bien précédé leur popularité et (2) qu'aucun autre facteur n'était responsable de la popularité observée. La présente recherche répond-elle à ces critères?

Il n'est pas facile de répondre à cette question. Premièrement, est-il clair que la violence des émissions précède toujours les cotes de popularité? Cela est certainement le cas si l'on prend un épisode en particulier. Les réactions des téléspectateurs ne peuvent changer le contenu de l'épisode qu'ils sont en train de regarder. Cependant, des évaluations de plusieurs épisodes de la même émission ont été faites. Il est possible qu'un épisode violent présenté en fin de soirée entraîne les gens à choisir la semaine suivante une émission moins violente. Cela pourrait expliquer la faible corrélation entre la violence et la popularité pour une soirée en particulier. Il est également possible que d'autres facteurs soient responsables du pattern des résultats obtenus. La majorité des

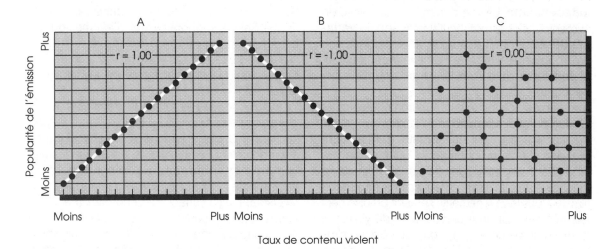

Figure 1-3   Corrélations de +1, −1 et O

A est un exemple de corrélation positive parfaite entre le taux de violence et la popularité d'une émission de télé, B montre une relation négative parfaite entre les deux variables (c'est-à-dire plus il y a de violence, moins l'émission est populaire). C montre qu'il n'y a aucune relation entre les deux variables.

émissions violentes dépeignent des situations qui sont éloignées de la réalité. Dans le cas contraire, c'est-à-dire si la violence présentée dans les émissions était basée sur des situations de la vie réelle, il se pourrait que leur popularité soit plus élevée. Dans ce cas, la corrélation serait peut-être plus élevée. D'autres facteurs, comme le sexe ou la renommée des acteurs de ces émissions, pourraient aussi avoir une influence. Avant d'être sûr qu'il existe réellement une relation entre la popularité et la violence des émissions, il faut donc savoir si la popularité est causée par ces autres variables, ce qu'une simple corrélation ne peut révéler.

La méthode expérimentale

Parce que la corrélation ne permet pas d'établir une relation de *cause à effet* entre deux variables, plusieurs chercheurs préfèrent utiliser la **méthode expérimentale**. L'expérimentateur tente d'obtenir un contrôle précis sur les séries de comportements qu'il étudie. Dans l'exemple sur la violence, l'expérimentateur voudrait s'assurer que la violence est bien le seul facteur qui précède le choix de l'émission. L'expérimentateur ferait donc varier le taux de violence dans une émission donnée, alors qu'il maintiendrait constants tous les autres facteurs. Il pourrait alors mesurer à quel point les gens aiment les émissions dont le contenu est violent, en comparaison du degré d'appréciation des émissions peu violentes. Dans une recherche expérimentale, le facteur que l'expérimentateur fait varier systématiquement est appelé **variable indépendante**. Le comportement qui résulte de la manipulation expérimentale est appelé **variable dépendante**. Le taux de violence dans une émission serait donc la variable indépendante et la popularité qui en résulte serait la variable dépendante.

Afin de pouvoir exercer un contrôle complet sur la variable indépendante, l'expérimentateur doit souvent travailler en laboratoire. Par exemple, dans le but de contrôler la quantité de violence dans une émission et de garder constants tous les autres facteurs, il faudrait montrer deux films où tous les événements seraient précisément les mêmes, sauf pour un seul acte de violence. Il serait difficile de faire en sorte que de tels films soient présentés à la télévision. Aussi, le laboratoire est-il le lieu tout indiqué pour mener des expériences.

Les *expériences en laboratoire* se distinguent des *expériences sur le terrain* dans lesquelles le chercheur essaie de contrôler la variable indépendante tout en travaillant dans le contexte naturel de la vie quotidienne. Il est parfois difficile de mettre sur pied des expériences sur le terrain. Pourtant, des chercheurs sont parvenus à convaincre un réseau de télévision de diffuser, aux heures de grande écoute, une dramatique ayant deux conclusions différentes. Une version était montrée dans certaines villes, et la seconde dans d'autres (Milgram et Shotland, 1973). Les téléspectateurs du premier groupe étaient témoins d'un vol, alors que les autres voyaient l'émission sans qu'il y ait de vol. Les chercheurs ont alors mesuré les différences dans la variable dépendante, soit le nombre de petits larcins commis dans les différentes villes. Aucun effet important n'a été découvert dans ce cas précis.

La recherche expérimentale prend place dans un contexte réel lorsque sa réalisation en laboratoire risque de n'être pas crédible aux yeux des sujets. Un autre exemple d'expérimentation sur le terrain est la série d'études réalisées dans la rue par Bourhis et ses collaborateurs (Bourhis, 1984; Moïse et Bourhis, 1991). L'expérimentateur demandait une information à des passants: lui indiquer la direction du métro, par exemple. Bourhis voulait savoir dans quelle mesure les anglophones et les francophones abordés en français ou en anglais utiliseraient la langue de l'interlocuteur, c'est-à-dire répondraient dans la langue où la question avait été posée. Dans l'ensemble, les travaux de Bourhis indiquent que les francophones ont plus tendance que les anglophones à répondre dans la langue de leur interlocuteur. Il aurait été impensable de conduire cette expérience dans un laboratoire et d'affirmer que le comportement des sujets aurait été le même. C'est donc par souci de vraisemblance ou de validité écologique que de telles expériences sur le terrain sont conduites.

Plusieurs des expériences décrites dans ce chapitre ont été faites en laboratoire. Dans l'étude sur les stratégies de handicap intentionnel, les chercheurs voulaient savoir si des menaces à la confiance en soi (la variable indépendante) pouvaient inciter les sujets à s'engager dans une telle stratégie (la variable dépendante). (*Peut-être aimeriez-vous regarder de nouveau la figure 1-1.*) À ce jour, la recherche expérimentale a dominé en psychologie sociale. L'expérimentation est la meilleure méthode pour retracer précisément l'ordre d'apparition des événements. De plus, l'expérience permet au chercheur d'agencer les conditions comme il le désire. Il peut ainsi illustrer avec force sa théorie. L'expérimentateur n'a pas à attendre qu'une illustration se présente d'elle-même dans la nature. Il peut plutôt utiliser le laboratoire comme toile de fond et peindre soigneusement l'illustration qui donnera vie à une idée intéressante. Toutefois, la méthode expérimentale n'est pas sans problèmes. Plusieurs phénomènes peuvent invalider les résultats issus d'une recherche basée sur l'expérimentation.

Les sources d'invalidité provenant de l'expérimentateur

Dans une expérience type, le chercheur et les sujets communiquent les uns avec les autres. Il peut arriver que, par inadvertance, le chercheur communique aux sujets des indices sur la manière dont ils devraient se comporter. Il en résulte que les résultats de l'expérience peuvent ne pas être dus aux variations de la variable indépendante provoquées par le chercheur. On dit de ce genre de résultats qu'ils reflètent les **biais de l'expérimentateur**.

Dans des douzaines d'études, Robert Rosenthal (1976) et d'autres ont montré comment les expérimentateurs peuvent influencer le comportement des sujets, qu'ils soient des rats de laboratoire ou des étudiants. Il semble que les chercheurs ne sont pas pleinement conscients de leur influence sur les sujets et qu'ils ne cherchent pas à provoquer les effets qu'ils produisent. Pourtant, par des changements très subtils dans leur ton de voix, dans leur sourire, dans leurs gestes, et ainsi de suite, ils peuvent fournir des indices qui informent les sujets sur la façon dont ils devraient se comporter. Ces indices soumettent le sujet à des contraintes sociales, de sorte qu'il est poussé à agir de façon à se conformer aux attentes du chercheur. Ces indices constituent ce qu'on appelle les **contraintes liées à la situation** (Orne, 1962). Les résultats de ce genre de recherches sont ainsi rendus invalides.

Les expérimentateurs ont imaginé diverses façons de se protéger contre les influences indues de l'expérimentateur. On a souvent recours, par exemple, à un assistant qui procède à l'expérimentation sans connaître l'hypothèse. Ignorant les résultats attendus, l'assistant aura moins tendance à influencer les sujets dans la direction attendue qu'un expérimentateur averti. Un autre moyen de protection est d'enregistrer par écrit ou sur bande les instructions données aux sujets. On réduit ainsi l'interaction entre l'expérimentateur et le sujet et, par conséquent, les effets potentiels associés aux indices subtils.

La sélection des sujets

Comparativement aux sondages d'opinion publique où l'on peut interviewer plusieurs centaines de répondants, dans les expériences on restreint habituellement l'échantillon: souvent entre trente et cinquante individus. De plus, l'enquêteur utilise habituellement des moyens particulièrement élaborés pour sélectionner les répondants de façon aléatoire dans toute la **population**. Par opposition, essentiellement pour des raisons de commodité, l'expérimentateur choisit le plus souvent ses sujets dans la population universitaire. (On a déjà dit que la psychologie était l'étude du comportement des étudiants qui fréquentent l'université.) L'expérimentateur désire tirer des conclusions généralisables à la société. Si les échantillons étudiés sont très différents de la culture pour laquelle on compte généraliser les résultats, les généralisations ne seront pas nécessairement valables. C'est pour ces raisons que les expérimentateurs s'inquiètent de plus en plus de la possibilité que la sélection des sujets ait un effet indu sur les résultats. Aussi ont-ils conçu différents moyens de combattre ce genre de biais.

Les chercheurs se sont intéressés particulièrement à la question du volontariat chez les sujets (Rosenthal et Rosnow, 1969). Il est bien sûr impossible de choisir les gens au hasard dans la population et de les faire participer à des expériences. Le plus souvent, le chercheur doit faire appel à des volontaires. Cependant, les volontaires sont des sujets souvent beaucoup plus sensibles aux contraintes liées à la situation. Par rapport à ceux qui ne se portent pas volontaires, ils ont plus tendance à détecter les indices subtils qui leur montrent ce que l'expérimentateur attend. Des précautions particulières doivent donc être prises lorsqu'on a recours à des sujets volontaires.

Un autre moyen important de réduire les biais associés à la sélection est la **reproduction** d'expériences, soit la répétition d'une expérience auprès de populations fort diversifiées. Si les résultats des expériences sont comparables de l'une à l'autre, cela suggère que les biais associés à la sélection n'ont pas influé sur les résultats. Dans les dernières années, plusieurs expérimentateurs ont collaboré avec des chercheurs de divers pays pour réaliser des reproductions interculturelles (Triandis et Brislin, 1980). Une société internationale a été établie pour encourager ces travaux de nature interculturelle.

La méta-analyse

Nous avons vu que les conclusions des recherches expérimentales peuvent être affectées par différents biais. De plus, en raison des changements sociaux, il est important d'examiner si les résultats constatés se maintiennent dans d'autres contextes et dans le temps. La **méta-analyse** a été élaborée dans le but de porter un jugement éclairé et fiable sur l'ensemble des conclusions de recherches antérieures sur une question donnée. Chaque étude est codée en fonction d'un certain nombre de critères, de sorte que le chercheur peut dégager des conclusions portant sur l'ensemble des travaux examinés. Au plan statistique, des méthodes appropriées ont été élaborées pour tenir compte de plusieurs aspects des travaux dont, par exemple, la force des effets constatés dans chaque étude (Wolf, 1987). Illustrons par un exemple l'intérêt de la méta-analyse.

Peu importe la ou les théories auxquelles on souscrit pour expliquer la socialisation aux rôles sexuels, le fait est que les hommes et les femmes se comportent différemment. Cela vient-il de la façon dont les parents élèvent leurs enfants? Lytton et Romney (1991) ont conduit une méta-analyse des résultats des travaux sur la socialisation des enfants par les parents. Cette méta-analyse leur a permis de conclure à une différence importante dans le comportement des parents en matière de socialisation: ils encouragent leurs enfants à s'engager dans des activités typiques de leur sexe.

La sélection des problèmes de recherche

La méthode expérimentale offre des avantages certains et c'est pourquoi les chercheurs tentent de contourner les obstacles qui peuvent nuire à son recours. Toutefois, la méthode expérimentale ne convient pas à tous les sujets de recherche et, comme le soulignent Joshi et Asselin (1989), en choisissant la méthode expérimentale, les chercheurs ont souvent mis de côté l'étude de certaines variables qui ne peuvent être contrôlées. La méthode expérimentale convient tout à fait pour étudier des effets majeurs susceptibles de survenir dans tous les contextes, mais elle est mal adaptée à l'étude de plusieurs phénomènes sociaux, en particulier parce qu'elle ne tient pas compte du contexte culturel. Comme le soutient Dumas

(1989), pour comprendre un problème social, la délinquance chez les jeunes, par exemple, il importe de tenir compte du contexte culturel car les prédicteurs de la délinquance pourront changer lorsque le contexte changera. Malgré ses avantages, l'expérimentation en psychologie sociale pose donc des problèmes au regard de la pertinence sociale des problèmes qui peuvent faire l'objet de recherches expérimentales. Cela explique pourquoi plusieurs psychologues sociaux privilégient les autres approches de recherche vues précédemment et tentent de les raffiner pour les rendre encore plus appropriées.

Les considérations éthiques dans l'expérimentation

Abordons un dernier problème dans les expériences de psychologie sociale, celui de l'éthique. Deux aspects préoccupent particulièrement les chercheurs. Le premier a trait à la *souffrance infligée* aux sujets. Les psychologues sociaux s'intéressent aux effets sur les relations sociales d'une série d'états psychologiques désagréables tels que la douleur, le stress, la peur, la faible estime de soi. Afin d'étudier ces états à l'intérieur d'un cadre expérimental, les conditions doivent presque toujours être manipulées de sorte que quelques sujets éprouvent de la douleur et d'autres pas, ou bien que quelques-uns subissent un stress alors que les autres demeurent dans un état neutre, et ainsi de suite. Plusieurs critiques croient que les expérimentateurs n'ont pas le droit d'infliger de tels états à d'autres personnes (Kelman, 1977). Ils suggèrent que les droits des sujets devraient être protégés plus adéquatement.

Un débat vigoureux s'est élevé en psychologie sociale autour des problèmes éthiques, comme celui de la souffrance infligée (Baumrind, 1964, 1979; Kelman, 1977; Milgram, 1964). Plusieurs psychologues sociaux rétorquent que les sujets ne ressentent habituellement qu'un malaise minime. Lorsqu'on fait une **mise au point** avec les sujets, après l'expérience, c'est-à-dire lorsqu'on rétablit les faits en les informant du plan de recherche dans son entier et des buts complets de l'expérience, tout malaise pouvant persister disparaît habituellement. Certains disent même que puisque le but ultime de la recherche est d'aider la société, il est normal que certains individus aient à faire de petits sacrifices. Cependant, des critiques ont souligné que le fait d'informer complètement les sujets après coup n'est pas toujours efficace (Ross, 1978), même lorsque les expérimentateurs le croient. Par ailleurs, le béné-fice social de la recherche n'est pas toujours évident.

Le second problème éthique d'importance est celui de la *duperie*. Ce problème existe parce que les sujets des expériences doivent être inconscients du but réel de l'étude. Si les sujets sont au courant de la question étudiée, les résul-tats de la recherche peuvent être déformés par des influences indues de la part de l'expérimen-tateur. Ainsi, pour éviter que les sujets soient trop conscients des buts de la recherche, les expéri-mentateurs induisent souvent les sujets en erreur. Ils présentent délibérément une information in-complète ou déformée quant aux buts de la re-cherche ou quant aux événements auxquels le sujet sera exposé. Rappelez-vous la recherche sur les stratégies de handicap intentionnel (*voir la figure 1-1*). On faisait en sorte que les sujets réus-sissent ou échouent, et on leur faisait croire que leur réussite ou leur échec dépendaient de leurs propres capacités. Il aurait été impossible de con-duire cette recherche sans duperie. Néanmoins, plusieurs personnes soutiennent que la duperie est fondamentalement immorale et qu'elle ne devrait pas être admise en recherche. Ces per-sonnes croient que les psychologues n'ont pas le droit de duper les gens.

Les psychologues sociaux rétorquent que la duperie est courante dans la vie sociale. Les gens choisissent des vêtements pour cacher leurs défauts physiques; ils se maquillent pour paraître plus beaux qu'ils ne le sont et ils dévoi-lent rarement aux autres toutes leurs intentions. Pourquoi alors devrait-on empêcher les psycho-logues sociaux de s'engager dans une pratique sociale courante? Puisque les buts ultimes des psychologues sont d'aider la société, il faudrait tolérer un peu de duperie. Cependant, les criti-ques répondent que la duperie est un mauvais principe et que son utilisation ne fait que contri-buer à la détérioration de la confiance sociale.

Plusieurs psychologues sociaux ont élaboré d'autres méthodes de recherche pour résoudre les problèmes soulevés. Le **jeu de rôle**, par exemple, a été proposé comme principale solu-tion de rechange à l'expérience habituelle (Kel-man, 1968; Mixon, 1972). Dans une étude avec jeu de rôle, on demande aux sujets de décrire la façon dont ils répondraient à une situation don-née, plutôt que de les obliger à faire face directe-ment à la situation. Ainsi, dans une étude avec jeu de rôle portant sur les stratégies de handicap intentionnel on pourrait, sans placer les sujets dans l'une ou l'autre de ces situations, leur de-mander comment ils répondraient au succès ou à l'échec. Les critiques de cette méthode ont sou-ligné que la façon dont les gens imaginent qu'ils réagiraient est différente de leur comportement véritable. Aussi la recherche de solution de rechange se poursuit-elle.

L'établissement de critères d'éthique pour la recherche a également permis de réduire consi-dérablement les problèmes d'éthique. Des comi-tés de révision existent dans diverses institutions, et ils utilisent ces critères pour évaluer tous les pro-jets expérimentaux avant qu'ils ne soient appli-qués. Un code d'éthique de recherche (American Psychological Association, 1973) régit actuelle-ment tout le domaine de la psychologie, comme c'est le cas pour la plupart des domaines où l'on travaille avec des sujets humains. C'est ainsi que le Conseil de recherches en sciences humaines du Canada, de même que le Conseil de recher-ches médicales du Canada ont énoncé des lignes directrices en matière de recherche sur des sujets humains. De plus, dans les institutions universi-taires ou hospitalières, des comités de révision internes évaluent soigneusement la majorité des projets afin d'assurer le bien-être et la sécurité des sujets, de même que la valeur de la recherche proposée.

Résumé

1   La psychologie sociale est une discipline où l'on étudie de façon systématique les inter-actions humaines et leurs fondements psychologiques. Le psychologue social cherche à concevoir des théories qui décrivent et expliquent différents aspects de la vie sociale. Il appuie ses idées à l'aide de l'observation et en définitive il voit à ce que ces idées soient utilisées pour améliorer la condition humaine.

2   Avec l'évolution de la discipline de la psychologie sociale, les comptes rendus des premiers philosophes sur le comportement social ont été en grande partie mis de côté. Comparativement à ces comptes rendus de jadis, la théorie psychosociale moderne est d'une riche complexité et est axée sur l'application dans le monde réel. Contraire-ment aux premiers penseurs, les psychologues sociaux recourent à une série de métho-des de recherche perfectionnées pour obtenir des données fiables sur la vie sociale.

3   Les théories psychosociales diffèrent de celles qui sont utilisées quotidiennement de façon informelle par monsieur et madame Tout-le-Monde. Dans les théories formelles, les postulats sont rendus explicites, le centre d'intérêt est général plutôt que spécifique et la cohérence logique est accentuée. Les théories des psychologues sociaux four-nissent aux gens un moyen de comprendre la vie sociale et d'en parler. Elles sensibili-sent les gens à divers processus qui affectent leur vie et leur donnent la possibilité de considérer d'autres formes d'actions, qui peuvent les libérer de certaines contraintes de leur vie quotidienne.

4   Grâce à ses travaux, le psychologue social peut offrir une information fiable sur les pat-terns de comportement de la vie sociale. Il peut aider dans le processus de prédiction sociale et par ses démonstrations, augmenter la valeur de divers aperçus théoriques.

5   Les trois orientations théoriques principales de la psychologie sociale moderne sont les orientations behavioriste, cognitive, et des règles et des rôles. L'orientation beha-vioriste met l'accent premier sur l'influence des conditions environnementales sur le com-portement et les interactions humaines. L'orientation cognitive met l'accent sur les façons dont les processus de pensée des gens organisent leur expérience du monde. L'orien-tation des règles et des rôles insiste sur la façon dont les règles partagées ou les rôles prescrits influent sur les patterns de conduite dans le temps. Selon chaque orientation, on interprète différemment la vie sociale. Chacune soutient ou entrave certaines for-mes d'activités sociales.

6   On utilise principalement quatre méthodes de recherche pour mener des études psychosociales. L'étude d'archives, où l'on utilise les documents et les registres du passé, constitue une méthode particulièrement utile pour explorer les patterns sociaux à tra-vers des périodes de l'histoire. Dans la recherche sur le terrain, le chercheur observe et rapporte les activités courantes des individus dans leur milieu naturel. Les études sur le terrain sont particulièrement utiles pour obtenir de l'information sur les activités quotidiennes des gens. L'enquête par interview ou par questionnaire est la méthode couramment utilisée pour connaître les opinions ou les attitudes d'un grand nombre d'individus et pour obtenir de l'information sur les caractéristiques particulières d'une culture à un moment donné. Dans la méthode expérimentale, on expose les sujets à diverses conditions soigneusement contrôlées et l'expérimentateur observe les patterns de comportement qui en résultent. L'expérimentation est la meilleure façon de con-naître la relation de cause à effet entre diverses conditions et les réactions des gens.

7   Bien que la méthode expérimentale caractérise la majorité des recherches en psycho-logie sociale moderne, le chercheur fait face à des problèmes importants. Il doit éviter d'influencer indûment les résultats en informant involontairement les sujets des buts de la recherche. L'expérimentateur doit également tenter d'obtenir des échantillons suffisamment représentatifs de la population pour pouvoir tirer des conclusions généralisables. Il doit aussi s'assurer que la méthode de recherche qu'il privilégie est appropriée au type de problèmes ou phénomènes sociaux qu'il étudie. Enfin, l'expérimentateur doit suivre des normes éthiques dans la façon de traiter les sujets.

Lectures suggérées

En français

Chauchat, H. (1985). *L'enquête en psycho-sociologie*. Paris: Presses universitaires de France.

Conseil de recherches médicales du Canada (1987). *Lignes directrices concernant la recherche sur des sujets humains*. Ottawa: Conseil de recherches médicales du Canada.

Doise, W., Deschamps, J.C. et Mugny, G. (1978). *Psychologie sociale expérimentale*. Paris: Armand Colin.

Fischer, G.N. (1987). *Les concepts fondamentaux de la psychologie sociale*. Montréal: Presses de l'Université de Montréal; Paris: Dunod.

Lefrançois, R. (1991). *Dictionnaire de la recherche scientifique*. Lennoxville: Éditions Némésis.

Leyens, J. P. (1979). *Psychologie sociale*. Bruxelles: Pierre Mardaga.

Maisonneuve, J. (1985). *La psychologie sociale*. Paris: Presses universitaires de France, coll. «Que sais-je?».

Moscovici, S. (1984). *Psychologie sociale*. Paris: Presses universitaires de France.

Selltiz, C., Wrightsman, L.S. et Cook, S.W. (1976). *Les méthodes de recherche en sciences sociales*. Montréal: Les Éditions HRW, 1977.

En anglais

Allport, G.W. (1985). The historical background of modern social psychology. In G. Lindzey et Aronson, E. (dir.). *The handbook of social psychology* (vol. 1, 3e éd.). Reading, Mass.: Addison-Wesley.

Campbell, D.T. et Stanley, J.C. (1963). *Experimental and quasi-experimental design for research*. Chicago: Rand McNally.

Judd, C.M., Smith, E. et Kidder, L.H. (1991). *Research methods in social relations* (6e éd.). Fort Worth: Holt, Rinehart and Winston.

Webb, E.T., Campbell, D.T., Schwartz, B.D., Sechrest, L. et Grove, J.B. (1981). *Non-reactive measures in the social sciences*. Boston: Houghton-Mifflin.

2

La construction
de la réalité sociale

*Notre perception extérieure est un rêve du dedans
qui se trouve en harmonie avec les choses du
dehors.*

Jules Verne

Objectifs d'apprentissage

☐ Après l'étude du présent chapitre, vous devriez être capable

1. de définir la conceptualisation et d'expliquer l'utilité qu'il y a pour les gens à utiliser des concepts;

2. d'expliquer les inconvénients de la conceptualisation comme fondement unique de la connaissance sociale;

3. d'identifier les trois façons par lesquelles sont acquis les concepts utilisés par les gens pour comprendre le monde;

4. d'expliquer de quelle façon le critère de l'air de famille, la motivation de celui qui perçoit et le contexte influent sur l'application des concepts dans la vie quotidienne;

5. de faire la distinction entre deux façons de voir comment s'organise la compréhension sociale: le traitement dirigé par les données et le traitement dirigé par les concepts;

6. d'expliquer comment les trois critères de la théorie de l'attribution causale de Kelley influent sur notre perception des causes d'une action;

7. d'identifier les perspectives différentes relatives à l'attribution, lesquelles se rattachent aux rôles de l'acteur et de l'observateur, et expliquent l'effet du biais de complaisance;

8. de définir l'ethnométhode et d'expliquer comment elle permet aux gens d'en arriver à un consensus au sujet d'une réalité;

9. d'expliquer comment se forment les attitudes naturelles et en quoi elles peuvent être négatives pour le fonctionnement de la société.

□ *Francis est quelqu'un de chaleureux et amical; il est un soutien formidable lorsque vous vous sentez déprimé. Virginie possède un dynamisme fou; elle rend heureux tous les gens qui l'entourent. Alexandre est un étudiant sérieux; il réfléchit beaucoup, mais, en quelque sorte, c'est un perdant. Barbara est prétentieuse; elle croit que l'argent compense le manque d'intelligence.*

Ce sont des descriptions que quatre camarades de classe ont faites sans trop réfléchir. L'une ou l'autre vous semble-t-elle familière? C'est de cette façon que plusieurs d'entre nous pourrions décrire des personnes qui nous entourent. Mais réfléchissons plus attentivement. Les gens qui sont autour de nous changent continuellement: leurs corps se déplacent d'un endroit à l'autre, ils débitent un flot continuel de mots, leurs expressions faciales se modifient sans arrêt. Chacun d'eux nous bombarde d'informations. Nous réduisons ce large éventail de stimulations à quelques expressions simples comme chaleureux, dynamique, sérieux, fier. Nos descriptions créent, de façon importante, les gens qui nous entourent; nos mots les modèlent à partir d'un ensemble extrêmement complexe d'images, de sons, d'odeurs et de sentiments.

Comment allons-nous nous comporter envers Francis, Virginie, Alexandre et Barbara, la prochaine fois que nous les rencontrerons? Il y a de bonnes chances que nous soyons amical avec Francis, mais pas avec Barbara, que nous soyons expansif avec Virginie, et tranquille avec Alexandre. Pourquoi? En raison de l'opinion ou de la conception que nous nous sommes faite d'eux et que nous continuons à avoir à leur sujet. Tous les gens font ainsi; ils se créent des conceptions des autres et d'eux-mêmes. Ces conceptions exercent une influence extrêmement importante sur le comportement. Par exemple, les gens qui croient que leurs parents sont vieux jeu et traditionnels peuvent éviter d'aborder avec eux des sujets qui leur tiennent vraiment à cœur. Les gens qui se perçoivent comme mal à l'aise en groupe peuvent ne jamais dire franchement ce qu'ils pensent, même lorsqu'ils ont quelque chose d'important à exprimer. Les pays arabes et Israël ne se feront pas confiance tant qu'ils se verront comme ennemis et usurpateurs. Dans tous ces cas, un éventail d'expériences extrêmement complexes a été transformé en quelques concepts simples, qui en sont venus à guider la conduite.

Dans le présent chapitre, nous examinerons les façons dont les gens développent et utilisent leurs perceptions des autres et d'eux-mêmes. Une grande partie des travaux effectués sur la **perception** sociale dérive de l'orientation cognitive présentée au chapitre 1. Nous verrons d'abord les avantages qu'il y a à transformer la réalité sociale en unités compréhensibles. Nous exposerons aussi quelques-unes des limites inhérentes à ce genre de transformation. Dans le reste du chapitre, nous examinerons les façons dont les gens forment leurs conceptions ou leurs impressions des autres et d'eux-mêmes. Nous nous intéresserons en particulier aux facteurs qui influent sur les impressions que les gens ont d'autrui, à la façon dont les individus organisent ces impressions et en arrivent à établir les causes du comportement des gens.

Les théoriciens des règles et des rôles se sont aussi intéressés aux raisons qui font que nous caractérisons les gens comme nous le faisons. Nos comptes rendus des autres et de nous-mêmes se situent dans un contexte de relations sociales. Ces relations peuvent donc avoir une forte influence sur notre construction de la réalité. Nous examinerons ce type d'influences vers la fin du chapitre.

Les assises de la perception sociale

Selon les théoriciens de la cognition, la principale chose à faire pour comprendre la réalité sociale est de réduire l'immense éventail de stimulations en une série de catégories mentales utilisables. Nous devons apprendre à *conceptualiser* l'univers qui nous entoure. Conceptualiser, c'est traiter ou percevoir une foule de stimuli distincts

Qui est un adulte? La culture occidentale propose plusieurs catégories pratiques pour classer les gens selon leur âge. Parmi celles-là, nous trouvons les bébés, les enfants, les adolescents, les adultes et les personnes âgées. Les gens ont tendance à croire que ces catégories existent réellement. Mais, en fait, elles sont imposées à la réalité afin de l'ordonner. Voici une illustration de cela. Si l'on vous demandait de spécifier à partir de quel numéro les photographies représentent des adultes, vous indiqueriez probablement le numéro 7. Cependant, d'après les recherches conduites par Carolyn Pope Edwards, de l'Université du Massachusetts, et Michael Lewis, de l'Educational Testing Service, cette conception n'est pas partagée par les jeunes enfants. Lorsque des enfants de six ans trient des photographies de ce genre, ils établissent le début de l'âge adulte autour de seize ans (photo 5). Les enfants de trois ans, de leur côté, ne sont pas d'accord avec ceux de six ans. À trois ans, on croit que l'âge adulte commence autour de treize ans (photo 4).

comme équivalents ou comme une unité. Par exemple, de l'expérience complexe du monde qui nous entoure, certaines observations peuvent être regroupées et perçues comme des sourires, alors que d'autres peuvent être classées comme des froncements de sourcils. Bien que chaque sourire soit différent de tous les autres, il existe une idée ou un concept du sourire utilisé par plusieurs personnes. De la même façon, certains traits de physionomie, mouvements et sons peuvent être classés comme ceux de Pierre, alors que d'autres groupes de stimuli peuvent être classés comme ceux de Florence ou de Claude. Pierre n'est pas toujours exactement le même d'un moment à l'autre, mais, sur le plan conceptuel, il demeure la même personne.

Les concepts: un équipement à notre service

Être capable de regrouper des expériences de diverses façons est une habileté extrêmement précieuse. Tout d'abord, en effectuant des regroupements, on simplifie la réalité, on a davantage prise sur elle et on améliore ainsi sa capacité d'adaptation. Une foule au coin d'une rue est un véritable kaléidoscope. Les variations de couleurs et de sons qui en émanent changent continuellement. L'organisation de cette grande quantité d'informations en unités significatives réduit la confusion. Les **concepts** sont les véhicules essentiels à cette simplification. La classification de certains stimuli comme équivalents et d'autres comme différents constitue le premier pas vers l'adaptation. C'est ainsi que l'enfant qui parvient à classer certains stimuli comme nuisibles et d'autres comme sources de plaisir a commencé à exercer un contrôle sur son environnement. L'action efficace repose sur l'habileté à séparer les stimuli en classes distinctes.

Le fait de simplifier la réalité en unités conceptuelles facilite la mémorisation et aide à se faire une idée claire d'une situation. Les gens se souviennent davantage lorsqu'ils départagent l'information en grandes unités (Markus, 1977). Songez à la manière dont vous vous y prendriez pour mémoriser un numéro de téléphone interurbain. Vous diviseriez probablement le numéro en groupes de trois ou quatre chiffres. Cela vous permettrait de vous en souvenir beaucoup mieux que si vous considériez chaque chiffre séparément. Les gens pensent plus clairement lorsqu'ils utilisent des concepts. Lorsqu'ils planifient une campagne électorale, par exemple, les stratèges traduisent la réalité en unités conceptuelles telles que le vote des syndiqués, le vote des communautés culturelles, le vote des jeunes, et ainsi de suite. Leur planification ne serait pas très poussée si les stratèges pensaient vaguement à «tout le monde».

Les concepts aident également les gens à communiquer. Les étiquettes verbales rattachées aux concepts permettent aux gens de parler des sourires et des froncements de sourcils de Pierre et de Florence. Il est difficile de parler des expériences qu'on ne peut facilement diviser en unités simplifiées. Ainsi, s'exprimer sur un merveilleux coucher de soleil ou sur la marée montante relève de la création artistique. Le passant, lui, se contente de les admirer en silence.

Enfin, les concepts peuvent aider à réduire l'anxiété. Jusqu'à ce qu'un individu sache ce qui se présente à lui, il ne sait pas comment réagir. Si l'on ne peut définir une réalité par des concepts, elle paraît potentiellement dangereuse. Si l'on peut recourir à une catégorie, on peut réduire la crainte éprouvée. Par exemple, on peut avoir extrêmement peur si au réveil on sent une douleur à l'estomac. Pouvoir recourir à une étiquette, même si elle est déplaisante (un ulcère, par exemple), peut réduire la crainte et calmer réellement la douleur. La classification apporte souvent un réconfort.

En résumé, la capacité d'utiliser des concepts est un attribut de l'être humain qui lui est extrêmement utile. Les concepts aident les gens (1) à simplifier la réalité et, ainsi, à agir de façon mieux adaptée, (2) à penser et à se souvenir plus efficacement, (3) à mieux communiquer les uns avec les autres et (4) à maîtriser l'anxiété.

Les biais conceptuels: sources de problèmes

Étant donné la complexité de la réalité sociale, la valeur adaptative de la conceptualisation apparaît clairement. Plusieurs personnes soutiennent effectivement que l'espèce humaine est supérieure aux autres, en raison de l'habileté de l'être humain à penser et à parler à l'aide de concepts. Toutefois, la catégorisation peut avoir des conséquences négatives. La surutilisation de catégories peut limiter les expériences d'un individu. La catégorisation peut voiler les différences subtiles entre les individus. Étudions ces inconvénients.

Les concepts et la perte de l'individualité

Le chroniqueur Russell Baker a écrit une amusante satire des explorations américaines sur Mars. Dans son histoire, une puissance inconnue sonde la Terre. Les inconnus font atterrir à Times Square un engin programmé uniquement pour rechercher la présence de gin. L'engin descend les rues à toute vitesse et examine des policiers, des chiens, des bornes d'incendie et des débris. Il transmet ensuite à son point d'origine le message suivant: «Oui, il y a des traces de gin d'une qualité inférieure sur la planète Terre.» Tous les autres détails sur Manhattan et sur la Terre et ses habitants n'ont jamais été révélés parce qu'on n'a pas posé les «bonnes» questions. Les concepts peuvent opérer de façon analogue à l'engin de ce conte. Ils attirent notre attention sur certaines caractéristiques et nous empêchent d'en voir d'autres.

La tendance à voir les gens d'une catégorie comme totalement différents des gens des autres catégories entraîne l'une des formes les plus graves de cécité sociale. Lorsque cela se produit, plusieurs similitudes peuvent être négligées. Le conflit entre catholiques et protestants en Irlande du Nord est un exemple de ce genre de problèmes. De grandes différences existent à l'intérieur de chacun de ces groupes religieux. En fait, plusieurs catholiques ont plus de choses en commun avec certains protestants qu'avec d'autres catholiques. Lorsqu'un groupe agit comme si tous les membres du groupe opposé étaient semblables, il est difficile d'établir un dialogue constructif. Parce qu'aucun des deux groupes ne parvient à aller au-delà de sa vision étroite, tous deux continuent à souffrir. De la même façon, des étiquettes comme féministe, professeur, amérindien et homosexuel voilent plusieurs différences importantes parmi les membres de ces groupes. De telles étiquettes obscurcissent les similitudes qui pourraient unir des individus qui, autrement, sont classés comme différents.

Les concepts, une fraction de la réalité

Examinez le tableau à l'huile de Jackson Pollack présenté à la page suivante. Si vous essayiez de le décrire à quelqu'un qui ne l'a jamais vu, que diriez-vous? Vous pourriez dire que le tableau a l'air d'avoir été réalisé par quelqu'un qui a échappé de la peinture sur une toile, qu'il présente des tons pâles et des tons foncés, et qu'il est très complexe. Cependant, vous ne pourriez pas décrire par des mots les riches variations des tons et du motif. En raison de la nature des concepts verbaux, les mots ne parviennent pas à rendre justice à une œuvre d'art. Les concepts sont convenables pour représenter des classes distinctes d'événements semblables. Lorsque les patterns sont uniques et complexes, les concepts comme blanc et noir, riche et pauvre, gros et mince ne sont pas très convenables pour représenter la réalité sociale. Les teintes de la peau, le revenu et le poids varient grandement, et le point où l'on doit faire une distinction entre les groupes n'est jamais clair.

Les concepts ne décrivent pas convenablement le changement continu dans le temps. Si les événements sont en mouvement, de sorte que chaque moment diffère du précédent, les distinctions conceptuelles sont malaisées. Par exemple, il est tout simplement impossible de faire des distinctions nettes entre les divers mouvements du joueur de football qui exécute un botté ou ceux du patineur qui s'élance dans les airs. Le botté du ballon ou le saut du patineur ne peuvent donc pas être décrits de façon qu'une personne qui ne connaît pas ces activités puisse les répéter.

En raison de ces diverses difficultés, quelques critiques doutent de l'à-propos de la connaissance sociale fondée uniquement sur des concepts. Lorsque les gens analysent les autres ou lorsqu'ils discutent à leur sujet, ils se basent sur un type de connaissance limitée. Un joueur de baseball qui apprend à lancer ne lit pas des ouvrages sur le sujet et n'en discute pas. Ce qui compte, c'est ce qui est vécu au cours du déroulement de l'action. De la même façon, apprendre à s'entendre avec les autres est affaire d'expérience. Aucun livre ne peut expliquer comment tenir une conversation amicale. Certains aspects de ce que les gens savent sont fondés sur des concepts, c'est-à-dire sur une **connaissance explicite**. D'autres apprentissages reposent sur l'expérience continue, ou la **connaissance implicite** (Polanyi, 1967). Dans le présent chapitre, nous nous intéressons principalement à la connaissance explicite ou conceptuelle.

Le développement des concepts

Comment celui qui perçoit en vient-il à diviser la réalité en unités perceptuelles? Comment les concepts se développent-ils? Des processus sociaux autant que des processus physiologiques semblent intervenir dans la formation des concepts.

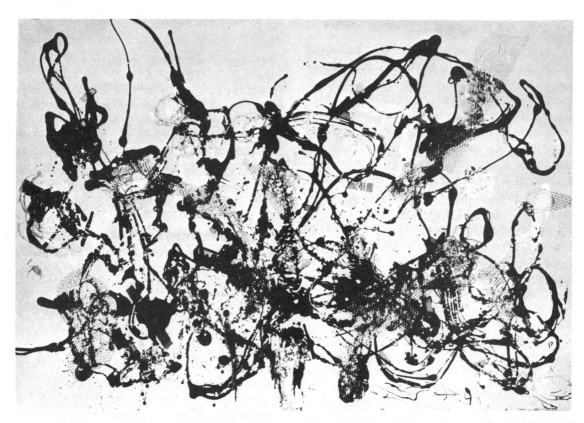

Jackson Pollack: **_Numéro 29,_ 1950.** Au moment de son décès accidentel en 1956, à 44 ans, Pollack était l'un des artistes américains les plus innovateurs. Il a créé des tableaux très colorés en étendant des toiles sur le sol et en faisant dégoutter de la peinture de boîtes et de seaux. Les concepts ne parviennent pas à rendre compte de la riche complexité de son œuvre. Les concepts rendent-ils exactement compte des conduites humaines?

Les catégories naturelles et les prototypes sociaux

Certains concepts fondamentaux peuvent résulter de l'effet de la réalité naturelle sur les yeux, les oreilles et la peau. Une lumière vive engendre une réponse physiologique différente de celle qui est produite par la noirceur. La chaleur et le froid ont également des effets différents sur le système nerveux. Ainsi, les concepts de lumière et de noirceur, de chaleur et de froid peuvent refléter des réactions biologiques fondamentales. Le terme **catégories naturelles** se rapporte à l'organisation de l'expérience qui repose sur des fondements biologiques (Rosch, 1978). Cette catégorisation survient-elle dans la perception des gens? Les chercheurs croient que les actions des gens ne se produisent pas toujours en un mouvement continu. Il y a plutôt dans l'action des segments qui forment un arrêt permettant la catégorisation (Newtson, Enquist et Boris, 1977). Par exemple, une personne marche vers une vitrine de magasin, s'arrête pour l'examiner, puis se retourne pour regarder un autobus. La perception des parties distinctes de l'action survient principalement lorsqu'il y a un _changement distinctif_ dans le mouvement du corps observé. Si une personne bouge, puis s'arrête, par exemple, celui qui perçoit ne voit pas une activité uniforme qui se déroule sans interruption, mais bien deux actions séparées, le mouvement et l'arrêt. L'interruption dans l'activité uniforme suggère qu'une nouvelle catégorie est nécessaire.

D'après les théoriciens, les catégories que nous utilisons pour comprendre la réalité sociale sont organisées. Plus spécifiquement, elles semblent organisées autour de **prototypes**. Un prototype est une catégorie générale qui renferme une variété de sous-catégories. Par exemple, vous pouvez avoir un prototype d'une personne extravertie, dans lequel il peut y avoir des sous-catégories, tels un recteur d'université, un responsable des relations publiques ou un acteur comique. Ces sous-catégories, qui sont plus spécifiques que le prototype, renferment aussi des sous-sous-catégories plus spécialisées. Par exemple, il existe plusieurs types de spécialistes des relations publiques, incluant le vendeur et le responsable de campagnes électorales; il existe aussi plusieurs types de comiques, tels le bouffon et le comédien de télévision. Plus une sous-catégorie se situe au bas d'une hiérarchie, plus le concept est clair dans notre imagination (Cantor et Mischel, 1979). Nous pouvons décrire avec force détail un bouffon ou un vendeur; il est beaucoup plus difficile pour l'esprit de visualiser l'image d'une personne extravertie. À mesure que nous avancerons dans ce chapitre, nous discuterons davantage de l'organisation de catégories.

L'apprentissage des concepts

Certains concepts peuvent émaner de la nature biologique. Cependant, la majorité des concepts utilisés dans les relations sociales sont appris. Le processus d'acquisition de ces concepts commence dès la tendre enfance. Les psychologues voient souvent cet apprentissage comme un processus de **vérification d'hypothèse** (Bourne, Dominowski et Loftus, 1979). Cela signifie que, pour parvenir à leurs fins, les gens forment des concepts provisoires et les vérifient ensuite par l'expérience. Les concepts qui sont récompensés sont maintenus, tandis que ceux qui sont punis sont mis de côté. Ainsi, si une fillette s'aperçoit qu'à l'occasion Papa joue, elle peut commencer à former différents concepts relatifs au genre d'activités susceptible de produire le jeu de Papa. Elle va ensuite vérifier si, parmi ces concepts, certains sont associés au succès. Le sourire est-il une classe d'activités qui entraîne le jeu de Papa? Est-ce que pleurer, courir ou crier sont des concepts appropriés au but recherché? En vérifiant différents concepts, l'enfant peut arriver à comprendre que sourire correspond à une classe d'activités différente de pleurer. L'activité de sourire semble encourager Papa à jouer, alors que pleurer ne l'incite pas à le faire.

Le langage, une clé et une contrainte

Les mots utilisés dans la conversation sont étroitement reliés à des concepts. Le langage parlé ne constitue pas une carte parfaite du système conceptuel. Il y a des concepts pour lesquels aucun mot n'existe (les artistes peuvent reconnaître une certaine nuance de couleur, mais ne pas avoir de mot pour la désigner). Par ailleurs, il y a des mots qui ne sont rattachés à aucun concept (les syllabes sans signification utilisées dans

les recherches en psychologie en sont de bons exemples). Toutefois, la majorité des concepts sont représentés par des mots et cette étroite association permet la communication des idées. Plusieurs psychologues croient que la majorité des concepts sont acquis avec l'apprentissage du langage. Pour commencer, l'enfant apprend à utiliser des mots pour étiqueter des classes d'événements. La mère montre une vache et dit «vache». Si l'enfant émet un son qui peut ressembler à ce mot, la mère le félicite vivement. En apprenant ce genre d'étiquettes verbales, l'enfant apprend également à placer des créatures semblables dans cette classe particulière, ou catégorie.

Au fur et à mesure que l'enfant maîtrise la logique sous-jacente au langage, il apprend des concepts additionnels. C'est ainsi, par exemple, que de nouveaux mots éveillent l'attention de l'enfant à des distinctions conceptuelles. L'enfant peut entendre par hasard un des parents dire: «Ah non! des Vietnamiens viennent d'emménager dans l'immeuble.» Compte tenu des connaissances linguistiques de l'enfant, cette simple phrase peut d'abord l'informer de l'existence d'une classe de gens étiquetés «Vietnamiens» puisque, après tout, seuls des *gens* peuvent emménager dans l'immeuble. Ensuite, le terme *Vietnamiens* doit se rapporter à une sorte différente de personnes, parce que l'enfant s'aperçoit qu'on ne lui a jamais donné cette étiquette. Finalement, l'exclamation négative informe également l'enfant que l'événement n'est pas bienvenu. Autrement dit, les Vietnamiens doivent être de mauvaises personnes. À partir de cette simple réflexion, un nouveau concept a soudainement émergé. Du point de vue de la famille, l'enfant a appris à penser de manière «appropriée».

En résumé, nous pouvons dire que l'individu acquiert un ensemble de concepts fondamentaux pour comprendre la réalité qui l'entoure. Ces concepts sont acquis par l'exposition au monde naturel, par la confrontation des idées et de l'expérience, et par l'apprentissage du langage. La nature biologique de l'être humain de même que son appartenance à une culture exigent qu'il maîtrise un ensemble de concepts fondamentaux sur ce qui existe dans l'environnement. La connaissance contenue dans les concepts partagés sert de base à la vie sociale. Un individu aurait certainement des problèmes s'il disait d'une autre personne qu'elle est centigrade, liquéfiable ou comestible. L'acceptation de concepts partagés peut cependant limiter la perception d'autres options. La distinction entre le mien et le tien, vieux et jeune, ou homosexuel et hétérosexuel, par exemple, ne repose pas sur une loi naturelle. Ces concepts sont en quelque sorte des héritages culturels. Plus les gens sont ouverts aux idées des autres cultures et des autres époques, plus leur système conceptuel peut devenir flexible et riche. Avec le développement de nouveaux concepts, de nouvelles façons de vivre deviennent possibles.

L'application des concepts: l'art de créer les autres

Comme nous l'avons vu, la perception sociale repose d'abord sur la formation de concepts reliés aux autres. Maintenant que nous avons vu comment ces différents concepts sont acquis, nous pouvons examiner quelques facteurs qui influent sur leur application dans la vie quotidienne. Catherine, Laurent et François n'ont pas des étiquettes cousues sur leurs manches. Ils bougent et se transforment constamment, présentant ainsi des images et des unités d'information extrêmement nombreuses. D'une façon quelconque, celui qui perçoit fait le tri de toute cette information et conclut que Catherine est brillante, que Laurent est malhonnête et que François est prétentieux. Comment ces étiquettes sont-elles choisies? Examinons trois influences majeures: le critère de ressemblance ou de l'air de famille, la motivation et le contexte immédiat.

Le critère de l'air de famille

Le premier élément servant à assigner des étiquettes à autrui découle directement de l'exposé précédent. Comme nous l'avons décrit, les concepts sont d'abord appris à travers les échanges sociaux. À travers les relations sociales, nous apprenons que d'autres peuvent être vus comme agressifs, amicaux, tristes, et ainsi de suite. Nous apprenons aussi les critères d'application de ces concepts, telles les actions ou les personnes qui peuvent être étiquetées comme agressives, amicales ou tristes. Bien sûr, chaque action nouvelle et chaque personne différent quelque peu; nous ne pouvons donc pas toujours être sûrs de la catégorie qui devrait s'appliquer à un moment donné. Il semble que nous basions de telles décisions sur la ressemblance entre la nouvelle occasion et les occasions passées de même nature ou de même famille. La personne qui s'insère dans une file en avant de vous peut vous être totalement

étrangère. Cependant, il y a un **air de famille** entre cette circonstance et d'anciennes situations où vous aviez étiqueté quelqu'un comme «pauvre type» ou «stupide», ou quelque autre terme du genre. Vous savez donc quelle est la catégorie qui s'applique.

Évidemment, cette connaissance n'est pas nécessairement juste. Tout particulièrement lorsque nous devons reconnaître ou assigner des étiquettes à une réalité sociale qui est floue, nouvelle ou en transition. L'une de ces réalités est la présence croissante des femmes dans des emplois traditionnellement masculins. Comme vous le savez, cette présence entraîne des changements, si ce n'est des remous, psychologiques et linguistiques. Sur ce dernier plan, toutes sortes de désignations sont apparues pour nommer des professions auparavant strictement masculines. L'Office de la langue française du Québec a d'ailleurs publié *Au féminin* (1991), un guide sur la féminisation des titres. Dans l'usage courant, on trouve des titres de forme neutre (architecte), de forme féminine marquée (femme plombier ou de forme peu marquée (plombière). Monique Lortie-Lussier et Bernadette Crampont-Courseau (1991) ont voulu savoir si la perception que l'on a des femmes qui exercent un métier traditionnellement masculin varie selon la façon dont on désigne ces femmes.

Les chercheuses ont présenté à des étudiants des descriptions de femmes travaillant en plomberie, en recherche pharmaceutique et en médecine, en faisant varier la forme de leur titre (neutre, féminin marqué ou peu marqué). Les chercheuses ont constaté que la forme féminine peu marquée (par exemple plombière, chercheure) a suscité des connotations dépréciatives quant à l'affectivité et à l'agressivité. Les femmes désignées par un titre de forme féminine peu marquée étaient perçues comme moins affectueuses ou chaleureuses, et plus agressives, dominatrices et frustrées que les femmes désignées autrement. Cela suggère que, pour se faire une idée des femmes présentées, les sujets recouraient au critère de l'air de famille. Lorsque la forme féminine du titre était peu prononcée, les sujets ont pu évaluer les travailleuses en associant la masculinité du titre aux concepts d'agressivité et d'affectivité moins prononcée. Les sujets, ayant *reconnu* un air de famille avec les hommes, auraient alors assigné aux travailleuses «peu féminines» des étiquettes stéréotypées qui sont censées être appropriées dans le cas des hommes.

Les gens ne naissent pas avec des étiquettes attachées à leurs biceps. Comment classeriez-vous cette personne? Le fait de modifier les rôles sexuels auxquels on s'attend peut créer de la confusion.

La perception reliée à une motivation: les désirs en cavale

Les jugements sociaux que l'on porte en suivant des règles généralement partagées sont susceptibles d'être socialement acceptables. Ils paraîtront raisonnables selon les standards usuels. Cependant, les gens doivent aussi surveiller leurs propres intérêts. Des jugements socialement acceptables peuvent être mis de côté pour faire place à des jugements *autogratifiants*, c'est-à-dire qui favorisent les buts de celui qui perçoit. On appelle **perception motivée**, la modification de perceptions pour renforcer les buts de l'évaluateur. Plus loin dans le présent chapitre, nous étudierons davantage ce processus. Pour l'instant, examinons la première recherche qui a montré l'existence de ce type de perception.

Lors de votre premier jour de classe, votre professeur de psychologie vous est-il apparu comme chaleureux et amical, ou froid et distant? Les résultats de recherche laissent penser que votre jugement a pu être fortement dépendant de la note que vous souhaitiez pour ce cours. Pour vérifier l'hypothèse selon laquelle la perception est influencée par la motivation, Pepitone (1949) a donné la chance à des adolescents de gagner des billets pour assister à une partie de basket-ball. Il a fait varier le désir d'obtenir les billets en disant à un groupe de garçons qu'il s'agissait d'une partie sans intérêt mettant aux prises des élèves du secondaire et, à un autre groupe, qu'il s'agissait d'une partie importante disputée par deux équipes du collégial. Pour obtenir les billets, chaque élève devait répondre à un certain nombre de questions qui lui étaient adressées par un jury formé de trois «entraîneurs» de l'extérieur. S'ils trouvaient que les opinions émises par le garçon étaient judicieuses, celui-ci gagnait les billets. Les entraîneurs étaient des **compères** de l'expérimentateur auxquels on avait donné une formation particulière. Le premier (Monsieur Aimable) devait répondre aimablement à tout ce que l'élève disait. Le deuxième (Monsieur Neutre) devait être neutre dans ses réactions, tandis que le troisième (Monsieur Critique) devait réagir de façon très critique. Après l'entrevue, chaque élève évaluait chacun des membres du jury sur son degré d'*approbation* à son égard et sur son degré d'*influence* sur la décision d'accorder les billets.

Les résultats obtenus ont appuyé l'hypothèse de la perception reliée à une motivation. Monsieur Aimable adoptait le même rôle pendant toutes les séances d'expérimentation. Pourtant, les élèves qui désiraient fortement les billets l'ont évalué comme plus approbateur et plus influent que les élèves qui étaient peu intéressés à gagner les billets (*voir la figure 2-1*). De plus, de façon générale, les élèves ont eu tendance à évaluer Monsieur Aimable comme plus influent que Monsieur Neutre ou Monsieur Critique. Tous les élèves s'étaient donc gratifiés en percevant que l'individu le plus approbateur était également le plus influent quant à la décision.

Des recherches plus récentes ont porté sur la façon dont les mobiles et les humeurs des gens influent sur leurs stratégies de résolution de problème. Comme les mobiles et les humeurs des gens changent, leur façon de chercher de l'information, leur logique et leurs souvenirs changent aussi (*voir la revue de* Showers et Cantor, 1985). Par exemple, les personnes qui font partie d'un jury ne font pas que soupeser les preuves d'une façon juste et impartiale. Chacune d'elles a des buts ou des sentiments qui interfèrent avec la façon dont le cas est entendu. Celles qui désirent «punir le méchant» entendent un cas entièrement différent de celles qui ressentent de la sympathie pour tous les types de souffrance. Il n'y a pas qu'un seul procès qui se déroule, mais autant de

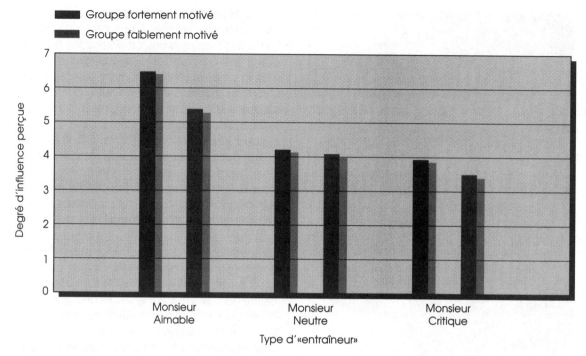

Figure 2-1   L'influence de la motivation sur la perception sociale

Remarquez que les étudiants à qui l'on avait dit qu'ils pourraient recevoir des billets de faveur pour une partie de basket-ball importante ont eu davantage tendance à évaluer l'«entraîneur» approbateur comme plus influent dans l'attribution des billets que ne l'ont fait leurs camarades moins motivés. Parmi les membres du jury, l'«entraîneur» aimable était vu par les deux groupes comme le plus influent. (Adapté de Pepitone, 1949.)

procès qu'il y a de jurés dont les mobiles et les sentiments sont différents. Pour le démontrer, des chercheurs ont obtenu des extraits du téléjournal illustrant le massacre de civils durant le conflit israélo-arabe au Liban (Vallone, Ross et Lepper, 1985). On a ensuite montré les extraits à deux auditoires séparés, l'un pro-israélien et l'autre, pro-arabe. Chacun a ensuite évalué l'impartialité de la couverture des médias. Les résultats ont montré que les deux auditoires ont perçu les médias comme hostiles à leur position. Les points de vue qui paraissaient justes et objectifs à un Américain type étaient perçus comme déformés et injustes par ceux qui étaient engagés dans cette cause.

Le contexte et le niveau de base

Jusqu'ici, nous avons surtout mis l'accent sur l'influence des critères de jugement et sur l'influence de la motivation sur la façon dont les autres sont perçus. Cependant, la perception sociale est également influencée par le *contexte* dans lequel on observe les actions d'autrui, c'est-à-dire l'éventail des circonstances à la fois sociales et physiques qui entourent ces conduites. On a

d'abord démontré cette idée dans les études sur la façon dont les gens jugent les expressions faciales. Les chercheurs s'intéressent depuis longtemps aux raisons qui font que des gens interprètent une expression faciale comme de la colère, par exemple, plutôt que comme de l'angoisse ou du dégoût. Ces jugements reposent souvent sur le contexte.

Le contexte influe habituellement sur le jugement en fournissant des indices reliés au comportement attendu. Les membres d'une culture donnée apprennent ce qui est supposé survenir dans différents contextes. Par exemple, les gens s'attendent à ce que de l'affection soit exprimée lors d'une sortie entre amoureux, mais pas en classe ou au cours d'une entrevue de sélection pour un emploi. Le sourire, qui entre partenaires amoureux est perçu comme affectueux, peut être classé comme amical en classe et poli en entrevue. De la même façon, les gens apprennent par expérience quelles actions devraient succéder à d'autres (Peabody, 1968). Si une personne se montre généreuse, on attend de la gratitude comme réponse. Il existe donc une idée préconçue quant à l'interprétation d'un sourire subsé-

quent; ce sourire devrait exprimer de la gratitude plutôt qu'un contentement de soi.

Quelques chercheurs soutiennent que les particularités de la situation immédiate peuvent souvent confondre l'observateur (Taylor et coll., 1979). La personne peut s'attacher si intensément à la situation immédiate qu'elle néglige une information importante. Examinons un aspect important de ce problème, la tendance à ignorer l'information sur les probabilités.

Imaginez la situation suivante. Vous essayez de prévoir si une personne va ou non vous rejeter. Vous la voyez répondre avec sympathie à quelqu'un qui a des problèmes; vous en concluez alors qu'elle est probablement chaleureuse et sympathique. Votre jugement est raisonnable à la lumière de ce que vous connaissez. Mais vous l'amélioreriez si vous pouviez observer la conduite de cette personne pendant une longue période et si vous pouviez découvrir si la réaction observée précédemment est typique ou inhabituelle. En d'autres termes, votre jugement s'améliorerait par la connaissance du *niveau de base* ou de la probabilité générale d'apparition d'un événement dans le temps. Les gens n'ont pas toujours accès à l'information relative au niveau de base. Cependant, d'après les théoriciens Amos Tversky et Daniel Kahneman (1980), même lorsque cette information est accessible elle n'est souvent pas prise en considération. L'attention des gens semble concentrée uniquement sur la situation immédiate.

Quel type d'émotion est exprimée ici? Essayez de deviner avant de tourner la page. Vous ne serez probablement pas certain de votre interprétation de l'expression faciale de cette jeune fille.

Pour démontrer leur proposition, ils ont soumis à des adultes des problèmes semblables à celui-ci.

Un jury composé de psychologues a interviewé un échantillon composé de 70 ingénieurs et de 30 avocats. Le jury a résumé ses impressions dans des descriptions succinctes de ces individus. La description suivante a été tirée au hasard de l'échantillon composé des 70 ingénieurs et des 30 avocats.

«Jean est un homme de 39 ans. Il est marié et a deux enfants. Il s'occupe activement de politique locale. Son passe-temps préféré est la collection de livres rares. Il aime la compétition, la discussion et s'exprime bien.»

Question: Quelle est la probabilité que Jean soit un avocat plutôt qu'un ingénieur? (Kahneman et Tversky, 1973.)

De façon générale, les gens répondent qu'il y a 95 % des chances que Jean soit un avocat. Cette réponse semble tout à fait sensée en fonction de la seule description de Jean: il fait avocat. Mais en ne prêtant attention qu'à la description, les répondants négligent le fait que les avocats ne représentent que 30 % de l'échantillon. Étant donné ce niveau de base, il aurait été plus sûr de classer Jean parmi les ingénieurs.

Pourquoi ignore-t-on si souvent l'information relative au niveau de base? L'une des raisons est que ce type d'information est souvent abstrait alors que la situation immédiate est *concrète*, c'est-à-dire qu'on peut la voir, qu'elle réclame notre attention et qu'elle est crédible (Nisbett et coll., 1976). Par exemple, les statistiques sur le cancer n'impressionnent pas beaucoup: elles sont trop abstraites. Mais si une personne est atteinte d'un cancer, les membres de sa famille vont peut-être commencer à se faire examiner régulièrement. La maladie est un événement concret. De la même façon, l'étudiant qui doit choisir des cours au début d'un trimestre n'accordera peut-être pas beaucoup d'attention aux évaluations statistiques des différents cours. Par contre, il pourra être fortement influencé par les expériences d'un de ses amis. Lorsque les événements immédiats sont très concrets, leur influence est particulièrement concluante. Le passé, résumé dans une brève abstraction comme un pourcentage ou une généralisation, peut être beaucoup plus fiable, mais beaucoup moins percutant.

Soudain, l'émotion paraît claire. Le contexte est une clé importante pour comprendre les expressions faciales d'autrui. Cette jeune fille est excitée. Le contexte, une partie de base-ball, rend l'émotion immédiatement évidente.

En résumé, le processus de formation des impressions d'autrui est soumis à une variété d'influences culturelles et psychologiques. Les gens suivent les critères de leur culture quant aux étiquettes ou aux concepts qui s'appliquent à différentes personnes ou à diverses actions. Les désirs et les besoins des gens peuvent également déformer ce qui est vu. Enfin, la perception sociale peut être modifiée par le contexte, c'est-à-dire par des attentes acquises culturellement sur ce qui devrait arriver dans une situation donnée. La concentration sur le contexte immédiat peut amener à négliger une information importante.

L'organisation de la compréhension sociale

Même s'il est nécessaire de placer les gens dans des catégories pour comprendre la réalité sociale, cette catégorisation est loin d'être suffisante à elle seule. Nous ne nous contentons pas de simplement étiqueter Alexandre comme studieux et Francis comme gentil. Nous percevons plutôt des relations entre les catégories. Nous percevons que l'application d'Alexandre dans ses études est reliée à sa timidité et à son ambition. Nous voyons la gentillesse de Francis comme associée à son intérêt pour la musique et les arts. Nous avons précédemment effleuré ce problème d'organisation en abordant la notion de prototypes. Nous devons maintenant examiner de façon plus détaillée comment cette organisation se met en place. Comme vous le verrez, il y a deux points de vue majeurs sur cette question. Le premier met l'accent sur l'effet du monde sur nous; le deuxième met l'accent sur l'influence de nos propres processus cognitifs sur la façon dont nous percevons la réalité sociale.

Le traitement dirigé par les données

Solomon Asch (1946) a été l'un des premiers psychologues à explorer la façon dont nous organisons nos perceptions d'autrui. Asch croyait que la perception globale d'autrui est différente de la simple somme des concepts individuels utilisés pour étiqueter la personne. Celui qui perçoit cherche plutôt à *organiser* les **traits** dans un tout et, ce faisant, il cherche à créer une perception de l'autre qui est qualitativement différente de la simple somme de ses parties. Prenons un cas simple. Le trait ou le concept d'amabilité revêt des significations très différentes, selon que la personne perçue comme aimable est aussi perçue comme digne de confiance ou non. Si l'individu n'est pas digne de confiance, son amabilité peut n'être qu'un leurre, elle peut être superficielle, voire menaçante. L'amabilité revêt un sens beaucoup plus profond si l'autre personne semble digne de confiance. Ainsi, la signification d'un trait n'est pas incluse dans le terme lui-même, le contexte compte pour beaucoup.

Afin d'étudier plus à fond ces questions, Asch a présenté à des étudiants une liste de sept traits qui étaient censés être caractéristiques d'un individu hypothétique. Les étudiants devaient rédiger une description générale de l'individu et le juger sur diverses dimensions. À un premier groupe,

Asch a présenté les qualificatifs suivants: intelligent, travailleur, habile, déterminé, pratique, prudent et chaleureux. Le deuxième groupe a reçu la même liste avec une seule modification: le trait *chaleureux* était remplacé par *froid*. De cette étude, trois résultats sont ressortis. Premièrement, les étudiants imbriquaient relativement facilement les différents traits en un tout cohérent. Ils étaient capables d'organiser les traits dans un schème plus vaste et plus logique. Deuxièmement, la substitution du terme *chaleureux* au terme *froid* a provoqué une différence saisissante dans le portrait global conçu par les étudiants. Lorsque le terme *chaleureux* était inclus dans la liste, les étudiants décrivaient habituellement l'individu comme populaire, heureux, ayant du succès, de l'humour, et ainsi de suite. Cependant, si le terme *froid* paraissait dans la liste, l'individu était décrit comme avare, impopulaire, malheureux et à qui rien ne réussit. Ce seul trait semblait colorer l'entière caractérisation de l'individu. Troisièmement, un autre résultat important de cette étude est que les termes *chaleureux* et *froid* semblaient avoir un pouvoir particulier pour colorer la perception d'ensemble. Par exemple, si l'on insérait les termes *poli* et *brusque* à la place de *chaleureux* et *froid*, l'effet était beaucoup moins marqué. Asch en a conclu que certains traits, comme chaleureux et froid, agissent comme des **traits d'organisation centraux**, alors que d'autres ne revêtent qu'une importance secondaire.

Les résultats de Asch ont à la fois intrigué et rendu perplexes les générations suivantes de chercheurs. En particulier, ils se demandaient pourquoi les gens organisent leur compréhension sociale de cette façon. Pourquoi certains traits sont-ils plus centraux que d'autres? Asch croyait que l'esprit organise les traits de cette façon. Mais pourquoi l'esprit fonctionnerait-il ainsi? Avec le temps, on en est venu à accepter que c'est à travers l'observation du monde qui nous entoure que ce type d'organisation est apprise. Cela résulte d'un processus de traitement de l'information où l'on part des données concrètes de l'environnement pour construire les concepts. On appelle **apprentissage par association** cette forme particulière d'apprentissage qu'on retrace dans les travaux de Asch.

Vous vous souvenez peut-être d'avoir vu dans vos cours d'introduction à la psychologie que, lorsque deux faits se succèdent fréquemment, la présence de l'un peut stimuler un individu à penser à l'autre. Si l'on vous demande, par exemple, de dire le premier mot qui vous vient à l'esprit lorsque vous entendez le mot *père*, il est probable que vous répondrez par le mot *mère* ou *papa*. Dans le langage quotidien, ces mots surviennent fréquemment à l'intérieur d'une proximité temporelle du mot père. L'apprentissage par association suggère que, par un appariement fréquent, différents traits en viennent à être reliés les uns aux autres. Une description cohérente de la **personnalité** d'une autre personne pourrait ainsi reposer sur des regroupements ou grappes de concepts associés. L'apprentissage par association répond donc à la première question soulevée par les travaux de Asch, c'est-à-dire comment sont organisés les divers termes qui désignent les traits.

Le processus d'association peut aussi répondre à la question du caractère central (Wishner, 1960). Par exemple, si vous tentez de juger de la popularité d'une personne, il est probable que votre jugement sera fortement influencé si vous apprenez que cette personne est heureuse. Cela s'explique parce que, dans notre culture, la popularité et le bonheur vont fréquemment de pair, en paroles et dans les faits. Le bonheur est alors effectivement central dans votre jugement de la popularité. Par contre, si vous apprenez que cette personne a les yeux bruns, cela n'aura aucune influence sur votre évaluation de sa popularité. Actuellement, dans notre culture, la couleur des yeux et la popularité sont peu associées. La couleur des yeux ne serait donc pas centrale dans votre impression quant à la popularité de cette personne. En principe, tout trait peut jouer un rôle central dans la détermination des impressions. Le caractère central de ce trait dépendra de son degré d'association à la dimension sur laquelle on se forme une impression.

Cette analyse a incité des chercheurs à étudier les façons dont les gens organisent leurs associations. Ils sont partis du postulat selon lequel les gens regroupent différents traits suivant certains modes. Les gens postulent que l'honnêteté est associée à la gentillesse, à la sincérité et à la fiabilité, par exemple, mais non à la popularité ou à l'intrépidité. On peut dire que les préférences particulières d'un individu quant aux regroupements forment sa **théorie implicite de la personnalité**, c'est-à-dire ses croyances intimes au sujet de la personnalité des autres.

Le traitement dirigé par les concepts

La majorité des recherches sur l'organisation de la perception mettent l'accent sur l'effet qu'a

Encadré 2-1

Les périls qui guettent le scientifique de la rue

Pourquoi les idées et les raisonnements des gens sont-ils si souvent erronés? Plusieurs théoriciens croient que les émotions ou les motifs des gens embrument leurs pensées. Freud, par exemple, croyait que les mobiles sexuels modifiaient les pensées d'une personne. Nous abordons ce sujet dans le présent chapitre en parlant de la perception reliée à une motivation. Dans les dernières années, les psychologues ont déplacé leur attention des mobiles vers les erreurs effectuées dans le processus de réflexion. Ils soutiennent que c'est le manque d'entraînement à réfléchir clairement, plutôt que les émotions, qui gêne la pensée. Comme Richard Nisbett et Lee Ross (1980) l'exposent, les gens doivent continuellement porter des jugements sur chacun. Ils doivent prendre des décisions sur les caractéristiques d'autrui en ce qui a trait au sexe, à l'âge, à la profession, à la personnalité, et ainsi de suite. Pour parvenir à ces jugements, les gens devraient idéalement utiliser les mêmes critères rigoureux qu'emploient les scientifiques. Cependant, les gens ne peuvent, sur le plan intuitif où ils se situent, effectuer des tests précis et appliquer des procédés statistiques complexes. Ils font donc plusieurs erreurs de raisonnement. Comme scientifiques intuitifs, les gens émettent des jugements souvent incorrects.

Examinons deux stratégies utilisées pour exprimer un jugement social. La première est celle du *biais d'accessibilité*. Les gens se fient généralement à leurs souvenirs immédiatement accessibles lorsqu'ils portent un jugement. Ils n'examinent pas soigneusement tous les cas, comme le ferait le scientifique, mais se fient plutôt simplement à ce qui est accessible dans leur souvenir à ce moment-là. Ils ont recours à leur habitude de résolution de problèmes ou à ce que l'on a appelé plus formellement leur *accessibilité heuristique* (Kahneman et Tversky, 1973). Ils n'obtiennent souvent que de piètres résultats. À titre d'illustration, supposons que l'on vous demande si votre mère est une personne très maternelle. Pour répondre en scientifique à cette question, vous voudriez posséder un rapport précis de toutes les actions de votre mère sur une longue période. Cette information vous permettrait de formuler un énoncé précis sur son caractère. Personne, bien sûr, ne possède de tels rapports. Tout ce qui est accessible, ce sont des souvenirs éparpillés, susceptibles de changer selon les circonstances. Ainsi, si l'on vous questionne sur l'attitude maternelle de votre mère le jour même de votre anniversaire de naissance et si votre mère a oublié votre anniversaire, il est probable que vos souvenirs accessibles ne lui soient pas très favorables. Un autre jour, à un moment où elle est plus maternelle, vos souvenirs pourraient être différents et vous pourriez

l'environnement sur la compréhension de l'individu. Toutefois, peut-être nourrissez-vous des doutes quant à la validité de cette approche dite du traitement dirigé par les données. Après tout, nous ne sommes pas entièrement guidés par les intrants qui proviennent de l'environnement. Il semble en effet que nous agissions sur notre environnement, ne serait-ce que parce que nous recherchons, sélectionnons et synthétisons constamment l'information. Ainsi, les enseignants qui croient donner un seul et même cours dans tous leurs groupes sont dans l'erreur parce que chaque étudiant est à la recherche de quelque chose de différent. En ce sens, le professeur donne donc autant de cours différents qu'il y a d'étudiants. Cette position est également celle qu'adoptent les psychologues sociaux qui privilégient le traitement dirigé par les concepts. L'intérêt principal de ces chercheurs porte ainsi sur la façon dont les processus cognitifs participent activement à l'orga-

donner une réponse nettement différente. Le biais d'accessibilité vous aurait entraîné à faire des erreurs de jugement.

Une deuxième stratégie de pensée erronée est le *biais du faux consensus* (Ross, 1977). Les gens ont tendance à voir leurs propres actions comme relativement normales, appropriées et en accord avec celles des autres, et à voir ceux qui se comportent autrement comme bizarres ou déviants. Les parents qui battent leurs enfants, par exemple, peuvent avoir plus tendance à considérer cette action comme normale que les parents qui ne recourent pas à la punition corporelle. Aucun des deux groupes ne possède des données exactes et fiables sur l'incidence des mauvais traitements physiques infligés aux enfants dans la société. Cependant, pour diverses raisons, y compris la certitude qu'ils sont des personnes normales et le fait qu'ils s'associent à des gens semblables à eux, ils ont tendance à présumer que «la majorité des gens» sont comme eux.

Pour démontrer comment agit le biais du faux consensus, des chercheurs ont demandé à des étudiants qui s'étaient portés volontaires comme sujets d'expérience de marcher sur le campus pendant trente minutes, en portant un panneau d'homme-sandwich qui arborait la mention «EAT AT JOE'S» (Mangez chez Joe) (Ross, Greene et House, 1977). On a dit aux sujets qu'ils n'étaient pas tenus de participer à la recherche, mais que s'ils le faisaient, ils pourraient «apprendre quelque chose d'intéressant». Après avoir fait connaître leur décision de participer ou non, les sujets devaient évaluer la proportion d'étudiants qui accepteraient également de porter le panneau. Comme vous pouvez le voir au tableau qui suit, les sujets qui ont accepté de porter le panneau ont estimé que la grande majorité de leurs pairs le feraient également. De la même façon, les étudiants qui ont refusé de le porter ont aussi postulé qu'ils pensaient comme les autres. Ils croyaient fermement que d'autres étudiants refuseraient aussi.

Les gens peuvent très bien réussir dans la vie malgré ces patterns de pensée erronés. Cependant, une personne qui en connaît l'existence peut être un peu plus prudente dans ses jugements sociaux.

Type de sujet	Estimation de l'acceptation partagée par les pairs (%)	Estimation du refus partagé par les pairs (%)
Sujets ayant accepté de porter le panneau	62	38
Sujets ayant refusé de porter le panneau	33	67

nisation des connaissances que l'on a d'un univers.

L'élément central de la théorie du traitement cognitif dirigé par les concepts pourra vous sembler nouveau, mais il ne l'est pas. Il s'agit du **schéma**, qui est défini comme l'*organisation cognitive de la connaissance portant sur une personne, sur un objet ou sur un stimulus*. On dit du schéma qu'il contient à la fois les attributs et les relations qui existent entre ces attributs. Par exemple, vous pouvez avoir un schéma qui représenterait votre amie Suzie. Ce schéma comprendrait tous les attributs de Suzie, tels sa taille, son poids, la couleur de ses cheveux, sa personnalité, ce qu'elle ressent à votre endroit, et ainsi de suite. De plus, le schéma de Suzie contiendrait la connaissance que vous avez de la façon dont ces attributs sont reliés. Par exemple, vous pourriez conclure que c'est parce qu'elle est intelligente que Suzie est si gentille. Le concept de schéma devrait vous être familier parce qu'il ressemble au concept de prototype. Ces deux termes sont d'ailleurs souvent utilisés de façon interchangeable. Cependant, c'est le concept de schéma qui est généralement adopté par les chercheurs qui s'intéressent aux processus actifs, donc au traitement cognitif qui part du concept inscrit en mémoire vers les données qui appartiennent à l'environnement.

Pourquoi les schémas présentent-ils un si grand intérêt? Les psychologues sociaux croient qu'ils déterminent souvent la façon dont nous filtrons et sélectionnons l'information que nous traitons. De façon plus spécifique, les schémas contribuent à déterminer ce que nous établissons comme vrai au sujet de notre environnement social. Dans une certaine mesure, ce que nous considérons comme vrai ne refléterait pas tant la réalité que la façon dont nous pensons. Il s'agit là d'une perspective vraiment étonnante puisqu'elle suggère que nous façonnons, en grande partie, notre propre réalité. Voyons maintenant comment différentes sphères de recherche peuvent contribuer à illustrer ce phénomène. Comme le suggère ce type de recherche, la fonction principale du schéma semble être d'assurer sa propre pérennité, c'est-à-dire que le schéma organiserait la compréhension du monde de manière à être constamment appuyé et renforcé.

Aller au-delà de l'information reçue

À l'heure du dîner, vous vous assoyez à côté d'une autre étudiante. La conversation est intéressante et agréable. Comme vous finissez de manger, votre nouvelle connaissance vous demande si, le soir même, cela vous plairait d'aller voir un film avec elle. En apparence, le fait de prendre une décision au sujet de cette invitation ne semble pas poser de difficulté. Si vous n'avez pas d'autres occupations et que le film vous intéresse, il y a de fortes chances que vous acceptiez l'invitation. D'un autre côté, vous devez bien admettre que vous ne connaissez que bien peu de choses au sujet de cette personne. Cependant, à partir de cette courte rencontre, vous êtes prêt à présumer beaucoup de choses, notamment qu'elle ne vous a pas tendu un piège pour vous emprunter de l'argent, qu'elle ne vous fera pas de mal, qu'elle ne deviendra pas totalement dépendante de vous, qu'elle est probablement stable, intelligente, sensible et qu'elle a bon caractère. Il semble donc qu'une quantité minimale d'information soit suffisante pour que nous puissions tirer plusieurs conclusions. Comme Jerome Bruner (1957) le suggérait, dans la vie sociale, comme dans d'autres domaines, nous devons continuellement aller «au-delà de l'information qui nous est donnée». Nous devons donc faire plusieurs inférences à partir d'un nombre limité de faits.

Comme le croient plusieurs théoriciens, les **schémas cognitifs** constituent la base de ces inférences. Quand nous allons au-delà de l'information qui nous est transmise, nous le faisons en grande partie en nous appuyant sur nos schémas existants. Ainsi, nous utilisons une seule information au sujet d'une personne pour tirer plusieurs conclusions. Ces conclusions sont énoncées non pas parce qu'elles découlent des caractéristiques réelles que cette personne peut avoir, mais bien parce qu'elles sont cohérentes avec le schéma que nous en avons.

Cette perspective a vu le jour à la suite de recherches portant sur la façon dont les professeurs évaluaient leurs étudiants (Thorndike, 1920). À titre de professeur, vous pourriez considérer que votre étudiante, Sarah, est honnête, mais entêtée, tandis que François vous paraîtrait chaleureux, mais un peu hypocrite. Toutefois, il semble que si un professeur accorde une caractéristique positive à un étudiant, il aura tendance à lui en attribuer d'autres qui seront aussi positives. Et l'inverse est également vrai. Si Sarah est considérée comme honnête, elle sera aussi vue comme une personne chaleureuse; si François est perçu comme un hypocrite, on pourra le croire entêté. La tendance à accorder à une personne des caractéristiques toutes positives ou toutes négatives se nomme **effet de halo**. Cet effet suggère qu'en présence d'informations minimales, mais positives, l'on recoure au schéma de la «bonne personne» pour tirer diverses conclusions qui ne sont pas fondées sur des observations. Quant aux informations négatives, elles servent à alimenter le schéma de la «mauvaise personne».

Comme nous pouvons le constater, les conjectures sur la personnalité des autres tendent à être cohérentes avec les schémas de la personne qui les produit. Ce qui est plus troublant, c'est que cette dernière est à la recherche des informations qui appuient ou confirment ses propres schémas. Plutôt que de conserver un esprit ouvert et d'être sensible à de nouvelles facettes de la personnalité des autres, la personne qui conjecture tend à rechercher de l'information qui confirmera ce qu'elle croit déjà. On désigne cette tendance par l'expression **test de confirmation d'hypothèse** (Snyder, Cambell et Presaton, 1982).

Dans une démonstration intéressante du test de confirmation d'hypothèse, on a dit à des étudiantes du premier cycle universitaire qu'elles allaient recevoir un autre étudiant en entrevue (Snyder et Swann, 1978). Les chercheurs ont précisé à la moitié des sujets que la tâche consistait à déterminer si l'étudiant en question était extraverti, c'est-à-dire si l'on pouvait dire de lui qu'il était expressif, sociable et enthousiaste. L'autre moitié des sujets a pour sa part reçu la consigne de déterminer si ce même étudiant était introverti ou, en d'autres mots, s'il était timide, réservé et distant. Toutes les étudiantes devaient par la suite choisir, parmi une liste de questions, celles qu'elles allaient poser à l'étudiant. La moitié de ces questions portaient sur l'extraversion; par exemple, «Dans quelles situations rencontrez-vous de nouvelles personnes?» et «Dans quelles situations considérez-vous que vous parlez le plus?» Pour répondre à ces questions, la personne doit donc parler de sa propre sociabilité. La seconde moitié des questions avaient été conçues pour que l'étudiant parle de sa timidité, ou de son degré d'introversion. L'objectif principal de la recherche était de savoir si les étudiantes qui avaient reçu comme consigne de déceler un certain trait de caractère donné choisiraient les questions faisant ressortir ce trait particulier chez l'étudiant. Les résultats sont présentés à la figure 2-2.

La figure indique que les étudiantes ont été victimes d'un biais allant dans le sens de la confirmation de leur consigne de départ. Si les étudiantes pensaient que l'étudiant pouvait être extraverti, elles choisissaient de poser des questions qui pouvaient susciter des réponses se rapportant à ce type de personnalité. Si elles avaient été incitées à croire que l'étudiant pouvait être introverti, elles choisissaient des questions qui conduisaient à des réponses correspondant à cet autre type de personnalité. On montra par après que lors de l'entrevue les questions avaient eu précisément cet effet. Les étudiantes avaient ainsi créé le type de personne qu'elles s'attendaient à rencontrer.

Une fois que le schéma a été développé et confirmé, il est souvent difficile de s'en départir, même si l'on a la preuve qu'il est incorrect. Les gens ont de la difficulté à ignorer les informations qui appuient leurs schémas, même si elles se révèlent erronées (Anderson, 1983). Supposez que vous croyiez qu'une de vos camarades de classe vous a volé. À la suite de sa visite à la maison, vous vous rendez compte que votre porte-

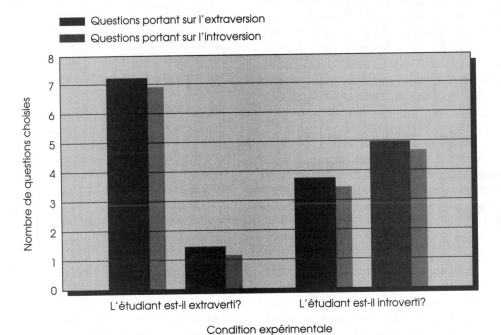

Figure 2-2   Le test qui confirme l'hypothèse

Pour déterminer le caractère extraverti d'une personne, les étudiantes choisissaient de poser des questions qui suscitaient des réponses associées au type extraverti. Lorsque l'évaluation portait sur l'introversion, les étudiantes posaient des questions conçues pour produire des réponses associées au type introverti. (Adapté de Snyder et Swann, 1978.)

monnaie a disparu. Vous commencez à ruminer au sujet de la malhonnêteté de votre compagne. Mais quelques jours plus tard, vous retrouvez votre porte-monnaie que vous aviez tout simplement mal rangé. Pourtant, le doute que vous avez développé à l'endroit de votre compagne risque de subsister.

La mémoire des personnes

De façon générale, nous pensons que nous avons un souvenir assez fidèle de ce qui nous arrive, que ce soit une querelle avec un ami, une mauvaise note à l'école ou le début d'une relation amoureuse. Cependant, songez à la quantité énorme d'informations que nous traitons tous les jours et à la faible proportion dont nous pouvons nous souvenir le lendemain. Il semble donc que les souvenirs que nous avons des gens tendent à être parcellaires et lacunaires. De plus, il semble que les erreurs présentes dans nos souvenirs peuvent être biaisées selon des patterns réguliers. Ces derniers s'expliquent bien en relation avec le concept de schéma.

Pour bien comprendre ce dont il s'agit, reportons-nous aux travaux des années quarante. L'une des grandes questions de l'époque portait sur l'importance relative des premières informations acquises au sujet d'une personne et de celles obtenues plus récemment. Si vous êtes un avocat et que vous tentez de convaincre les membres du jury, devriez-vous présenter vos arguments les plus percutants au début du procès ou les conserver pour la fin, au moment de conclure votre plaidoyer? Les gens ont-ils tendance à oublier ce qu'ils ont entendu d'abord, ou au contraire ces premières informations ne pourraient-elles pas biaiser la compréhension de ce qu'ils entendront par la suite? Quand l'impression première est prépondérante, on parle de l'**effet de primauté**, alors que si c'est l'information récente qui a le plus de poids, il s'agit de l'**effet de récence**.

Dans les premiers travaux sur la question, les résultats suggéraient généralement que la primauté constituait la règle dans la formation des impressions. Dans une étude classique, Asch (1946) a demandé à des étudiants de se faire une impression globale d'une personne «intelligente, travailleuse, impulsive, critique, entêtée et envieuse». Comme vous pouvez le constater, la liste commence par des traits très positifs et se termine par des traits plus négatifs. Un deuxième groupe d'étudiants recevait la même liste, mais

l'ordre de présentation des traits était alors inversé; les traits négatifs précédaient les traits positifs. Asch a constaté que l'ordre de présentation influait fortement sur les impressions qu'avaient les étudiants. Les sujets d'abord exposés aux traits positifs avaient une impression globale plus positive que ceux d'abord exposés aux traits négatifs. En d'autres termes, l'impression initiale semblait persister malgré l'information ultérieure.

De tels résultats impliquent que les gens s'attachent généralement à une impression et se ferment à toute nouvelle information. Devant cette possibilité inquiétante, les chercheurs ont poursuivi leurs travaux sur la primauté et la récence. Ils ont essayé d'éliminer ou de renverser l'effet de primauté en utilisant des instructions particulières. L'effet de primauté diminue, par exemple, lorsqu'on demande aux sujets de reformuler leurs impressions chaque fois qu'on leur présente un nouveau trait. Lorsqu'on demande aux sujets de porter une attention particulière à chaque élément d'information, il semble que la primauté ne prévale pas. De même, le simple fait de prévenir les sujets des dangers des impressions prématurées peut mettre en échec l'effet de primauté (*voir la revue de* McGuire, 1985). Cependant, notre conclusion générale demeure: à moins que des précautions spéciales ne soient prises, l'effet de primauté est fréquent. Les premières impressions sont les plus puissantes.

Si vous y pensez bien, vous vous apercevrez que l'effet de primauté appuie ce qui est décrit à propos du schéma autosuffisant. Au commencement d'une relation, vous développez un schéma d'une autre personne. Dès lors, vous tendez à rechercher de l'information qui confirme votre schéma d'origine. Il en résulte un effet de primauté. Ce schéma d'origine est si important qu'habituellement on peut se rappeler sa forme générale, sans toutefois être capable de se rappeler les faits spécifiques sur lequel il était basé (Wyer et Srull, 1980). En d'autres termes, vous pouvez fort bien vous souvenir que votre professeur de première année était sévère et autoritaire, mais vous pourriez ne pas vous rappeler des événements spécifiques où ce professeur se serait comporté d'une telle façon.

Cela signifie-t-il que ce sont toujours les vieux schémas qui l'emportent? Pas du tout. Nous parlons ici uniquement de biais et non de conditions permanentes. Nous apprenons souvent à voir les gens différemment. Nous pouvons être déçus d'apprendre qu'une personne nous a trompé, alors que nous lui faisions confiance. Nous

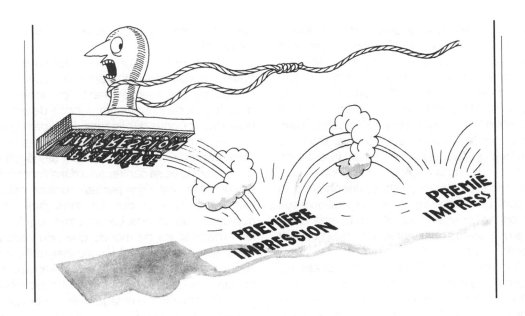

pouvons être heureux d'apprendre qu'une personne atteinte d'alcoolisme a décidé de s'en sortir. Ce qui est fascinant, cependant, c'est qu'à partir du moment où nous voyons la personne sous un jour nouveau, nos souvenirs peuvent se réorganiser. Nous pourrions nous souvenir de choses qu'il nous était impossible de nous rappeler jusque-là et en oublier d'autres qui pourtant nous étaient très familières. Il a été montré que l'humeur du moment influe sur ce que nous nous rappelons de ce qui nous est arrivé. On a demandé à des étudiantes de créer chez elles un état soit dépressif, soit de bonne humeur (Snyder et White, 1982). Les étudiantes croyaient que cela visait à vérifier les effets de l'humeur sur les habiletés motrices. Mais, par la suite, on a demandé aux étudiantes de parler des événements de la semaine précédente. Fait intéressant, les étudiantes qui avaient adopté une humeur dépressive ont eu tendance à se souvenir d'événements tristes, alors que dans la condition où la bonne humeur avait été créée, les étudiantes ont eu tendance à ne pas se souvenir de ce type d'événements. Pour ces dernières, la semaine précédente avait été agréable. La morale de cette histoire est de ne jamais procéder à l'évaluation de votre vie quand vous traversez une période dépressive.

Le schéma qui l'emporte: le cas de l'activation préalable

Ces divers travaux suggèrent tous que les schémas agissent de façon à se perpétuer. Ils y parviennent par la façon dont ils recueillent l'information, rejettent les faits qui ne cadrent pas avec leur structure et biaisent la mémoire à leur avantage. Cependant, la plupart d'entre nous construisons plusieurs schémas, certains pouvant même être en contradiction. Par exemple, les Français peuvent avoir un schéma selon lequel la France est un bon pays et, en même temps, avoir un schéma tout autre qui contiendrait toutes ses faiblesses. Si plusieurs schémas peuvent s'opposer, lesquels ont les plus grandes chances de prévaloir dans notre construction du monde social?

Plusieurs chercheurs croient que la réponse à cette question se trouve dans l'environnement. Divers événements qui se produisent dans l'environnement concourent à faire surgir dans l'esprit un schéma ou à le rendre prégnant à un moment donné. De façon plus spécifique, les événements qui se produisent dans l'environnement nous font activer certains schémas plutôt que d'autres. Ainsi, si les Français ont récemment entendu un discours optimiste du Président de la République, ils peuvent être incités à activer un schéma pro-français. Par contre, le fait d'entendre narrer les expériences troublantes d'immigrants d'Afrique du Nord pourrait activer leur schéma antifrançais.

L'effet d'**activation préalable** est particulièrement intéressant parce qu'il suggère que le schéma rendu prégnant sera utilisé même s'il est inapproprié. Autrement dit, ce que nous avons à l'esprit colore notre façon d'interpréter la réalité. Prenons un exemple pour illustrer ce phénomène. Des étudiants de niveau postsecondaire ont participé à deux expériences n'ayant, en apparence, aucun lien entre elles (Higgins, Rholes et Jones, 1977). Dans la première expérience, dont on avait dit aux étudiants qu'elle portait sur le traitement de l'information, on a montré dix mots que les étudiants devaient retenir pendant un court laps de temps. Pour le premier groupe, parmi les mots de la liste on retrouvait quatre traits positifs: aventureux, confiant, indépendant et tenace. Quant au deuxième groupe, ces traits positifs furent remplacés par des traits négatifs: imprudent, prétentieux, froid et entêté. L'hypothèse des chercheurs prévoyait que même une courte exposition à ces mots pourrait créer une activation préalable, c'est-à-dire que les sujets les auraient en tête pendant un certain temps.

Afin de vérifier l'effet d'activation préalable, chacun des étudiants participa à une deuxième expérience, portant prétendument sur la compréhension de texte. On leur remit un paragraphe décrivant les aventures de Donald, alpiniste et coureur automobile, à la recherche de nouvelles activités, peut-être bien le saut en parachute. Donald ne consulte personne sur ces sujets et une fois son idée faite, il n'en change pas. On fit passer aux sujets un test de compréhension de texte. Parmi les questions posées, on demanda de décrire la personnalité de Donald. Les chercheurs désiraient savoir si l'activation préalable, qui avait pris place dans une situation complètement différente, allait affecter la façon dont les étudiants caractériseraient Donald. Serait-il évalué de façon plus positive ou plus négative? Le tableau 2-1 présente le pourcentage d'étudiants qui, dans chaque condition expérimentale, ont caractérisé Donald soit de façon positive (aventureux, par exemple), soit de façon négative (imprudent, par exemple). Il est tout à fait clair que l'activation préalable explique la différence observée entre les deux groupes, même si cette activation ne s'appliquait pas à Donald. Combien de fois l'activation préalable fait-elle en sorte que quotidien-

nement nous portons des jugements biaisés sur les gens?

En résumé, la façon dont nous construisons nos impressions des autres provient de deux sources principales. Premièrement, l'environnement nous fournit de l'information à partir de laquelle nous développons des images des types de personnes, d'actions et de situations qui existent. Cette approche, dite du traitement dirigé par les données, trouve sa contrepartie dans l'orientation dite du traitement dirigé par les concepts, qui met l'accent sur la façon dont les gens construisent activement leur monde. Les schémas cognitifs, ou les organisations du monde que nous entretenons, semblent souvent fonctionner de façon à se perpétuer. Ils biaisent la façon dont nous caractérisons les autres et ils nous font sélectionner, dans l'information emmagasinée, celle qui les appuie. Le fait qu'un schéma domine à un moment donné dépend en grande partie des effets reliés à l'activation préalable.

L'attribution de la causalité

Tom, un ami, marchait en ville lorsqu'un garçon de quatorze ans bondit sur lui par derrière, lui plongea un couteau dans le dos et s'enfuit par une ruelle avoisinante. Heureusement, il y avait un hôpital tout près et on a pu sauver la vie de Tom. Cela nous a profondément bouleversés et nous désirions impatiemment voir l'adolescent arrêté et puni. Nous apprîmes, par la suite, que cette agression était en fait un rite d'initiation d'une bande du voisinage et que si l'adolescent n'avait pas cédé à la pression de la bande, sa propre vie aurait pu être en danger. Que pouvait-il faire d'autre?

Comment notre perception de l'adolescent a-t-elle été changée par cette information? Comme le suggère le théoricien Fritz Heider (1958), notre désir de vengeance a changé parce

Caractérisation	Activation préalable	
	Positive	Négative
Positive	70 %	10 %
Négative	10 %	70 %

Adapté de Higgins, Rholes et John, 1977.

Tableau 2-1   Activation préalable et caractérisations de Donald

Les sujets à qui l'on a demandé d'apprendre des qualificatifs positifs ou négatifs ont par la suite intégré ces qualificatifs dans la caractérisation qu'ils ont faite de Donald.

que notre perception de la **source causale** de l'agression s'est modifiée. Au départ, nous voyions le garçon comme la source causale et nous le tenions responsable. Cependant, en en apprenant davantage sur le cas, nous avons commencé à voir la bande comme source de ses actions. En termes techniques, nous avons d'abord attribué la causalité à une source *interne*, à l'acteur lui-même; par la suite, nous l'avons attribuée à une source *externe*, la situation dans laquelle le garçon se trouvait. Comme notre perception de la causalité a changé, notre blâme et notre désir de voir le garçon puni se sont également modifiés.

D'après Heider, la perception de la causalité personnelle joue un rôle décisif dans la vie sociale. La gratification, tout comme le blâme, dépend de la perception de la causalité. Si une personne fait une bonne action et que l'action semble bénévole ou intentionnelle, elle recevra des autres beaucoup plus de gratifications que si elle était payée pour accomplir l'action. Si la personne avait été payée, la source causale aurait été externe (Gross et Latané, 1974). Étant donné l'importance de l'attribution causale dans la vie sociale, nous devons d'abord nous demander comment les gens parviennent à décider qui a causé l'action. Comment déterminons-nous qui est à blâmer pour une action? Et comment pouvons-nous savoir si nous avons raison ou tort? Examinons maintenant chacune de ces questions.

Le modèle de Kelley: les scientifiques de la rue

Harold Kelley a élaboré l'une des explications les plus utiles à la compréhension des règles courantes de l'attribution de la causalité (Kelley, 1973). D'après Kelley, les critères que les gens utilisent dans leurs affaires quotidiennes sont à peu près les mêmes que ceux qu'utilise le scientifique dans son laboratoire pour examiner les données et localiser la cause d'une maladie. Toutefois, le scientifique essaie de suivre les critères avec soin et précision, alors que les circonstances urgentes et fortuites de la vie quotidienne peuvent faire en sorte qu'il est très difficile à l'individu moyen de les suivre. Quels sont ces critères? Selon Kelley (1967), il existe trois critères, et chacun découle du même principe général, celui de la **covariance**. Il y a covariance lorsqu'une condition spécifique et un effet sont simultanément présents ou simultanément absents. En d'autres termes, si celui qui perçoit voit une condition *au*

moment où un événement survient et *ne* la voit *pas* lorsque l'événement *ne* survient *pas*, il conclura que la condition a causé l'événement. Par exemple, si vous vous sentez heureux chaque fois que votre amie Sophie vous fait une visite alors qu'en général, vous ne vous sentez pas très heureux, vous conclurez que c'est Sophie qui est la cause de votre sentiment de bonheur. Les trois critères qui découlent de ce principe de covariance seront maintenant décrits.

Le critère du caractère distinctif

Admettons que vous venez de présenter un exposé important devant votre classe. Vous n'êtes pas tout à fait sûr d'avoir été bon, mais Benoît vient vous trouver après le cours et vous félicite pour votre présentation. Vous désirez vraiment savoir si c'est votre exposé (une source externe) qui a engendré le compliment ou quelque chose qui est propre à Benoît (une source interne), comme son habitude d'être toujours positif. Un des premiers facteurs que vous pourrez prendre en considération est le fait que le compliment de Benoît s'applique ou non à vous de façon particulière. Benoît complimente-t-il tous ceux qui présentent un exposé oral? A-t-il le compliment facile dans ses relations quotidiennes? Si le compliment s'applique particulièrement à vous, vous pouvez conclure que c'est bien votre exposé qui a engendré le compliment. En accord avec le principe de covariance, l'exposé est présent au moment où le compliment survient et, par ailleurs, il n'y a pas eu de compliment à d'autres moments. Vous attribuez alors la cause à l'exposé.

L'expérience suivante illustre ce principe. On a demandé à des étudiants de juger une série de situations fictives (McArthur, 1972). Par exemple, on a dit à quelques étudiants qu'un comédien particulier fait rire Jean, alors que les autres ne le font pas rire. Comme vous pouvez le voir, dans ce cas le rire de Jean est particulier (caractère **distinctif**) à ce comédien. On a dit à d'autres étudiants que presque tous les comédiens font rire Jean. Il est clair que son rire n'est pas particulier à un comédien. Les deux groupes devaient juger si quelque chose chez le comédien (une source externe) avait causé le rire de Jean, ou si quelque chose chez Jean (une source interne) l'avait fait rire. En général, les sujets avaient beaucoup plus tendance à voir la source externe comme responsable du rire si la réaction de Jean était particulière, c'est-à-dire si seul le comédien particulier le faisait rire.

Le critère du consensus

Pour juger si c'est bien votre exposé qui a causé le compliment de Benoît, vous chercherez peut-être à savoir si les autres étudiants sont d'accord avec Benoît. Ainsi, si plusieurs autres vous félicitent, vous pouvez être plus assuré que c'est bien votre exposé qui a produit le compliment de Benoît. Bref, plus il y a consensus dans la réponse des gens à un stimulus donné, plus l'attribution de la causalité à ce stimulus sera grande.

Quelques chercheurs ont affirmé que les gens n'appliquent pas toujours le **critère du consensus**. Ils sont parfois si engagés dans la situation immédiate qu'ils ne tiennent pas compte des réactions des gens à un stimulus (Nisbett et coll., 1976). Comme nous l'avons vu précédemment, le manque d'attention au consensus est semblable à la négligence du niveau de base. Toutefois, lorsque le consensus est clairement évident, les gens en tiennent souvent compte (Zuckerman, 1978).

Une autre raison nous incite à nous intéresser au consensus. En surestimant le degré de consensus, les gens se sentent souvent plus sûrs de leurs jugements. Ils semblent d'accord avec l'idée courante selon laquelle «si tout le monde le fait, ça doit être bon». Dans une université, les étudiants qui supportaient le mouvement de libération de la femme estimaient que 57 % des étudiants partageaient leur point de vue. Leurs camarades qui n'appuyaient pas le mouvement croyaient que 67 % des étudiants partageaient leur opinion (Ross, Greene et House, 1977). Les deux groupes exagéraient nettement leurs estimés, probablement parce qu'ils préféraient croire qu'un grand nombre de gens partageaient leur point de vue.

Le consensus influe également sur le jugement que l'on porte sur la personnalité d'autrui. Imaginez, par exemple, que vous décidez de porter des jeans au cégep, parce que vous croyez que vous êtes une personne du genre désinvolte. Si tous vos camarades en portent également, les gens qui vous voient en jeans ne penseront probablement pas que cela constitue une expression particulière de votre personnalité (cause interne). Les jeans seront plutôt perçus comme une réponse aux exigences d'une source externe, le groupe de pairs (Jones et Davis, 1965). Cette réaction peut se manifester même si vous pensez que les jeans expriment réellement quelque chose d'important à votre sujet. Ainsi, lorsqu'une action est socialement désirable au point où presque tout le monde la fait, on aura plus tendance à penser qu'elle a une cause externe plutôt qu'interne. En réalité, si vos actions sont toujours socialement désirables, il se peut que l'on croie que nous n'avez aucune personnalité.

Le critère de la constance

Afin de juger de la valeur de votre présentation orale, vous serez probablement intéressé par la **constance** des réponses dans le temps et à travers les situations. Par exemple, si vous remettiez à votre professeur une version dactylographiée de votre exposé, recevriez-vous une bonne note? Si vous isoliez les points majeurs et en faisiez un travail pour un autre cours, recevraient-ils encore l'approbation? Si vous constatez que la réaction est constante dans le temps et à travers les situations, vous pourrez être plus sûr que votre travail, et non un autre facteur quelconque, constitue la source causale du compliment. En général, plus un stimulus produit constamment une réponse, plus l'attribution de la causalité à ce stimulus est élevée.

Le choix des critères

Le choix des critères utilisés et leur nombre peuvent varier selon les circonstances. Il n'y a rien, biologiquement, qui nous force à utiliser ces trois critères spécifiques. Ainsi, des gens peuvent utiliser certains critères pour juger de la cause d'un crime et d'autres critères pour décider ce qu'ils doivent faire pour se protéger des criminels (Kidder et Cohn, 1979). Kelley soutient qu'à l'occasion les gens utilisent les trois critères à la fois. Il s'est particulièrement intéressé à savoir comment les gens optent pour une cause parmi deux ou plusieurs possibles. D'après Kelley (1972), dans de tels cas, une explication suffisante en faveur d'une cause met habituellement un terme au processus de prise de décision. Toute autre explication possible est éliminée. Imaginez, par exemple, que votre jeune frère prenne votre radio et que vous ne soyez pas certain qu'il l'ait prise parce que la sienne est en dérangement ou parce qu'il est fâché contre vous. S'il vous paraît fort plausible qu'il soit fâché, cela pourra suffire à éliminer complètement la possibilité que sa radio soit brisée. On appelle **principe d'élimination** cette tendance à éliminer toutes les autres causes possibles si une cause quelconque trouve un appui suffisant et plausible.

Les perspectives divergentes de l'acteur et de l'observateur

Nous avons suggéré jusqu'à maintenant que les gens suivent souvent trois critères courants pour déterminer si la source causale d'une action se situe chez une personne ou si elle fait partie de la situation. Nous avons cependant également insisté sur l'inconstance des gens. Personne ne suit immanquablement ces critères. Un grand nombre de facteurs incitent un individu à le faire ou non. L'un des facteurs majeurs qui intervient est la perspective de la personne dans la situation. La perspective varie selon que, dans la situation, l'individu est un acteur ou un observateur. Revenons à l'exemple de l'adolescent qui a assailli notre ami. Comme observateurs, nous voyions l'adolescent comme la cause de son propre comportement et, en conséquence, nous souhaitions qu'il soit puni. Mais, de son point de vue, il n'avait pas le choix. Nous regardions donc le même événement selon une perspective différente.

Les théoriciens de l'**attribution** Jones et Nisbett (1971) soutiennent que les gens voient ordinairement les autres comme la source de leurs actions, alors qu'ils voient que leurs propres actions varient selon les contraintes du milieu. Pourquoi l'acteur et l'observateur diffèrent-ils dans leurs attributions de la causalité? Premièrement, ils ne disposent pas tous les deux de la même quantité d'informations. Habituellement, les acteurs ont beaucoup plus d'informations sur la situation qui entoure l'action que n'en ont les observateurs. Les acteurs sont au courant de facteurs qui, dans le passé, ont pu les pousser à l'action. Ils sont capables d'identifier les aspects spécifiques d'une situation qui ont des effets puissants sur eux. Les observateurs sont beaucoup moins bien informés sous tous ces rapports. En conséquence, ils ont tendance à voir les acteurs comme à l'origine de leurs décisions. Deuxièmement, l'acteur et l'observateur diffèrent dans leurs points de vue en raison de leur centre d'attention. Les acteurs portent d'abord leur attention vers l'extérieur, vers les obstacles ou le potentiel du milieu, par exemple. Les observateurs s'attachent surtout à l'acteur. D'autres aspects de la situation, ceux qui poussent l'acteur à certains choix, peuvent ne jamais être remarqués par l'observateur qui, lui, voit simplement agir l'acteur. Ces raisons expliquent que les observateurs ont souvent tendance à voir les gens comme responsables de leurs propres comportements, tandis que les acteurs perçoivent davantage qu'ils répondent à la situation.

Pour démontrer cet argument, des chercheurs ont mis au point une expérience, discutable sur le plan éthique, où ils tentaient de recréer ce qu'avaient vécu les participants de l'affaire du Watergate (West, Gunn et Chernicky, 1975). Rappelons que lors des élections présidentielles américaines de 1972, des républicains ont été à l'origine d'un cambriolage pour des fins d'espionnage au siège social du parti démocrate, le Watergate. Les chercheurs ont proposé à un groupe d'étudiants un raisonnement poussé justifiant le cambriolage d'une firme publicitaire locale. Ils sont parvenus à faire admettre aux étudiants que le cambriolage était valable. Un second groupe (observateurs) n'a fait qu'une simple lecture des événements et de l'accord des sujets. Lorsqu'on les a interrogés plus tard sur la responsabilité du cambriolage, les sujets qui avaient envisagé les faits à partir du point de vue des acteurs ont eu tendance à considérer le cambriolage comme légitimement nécessaire. Les sujets qui n'avaient fait que lire à propos des faits (observateurs) ont blâmé les acteurs. Ainsi, les différences de perspective pourraient expliquer à la fois la raison invoquée par les hommes de Nixon qui disaient que leurs actions étaient exigées par la situation, et le point de vue du public selon lequel l'affaire du Watergate résulte d'une faiblesse morale. Plusieurs autres études ont identifié des patterns similaires.

Précisons que nous parlons ici de tendance et non de lois absolues du comportement. Plusieurs personnes, par exemple, s'attribuent généralement à eux-mêmes la causalité, peu importe la circonstance. Comme nous le verrons au chapitre 12, certaines personnes croient généralement que leurs actions sont sous contrôle interne, tandis que d'autres les croient contrôlées par les circonstances. Il est également possible de réduire les différences entre acteurs et observateurs en donnant davantage d'informations. Les observateurs qui ont suffisamment d'informations sur une situation en viennent à ressembler aux acteurs; ils ont alors davantage tendance à attribuer la cause à la situation (Eisen, 1979).

Dans une étude sur les conflits conjugaux, Yvan Lussier et Michel Alain (1986), de l'Université du Québec à Trois-Rivières, rapportent également une absence de différence dans le fait que des conflits soient attribués à une source externe ou à une source interne. Des sujets séparés ou divorcés étaient invités à attribuer à eux-mêmes,

Encadré 2-2

L'erreur fondamentale d'attribution et le jugement porté sur les moins fortunés

On a appelé **erreur fondamentale d'attribution** la tendance à négliger les effets situationnels sur la conduite des gens pour ne considérer que leurs dispositions personnelles (Ross, 1977). Le développement de politiques nationales d'aide aux couches défavorisées est une situation concrète où l'erreur fondamentale d'attribution peut avoir des répercussions profondes sur l'action. Le gouvernement doit-il aider les moins nantis en leur accordant des avantages tels qu'une allocation de bien-être, la gratuité des médicaments, des réductions d'impôt particulières et des programmes d'emploi? Ou doit-on laisser les pauvres s'aider eux-mêmes? La réponse à ces questions dépend en partie de la façon dont on voit les personnes défavorisées. Voit-on la personne pauvre comme responsable de son état ou croit-on plutôt que c'est la situation qui détermine la pauvreté? La pauvreté reflète-t-elle le manque de motivation, de sens des responsabilités ou de volonté de l'individu ou résulte-t-elle de mauvaises politiques gouvernementales, de l'inflation ou du système économique capitaliste?

On a sondé la façon dont les citoyens des États-Unis voient la situation des pauvres. On leur a demandé en particulier si les gens pauvres peuvent être blâmés pour leur condition économique ou si leur pauvreté est due à des circonstances hors de leur contrôle (Schiltz, 1970). Dans quatre sondages sur cinq faits en l'espace de trois ans, un pourcentage plus élevé de répondants ont attribué la pauvreté à un manque d'effort des individus plutôt qu'à des circonstances sociales ou économiques hors de leur contrôle. En 1967, le pourcentage de gens qui blâmaient l'individu pauvre a même été plus de deux fois supérieur à celui des gens qui blâmaient la situation. Ces résultats, obtenus à des moments différents, suggèrent que la tendance à blâmer l'individu plutôt que la situation persiste malgré de grandes variations dans les circonstances sociales et économiques. Les résultats de ces sondages semblent refléter une erreur fondamentale d'attribution.

Comme le rappellent Serge Guimond et Lise Dubé (1989), la majorité des travaux américains rapportent que les individus attribuent la pauvreté à des causes personnelles plutôt qu'aux contraintes de la situation. Ces conclusions sont plutôt décourageantes pour qui a une vision progressiste ou libérale de la société. Stimulés et peut-être inquiétés par ces résultats, quelques chercheurs se sont demandé si cette erreur d'attribution fondamentale dans le cas de la pauvreté se retrouve dans le contexte culturel québécois.

Luc Lamarche et Francine Tougas (1979) ont, auprès de sujets montréalais francophones, reproduit une étude américaine (Feagin, 1972) qui avait d'ailleurs été reproduite en Australie (Feather, 1974). Les sujets étaient invités à se prononcer sur l'importance de diverses raisons pouvant expliquer pourquoi il y a des pauvres au Québec. Certaines raisons étaient de type structural, c'est-à-dire qu'elles étaient liées à la situation, par exemple occuper un emploi mal payé. D'autres énoncés portaient sur des raisons dites individualistes, c'est-à-dire associées à la personne (le manque d'habileté et de talent, par exemple). Enfin, d'autres raisons de nature fataliste étaient proposées (par exemple la maladie et les handicaps physiques). Les chercheurs de l'Université de Montréal ont constaté que leurs sujets accordaient plus d'importance aux raisons structurales et à la fatalité qu'aux causes individualistes. Comparativement aux raisons invoquées par les échantillons américain et australien, l'échantillon montréalais a fourni des réponses très différentes. En particulier, l'exploitation par les riches était considérée par les Montréalais comme l'une des trois causes les *plus* importantes, mais l'une des trois causes les *moins* importantes par les deux autres échantillons. Par ailleurs, le manque d'habileté et de talent des pauvres était vu par les Montréalais comme l'une des causes les *moins* importantes, tandis que les Américains la considéraient comme l'une des *plus* importantes. Les Montréalais avaient donc plus tendance à blâmer le système et ainsi à ne pas commettre l'erreur fondamentale d'attribution.

Par la suite, deux autres chercheurs de l'Université de Montréal ont voulu vérifier l'hypothèse selon laquelle les membres de groupes dominants adhéreraient à l'idéologie du blâme de la victime, manifestant ainsi l'erreur fondamentale d'attribution, tandis que les membres de groupes défavorisés s'opposeraient à cette perspective (Guimond et Dubé, 1989). Les sujets de leur échantillon, composé d'étudiants d'université francophones et anglophones, devaient évaluer l'importance de divers facteurs pouvant expliquer l'écart du salaire moyen entre les francophones et les anglophones. Guimond et Dubé ont constaté que les francophones et les anglophones expliquaient différemment l'inégalité de revenu entre les deux groupes. L'erreur fondamentale a été identifiée chez les étudiants anglophones qui avaient tendance à croire que les francophones étaient responsables de leur sort économique. Par contre, les francophones avaient tendance à accorder plus d'importance aux causes structurales qu'aux causes individualistes, et en particulier plusieurs blâmaient le groupe anglophone. Selon Guimond et Dubé, les institutions culturelles, en particulier le système scolaire et les médias, auraient un rôle très important à jouer dans le développement des attributions.

Guimond, Bégin et Palmer (1989) ont par ailleurs montré une association entre la socialisation universitaire dans divers domaines d'étude et la tendance à blâmer la personne défavorisée. Les chercheurs ont comparé des étudiants en administration, en sciences et en sciences sociales de cinq niveaux: école secondaire, première et deuxième années de cégep et d'université. Ils ont constaté que la tendance à blâmer la personne était peu différente d'un niveau à l'autre chez les étudiants en administration et en sciences. Par contre, chez les étudiants universitaires en sciences sociales de première et particulièrement de deuxième année, la tendance à blâmer la personne défavorisée diminuait de façon majeure. Une étude longitudinale (Guimond, 1990) a confirmé que ces différences n'étaient pas causées par le fait que des domaines d'études différents attirent simplement des étudiants qui partagent des idées différentes. En outre, plus les étudiants en sciences sociales se disaient intéressés par le contenu de leurs cours et jugeaient ces cours d'une manière favorable, plus ils avaient tendance à accorder de l'importance aux causes structurales. La socialisation ou la formation peut donc réussir à modifier les valeurs et les croyances.

L'ensemble des travaux québécois sur la perception des causes des inégalités montrent l'importance des dimensions sociale et économique dans le développement des attributions. Encore une fois, nous voyons la nécessité de mener en psychologie sociale des recherches qui tiennent compte de la réalité sociale que l'on veut comprendre.

au partenaire ou à la situation la cause d'un conflit dans leur vie de couple. Lorsque le sujet déclarait que le partenaire avait initié le conflit, il lui en attribuait la cause. Lorsque le sujet déclarait avoir été lui-même l'initiateur du conflit, il l'attribuait également à la personne, en l'occurrence lui-même, c'est-à-dire qu'il en assumait la responsabilité en s'en attribuant la cause. La divergence dans l'attribution de la causalité selon que l'on est acteur ou observateur pourrait ne pas survenir dans le cas où le sujet n'est pas strictement un observateur, mais où il est également acteur dans la transaction ou dans la dynamique du couple. Il en résulte que le sujet pourrait être amené à examiner avec les mêmes critères les causes de conflits.

Le biais de complaisance dans l'attribution de la causalité

Dans le présent chapitre, nous avons souvent insisté sur l'extrême difficulté à interpréter l'interaction humaine. Les gens changent constamment et personne ne peut jamais connaître avec certitude la signification d'une action donnée. Cette ambiguïté laisse place à plusieurs interprétations de la causalité. Comme nous venons de le voir, l'acteur et l'observateur peuvent arriver à des conclusions différentes, en raison de leurs perspectives différentes. Il convient maintenant d'examiner l'influence des motivations ou des buts personnels sur la façon d'interpréter la cause des événements. Les chercheurs se sont particulièrement intéressés au **biais de complaisance** dans l'attribution de la causalité, c'est-à-dire la tendance à se percevoir comme la cause de ses succès, mais à attribuer la cause de ses échecs à des sources externes.

Par exemple, qui doit recevoir le crédit du succès scolaire d'un élève? L'enseignant qui emploie d'excellentes méthodes pédagogiques ou l'élève qui a réellement fait des efforts? Dans une étude portant sur cette question (Johnson, Feigenbaum et Weiby, 1964), les enseignants devaient déterminer si le degré de réussite des enfants était dû d'abord aux habiletés et aux efforts des enfants ou à leurs propres talents pédagogiques. Les résultats des enfants variaient; ils étaient parfois bons, parfois mauvais. Lorsque l'enfant réussissait mal, les enseignants avaient tendance à blâmer l'enfant: il était incapable ou ne faisait pas suffisamment d'efforts. Lorsque l'enfant réussissait, les enseignants avaient beaucoup plus tendance à s'accorder le crédit de son succès. Il nous faut cependant être indulgents

envers ces enseignants, puisque les élèves ont également tendance à croire que leurs succès relèvent de leur propre responsabilité et que leurs échecs sont dus aux circonstances (Bernstein, Stephan et Davis, 1979).

Prenons également le cas des jeux d'argent. Chaque année, des parieurs perdent entre deux et trois milliards de dollars dans les casinos de l'État du Nevada. Plus de deux autres milliards de dollars sont perdus aux courses de chevaux. De plus, des sommes indéterminées sont perdues par l'entremise de bookmakers illégaux et de nombreux racketteurs. La plus grande partie de cet argent est évidemment perdue par des gens qui en ont déjà perdu dans le passé. En réalité, qu'ils le croient ou non, les gens qui continuent à parier sont des gens qui continuent à perdre. Mais pourquoi persistent-ils à parier s'ils continuent à perdre? Des milliers de victimes dans les familles de ces gens aimeraient bien, tout comme les psychothérapeutes, connaître la réponse à cette question. La théorie de l'attribution fournit une réponse intéressante. Selon le raisonnement de Thomas Gilovich (1983), les parieurs acceptent leurs gains comme une chose qui va de soi; cependant, lorsqu'ils perdent, ils ont tendance à ne pas accorder trop d'importance à leurs pertes. S'ils gagnent, c'est à cause d'eux-mêmes; mais s'ils perdent, c'est à cause de circonstances extérieures. C'est un parfait exemple du biais de complaisance. Gilovich a rencontré en entrevue des personnes qui avaient parié sur les résultats de parties de football professionnel. Il leur a demandé d'expliquer pourquoi ils avaient gagné ou perdu. Il a constaté que, lorsqu'ils gagnaient, les parieurs avaient peu de choses à dire. Ils percevaient ces gains comme quelque chose de normal; c'était le résultat attendu de leur habileté et de leur perspicacité.

Par contre, lorsqu'ils perdaient, ils passaient significativement beaucoup plus de temps à en discuter. Ils s'efforçaient de trouver des moyens d'expliquer que les résultats étaient une question de mauvaises circonstances, d'un coup de veine extraordinaire de l'autre équipe, de blessures, et ainsi de suite. De cette façon, ils pouvaient continuer à croire en leurs habiletés de parieur et, semaine après semaine, continuer à parier.

À la recherche de la cause réelle

Nous pouvons dégager de notre exposé que les gens utilisent fréquemment les critères du caractère distinctif, du consensus et de la constance pour se faire une idée de la source causale d'une action donnée. Les attributions causales des gens peuvent également varier selon qu'ils sont acteurs ou observateurs et selon les avantages qu'ils peuvent retirer de la situation. Comme vous pouvez le voir, il peut y avoir beaucoup de désaccord quant à la responsabilité d'une action, c'est-à-dire sur la décision à savoir si l'individu doit être blâmé ou complimenté. La résolution de tels désaccords peut avoir parfois de lourdes conséquences. Considérez la situation des membres d'un jury qui doivent décider si un homicide était volontaire (cause interne) ou involontaire (cause externe). Comment peut-on déterminer la cause réelle des actions des autres?

Il faut actuellement envisager la possibilité que la cause réelle soit une sorte de mythe social et qu'elle ne pourra jamais être identifiée sur une base objective (Gergen et Gergen, 1982). Il est difficile de déterminer la cause réelle parce que cette décision dépend principalement de l'endroit où les gens dirigent leur attention. Nous avons déjà vu comment l'acteur et l'observateur peuvent être en désaccord sur une attribution causale. Ils sont en désaccord non pas parce que l'un est plus objectif que l'autre, mais parce que l'un porte attention à l'acteur en mouvement, tandis que l'autre s'attache aux exigences de la situation. Rappelez-vous aussi que si quelque chose dans l'environnement est saillant ou attire l'attention, nous croyons que l'environnement est la cause des actions des gens beaucoup plus que s'il ne présente rien de particulier. Par exemple, si deux personnes sont en train de parler et que nous remarquons que l'une d'elles parle d'une voix plus forte, nous avons tendance à croire qu'elle cherche à contrôler le comportement de l'autre (Robinson et McArthur, 1982). Si les deux parlent d'un même ton, nous percevons qu'elles exercent un niveau de pouvoir comparable.

Le mythe de la causalité apparaît encore plus clairement dans les recherches sur les *chaînes de causalité*, c'est-à-dire les séries d'événements qui peuvent être reliées de façon causale (Brickman, Ryan et Wortman, 1975). Prenons un cas d'agression sexuelle où l'acte semble avoir été prémédité et peut, en conséquence, être attribué à des causes internes. L'accusé peut être blâmé pour son action. Mais si l'on considère la situation qui précède l'agression, le blâme est peut-être moins indiscutable. L'accusé peut avoir été sous l'emprise d'une pulsion absolument incontrôlable. Il peut avoir été perturbé parce que sa mère et ses sœurs aînées le battaient durant son enfance et

parce que, un mois avant le viol, sa femme l'a abandonné. Il apparaît maintenant que la situation sociale devrait être blâmée. Cependant, si l'on regarde en arrière et que l'on examine la raison des actions de la mère, des sœurs et de l'épouse, le blâme peut encore retomber sur l'accusé. Celui-ci provoque peut-être les femmes qu'il côtoie dans sa vie. Mais, encore une fois, il faudrait considérer les circonstances qui l'ont conduit à provoquer l'attaque des femmes. On pourrait continuer ainsi sans pouvoir s'arrêter de façon objective. Le degré de responsabilité que l'on impute à un accusé dépend du point considéré dans la chaîne de causalité.

Pourtant, même si la connaissance de la cause réelle ne peut être atteinte, il s'agit tout de même d'un concept extrêmement précieux pour la société. Si l'on ne voit pas les gens comme à l'origine de leurs actions, il n'y a aucune façon de les tenir responsables de leurs actes. Or, sans un concept de responsabilité sociale, la confiance dans les relations humaines pourrait disparaître. Nous avons besoin d'être capables de nous dire l'un l'autre «vous avez causé ceci», «vous êtes responsable», «vous auriez pu choisir de faire autre chose». De plus, le système légal et judiciaire n'aurait pas sa place dans un univers où les gens ne seraient pas considérés comme les instigateurs de leurs propres actions. Si les gens ne peuvent pas être tenus responsables de leurs actions, quel droit aurions-nous de les punir ou de les corriger?

La négociation sociale de la réalité

Supposons qu'un professeur vous remette votre copie d'examen et que vous ayez obtenu une mauvaise note. Sur votre copie, le professeur a écrit «vous n'êtes pas attentif en classe» et «vous êtes constamment dans la lune». Il se pourrait fort bien que ces remarques vous incitent à en parler à vos amis, à vos camarades, ou même à votre professeur. Vous vous demandez ce que ces remarques pouvaient bien vouloir dire parce que vous croyez être attentif. Serait-ce que le professeur ne vous aime pas? Votre regard est-il tellement vide que vous avez l'air absent, même quand vous êtes attentif? Le professeur entretiendrait-il une rancune personnelle à votre endroit? Toutes ces questions pourraient faire partie des discussions éventuelles que vous auriez à ce sujet.

Plusieurs psychologues sociaux diraient que ce que vous faites en vous livrant à ces discussions correspond à *négocier la réalité*. Dans une discussion avec d'autres personnes, vous tentez d'en arriver à un consensus sur la façon de comprendre ce qui s'est produit. La majorité des actions ont un caractère ambigu et les participants eux-mêmes s'en aperçoivent quelquefois. C'est pourquoi la négociation sociale de la réalité est considérée comme une partie fondamentale des rapports normaux entre individus (Sabini et Silver, 1982). Tout comme dans le cas où les remarques du professeur prêtent à confusion, il est souvent difficile de savoir si les gens vous aiment vraiment (ou s'ils essaient tout simplement d'obtenir quelque chose de vous), s'ils sont véritablement déprimés (ou s'ils veulent seulement attirer la sympathie des autres), s'ils ont vraiment de l'audace (ou s'ils sont stupides), et ainsi de suite. En communiquant avec les autres, nous donnons forme à cette argile qu'est l'ambiguïté. Ensemble, nous déterminons si les gens nous aiment, s'ils sont dépressifs et s'ils ont de l'audace; nous construisons, pour ainsi dire, ces éléments de réalité.

L'ethnométhode: le processus de construction de la réalité

Notre propos sur la façon dont les gens construisent ensemble la réalité nous conduit hors du domaine de la théorie cognitive, pour entrer dans l'univers des processus sociaux. L'intérêt porte ici non pas sur les pensées, mais bien sur les comportements publics des gens (*voir la théorie des règles et des rôles au premier chapitre*). Comme Harnold Garfinkel (1967) l'a suggéré, nous avons, dans notre culture, élaboré des méthodes communes pour construire la réalité. Tout comme il existe des méthodes spécifiques pour peindre, pour gagner au tennis ou pour préparer un repas, nous avons aussi des méthodes pour atteindre un consensus au sujet de la nature même de la réalité. En matière de construction de la réalité, Garfinkel a proposé le terme **ethnométhode** pour rendre précisément compte des processus sociaux auxquels les gens ont recours pour en arriver à prendre des décisions relatives à cette réalité.

Prenons le problème du suicide pour illustrer le phénomène de construction de la réalité. La plupart d'entre nous acceptons le suicide comme une réalité de la vie. Les statistiques indiquent que le suicide est plus fréquent en Scandinavie qu'en France, en Italie ou aux États-Unis. Demandez-vous cependant qui décide quels sont les cas considérés comme des suicides et comment on en arrive à une telle décision. De façon spécifique, cette décision est laissée aux coroners et aux médecins qui peuvent, le cas échéant, consulter les membres de la famille et les policiers. Dans les faits, la décision résulte donc d'une négociation sociale. De plus, comment peut-on avoir la certitude que le décès est un suicide? Après tout, porter ce type de jugement signifie que l'on puisse déterminer quelles étaient les intentions de la personne qui a fait ce geste. Pourtant, les intentions ne sont jamais claires ni évidentes, même quand la personne concernée en fait part de façon explicite. Cette personne peut en effet nous conduire sur une mauvaise piste ou même n'être pas consciente de ses motivations profondes. Ainsi, le coroner et le médecin doivent, par des méthodes pratiques — ethnométhodes —, en arriver à déterminer qu'il s'agit bien d'un suicide. Ils en viendront à accorder une importance plus ou moins grande à chacune des informations dont ils disposent, que ce soit les opinions de divers membres de la famille, les divers types de messages laissés par une personne décédée ou les diverses circonstances et façons dont un décès peut survenir. L'ethnométhode leur servira alors à déterminer ce qui peut être considéré comme un suicide. C'est ainsi que l'ethnométhode influe sur les statistiques nationales. Ce n'est donc pas l'événement comme tel qui aura contribué à établir les statistiques, mais plutôt le processus social devant conduire à une entente à ce sujet. Comme l'ethnométhode change à travers l'histoire, qu'elle évolue dans le temps, il en est donc de même au sujet des «statistiques de suicide».

«L'attitude naturelle»: prendre la convention pour la réalité

La vie sociale serait un véritable cauchemar si nous devions nous interroger sur la signification de chaque action. Si une amie nous salue de la main en disant, sur un ton joyeux, «comment vas-tu?», nous pourrions nous demander si la salutation était sincère, pourquoi elle ne s'est pas arrêtée pour nous parler, s'il s'agissait là d'un véritable geste d'amitié ou d'une simple manifestation de politesse, et ainsi de suite. Mais nous nous posons rarement ce genre de questions. Le vie sociale se déroule très rapidement et se poser trop de questions nous empêcherait d'agir adéquatement. Nous devons donc agir à partir de postulats, d'ailleurs partagés par la majorité des gens, et continuer à vivre. Quand nous cessons de nous poser des questions et que nous acceptons les postulats courants véhiculés dans notre culture, nous adoptons ce qui a été identifié comme l'**attitude naturelle** (Schutz, 1932). Nous présumons que les accords des uns et des autres quant à ce qui est réel constitue, en fait, la réalité. Cependant, quand nous examinons en profondeur le cas du suicide, il devient difficile d'être certain qu'un décès donné est ou n'est pas une forme de suicide. La «réalité de la vie» est ainsi devenue le résultat de l'application des conventions sociales, dans le cadre de la négociation qui vise à déterminer ce qu'est la réalité.

Adopter une attitude naturelle est absolument nécessaire pour que la société fonctionne rondement. Cependant, cela ennuie sérieusement plusieurs psychologues. Après tout, il ne faut pas confondre les accords sociaux sur le monde avec ce qu'il est réellement. Cette pratique a des conséquences dangereuses. Tout d'abord, nous nous fermons aux idées nouvelles, qui sont souvent fécondes. Si l'on permettait à l'attitude naturelle de dominer, nous penserions encore que la Terre est plate et que nous occupons le centre de l'univers. En second lieu, l'attitude naturelle contribue à opprimer et à maltraiter les gens. Pendant des siècles, il était naturel pour l'homme blanc occidental de présumer qu'il était supérieur à tout autre être vivant. Nous sommes d'ailleurs encore aux prises avec les injustices qui ont pu être causées par cette perception. En dernier lieu, l'attitude naturelle étouffe le potentiel humain. Par exemple, si les hommes sont supposés être rationnels et capables de maîtriser leurs émotions, leurs capacités de vivre en interdépendance et d'exprimer librement leur émotions sont anéanties. Malgré le fait que l'attitude naturelle soit essentielle à la vie sociale, elle est aussi étouffante.

Pour cette dernière raison, les psychologues sociaux tentent de procéder à des recherches qui visent à briser l'attitude naturelle et à démontrer ses faiblesses (*voir au chapitre 1 la fonction de libération que peut exercer la recherche*). Pour illustrer ce point, prenez le concept du genre sexuel. Il nous est naturel de penser qu'il y a deux genres, le féminin et le masculin. Qui pourrait mettre cette distinction en doute? N'est-ce pas l'évidence même? Deux chercheuses, Suzie Kessler et Wendy McKenna (1978), n'étaient pourtant pas de cet avis. Leurs questions de recherche étaient les suivantes: «Comment savez-vous qu'il existe deux genres? Sur quelles preuves appuyez-vous votre jugement?» La réponse la plus évidente fait bien sûr mention des différences génitales. La caractéristique d'un homme est d'avoir un pénis et celle de la femme, d'avoir des seins et un vagin. Ce type de réponse est tout à fait conforme à notre croyance, ajoutent Kessler et McKenna, mais considérons maintenant d'autres groupes de personnes. Il y en a plusieurs qui ne sont pas d'accord avec cette perspective dominante. Mais comment pouvons-nous démontrer que ceux qui adhèrent à cette perspective dominante ont tort?

Prenez, par exemple, le cas du médecin qui a reçu une formation visant à s'assurer que les hommes et les femmes ne participent pas à des compétitions sportives réservées aux membres de l'autre sexe. Dans ce cas, les parties génitales de l'athlète ne sont que d'une importance mineure. C'est plutôt la composition hormonale du sang qui est le déterminant majeur du genre sexuel. À ce sujet, un membre de l'équipe olympique soviétique, qui avait des seins et un vagin, a même été exclu d'une compétition féminine. Malgré l'opinion que cette personne pouvait avoir sur le sujet, «elle» était un homme. Les transsexuels (personnes qui changent de sexe) n'ont pas nécessairement recours aux caractéristiques que nous venons de mentionner. Ils peuvent en effet s'appuyer sur leurs sentiments personnels. D'ailleurs, plusieurs d'entre eux savent déjà quand ils sont très jeunes qu'ils appartiennent à l'autre sexe. De plus, si l'on regarde dans d'autres cultures, on constate que certaines d'entre elles reconnaissent trois genres sexuels. Dans ce cas, la caractérisation du genre n'est pas basée sur les caractéristiques génitales. Notre attitude naturelle ne serait-elle pas un peu trop restrictive, se demandent Kessler et McKenna. Ne devrions-nous pas alors mettre au rancart les idées oppressives sur les distinctions entre les hommes et les femmes? Pourquoi n'y aurait-il pas trois ou quatre genres sexuels? Nous reviendrons sur cette question au chapitre 5, en abordant le thème de l'androgynie.

Encadré 2-3

La construction sociale des sciences naturelles

Il est généralement accepté que la fonction de la science est de nous donner un portrait fidèle et des comptes rendus exacts du monde réel. Ainsi, comme les théories scientifiques changent avec le temps, nous aimons croire que nous avons des idées de plus en plus précises sur la réalité. La physique moderne nous présente d'ailleurs un portrait plus précis de la réalité que n'avait pu le faire Aristote. Cependant, plusieurs théoriciens ont manifesté leur désaccord face à une telle opinion (Feyerabend, 1976; Kuhn, 1970). Comme nous l'avons vu, la vie quotidienne se déroule sous la domination de ce que nous avons nommé l'attitude naturelle, qui fait référence aux conceptions de sens commun portant sur la façon dont les choses existent. Dans la vie quotidienne, nous avons ainsi recours à toute une panoplie d'ethnométhodes ou de tactiques de négociation pour nous assurer que les gens élaborent le sens qu'ils accordent au monde en s'appuyant sur les présomptions de sens commun. Comment pouvons-nous alors être certains que les sciences ne fonctionnent pas de la même façon? Les spécialistes ne forment-ils pas de petites communautés dont les membres partagent certaines opinions sur ce qui est vrai ou sur ce qui est faux (les attitudes naturelles)? Ces spécialistes ne sont-ils pas susceptibles de subir l'influence sociale? Comment pouvons-nous être certains que c'est la théorie objectivement exacte qui l'emporte sur celle qui correspond le plus au sens commun partagé par les scientifiques?

Dans ce contexte, plusieurs théoriciens ont tourné leur attention vers les processus sociaux qui, dans les communautés scientifiques, donnent un sens à la vérité. Ainsi, les chercheurs ont analysé les activités de scientifiques travaillant au *Salk Institute for Biological Studies* (Latour et Woolgar, 1979). Les auteurs de cette recherche ont d'abord été surpris de constater l'existence d'un écart considérable entre le désordre qui régnait dans le fonctionnement du laboratoire, et l'ordre impeccable qui transpirait des rapports provenant de ce même laboratoire. Les discussions entre les chercheurs étaient conflictuelles ou source de désaccord, les techniques utilisées dans le laboratoire étaient déficientes et donnaient lieu à de nombreux problèmes, à des pertes de temps considérables, tout était sujet à des remises en question. Les articles publiés présentaient cependant les résultats des recherches comme s'ils avaient découlé d'une logique rigoureuse, d'une méthodologie sans faille devant conduire à des conclusions inéluctables. L'ambiguïté et le chaos avaient littéralement été changés en un monde naturellement ordonné. Des transformations linguistiques du même ordre sont, elles aussi, efficaces. Les comptes rendus suivants peuvent être donnés relativement à un même ensemble d'événements. Lequel d'entre eux donne l'impression que le chercheur est en train de découvrir les secrets du monde naturel?

«Le professeur X a pu observer le premier pulsar optique.»

«Le professeur X a pensé avoir observé le premier pulsar optique, après avoir passé trois nuits blanches d'affilée, alors qu'il était dans un état de fatigue extrême.»

Latour et Woolgan ont suggéré que les propositions scientifiques pouvaient être placées sur un continuum allant de l'artefact, ou de l'accident, à la vérité immuable. Ainsi, toute proposition, du type de l'affirmation du professeur X relative à la découverte du premier pulsar optique, peut être placée dans l'une des catégories suivantes.

Niveau 1 – Conjectures ou spéculations.

Niveau 2 – Prétention à la vérité, avancée cependant par un seul chercheur.

Niveau 3 – Prétention à la vérité qui repose sur les prétentions véhiculées par d'autres.

Niveau 4 – Propositions largement acceptées qui sont cependant encore sujettes à caution.

Niveau 5 – Connaissance tenue pour acquise et qui n'est plus remise en question.

Comme les entrevues menées auprès des scientifiques l'ont fait ressortir, la fonction principale du laboratoire Salk est de contribuer à l'augmentation de la connaissance objective. Concrètement, cela veut dire que le laboratoire doit produire un grand nombre d'articles chaque année. Ce qui est plus important, c'est que ces articles doivent démontrer que les chercheurs progressent du premier au cinquième niveau dans l'acquisition des connaissances. Il importe donc à ces chercheurs de faire accepter par leurs pairs que leur travail se situe au niveau 4 ou 5, plutôt qu'au niveau 1 ou 2. Obtenir une telle acceptation n'est pas chose facile et cela dépend en grande partie des processus sociaux. Prêtez attention aux manifestations suivantes de mécanismes sociaux.

Un directeur de recherche ordonne à son assistant d'utiliser la théorie X plutôt que la théorie Y pour interpréter leurs résultats.

Un chercheur cite les résultats obtenus par d'autres, même si de tels résultats s'appuient sur d'autres méthodes de recherche ou qu'ils proviennent d'échantillons différents.

Des chercheurs démontrent les faiblesses théoriques et méthodologiques de toutes les recherches qui vont à l'encontre de leur position, sans toutefois admettre leurs propres faiblesses.

Des chercheurs citent, de façon avantageuse, ceux qui sont chargés de faire la révision de leur article, espérant ainsi augmenter les chances que leur article soit publié et que l'on prête à leurs travaux un caractère accru de vraisemblance.

Cela veut-il dire que la recherche en sciences naturelles n'est simplement qu'un moyen d'aider les chercheurs à devenir célèbres et riches? Pas du tout. Les laboratoires, incluant l'Institut Salk, créent souvent des produits ou une technologie qui améliorent véritablement la qualité de la vie et la longévité. Cependant, nous devrions veiller à ne pas confondre les découvertes qui résultent de la recherche et les présomptions de vérité qui les accompagnent souvent. Ne confondez jamais un médicament et les prétentions théoriques avancées par le chercheur au sujet de ce médicament.

Résumé

1   Conceptualiser, c'est traiter des entités ou des stimuli distincts comme équivalents ou comme une unité. En regroupant les stimuli sous des concepts, les gens simplifient la réalité et ont davantage prise sur elle. Cette simplification aide à s'adapter à un monde complexe, facilite la mémorisation, aide à penser plus clairement et permet aux gens de communiquer.

2   Les concepts simplifient: ils entraînent donc les gens à négliger les différences entre les personnes classées comme membres d'un même groupe. C'est parce que les concepts fragmentent la réalité en unités différentes que les gens ont de la difficulté à composer avec les changements continus et qualitatifs inhérents à l'expérience.

3   Certains concepts peuvent reposer sur l'effet de la réalité physique sur les sens. Ces concepts sont appelés catégories naturelles. Toutefois, la majorité des concepts sont acquis par apprentissage social. Les catégories qui permettent d'organiser les aspects courants de la réalité sociale sont des prototypes sociaux. L'apprentissage social peut survenir quand l'individu formule provisoirement un concept et le teste dans l'interaction subséquente. L'apprentissage social se développe donc remarquablement avec l'acquisition du langage.

4   Lorsqu'il se forme des impressions sur autrui, celui qui perçoit applique des concepts ou des étiquettes. Ces concepts reflètent les règles d'usage dans une culture, les mobiles de celui qui perçoit et le contexte dans lequel l'action survient, c'est-à-dire l'ensemble des circonstances physiques et sociales environnantes. L'attention est souvent submergée par l'expérience immédiate, ce qui explique les erreurs conceptuelles de tous et chacun. Les gens négligent souvent, par exemple, le niveau de base ou la probabilité d'apparition d'un phénomène donné.

5   L'information qui porte sur la réalité n'est pas seulement conceptualisée, elle est aussi organisée. Cette organisation peut être comprise de deux façons. Premièrement, l'expérience peut nous enseigner une certaine façon d'organiser l'information. Ce type d'approche de la cognition sociale est souvent dénommée «traitement dirigé par les données». La recherche qui porte sur les associations de traits en constitue le plus bel exemple. Il est alors suggéré que les traits sont organisés en fonction du conditionnement relatif à l'association. L'approche opposée de la cognition sociale se nomme «traitement dirigé par les concepts». Dans ce cas, il est suggéré que les gens ont recours à des schémas, ou à des formes de prototypes, pour construire la réalité. À partir de ces schémas, les gens font des inférences et recherchent de l'information qu'ils emmagasinent. Les schémas fonctionnent généralement de façon à assurer leur propre maintien. Les gens possèdent plusieurs schémas afin de comprendre la réalité; l'utilisation d'un schéma particulier dans des circonstances données est par ailleurs fonction de l'activation préalable qui provient de l'environnement.

6   Le théoricien Fritz Heider soutient que les gens ont tendance à voir les actions des autres comme causées soit par eux-mêmes (cause interne), soit par le milieu (cause externe). La majorité des gens ont tendance à tenir les autres responsables des actions qui semblent relever d'une cause interne. D'après la théorie d'Harold Kelley, nous utilisons trois critères pour déterminer la cause d'une action: le critère du caractère distinctif, le critère du consensus et le critère de la constance.

7   Les attributions ont tendance à varier selon la perspective d'observation. Les acteurs perçoivent souvent que leurs actions ont été causées par le milieu (cause externe), tandis que les observateurs perçoivent que les mêmes actions ont été causées par les acteurs (cause interne). L'attribution peut également être influencée par les motifs intérieurs. Les gens se voient comme la cause de leurs succès, mais attribuent leurs échecs à des sources externes.

8   Quel que soit l'événement, il peut être catégorisé de différentes façons. Parce que le choix de la catégorisation influe sur les actions ultérieures, de tels choix sont souvent sujets à la négociation sociale. L'ethnométhode désigne les méthodes à partir desquelles les gens en arrivent à un consensus sur la nature de la réalité. Quand il y a entente sur la façon dont un aspect particulier du monde doit être nommé, souvent cette entente se stabilise. Quand cette forme stable est prise pour la réalité, on parle alors d'une attitude naturelle. Les attitudes naturelles sont souvent oppressantes, comme le démontre l'étude de la catégorisation selon le genre sexuel. Pour ce qui est des constructions du monde, elles sont souvent arbitraires et elles peuvent être modifiées.

Lectures suggérées

En français

Deschamps, J.C. et Clémence, A. (1990). *L'attribution: causalité et explication au quotidien.* Neuchâtel: Delachaux et Niestlé.

Jodelet, D. (dir.) (1989). *Les représentations sociales.* Paris: Presses universitaires de France.

Moscovici, S. (dir.) (1984). *Psychologie sociale.* (Troisième partie: Pensée et vie sociale.) Paris: Presses universitaires de France.

En anglais

Eiser, J.R. (1980). *Cognitive social psychology.* Londres, McGraw-Hill.

Fiske, S.T. et Taylor, S.E. (1984). *Social cognition.* Reading, Mass: Addison Wesley.

Gergen, K.J. et Davis, K.E. (1985). *The social construction of the person.* New York: Springer-Verlag.

Harvey, J.H. et Weary, G. (1985). *Attribution: basic issues and application.* New York: Academic Press.

Sabini, J. et Silver, M. (1982). *The moralities of everyday life.* New York: Oxford University Press.

Schneider, D.J., Hastorf, A.H. et Ellsworth, P. (1979). *Person perception* (2e éd.). Reading, Mass.: Addison-Wesley.

3

Le soi

Il faut se connaître soi-même; quand cela ne servirait pas à trouver le vrai, cela au moins sert à régler sa vie, et il n'y a rien de plus juste.

Pascal

Objectifs d'apprentissage

☐ Après l'étude du présent chapitre, vous devriez être capable

1. de définir les notions de concept de soi et de schéma de soi;

2. d'identifier et de décrire les quatre processus majeurs responsables du développement et de la modification du concept de soi au cours de notre vie;

3. d'expliquer les stratégies qui nous aident à conserver une cohérence dans notre sentiment de soi, en dépit des nombreuses pressions qui peuvent amener la fragmentation du soi;

4. de définir et d'illustrer les modalités du processus d'auto-vérification par lequel les gens cherchent à s'assurer qu'ils sont bien le type de personne qu'ils croient être;

5. d'expliquer comment les processus d'automaintien du soi nous aident à stabiliser et à maintenir nos propres conceptions de nous-même;

6. de différencier les points de vue biologique, cognitif et constructiviste dans leur façon d'expliquer les émotions;

7. d'identifier les principales critiques à l'universalité des émotions, soutenue par le point de vue biologique;

8. de décrire la gestion sociale des relations par la présentation de soi, les scénarios psychologiques et la négociation;

9. d'expliquer ce qu'est le monitorage de soi, les différences individuelles à cet égard et ses effets sur la vie sociale;

10. de distinguer les deux types de conscience de soi, sur le plan personnel et sur le plan public, et d'identifier les effets de la conscience de soi sur les actions des gens.

☐ *François avait toujours voulu épouser une femme comme Isabelle. Il en avait maintenant l'occasion. Isabelle semblait désireuse de passer son temps avec lui; elle l'appelait fréquemment et, la dernière fois, elle avait suggéré que pour leurs prochaines vacances, ils aillent ensemble faire de l'alpinisme. François était tenté par cette proposition, pourtant il y résistait. Pourquoi? Parce qu'il croyait ne pas être un type d'homme qui pourrait entretenir très longtemps l'intérêt d'Isabelle. Il craignait que si elle passait une longue fin de semaine avec lui, elle découvrirait qu'il n'était pas très intéressant, ni athlétique ni adroit sexuellement. Il s'imaginait à quel point il se sentirait blessé lorsqu'elle le rejetterait. Tout bien raisonné, il s'épargnerait beaucoup de souffrances en gardant Isabelle à distance.*

☐ *Nathalie se perçoit comme une gagnante. Elle est fière de ses réalisations, elle semble toujours confiante et ouverte, et elle s'organise habituellement pour contrôler son environnement social. Quelle que soit la faculté de droit qu'elle choisira, elle s'attend à y être acceptée et elle prévoit travailler éventuellement dans le monde des affaires pour y amasser une fortune. Pourtant, ses résultats scolaires ne dépassent pas la moyenne. Elle sait aussi que les gens bavardent souvent derrière son dos, insinuant qu'elle est prétentieuse et égoïste. Elle perçoit cela comme de la jalousie et de la mesquinerie, et ça ne l'affecte pas beaucoup. Elle est convaincue que sa détermination et son énergie la conduiront au devant du peloton et qu'un jour ou l'autre ses détracteurs ramperont à ses pieds.*

Ces deux exemples illustrent la grande importance qu'a dans notre vie l'idée que nous nous faisons de nous-mêmes. François n'a pas une très haute opinion de lui-même et, en conséquence, il évite une relation qu'il a toujours désirée. Au contraire, Nathalie pense tellement de bien d'elle-même qu'elle détériore plusieurs de ses relations et semble détachée de la réalité. Dans les deux cas, les opinions que ces personnes ont d'elles-mêmes ont des conséquences très importantes, non seulement sur leur vie présente, mais elles en auront sur leur vie future. François pourrait faire un mariage insatisfaisant et Nathalie pourrait devenir dangereusement déprimée. Leur trajectoire de vie est peut-être inscrite dans la conception qu'ils ont d'eux-mêmes.

Les psychologues sociaux se sont vivement intéressés au **concept de soi** chez les gens, c'est-à-dire à leurs façons de se catégoriser ou de se définir eux-mêmes. Bien sûr, nous possédons plusieurs concepts différents de nous-même, de notre sexe, de nos habiletés, de nos prédispositions personnelles, de la façon dont nous interagissons avec autrui, et ainsi de suite. Ces concepts peuvent aussi être reliés entre eux. Si vous vous percevez comme déprimé, par exemple, ce trait est relié à d'autres caractéristiques que vous vous attribuez. Les psychologues appellent souvent **schéma de soi** ou sens de l'identité personnelle cet amalgame organisé de concepts de soi. Les concepts de soi diffèrent sous plusieurs aspects. L'un des plus importants est l'affect, ou le sentiment qui accompagne chacun de ces concepts. Le concept de «gagnant» est habituellement associé à un sentiment positif, alors que le concept d'«échec» est associé à des sentiments négatifs. Lorsque le schéma de soi d'un individu se compose en grande partie de concepts de soi positifs, son **estime de soi** est élevée; par contre, on caractérise une image de soi généralement négative comme un état de faible estime de soi.

Dans ce chapitre, nous explorerons dans un premier temps l'émergence de la conception que l'on a de soi ou comment les gens en viennent à se percevoir comme ils le font. Nous verrons que les opinions sur soi sont inextricablement tissées dans les relations sociales, et il en résulte qu'elles peuvent être très fragiles. Cela soulève une question intéressante: comment les gens assurent-ils une continuité dans leurs opinions d'eux-mêmes à travers le temps? Comment maintiennent-ils une stabilité dans un contexte où le potentiel d'instabilité est très élevé? Nous aborderons par la suite le problème de la connaissance de soi. Les gens comprennent-ils vraiment ce qu'ils sont en réalité? Leurs opinions d'eux-mêmes sont-elles de l'ordre de la fiction? Il y a une controverse importante sur cette question. Nous poursuivrons sur ce sujet en examinant les recherches sur les émotions. Quelles sont les émotions, combien y en a-t-il, comment s'expriment-elles et comment les gens peuvent-ils vraiment savoir ce qu'ils ressentent? Toutes ces questions sont importantes. Nous aborderons enfin la question de la présentation de soi. Les gens se définissent eux-mêmes constamment, non seulement pour eux-mêmes, mais aussi pour les autres. Gérer ces définitions soulève une foule de questions nouvelles et intéressantes.

Le développement du soi

La plupart des psychologues sont d'avis que les gens commencent très jeunes à former des concepts sur ce qu'ils sont. Des psychiatres, comme Harry Stack Sullivan (1953), croient que la formation de ces concepts commence même dès la petite enfance. Selon son raisonnement, lorsque l'enfant reçoit du lait et des caresses affectueuses, il éprouve un sentiment de «moi bon». Si la mère cesse de le nourrir, le sentiment éprouvé est «moi mauvais». Sullivan et d'autres, comme Freud et Horney, croient aussi que les concepts de soi que les enfants développent au cours de cette période auront vraisemblablement un effet tout au long de leur vie. Ils soutiennent que les prédispositions de base que sont l'amour de soi et la haine de soi sont développées au cours des six premières années de la vie et qu'elles façonneront la vie future de ces enfants.

Ces spéculations sont intéressantes, mais la mesure du concept de soi en bas âge est très difficile. Les jeunes enfants ne possèdent pas les habiletés verbales qui permettent de fournir une information fiable sur la façon dont ils se voient eux-mêmes. Cependant, une mesure fiable et intéressante de la connaissance de soi a été mise au point à l'aide d'un miroir (Lewis et Brooks-Gunn, 1979). À l'insu de l'enfant, une petite quantité de couleur rouge est appliquée sur son nez. Un peu plus tard, l'enfant peut se regarder dans un grand miroir. Les enfants reconnaissent-ils leur propre image? On peut répondre à cette question en observant si les enfants portent leurs mains vers leur nez, ou s'ils attirent l'attention sur leur nez rouge, ou s'ils en parlent. Les enfants de moins d'un an identifient rarement l'image du miroir à leur propre image. À quinze mois cependant, plusieurs enfants montrent qu'ils se reconnaissent, et à deux ans, très peu ne sont pas conscients du fait que le miroir reflète leur image.

La technique du miroir semble nous en apprendre beaucoup sur les capacités de l'enfant

à se reconnaître. Cependant, cela n'est pas suffisant pour que l'on sache si les psychiatres ont raison de penser que les concepts de base sont formés dans l'enfance et changent peu par la suite. Il y a plusieurs façons de considérer ce problème et pour une réponse plus complète, il faudra attendre notre discussion sur la formation de la personnalité, au chapitre 7. Nous pouvons toutefois avancer immédiatement qu'il y a de bonnes raisons de mettre en doute au moins partiellement le point de vue des psychiatres. Il est vrai que les enfants semblent acquérir en bas âge des concepts de soi. Cependant, il y a peu de raisons de croire que de tels concepts soient par la suite fixés à jamais dans la personnalité. Il semble plutôt que la conception du soi soit sujette à des changements continus, tout au long de la vie. La principale raison en est que les conceptions de soi sont intimement reliées aux relations avec les autres. Ces relations changent fréquemment, parfois lentement, parfois très rapidement. Nous sommes toujours vulnérables au changement à cause de notre immersion dans les relations sociales. Examinons quatre processus majeurs responsables du développement et de la modification du concept de soi au cours de notre vie: le moi en miroir, la comparaison sociale, le jeu de rôle et la distinction sociale.

Le moi en miroir

Supposez que vous désirez savoir si vous êtes véritablement chaleureux et affectueux, ou foncièrement hostile aux autres. Vous semblez plutôt affectueux, mais vous êtes aussi conscient qu'à l'occasion, cela vous est pénible de l'être. Vous désirez savoir quel genre de personne vous êtes *réellement*. La réponse à cette question se trouve en grande partie dans les définitions proposées par le milieu social. La solution la plus facile à ce problème est simple; il s'agit de se fier aux opinions que les autres ont de vous. Au début du siècle, le théoricien George Herbert Mead (1934) pensait précisément que le concept de soi d'un individu est entièrement le reflet des opinions qui lui sont communiquées par des personnes importantes pour lui. La société procure un **miroir** dans lequel les gens découvrent leur image ou l'étiquette qui leur convient.

Regardons comment le miroir social peut former un aspect particulier du concept de soi, à savoir l'estime de soi. L'estime de soi d'un individu se rapporte à ses perceptions de ses capacités, de sa compétence ou de ses qualités. Au cours d'une expérience, des étudiantes du premier cycle ont été interviewées par une belle étudiante du deuxième cycle, spécialisée en psychologie clinique (Gergen, 1965). Pendant l'interview, les étudiantes devaient s'évaluer le plus honnêtement possible. Chaque étudiante évaluait sa personnalité, son apparence, ses habiletés sociales, et ainsi de suite.

Le travail de l'intervieweuse consistait à communiquer aux étudiantes de forts messages d'estime positive, mais à leur insu. La question était donc de savoir si l'intervieweuse servirait de miroir social. Est-ce que, à la suite des évaluations de l'intervieweuse, les étudiants en viendraient à se considérer elles-mêmes plus positivement?

L'étudiante du deuxième cycle montrait subtilement son accord chaque fois que le sujet s'estimait positivement et son désaccord chaque fois que le sujet se critiquait. Pour montrer son accord, l'intervieweuse souriait, montrait son assentiment d'un signe de tête ou murmurait «oui, je le pense aussi». Elle montrait son désaccord par un silence, un froncement de sourcils ou, à l'occasion, elle se disait en désaccord avec les doutes du sujet à son propre égard.

Les effets de cette communication sur les expressions d'estime de soi émises par les étudiantes interviewées sont montrés à la figure 3-1. Comparez le degré d'évaluation positive de soi chez les sujets du **groupe expérimental** et chez ceux du **groupe témoin** qui n'ont pas reçu de renforcement. Comme vous pouvez le voir, l'approbation de l'intervieweuse a provoqué chez le sujet une augmentation de la considération positive à son propre égard. La recherche a également montré que la nouvelle définition du soi de l'étudiante du premier cycle persistait même au-delà de l'interview. Environ vingt minutes après l'interview, on demandait aux sujets de donner une appréciation honnête et anonyme d'elles-mêmes. Comme le montre la figure, la haute

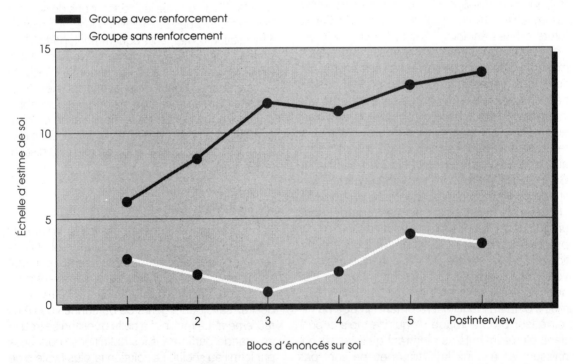

Figure 3-1   L'effet du renforcement social sur l'estime de soi

Notez l'augmentation de l'estime de soi dans le groupe qui recevait du support de l'étudiante du deuxième cycle. L'estime de soi accrue a persisté dans un cadre différent. (Adapté de Gergen, 1965.)

opinon des sujets manifestée par l'étudiante du deuxième cycle jouait toujours à ce moment. À ce propos, l'une des étudiantes a dit plus tard: «Je ne sais pas pourquoi, je me suis sentie en pleine forme toute la journée.»

Les étudiantes de cette expérience se sont permis d'accepter la vision de l'étudiante du deuxième cycle. Cependant, les gens peuvent être très sélectifs dans leur choix d'un miroir. Certaines opinions d'autrui peuvent être bienvenues, tandis que d'autres peuvent être rejetées. Par exemple, si les appréciations des autres sont fortement en désaccord avec sa propre évaluation de soi, il est possible qu'on les mette en doute (Bergin, 1962). De plus, les gens peuvent discréditer l'opinion de ceux qui les évaluent défavorablement. Une étude menée auprès de mille cinq cents adolescents a montré que plus l'opinion d'autrui était favorable, plus l'opinion semblait importante pour l'individu (Rosenberg, 1979). Il semble que les gens renforcent leur estime de soi en accordant davantage foi aux opinions de ceux qui les évaluent favorablement.

À mesure que nous apprenons des autres des choses sur nous-même, les comportements qui s'ensuivent peuvent aussi changer. Nous apprenons à nous percevoir d'une certaine façon et nous pouvons modifier nos comportements pour qu'ils correspondent à cette nouvelle conception. Prenons les résultats d'une étude où des enfants découvraient comment ils pouvaient conserver leur environnement propre (Miller, Brickman et Bolen, 1975). On a dit à un groupe d'enfants qu'ils étaient très ordonnés et particulièrement habiles à ne pas polluer l'environnement en jetant des papiers et des déchets à terre. De fait, ils apprenaient une nouvelle façon de se percevoir. À un deuxième groupe, on a simplement fait un exposé sur les raisons pour lesquelles ils devraient garder leur environnement propre. On leur a dit qu'ils *devaient être* ordonnés. On n'a rien dit aux enfants d'un troisième groupe qui constituaient le groupe de contrôle. Une semaine plus tard, les chercheurs sont revenus prendre des mesures du degré de pollution (papiers et déchets au sol) causée par les enfants. Le taux de pollution chez les enfants qui avaient appris qu'ils étaient ordonnés était de 40 % moins élevé que celui des enfants à qui on avait simplement dit qu'ils devaient être ordonnés et de 60 % moins élevé que celui des enfants du groupe de contrôle. Ces résultats sont impressionnants: en peu

de temps, les enfants semblent avoir appris une façon de se percevoir eux-mêmes qui a influé sur leur comportement pendant plus d'une semaine. Impressionnés par ces résultats, les chercheurs sont revenus prendre d'autres mesures une semaine plus tard. Ils ont constaté avec étonnement que les enfants du premier groupe à qui on avait déclaré qu'ils étaient bien ordonnés continuaient à montrer un faible taux de pollution. Chez les enfants à qui on avait seulement dit ce qu'ils devraient faire et chez ceux du groupe de contrôle, on a constaté 70 % plus de pollution que chez ceux qui avaient appris cette façon nouvelle et socialement utile de se percevoir eux-mêmes.

Les recherches ultérieures révèlent qu'il n'est pas nécessaire de recevoir directement les appréciations faites par d'autres pour expérimenter des changements dans ses propres sentiments. Quand vos amis ou d'autres proches reçoivent des louanges ou des critiques, vous pouvez vivre l'expérience d'effets indirects. L'expérience de *«se dorer des rayons de la gloire d'autrui»* (Tesser et Campbell, 1983) est d'un intérêt particulier pour les chercheurs. Dans ce cas, lorsque les associés de quelqu'un sont récompensés d'une façon ou de l'autre, cette personne prend personnellement une partie du crédit. La plupart des spectateurs d'événements sportifs ont vécu cette expérience. Lorsque leur équipe favorite remporte la victoire, ils se sentent souvent personnellement un peu meilleurs. Les gens sont souvent prêts à faire des efforts pour s'associer à ceux qui ont reçu une récompense importante. Dans l'une des premières recherches sur ce sujet, des chercheurs se sont intéressés aux réactions des étudiants de l'Université d'Arizona quant aux victoires et aux défaites de leur équipe de football (Cialdini et coll., 1976). Selon ces chercheurs, les étudiants devaient être plus susceptibles de faire valoir leur identité comme étudiants lorsque leur équipe gagnait. Pour vérifier cela, ils ont pris des mesures de la façon dont les étudiants choisissaient de s'habiller le lundi suivant la présentation, la veille ou l'avant-veille d'une partie de football. Ils ont constaté que les étudiants avaient davantage tendance à porter un vêtement qui les identifiait à l'université (par exemple, un T-shirt ou un blouson portant l'insigne de l'université) à la suite d'une victoire de leur équipe plutôt que d'une défaite. Il est étonnant de voir à quel point les équipes sportives universitaires peuvent influer sur l'état psychologique du corps étudiant.

La comparaison sociale: s'évaluer par rapport aux autres

Les gens découvrent également qui ils sont par la **comparaison sociale**, c'est-à-dire en estimant comment ils se mesurent comparativement à leur entourage. L'un de vos amis peut, par exemple, être considéré par tous comme une personne chaleureuse et affectueuse. Si vous trouvez que vous vous comportez de la même façon que cet ami, vous pouvez en conclure que vous êtes, vous aussi, chaleureux et affectueux. Leon Festinger (1954), un important théoricien, a suggéré que le processus de comparaison sociale pourrait être le principal véhicule par lequel les gens déterminent ce qui est vrai et ce qui est faux en ce qui a trait à la vie sociale. Nous étudierons davantage ce processus au chapitre 9. Pour l'instant, examinons une démonstration spectaculaire du processus de comparaison sociale dans laquelle on offrait un emploi d'été à un groupe d'étudiants masculins (Morse et Gergen, 1970). Lorsque chaque postulant venait pour l'entrevue, on le faisait asseoir seul et on lui donnait une série de formulaires à remplir. Un test d'estime de soi normalisé se glissait parmi les formulaires. Lorsque le postulant avait complété la moitié du test d'estime de soi, une secrétaire faisait entrer dans la pièce un deuxième postulant. Cet individu, un **compère** des expérimentateurs, pouvait apparaître sous deux aspects. Pour la moitié des sujets, il se composait une personnalité impressionnante. Il portait un habit superbe et tenait une mallette. Aussitôt qu'il était assis de l'autre côté de la table, il ouvrait ostensiblement sa mallette pour qu'on y voie des crayons bien taillés, un livre de philosophie et une règle à calculer. En privé, nous appelions ce postulant «Monsieur Net». Pour les autres sujets, le même collaborateur apparaissait vêtu d'un chandail malodorant et d'un pantalon déchiré, et arborant une barbe de plusieurs jours. Il avait l'air hébété et, en s'affalant sur sa chaise, il lançait sur la table une copie tout écornée d'un roman érotique minable. Nous l'appelions entre nous «Monsieur Crasseux». Aucun mot n'était échangé entre le compère et le sujet. Lorsque le compère était assis, le postulant complétait la seconde partie du test d'estime de soi. Les sujets étaient donc confrontés à une autre personne qui véhiculait soit une image très positive, soit une image très négative. Quel a été l'effet de la présence de cette image sur leur estime de soi? L'examen des scores d'estime de soi a révélé un effet impressionnant.

En présence de Monsieur Net, les postulants ont montré une *baisse* marquée dans leurs impressions favorables d'eux-mêmes. Les évaluations étaient beaucoup plus négatives qu'avant l'arrivée de Monsieur Net. L'effet complètement inverse est survenu lorsque les étudiants étaient exposés à Monsieur Crasseux. Lorsqu'ils se comparaient à lui, leurs notes d'estime de soi montraient une *hausse* marquée. Le concept de soi peut donc souvent dépendre de la comparaison effectuée, c'est-à-dire qui est présent à un moment donné.

De tels résultats suggèrent que lorsque vous choisissez vos amis, votre collège, un lieu de travail ou un quartier de résidence, peut-être choisissez-vous une base de comparaison sociale. En effet, pour chaque situation sociale, vous vous comparerez avec les autres et, comme résultat, vous en tirerez des conclusions sur vous-mêmes. Si vous sentez que les autres vous sont supérieurs, vous en viendrez à vous percevoir comme une personne inférieure; si vous choisissez de passer votre temps avec des gens pour lesquels vous n'avez pas une considération très élevée, vous vous sentirez peut-être mieux dans votre peau. Pour illustrer cela, une recherche sur le concept de soi a montré que les étudiants qui fréquentaient des collèges plus médiocres s'estimaient souvent de façon plus positive; ceux qui fréquentaient des écoles hautement compétitives en venaient souvent à développer un sentiment d'infériorité (Marsh et Parker, 1984). Les étudiants des meilleures écoles peuvent espérer que lorsque plus tard ils entreront dans la société, ils commenceront à se comparer favorablement aux autres.

Le jeu de rôles: un masque ou une réalité?

Vous êtes-vous déjà trouvé au milieu d'une vive discussion alors que le sujet abordé ne vous préoccupait pas outre mesure? Pourtant, à mesure que la discussion s'échauffait et que vous commenciez à vous y engager pleinement, vous vous êtes lentement aperçu qu'après tout, ce sujet vous préoccupait. D'une certaine façon, le sujet abordé s'est révélé plus important que vous ne le pensiez de prime abord. Peut-être, après coup, êtes-vous devenu un supporteur enthousiaste de la position que vous défendiez lors de la discussion. En psychologie sociale, lorsque des gens prennent en public une position différente de celle qu'ils ont en privé, on dit qu'ils **jouent un rôle**. Les gens qui jouent des rôles publics en viennent fréquemment à être influencés par ces rôles; ils en viennent à croire aux positions publiques qu'ils soutiennent (*voir la discussion du jeu de rôle et du changement d'attitude, au chapitre 6*). La compréhension de ce processus est essentielle pour expliquer comment les gens en viennent à se percevoir eux-mêmes. Nous jouons tous chaque jour des rôles variés tels qu'agir en ami, être serviable, motivé, et ainsi de suite, même lorsque nous n'en avons pas le goût. Ce jeu de rôle peut éventuellement influer sur ce que nous pensons que nous sommes. Sur scène, plusieurs acteurs sont profondément conscients de ce fait. Les rôles qu'ils jouent alors s'insinuent dans leur vie quotidienne. Avec le temps, les masques semblent devenir la réalité personnelle. Il y a déjà longtemps, un chercheur décrivait de la façon suivante la personnalité des enseignants.

> Cette allure rigide et formelle qu'emprunte chaque matin ce jeune enseignant lorsqu'il met son faux-col devient [...] un moule de plâtre qu'avec le temps il ne peut plus desserrer [...]: ses comportements en classe ont engendré des manières didactiques et autoritaires, accompagnées d'un ton de voix monotone et assuré [...] et ces caractéristiques se sont transposées dans les relations personnelles du professeur (Waller, 1932).

Les enseignants ont changé depuis ce temps, mais il est possible que les effets de leur comportement en classe sur leur vie privée soient toujours existants.

Pour démontrer l'effet du jeu de rôle, on a soumis des étudiants à un test d'estime de soi, en classe (Gergen et Taylor, 1966). Environ un mois plus tard, plusieurs de ces étudiants ont participé à une expérience où ils devaient convaincre de leurs atouts un employeur potentiel. La consigne précisait qu'ils pouvaient dire tout ce qu'ils voulaient sur eux-mêmes dans la mesure où, selon eux, cela puisse faire bonne impression sur l'employeur. Plusieurs d'entre eux ont fait de brillants exposés sur eux-mêmes. Une fois cette expérience de jeu de rôle terminée, les étudiants devaient, dans un autre environnement, repasser le test d'estime de soi. Le jeu de rôle semble avoir eu un effet très marquant; en effet, les mesures d'estime de soi se sont révélées beaucoup plus positives. Cet accroissement de l'estime de soi était absent chez un groupe de contrôle à qui on faisait passer une deuxième fois le test, mais sans faire intervenir le jeu de rôle. S'il vous est déjà arrivé de vous sentir gêné ou trop critique envers vous-même pour participer à une activité, ce que vous avez de mieux à faire est peut-être simplement de décider d'y participer. Vos sentiments de confiance en vous-même suivront de peu vos actions.

La distinction sociale: «En quoi suis-je différent?»

Considérons une dernière influence sur notre concept de soi. Si l'on vous demandait de parler de vous-même, il est fort probable que vous ne mentionneriez pas que vous êtes une personne qui a deux pieds, deux yeux ou un nez. Pourtant, s'il vous manquait un pied, un œil ou le nez, vous penseriez probablement qu'il s'agit là d'un aspect important de vous, peut-être même essentiel pour qu'on comprenne qui vous êtes. Apparemment, les gens développent aussi un sentiment du soi en observant les façons dont ils diffèrent des autres. Il semble qu'observer une différence augmente la conscience que l'on a d'une caractéristique particulière. La caractéristique devient alors un moyen d'identification personnelle.

Lors d'une étude sur les effets de la **distinction sociale**, les chercheurs ont interviewé plus de cinq cents élèves du secondaire. Ils leur ont demandé de parler d'eux-mêmes pendant cinq minutes et de dire tout ce qui leur venait à l'esprit (McGuire et McGuire, 1982). Environ 82 % des élèves étaient des Blancs de langue anglaise, 9 % étaient des Noirs et 8 % étaient d'origine hispanique. Dans cette situation, les Noirs et les élèves

Encadré 3-1

La mémoire travaille ainsi

Nous avons vu que nos conceptions de soi se modifient continuellement à mesure que nos activités et nos relations changent. Cependant, nous ne sommes pas toujours tourné vers les autres; il arrive que nous regardions en nous-même et que nous fassions appel à notre mémoire. Si nous explorons notre mémoire, plusieurs aspects différents du soi peuvent se présenter à notre conscience. Le plus intéressant est que si nous cherchons à nous rappeler des expériences positives, nous pouvons devenir plus positif au sujet de nous-même dans le présent. Par contre, en nous concentrant sur des échecs passés, nous pouvons avoir tendance à nous dévaluer nous-même dans le présent. Notre mémoire a donc la capacité de façonner ce que nous croyons au sujet de nous-même. Dans le cadre d'une étude visant à démontrer les possibilités positives d'investigation de la mémoire, des chercheurs ont demandé à des étudiants de premier cycle de l'Université de Californie d'essayer de se rappeler des pensées et des sentiments positifs expérimentés dans des situations variées (Andersen et Williams, 1985). Par exemple, on leur a demandé de se rappeler des pensées positives qu'ils avaient eues et des sentiments positifs qu'ils avaient éprouvés lorsqu'ils étaient seuls, avec des amis, avec quelqu'un du sexe opposé, et ainsi de suite. On a demandé aux sujets d'un deuxième groupe expérimental de se rappeler des actions ou des choses positives qu'ils avaient accomplies dans les mêmes situations. Les sujets du groupe de contrôle ne se sont pas livrés à ces exercices de mémoire, ils devaient effectuer

d'origine hispanique mirent davantage de l'avant leur caractère distinctif. Dans leurs descriptions d'eux-mêmes, très peu d'élèves blancs (1 %) mentionnèrent spontanément leur identité raciale; ils n'avaient tout simplement pas à l'esprit qu'ils étaient des Blancs. Par opposition, 17 % des Noirs et 14 % des élèves d'origine hispanique mentionnèrent leur race ou leur origine ethnique. Des résultats semblables ont été obtenus chez des élèves dans une analyse portant sur la mention de leur sexe. Les élèves s'identifiaient comme étant de sexe masculin ou féminin, selon le nombre d'individus de sexe masculin ou féminin dans leur famille. Si un sujet masculin vivait avec une mère et trois sœurs, par exemple, son appartenance au sexe masculin influait fortement sur la façon dont il se voyait.

Très souvent, les gens cherchent activement à se créer un soi distinctif. Ils semblent rechercher des façons de se distinguer des autres. Selon les spéculations des théoriciens, les habitants des sociétés occidentales peuvent avoir appris le besoin d'être uniques (Snyder et Fromkin, 1980).

Ils essaient d'éviter les situations où ils paraîtront semblables aux autres et mettent plus d'énergie à travailler à ce qui semble les rendre différents. Des chercheurs ont voulu savoir comment les gens décident du choix de leur ameublement, des décorations et des objets qu'ils placent dans leur maison, leur appartement ou leur chambre. Avant d'examiner les résultats de cette étude, faites mentalement un inventaire des objets avec lesquels vous avez choisi de vivre et interrogez-vous sur l'importance qu'ils ont pour vous. Pourquoi avez-vous choisi certains objets et en avez-vous rejeté d'autres? Dans l'étude en question, les chercheurs ont interrogé un grand échantillon de personnes, incluant des enfants et des personnes âgées, au sujet de leur environnement physique (Csikszentmihalyi et Rochberg-Halton, 1981). Ils ont constaté que les gens choisissent habituellement des objets qui leur donnent un sens unique de leur propre histoire. Ils vont s'accrocher à des objets qui leur rappellent un événement important, qui font ressortir une relation privilégiée avec quelqu'un ou qui leur rappellent qu'ils sont des gens

une association de mots et de couleurs. On a par la suite soumis tous les participants à un test normalisé d'estime de soi.

L'objectif principal de cette étude était de savoir si les exercices particuliers
de mémoire accroîtraient l'estime de soi des étudiants, par rapport aux résultats
qu'ils avaient obtenus au même test quelques semaines auparavant. Le fait de
se remémorer de bons souvenirs les amènerait-il à avoir le sentiment qu'ils étaient
des personnes plus intéressantes, plus attrayantes ou plus fortes? Les résultats de
l'étude sont présentés au tableau qui suit. Dans les deux groupes expérimentaux
ayant effectué des exercices de mémoire, l'estime de soi a augmenté de façon
significative; dans le groupe de contrôle, l'estime de soi est restée la même. L'exercice a particulièrement influencé les étudiants qui se sont rappelé des pensées
et des sentiments positifs. Peut-être considérons-nous davantage comme notre
«moi réel» ce que nous expérimentons en privé, alors que nos performances sociales seraient considérées comme des indicateurs plus superficiels.

Il y a une leçon utile à tirer de cette recherche. Si jamais vous devez faire face
à un défi difficile et que vous n'êtes pas sûr de vous-même, prenez quelques minutes pour vous remémorer des moments où vous étiez positif face à vous-même
et pour songer à des réalisations réussies. Il se pourrait dès lors que votre confiance en vous augmente et que votre performance s'améliore également.

Changement d'estime de soi selon trois conditions

Mémoire d'expériences personnelles	+ 11,4
Mémoire de réalisations personnelles	+ 3,5
Groupe de contrôle	+ 0,4

Adapté de Andersen et Williams, 1985.

ayant des habiletés ou des goûts particuliers.
Quand les gens vieillissent, cette tendance semble même se renforcer. Bref, les objets communs
que l'on voit chez les autres, livres, tables, appareils stéréo, tasses à café, et ainsi de suite, ne
représentent assurément pas, pour eux, des objets communs. Pour leurs propriétaires, ils sont
souvent des symboles du caractère distinct de
leur soi.

En résumé, la façon dont les gens se définissent eux-mêmes à n'importe quel moment
donné semble dépendre des réponses et de la
présence des autres. Les gens en viennent à se
connaître en observant la façon dont les autres
réagissent à leur comportement, en se comparant
à ceux qui les entourent, en jouant des rôles
sociaux et en centrant leur attention sur les aspects du soi qui les distinguent des autres. De telles recherches suggèrent que les gens n'en
viennent pas à se connaître en cherchant dans
les profondeurs de leur esprit ou par un long et
solitaire questionnement. Les concepts de soi se
complètent à travers des relations actives et

continues. Ultimement, on ne peut séparer notre
soi des autres.

Les stratégies d'automaintien du soi: se conserver de façon intégrale

Sous certains aspects, l'image que nous avons
brossée du développement du soi est plutôt
inquiétante. Elle suggère que nous sommes simplement les produits des relations sociales dans
lesquelles nous sommes empêtrés et que nous
changeons continuellement nos perceptions de
nous-même en nous déplaçant d'une situation à
une autre. Selon cette image, nous n'aurions pas
de caractère durable et nous pourrions nous sentir très fragmentés. De plus, il semblerait qu'il y
a peu de raisons de faire confiance aux autres.
Plutôt que de faire face à des gens réels, on ne
rencontrerait que des masques. Même s'il y a
quelque chose de vrai dans ce compte rendu,
vous vous doutez sûrement que ce portrait
n'est pas complet. Selon plusieurs psychologues

sociaux, nous ne sommes en effet pas toujours fragmentés et en mouvement dans notre perception de ce que nous sommes. Selon ces chercheurs, nous adoptons fréquemment des stratégies cognitives qui permettent de conserver notre sentiment de soi. Ces stratégies nous aident à développer un sens de la cohérence et de l'organisation, en dépit des nombreuses pressions qui peuvent conduire à la fragmentation du soi. Examinons-les.

L'autovérification: la production du vrai soi

Supposons que vous vous voyez comme une aventurière audacieuse, refusant de vous percevoir comme quelqu'un qui a besoin de sécurité. Vous n'attendrez sûrement pas des autres qu'ils vous disent ce que vous voulez entendre sur vous-même. Au contraire, vous choisirez des actions susceptibles de maintenir la perception que vous voulez avoir de vous-même. Comme des théoriciens l'ont soutenu, vous agirez probablement comme un scientifique biaisé. Vous chercherez des façons de vous assurer que votre hypothèse se vérifie (Swann, 1983), que vous êtes le type de personne que vous pensez être. Comment ce processus d'**autovérification** se déroule-t-il? Nous allons examiner ici trois de ses modalités: l'attention biaisée, l'interprétation biaisée, de même que l'**affiliation** et la présentation de soi.

L'attention biaisée

Chaque jour, nous recevons des autres beaucoup d'informations sur nous-même. L'enthousiasme dans le sourire de quelqu'un, le nombre de minutes pendant lesquelles quelqu'un attend de pouvoir nous parler, une petite tape dans le dos; tout cela peut nous révéler la façon dont les autres nous voient. Cependant, nous pouvons difficilement prêter attention à chaque petit détail qui provient du monde social qui nous entoure. Les théoriciens suggèrent que nous accorderons probablement l'attention la plus vive à l'information qui permet de vérifier nos propres hypothèses sur nous-même. Dans l'une des illustrations les plus convaincantes de l'attention biaisée, des chercheurs ont demandé à des sujets d'évaluer à quel point ils croyaient être quelqu'un de sympathique. Plusieurs des sujets se sont évalués comme très sympathiques, alors que d'autres se percevaient comme n'étant pas très aimés. Un peu plus tard

au cours de l'expérience, on a amené les étudiants à croire qu'une autre personne avait évalué leur personnalité. La moitié des sujets a appris que l'évaluation était plutôt positive, alors que l'autre moitié a été amenée à croire que l'évaluation était plutôt négative. Les sujets purent par la suite examiner ces évaluations dont le contenu avait été volontairement rédigé en termes vagues et généraux. Les chercheurs voulaient savoir comment les étudiants recevaient ces évaluations. Plus particulièrement, observerait-on des différences entre ceux qui se percevaient comme sympathiques et les autres?

Les résultats de l'étude sont montrés à la figure 3-2. Remarquez que les étudiants qui, de façon générale, se percevaient comme sympathiques ont passé plus de temps à examiner les évaluations lorsqu'ils croyaient qu'elles seraient positives plutôt que négatives. Ce résultat semble assez plausible: ne sommes-nous pas tous portés à écouter des louanges provenant d'autrui? Les résultats des étudiants qui se percevaient comme antipathiques sont plus saisissants. Comme la figure le montre, ils n'ont pas cherché avec application des indices louangeurs,

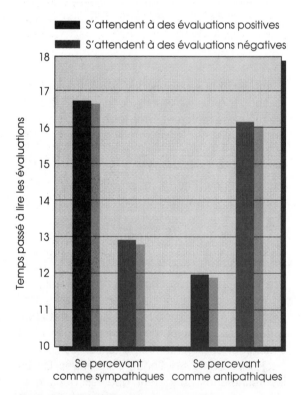

Figure 3-2   La vérification du concept de soi

Notez que les étudiants qui se perçoivent eux-mêmes comme antipathiques passent plus de temps à examiner les évaluations négatives. (Adapté de Swann, 1983.)

ils ont plutôt passé plus de temps à examiner les évaluations lorsqu'ils s'attendaient à ce qu'elles soient négatives. Donc, les étudiants de chaque groupe, les sympathiques comme les antipathiques, ont passé plus de temps à scruter le matériel qui concordait avec leur perception d'eux-mêmes.

L'interprétation biaisée

Même lorsque nous sommes confrontés à des évaluations que nous n'aimons pas, il existe encore des moyens de maintenir notre conception de soi. Les actions des autres doivent toujours être interprétées. On s'interroge ainsi sur le caractère intentionnel des actions d'autrui; les personnes ont-elles pu être mal informées? désiraient-elles obtenir quelque chose de nous? et ainsi de suite. C'est parce que la signification des actions des gens est rarement limpide que nous avons une très grande latitude pour les interpréter. Et nous pouvons orienter cette interprétation pour qu'elle corresponde à nos propres vues. Par exemple, la recherche montre que lorsque des gens sont soumis à des tests sur leurs différentes caractéristiques, ils n'en accepteront pas toujours les résultats. Ils peuvent critiquer le test, prétexter qu'ils étaient malades ou qu'ils ont paniqué durant le test. À quel moment quelqu'un s'engage-t-il dans ce type d'argumentation? Surtout lorsque les résultats diffèrent de la conception de soi qu'il préfère avoir par rapport à lui-même (Shrauger et Lund, 1975). Les conséquences de ces stratégies d'interprétation sont que les conceptions de soi des gens peuvent souvent s'opposer aux opinions des autres ou en différer. Les gens surestiment souvent le degré d'accord entre les évaluations que les autres font d'eux-mêmes et leurs propres évaluations (Felson, 1981). Par des interprétations habiles, ils peuvent s'autocongratuler et vivre dans un monde de rêves, alors que leur entourage les considère comme de pauvres types. Si nous ne pouvons être certain que notre interprétation d'autrui est juste, comment pouvons-nous savoir si nous voyons le monde social correctement? C'est une question inquiétante.

L'affiliation et la présentation de soi

Il existe des façons de diminuer nos incertitudes quant à notre perception des opinions d'autrui. Par exemple, nous pouvons choisir nos associés de façon méticuleuse. Nous pouvons aussi agir en fonction de la façon dont nous voulons être évalué par les autres.

Considérez le choix d'un collège et le choix d'amis. Les recherches indiquent que la plupart des étudiants sont généralement plus heureux s'ils croient que les caractéristiques de leur collège sont compatibles avec leur opinion d'eux-mêmes (Pervin et Rubin, 1967). Par exemple, si vous vous percevez comme un intellectuel et croyez qu'à votre collège on valorise surtout le sport et les soirées entre amis, vous pouvez être malheureux et songer à changer de collège. Une fois admis dans un collège, les étudiants vont aussi rechercher ceux qui, selon eux, les percevront comme ils se perçoivent eux-mêmes (Backman et Secord, 1962). Si être athlète est important dans votre perception de vous-même, vous serez probablement à la recherche d'individus qui vous percevront comme tel. De plus, si vous choisissez de changer de colocataire, vous croirez probablement que, comparativement à l'ancien, votre nouveau colocataire vous perçoit davantage comme vous êtes (Broxton, 1963). La vie est plus facile lorsque les autres vous voient comme vous-même vous vous percevez.

Cependant, même dans des groupes que vous avez choisis, vous devrez peut-être encore vous présenter de façon à susciter la rétroaction que vous désirez. Le terme **présentation de soi** renvoie à la façon dont les gens s'identifient eux-mêmes aux autres. Il en sera question plus longuement à la fin de ce chapitre, mais pour l'instant, il est important de noter que nous modelons souvent nos actions publiques de façon à encourager certaines réactions des autres. Nous leur donnons le type d'informations qui les encouragent à nous traiter comme le type de personne que nous voulons être. Si nous échouons à provoquer ces réactions, nous pouvons vivre de la frustration, et chercher encore plus à les obtenir. Si vous croyez que vous êtes quelqu'un qui s'y connaît en politique internationale, vous pouvez trouver intolérable d'être traité de naïf en la matière et essayer encore plus fort de démontrer vos connaissances.

Dans une illustration de ce comportement d'«essayer plus fort», des chercheurs ont mesuré les perceptions qu'avaient des étudiants de leur dominance sociale (Swann et Hill, 1982). Des tests préalables montrèrent que certains étudiants se voyaient comme de véritables leaders, alors que d'autres se percevaient comme plus passifs, retirés ou nonchalants. Ces étudiants participèrent à une expérience où ils faisaient équipe avec une autre personne lors d'une série de jeux. Lors d'une pause entre les parties, ils apprirent ce que leur partenaire pensait d'eux. Selon le plan expérimental, la moitié des participants apprenaient que leur partenaire les considérait tout à fait comme une personne de type dominant; l'autre moitié apprenaient que leur partenaire ne les percevait pas comme de type puissant ou dominant. Comment les étudiants ont-ils réagi à ces évaluations? Si l'information reçue était cohérente avec leur propre vue d'eux-mêmes, ils ne réagissaient presque pas; selon eux, ils avaient été évalués comme ils le méritaient. Cependant, lorsque le partenaire ne partageait pas leur opinion d'eux-mêmes, les résultats ont été différents. En reprenant les jeux après la pause, les étudiants modifièrent leur comportement pour convaincre leur partenaire qu'ils étaient ce qu'ils croyaient eux-mêmes être. Par exemple, les sujets qui se percevaient comme non dominants alors que leurs partenaires les croyaient leaders devinrent particulièrement passifs dans leurs interactions subséquentes. Donc, si les gens n'acceptent pas les identités que nous voulons faire valoir, nous pouvons les inonder d'informations jusqu'à ce qu'ils tombent d'accord avec nous.

Le traitement de l'information et l'automaintien du soi

Ces diverses stratégies vous semblent peut-être familières. Nous pouvons souvent reconnaître de telles tendances dans nos comportements quotidiens. Cependant, d'autres recherches laissent entrevoir la possibilité que des processus d'**automaintien du soi** agissent au-delà de notre conscience. En d'autres termes, il y aurait en nous des tendances cognitives qui agissent au-delà de notre contrôle conscient. Ces processus subtils peuvent opérer de façon à nous aider à stabiliser ou à maintenir nos propres conceptions de nous-même. Examinons ce sujet.

Lorsqu'une personne commence à former un schéma cohérent d'elle-même, ce schéma sera utilisé pour traiter l'information nouvelle (Markus et Sentis, 1982). L'information qui s'intègre bien dans le schéma sera traitée plus rapidement que l'information moins pertinente. Autrement dit, si vous êtes habitué à penser à vous-même d'une certaine façon, l'information qui cadre bien avec vos pensées pourra être traitée rapidement; par contre, si l'information soulève des questions ou des problèmes, vous avez besoin de temps pour y penser. Pour vérifier cette hypothèse, des

chercheurs ont isolé deux groupes de sujets. Le premier était composé de sujets pour qui le trait d'indépendance était central dans leur schéma de soi, et le deuxième, de sujets pour qui le trait de dépendance était essentiel (Markus, 1977). On a présenté aux sujets une série d'adjectifs descriptifs. Pour chacun, on leur a demandé s'ils croyaient que l'adjectif s'adressait à quelqu'un «comme eux» ou «pas comme eux». Ils devaient appuyer sur un bouton aussitôt qu'ils prenaient une décision. Plusieurs des adjectifs étaient associés à la notion d'indépendance (sûr de lui, individualiste, indépendant, par exemple) alors que d'autres s'assimilaient au concept de dépendance (complaisant, tolérant, obligeant, par exemple). La variable importante était le temps que mettaient les sujets à en arriver à une décision pour chaque adjectif. Le schéma de soi des sujets modifierait-il la rapidité de leurs réponses, surtout lorsque les adjectifs s'intégraient bien dans leur schéma de soi?

La réponse à cette question est illustrée à la figure 3-3. Les sujets qui se percevaient comme

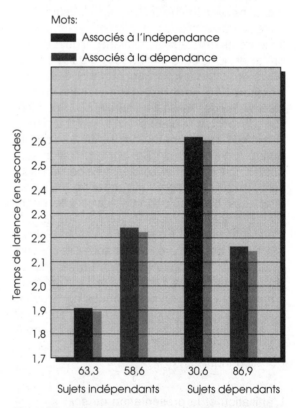

Mots:

■ Associés à l'indépendance

■ Associés à la dépendance

Figure 3-3   Le schéma de soi et le traitement de l'information

Les étudiants ont mis moins de temps à classer les mots qui, d'après leur perception, décrivaient un aspect important d'eux-mêmes. (Adapté de Markus, 1977.)

indépendants ont mis moins de temps à dire si les adjectifs associés à l'indépendance leur ressemblaient ou non qu'à se prononcer sur les traits associés à la dépendance. Les sujets qui se pensaient du type dépendant ont pour leur part mis moins de temps à déterminer si les adjectifs du type dépendant les décrivaient adéquatement. En résumé, les recherches suggèrent que les gens traitent l'information plus efficacement lorsqu'elle est cohérente avec leur image de soi. Le schéma de soi se perpétue donc lui-même. D'autres recherches du même genre indiquent que les processus de la mémoire fonctionnent de façon similaire. Ainsi, les gens se rappellent plus efficacement l'information qui est cohérente avec leur perception de soi (Sentis et Markus, 1979).

Équilibrer la stabilité et le changement

Comme nous l'avons vu, les gens peuvent stabiliser de plusieurs façons certains concepts d'eux-mêmes. Ils peuvent, de façon sélective, prêter attention à certains types d'informations, modifier leurs interprétations des actions d'autrui, rechercher celles qui correspondent à leur perception d'eux-mêmes, se présenter de façon que les autres soient d'accord qu'ils sont bien ce qu'ils pensent être et traiter l'information de manière à renforcer le schéma de soi existant. Devant de telles tendances, plusieurs théoriciens ont été impressionnés par cette capacité de l'image de soi existante à se maintenir elle-même. Il semble que ce qui est en place monopolise toutes les ressources disponibles pour se perpétuer. Un théoricien a même comparé le concept de soi à une machine politique totalitaire dans laquelle toute l'information est utilisée uniquement pour accroître davantage son propre pouvoir (Greenwald, 1980). Cet état de chose est-il désirable? À la lumière de notre discussion antérieure sur les origines du concept de soi, il semble qu'il soit nécessaire jusqu'à un certain point. Si le concept de soi était pleinement à la merci des relations en cours, avec les hauts et les bas qui leur sont inévitablement associés, la perception de soi risquerait d'être un chaos. Les gens pourraient éprouver beaucoup de difficultés à déterminer qui ils sont. On ne pourrait faire confiance à personne. Cependant, si un concept de soi donné devient souverain, des problèmes sérieux peuvent surgir. Une fois le concept de soi fixé, la souplesse est perdue.

La personne ne peut plus participer à des relations continues avec aisance et ouverture. Plutôt que de ressembler à un acteur de répertoire capable de jouer plusieurs rôles, la personne ne peut jouer qu'un seul rôle, indépendamment des circonstances. Où devrait-on tirer la ligne entre le besoin de stabilité et le potentiel de changement?

Comprendre les émotions

Jusqu'à maintenant, nous avons porté notre attention sur la façon dont nous en arrivons à penser à nous-mêmes ou à former notre identité. Nous nous sommes préoccupés de caractéristiques générales: sommes-nous bons ou mauvais, sociables ou timides, honnêtes ou malhonnêtes, et ainsi de suite? Nous vivons par ailleurs quotidiennement des expériences où nous nous percevons de façon très intense. Ces expériences peuvent n'avoir aucune influence sur notre image de soi globale; elles n'en sont pas moins importantes sur le moment. Les expériences émotionnelles en sont un exemple. Plusieurs personnes perçoivent que leurs émotions sont étroitement liées à leurs comportements. Elles les dominent, qu'il s'agisse d'émotions dirigées vers elles-mêmes ou vers les autres. L'on peut décider de donner la vie parce que l'on croit que ses émotions sont des sentiments d'amour; tandis que des meurtres peuvent être le résultat d'émotions que l'on interprète comme de la haine. Arrêtons-nous un moment sur la relation entre les émotions et la compréhension de soi.

En dépit de la grande importance des émotions dans la vie sociale, les opinions des chercheurs sont profondément divisées sur leur nature. La compréhension des émotions est dominée par trois approches majeures, et chacune présente un intérêt et une certaine validité. La première approche, d'orientation biologique, porte derrière elle le poids de la tradition et semble correspondre à plusieurs de nos expériences. La deuxième, d'orientation cognitive, est dans l'ensemble plutôt cohérente avec notre présentation de la perception sociale (*voir le chapitre 2*) et suggère un éventail fascinant de nouvelles applications. La troisième approche, celle du **constructivisme social**, découle de la discussion, dans le chapitre précédent, de l'élaboration sociale de la réalité. Ce point de vue présente une façon nouvelle et stimulante de voir les émotions. Examinons tour à tour chacune de ces approches.

Encadré 3-2

Qui suis-je? L'approche phénoménale du concept de soi

Il existe plusieurs théories du concept de soi. L'approche présentée dans ces pages repose essentiellement sur la notion d'influence sociale sur le concept de soi. C'est-à-dire que l'on s'intéresse alors au «concept-de-soi-en-relation-avec-autrui» (L'Écuyer, 1978). Parallèlement à cette approche sociale du concept de soi existe une approche plus individualiste ou, si l'on veut, plus personnalisée. La psychologie phénoménologique s'intéresse au concept de soi essentiellement à partir du point de vue de l'individu. On cherche à savoir comment l'individu se perçoit lui-même. René L'Écuyer (1978) dirige le *Laboratoire sur le concept de soi* à l'Université de Sherbrooke. Ses travaux ont conduit à l'élaboration d'un modèle précisément fondé sur une compréhension émotionnelle, sur l'expérience très intime que fait l'individu de son propre être. L'Écuyer étudie le développement normal du concept de soi, depuis l'enfance jusqu'à la vieillesse. À la base de sa méthode d'exploration, une question toute simple: l'on demande au répondant de se décrire selon la façon dont il se perçoit lui-même. Depuis 1967, L'Écuyer a accumulé des résultats auprès de personnes dont l'âge s'échelonnait de 3 à 100 ans (L'Écuyer, 1990a).

D'après L'Écuyer, le concept de soi est constitué de trois niveaux d'organisation: les structures, les sous-structures et les catégories. Il définit les structures du soi comme les régions fondamentales principales; elles sont au nombre de cinq: le soi matériel, le soi personnel, le soi adaptatif, le soi social et le soi-non-soi. Chacune de ces structures est divisée en sous-structures qui correspondent à des zones différentes. Enfin, ces sous-structures sont redivisées en éléments plus restreints, les catégories. Ces dernières sont beaucoup plus proches de l'expérience directe de l'individu. Dans le tableau présenté plus loin, nous avons reproduit l'organisation interne des structures, des sous-structures et des catégories, telle qu'elle a été conçue par L'Écuyer (1978). Pour donner un aperçu de l'intérêt de son modèle, nous avons ajouté un exemple de discours illustrant chaque catégorie. Il s'agit de phrases fictives, mais qui pourraient fort bien être recueillies si on utilise la méthode de L'Écuyer auprès d'adolescents.

Par une méthode rigoureuse d'analyse de contenu (L'Écuyer, 1990b), L'Écuyer a montré que le contenu et l'importance attachés aux diverses catégories varient selon l'âge. En fait, il a identifié six phases, ou stades, de développement du concept de soi au cours de la vie: l'émergence du soi (de 0 à 2 ans), la confirmation du soi (de 2 à 5 ans), l'expansion du soi (de 5 à 10-12 ans), la différenciation du soi (de 10-12 à 15-18 ans), la maturité adulte (de 20 à 60 ans) et le soi vieillissant (de 60 à 100 ans). L'Écuyer affirme que le concept de soi évolue avec le temps, même chez les personnes âgées que l'on a parfois tendance à croire cristallisées dans leur image d'elles-mêmes.

Arrêtons-nous sur le concept de soi à l'adolescence, au moment où le soi se différencie. De nouvelles dimensions apparaissent: aux perceptions habituelles s'ajoutent les perceptions de soi en ce qui touche l'idéologie, l'identité abstraite, la consistance (ou la cohérence) et l'ambivalence. À l'intérieur des catégories déjà existantes, de nouveaux contenus psychologiques émergent, quant à l'estime de soi, à une série de nouveaux intérêts, à un raffinement dans la perception de ses qualités et de ses défauts, et dans les perceptions relatives à son autonomie, à son ambivalence et à sa dépendance.

Selon les stades, les dimensions du soi n'ont pas toutes la même importance. Ainsi, par rapport aux stades antérieurs, le soi somatique, le soi possessif, l'énumération d'activités et le soi-non-soi deviennent moins importants. Par contre, les qualités et les défauts, le rôle et le statut, la compétence, la dépendance, l'altruisme et la référence à la sexualité gagnent de l'importance. Au sortir de ce stade, l'adolescent se sera en quelque sorte reformulé de nombreuses fois pour «parvenir progressivement à un concept de lui-même plus stable, plus cohérent et plus sécurisant parce que plus personnalisé» (L'Écuyer, 1978). Cependant, le concept de soi développé à ce moment n'est pas immuable puisqu'il se transformera au cours des étapes suivantes. Des analyses plus détaillées du matériel recueilli font ressortir l'existence de plusieurs autres stades et étapes dans le développement du concept de soi chez les adultes et chez les personnes âgées (L'Écuyer, 1988).

Le modèle de L'Écuyer a trouvé une application intéressante dans une recherche portant sur les rêves des femmes. Depuis plusieurs années, Monique Lortie-Lussier et ses collaborateurs de l'Université d'Ottawa s'intéressent à ce que les rêves révèlent quant aux changements de rôles vécus par les femmes. Lortie-Lussier et Delorme (1990) ont comparé des adolescentes, des mères (au foyer ou exerçant une profession) et des femmes âgées. Les chercheuses ont analysé les rêves à partir d'aspects présents dans le modèle de L'Écuyer et ont constaté certaines différences dans les représentations de soi, selon la période de vie. Dans les rêves

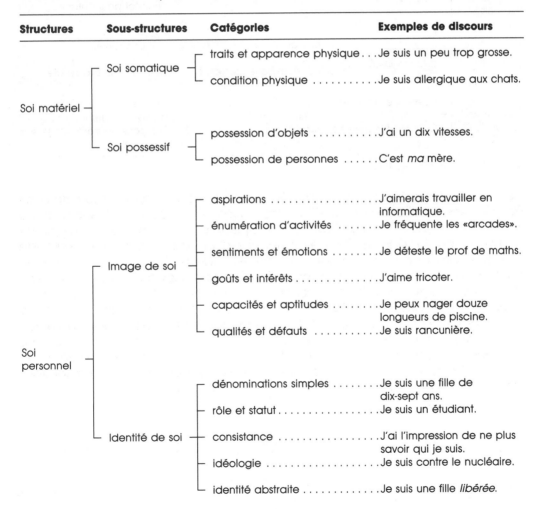

Structures	Sous-structures	Catégories	Exemples de discours
Soi matériel	Soi somatique	traits et apparence physique	Je suis un peu trop grosse.
		condition physique	Je suis allergique aux chats.
	Soi possessif	possession d'objets	J'ai un dix vitesses.
		possession de personnes	C'est *ma* mère.
Soi personnel	Image de soi	aspirations	J'aimerais travailler en informatique.
		énumération d'activités	Je fréquente les «arcades».
		sentiments et émotions	Je déteste le prof de maths.
		goûts et intérêts	J'aime tricoter.
		capacités et aptitudes	Je peux nager douze longueurs de piscine.
		qualités et défauts	Je suis rancunière.
	Identité de soi	dénominations simples	Je suis une fille de dix-sept ans.
		rôle et statut	Je suis un étudiant.
		consistance	J'ai l'impression de ne plus savoir qui je suis.
		idéologie	Je suis contre le nucléaire.
		identité abstraite	Je suis une fille *libérée*.

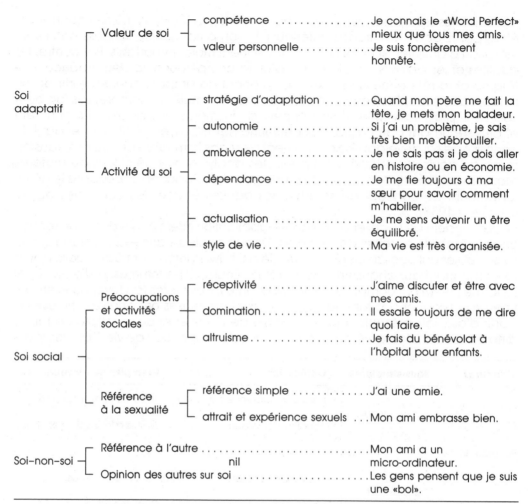

Soi adaptatif
- Valeur de soi
  - compétence . . . . Je connais le «Word Perfect» mieux que tous mes amis.
  - valeur personnelle . . . . Je suis foncièrement honnête.
- Activité du soi
  - stratégie d'adaptation . . . . Quand mon père me fait la tête, je mets mon baladeur.
  - autonomie . . . . Si j'ai un problème, je sais très bien me débrouiller.
  - ambivalence . . . . Je ne sais pas si je dois aller en histoire ou en économie.
  - dépendance . . . . Je me fie toujours à ma sœur pour savoir comment m'habiller.
  - actualisation . . . . Je me sens devenir un être équilibré.
  - style de vie . . . . Ma vie est très organisée.

Soi social
- Préoccupations et activités sociales
  - réceptivité . . . . J'aime discuter et être avec mes amis.
  - domination . . . . Il essaie toujours de me dire quoi faire.
  - altruisme . . . . Je fais du bénévolat à l'hôpital pour enfants.
- Référence à la sexualité
  - référence simple . . . . J'ai une amie.
  - attrait et expérience sexuels . . . Mon ami embrasse bien.

Soi-non-soi
- Référence à l'autre . . . . Mon ami a un micro-ordinateur.
- Opinion des autres sur soi . . . . Les gens pensent que je suis une «bol».

Source: Adapté de L'Écuyer, 1978.

des adolescentes, la présence de colère et de résistance à la conformité allait dans le sens de la recherche de l'identité personnelle et de la différenciation du soi qui caractérisent cette période. En principe, la polyvalence du soi est typique de la période de l'âge adulte. De fait, les chercheuses ont constaté une grande diversité dans les autoperceptions des femmes adultes. De plus, les mères exerçant un travail rémunéré ont rapporté plus d'interactions agressives que les femmes des autres groupes. Quant aux femmes âgées, les relations interpersonnelles étaient caractérisées par un faible degré d'intimité, la communication à distance ou l'isolement. Pour Lortie-Lussier (1991), cette apparente fragilité sur le plan interpersonnel serait aussi le reflet d'une forme de dégagement que l'on retrouve dans le concept de soi à partir de la soixantaine. Les conclusions de l'étude de Lortie-Lussier et Delorme appuient l'idée selon laquelle les représentations de soi dans les rêves reflètent l'évolution du concept de soi à l'éveil.

Le point de vue biologique: l'universalité des émotions

Nous pouvons voir nos expériences émotionnelles comme une conséquence de notre système physiologique. Si notre système nerveux réagit d'une certaine façon, nous expérimentons une flambée de colère; d'autres réactions de notre système nerveux peuvent nous faire éprouver de la joie ou de la dépression. Nous nous voyons souvent comme entraînés par nos expériences émotionnelles. Ces expériences semblent simplement se produire, à un moment ou l'autre, en fonction de notre état physiologique. Cette façon de voir les émotions remonte au moins aux travaux de Charles Darwin (1872). Selon son raisonnement, chaque espèce animale hérite de certaines capacités émotionnelles qui ont une valeur importante pour la survie de l'espèce. Par exemple, la peur est une réaction naturelle au danger et elle constitue un signal important qui nous incite à nous protéger. La colère est une réponse émotionnelle que notre système génétique favorise lorsqu'il y a des obstacles qui bloquent notre chemin; elle est utilisée pour nous aider à détruire ces obstacles (Plutchik, 1980). Donc, même si nos explosions émotives semblent quelquefois interférer avec nos plans, nous devrions, d'un point de vue biologique, être reconnaissants de leur présence dans nos vies.

Si, comme le soutient Darwin, chaque espèce est dotée de certaines émotions de base, combien en possède l'être humain normal et quelles sont-elles? Ces questions sont absolument centrales dans la perspective biologique; cependant, il est très difficile d'y répondre. Premièrement, il n'est pas facile d'isoler des patterns physiologiques distincts qui correspondent à des émotions différentes. Il existe quelques différences physiologiques entre des émotions généralisées de nature positive et des émotions généralisées de nature négative (Lazarus, Kanner et Folkman, 1980). On a également réussi à discriminer des différences entre la peur et la rage (Ax, 1953). Toutefois, au-delà de différences très grossières, il n'est pas possible, d'un point de vue physiologique, de différencier une émotion d'une autre.

En raison de la difficulté d'identifier les émotions dans les recherches physiologiques, les chercheurs se sont tournés vers d'autres approches. En particulier, ils se sont demandé si les gens sont capables d'établir des distinctions dans leur propre expérience. À partir du compte rendu des gens sur leurs expériences, on peut constituer un vocabulaire de base des émotions. Pour ce faire, la stratégie habituellement utilisée est de recueillir tous les termes de nature émotionnelle utilisés dans une culture et de les faire classer par des gens en fonction de leur similitude (Scherer, 1984). Y a-t-il des regroupements sur lesquels la majorité des gens s'accordent? Les travaux conduits selon cette stratégie montrent que les gens classent habituellement les termes dans un ensemble limité de catégories et ont tendance à partager leurs opinions quant à l'appartenance des termes aux différentes catégories. Une recherche d'envergure de ce type (Schwartz et Shaver, 1983) a produit, en utilisant 135 termes de nature émotionnelle, les catégories de base suivantes: la colère, la tristesse, la joie, la peur et l'amour.

Plusieurs autres termes de nature émotionnelle peuvent être vus comme des variations subtiles de ces catégories. Par exemple, l'admiration pourrait être une sorte d'amour, l'indignation, une forme de colère. Tous ne seront peut-être pas d'accord avec cette liste des émotions de base. On peut se demander, par exemple, où seraient classées des émotions comme l'excitation, la lubricité, l'anticipation ou le dégoût? La majorité des chercheurs serait d'accord cependant sur le fait que cette liste permet d'inclure la plupart des émotions de base.

Même si le problème des catégories de base des émotions humaines n'est pas entièrement résolu, les chercheurs se sont intéressés aux conséquences d'une approche biologique des émotions. L'une des plus fascinantes avenues de recherche porte sur le caractère universel de l'expression des émotions. Les expressions de l'émotion ont un grand effet sur le plan social. Pour réussir dans la vie en société, il faut savoir comment envoyer et décoder des signaux d'émotions. La communication du bonheur, de la colère, de la peur, et ainsi de suite, est tellement importante que nous pouvons nous considérer comme biologiquement équipés pour les exprimer. Et si l'expression d'émotions est génétique, les expressions faciales pourraient être une forme universelle de communication. Nous n'avons pas besoin d'apprendre à décoder le bonheur, la colère, et ainsi de suite, sur un visage humain, nous les percevons naturellement.

La possibilité que les expressions faciales soient universelles a fait l'objet d'études approfondies de la part de Paul Ekman et ses collègues

(Ekman, 1982). On a montré à des milliers de sujets à travers le monde des photographies qui révélaient des émotions variées. Par exemple, on a demandé à des adultes des États-Unis, du Brésil, du Chili, de l'Argentine et du Japon de choisir parmi un ensemble de photographies celles qui représentaient l'une ou l'autre de six émotions différentes. Ces émotions étaient le bonheur, la tristesse, la colère, la peur, la surprise et le dégoût. Le degré d'accord entre les gens des différentes cultures a été extrêmement élevé par rapport à la signification des expressions faciales représentées. Bien sûr, dans ces cultures, les individus regardent la télévision, lisent des journaux et rencontrent des gens d'autres cultures. Il est donc possible que leur habileté à décoder les expressions faciales ait été apprise par cette exposition interculturelle. Pour éliminer cet effet d'apprentissage social, des expériences additionnelles ont été conduites auprès des sociétés non alphabétisées de Bornéo et de Papouasie. Ces études ont montré qu'au moins pour les expressions de peur,

de bonheur et de colère, les gens des tribus isolées montraient un degré d'accord élevé entre elles et avec les échantillons des sociétés alphabétisées. Les chercheurs ont élargi leurs travaux au domaine de la petite enfance. Ils ont constaté que les enfants apprennent rapidement à lire la plupart des émotions de base (Buck, 1981). Ils semblent en quelque sorte génétiquement équipés pour exprimer et pour comprendre les émotions. Ces différents résultats militent en faveur d'une base génétique des émotions.

Les chercheurs se sont appliqués à renforcer ce point de vue en explorant les relations entre l'expression émotionnelle et les sentiments personnels. Selon l'**hypothèse de la rétroaction faciale,** notre expression d'une émotion par le visage nous fournit une information sur nos sentiments. Quand nous ressentons le mouvement des muscles utilisés pour sourire, par exemple, nous pouvons être presque certains que nous ressentons du plaisir. L'expression faciale intensifie notre expérience du bonheur. Dans quelques-uns des

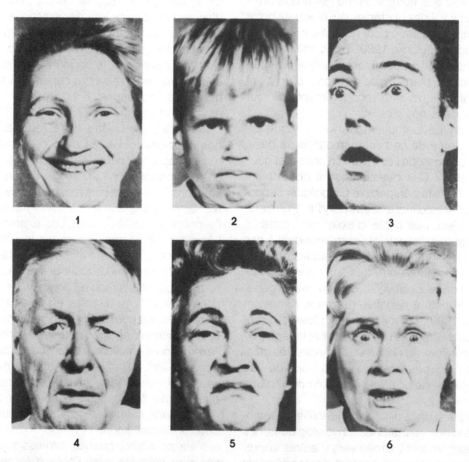

Que ressentent ces personnes? Ce n'est pas très difficile à deviner. Les émotions représentées sont (1) le bonheur, (2) la colère, (3) la surprise, (4) la tristesse, (5) le dégoût et (6) la peur.

travaux les plus convaincants sur cette question, les chercheurs ont exposé des étudiants à des chocs électriques douloureux (Lanzetta et coll., 1976). On a demandé à quelques sujets de dissimuler leurs indices faciaux de douleur, alors que d'autres devaient par leur visage exprimer pleinement leur douleur. Le groupe qui avait essayé de dissimuler sa douleur a montré un niveau de conductivité de la peau (une mesure d'activation autonome) plus faible que le groupe qui avait exprimé sa douleur. De plus, lorsqu'on leur a demandé d'évaluer leur expérience, le premier groupe a évalué sa douleur comme plus faible que celle du deuxième groupe. On a obtenu des effets semblables lorsqu'on disait aux sujets qu'ils étaient observés par d'autres. En effet, ces sujets ne voulaient pas montrer leur douleur en public; ils se sont donc servis d'expressions faciales moins marquées. En conséquence, la conductivité de leur peau a été abaissée, de même que l'évaluation de leur douleur personnelle. Vous pouvez vérifier vous-même cette hypothèse de la rétroaction faciale. Composez-vous un air mélancolique ou triste et restez ainsi pendant dix minutes. Encore mieux, si vous pensiez poursuivre votre lecture, pourquoi n'essayez-vous pas de sourire pendant dix minutes? Cela pourrait accroître votre intérêt à terminer ce chapitre.

Le point de vue cognitif: l'attribution des émotions

Le point de vue biologique des émotions semble raisonnable. Les expériences d'amour, de haine, de joie et de tristesse semblent, de fait, assez différentes les unes des autres. Elles semblent être aussi des éléments fondamentaux de la nature humaine. Cependant, en dépit du caractère raisonnable du point de vue biologique, celui-ci a des limites. Comme nous l'avons vu, la recherche physiologique n'a pas été très efficace pour isoler différentes émotions. Au-delà de la découverte de quelques différences physiologiques très grossières, la discrimination entre les émotions se révèle fort difficile. Les mesures physiologiques ne permettent pas de discriminer, par exemple, entre l'amour, l'admiration, l'engouement, la sympathie, la considération affectueuse ou l'amitié. On n'a pas découvert non plus de différences physiologiques qui permettent de faire des distinctions entre la haine, l'envie, la jalousie, la rancune ou la colère. Les études qui portent sur la façon dont les gens classent les termes émotionnels

ne résolvent pas clairement le problème non plus. Après tout, les catégories peuvent être basées sur des conventions de la langue (ce qui s'agence bien dans l'usage courant) plutôt que sur l'expérience.

Un problème supplémentaire posé par le point de vue biologique réside dans la prise en considération de la cause d'une réaction émotionnelle. Si une personne ressent de la peur, n'at-elle pas d'abord eu à percevoir un danger? N'importe quelle situation peut être ou non classée comme dangereuse, selon le point de vue de la personne. Ce point de vue semble dépendre de la connaissance ou de la cognition que l'on a du monde. La cognition déterminerait donc ce qu'il faut considérer comme des émotions. Un état physiologique donné pourrait être perçu de diverses façons, d'où les diverses émotions.

C'est ce genre de questions difficiles qui a inspiré l'importante percée théorique de Stanley Schachter (1964): la théorie bifactorielle des **émotions**. Schachter a d'abord pensé qu'il n'y avait pas de différences importantes parmi les expériences physiologiques. De fait, toutes les émotions sont accompagnées d'un état d'*activation physiologique généralisée*. Cette activation physiologique (le premier facteur) doit alors être identifiée. Cette identification requiert un étiquetage cognitif (le second facteur). De quelle façon les gens savent-ils comment étiqueter leur activation? Schachter soutient que les règles sociales déterminent quelle étiquette s'applique à une situation donnée. L'une de ces règles spécifie, par exemple, que dans un environnement romantique, si vous êtes activé par une personne du sexe opposé, vous appellerez ce sentiment amour, engouement ou attraction sexuelle. Cependant, si l'autre personne est du même sexe, l'activation serait plus communément étiquetée amitié. Si la personne est beaucoup plus âgée, vous pourriez étiqueter la même activation comme de l'admiration. Ce que nous croyons ressentir dépend énormément des règles sociales qui régissent ce que nous sommes *supposés* ressentir en diverses circonstances.

Schachter et son collègue Jerome Singer (1962) ont démontré, dans une expérience aujourd'hui classique, leur raisonnement sur la théorie bifactorielle des émotions. Ils ont injecté à des sujets une substance qu'ils leur disaient être un supplément vitaminique. En réalité, la substance était de l'épinéphrine, un stimulant du système nerveux sympathique. Ils ont dit à un groupe de sujets que le «supplément vitaminique» produirait des bouffées de chaleur, des tremblements, une augmentation du rythme cardiaque, et ainsi de suite. Les sujets connaissaient donc les effets que la drogue produirait réellement. Les expérimentateurs n'ont donné aucune information aux sujets du deuxième groupe. Ils ne leur ont rien dit des effets de la drogue. Après l'injection, les deux groupes éprouvaient une activation physiologique, mais les sujets du premier groupe avaient une étiquette qui les aidait à comprendre leur activation, tandis que les sujets du deuxième groupe n'en avaient pas. Les expérimentateurs croyaient que les sujets du deuxième groupe, comparativement à ceux du premier, seraient plus réceptifs aux indices du milieu susceptibles de leur suggérer la façon de définir leurs émotions. On s'attendait à ce que les sujets d'un troisième groupe, recevant une injection d'une solution non stimulante, ne soient pas particulièrement activés (méthode du **placebo**).

Après l'injection, chaque sujet se rendait dans une pièce où il attendait de participer à une expérience sur la vision. Un compère des expérimentateurs, faisant semblant d'être un autre sujet, était déjà assis dans la salle d'attente. Il faisait une mise en scène pour produire un étiquetage émotionnel. Le compère tentait de produire de l'*euphorie* chez la moitié des sujets de chacune des trois conditions expérimentales. Il lançait joyeusement des avions de papier, lançait des boulettes de papier dans un panier et jouait avec un cerceau d'enfant. Chez les autres sujets, le compère essayait de produire de la *colère*. À mesure qu'il remplissait un questionnaire, il devenait furieux et critiquait de plus en plus le questionnaire et ses auteurs. Finalement, dans un accès de colère, il faisait une boule de papier avec le questionnaire et le lançait au panier.

Après avoir été exposés au compère, les sujets évaluaient leur état émotionnel. Comme vous pouvez le voir à la figure 3-4, les sujets qui ne disposaient pas d'une étiquette pour leur activation (qui n'étaient pas informés des effets de la drogue) ont eu tendance à se sentir euphoriques ou en colère plus que les sujets informés. En d'autres termes, les sujets qui ne pouvaient interpréter leur activation autrement qu'en utilisant des indices sociaux furent les plus influencés par les circonstances sociales. De plus, les sujets ayant reçu le placebo étaient moins euphoriques et moins en colère que les sujets stimulés physiologiquement et non informés. Les résultats ont

confirmé l'hypothèse des chercheurs: l'activation et la recherche d'indices sont toutes deux essentielles dans l'identification des émotions.

Les recherches de Schachter suggèrent que l'étiquetage émotionnel dépend fortement des circonstances sociales. Toutefois, ses travaux ont été critiqués. Certains ont identifié des limites conceptuelles et méthodologiques (Cotton, 1981; Reisenzein, 1983) et d'autres ne sont pas parvenus à répéter l'expérience avec succès. On a constaté, par exemple, que la majorité des gens n'aiment pas éprouver une activation inexpliquée (Maslach, 1979). Si, par exemple, la dose d'épinéphrine est élevée, le sujet se sentira mal à l'aise, peu importe l'information fournie par le milieu. Cependant, même si les travaux de Schachter ont été critiqués, ils ont été le stimulant de nombreuses recherches captivantes.

Les recherches sur la **réattribution des états émotionnels** méritent une attention particulière. Si les émotions sont aussi ambiguës que le prétend Schachter, la sélection d'une étiquette peut être plutôt arbitraire: il suffit que les gens trouvent qu'une étiquette est appropriée. En conséquence, en donnant aux gens différents types d'informations, on pourrait produire une réattribution de leur état émotionnel, c'est-à-dire un changement d'étiquette contre une autre. Cet ensemble de postulats offre des possibilités des plus intéressantes pour ceux qui œuvrent dans le domaine de la santé mentale et de la santé physique. Songez à l'utilisation de la réattribution pour diminuer la douleur. Cela peut-il se faire? Le fait que certains peuvent marcher sur des charbons ardents ou s'étendre sur un lit de clous suggère que des facteurs cognitifs peuvent influer de façon importante sur le degré de douleur éprouvé. Afin de sonder plus directement cette possibilité, l'équipe de Schachter a administré à des sujets une certaine «drogue», en réalité une substance inoffensive n'ayant aucun effet (Nisbett et Schachter, 1966). On a dit à la moitié des sujets que la drogue causerait une réaction d'activation analogue à celle qui serait produite par un choc électrique. On a informé les autres que la drogue n'aurait pas d'effets secondaires ou qu'elle en aurait très peu. Plus tard, on a fait subir aux sujets un test de tolérance à la douleur. Ils recevaient des chocs électriques d'un dosage de plus en plus élevé. On leur disait qu'ils pouvaient mettre fin à l'expérience dès que les chocs devenaient trop douloureux. Les deux groupes différaient nettement dans le degré de choc que les sujets

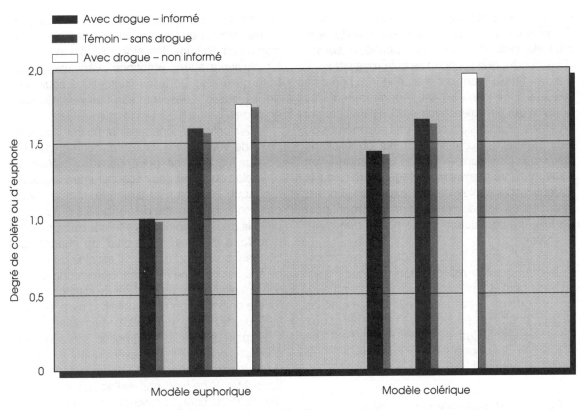

Figure 3-4 Comment les gens savent-ils ce qu'ils ressentent?

Dans cette démonstration de la théorie bifactorielle des émotions de Schachter, notez que les sujets non informés ont eu tendance à donner à leur activation non expliquée la même étiquette que celle du comportement observé chez autrui. (Adapté de Schachter et Singer, 1962.)

pouvaient tolérer. Les individus du groupe à qui l'on avait dit que la drogue avait des effets semblables à ceux produits par un choc électrique ont été capables de résister à des chocs plus intenses que ceux qui n'avaient pas reçu cette information. Il semble que ceux qui pensaient que la drogue avait des effets secondaires aient attribué les effets des chocs à la «drogue» et n'aient pas étiqueté le choc comme de la douleur. L'expérience de la douleur a donc été grandement réduite grâce à la réattribution.

Quelles sont les limites des techniques de réattribution? Peut-on créer des anesthésiques psychologiques? Ces techniques sont-elles plus efficaces pour réduire l'anxiété ou la dépression chez des patients en thérapie? On a commencé à mettre au point de telles techniques. Des recherches ont montré, par exemple, qu'en modifiant les attributions on peut réduire l'insomnie, éliminer la phobie des serpents, augmenter la satisfaction sexuelle, réduire la peur et les complaintes

neurotiques, et diminuer le malaise éprouvé lorsqu'on arrête de fumer. D'autres chercheurs explorent la possibilité d'un rapport entre les douleurs menstruelles et un étiquetage conceptuel (*voir la revue de* Cotton, 1981).

Les recherches effectuées avec des placebos, c'est-à-dire dans lesquelles on utilise des médicaments qui n'ont aucun effet biologique, mais où l'on fait croire aux patients qu'ils en ont, ont été particulièrement impressionnantes. Dans un essai intéressant (décrit par West et Wicklund, 1980), des psychologues ont utilisé des placebos pour aider des couples mariés dans leur vie sexuelle. On a fourni des placebos aux sujets d'un premier groupe, tout en leur disant qu'il s'agissait d'un stimulant sexuel. On a donné la même pilule aux sujets d'un deuxième groupe en leur expliquant qu'il s'agissait d'un tranquillisant. Les couples devaient prendre leur pilule avant d'aller au lit et, par la suite, avoir une relation sexuelle.

On prit ensuite des mesures de leur plaisir sexuel. Selon vous, lequel des groupes a manifesté le plus de plaisir? Vous serez peut-être surpris d'apprendre que les couples qui croyaient avoir pris un tranquillisant ont évalué leur expérience sexuelle plus positivement. Apparemment, les couples qui pensaient avoir pris un stimulant ont cru que c'était la pilule et non pas eux-mêmes ou leur partenaire qui était excitante ou excitant. Ceux qui pensaient avoir pris un tranquillisant peuvent s'être relaxés davantage et croire qu'ils étaient responsables de leur excitation. En fait, l'information qui accompagne un traitement peut parfois être plus déterminante que le traitement lui-même.

Pour l'instant, il est trop tôt pour savoir jusqu'à quel point le réétiquetage des états émotionnels peut être efficace. Quelques chercheurs croient que des habitudes d'étiquetage établies depuis longtemps peuvent être modifiées et que de nouvelles habitudes peuvent être prises. Il ne fait aucun doute que l'approche cognitive présente un potentiel important.

Le point de vue constructiviste: l'émotion comme performance

Le point de vue cognitif est intéressant parce qu'il suggère que ce que nous ressentons est déterminé de façon importante par les situations sociales. En ce qui a trait à la qualité de nos émotions, ce n'est pas la biologie mais l'influence sociale qui est primordiale. Quelques théoriciens vont même plus loin. Ils croient que les émotions sont fondamentalement des formes d'action sociale. Ces théoriciens sont donc très critiques du point de vue biologique. Ils soutiennent en particulier que les observations qui proviennent de cultures et de périodes de l'histoire différentes montrent que les émotions ne sont pas universelles. Par exemple, parmi les classes défavorisées de l'Asie du Sud, il existe une émotion appelée *amok*. C'est une sorte de frénésie dans laquelle l'individu se précipite ici et là dans le village en s'attaquant à tout ce qui est vivant. Souvent, cet état est précédé d'une période de méditation ou de chant religieux. Il est courant que le comportement se poursuive jusqu'à ce que l'individu soit tué. Les Ilongots, habitants des zones rurales des Philippines, croient que les gens éprouvent une émotion appelée *liget*. Cette émotion est similaire à la colère, car ils la ressentent en s'attaquant à un ennemi. Mais elle renvoie aussi à la force qu'on utilise dans les durs travaux, à la passion

exprimée dans une relation sexuelle, au sentiment d'être vaincu par d'autres ou à un état de confusion ou d'hébétude (Rosaldo, 1980). On peut citer plusieurs autres émotions ayant une spécificité culturelle. De telles fluctuations soulèvent de sérieuses questions sur l'universalité des émotions.

Des critiques sont aussi formulées contre le point de vue cognitif. D'abord, contrairement à ce que soutient ce point de vue, l'activation physiologique n'est pas nécessairement associée à chaque émotion. Par exemple, même si des gens sont dans un état de tranquillité physiologique, ils peuvent volontiers affirmer qu'ils ressentent de la tristesse, de la pitié, du chagrin, du bonheur ou de l'admiration. Il est clair que, dans ce cas, les gens ne réagissent pas à une activation. En effet, le premier facteur de la théorie bifactorielle de Schachter ne semble pas essentiel (*voir la revue de* Reisenzein, 1983). Mais si l'activation n'est pas essentielle à l'émotion, de sérieuses questions doivent être soulevées quant au rôle de la cognition, second facteur de la théorie de Schachter. Si ce n'est pas de l'activation, de quoi alors une personne prend-elle connaissance? Il ne semble pas que la personne appose une étiquette à un état physiologique, comme le suggère la position cognitive. Le rôle de la cognition demeure donc obscur.

La position qui veut que les émotions soient essentiellement des performances sociales représente une solution de rechange, tant des points de vue biologique que cognitif (Averill, 1982). Prenez un acteur en train de simuler de la colère. Il gesticule violemment, dit des phrases comme «je suis furieux», et son visage devient cramoisi. Quelle est la différence entre cette performance et ce que vous pourriez appeler de la colère «réelle»? Plusieurs acteurs affirment que ce qu'ils jouent sur scène est très réel pour eux, aussi réel que s'ils participaient dans la vie à une discussion orageuse. Dans ce cas, la seule différence importante est que la performance se déroule sur scène, n'entraînant donc pas de répercussions dans d'autres situations (par exemple, dans les coulisses ou dans la rue).

Cet argument devient encore plus plausible lorsqu'on prend en considération le fait que les gens reconnaissent l'existence de règles et de normes relatives à l'expression appropriée d'émotions. Les gens le savent lorsque quelqu'un réussit à bien susciter une émotion. Ils peuvent aussi être critiques des performances émotionnelles d'autrui. «Tu ne sais pas comment aimer», disent-ils ou «tu n'es pas vraiment fâchée, sinon tu ne te contenterais pas de rester assise là». De plus, les gens savent reconnaître le droit moral ou le devoir de ressentir une émotion. Nous disons, par exemple, «tu n'as pas le droit d'être en colère» ou «tu as vraiment raison d'être triste». Enfin, il a été montré que les gens considèrent plus intime l'expression d'émotions négatives que l'expression d'émotions positives (Howell et Conway, 1990), et qu'en conséquence il n'est pas approprié d'exprimer des sentiments négatifs trop intenses en présence de personnes que l'on connaît peu. Si les émotions étaient des nécessités biologiques ou cognitives, il serait absurde de discuter à savoir quand et où leur expression est appropriée.

Dans une illustration intéressante de ce point de vue, on a exposé des étudiants du premier cycle universitaire à une scène où un mari critiquait la cuisine de sa femme (Harris, Lannamann et Gergen, 1986). On les a interrogés sur le caractère approprié ou socialement correct de divers comportements et sur les conseils qu'ils donneraient. Les résultats ont montré que de façon générale les étudiants croyaient qu'il était approprié et opportun de répondre aux critiques par de l'hostilité. Interrogés à savoir comment le mari devrait répondre à l'hostilité de sa femme, ils ont suggéré qu'il devrait être plus agressif au départ. Selon eux, il était alors approprié que la femme démontre encore plus d'hostilité. Plus tard dans l'échange, ils percevaient qu'il serait approprié que la femme frappe son mari. En fait, ils percevaient le scénario d'hostilité croissante comme à la fois correct socialement et justifié sur le plan personnel. Si un tel scénario avait pour origine des mécanismes naturels ou cognitifs, la perception des étudiants serait un non-sens. On ne discute pas du caractère recommandable de transmissions neurologiques ou de ce qui doit être emmagasiné dans la mémoire.

En résumé, nous sommes en présence de trois approches rivales en ce qui regarde les émotions: l'approche biologique, cognitive et constructiviste. Chacune présente certains attraits, de même que des faiblesses et il est trop tôt pour tirer une conclusion ferme quant à celle qui est la meilleure. Peut-être voulez-vous réfléchir sur ces questions et tirer vos propres conclusions sur cette énigme fascinante.

La gestion sociale du soi

Réfléchir sur soi, essayer d'identifier qui ou ce que nous sommes est très important dans notre vie quotidienne. Cependant, nous sommes aussi des créatures sociales et de ce fait nous avons à présenter aux autres qui nous sommes. Nous fournissons aux autres de l'information qui les aide à identifier qui nous sommes et à déterminer ainsi comment nous traiter. Comprendre nos définitions publiques de soi ou notre **présentation de soi**, comme disent les théoriciens, serait assez simple si seulement nous rendions publiques nos expériences privées. Mais présenter son soi, c'est aussi entrer en relation avec les autres et les inciter à faire ceci, et leur recommander de ne pas faire cela. À cause de sa nature sociale, la présentation de soi mérite une attention particulière.

La présentation de soi, les scénarios psychologiques et la négociation

Dans son ouvrage bien connu *La Mise en scène de la vie quotidienne*, Erving Goffman (1959) présente un extrait de roman sur la façon dont le Britannique Preedy fait sa première apparition sur la plage de son hôtel estival.

> Il évitait soigneusement de chercher le regard des gens. Pour commencer, il devait manifester clairement à ses compagnons de vacances en puissance qu'ils ne présentaient pour lui aucune espèce d'intérêt. Il regardait fixement à travers eux, autour d'eux, au-dessus d'eux, les yeux perdus dans l'espace. La plage aurait aussi bien pu être déserte. Si, par hasard, un ballon traversait son chemin, il prenait l'air surpris, puis il laissait un sourire amusé éclairer son visage (Preedy l'Aimable), jetait un regard à la ronde, comme étonné de voir qu'il y avait effectivement du monde sur la plage, renvoyait le ballon en se souriant à lui-même et non pas en souriant aux gens, puis reprenait avec indifférence sa nonchalante inspection de l'espace.

> Mais c'était le moment de faire son petit numéro, le numéro du Preedy Idéal. En manipulant négligemment son livre, il s'arrangeait pour en montrer le titre à qui voulait le voir – une traduction espagnole d'Homère; quelque chose de classique donc, mais sans exagération, et aussi quelque chose d'universellement connu – puis il empilait soigneusement son peignoir de bain et son sac à l'abri du sable (Preedy le Méthodique, le Raisonnable), se dressait lentement pour déployer librement son impressionnante stature (Preedy le Colosse), et faisait virevolter ses sandales (Preedy l'Insouciant, après tout). (Sansom, cité dans Goffman, 1959).

Encadré 3-3

L'identité psychosociale: entre soi et les autres

Une approche nouvelle pour l'étude du concept de soi a été proposée par Marisa Zavalloni de l'Université de Montréal. Par son modèle théorique, l'égo-écologie, Zavalloni (Zavalloni et Louis-Guérin, 1984) tente de comprendre comment se constitue concrètement l'identité personnelle et collective en tenant compte du contexte socio-historique de l'individu. En égo-écologie, on s'intéresse à la dynamique interactionnelle dans laquelle un individu donné acquiert une représentation de lui-même et de son environnement social. Cette représentation se crée à travers les expériences vécues dans lesquelles les dimensions cognitive et émotive sont intimement reliées. Dans la mémoire à long terme, les connaissances s'organisent en fonction de leur prégnance, créée par la charge émotive qui les accompagne. C'est ainsi que souvent nous nous rappelons davantage la façon dont nous avons appris ou dont on nous a enseigné des choses, que nous n'avons de souvenirs des choses elles-mêmes. L'information emmagasinée représente donc la réalité subjective de la personne, qui s'inscrit dans la réalité objective: l'environnement socioculturel.

En égo-écologie, le chercheur tente d'accéder à la représentation mentale qu'une personne a construite. Une personne construit sa représentation identitaire par ses interactions répétées avec son environnement. L'identité psychosociale s'élabore ainsi dans un processus où la personne se définit à la fois par opposition, par différenciation et par association avec les autres. Par exemple, une personne peut partager avec d'autres certaines caractéristiques, comme le fait d'appartenir à telle ou telle nationalité. Quand une personne dit qu'elle est Québécoise, elle identifie une caractéristique qui fait partie de son identité et qu'elle partage avec d'autres qui appartiennent à la même culture. De plus, comme cette Québécoise est une femme, certaines des caractéristiques de cet individu ne s'appliquent spécifiquement qu'au sous-groupe social auquel elle appartient, les femmes du Québec dans ce cas-ci. Dans la terminologie adoptée par Zavalloni, cette distinction appartient à l'axe soi-non-soi. Par ailleurs, les caractéristiques

Comme le soutient Goffman, on peut utiliser chaque mouvement et chaque action pour créer des impressions. En façonnant ces impressions, l'individu exerce aussi une influence sur la façon dont les autres lui répondront. Ainsi, tout comportement peut servir à influencer les autres, incluant l'accent d'une personne, la façon de sourire, la façon de pencher la tête et les épaules, et la façon de marcher. Cet argument peut aussi s'appliquer à d'autres choses qu'aux actions des gens, par exemple, à ce qu'ils possèdent, comme les vêtements, les livres, les disques, et ainsi de suite. Par exemple, dans un domicile, la présence d'œuvres d'art soigneusement sélectionnées informe les visiteurs que la maison appartient à une personne

éduquée et de bon goût, et que son propriétaire devrait être traité avec déférence (Csikszentmihalyi et Rochberg-Halton, 1981).

Selon plusieurs théoriciens, la réussite de sa gestion sociale dépend souvent de ce que l'on peut amener les autres à réagir par des manifestations comportementales prévisibles ou, en d'autres termes, selon des conventions. Par exemple, si vous voulez qu'une de vos connaissances vous sourie, vous avez des chances de réussir si vous lui faites d'abord un sourire. C'est une façon conventionnelle pour des connaissances de sourire en retour; ils peuvent difficilement éviter de le faire. On appelle souvent **scénarios** des enchaînements de comportements établis

peuvent être considérées comme désirables ou non; elles se situent alors sur l'autre axe, constitué des pôles négatif et positif. Ces deux axes engendrent ainsi quatre dimensions à partir desquelles l'exploration de l'identité psychosociale de la personne pourra être effectuée. Plusieurs caractéristiques des individus sont alors considérées, chacune d'elles pouvant servir à décrire les liens d'appartenance à divers groupes formels ou non, qu'il s'agisse du sexe, de la religion, du groupe linguistique, de l'âge, de la classe sociale ou autre. Pour cerner l'identité psychosociale, Zavalloni détermine d'abord l'appartenance à divers groupes, en raison du lien étroit que ce phénomène entretient avec l'identité. Les informations obtenues témoignent du contenu de la mémoire à long terme de la personne, qu'il s'agisse des connaissances, des croyances ou de la valeur accordée aux caractéristiques positives ou négatives qu'elle associe aux autres ou à elle-même.

Pour atteindre le noyau central de l'identité psychosociale de la personne, il faut procéder à une investigation de son champ représentationnel dans toute son étendue. Cette investigation s'effectue par étapes successives permettant d'atteindre la structure identitaire cognitive et émotionnelle dite profonde, qui motive la personne dans l'élaboration de ses pensées et de ses croyances, et qui sous-tend son discours.

L'instrument développé par Zavalloni, *L'investigateur multistade de l'identité sociale* (IMIS), comprend un certain nombre de phases d'exploration où les caractéristiques associées aux axes soi-non-soi, d'une part, et positif-négatif, d'autre part, sont successivement reprises pour préciser la nature et la valeur des liens d'appartenance, d'opposition, d'association ou d'exclusivité fournis par la personne elle-même, dans les sphères associées au vécu collectif et privé. Par exemple, si une femme du Québec termine l'énoncé «nous, les femmes du Québec sommes...» par cinq caractéristiques qu'elle juge appropriées, ces mêmes caractéristiques seront explicitées à la suite de questions supplémentaires relatives au sens particulier que leur accorde cette personne. L'individu est ainsi amené à se rappeler des expériences antérieures, à la base de la constitution des représentations. Selon Zavalloni, l'approche égo-écologique permet de faire ressortir l'identité sociale dominante et d'identifier les noyaux dynamiques sociomotivationnels autour desquels s'organisent les connaissances, et sur lesquels s'appuie le discours manifeste de la personne.

dans ce type d'échanges (Schank et Abelson, 1977). En ce sens, gérer avec succès ses relations ressemble à inviter les autres à participer à un jeu.

Dans notre société, il existe des scénarios pour la conduite d'un large éventail de relations, allant de faire la fête, à se disputer et même à pleurer un mort. Des scénarios régissent aussi les relations sexuelles à l'intérieur d'une culture (Gagnon, 1973). Selon l'un des scénarios les plus populaires, dans une relation chaque personne apprend d'abord à connaître la personnalité de l'autre, ses valeurs, ce qu'il aime. Des sentiments positifs sont alors supposés se développer et c'est seulement après que des relations sexuelles peu-

vent avoir lieu. Dans une étape ultérieure, on s'attend à un engagement et à une exclusivité sexuelle. D'autres scénarios dans notre société proposent des prescriptions pour des échanges sexuels aussi variés que les aventures d'une nuit, les idylles de croisière et l'initiation sexuelle auprès d'une prostituée. La plupart de ces scénarios sont familiers aux gens socialisés dans une culture et ils précisent tous le moment particulier où la relation sexuelle va prendre place dans l'enchaînement de comportements.

Étant donné la grande diversité de scénarios possibles, un scénario entre en jeu au moment où une personne fournit un indice qui motive l'autre à commencer à agir selon le scénario

désiré. Ainsi, le fait de présenter une apparence attrayante peut déclencher les fantaisies d'autrui et provoquer des scénarios romantiques ou d'adoration. Le fait d'accorder diverses faveurs à une personne attirante peut aussi déclencher un enchaînement de comportements approprié. Cela expliquerait pourquoi les gens attirants se voient souvent la cible de faveurs obligeantes, qu'elles soient désirées ou non (Sroufe et coll., 1977). Le fait d'être agréable est également un élément approprié dans un scénario romantique. Dans une démonstration convaincante de l'effet des indices d'attrait sur le comportement agréable, des chercheurs ont fait varier l'apparence et les attitudes d'un **complice** masculin afin d'observer le type de scénario psychologique que ces variations entraîneraient (Zanna et Pack, 1975). On a demandé à des femmes de se décrire elles-mêmes. L'homme qui écoutait était soit attirant et intéressé à une relation, soit peu attirant et non intéressé à une relation; il formulait aussi une ou deux opinions sur les femmes. Dans un groupe, les sujets l'entendaient décrire sa femme idéale comme soumise à son mari, passive et du type femme au foyer. Dans le deuxième groupe, la femme idéale était décrite comme indépendante, ambitieuse et combative. Les chercheurs voulaient savoir si les femmes modifieraient leurs

descriptions d'elles-mêmes pour que ces descriptions s'inscrivent davantage dans le scénario romantique commencé par l'homme. Lorsque l'homme n'était pas attirant et se montrait peu intéressé à une relation, les descriptions que les femmes faisaient d'elles-mêmes ne reflétaient pas ses préférences. Cependant, lorsqu'il était attirant et libre, les descriptions des femmes allaient dans le sens de ses idées. S'il préférait une femme traditionnelle, elles mettaient de l'avant des qualités traditionnelles; s'il valorisait les caractéristiques féministes, elles faisaient de même. Comment les gens peuvent-ils en arriver à faire confiance aux autres?

Bien sûr, personne ne *force* quelqu'un à s'engager dans un scénario particulier. Les gens peuvent accepter ou non l'invitation suggérée par l'indice. Si, par exemple, sur scène, Marjo invite des bras son public à fredonner avec elle l'une de ses chansons, son intervention pourrait rester lettre morte si le public demeurait muet. Hors de la scène, la majorité des indices sont ambigus et peuvent être à l'origine de plusieurs scénarios différents. Lorsqu'un homme et une femme commencent une conversation animée dans un bar pour célibataires, par exemple, ce désir de parler peut être l'indice d'un scénario de brève conversation ou celui d'une aventure d'une nuit. La conversation peut même indiquer le début d'une relation profonde et engagée (Cavan, 1966). Cette ambiguïté permet aux individus de *négocier les scénarios*, c'est-à-dire de chercher à découvrir les intentions de l'autre et d'éclairer le scénario désiré, par des indices additionnels (Rommetveit, 1976). Si, au cours de la conversation dans le bar, le partenaire suggère de sortir pour aller manger, il essaie alors d'obtenir un accord sur le fait qu'ils ne sont pas engagés dans un scénario de brève conversation. Cependant, plusieurs options demeurent ouvertes. Théoriquement, les scénarios peuvent être renégociés n'importe quand au cours de la relation. Cependant, une fois que les participants se mettent d'accord sur un certain scénario, le fait de se tourner vers un scénario différent peut créer de l'embarras. Si deux hommes sont d'accord pour se battre, l'un d'eux peut difficilement dire: «Je pensais que tout ça, c'était une blague», lorsqu'il s'aperçoit que l'autre est en train de relever ses manches.

En résumé, les gens utilisent une grande variété d'indices lorsqu'ils essaient de gérer leur identité dans leurs relations. Ces indices engendrent habituellement un enchaînement de comportements relativement stéréotypé d'actions appelé scénario. Toutefois, plusieurs de ces indices ne spécifient pas de façon univoque le scénario pour lequel ils sont émis. Il en résulte que les gens s'engagent dans des négociations subtiles relativement aux scénarios qu'ils adopteront ensemble.

Le monitorage de soi: vers une stratégie améliorée

Certaines personnes semblent conduire leurs relations de façon efficace, alors que d'autres semblent maladroites et incapables de le faire. Les variations dans l'habileté des gens à lire les indices fournis par les autres sont une façon d'expliquer ces différences. Plusieurs études montrent, par exemple, que les femmes sont souvent plus sensibles que les hommes aux indices corporels et faciaux d'autres personnes. Cette supériorité existe, quels que soient l'âge des sujets ou le sexe des personnes qui sont jugées. Lorsque les femmes évaluent mal un indice, c'est habituellement parce qu'elles n'ont pas détecté la possibilité d'une tromperie (Rosenthal et DePaulo, 1979). Les femmes, plus souvent que les hommes, semblent croire à ce qu'elles voient.

Un certain nombre de facteurs différents influent sur les habiletés des individus à gérer des relations. Pour mesurer ces habiletés, Mark Snyder (1979) a conçu une échelle composée de 25 énoncés descriptifs à propos desquels les gens doivent se prononcer quant à leurs propres façons d'être ou d'agir. Ces énoncés portent sur des caractéristiques telles que les suivantes.

1. *Le fait de prêter attention aux autres pour savoir quelles sont les actions appropriées.* Les gens efficaces recherchent chez les autres des indices qui leur permettent de savoir comment agir dans des situations d'incertitude.

2. *L'habileté à contrôler et à modifier la présentation de soi.* Les gens efficaces sont capables de faire des discours spontanés ou de mentir sans broncher lorsque c'est nécessaire.

3. *La volonté ou le désir d'ajuster ses propres actions à la situation sociale.* Les gens efficaces croient qu'ils ont peu de difficulté à modifier leur comportement pour s'adapter à différentes personnes.

On dit que les gens qui croient posséder ces trois habiletés ont un degré élevé de **monitorage de soi**. Ils prêtent attention aux indices sociaux, et de plus, ils veulent et peuvent modifier leur présentation de soi pour parvenir à leurs fins. Des recherches ultérieures montrent que les gens dont le monitorage de soi est élevé ont avec les autres des relations différentes de celles qu'ont les gens dont le monitorage de soi est faible. Par exemple, ils jugent les états émotionnels des autres avec plus d'exactitude. Les autres les évaluent aussi comme plus amicaux, plus ouverts, moins inquiets et moins nerveux dans leurs relations. De plus, lorsqu'ils observent quelqu'un qu'ils souhaiteraient fréquenter, les hommes et les femmes dont le degré de monitorage de soi est élevé sont plus que les autres susceptibles de remarquer et de se rappeler des détails au sujet de cette personne. Lorsqu'on les observe en train de converser, ces individus manifestent moins de timidité; ils sont plus susceptibles d'engager une conversation avec un étranger et de conduire le cours de cette conversation. De plus, un individu qui a un degré de monitorage de soi élevé est plus susceptible d'être le leader d'un groupe (*voir la revue de* Snyder et Campbell, 1982).

Vous pourriez penser que la personne qui fait montre d'un degré élevé de monitorage de soi est une sorte d'imposteur social. Comme individus, les personnes de ce type peuvent sembler

Encadré 3-4

La justification sociale et l'intégrité personnelle

Plusieurs théoriciens croient que l'un des problèmes les plus critiques, auquel nous faisons face chaque jour, est de convaincre les autres que nous sommes rationnel ou que nous sommes une personne saine d'esprit. Si nous ne pouvons pas nous présenter comme quelqu'un de normal, nous aurons de la difficulté à faire notre chemin dans la société. Par exemple, supposons que vous attendiez à un arrêt d'autobus où il y a affluence et que vous pensiez à quelque chose de très drôle, vous pourriez difficilement éclater de rire. Vous seriez inhibé, non parce qu'il est anormal de rire pour quelque chose de drôle, mais parce que votre rire pourrait laisser croire que vous êtes en train de parler avec une personne imaginaire et que vous êtes idiot. La rétention d'impulsions normales et spontanées peut dominer une grande partie de notre vie en public, simplement parce que nous voulons être sûrs que les autres ne remettent pas en question notre normalité.

Cependant, il y a plusieurs occasions où il nous faut dévier de ce qui est conventionnel. Dans ces situations, il nous faut alors nous engager dans ce que le théoricien John Shotter (1984) a appelé des pratiques de **justification sociale**. De telles pratiques sont à la fois verbales et non verbales, et visent à convaincre les autres qu'en toutes choses, nous sommes raisonnables et normaux. D'après Shotter, ces pratiques sont d'une grande importance pour maintenir l'ordre social. Si tous ceux qui attendent l'autobus agissaient selon leurs envies spontanées — en riant, pleurant, criant, chantant, récitant de la poésie, et ainsi de suite — nous aurions l'impression de vivre dans un chaos effrayant. Dans ce contexte, adopter les pratiques de justification sociale, c'est aussi contribuer à la stabilité de la société, même si cette stabilité est souvent étouffante.

Il y a plusieurs types de pratiques de justification. Par ce qu'on appelle le **travail facial**, les gens utilisent des signaux du visage pour signifier leur normalité. Souvent, les gens qui «ont dit ce qu'il ne fallait pas dire» ou ont commis une bourde grimaceront. La grimace indique qu'ils savent qu'ils se sont trompés et qu'ils le regrettent. S'ils omettent de fournir ce genre d'indices, ils risquent d'être perçus comme quelqu'un de vulgaire ou stupide. Les gens utilisent aussi fréquemment des excuses (Snyder, Higgins et Stucky, 1983) pour montrer que leur comportement

manquer d'authenticité ou être sans valeurs profondes et durables. Pourtant, la recherche suggère qu'elles arrivent à échapper à cette perception. Elles y parviennent en organisant leur vie et leurs relations d'une façon telle que rien n'y paraît. Lors d'une étude, des répondants spécifiaient les différentes personnes avec lesquelles ils passaient leur temps et les différents types d'activités sociales dans lesquelles ils s'engageaient. Ils précisaient aussi avec quelles personnes ils passaient du temps dans chaque situation. Les résultats ont montré que les individus qui démontraient un monitorage de soi élevé fraction-naient leur univers social de façon plus marquée que les individus qui faisaient montre d'un faible monitorage de soi. Cela signifie qu'ils font, par exemple, du sport avec un type de personnes, qu'ils prennent leurs repas ou voyagent avec d'autres personnes. Leurs amis sont en quelque sorte rattachés à des situations spécifiques. C'est ainsi que les incohérences de leur caractère ou de leurs valeurs ne sont pas révélées: l'authenticité apparente dans une situation ne pourra pas être contredite par un comportement opposé dans la situation suivante (Snyder et Campbell, 1982).

déviant n'est pas une indication véritable de ce qu'ils sont. L'une des fonctions utiles des boissons alcoolisées, lors d'une fête, est d'excuser toutes sortes d'activités inhabituelles. La consommation d'alcool permet aux gens d'agir de façon impulsive sans avoir à assumer la pleine responsabilité de leurs actes. On a appelé **discours de motif** une autre forme intéressante de justification sociale (Semin et Manstead, 1983). Dans ce cas, les gens présentent les motivations sous-jacentes à leurs actions, de façon qu'elles paraissent normales. Si, par exemple, en conversant avec une amie, vous l'offensez en lui suggérant que la minijupe ne lui va pas très bien en raison de la rondeur de ses cuisses, vous pourriez bien dire quelque chose comme «je ne voulais pas te blesser; je voulais seulement t'aider». En réalité, vous essaieriez de diminuer la colère de l'autre en niant certains motifs pour en faire valoir d'autres. L'on ne s'entend toujours pas sur la possibilité de connaître vraiment ses propres motivations. Quoi qu'il en soit, on a souvent besoin du discours de motif pour rétablir la paix dans une relation.

Les recherches indiquent que les enfants apprennent très jeunes la valeur de la justification sociale. Dans une étude, on a exposé des enfants d'âges variés à une situation dans laquelle un enfant en poussait accidentellement un autre qui transportait un plateau rempli d'assiettes (Darby et Schlenker, 1982). Les assiettes tombaient et se fracassaient. On a expliqué aux enfants que l'enfant fautif avait réagi de l'une ou l'autre des quatre façons suivantes:

1. il s'éloignait sans s'excuser;
2. il s'excusait de façon minimale («Je m'excuse.»);
3. il s'excusait de façon conventionnelle («Je suis désolé, je regrette ce qui est arrivé.»);
4. il s'excusait et offrait de réparer.

On a alors demandé aux enfants de porter un jugement sur l'enfant fautif. Jusqu'à quel point devrait-il être blâmé, puni ou pardonné? Jusqu'à quel point était-il «bon» ou «méchant»? Les résultats ont montré que les enfants étaient capables de distinguer correctement les différentes formes de justification. Même à l'âge de cinq ans, les enfants avaient l'impression que, plus l'excuse était importante, moins l'enfant fautif devait être blâmé, plus il devait être pardonné et plus il était une bonne personne. Dans tous les cas, la poussée était accidentelle, mais la façon de se justifier a décidé du sort de l'enfant fautif.

Cependant, la personne dont le degré de monitorage de soi est élevé peut faire face à des problèmes particuliers dans ses relations étroites et de longue durée. Ce type de personnes va d'une situation à l'autre à la manière d'un caméléon, adoptant tout déguisement nécessaire pour réussir. Il peut n'exister qu'une faible correspondance entre leurs opinions publiques et les attitudes qu'ils ont en privé (Snyder et Swann, 1976). Le fait de savoir ce qu'elles croient «réellement» n'aide pas beaucoup à prédire leurs actions. Dans une recherche sur les relations des jeunes avec le sexe opposé, on a constaté que les personnes qui avaient un degré de monitorage de soi élevé étaient aussi moins enclines à s'engager (Snyder et Simpson, 1984). Indépendamment du sexe des sujets, si les jeunes avaient un degré de monitorage de soi élevé, ils avaient aussi vécu dans leur passé plus de relations et étaient plus enclins à abandonner une relation pour une autre qui leur semblait meilleure. Apparemment, ceux qui sont le plus habiles dans leurs relations avec les autres sont aussi parmi les moins fidèles. Avis aux intéressés.

En résumé, certaines personnes réussissent mieux que d'autres à gérer leurs relations. Par

Encadré 3-5

Développer la conscience de soi pour s'épanouir dans les organisations

Nous avons étudié dans ce chapitre la gestion sociale du soi du point de vue de la théorie des règles et des rôles. Récemment, des chercheurs ont proposé une vision humaniste de la gestion de soi considérée dans une perspective de développement personnel. Fait intéressant, cette vision humaniste a été conçue d'abord en relation avec le contexte de travail ou le milieu dit organisationnel. Une saine gestion de soi serait essentielle pour s'épanouir dans les organisations. Cette affirmation est au cœur du modèle de la gestion de soi développé par De Waele, Morval et Sheitoyan (1986). Selon ces chercheurs de l'Université du Québec à Montréal et de l'Université de Montréal, la personne qui gère bien son soi cherche constamment à devenir elle-même, ce qui lui permet de mieux s'adapter dans l'entreprise. Consciente d'elle-même et de son environnement, la personne est donc appelée à considérer les informations internes et externes, à prendre ses besoins en considération et à faire les gestes les plus appropriés en tenant compte du contexte.

Certaines conditions seraient associées à une saine gestion de soi. Il faut d'abord reconnaître que dans toute entreprise humaine existent des cycles, c'est-à-dire des temps forts et des temps faibles. Après qu'on a fourni un effort intense dans un travail, par exemple, vient un moment où il est avantageux de se retirer, de prendre du recul et d'analyser la situation ou les résultats de cette action. La deuxième condition concerne l'acceptation de la coprésence des polarités. Choisir tel élément nécessite l'abandon d'autres qui semblent moins appropriés; s'engager de façon privilégiée dans une relation conduit souvent à se désengager de relations moins propices à la satisfaction des besoins personnels. L'individu qui s'engage dans une saine gestion de soi doit donc faire des choix pour maximiser son potentiel. La troisième condition porte sur les facettes interne et externe de la personne ou, en d'autres termes, son conscient et son inconscient. C'est une libre circulation entre le conscient et l'inconscient qui permet d'alimenter la créativité et qui contribue à augmenter la conscience de ses propres limites. Quatrièmement, la personne doit éprouver de la synergie, pour avoir un accès plus grand aux choses nouvelles et une ouverture aux opportunités, souvent imprévues. Quant à la cinquième condition, elle souligne l'importance du synchronisme qui doit exister entre les quatre premières. Comme le précisent les auteurs, «une personne qui vit un temps fort, qui se trouve dans une phase de haute productivité, ne peut le faire que lorsqu'elle apprend beaucoup, développe des relations intensives, prend des décisions significatives et concrétise adéquatement ses projets».

---

exemple, les femmes sont souvent meilleures que les hommes pour déchiffrer les indices corporels et faciaux. Les gens qui disent (1) porter attention aux indices venant des autres, (2) avoir le contrôle de leur propre présentation d'indices et (3) vouloir ajuster leurs actions pour qu'elles correspondent aux situations ont, dit-on, un haut degré de monitorage de soi. Dans plusieurs études, on a constaté que ces individus établissent facilement et avec confiance des relations interpersonnelles et qu'ils dirigent l'orientation d'une conversation. Avec le temps, ils organisent leur vie pour qu'elle s'harmonise avec leurs habiletés.

Selon De Waele et ses collaborateurs, quatre éléments sont intimement associés à la gestion de soi; il s'agit de processus ou de flux continus.

1. *Le flux d'appropriation.* Il s'agit d'un processus de décodage permanent qui permet d'identifier les informations, les valeurs, les sentiments, la culture et les mythes qui sont en perpétuelle mouvance dans l'organisation. Un bon décodage de ces diverses formes d'informations conduit à identifier clairement les ressources fiables du milieu et à discriminer adéquatement l'essentiel du secondaire, à transformer à son avantage des expériences négatives en y trouvant la possibilité d'aller plus loin. L'individu se place donc en position d'apprentissage multidimensionnel portant sur lui-même et sur son environnement. Dans ces apprentissages, sont pris en considération des aspects rationnels, affectifs et inconscients de la personne.

2. *Le flux des relations.* L'appartenance à une organisation donne lieu à de multiples échanges qui relèvent parfois de la collaboration, parfois de la confrontation, ces deux types d'échanges n'étant pas mutuellement exclusifs. Il y a donc alternance d'investissements et de désinvestissements affectifs dont l'aboutissement est la construction d'un réseau d'appui qui infirme ou confirme la personne dans ce qu'elle est ou dans ce qu'elle peut devenir. La personne doit apprendre à gérer les conflits, qui sont inévitables dans quelque milieu de travail que ce soit, et elle doit s'en servir pour en apprendre sur elle-même, aussi bien que sur son environnement.

3. *Le flux des décisions.* Par l'alternance des phases d'engagement et de désengagement qui lui sont propres, le processus des décisions contribue à la transformation de l'orientation du comportement, vers l'adoption d'une hiérarchie de valeurs personnalisées. La personne doit pouvoir considérer tous les choix possibles, faire appel à toutes les énergies disponibles, que ce soit les siennes propres (conscientes ou inconscientes) ou celles de son environnement, et être en mesure de porter un regard critique sur les décisions qui ont été prises antérieurement. Au moment propice, la meilleure décision doit être prise et l'ambivalence qui peut en résulter doit être acceptée comme une résultante naturelle du processus de décision.

4. *Le flux de l'action.* Le flux de l'action se caractérise par des phases d'activité et de passivité qui s'inscrivent dans une dynamique corrective qui débouche sur la réalisation concrète des objectifs. Le flux de l'action englobe toutes les sphères d'activité de la personne, que ce soit au travail, à la maison ou dans ses activités de loisirs. En ce sens, une bonne gestion du processus de l'action suppose la recherche de l'équilibre, qui passe nécessairement par l'acceptation de certains risques et par l'élaboration d'une hiérarchie de priorités, tant dans sa vie personnelle qu'au regard des objectifs de l'organisation.

C'est en assumant tous ces processus que l'individu peut réussir non seulement à survivre, mais aussi à s'épanouir dans l'organisation.

La conscience de soi: la réflexivité et les standards

Chez les gens qui sont efficaces dans leur présentation de soi, il semble que tous les sens soient rivés à l'environnement social. On dirait qu'ils concentrent leur attention sur ce que les autres font ou disent, sur les indices ou signaux qu'ils émettent, et ainsi de suite. Dans un sens, ils paraissent dépourvus d'un fort sentiment d'identité personnelle. Ils semblent se tourner vers l'extérieur plutôt que vers l'intérieur. Cependant, comme nous l'avons vu dans nos propos sur le développement du soi, la plupart des gens ont une certaine idée de ce qu'ils sont et de ce qu'ils représentent. Les gens ne se présentent pas toujours aux autres de façon à tirer le maximum d'une situation. Selon des théoriciens, un retour à des critères plus intérieurs survient lorsque les gens sont amenés à prendre conscience d'eux-mêmes. Quand leur attention porte sur eux-mêmes, on dit qu'ils sont dans un état élevé de **conscience de soi**. Quand les gens réfléchissent sur eux-mêmes, ils se demandent habituellement comment ils se situent par rapport à des standards (Carver et Scheier, 1981). Cet état d'autoréflexion est souvent déplaisant parce qu'il provoque une inquiétude quant à nos échecs et à nos faiblesses. Par exemple, des chercheurs ont montré que les sentiments d'autosatisfaction d'individus décroissent souvent après que ces gens ont écouté un enregistrement de leur propre voix. Ils sont aussi moins optimistes au regard de leurs objectifs s'ils entendent leur propre voix plutôt que l'enregistrement de la voix d'une autre personne (Duval et Wicklund, 1972).

Pour démontrer les effets de la conscience de soi, des chercheurs ont fait en sorte que des sujets masculins servent de professeurs à des femmes en situation d'apprentissage (Scheier, Fenigstein et Buss, 1974). Le professeur devait donner un choc chaque fois qu'une erreur était faite au cours du processus d'apprentissage (en réalité, les femmes simulaient le choc reçu). Cependant, le professeur avait beaucoup de latitude quant à l'intensité du choc qu'il pouvait administrer. Selon l'hypothèse des chercheurs, la plupart des hommes répondent à des règles de galanterie dans leur comportement à l'égard des femmes et croient devoir être particulièrement polis et doux dans leurs actions envers elles. Quand on leur faisait prendre conscience d'eux-mêmes, les hommes devaient normalement considérer ces règles et administrer moins de chocs aux femmes. Pour provoquer cette conscience de soi, le plan de recherche prévoyait que les sujets du groupe expérimental agissent face à un miroir. Les sujets du groupe de contrôle n'avaient pas à se confronter à leur propre image dans un miroir. Les résultats de l'étude ont confirmé l'hypothèse des chercheurs: le groupe expérimental a manifesté un niveau d'agression moindre envers les femmes qui agissaient comme élèves, par rapport au groupe de contrôle. Des recherches ultérieures ont montré que l'inverse n'est pas vrai: les femmes n'ont pas manifesté moins d'agressivité envers les hommes après qu'on les a rendues conscientes d'elles-mêmes. Pour elles, il n'existe pas de règle générale qui favoriserait un comportement galant.

Comme le pensent certains théoriciens (Wicklund, 1982), la conscience de soi pourrait remplir une fonction très précieuse dans la société. Réfléchir sur soi-même peut mettre en contact avec ses valeurs morales fondamentales et aider à se présenter aux autres avec honnêteté. Lorsque les gens sont conscients d'eux-mêmes, les autres peuvent davantage les connaître sous leur véritable jour. Dans ce contexte, des chercheurs se sont demandé s'il existe des personnes qui, de façon générale, sont très conscientes d'elles-mêmes. Si tel est le cas, est-ce que leur vie est différente? Pour explorer ces possibilités, une échelle de conscience de soi a été conçue (Fenigstein et coll., 1975). Le questionnaire mesure deux types de conscience de soi, l'une sur le plan personnel et l'autre sur le plan public. Pour mesurer la **conscience de soi personnelle**, on pose des questions du type «Jusqu'à quel point êtes-vous attentif à vos sentiments profonds?» ou «Jusqu'à quel point examinez-vous vos motivations?» et ainsi de suite. Les gens dont la conscience de soi personnelle est élevée sont similaires à ceux qu'on rendait conscients d'eux-mêmes dans des situations expérimentales. Les questions relatives à la **conscience de soi publique** visent à déterminer jusqu'à quel point les gens se préoccupent des opinions d'autrui, de leur style de comportement, et ainsi de suite. Les gens qui affichent une conscience de soi publique élevée sont en principe peu conscients de leurs sentiments profonds. Des recherches ultérieures ont fait ressortir des différences à plusieurs égards entre les gens qui obtiennent des résultats élevés sur l'échelle de conscience de soi personnelle et ceux dont les résultats sont élevés sur l'échelle de conscience de soi publique. Le degré de cohérence des attitudes et des comportements est plus élevé chez la personne qui a une conscience de soi personnelle. Elle semble agir non pas au gré des situations, mais selon ce qu'elle croit être juste. De même, la personne qui a une conscience de soi personnelle élevée se révèle moins préoccupée par la mode, fait preuve d'une plus grande subtilité dans ses goûts et d'une plus grande conscience de ses émotions. Cependant, tout n'est pas rose pour ce type de personnes. Elles sont moins habiles à prévoir les réactions d'autrui, moins coopératives et plus susceptibles de se blâmer lorsque des accidents surviennent. Par exemple, si une telle personne est au volant d'une automobile et qu'un autobus dévie et fonce sur sa voiture, elle aura tendance à se blâmer elle-même de l'accident. La personne dont la conscience de soi est plutôt orientée sur le plan public attribuera la responsabilité de l'accident au conducteur de l'autobus. La conscience de soi peut donc aider les gens à agir en fonction de leurs propres critères, mais elle comporte aussi des coûts cachés (*voir la revue de* Carver et Scheier, 1981).

Résumé

1   Le concept de soi renvoie à la façon dont une personne se catégorise ou se définit elle-même. Cette organisation de concepts est souvent désignée par le terme «schéma de soi». Lorsqu'un sentiment positif est associé au concept de soi d'une personne, on dit que son estime de soi est élevée; celle-ci est faible lorsque le concept de soi est associé à un sentiment négatif.

2   Le concept de soi se développe et se modifie tout au long de la vie, et plusieurs processus majeurs favorisent un tel changement. L'exposition à une rétroaction sociale aide les gens à savoir qui ils sont. On appelle ce phénomène, le «moi en miroir». Cependant, une information directe n'est pas toujours essentielle; les gens peuvent souvent hausser leur estime de soi en se «dorant des rayons de la gloire» de leurs proches. La comparaison sociale peut aussi modifier le concept de soi. En se comparant aux autres, les gens reçoivent de l'information sur eux-mêmes. Ainsi, en choisissant leurs amis, ils choisissent en même temps leur propre identité. Les gens peuvent aussi apprendre de nouveaux aspects de leur soi par le jeu de rôles. En jouant continuellement des rôles, une personne peut en venir à percevoir ce rôle comme son «moi réel». Enfin, les gens peuvent apprendre qui ils sont en examinant en quoi ils se distinguent des autres.

3   Si le concept de soi était en continuel changement, les gens pourraient se sentir fragmentés et sans caractère. Ils utilisent donc certaines stratégies pour favoriser un élément de continuité ou de cohérence à travers le temps. D'abord, les gens sélectionnent souvent l'information qui concorde avec les conceptions existantes de leur soi. Cette autovérification se produit en biaisant l'attention, en privilégiant certaines interprétations plutôt que d'autres et en s'associant à des gens dont les opinions sont compatibles avec les leurs. Les gens maintiennent aussi un sens de cohérence du soi en utilisant des stratégies de traitement de l'information. C'est ainsi qu'ils traitent l'information plus rapidement lorsqu'elle est cohérente avec la façon dont ils conçoivent leur soi.

4   Les gens cherchent souvent à comprendre leurs émotions. Il existe trois perspectives très différentes sur la façon dont la compréhension des émotions se produit. Selon la perspective biologique, les gens possèdent un éventail limité d'émotions de base qui se déclenchent automatiquement dans certaines occasions. Ce point de vue implique que la communication de l'émotion à travers des expressions faciales est universelle: nous pouvons tous connaître et comprendre les émotions des uns et des autres. Contrastant avec le point de vue biologique, l'approche cognitive propose que la majorité des expériences émotionnelles sont fonction de nos interprétations. La théorie bifactorielle des émotions de Schachter soutient que les gens éprouvent un état d'activation physiologique généralisée similaire pour toutes les occasions qui engendrent des émotions. Les différences entre les émotions sont provoquées par la façon dont cet état d'activation est interprété et c'est l'observation du milieu social qui influe sur ces interprétations. D'une perspective différente, le point de vue constructiviste soutient que les émotions sont des performances sociales et qu'elles diffèrent donc de

façon marquée d'une culture ou d'une période de l'histoire à l'autre. Les performances émotionnelles sont enchâssées dans des formes culturelles plus larges, obligeant les gens à avoir certaines émotions dans des situations particulières. Selon ces deux derniers points de vue, cognitif et constructiviste, ce n'est pas en regardant à l'intérieur de nous-même que nous pouvons connaître nos émotions.

5   Nous passons beaucoup de temps à nous identifier et à nous présenter aux autres. Les scénarios culturels guident la plupart des présentations de soi. Par exemple, dans la culture moderne certains scénarios sous-tendent les relations entre les hommes et les femmes. C'est la culture qui prescrit comment il faut se conduire à partir d'une première rencontre jusqu'à la plus grande intimité. Lorsqu'une situation est ambiguë, les gens négocient afin de déterminer quel sera le scénario qui guidera leurs actions.

6   Certaines personnes réussissent mieux que d'autres à gérer leur identité. On a essayé d'étudier ces différences en travaillant à une mesure du monitorage de soi. Une personne dont le monitorage de soi est élevé est quelqu'un qui prête attention aux autres, qui contrôle sa présentation et qui accepte d'adapter ses actions aux différentes situations. On a observé que les personnes qui obtiennent un score élevé sur cette échelle réussissent très bien dans la plupart de leurs relations interpersonnelles; elles se protègent aussi contre le risque qu'on les trouve superficielles en contrôlant l'information qu'elles donnent au sujet d'elles-mêmes.

7   Dans la présentation de soi aux autres, les gens ont quelquefois conscience de critères intérieurs. Cet état est appelé conscience de soi. Il s'accompagne habituellement d'une préoccupation quant à la façon dont on se compare avec ces critères. Les personnes conscientes d'elles-mêmes sont plus susceptibles que les autres d'agir en accord avec leur concept de soi. Les chercheurs croient qu'en général, certaines personnes sont plus que d'autres conscientes d'elles-mêmes. Pour explorer cette possibilité, on a conçu une échelle de conscience de soi. Les personnes, qui ont sur le plan personnel un degré élevé de conscience de soi, font montre d'un degré de cohérence plus élevée entre leurs attitudes et leurs comportements, par rapport aux personnes dont la conscience de soi se situe sur le plan public; elles sont aussi moins sensibles aux changements de modes. Par contre, elles ont une perception moins fine de la réalité sociale.

Lectures suggérées

En français

Le concept de soi (1990). *Revue québécoise de psychologie, 11* (n° 1 entier).

L'Écuyer, R. (1978). *Le concept de soi.* Paris: Presses universitaires de France.

L'Écuyer, R. (1990). *Méthodologie de l'analyse développementale de contenu. Méthode GPS et concept de soi.* Sillery, Québec: Presses de l'Université du Québec.

Mucchielli, A. (1986). *L'identité.* Paris: Presses universitaires de France (Collection «Que sais-je?»).

Psychologie et connaissance de soi (1990). *La petite revue de philosophie, 10* (n° 2 entier).

Zavalloni, M. et Louis-Guérin, C. (1984). *Identité sociale et conscience: Introduction à l'égo-écologie.* Montréal: Presses de l'Université de Montréal.

En anglais

Gahagan, J. (1984). *Social interaction and its management.* London: Methuen.

Schlenker, B.R. (1985). *The self and social life.* New York: McGraw-Hill.

Suls, J. (1982). *Psychological perspectives on the self.* Volume 1. Hillsdale, NJ: Erlbaum.

Suls, J. et Greenwald, A.G. (1983, 1986). *Psychological perspectives on the self.* Volumes 2 et 3. Hillsdale, NJ: Erlbaum.

4

L'attraction interpersonnelle

Il n'y a qu'une sorte d'amour, mais il y en a mille différentes copies.

La Rochefoucauld

Objectifs d'apprentissage

☐ Après l'étude du présent chapitre, vous devriez être capable

1. de définir l'attraction personnelle et de décrire la théorie de Homans qui soutient que l'attraction est fonction d'un profit ou de la différence entre le coût d'une relation et les récompenses qu'on en retire;

2. d'expliquer comment la proximité physique influe sur l'attraction;

3. d'expliquer l'importance des règles de proxémie et de distinguer les zones de distance: intime, personnelle, sociale et publique;

4. d'analyser le rôle de la beauté physique dans le développement et l'inhibition de l'attraction hétérosexuelle;

5. d'expliquer le rôle de la similitude interpersonnelle et de distinguer la similitude de la complémentarité dans le développement et le maintien de l'attraction;

6. d'expliquer de quelle manière la considération positive peut être l'une des sources les plus importantes de l'attraction et d'expliquer comment le besoin de considération peut être manipulé par les autres;

7. de montrer comment le besoin d'informations adéquates peut favoriser ou non l'attraction;

8. d'expliquer les trois degrés d'intimité dans les relations profondes: la conscience mutuelle, le contact superficiel et la mutualité;

9. de montrer comment les normes culturelles influent sur le développement des relations profondes;

10. d'indiquer comment la communication, les échanges équitables, l'égalité du pouvoir de décision et le type de motivation contribuent à favoriser des relations durables et réussies.

□ *Nous vivons tous des moments d'irrationalité. Récemment, on a offert à l'une de nos amies un poste intéressant de stagiaire dans une école pour enfants en difficulté. Elle quitta ce poste après seulement trois jours de travail. L'un de nos plus brillants étudiants a abandonné un poste important dans un bureau d'avocats renommé de Toronto pour revenir dans sa ville natale. Il prévoit ne plus pratiquer le droit. L'an dernier, l'un de nos voisins qui avait une situation enviable et une fille adorable, s'est suicidé en s'asphyxiant au gaz. Qu'est-ce que ces cas ont en commun? Chacun de ces actes «irrationnels» a pour origine de forts sentiments d'attraction. L'étudiante a quitté son travail parce qu'elle se sentait seule, loin de son ami qu'elle connaissait depuis huit mois. L'avocat a quitté Toronto parce qu'il ne pouvait pas supporter d'être éloigné de sa partenaire amoureuse. Il abandonne sa profession afin de se consacrer pleinement à cette relation. Enfin, le suicidé avait dû quitter son foyer à la suite de problèmes conjugaux.*

Les sentiments d'attraction n'ont pas toujours des conséquences aussi spectaculaires. Cependant, plusieurs théoriciens sociaux soutiennent que ce sont les sentiments positifs qui renforcent la cohésion sociale (Durkheim, 1949; Tönnies, 1957). Les sentiments positifs incitent les hommes et les femmes à rechercher la compagnie d'autres personnes, à élever des enfants, à adhérer à des organisations ou à vivre dans un milieu particulier. L'attraction a un effet très important sur la vie des gens, c'est pourquoi comprendre ce qui les rassemble est devenu un défi majeur pour les psychologues sociaux. Ceux-ci s'intéressent, entre autres questions, à savoir ce que les gens recherchent chez leurs amis ou chez leurs proches, ce qui différencie l'amitié de l'amour, ce qui rend les relations profondes difficiles à maintenir. Ces questions, de même que bien d'autres reliées à l'attraction interpersonnelle, sont traitées dans le présent chapitre.

Comme vous pouvez le constater, notre intérêt s'est déplacé de la **cognition**, ou ce que nous pensons des autres et de nous-mêmes, à l'affect, ou ce que nous éprouvons envers les autres. Dans le présent chapitre, nous concentrerons notre étude sur les sentiments positifs dans nos relations avec autrui. Nous aborderons d'abord la façon dont l'attraction se développe. Nous discuterons de cinq facteurs qui peuvent jouer un rôle important dans le développement d'une relation: la proximité physique, l'apparence physique, la similitude interpersonnelle, la considération positive et l'information. Nous dirigerons ensuite notre attention sur les relations profondes. Nous nous demanderons comment une relation intime se développe et quels sont les facteurs qui en causent la rupture. Une attention spéciale sera accordée aux normes, ou règles culturelles qui régissent l'intimité.

Cette discussion ne résoudra cependant pas les problèmes que vous vivez avec vos amis, avec vos proches ou avec les membres de votre famille. En effet, comme nous le verrons, ces problèmes sont inhérents à de telles relations. Cependant, notre exposé vous fera découvrir des points de vue neufs sur ces questions. De nouvelles idées suggèrent souvent de nouvelles solutions.

La naissance de l'attraction

Qu'est-ce qui crée l'**attraction**? Il n'est pas facile de répondre à cette question. Une personne peut en aimer une autre pour de multiples raisons. En outre, il semble que les relations avec des amis soient très différentes de celles qu'on a avec les membres de sa famille ou avec un amoureux. Est-ce que tous ces sentiments proviennent des mêmes sources? Pour vous aider à répondre à cette question, demandez-vous d'abord ce qu'ont en commun les gens que vous appréciez, que vous respectez ou que vous aimez. Sur un plan très général, vous répondrez peut-être qu'ils vous récompensent d'une certaine façon; ils vous aident à vous sentir bon, heureux, satisfait ou même extatique. Bien sûr, les relations avec les autres ne sont pas toujours aussi stimulantes. Elles combinent une variété de bonnes et de mauvaises expériences. L'amour est souvent cause de douleur.

Le théoricien George Homans (1974) soutient que les gens voient leurs sentiments pour les autres sous l'angle du *profit*, c'est-à-dire en fonction de la différence entre la quantité de récompenses qu'ils retirent d'une relation et le coût de celle-ci. Plus la récompense est grande et le coût minime, plus l'attraction est grande. Cette caractéristique commune suggérée par Homans se retrouverait dans toutes les formes d'attraction: l'amitié, les relations familiales ou l'amour. Toutes ces formes de relations se fondent sur une récompense quelconque. La formulation d'Homans suggère aussi que l'attraction n'est pas un phénomène mystérieux et impénétrable.

L'amour n'est pas réservé uniquement aux poètes et aux auteurs de chansons. On peut le percevoir en fonction de récompenses et de coûts observables, en fait, selon ce que les gens *font* les uns pour les autres. Toute récompense peut créer une attraction à un moment ou à un endroit donné. L'amour ne se nourrit pas nécessairement de caresses et de mots tendres, par exemple. Il peut se développer à partir d'un estomac bien rempli, de beaux vêtements ou d'un statut social accru. Par conséquent, ce qui produit l'attraction peut changer avec le temps ou selon les circonstances. Si vous ne vous sentez pas bien dans votre peau, vous pouvez être attiré par une personne qui vous soutient émotivement. Si le quotidien vous assomme, vous pouvez être attiré par quelqu'un qui promet du changement et de l'excitation. Il n'y a pas de cause unique de l'attraction.

Cette dernière conclusion soulève une possibilité extrêmement intéressante que nous considérerons tout au long de notre discussion. Si l'attraction dépend de la valeur que l'on accorde au comportement d'une autre personne et si cette valeur peut changer d'une situation à une autre, il en découle que le même comportement peut créer tantôt de l'attraction, tantôt de l'aversion. Vous pouvez, par exemple, apprécier une personne qui est très dynamique. Celle-ci vous aide à vous ouvrir et à vous sentir moins seul. Mais vous pouvez parfois vouloir être seul et réfléchir. Soudain, la vivacité de l'autre en vient à vous importuner et à vous irriter. Ce qui suscitait de l'attraction produit maintenant de l'irritation. Jules Renard exprime très bien cette idée: «Je t'aimerai le temps de voir dans ce grain de beauté une verrue» (*Journal*, Éditions Gallimard). De la même façon, la gentillesse, la rationalité, la prévisibilité, la persévérance et la passion sont toutes capables d'attirer ou de repousser. Tout dépend de la situation.

Puisque toute récompense correspond potentiellement à un coût, la plupart des relations reposent sur un *équilibre précaire*. Ce qui était attirant à un certain moment donné peut se révéler aliénant. Nous accorderons une attention particulière à cet équilibre à mesure que progressera notre exposé.

À la lumière de ces idées, examinons maintenant les sources de l'attraction. Nous considérerons d'abord deux sources qui sont habituellement très puissantes aux stades les plus superficiels d'une première rencontre: la proximité physique et l'apparence personnelle. Nous traiterons ensuite de deux sources qui semblent plus importantes à mesure que progresse une relation: la ressemblance personnelle et la considération positive. Enfin, nous regarderons le rôle particulier que joue l'information dans l'attraction. Comme nous le verrons, chacune de ces cinq sources d'attraction peut aussi produire de l'aversion.

La puissance de la proximité

D'après plusieurs études sociologiques sur le mariage, la proximité géographique prédit avec fiabilité le choix du conjoint (Katz et Hill, 1958; Kerckhoff, 1974). Plus les domiciles sont rapprochés, plus grandes sont les chances d'une rencontre et d'un mariage. C'est ce que l'on appelle l'**effet de proximité**. Cependant, si de tels résultats signifiaient simplement que des étrangers ne

L'attraction et l'aversion: un équilibre précaire. Une fête spéciale, un groupe chaleureux et heureux, et soudainement, l'équilibre se rompt et les sentiments changent. Dans ce chapitre, nous accorderons une attention particulière à ce paradoxe: toute source d'attraction peut aussi produire de l'aversion.

s'épousent pas, il ne vaudrait pas la peine d'en parler. En fait, certains psychologues sociaux s'intéressent plutôt aux processus sous-jacents à l'effet de proximité. La distance peut influer sur l'attraction pour diverses raisons subtiles.

Les effets de l'accessibilité

Dans l'une des premières études des effets de la proximité physique sur l'attraction, des chercheurs ont examiné les patterns d'amitiés à l'intérieur d'une zone résidentielle (Festinger, Schachter et Back, 1950). Même si le lieu où se trouve une personne dans une ville ou une province peut restreindre les choix d'amitiés, il n'est pas évident que la distance entre des logements d'un même complexe résidentiel produise le même phénomène. Après tout, il est facile de rendre visite à un copain qui habite à une ou deux rues de chez soi, ou de prendre l'ascenseur pour aller voir un ami. Pourtant, voici les résultats obtenus. Même à l'intérieur d'un seul complexe

domiciliaire, les effets de la proximité physique sont importants. Plus les logements de deux familles étaient rapprochés, plus il était probable qu'elles soient amies. Les familles ont plus tendance à se lier avec les voisins immédiats qu'avec les deuxièmes voisins. De plus, les gens dont les logements sont situés près des escaliers ont plus d'amis que ceux qui vivent aux extrémités des couloirs. Si vous vivez en résidence d'étudiants ou si vous habitez un appartement dans un immeuble, vous pouvez essayer d'observer si de tels effets se produisent dans votre propre vie. Il se pourrait que votre popularité dépende de l'endroit précis où vous vous trouvez.

Les effets de la familiarité

En plus de permettre l'accessibilité, la proximité physique augmente les occasions de s'habituer les uns aux autres. Considérons la vie en classe. Durant les premières heures d'un cours, vous, les étudiants, ressentez souvent un peu d'anxiété, tout comme nous, les enseignants. D'une façon ou d'une autre, tous ces visages étrangers sont perturbants. Cependant, la tension disparaît graduellement au cours du semestre. Vous vous sentez plus à l'aise avec ces camarades que vous avez côtoyés jour après jour. Il peut même arriver quelquefois que vous éprouviez quelque chose de particulier en voyant un camarade à l'extérieur de la classe, et qu'un lien spécial se soit développé entre vous deux. Le fait de passer du temps avec quelqu'un crée-t-il de l'attraction?

Les recherches les plus systématiques sur les liens entre les occasions de contacts et l'attraction ont été faites par Robert Zajonc et ses collègues (Zajonc et coll., 1971, 1974). Zajonc soutient que la **simple exposition** à une personne, ou à tout autre stimulus, est en soi suffisante pour accroître l'attraction. Voir des gens mène à les aimer davantage (ou à moins les détester). Zajonc a démontré son idée en demandant à des élèves d'évaluer des photographies de personnes qui leur étaient inconnues. Les visages qui apparaissaient plus fréquemment au cours de l'exercice ont été évalués plus positivement que ceux qui revenaient moins fréquemment. Des résultats analogues ont été observés en demandant à des élèves d'évaluer des peintures connues et d'autres inconnues (Zajonc et coll., 1972), de la musique pakistanaise (Heingartner et Hall, 1974) et des candidats politiques (Stang, 1974). Dans ce dernier cas, les chercheurs ont constaté que le temps d'exposition des candidats politiques dans les médias permettait de prédire la victoire de 83 % d'entre eux dans les élections primaires aux États-Unis (Grush, McKeough et Ahlering, 1978). Même les animaux démontrent une acceptation accrue de ce qui est familier (Zajonc, Markus et Wilson, 1974). Par exemple, en augmentant le temps d'exposition, les chercheurs ont augmenté le degré de préférence des rats pour des extraits d'œuvres de Mozart (Cross, Halcomb et Matter, 1967).

Les effets de l'exposition peuvent même surmonter les effets dérangeants d'un environnement désagréable, comme on l'a montré dans la recherche suivante. Différents groupes de sujets devaient boire une solution de laboratoire au goût déplaisant. Or, malgré le caractère désagréable de l'expérience, les participants qui se rencontraient fréquemment ont manifesté plus d'attraction les uns pour les autres que ceux qui n'ont pris part à l'expérience qu'une seule fois (Saegert, Swap et Zajonc, 1973).

Plus les gens sont fréquemment soumis à un stimulus, plus il est probable qu'ils aient un sentiment positif à son égard, même s'ils sont inconscients du fait que le stimulus leur est familier. Vous et votre voisin immédiat pourriez donc devenir de très bons amis sans vous rendre compte que cet accroissement d'amitié n'est dû qu'à la plus grande fréquence de contacts. Pour démontrer cette croissance de l'attraction sans conscience de la familiarité, William Wilson (1979) a exposé des sujets à différents extraits sonores de dix secondes, semblables à de courtes mélodies. Certains extraits sonores étaient présentés à quelques reprises au moment du prétest, tandis que d'autres n'étaient présentés qu'au moment du test lui-même. Par la suite, les sujets devaient donner leur appréciation des différents extraits et dire s'ils les avaient entendus auparavant. Les résultats sont présentés au tableau 4-1. On peut constater que les sujets ont apprécié les extraits qu'ils ont reconnus plus que ceux qu'ils ont identifiés comme nouveau. Fréquemment, les sujets n'étaient pas certains d'avoir déjà entendu un extrait sonore en particulier. Cependant, comme le tableau le montre, la fréquence d'exposition réelle a eu un effet sur le degré d'appréciation, même lorsque les sujets n'étaient pas conscients d'avoir déjà entendu l'extrait. Il se pourrait que des gens en viennent à aimer d'autres personnes sans avoir su de prime abord pourquoi ils les aiment. Les raisons de cette attraction se développent par la suite (Carducci, Cozby et Ward, 1978; Zajonc, 1980a).

Exposition préalable (objective)	Souvenir (subjectif) de la mélodie par les sujets	
	Mélodie reconnue	Mélodie non reconnue
5 fois	4,22*	4,00
0 fois	3,77	3,04

* Les réponses sur l'échelle d'appréciation allaient de 0 à 6, 6 indiquant la plus grande appréciation.

Source: Adapté de Wilson, 1979.

Tableau 4-1   La familiarité favorise la satisfaction

Les sujets préfèrent les mélodies qu'ils ont déjà entendues, même s'ils ne s'en souviennent pas.

Même si l'on trouve les effets de l'exposition dans diverses circonstances, on ne s'entend pas sur les causes de ces effets. Il se peut que l'apparition continuelle d'une autre personne agisse comme un **réducteur de pulsion**. Plus précisément, une rencontre avec un étranger alerte et active le système physique. Cet état d'excitation est déplaisant. L'individu doit composer avec la peur et l'incertitude. Il est alors trop tendu pour sentir de l'attraction. Avec le temps, cependant, l'autre personne commence à être perçue comme moins dangereuse et plus prévisible. L'activation diminue et, comme le sentiment de soulagement est associé à la présence de l'autre personne, l'attraction augmente. En d'autres termes, de même que les gens en viennent à aimer les aliments qui satisfont leur faim ou un emploi qui satisfait leurs besoins de croissance, ils apprennent à apprécier une personne qui produit une diminution de l'activation négative. Cette explication semble plausible; des recherches ont montré que si l'on est très anxieux, la présence d'un ami (mais non celle d'un étranger) peut réduire cet état d'activation (Kissel, 1965).

Cependant, comme la plupart des phénomènes sociaux, ces effets n'offrent pas toujours une fiabilité absolue (Burgess et Sales, 1971; Stang, 1974). Les gens n'apprécient pas toujours la réapparition d'un même stimulus. Ils vont voir des films différents, ils achètent une variété d'aliments, par exemple, car la répétition peut engendrer l'ennui. On a aussi soutenu que, dans les groupes sociaux, un accord se manifeste parmi les membres du groupe sur le degré d'attrait de chacun d'entre eux (Newcomb, 1979). Lorsque cette entente est atteinte, l'attraction peut cesser d'augmenter — indépendamment du taux d'exposition additionnelle. Il semble qu'une exposition accrue est plus susceptible d'augmenter l'attraction dans des situations ambiguës, c'est-à-dire lorsque l'individu doute des actions des autres personnes. En d'autres termes, quand le degré d'incertitude est élevé, l'exposition *augmente* souvent l'attraction. Par contre, quand il y a certitude quant aux caractéristiques d'un stimulus, l'augmentation de l'exposition peut *réduire* l'attraction (Smith et Dorfman, 1975).

Les règles de distance: ce n'est pas *qui* vous êtes, mais *où* vous êtes

Il semble que l'attraction soit aussi reliée au respect de règles implicites relatives aux distances physiques qu'il convient de maintenir lors d'interactions sociales. Selon Edward Hall (1959, 1966), des règles de **proxémie** précisent (1) la distance physique appropriée dans les relations quotidiennes et (2) le type de situations où la proximité ou l'éloignement sont indiqués. Hall croit que les sentiments des gens à l'égard des autres peuvent dépendre de la façon dont sont respectées ces règles culturelles. Selon Hall, les règles qui régissent la distance physique varient selon la nature

La zone publique. Des règles spécifient la distance physique appropriée dans diverses situations. Ces habitués du métro connaissent exactement l'endroit où les portes du wagon s'ouvriront devant eux. Toutefois, respectant les règles, ils se tiennent à une certaine distance les uns des autres.

de la relation dont il s'agit. Vous permettez à des amis intimes de s'approcher plus que vous ne le permettez à de simples connaissances. Un bon ami peut se promener avec vous en mettant son bras autour de vos épaules, et vous pouvez devenir agacé si cet ami choisit de marcher à une distance de plus d'un mètre. Vous vous attendez probablement à ce que des étrangers maintiennent une plus grande distance qu'un ami et vous pourriez leur en vouloir s'ils s'approchaient trop de vous. En fait, selon Hall, les gens distinguent quatre zones.

1. La *zone intime* va du contact corporel à une distance d'environ 45 cm du corps. Cette zone est essentiellement celle des personnes les plus intimes avec un individu. Si des étrangers franchissent cette zone, habituellement la méfiance ou l'irritabilité surviennent.

2. La *distance personnelle* s'étend approximativement de 45 cm à 1,25 m. Cette zone est réservée à des amis, à des proches, à des connaissances en qui l'on a confiance et à des personnes avec lesquelles on partage des intérêts particuliers.

3. La *distance sociale* s'étend de 1,25 m à 3,70 m du corps. Cet espace est approprié pour ce qui est des relations impersonnelles,

des relations de travail ou des salutations d'usage.

4. La *zone publique* comprend tout l'espace au-delà de 3,70 m. Cette zone convient aux réunions officielles et aux rencontres avec des dignitaires ou avec des inconnus.

Robert Sommer et ses collègues (1969) ont démontré de manière fascinante ces préférences quant aux distances. Afin d'étudier ce qui arrive lorsqu'un étranger pénètre dans la zone réservée aux amis personnels ou aux intimes, Sommer s'est assis à 15 cm d'individus qui se trouvaient assis seuls sur un banc de parc. Il a alors calculé combien de temps l'étranger demeurait assis après son arrivée. Les résultats de cette étude sont illustrés à la figure 4-1. Comme vous pouvez le constater, les gens semblent ne pas aimer qu'un étranger envahisse l'espace réservé aux amis personnels ou aux intimes. Comparativement aux sujets d'un groupe témoin qui étaient laissés seuls, plus l'intrus était longtemps assis, plus la «victime» avait tendance à s'en aller, vraisemblablement à la recherche d'un autre banc.

D'autres chercheurs soutiennent que pour créer de bonnes relations d'amitié, il *faut* établir dès le départ un accord sur les frontières réciproques (Altman et Haythorn, 1967; Altman et

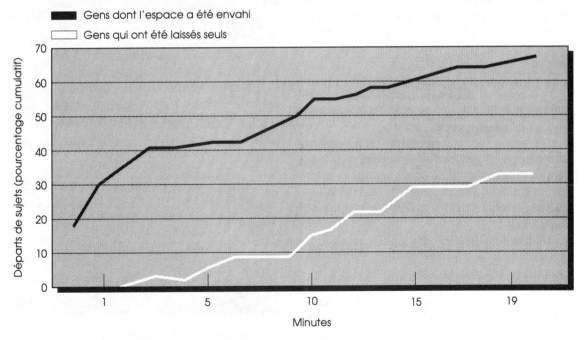

Figure 4-1   La réaction des gens devant l'invasion de leur intimité

Les gens répondent souvent à une violation de l'**espace personnel** en quittant aussitôt que possible l'espace envahi. Pensez-vous qu'il existe certaines conditions ou certaines cultures où cela n'arriverait pas? (Adapté de Sommer, 1969.)

Taylor, 1973). En d'autres termes, les gens doivent être sûrs que l'autre personne reconnaît et respecte les règles de frontières avant de s'engager dans une relation intime. Afin d'illustrer cette proposition, on a isolé des marins volontaires dans une petite pièce, deux par deux, pendant dix jours (Altman, Taylor et Wheeler, 1971). La pièce comprenait des lits de camp et des tables, de même que des installations sanitaires. On avait prévu des moyens de les approvisionner en nourriture et en eau. Au cours de la période de dix jours, on fit des enregistrements vidéo du comportement des marins. Les chercheurs voulaient savoir dans quelle mesure les marins s'entendraient bien. Les deux individus deviendraient-ils copains, se renfermeraient-ils en eux-mêmes ou refuseraient-ils de poursuivre l'expérience?

Le comportement des sujets dans ces conditions d'isolement a confirmé l'importance d'un accord sur les frontières réciproques. Plusieurs marins ont réussi à établir des relations amicales, mais d'autres ne l'ont pas fait. Le résultat le plus concluant pour notre étude est que, de façon générale, les relations amicales se sont développées entre les partenaires qui ont défini dès le début de strictes divisions territoriales. Lorsque, par exemple, les deux marins décidaient rapidement dans quel lit dormirait chacun, sur quelle chaise ou de quel côté de la table chacun s'assiérait, des relations cordiales étaient susceptibles de se développer. Par contre, s'ils échouaient à définir ces limites territoriales, il y avait peu de chances qu'ils se lient d'amitié. Un nombre significatif de marins hostiles l'un envers l'autre ont cherché à abandonner l'expérience avant son terme.

En résumé, la proximité physique, en augmentant la probabilité de contact, favorise les relations profondes entre les gens. De plus, la proximité physique concourt à augmenter l'exposition. La familiarité qui en résulte semble créer l'attraction. Généralement, des règles partagées régissent la distance considérée comme appropriée dans les relations de divers types. L'obéissance à ces règles peut jouer un rôle très important dans la naissance de l'amitié.

La beauté physique

On trouve dans les diverses cultures des conceptions différentes de la beauté physique. Dans certaines cultures, une femme qui pèse moins de 60 kg est considérée comme laide. Dans d'autres cultures, une femme met en danger son propre bonheur si elle pèse plus de 45 kg. Dans certaines cultures, on préfère nettement une peau pâle, alors qu'ailleurs cela est considéré comme maladif. Et même à l'intérieur d'une société donnée, les styles de beauté changent d'année en année. Les hommes musclés peuvent être préférés à une époque et être perçus avec méfiance à une autre. Des coupes de cheveux très recherchées sont à la mode une année et, l'année suivante, la coupe naturelle est en vogue. Il y a aussi des gens qui sont laids selon les normes populaires, mais dont les visages ont du «caractère». D'autres sont tellement «beaux» qu'ils semblent irréels. Quoi qu'il en soit, les normes populaires sont puissantes. À l'intérieur d'une culture donnée, il existe habituellement des normes d'attrait physique durables et largement partagées. Les gens réagissent les uns envers les autres en fonction de ces normes. La beauté physique peut être un facteur clé dans l'attraction initiale, mais elle peut aussi causer des problèmes. Voyons tout d'abord comment la beauté physique augmente l'attraction.

L'attraction initiale: tous ne sont pas égaux au départ

Dans quelle mesure la beauté physique est-elle importante dans la naissance de l'attraction? Une

Les styles changeants de beauté. Lorsque Pierre Paul Rubens a peint *Les Trois Grâces* en 1639, un certain embonpoint était grandement admiré. La sveltesse idéalisée dans la société d'aujourd'hui aurait sûrement été un signe de malnutrition pour Rubens et ses contemporains.

personne doit-elle correspondre aux conceptions qu'a une autre de la beauté? En examinant cette question, nous nous concentrerons sur l'attraction hétérosexuelle. Ce choix ne signifie pas que les effets de la beauté ne s'appliquent qu'à ce type d'attraction. Il reflète seulement le fait que c'est surtout l'attraction hétérosexuelle qui a été étudiée relativement à cette question.

Dans l'une des études les plus intéressantes sur l'importance de la beauté physique dans l'attraction hétérosexuelle, les chercheurs ont organisé une «danse-info» au cours de la semaine d'orientation des nouveaux étudiants dans une grande université d'État (Walster et coll., 1966). De façon aléatoire, l'ordinateur désignait aux étudiants présents à la danse un ou une partenaire pour la soirée. À l'insu des étudiants, les chercheurs avaient eu accès à leurs dossiers scolaires et aux résultats obtenus lors de tests de personnalité. De plus, un jury avait, de façon indépendante, évalué l'attrait physique des étudiants. Les chercheurs voulaient étudier l'importance des facteurs de réussite scolaire, de personnalité et d'attrait physique pour savoir quelle serait l'attraction réciproque des couples au cours de la soirée. Est-ce l'apparence, l'intelligence ou la personnalité qui est le facteur primordial? Pour répondre à cette question, les chercheurs ont demandé aux étudiants d'évaluer confidentiellement leur partenaire. Cette évaluation a eu lieu au cours de la soirée de danse et, de nouveau, quelques semaines plus tard. Tant chez les hommes que chez les femmes, l'intelligence et la personnalité se sont révélées d'une importance minime. L'attrait physique a été déterminant pour prédire l'attraction personnelle. Une personne classée par le jury comme physiquement attirante était généralement appréciée favorablement et pouvait s'attendre à revoir son ou sa partenaire. Il est possible, cependant, que la musique et la danse n'aient permis que des conversations banales. Quoi qu'il en soit, dans ces circonstances, c'est l'enveloppe qui importait le plus.

Cela signifie-t-il que la majorité des gens recherchent ardemment la plus belle créature qu'ils puissent trouver? Il semble que non. Les théoriciens croient plutôt qu'il se produit souvent un processus d'**appariement** (Berscheid et Walster, 1969). Même si les gens désirent fortement pour partenaire quelqu'un de beau, ils tiennent compte aussi de leurs propres chances de conquête (Shanteau et Nagy, 1979). Les personnes qui doutent de leur propre valeur ne peuvent pas imaginer réussir auprès d'une personne belle.

Craignant la compétition, s'attendant à être rejeté, manquant de confiance en soi, l'individu qui doute de lui-même s'interroge sur ses chances. Pourquoi essayer et échouer? De telles idées conduisent apparemment les gens à négliger les personnes très belles qu'ils rencontrent. Ils préfèrent quelqu'un qui d'après leur propre appréciation d'eux-mêmes s'apparie bien avec eux.

Lors d'une démonstration soignée du processus d'appariement, des chercheurs ont organisé une expérience où des étudiants masculins ont subi un faux test d'intelligence (Kiesler et Baral, 1970). Afin d'élever ou d'abaisser temporairement leur estime de soi, les chercheurs ont dit à la moitié des étudiants qu'ils avaient très bien réussi et à l'autre moitié qu'ils avaient mal réussi. Après avoir reçu son résultat, chaque étudiant a été invité à accompagner le chercheur dans un café où se joignait à eux une **complice** qui s'était spécialement préparée pour l'occasion. Pour la moitié des sujets, elle était attirante, pour l'autre moitié, peu séduisante (sarrau de laboratoire austère, coiffure sévère, aucun maquillage). Après les présentations d'usage, le chercheur s'absentait pour aller téléphoner. La question principale était de savoir dans quelle mesure le sujet ferait des avances à la complice. Afin d'évaluer ce comportement, la complice observait soigneusement toute action ayant une connotation galante évidente. Ce pouvait être, par exemple, offrir de payer sa consommation, formuler un compliment, demander son numéro de téléphone ou la permission de la revoir.

La figure 4-2 présente les résultats de cette étude. Vous pouvez voir que les sujets auxquels on avait dit qu'ils avaient bien réussi au test d'intelligence ont eu tendance à faire des avances à la femme attirante. Apparemment, le succès au test augmentait l'espoir de réussir à séduire l'assistante attirante. Complètement à l'inverse, les sujets qui croyaient avoir échoué au test étaient moins empressés envers la femme vêtue de façon attrayante, et montraient plus d'attention lorsque son apparence n'était pas attirante. Les hommes physiquement attirants s'attendent bien plus que ceux qui le sont moins à être acceptés par une femme séduisante. Cela est cohérent au regard des résultats de cette recherche. Cependant, s'ils sont sûrs qu'une femme va les accepter, les hommes choisissent généralement une femme physiquement attirante, indépendamment de leur propre beauté physique (Huston, 1973).

Les deux sexes ne sont cependant pas influencés également par la beauté physique. En

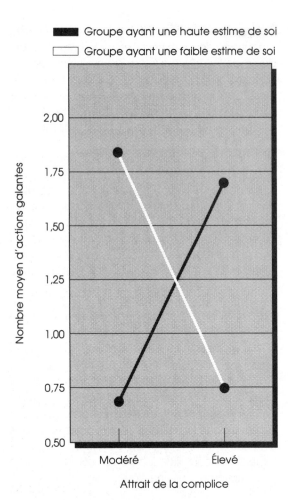

Figure 4-2 L'estime de soi influe-t-elle sur le comportement galant?

Les hommes dont l'estime de soi avait été amplifiée ont fait plus d'avances à une femme lorsqu'elle était attirante et moins lorsqu'elle ne l'était pas. L'opposé a été vrai pour les hommes dont l'estime de soi avait été diminuée. (Adapté de Kiesler et Baral, 1970.)

général, les hommes semblent réagir à la beauté beaucoup plus que les femmes. Par exemple, les hommes préfèrent généralement une femme séduisante comme collègue de travail, pour faire une sortie ou pour se marier. Pour leur part, les femmes considèrent généralement la similitude d'intérêts comme aussi importante ou plus importante que l'apparence physique (Strœbe et coll., 1971). Les femmes physiquement attirantes ont beaucoup plus de rendez-vous que celles qui sont moins attirantes. La fréquence des rendez-vous des hommes n'est pas reliée à l'attrait physique (Krebs et Adinolfi, 1975). Par ailleurs, après une danse, les hommes sont plus susceptibles que les femmes d'exprimer des sentiments d'attraction basés sur l'apparence physique (Berscheid et Walster, 1974).

De telles différences entre les sexes peuvent provenir des stéréotypes sexuels traditionnels. Si la femme est avant tout perçue comme une possession de l'homme, un jouet incapable de faire des choses sérieuses, gagner sa vie par exemple, son apparence devient alors un atout des plus importants. Elle procure à l'homme un statut social plus élevé et un plaisir personnel. Les recherches démontrent que les hommes peuvent utiliser des femmes séduisantes aux seules fins d'augmenter le respect des gens à leur propre égard (Sigall et Landy, 1973). Un homme peut «posséder» une femme attirante de la même façon qu'il possède une voiture coûteuse. Pour leur part, les femmes ne semblent pas gagner plus d'estime publique en épousant un homme physiquement attirant (Bar-Tal et Saxe, 1976). Il semble que les hommes peuvent négocier sur le marché hétérosexuel avec un grand nombre d'atouts, incluant leurs ressources financières, leur expérience et leur rang social, et que leur apparence a moins d'importance.

Après le premier contact ou les effets sociaux de la beauté

Même si l'apparence physique peut être une source puissante d'attraction hétérosexuelle, une question importante demeure. La beauté sert-elle uniquement d'aimant initial pour rapprocher les gens? Quel effet a-t-elle sur le développement ultérieur d'une relation?

Plusieurs chercheurs croient que les traits physiques ont une influence qui va bien au-delà du simple rapprochement des gens (Adams, 1977; Dion, Berscheid et Walster, 1972). L'impression globale d'une personne à l'égard de la personnalité, des capacités et des habiletés d'une autre peut être subtilement influencée par l'apparence de cette dernière. Nous savons, d'après les recherches de Asch, présentées au chapitre 2, que l'impression globale que produit une personne sur une autre peut être influencée de façon fondamentale par une simple information. L'insertion d'un seul mot, comme *affectueux* ou *froid*, dans une longue description d'une personnalité peut modifier du tout au tout la conception qu'on a d'un individu. La beauté physique peut avoir le même effet. Apparemment, plusieurs pensent, comme le poète allemand Schiller, que «la beauté physique est le signe d'une beauté intérieure, une beauté spirituelle et morale...».

Pour démontrer l'influence de la beauté sur les impressions qu'ont les gens les uns des autres, des chercheurs ont demandé à des étudiants d'évaluer des essais prétendument écrits par des étudiantes (Landy et Sigall, 1974). Une photographie de l'auteure était jointe à l'essai. Un premier groupe d'étudiants lisaient un essai accompagné de la photo d'une femme très séduisante, alors qu'un deuxième groupe lisait le même essai, mais accompagné de la photo d'une femme très peu attirante. Dans chaque groupe, la moitié des essais était bien écrite et l'autre moitié, mal rédigée. Même si les étudiants ont évalué les bons essais de façon plus positive que les mauvais, ceux qui étaient supposés avoir été écrits par une femme séduisante ont été évalués beaucoup plus positivement que ceux prétendument écrits par une femme non attirante. Cet effet était particulièrement perceptible lorsque l'essai était faible. L'apparence physique semble jouer également dans les relations de couple déjà établies. Margolin et White (1987) ont rapporté que les époux qui trouvaient que leur conjointe était moins attirante qu'auparavant (en ce qui concerne leur poids, par exemple) étaient moins intéressés sexuellement par leur partenaire. Toutefois, les femmes dont le conjoint avait changé de ce point de vue ne montrèrent pas de diminution dans leur intérêt sexuel.

Des recherches ultérieures ont montré que les gens croient que les individus particulièrement attirants physiquement ont des traits de personnalité plus enviables, réussissent mieux personnellement, professionnellement et socialement que les gens moins attirants physiquement (Berscheid et Walster, 1974; Dion, 1977; Dion, Berscheid et Walster, 1972). On a découvert que les effets sociaux de l'attrait physique affectent même la vie des enfants du primaire (Dion, 1973). On a demandé à des adultes d'évaluer le rendement scolaire d'un groupe d'enfants, de même que le degré de leur inconduite. Ils ont eu beaucoup plus tendance, lorsque l'enfant était physiquement attirant, à récompenser son rendement et à pardonner son inconduite. Les enfants aussi tiennent compte de la beauté physique. Les enfants du primaire physiquement attirants sont en général plus populaires que leurs camarades moins attirants (Dion et Berscheid, 1974). L'attention spéciale que reçoivent les personnes physiquement attirantes peut aussi influer sur les traits de leur caractère ou sur leurs manières. Une personne physiquement attirante peut acquérir de précieuses qualités, comme une attitude amicale et la confiance en soi (Adams, 1977; Snyder, Tanke et Berscheid, 1977). Or, le fait de posséder de telles qualités semble augmenter la capacité de la personne attirante à influencer les membres du sexe opposé. Ce pouvoir sur les autres est réel chez les adultes attirants (Chaiken, 1979), de même que chez les enfants attirants du primaire (Dion et Stein, 1978).

La beauté réexaminée

En dépit des avantages qu'il y a à être physiquement attirant, la beauté peut aussi avoir des conséquences négatives. Une personne attirante peut être désirable, mais son apparence peut aussi susciter l'envie et le ressentiment. Par exemple, les chercheurs ont constaté que les gens physiquement attirants sont souvent perçus comme des gens futiles, égocentriques, matérialistes, snobs. On croit qu'ils dédaignent les opprimés, qu'ils ont plus tendance à avoir des aventures extra-conjugales ou à vouloir divorcer (Dermer et Thiel, 1975). De plus, un criminel attirant qui commet un délit dont le succès dépend de l'apparence physique (l'escroquerie, par exemple) risque plus qu'un criminel répugnant de recevoir une sentence sévère (Sigall et Ostrove, 1975). Cependant, dans les cas où la victime n'a pas été dupée, c'est le contrevenant non attirant qui risque le plus de recevoir une sentence sévère. Apparemment, les gens sont profondément offensés lorsqu'une personne attirante utilise ses dons naturels pour exploiter d'autres personnes.

L'attrait physique et la popularité peuvent aussi s'opposer. Dans une étude menée auprès d'étudiants de première année, les chercheurs ont constaté que les étudiants les plus attirants étaient souvent ceux qui étaient le moins aimés. Ceux qui étaient attirants, mais pas les plus attirants, étaient les plus populaires (Krebs et Adinolfi, 1975). De la même façon, des résultats suggèrent que les hommes évitent les hommes physiquement attirants. Les femmes moyennement attirantes, pour leur part, ont plus de chances d'être satisfaites de leurs relations sociales que leurs consœurs qui sont plus attirantes ou qui le sont moins (Reis, Nezlek et Wheeler, 1980). Il a été montré que, parmi les écoliers de sixième année, les garçons moins attirants avaient plus d'influence sur leurs camarades que les garçons plus attirants (Dion et Stein, 1978). En d'autres termes, une beauté physique moyenne peut augmenter la position sociale de quelqu'un, mais une grande beauté physique peut provoquer le ressentiment et l'hostilité.

Encadré 4-1

Qu'est-ce qui rend une personne belle?

Plusieurs des études décrites dans ce chapitre démontrent que la beauté physique a une forte influence sur les gens. Cependant, qu'est-ce qui fait qu'une personne paraît belle? Pourquoi certaines personnes sont-elles vues comme belles, alors que d'autres ne le sont pas? Nous avons vu que les cultures établissent différentes normes de beauté, mais que celles-ci se modifient avec le temps et varient d'une sous-culture à une autre. Il peut donc y avoir de grandes divergences en ce qui a trait à l'appréciation de la beauté. De même, un grand nombre de facteurs peuvent influer sur les jugements portés sur la beauté d'une personne donnée. De plus, une même personne peut sembler physiquement attirante à un moment et nullement à un autre. Par exemple, si vous êtes engagé dans une discussion passionnée, vous percevrez probablement une personne qui est en accord avec vous comme physiquement plus attirante qu'une autre qui est en désaccord avec vous. En fait, la personne qui est en désaccord avec vous peut soudainement perdre son attrait physique (Walster, 1971). En outre, comme les gens font continuellement des comparaisons, vous pouvez trouver qu'une personne est sublime dans un certain cadre social et plutôt banale dans un autre. Des étudiants ont regardé l'émission de télévision *Drôles de dames (Charlie's Angels)* qui met en vedette de belles femmes. Par la suite, ils ont évalué une consœur comme moins attirante qu'elle n'aurait dû l'être (Kendrick et Gutierres, 1980).

La personnalité des gens peut aussi influer sur la perception qu'ont les autres de leur beauté (Felson et Bohrnstedt, 1979). Si vous entendez dire qu'une personne a été décrite comme «amicale, énergique, serviable, prévenante et réfléchie», votre évaluation de l'attrait physique de cette personne peut être plus élevée. Dans une étude, on a donné à des étudiants des descriptions très favorables, moyennes et défavorables de la personnalité de certaines femmes. On leur a

Pourquoi les personnes belles provoquent-elles du ressentiment? L'une des raisons peut être qu'en leur présence les autres se sentent inférieurs. Comme une amie a dit après avoir été assise en face d'une magnifique blonde lors d'un dîner: «Habituellement je me sens plutôt à l'aise, mais hier soir, je n'arrêtais pas de me surveiller pour être sûre que j'étais correcte.» Il est possible que de tels sentiments expliquent pourquoi les gens physiquement attirants sont souvent incapables d'influencer ceux de leur propre sexe (Dion et Stein, 1978). En fait, un homme au physique peu attirant peut réussir à influencer ses collègues plus facilement qu'un homme attirant. Les gens attirants peuvent aussi créer du ressentiment parce qu'ils semblent inaccessibles. L'individu doit faire face à son infériorité lorsqu'il est aux prises avec l'idée d'échouer auprès d'une personne attirante. Les conflits créés par l'inaccessibilité sont aussi démontrés dans une recherche qui

révèle qu'en général les hommes ne sont pas attirés par les femmes qui paraissent difficiles à conquérir. La croyance populaire selon laquelle ce qui n'est pas accessible est attirant n'est vraie que lorsque la personne est difficile à conquérir pour tout le monde, *sauf pour vous* (Walster et coll., 1973).

En résumé, nous pouvons donc dire que la beauté physique peut attirer comme elle peut repousser. Une belle apparence peut rendre la vie plus agréable et apporter le succès. Cependant, la beauté peut aussi engendrer de la souffrance et du ressentiment caché. La personne belle est vraiment sur la corde raide.

La similitude personnelle

Une fois que la proximité et la beauté ont rapproché les gens, qu'arrive-t-il? Quelles sont les sources d'attraction les plus susceptibles de maintenir

ensuite demandé de juger, à partir de photographies, le degré d'attrait de ces femmes (Gross et Crofton, 1977). D'autres étudiants avaient auparavant examiné les photos et évalué les femmes comme non attirantes, moyennement attirantes ou très attirantes. Comme le tableau le montre, plus la description personnelle était favorable, plus l'évaluation de l'attrait physique était élevée. En fait, la femme jugée comme la plus attirante physiquement n'a reçu qu'une évaluation moyenne de la part de ceux qui n'avaient aucune idée de sa personnalité présumée. Sa beauté était clairement fonction de la description positive de sa personnalité.

Avec le temps, l'apparence du visage ou du corps d'une autre personne peut changer. Or, si vous vous entendez bien avec quelqu'un, après un certain temps, vous pouvez en venir à trouver cette personne de plus en plus attirante (Cavior, 1970). Dans la culture moderne, le fait de porter des lunettes peut réduire l'attrait d'un individu, mais pas pour longtemps. Comme la recherche le montre, une personne peut d'abord réagir de façon plus négative envers quelqu'un qui porte des lunettes. Cependant, l'effet négatif des lunettes disparaît en cinq minutes environ (Argyle et McHenry, 1971). Dans ce cas, les gens apprennent rapidement à dépasser cette caractéristique superficielle.

Nous voyons donc que la beauté n'est pas comme une marque de naissance. L'attrait physique d'une personne est quelque chose de fluctuant, qui s'épanouit ou décline selon les circonstances sociales.

Classification préalable des photographies	Évaluation moyenne de l'attrait physique, compte tenu de la description de la personnalité		
	Défavorable	Moyenne	Favorable
Non attirante	2,78	3,47	4,80
Moyennement attirante	4,50	4,91	6,04
Très attirante	5,13	5,73	5,90

Source: Adapté de Gross et Crofton, 1977.

une relation ou d'y mettre un terme? Un facteur très important est la **similitude** interpersonnelle, c'est-à-dire le partage d'opinions, de goûts et de dégoûts, de façons de se lier, de niveaux d'énergie, et ainsi de suite. Il est clair que l'absence de similitude nuira à la poursuite de la relation. Cependant, la similitude n'entraîne pas toujours l'amour, car quelquefois, les gens recherchent des compagnons ou des compagnes dont les forces et les faiblesses compensent les leurs. Considérons tout d'abord les aspects positifs de la similitude.

Les joies de la similitude

Les recherches les plus poussées sur les effets qu'a la similitude sur l'attraction ont été faites par Donn Byrne et ses collègues (Byrne et Clore, 1970; Byrne et Griffitt, 1973; Byrne et Lamberth, 1971). Dans ces recherches, des étudiants prennent habituellement connaissance des opinions d'un condisciple. Ces diverses opinions peuvent être plus ou moins semblables à celles du sujet. Dans certains cas, un sujet peut trouver un accord d'opinions sur des thèmes comme la politique, la religion et la vie universitaire, alors que dans d'autres cas, le sujet trouve peu de points d'entente.

Dans presque toutes leurs études, Byrne et ses collègues ont constaté que l'augmentation de la similitude d'opinions joue fortement sur l'attraction. Plus il y a de domaines où les attitudes d'une autre personne ressemblent à celles du sujet, plus l'attraction envers cette personne est grande. Dans une expérience sur le terrain, treize hommes volontaires, qui ne se connaissaient pas, ont été payés pour passer dix jours ensemble dans un abri antiatomique exigu. Leur diète se limitait à de l'eau, des biscottes et des bonbons (Griffitt et Veitch, 1974). Avant d'entrer dans l'abri,

chaque volontaire a répondu à un questionnaire d'opinions de quarante-quatre énoncés. Plusieurs fois durant le déroulement de l'expérience, on a demandé aux volontaires d'identifier les deux personnes qu'ils souhaiteraient le plus garder dans le groupe et celles qu'ils préféreraient exclure du groupe. Une analyse de leurs préférences a démontré une forte relation entre celles qu'ils préféraient et les similitudes d'opinions. Les compagnons les plus aimés partageaient 70 % d'attitudes communes, les moins aimés, seulement 59 %. Les sujets les plus aimés étaient ceux dont les opinions étaient le plus similaires, les moins aimés, ceux dont les opinions étaient le plus différentes.

Des recherches ultérieures ont également montré que l'attraction est aussi engendrée par des similitudes dans les habiletés (Zander et Havelin, 1960), les états émotionnels (Zimbardo et Formica, 1963), les systèmes conceptuels (Craig et Duck, 1977), le statut social ou économique (Mehrabian et Ksionsky, 1971) et les activités préférées (Werner et Parmalee, 1979). De plus, les couples mariés qui partagent des attitudes semblables envers la pornographie ont plus de chances d'être heureux ensemble que les couples dont les attitudes à cet égard diffèrent (Byrne et coll., 1973). De même, les adolescents qui con-

somment de la drogue se font des amis plutôt parmi d'autres consommateurs de drogues que parmi ceux qui n'en font pas usage (Kandel, 1978).

Dans ces conditions, comment peut se développer l'attraction entre des individus appartenant à des groupes nettement distincts? Dans une étude montréalaise, Lise Simard (1981) a étudié l'influence de la similitude sur la naissance de l'attraction entre des étudiants francophones et des étudiants anglophones. Elle a démontré que pour qu'une personne de l'autre groupe puisse établir une relation amicale, elle devait ressembler davantage au sujet quant à une variété de dimensions (par exemple, attitudes, âge, idées politiques, etc.) que ne le devait une personne de son propre groupe. La dissemblance liée à l'appartenance ethnique pourrait donc être compensée par une augmentation de la similitude reliée à d'autres dimensions.

Pourquoi les gens sont-ils attirés vers ceux qui leur ressemblent? Premièrement, la similitude peut augmenter l'*estime de soi* des gens en leur faisant sentir que leurs opinions ou leur style de vie sont corrects (Arrowood et Short, 1973; Hensley et Duval, 1976). Quand une personne doute d'elle-même, il y a de bonnes chances que quelqu'un dont les opinions sont semblables aux siennes devienne un ami (Gormly, 1974). Deuxièmement, les gens s'attendent à une *relation* plus *positive* avec quelqu'un de semblable à eux-mêmes. La similitude suggère que de bonnes choses naîtront de la relation et que l'autre personne sera serviable et amie (Karylowski, 1976; Sussman et Davis, 1975). Troisièmement, la similitude d'opinions semble souvent impliquer que l'autre personne a des traits de caractère aimables (Ajzen, 1977). Par exemple, si vous rencontrez quelqu'un qui, comme vous, est pour la liberté de choix de la femme en matière d'avortement, vous pourriez avoir tendance à penser que cette personne partage avec vous certaines caractéristiques, l'honnêteté par exemple. Voyez-vous d'autres raisons qui vous font aimer quelqu'un qui vous ressemble?

«Qui se ressemble s'assemble» ou «Les contraires s'attirent»?

Malgré les nombreuses données qui montrent que les gens aiment ceux qui leur ressemblent, plusieurs chercheurs n'étaient pas satisfaits de l'hypothèse selon laquelle la similitude fait *toujours* naître l'attraction (Grush et Yehl, 1979; Russ, Gold et Stone, 1979). Comme les autres sources de l'attraction, la similitude peut avoir deux côtés. Elle peut parfois produire de l'attraction et, à d'autres moments, de la répulsion. Par exemple, les gens désirent souvent se percevoir comme uniques, différents des autres. Dans de telles circonstances, les autres personnes qui sont très semblables peuvent ne pas être aimées (Snyder et Fromkin, 1980). Imaginez par exemple comment vous vous sentiriez si vous croyiez avoir découvert un sujet vraiment spécial pour un travail de classe et que six de vos camarades aient choisi le même sujet. Si une autre personne est trop semblable, les chances de croissance personnelle peuvent s'en trouver limitées (Grush, Clore et Costin, 1975). Vous pouvez vous ennuyer avec cette personne; vous pouvez aussi penser que la compétition est ardue pour des ressources limitées.

Il existe un argument des plus sérieux contre le pouvoir absolu de la similitude. Il a été apporté par des théoriciens qui croient que les bonnes relations dépendent du degré de complémentarité des traits et des habiletés de deux personnes. Cet argument mérite une attention particulière. Êtes-vous déjà sorti avec quelqu'un de très aventureux et sans inhibitions? Si oui, il se peut que vous soyez vous-même devenu plus prudent. Vous deviez faire entendre la voix de la raison de façon à avoir du plaisir tout en évitant les problèmes. Dans cette situation, vous vous comportiez tous les deux de façon complémentaire. Vous fournissiez tous les deux des ressources comportementales qui, jointes, vous procuraient de la gratification. Vous avez apprécié l'enthousiasme spontané de l'autre qui avait besoin de votre aide pour orienter son enthousiasme de façon à en profiter. De la même façon, les gens qui aiment être pris en charge peuvent s'entendre très bien avec des gens qui aiment s'occuper de quelqu'un. Ainsi, un grand parleur peut aller beaucoup mieux avec quelqu'un qui aime écouter. Dans chacun de ces cas, ce sont les différences, plutôt que les similitudes, qui créent la relation positive.

L'argument classique de cette position se retrouve dans la théorie de Robert Winch (1958) sur la complémentarité dans le choix du partenaire. Winch était particulièrement intéressé à trouver ce qui fait les mariages heureux. Comme lui et ses collègues l'ont constaté, les mariages heureux sont souvent basés sur l'habileté de chaque personne à combler les besoins de l'autre. Par exemple, un partenaire qui aime dominer se réjouira de la soumission de l'autre; si l'un est un leader, il est préférable que l'autre soit du genre qui aime suivre. Les effets de la **complémentarité** ne sont pas limités aux relations hétérosexuelles. Il a été montré que des moniteurs de colonie de vacances, de même sexe, ont développé les amitiés les plus fortes lorsqu'un des partenaires aimait réconforter et que l'autre avait besoin de réconfort, lorsque l'un était plutôt exhibitionniste et l'autre réservé, ou lorsque l'un était agressif et l'autre enclin à l'autopunition (Wagner, 1975). La complémentarité peut être particulièrement importante lorsqu'une relation devient plus profonde. Au début les gens peuvent être attirés par la similitude d'opinions, mais la complémentarité peut devenir plus puissante à mesure que les façons de se comporter deviennent plus évidentes (Kerckhoff et Davis, 1962).

Comme vous pouvez l'imaginer, les théoriciens de la similitude ont engagé un débat enflammé avec les théoriciens qui défendent la complémentarité. Les premiers ont réussi à démontrer que la similitude peut être importante pour déterminer la réussite d'un mariage (Burgess et Wallin, 1953; Cattell et Nesselroade, 1967) et que les études sur la complémentarité présentent des défauts méthodologiques variés (Huston et

Levinger, 1978). Par contre, d'autres chercheurs ont recueilli des données qui appuient les arguments contre la similitude (Centers, 1975) et ont trouvé des failles dans les méthodes utilisées pour démontrer les effets de la similitude.

Qui possède la vérité? En dernière analyse, il est probable que les théoriciens des deux camps ont raison. La théorie qui prédit le mieux l'attraction ou le bonheur conjugal peut dépendre de plusieurs facteurs, dont ceux que nous mentionnons ici.

1. *Le type de caractéristiques personnelles.* Si vous êtes une personne active, il se peut que vous soyez le plus heureuse avec une personne qui vous ressemble. Quelqu'un de passif, de casanier serait un fardeau. Ici, la similitude favoriserait l'attraction. Par contre, si vous êtes une personne dominante, vous pourriez être particulièrement attirée par quelqu'un qui préfère que l'autre prenne tout en charge. Dans ce cas, la complémentarité serait une source d'attraction (Lipetz et coll., 1970).

2. *La nature de la situation.* Dans une classe, par exemple, les étudiants préfèrent habituellement un enseignant dont le savoir est supérieur au leur plutôt que quelqu'un dont les connaissances sont semblables aux leurs (Grush, Clore et Costin, 1975). De plus, faire l'effort de communiquer avec quelqu'un de dissemblable peut engendrer une relation particulièrement étroite (Brink, 1977; Lombardo, Weiss et Stich, 1973). Les personnes qui voyagent souvent à l'étranger en font fréquemment l'expérience. Par contre, dans une situation stressante, comme dans celle de l'abri antiatomique décrite précédemment (Griffitt et Veitch, 1974), la similitude est favorable à l'intimité.

3. *La mise en évidence par la similitude.* Les gens ont tendance à ne pas aimer ou à éviter un individu semblable à eux si ce dernier est un malade mental (Novak et Lerner, 1968), un toxicomane (Lerner et Agar, 1972), un raté (Senn, 1971) ou quelqu'un d'odieux d'une façon ou d'une autre (Taylor et Mettee, 1971). Ceux qui partagent avec eux des caractéristiques peu valorisées mettraient encore davantage ces défauts en évidence. En conséquence, ils sont évités ou peu aimés.

4. *Nos propres buts ou motifs dans une situation.* Au cours d'un voyage de pêche, vous pouvez apprécier la compagnie de quelqu'un qui est tout aussi paresseux que vous. Mais quand vient le temps de nettoyer le poisson et de ranger l'équipement, vous pouvez apprécier quelqu'un dont l'énergie compense votre paresse. Chez un groupe d'étudiantes du Centre-Ouest américain, des attitudes religieuses similaires étaient un critère important d'attraction envers les hommes, c'est-à-dire que les femmes recherchaient des hommes qui partageaient leurs croyances religieuses. Au contraire, la similitude religieuse n'était pas particulièrement importante pour leurs condisciples masculins. Ces derniers étaient davantage attirés par des femmes qui partageaient leurs attitudes sexuelles (Touhey, 1972).

Donc, nous voyons que même si la similitude peut souvent engendrer de l'attraction, elle produit parfois de la répulsion. Les gens cherchent souvent des personnes différentes d'eux-mêmes ou qui les complètent sous certains aspects. La puissance relative de la similitude ou de la complémentarité dépend d'une variété de facteurs tels que le type de caractéristiques personnelles considérées, la nature de la situation, les buts poursuivis, et ainsi de suite. De nouveau, nous voyons que les relations sont caractérisées par un équilibre précaire. Un facteur peut inciter à l'harmonie à certains moments et favoriser l'antagonisme à d'autres.

La considération positive

Personne ne conteste le pouvoir d'un sourire chaleureux, d'un baiser, d'un regard attentif ou de paroles encourageantes pour susciter des sentiments d'attraction. La plupart des gens seraient d'accord pour dire que de tels comportements sont importants parce que, d'une façon ou d'une autre, ils expriment une considération positive. Plusieurs théoriciens croient que la considération positive est l'une des sources d'attraction les plus significatives dans les rapports humains (Becker, 1968; Rogers, 1961). La recherche en psychologie appuie fermement cette croyance. De nombreuses expériences ont démontré que l'attraction envers une autre personne peut être augmentée par l'expression d'une considération positive, même minime (Aronson et Worchel, 1966; Backman et Secord, 1959; Bleda, 1974; Jones et Panitch, 1971). Nous semblons apprécier grandement l'estime que les gens nous témoignent.

Pourquoi la considération positive a-t-elle des effets si marqués et si convaincants? Plusieurs théoriciens partagent l'avis du psychothérapeute renommé Carl Rogers qui soutient que les gens apprennent à avoir besoin de la considération des autres et que ces besoins se développent très tôt dans la vie. De même qu'un enfant en vient à comprendre que les récompenses sont associées à la considération des parents et que la punition reflète la désapprobation parentale, la considération en vient à posséder sa propre valeur. Sans la considération des autres, la plupart des gens éprouvent un sentiment d'insécurité. Quelqu'un qui est ignoré, même pour quelques minutes, peut commencer à se sentir insignifiant, timide et non intéressant (Geller et coll., 1974). La considération des autres rend heureux et sécurise. Nous sommes donc davantage attirés vers ceux qui font preuve de considération à notre égard.

À partir de cet argument, Elaine Walster (1965) se dit que les gens qui ont un très grand besoin de la considération des autres devraient être *plus* réceptifs à l'appréciation d'une autre personne. Par exemple, si vous vous sentez misérable parce que vous avez échoué à un examen, votre besoin de considération peut être très élevé et vous pouvez être particulièrement attiré vers quelqu'un qui vous entoure amicalement de ses bras. Pour démontrer cette hypothèse, Walster a fait en sorte que des sujets de sexe féminin

réussissent bien ou mal à un test de sensibilité sociale. Alors que chaque femme était mise au courant de sa réussite ou de son échec, un **compère** attirant pénétrait «par hasard» dans la pièce et engageait la conversation. Au moment de son départ, le compère manifestait son désir de sortir avec le sujet. Un peu plus tard, chaque femme devait évaluer un certain nombre de personnes, dont le compère. Les résultats ont démontré que les femmes dont les sentiments de considération de soi étaient bas en raison de leur échec au test étaient beaucoup plus attirées par l'étranger que les femmes qui avaient réussi.

Le besoin de considération positive des gens soulève un profond dilemme social: le problème de la manipulation. Les gens *veulent* croire à la sincérité des expressions positives d'une autre personne, mais nul ne sait vraiment si les sentiments exprimés reflètent de la flatterie plutôt que des sentiments authentiques. Si la considération est principalement de la manipulation, si elle est basée sur la volonté de gagner quelque chose, l'autre personne peut être en train d'utiliser une stratégie de manipulation ou de **patelinerie** (Jones et Pittman, 1982). Il se peut que la personne soit engagée dans une activité visant à faire naître l'attraction. La considération positive n'est pas la seule tactique de manipulation possible. Les gens changeront aussi leur propre façon de se définir, de se présenter aux autres, afin de gagner la faveur d'une personne puissante (Jones, Gergen et Davis, 1962). De plus, les gens changent fréquemment leurs opinions pour se mettre d'accord avec les personnes de qui ils veulent obtenir des faveurs (Jones et coll., 1965).

Quelle est la réaction appropriée au dilemme de la manipulation? Étant donné le besoin fondamental d'être aimé ou louangé et le désir de ne pas être manipulé, la plupart des gens cherchent simplement des indices de sincérité chez les autres. Ainsi, il peut arriver qu'une personne apprécie les louanges de quelqu'un ou les signes qui lui indiquent que ses propres choix sont les bons (Thelan, Dollinger et Roberts, 1975). Cependant, si elle découvre que le compliment est né d'un motif caché, elle réagira probablement très froidement (Jones, Jones et Gergen, 1963). Une personne qui possède du pouvoir est dans une position difficile. Elle se sentira peut-être particulièrement prudente avant d'accepter l'amitié ou les louanges de personnes moins expérimentées ou qui ont moins de pouvoir qu'elle (Jones, Gergen et Davis, 1962). Ne sachant à qui elles peuvent faire confiance, les personnes qui occupent un poste élevé se sentent parfois très seules. Il est possible que les personnes belles et fortunées souffrent aussi d'un tel isolement. Pourtant, les gens ne recherchent pas toujours des indices de sincérité. À mesure que le besoin de considération augmente, les gens peuvent en venir à accepter tout signe susceptible d'être interprété comme de la considération. Quand le besoin est grand, la sincérité peut perdre de son importance.

De l'information et du désir d'affiliation

Toute discussion des sources de l'attraction serait incomplète si l'on ne prenait pas en considération l'influence de l'information juste et adéquate. Peut-être vous demandez-vous comment l'échange d'informations peut influer sur l'attraction. On a tendance à considérer que l'information provient des livres, des médias, des hommes publics et de sources similaires. L'hypothèse d'une relation entre l'information et l'attraction nous est d'abord apparue lorsque nous avons commencé à étudier les relations étroites qui se développent souvent entre des élèves et des enseignants. De façon anonyme, une étudiante a écrit ce qui suit.

Ce professeur nous a ouvert les yeux à une forme d'éducation différente de tout ce que nous avions eu dans cette école très conservatrice. Il

nous a enseigné à expérimenter et à penser par nous-mêmes. Il nous a fait visiter des bibliothèques de collège et lire des livres complémentaires, et il nous a appris à être originaux. [...] Nous l'aimons tous encore.

Les commentaires de cette fille et des douzaines d'autres semblables suggèrent fortement que l'information peut engendrer l'attraction.

La série classique des études effectuées par Stanley Schachter (1959) et ses collègues permet d'approfondir cette question. Les chercheurs étudiaient l'influence de la peur sur le désir de s'affilier. Deux groupes de femmes ont rencontré un expérimentateur vêtu d'un sarrau blanc, qu'on leur a présenté comme le docteur Zilstein. D'une voix sinistre, il dit aux sujets d'un groupe qu'elles participaient à une expérience sur les réactions aux chocs électriques et que chacune subirait le test. Il les avertit aussi de ne pas s'effrayer puisque le choc, quoique douloureux, «ne leur causerait aucun dommage *permanent*». Le docteur Zilstein fut beaucoup plus modéré avec le deuxième groupe de sujets. Il leur dit qu'elles recevraient des chocs très légers, presque imperceptibles. On a ensuite demandé à tous les sujets d'indiquer par écrit si elles voulaient attendre l'arrivée du choc électrique seules ou avec d'autres. En fait, les sujets n'ont jamais reçu de chocs. Le seul intérêt du chercheur était de mesurer les effets de la peur sur les préférences des gens à s'affilier. Les résultats obtenus sont très clairs. Lorsque la peur était très grande, les sujets exprimaient le désir d'être avec d'autres. Lorsque la peur était faible, beaucoup moins de sujets voulaient attendre avec des compagnes.

Qu'est-ce qui motive ce désir d'affiliation? Selon l'une des hypothèses, les gens apprennent en bas âge à rechercher la compagnie des autres lorsqu'ils ont peur. D'autres personnes peuvent être rassurantes et défendre les autres contre le danger. En d'autres termes, attendre avec d'autres peut réduire la peur. Pour appuyer son idée, Schachter présente un argument intéressant. Lorsqu'elles sont anxieuses, certaines personnes ont vraiment besoin de la présence d'autres gens. Or, comme les parents prennent habituellement un soin extrême de leur premier enfant, les premiers-nés et les enfants uniques en viendraient à associer à la présence des autres le soulagement d'un malaise. Avec leurs autres enfants, les parents sont peut-être moins inquiets et ils les laissent davantage se consoler eux-mêmes. Les premiers-nés et les enfants uniques devraient donc être plus portés à s'affilier à d'autres lorsqu'ils sont anxieux. Pour vérifier cela, Schachter fit un relevé des études antérieures. Il montra que les premiers-nés et les enfants uniques ont plus que les autres tendance à recourir à la psychothérapie lorsqu'ils éprouvent des difficultés. Ils sont aussi moins susceptibles de devenir des pilotes de combat efficaces (habileté que l'on peut trouver chez ceux qui sont capables de travailler seuls dans des situations de peur). Les recherches ultérieures tendent aussi à appuyer l'idée de Schachter (Altus, 1966; Breland, 1973; Vockell, Felker et Miley, 1973). Comme vous pouvez le voir au tableau 4-2, à peine quinze minutes après un tremblement de terre, les femmes premières-nées avaient parlé à deux fois plus de personnes que les autres femmes (Hoyt et Raven, 1973). Ce serait la situation de menace qui ferait que l'ordre de la naissance est relié aux préférences d'affiliation observées. Menacées d'un choc électrique, les premières-nées choisissaient deux fois plus souvent d'attendre avec d'autres plutôt que seules. Pour les autres, la préférence allait à l'inverse; elles préféraient attendre seules. Lorsqu'elles n'étaient pas menacées, les premières-nées et les enfants uniques ne différaient pas des autres.

Sexe	Ordre de naissance	
	Premiers-nés	**Autres**
Homme	3,58*	2,80
Femme	3,97	1,67
* Nombre moyen de personnes à qui les gens ont parlé.		

Source: Adapté de Hoyt et Raven, 1973.

Tableau 4-2   Qui a tendance à parler?

Les femmes premières-nées ont davantage eu tendance à chercher le soutien des autres à la suite d'un tremblement de terre.

La plupart des chercheurs croient que la diminution de la peur n'est qu'une des raisons qui incitent les gens à rechercher la compagnie des autres (Buck et Parke, 1972; Epley, 1974; MacDonald, 1970). C'est ici que la recherche d'informations devient pertinente. Comme l'a pensé Schachter, la situation de grande peur crée aussi beaucoup d'ambiguïté. Les sujets ne savaient pas comment réagir lorsque leur comportement coopératif — se porter volontaire pour une expérience — était «récompensé» par un choc douloureux. Devaient-elles avoir peur ou être rancunières?

Devaient-elles se révolter ou se désister de l'expérience? Que leur arrivait-il?

Pour réduire cette ambiguïté, elles voulaient comparer leurs opinions à celles des autres. (*Pour plus de détails sur les effets de la comparaison sociale, voir le chapitre 3*). Les sujets désiraient obtenir des autres de l'information leur permettant de savoir comment elles devaient réagir. La position de Schachter est appuyée par son étude où les sujets anxieux préféraient fortement être avec d'autres sujets de la même expérience: elles ne voulaient pas attendre avec n'importe qui (Schachter, 1959). Les sujets semblaient avides d'échanger leurs points de vue sur l'expérience avec d'autres personnes vivant la même chose. De plus, les expériences regroupant des sujets craintifs indiquent qu'en général ils échangent de l'information et en viennent à partager les mêmes sentiments (Ring, Lipinski et Braginsky, 1965; Wrightsman, 1960).

Les travaux de Schachter ont entraîné beaucoup de recherches et, presque sans exception, les résultats vont dans le même sens (*voir* Morris et coll., 1976). Par exemple, quand des élèves sont peu sûrs de leurs opinions, ils ont tendance à se joindre aux autres dans les discussions (Radloff, 1961). Lorsque les gens ont une information physiologique qui leur donne une indication claire de leur état émotionnel, ils ne tendent pas à s'affilier à d'autres (Gerard et Rabbie, 1961). Les membres de groupes de discussion semblent souvent vouloir que les autres pensent comme eux, surtout lorsque les sujets discutés sont ambigus (Shrauger et Jones, 1968).

D'après les données recueillies jusqu'à maintenant, il semble que l'information produise l'affiliation. Entre quelqu'un qui rend un service et le bénéficiaire, il s'établit chaque fois une certaine forme d'affiliation. Pensez au caissier à la banque, au météorologue, au vendeur dans un grand magasin. Ces situations augmentent-elles l'attraction? Dans quel cas le fait de donner de l'information favorise-t-il réellement l'appréciation? Deux conditions particulières semblent favoriser le développement de l'attraction: le besoin d'information doit être grand et celui qui recherche l'information doit estimer celui qui la donne et avoir confiance en lui.

Considérons la situation suivante. Vous jouez à l'arrêt-court pour une équipe de softball. Votre équipe a eu du succès jusqu'à maintenant, mais commence une période de revers. Vous vous rendez compte que votre propre jeu n'a pas été très régulier et, de fait, vos erreurs ont directement

Encadré 4-2

La solitude

La solitude est un phénomène éprouvant que l'on retrouve dans tous les segments de la société: les enfants, les adolescents, les couples mariés, de même que les personnes âgées (*voir la recension des écrits de* Ouellet et Joshi, 1987). On dit qu'il y a **solitude** quand le cercle de relations sociales d'un individu est plus petit ou moins satisfaisant qu'il ne le désire (Perlman et Peplau, 1981). La solitude ne signifie pas nécessairement que les autres personnes sont physiquement absentes. Elle existe chaque fois que les autres ne fournissent pas les ressources psychologiques dont on a besoin (Shaver et Rubenstein, 1979). Il y a des gens qui peuvent se sentir seuls au milieu d'une foule ou en présence de leur famille. D'autres peuvent vivre seuls et être tout à fait satisfaits. Cependant, de façon générale, on a besoin des autres pour diminuer le sentiment de solitude.

On distingue souvent deux types de solitude: l'une s'accompagne d'isolement émotionnel, et l'autre d'isolement social (Weiss, 1973). Dans le cas de l'isolement émotionnel, l'individu éprouve un manque de relation émotionnelle intense, unique. Une forme d'intimité exclusive lui est nécessaire; la présence de la famille ou d'amis peut ne pas être suffisante. On a observé que cette forme de solitude prévalait chez les parents membres d'une organisation de familles monoparentales (Weiss, 1973). La solitude causée par l'isolement social survient, pour sa part, en l'absence d'amis ou d'entourage pouvant fournir du soutien social à la personne. Les épouses qui ne travaillent pas à l'extérieur et celles qui viennent tout juste de déménager souffrent souvent de cette forme de solitude.

Certains psychologues croient que la solitude est un problème majeur de notre société moderne (Greydanus, 1976; Sermat, 1974). Il semble que presque tout le monde fasse l'expérience de la solitude à un moment ou à un autre (Sermat, 1974). Une étude des appels téléphoniques reçus dans un centre d'écoute a montré que 80 % des 16 000 personnes qui appelaient se plaignaient d'un sentiment d'extrême solitude (Sermat, 1972). De la même façon, plus de 80 % d'un groupe

entraîné la perte de plusieurs parties. Après avoir perdu une partie au cours de laquelle vous avez commis deux erreurs importantes, le joueur de deuxième but vous dit que vous avez vraiment joué du mieux que vous pouviez. Un peu plus tard, cependant, le receveur veut discuter avec vous de votre jeu et de la façon dont vous pourriez modifier votre stratégie. Envers lequel de vos coéquipiers vous sentirez-vous le plus chaleureux? Vous préférerez probablement le receveur. Les commentaires du joueur de deuxième but sont positifs, mais semblent superficiels et peu fiables. Ils tendent peut-être même à vous diminuer. Par contre, le receveur semble avoir très bien compris la situation et désire examiner vos problèmes en détail. Vous sentiriez probablement que le receveur est le type de personne qui pourrait devenir un ami, quelqu'un en qui vous pouvez avoir confiance.

Dans ce genre de situation, vous faites face à deux sortes d'informations: l'une positive, mais peut-être fausse; l'autre négative, mais probablement juste. La première peut rehausser temporairement votre estime de soi. La deuxième peut vous blesser momentanément, mais vous aider à longue échéance. En fait, les gens réagissent-ils bien à l'information franche venant des autres? Dans l'une des premières vérifications de cette hypothèse, on a fait en sorte que des élèves participant à un travail coopératif sentent soit qu'ils avaient beaucoup contribué au succès du groupe, soit qu'ils avaient très peu apporté au groupe (Deutsch et Solomon, 1959). Plus tard, chaque sujet recevait d'une autre personne du

de malades mentaux ont affirmé que la solitude était leur principale raison de demander de l'aide (Graham, 1969).

La solitude est-elle un problème pour l'ensemble de la population? Dans un sondage auprès d'un échantillon représentatif de l'ensemble de la population, on a demandé aux gens s'ils s'étaient récemment sentis «très seuls et à l'écart des autres personnes». Parmi les répondants, 26 % ont répondu en ce sens. Plusieurs d'entre eux ont aussi indiqué qu'ils se sentaient très déprimés et malheureux (Bradburn, 1969). D'autres chercheurs, remarquant le sentiment de dépression qui accompagne souvent la solitude, ont suggéré que les gens seuls croient qu'ils ont échoué de façon lamentable (Gordon, 1976). Ces gens semblent croire qu'ils n'ont pas réussi à réaliser ce qui est habituellement attendu d'un adulte normal. La dépression peut être particulièrement intense lorsque l'individu s'attribue les causes de sa solitude (Anderson, Horowitz et Sales, 1983; Weiner, Russell et Lerman, 1978). Croire que ses propres défauts sont la source majeure de sa solitude, c'est s'attribuer l'échec de la situation. L'individu se tient ce langage: «Je suis trop peu intéressant et trop peu attirant pour que quelqu'un se préoccupe de moi.» Se blâmer soi-même de sa solitude peut aussi créer un cercle vicieux. L'individu attribue sa solitude à des défauts personnels, ce qui le conduit à la dépression et à l'inactivité (Rubenstein et Shaver, 1980). La dépression et l'inactivité réduisent alors les possibilités qu'a l'individu de rechercher de nouvelles relations. La solitude augmente.

Quelles sont les principales sources de solitude dans la société moderne? Deux principales sources d'influence semblent donner naissance à des sentiments de solitude: l'une a ses origines dans le contexte social, l'autre provient de l'intérieur de l'individu. Dans le domaine social, la perte d'un membre de sa famille peut contribuer fortement à la solitude. Dans une enquête, plus de 50 % des hommes veufs et 29 % des femmes veuves ont affirmé s'être sentis extrêmement seuls au cours de la semaine qui a précédé le sondage (Maisel, 1969). L'on s'intéresse aussi à la relation entre la solitude et le milieu de travail. Puisqu'il s'agit d'un cadre où les gens trouvent une camaraderie étroite, le chômage peut contribuer à faire naître la solitude (Seeman, 1971). De plus, comme un homme en chômage l'écri-

groupe un message qui était soit très approbateur, soit quelque peu critique. On a alors demandé aux sujets d'exprimer leurs sentiments envers la personne qui les avait évalués. En général, tous les sujets, indépendamment de leur contribution, étaient attirés davantage par la personne dont l'évaluation semblait la plus honnête. Donc, s'ils croyaient avoir nui au groupe, ils appréciaient davantage la personne critique du groupe que celle qui s'était prononcée positivement. S'ils croyaient que leur apport au groupe avait été positif, ils préféraient l'évaluateur positif à celui qui était critique. Comme une recherche ultérieure l'a montré, un évaluateur critique mais honnête peut être particulièrement apprécié, surtout dans les cas où il aurait quelque chose à gagner en utilisant la flatterie (Drachman, de Carufel et Insko,

1978). L'évaluateur est encore plus apprécié lorsque sa franchise pourrait lui être coûteuse. Une bonne information peut donc faire naître l'attraction dans une relation (*voir aussi* Backman et Secord, 1959; Newcomb, 1961).

Il arrive qu'une rétroaction précise soit trop douloureuse pour concourir au développement de l'attraction (Jones, 1973). L'honnêteté peut être hautement valorisée, mais quelquefois le besoin de considération positive peut l'emporter sur l'honnêteté. Après un échec particulièrement amer, un individu peut désirer simplement qu'on l'accepte chaleureusement, même si cet appui n'est pas mérité (Friedman, 1976; Jones et Regan, 1974). Une évaluation juste après une piètre performance ne fait qu'ajouter au malheur. Comme nous l'avons vu au sujet de la flatterie,

vait, «vous n'avez pas d'amis lorsque vous êtes sans travail. Ils pensent que c'est une maladie contagieuse qui pourrait les atteindre» (*cité dans* Braginsky et Braginsky, 1975). Joshi et de Grâce (1985) se sont intéressés à l'effet de la durée du chômage sur l'estime de soi, la dépression, la solitude et la communication émotive chez des individus en chômage depuis peu, depuis quelque temps ou depuis très longtemps. Ces chômeurs ne ressentaient ni faible estime de soi ni dépression et ne présentaient pas de différence sur l'une ou l'autre des quatre variables étudiées. Selon les chercheurs, le chômage est devenu un phénomène social si répandu que les chômeurs attribuent la responsabilité de leur situation à des causes externes plutôt que personnelles, et ils peuvent ainsi garder une bonne estime de soi et éviter la dépression.

La retraite peut avoir les mêmes conséquences; les femmes au foyer peuvent aussi éprouver beaucoup de solitude. Une étude effectuée auprès d'un échantillon de femmes au foyer ayant peu de contacts sociaux chaque semaine a montré que 81 % d'entre elles exprimaient de l'insatisfaction émotionnelle. Par comparaison, chez un groupe de femmes au foyer ayant beaucoup de contacts sociaux, ce nombre baissait à 46 % (Oakley, 1974). Selon une croyance courante, les personnes âgées souffriraient beaucoup plus de solitude que les individus des autres tranches d'âge. Or, sur la base de plusieurs travaux empiriques, cela serait l'un des nombreux mythes qui entourent les personnes âgées (Joshi, de Grâce et Beaupré, 1989).

Les causes de la solitude ne se trouvent pas uniquement dans l'environnement social. Il y a des gens qui peuvent être prédisposés à se sentir seuls. C'est-à-dire qu'ils sont plus sujets que d'autres à éprouver de la solitude dans un contexte donné. Les gens qui se sentent seuls, selon Shaver et Rubenstein (1980), sont souvent ceux qui, enfants, ont souffert d'une certaine forme d'anxiété relativement à l'affection. Ils ont grandi en étant incertains de pouvoir recevoir des autres la gratification dont ils avaient besoin. Ils se demandent souvent s'ils méritent du soutien et de l'amour. Certains épisodes de leur première enfance leur ont laissé un faible sentiment d'estime de soi. Quelques psychologues ont soutenu que les enfants de parents divorcés sont particulièrement vulnérables à cet égard. Des

les gens peuvent accorder tellement de valeur à la considération des autres qu'ils avaleront un compliment même s'ils le croient suspect. Ainsi, la flatterie est parfois davantage bienvenue que la pure vérité.

En résumé, nous sommes toujours devant un équilibre précaire. D'une part, les gens valorisent une information juste à leur égard et apprécient les personnes qui fournissent cette information. D'autre part, les gens veulent aussi être très bien perçus par les autres et une information juste reflète quelquefois de la critique. Spécialement après un échec, une personne peut être davantage attirée par un flatteur potentiel que par quelqu'un qui offre une évaluation juste de ses faiblesses. Comme nous le voyons maintenant, cette quête particulière est seulement l'une des

nombreuses contradictions inscrites dans la plupart des relations significatives. Non seulement les gens veulent-ils des opinions franches et une acceptation complète, mais ils cherchent la sécurité et la croissance, la stabilité et la stimulation, la dévotion et l'absence de limites à la liberté, la libre expression des sentiments et pas trop d'émotivité. C'est peut-être beaucoup trop exiger d'une seule relation. Cependant, si l'on s'attend à ce que des relations diffèrent de cela, il faudra peut-être aller au-delà des normes culturelles habituelles et chercher dans des directions nouvelles et différentes.

Des facteurs qui font naître l'attraction, nous en arrivons maintenant à examiner les relations profondes.

études auprès d'adultes dont les parents étaient divorcés appuient cet argument (Rubenstein, Shaver et Peplau, 1979). Ces adultes, qui étaient enfants lorsque leurs parents ont divorcé, expriment plus de solitude dans leur vie adulte que ceux qui étaient adolescents lors du divorce de leurs parents. Même si d'autres études sur le divorce ont montré des effets semblables (Kukla et Weingarten, 1979), il a été démontré qu'un ménage malheureux, mais non séparé, est encore pire pour l'enfant. Pour ces individus, les ajustements psychologiques ultérieurs peuvent être des plus difficiles. Des changements sociaux importants ont marqué la dernière décennie: les enfants qui vivent en foyer monoparental ou en famille reconstituée ne sont plus des cas d'exception et une fois passée la transition liée à la rupture des parents, il se pourrait que ces enfants ne vivent pas plus de solitude que d'autres. Dans une recension des écrits sur l'effet des changements familiaux sur les enfants, B.-Dandurand et Morin (1990) ont montré qu'il n'y a pas de causalité simple entre les changements familiaux et le vécu scolaire des enfants. Elles soulignent qu'il est important de prendre en considération d'autres facteurs, comme la pauvreté ou le degré de mésentente entre les parents. Encore une fois, ceci est un exemple de ce que les phénomènes psychosociaux doivent être étudiés dans un contexte donné, en tenant compte de l'évolution des attitudes et des comportements sociaux.

Selon, Poulin, de Grâce et Joshi (1983), il est possible de contrer la solitude de différentes façons. On peut aider l'individu solitaire à améliorer ses relations sociales par la création de nouvelles amitiés, par une meilleure exploitation de son réseau social ou la création de relations de substitution (avec des animaux domestiques, par exemple). Une autre stratégie est de faire baisser le désir de contacts sociaux. La solitude n'est plus perçue de la même façon si l'on choisit des activités de loisirs que l'on peut faire agréablement seul. Enfin, il conviendrait de changer la perception sociale que l'on a des individus solitaires qui, vivant souvent mal l'étiquette de déficients sociaux qu'on leur accole, cherchent à oublier leur solitude dans des dérivatifs, tel l'alcool. En effet, comme le rappellent Perlman et Joshi (1987), dans la société américaine, être marié et avoir des amis sont des signes de succès; être isolé est un signe d'échec social.

Les relations profondes

Un matin, vous bavardez avec un étranger à l'arrêt d'autobus. L'étranger semble à la fois plaisant et intéressant, mais vous ne le rencontrez plus jamais. Si l'on vous demandait de décrire votre relation avec cette personne, vous pourriez dire qu'elle était fortuite ou superficielle. Vous pourriez ajouter, cependant, que si vous aviez revu cette personne, la relation aurait pu se développer. Arrêtons-nous pour considérer le choix de ces mots. La relation était «superficielle»; elle aurait pu «se développer». Ces mots suggèrent fortement que les gens considèrent le concept de relation comme quelque chose qui croît en *profondeur*. Imaginez que vous rencontrez de nouveau cet étranger et que vous devenez amis.

À ce moment, vous pouvez avoir tendance à dire que votre relation est devenue plus étroite. Si, par la suite, vous vivez heureux ensemble durant quelques années, vous décrirez probablement la relation comme profonde et importante. Le degré de profondeur d'une relation varie du point de vue de l'intimité, de l'intensité ou du soutien. Cela a été rapporté dans une variété d'études soigneusement menées (Marwell et Hage, 1970; Triandis, 1976; Wish, Deutsch et Kaplan, 1976). Les changements de profondeur semblent caractériser un large éventail de relations: un amour hétérosexuel, une relation entre parents et enfants, une relation homosexuelle, et ainsi de suite. Toutes ces sortes de relations peuvent varier, de superficielles à très profondes.

Le reste du présent chapitre est consacré au développement des relations profondes. De nouveau, les relations hétérosexuelles seront notre centre d'intérêt principal, même si une grande partie de notre exposé s'applique aussi aux autres types de relations. Nous suivrons tout d'abord le cours habituel d'une relation qui s'approfondit. Nous nous demanderons pourquoi il existe une direction habituelle à ce développement, si l'on retrouve toujours cette direction, et comment elle varie d'une culture à une autre ou d'une époque à une autre. Nous accorderons une attention toute particulière aux normes sociales qui orientent les actions des gens et qui peut-être influent même sur l'intensité de leurs passions. Enfin, nous envisagerons l'avenir des relations profondes. Une fois qu'elles ont atteint le stade de l'intimité, comment peuvent-elles être maintenues?

Le cours de l'intimité

On remet peu en question le fait que les gens recherchent des relations profondes. Cette recherche peut commencer très tôt et se poursuivre toute la vie. Pour plusieurs personnes, une relation profonde donne un sens à la vie. Cela semble particulièrement vrai chez les jeunes et les personnes âgées. Données à l'appui, il semble que, chez ces personnes, le fait d'avoir des relations intimes ou privilégiées est essentiel à leur bien-être (Campbell, Converse et Rodgers, 1976). Mais, malgré l'intensité des sentiments passionnés, la plupart des recherches contemporaines indiquent que le sentier de l'intimité n'est pas irrationnel, ni chaotique. Les gens ne se précipitent pas n'importe comment, accrochant frénétiquement au passage ce qu'ils veulent. Il semble plutôt que l'accroissement de l'intimité dans des relations suive souvent un chemin universel (Altman et Taylor, 1973; Levinger et Snœk, 1972). Ce chemin est une sorte de continuum divisé en degrés d'**intimité** plus ou moins distincts. Les gens suivent ce chemin aussi longtemps que la relation continue à être gratifiante. Ils le quittent lorsque les gratifications diminuent (Levinger et Huesman, 1980). Afin de comprendre ce continuum, considérons deux personnes, A et B, représentées à la figure 4-3 par des cercles. Au début, c'est le contact zéro — les deux individus existent sans se connaître l'un l'autre. Le fait que les deux en viennent à une conscience mutuelle dépend principalement de la distance physique. Ce que nous avons dit précédemment quant aux

effets de la proximité sur l'attraction s'applique particulièrement bien ici.

À mesure que le couple s'avance vers le niveau du contact superficiel, une variété de facteurs modifient souvent la relation. Au début, l'attrait physique peut jouer un rôle en mettant les gens en contact. Lorsque le contact augmente, la similitude personnelle peut prendre de l'importance. Le couple prend le temps d'explorer une variété d'intérêts et d'attitudes. Il arrive souvent que de telles explorations soient limitées et superficielles (Altman et Taylor, 1973). Les sujets de conversation porteront davantage sur les connaissances communes, le cinéma, la musique, et ainsi de suite, plutôt que sur des sujets comme la crainte de l'avenir et le désir d'avoir ou non des enfants. En fait, si une personne révèle trop tôt des secrets profonds, l'autre peut se retirer de la relation (Archer et Burleson, 1980; Wortman et coll., 1976). Même si ce niveau de contact peut être superficiel, les événements à ce stade peuvent avoir des effets importants sur l'évolution d'une relation. De même que les premières impressions jouent souvent un rôle dans le développement d'une relation (*voir le chapitre 2*), la façon dont deux personnes se voient mutuellement et toutes deux en tant que couple peut aussi continuer à exercer des effets sur une relation profonde (Berscheid et Graziano, 1979).

Si les échanges sont gratifiants au stade du contact superficiel et que des similitudes d'intérêts se dessinent, le couple peut passer au niveau de la mutualité. Cependant, le niveau de mutualité peut varier d'une intersection mineure des cercles à une unité totale. Une intersection mineure est représentée à la figure 4-3. Ce niveau de mutualité pourrait représenter, par exemple, deux personnes qui se connaissent depuis peu de temps et qui veulent explorer les bons sentiments qu'elles éprouvent l'une pour l'autre. Une intersection majeure des cercles pourrait caractériser une longue relation intime, comme dans le mariage. Une unité totale pourrait être réservée au type d'union profonde décrite par le mystique du IXe siècle, Sari-al-Skadi, où chaque conjoint s'adresse à l'autre en disant «Ô mon Être!» (Levinger, 1974). La compatibilité des besoins peut être le facteur central du lien au stade de la mutualité. Les partenaires peuvent en venir de plus en plus à s'appuyer l'un sur l'autre et un sentiment d'interdépendance peut commencer à se manifester (Huston et Burgess, 1979; Scanzoni, 1979).

Habituellement, les partenaires révèlent une quantité croissante d'informations sur eux-mêmes.

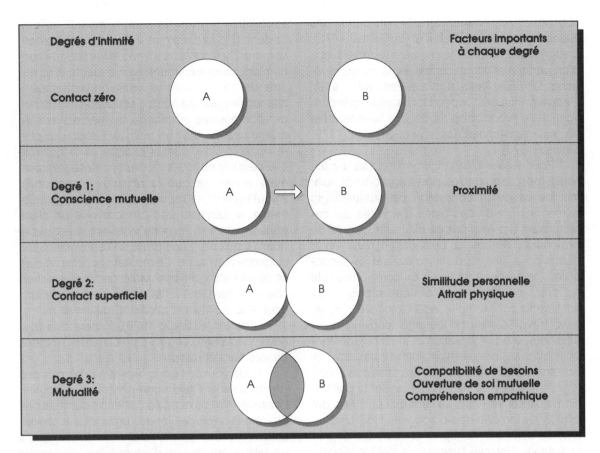

Figure 4-3   Les degrés d'intimité

Les relations interpersonnelles s'échelonnent souvent sur trois degrés d'intimité. À chaque degré, les gens mettent l'accent sur différents critères d'attraction. (Adapté de Levinger et Snoek, 1972.)

Si chacun se sent gratifié par l'acceptation et l'empathie de l'autre à l'égard de cette révélation, la relation a de bonnes chances de s'approfondir (Altman et Taylor, 1973). À mesure que chaque individu ressent que le partenaire accepte la totalité de son comportement, du meilleur au moins bon, il y a de plus en plus de chances que les sentiments chaleureux à l'égard de ce partenaire deviennent plus importants. Vous reconnaîtrez sûrement ici l'importance de la considération positive, discutée précédemment. La relation la plus profonde est atteinte, dit-on, lorsque deux personnes peuvent révéler tout leur moi, de même que leurs émotions les plus profondes. La relation la plus intime met donc en évidence l'ouverture de soi, dans toute son étendue et dans toute sa profondeur.

Diverses études ont démontré l'importance de l'ouverture de soi dans l'établissement de relations profondes. Ces recherches montrent généralement une corrélation élevée entre le degré d'ouverture de soi et l'attraction mutuelle de deux personnes (Jourard, 1971; Worthy, Gary et Kahn, 1969). Plus nombreuses sont les confidences, plus grande est l'attraction. Et plus les gens se connaissent depuis longtemps, plus ils s'ouvrent. Des compagnons de chambre à l'université, par exemple, passent souvent des échanges superficiels, au début d'un trimestre à des échanges plus intimes à mesure que l'année scolaire progresse (Taylor, 1968). Les probabilités d'ouverture de soi sont particulièrement élevées si les partenaires sentent qu'ils forment une sorte d'unité autour de laquelle existe une frontière. Ils croient alors que l'autre ne brisera pas la confiance réciproque qu'ils ont bâtie (Derlega et Chaikin, 1977; Taylor, DeSoto et Lieb, 1979). Lorsque de telles frontières sont établies, on dit que les partenaires ont développé une sorte de communion (Schwartz et Merten, 1980). Des expériences en laboratoire montrent aussi que les gens qui révèlent de l'information privilégiée sur eux-mêmes obtiennent fréquemment ainsi l'appréciation des autres (Certner, 1973; Daher et Banikiotes, 1976). L'appréciation augmente encore si les révélations d'un partenaire ont un certain lien avec les révélations faites par l'autre (Davis et Perkowitz, 1979). L'appréciation peut cependant diminuer si la confidence se produit trop tôt dans la relation ou si elle est inappropriée (Derlega et Grzelak, 1979; Kleinke 1979).

Pour illustrer les changements qui se produisent à mesure qu'une relation s'approfondit, examinons ce qu'un échantillon de quatre-vingts personnes ont dit des types d'activités qui caractérisent des relations de différents degrés de profondeur (Rands et Levinger, 1979). On a demandé à des étudiants d'évaluer la probabilité d'apparition des types de comportements suivants: ouverture de soi (par rapport aux sentiments par exemple), activité sociale (sorties, jeux, travail commun), louange (considération, affection), critique (désaccord, irritation), contact physique (se tenir la main, intimité sexuelle) et accord normatif (abandonner des amis que le partenaire n'aime pas, ne pas demander la permission d'utiliser les effets de l'autre). Les sujets ont évalué les probabilités d'apparition de chaque type de comportement pour chacun des degrés croissants d'intimité suivants: rencontre d'occasion, franche amitié, relation intime (par exemple, deux personnes se préoccupant beaucoup l'une de l'autre et n'ayant pas d'autres relations intimes équivalentes) et mariage (défini de la même façon qu'une relation intime avec, en plus, l'idée de permanence).

Les résultats de l'étude de Marylyn Rands et George Levinger sont résumés au tableau 4-3. Plus la profondeur d'une relation s'accroît, plus les différents types de comportements se produisent. D'abord, comme il a été proposé précédemment, les contacts physiques et sociaux augmentent concurremment avec le degré d'ouverture de soi. Et comme vous pouviez vous y attendre à partir de notre discussion sur la considération positive, la louange augmente à mesure que la relation croît en intimité. Ce qui est plus révélateur, c'est que la critique et le contrôle exercé sur la conduite du partenaire augmentent aussi à mesure que la relation s'approfondit. Apparemment, à mesure que la louange augmente, la punition peut prendre plus de place dans la relation. Les gens reçoivent plus de critiques et subissent une pression relativement aux exigences de l'autre. Le résultat peut être un conflit ou de l'antagonisme. Mais, comme la recherche le montre, même la meilleure des relations peut être truffée de conflits (Braiker et Kelley, 1979; Norton et Glick, 1976). Encore une fois, nous constatons l'équilibre précaire des relations basées sur l'attraction.

Nous pouvons donc dire que la plupart des relations varient selon une dimension d'intimité. Les rencontres d'occasion diffèrent des relations profondes selon des modes ordonnés et prévisibles. À mesure qu'une relation se développe, il y a une augmentation d'interactions, de contact physique et d'ouverture de soi. Il y a aussi davantage de communication de la considération et de la critique.

Les normes d'intimité dans une perspective culturelle et historique

Comment vous sentiriez-vous si votre frère de douze ans décidait qu'il est temps qu'il se marie,

| Type de relation | Probabilité qu'une activité mutuelle se produise | | | | | |
	Activité sociale %	Contact physique %	Ouverture de soi %	Louange %	Critique %	Accord normatif %
Rencontre d'occasion	49	23	22	35	23	17
Franche amitié	71	39	47	58	37	36
Relation intime	81	57	67	73	48	53
Mariage	87	90	83	86	61	68

Source: Adapté de Rands et Levinger, 1979.

Tableau 4-3   L'influence de l'intimité sur le comportement

Les gens croient que, sous tous les aspects de la vie, les probabilités d'activités mutuelles augmentent à mesure que les relations deviennent plus intimes. Le mariage offre le plus d'engagement et les plus grandes possibilités de comportements, tant négatifs que positifs.

si votre père décidait de vivre avec plusieurs femmes, ou si un étranger vous accostait dans la rue et vous proposait une intimité sexuelle? Il est fort probable que chacune de ces expériences vous bouleverserait d'une façon ou d'une autre. Vous pourriez vous mettre en colère, être irrité ou froissé. De telles réactions soulignent le fait que les gens partagent généralement des attentes assez bien définies sur ce qui est approprié dans divers types de relations. De plus, ces attentes sont particulières à notre époque et au courant américain principal (Rands et Levinger, 1979). Dans plusieurs cultures, se marier à douze ans est admis, tout comme la polygamie a été florissante dans plusieurs cultures. De fait, la polygamie a été la coutume plus souvent qu'autrement et son déclin coïncide avec la diffusion de la culture occidentale (Ford et Beach, 1951). De plus, une proposition d'intimité sexuelle lors de rencontres occasionnelles n'est pas un phénomène extraordinaire ou inattendu dans plusieurs secteurs de la société. Dans les quartiers homosexuels des grandes villes, de jeunes hommes peuvent se sentir offensés s'ils ne reçoivent pas de telles propositions. Tant à Rome qu'à Paris, des hommes peuvent avoir une vie sexuelle satisfaisante faite d'aventures avec des touristes féminines. Il est clair que le comportement approprié sur le sentier de l'intimité dépend fortement de l'époque et des circonstances. Notre analyse du développement des relations profondes vaut avant tout pour la société américaine du XXe siècle.

Les idées largement acceptées sur ce qui est approuvé peuvent être appelées plus formellement des *attentes normatives*. De telles attentes ne s'appliquent pas seulement aux autres, elles peuvent aussi jouer un rôle important dans l'orientation du comportement personnel d'un individu. Un comportement cohérent avec les attentes normatives constitue la **norme** *culturelle*. De telles attentes proviennent habituellement d'opinions largement partagées sur la vie sociale, opinions qui font partie de l'attitude dite «normale». La société actuelle désapprouve le mariage des enfants parce qu'ils sont perçus comme immatures, trop peu expérimentés pour faire des choix judicieux et incapables de gagner leur vie. La plupart des membres de la société croient que ces idées relèvent du simple bon sens. L'attitude «normale» est aussi étroitement reliée aux systèmes de *valeurs normatives*, c'est-à-dire à ce que l'on accepte communément comme bon ou bien dans la société. Ce qui justifie l'idée de ne pas se marier

à douze ans est fondé sur la valeur positive donnée aux mariages durables, à l'éducation et à la réussite financière. Comme on peut le voir, les comportements qui ne correspondent pas aux attentes normatives sont perçus comme incompréhensibles. Par exemple, le mariage de jeunes de douze ans semblerait un non-sens dans notre culture. Si les gens ne peuvent pas donner un sens aux actions de quelqu'un, ils peuvent penser que le comportement est idiot (Garfinkel, 1967; Schutz, 1962). Parce que les normes sont souvent liées aux valeurs, la personne qui les brave ou les méprise subit la désapprobation sociale. Si les déviations de la norme sont trop grandes, l'emprisonnement et même l'exécution peuvent s'ensuivre. En fait, les normes opèrent comme des lois. Elles spécifient le comportement approprié dans différents types de relations et à différents degrés d'intimité. Plusieurs chercheurs se sont demandé comment les normes relatives aux relations étroites ont évolué avec le temps (Brain, 1976; Hunt, 1959). Ces travaux suggèrent en général que les différentes cultures et époques ont eu des normes distinctes. Les caractéristiques occidentales et contemporaines de l'intimité sont assez différentes des coutumes qui existent dans d'autres pays du monde ou à travers l'histoire connue. Même dans l'histoire récente, par exemple, les normes qui régissent l'intimité sexuelle ont connu d'importants changements. L'intimité sexuelle paraît maintenant beaucoup moins liée qu'aupavarant à des critères d'amour (D'Augelli et D'Augelli, 1979). D'autres chercheurs se sont intéressés à la *valeur fonctionnelle*, ou l'utilité, des diverses règles de l'intimité. En quoi de telles règles sont-elles utiles aux gens? De quelles façons leur sont-elles nuisibles? Est-ce que, par exemple, l'ensemble des normes qui régissent les relations profondes dans notre société répond adéquatement à nos besoins? Plusieurs chercheurs croient qu'à cet égard la situation ne se présente pas de la même façon pour les hommes et les femmes: les normes courantes favoriseraient la femme. Sur le plan émotionnel, souvent les femmes vivent des relations plus intenses avec d'autres femmes que les hommes avec d'autres hommes (Rubin, 1973). Les femmes parlent plus librement et s'ouvrent davantage l'une à l'autre (Aebischer, 1979; Jourard, 1971). Les relations de femmes durent plus longtemps (Wheeler et Nezlek, 1977). De plus, les femmes ont plus que les hommes tendance à faire spontanément des choses ensemble, à supporter l'autre chaleureusement (Weiss et Lowenthal, 1975) et à avoir des

Encadré 4-3

Comment savoir si l'on est amoureux?

Les décisions majeures de la vie sont souvent basées sur le fait que les gens croient être amoureux ou non. Un couple peut hésiter à partager des secrets profonds, à se permettre d'être intime physiquement ou à se marier jusqu'à ce que chacun des partenaires soit sûr d'être amoureux. Cependant, souvent les gens ne savent pas s'ils vivent un amour réel ou une simple amitié profonde. Comment peut-on faire la différence? Pour étudier ces questions plus soigneusement, Zick Rubin (1970, 1973) a cherché à établir une mesure de l'amour d'une personne pour une autre et une mesure d'appréciation ou d'amitié. Rubin fit le raisonnement suivant. Les gens qui sont amoureux (1) dépendent l'un de l'autre, (2) tiennent à s'entraider et (3) désirent une relation exclusive. Aussi, parmi différents énoncés mesurant l'amour, il demande si une personne se sentirait malheureuse si elle ne pouvait pas être avec son partenaire, si elle pardonnerait presque n'importe quoi à l'autre et si elle se ferait un devoir absolu de réconforter l'autre. Par ailleurs, Rubin se dit que deux personnes qui vivent une amitié (1) se perçoivent comme semblables et (2) ont une haute considération l'une pour l'autre. Dans les énoncés utilisés pour mesurer l'amitié, on demande, par exemple, si une personne pense que son partenaire est particulièrement bien équilibré, a un jugement solide et est le type de personne qu'elle aimerait être. On a alors remis les deux échelles de mesure à cent cinquante-huit étudiants qui sortaient avec quelqu'un, mais qui n'étaient pas fiancés. Chaque sujet a évalué ses sentiments pour son partenaire et pour une autre personne du sexe opposé avec qui il maintenait une relation d'amitié étroite. Les scores moyens de ces évaluations sont présentés au tableau qui suit. Comme vous pouvez le voir, l'amoureux(se) a reçu une évaluation beaucoup plus élevée sur l'échelle de l'amour que l'ami(e) de sexe opposé. Ce résultat vaut pour les femmes et pour les hommes. Apparemment, l'amour est réservé à un(e) amoureux(se) et a moins de chances d'être vécu pour un(e) ami(e). Cependant, Rubin observa aussi que les étudiants tendaient à attribuer une note plus élevée au partenaire amoureux qu'à l'ami(e) sur l'échelle de l'amitié. Il semble donc que les partenaires amoureux peuvent éprouver à la fois de l'amour et de l'amitié l'un

contacts physiques entre elles (Rands et Levinger, 1979). Ces résultats suggèrent que les normes courantes quant au comportement masculin limitent les options des hommes dans leurs relations intimes. Il est moins accepté que les hommes choisissent pour ami un autre homme, alors que les femmes peuvent davantage être intimes avec l'un et l'autre sexe. La raison de ces différences et le bien-fondé de leur maintien sont des sujets qui ont donné lieu à plusieurs débats. Les attentes normatives influent-elles aussi sur les relations profondes? Considérons deux aspects de cette question. D'abord, dans quelle mesure les sentiments profonds de l'amour passionné dépendent-ils d'une série d'attentes normatives?

Par ailleurs, les normes courantes d'intimité de la société occidentale répondent-elles aux besoins communs? Permettent-elles le bonheur et la réalisation de soi? Sinon, peut-on faire quelque chose à ce sujet?

De l'amour passionné: les règles du vocabulaire

Nous avons vu que dans une culture il existe des principes largement acceptés sur les *activités* qui doivent se produire à mesure qu'une relation s'approfondit. Mais les gens partagent aussi certaines normes pour décrire les *sentiments*. Par exemple, si l'un de vos amis vous dit qu'il est

pour l'autre. Un appui additionnel à l'idée que l'amour et l'amitié sont deux processus distincts a été apporté lorsqu'on a demandé aux étudiants d'évaluer la probabilité qu'ils épousent leur partenaire amoureux actuel. On a trouvé une corrélation élevée (+0,59) entre les scores de l'échelle de l'amour et la probabilité de mariage, tandis qu'on n'a trouvé qu'une corrélation moyenne entre les scores de l'échelle de l'amitié et ces probabilités (+0,35 pour les hommes et +0,32 pour les femmes). Rubin s'est demandé si les scores obtenus sur les échelles seraient reliés au comportement des couples dans la vie quotidienne. Pour ce faire, il étudia de nouveau deux groupes de couples provenant de son échantillon initial: un groupe composé de partenaires amoureux ayant eu des scores élevés sur l'échelle de l'amour et l'autre groupe composé de partenaires amoureux ayant obtenu de faibles scores. Les partenaires ont été invités au laboratoire et chaque couple a été laissé seul pendant plusieurs minutes en attendant le début de l'expérience. Durant ce temps, des observateurs ont calculé le temps pendant lequel chaque membre du couple regardait l'autre. Les résultats ont montré que les couples qui s'aimaient beaucoup, selon leurs scores à l'échelle de l'amour, passaient plus de temps à se regarder que les couples qui, d'après l'échelle de mesure, s'aimaient moins profondément.

L'amour et l'amitié semblent être des processus distincts. Si vous voulez savoir si vous êtes amoureux, du moins dans les termes de Rubin, étudiez vos sentiments de dépendance, d'entraide et d'exclusivité. Une question importante reste à explorer. Quel est, de l'amour ou de l'amitié, le sentiment qui prédit le mieux le bonheur? L'amour peut-il continuer à rester fort si les partenaires n'éprouvent pas une forte amitié l'un pour l'autre?

Sentiments pour l'autre	Évaluation moyenne d'amour ou d'amitié	
	Femmes	Hommes
Amour pour un partenaire amoureux	89,46	89,37
Amour pour un(e) ami(e)	65,27	55,07
Amitié pour un partenaire amoureux	88,48	84,65
Amitié pour un(e) ami(e)	80,47	79,10

tombé profondément amoureux lors d'une première rencontre, vous pourriez être sceptique. Vous ne vous attendriez pas non plus à ce que deux personnes qui vivent ensemble depuis plusieurs années disent avoir encore le béguin l'une pour l'autre. En fait, nos réactions sont le reflet d'un vocabulaire normatif des émotions, c'est-à-dire d'une série d'attentes quant aux sentiments qui sont appropriés aux différents degrés de profondeur d'une relation. Ce vocabulaire des émotions peut permettre de comprendre comment les normes et les passions sont reliées.

Comme Ellen Berscheid et Elaine Walster (1973) l'ont soutenu, le vocabulaire normatif des émotions peut être décisif pour déterminer le moment où les gens croient qu'ils sont amoureux. Les gens ne tombent pas tout simplement amoureux, ils vivent plutôt une activation émotionnelle que l'on peut définir de plusieurs façons. Ce qui influe fortement sur la définition, ce sont les étiquettes que favorise la culture, c'est-à-dire le vocabulaire considéré comme pertinent au stade de la relation vécue. Si cet argument vous semble étrange, songez à notre discussion sur les émotions et le vocabulaire qu'on y rattache (voir le chapitre 3). Rappelez-vous l'étude de Stanley Schachter et de ses collaborateurs sur les deux composantes de l'expérience émotionnelle: le vague sentiment d'activation et l'étiquette sociale accolée à cette expérience. Selon cette théorie, vous pouvez constater que le même état généralisé d'activation peut être défini comme de la gratitude, de l'admiration, de l'affection, de la sympathie, de l'amitié ou de l'amour, selon le terme que l'individu croit approprié. Le terme accepté socialement au début d'une relation serait l'attraction ou peut-être le béguin. Six mois plus tard, la même activation pourrait être appelée amour passionné et, à un stade ultérieur, amitié profonde.

Si vous n'êtes pas encore convaincu, voici quelques démonstrations empiriques qui permettront d'éclaircir cela. Considérons d'abord une étude des effets de la peur sur les sentiments d'attraction amoureuse (Brehm et coll., 1970). Les chercheurs espéraient montrer que l'activation provoquée par un événement non pertinent à l'attraction pourrait être identifiée de nouveau comme de l'attraction amoureuse. On a fait croire à un groupe d'hommes qu'ils recevraient des chocs électriques puissants. Pendant qu'ils attendaient de participer à cette expérience menaçante, une femme attirante se joignait à eux. Après lui avoir parlé, les hommes devaient indiquer confidentiellement leur appréciation de cette femme. Les résultats ont été comparés à ceux d'un groupe témoin composé d'hommes n'ayant pas reçu la même consigne. Si la théorie de Berscheid et Walster est juste, l'activation produite par la menace de chocs électriques serait vague et imprécise, et elle pourrait de nouveau être attribuée à l'attraction. C'est précisément ce qui est arrivé. Les hommes qui s'attendaient à un choc ont exprimé des sentiments d'attraction plus forts envers la femme que les hommes du groupe témoin.

Dans une étude similaire, une assistante de recherche attirante interviewa des piétons masculins traversant un pont suspendu très élevé. Elle interviewa aussi des hommes traversant un pont bas, très sûr (Dutton et Aron, 1974). D'après les chercheurs, le pont suspendu provoquerait une activation ou une excitation plus grande que l'autre pont. Dès lors, la présence d'une intervieweuse attirante amènerait les hommes à percevoir que leur excitation était de nature sexuelle. De fait, les histoires écrites par les usagers du pont suspendu avaient beaucoup plus de contenu sexuel que celles des usagers de l'autre pont. De plus, les sujets passant sur le pont suspendu essayèrent plus que les autres de contacter l'intervieweuse pour avoir un rendez-vous.

L'idée que les sentiments d'amour passionné reposent sur les règles du vocabulaire des émotions suggère que l'amour peut être un produit de la culture et non pas simplement cet absolu auquel laissent croire la poésie et les chansons. Cette théorie de l'étiquetage des émotions offre une explication plausible de la façon dont les gens en viennent à décrire leurs sentiments d'activation. Cependant, cette théorie n'explique pas pourquoi certaines personnes provoquent de l'activation chez d'autres. Dans l'étude de l'amour passionné, le plus important est donc de retracer la source initiale de l'activation.

Y a-t-il de l'espoir pour des relations durables?

Nous avons vu que les normes, ou règles, qui régissent le développement des relations peuvent influer sur la façon dont les gens se comportent et la façon dont ils définissent ce qu'ils ressentent. Nous verrons maintenant si les normes particulières de l'intimité dans notre culture peuvent conduire au bonheur ou à la réalisation de soi. L'histoire d'un amour est, dans un certain sens, le drame de son combat contre le temps. Les mariages semblent se briser de plus en plus: en 1986, on comptait au Québec 12,9 divorces pour 1000 femmes mariées (Statistique Canada, 1992). En quoi les conceptions communes de ce qui est acceptable et convenable influent-elles sur la qualité de la vie à deux?

On trouve une réponse à cette question dans une étude d'envergure portant sur l'évolution des relations d'amour de couples mariés (Blood, 1967). Blood était particulièrement intéressé à comparer le sort des mariages basés sur l'amour et de ceux qui avaient été arrangés par les familles des couples. En Amérique du Nord, la plupart des gens supposent que l'amour est la fondation la plus solide sur laquelle un mariage peut être construit. Cependant, dans plusieurs pays, dont le Japon, les mariages sont souvent basés sur une décision de la famille quant au conjoint qui convient le mieux. L'amour est rarement pris en considération. Quel système réussit le mieux à assurer le bonheur durable du couple? Pour répondre à cette question, Blood compara des mariages japonais basés sur l'amour avec des mariages japonais arrangés par les familles.

Lors de l'étude, on a interviewé les couples sur leurs sentiments de bien-être, leur degré d'ouverture de soi, leur interaction sexuelle, et ainsi de suite. À la figure 4-4, on compare les manifestations d'affection des deux groupes, c'est-à-dire la fréquence avec laquelle le mari

Qu'y a-t-il d'exceptionnel chez cette jeune femme? Seule la femme dont le visage est encerclé vit encore avec son premier mari. Les neuf autres, heureuses et souriantes lors de leur fête de fin d'études, ont divorcé. D'après les recherches effectuées, les manifestations d'amour déclinent au cours des années de mariage. Le taux croissant de divorces peut indiquer qu'aujourd'hui, les gens ne veulent pas continuer à vivre des mariages sans amour.

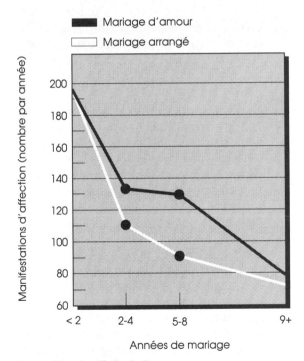

Figure 4-4   Le déclin de l'amour

Les manifestations d'amour déclinent plus rapidement dans les mariages arrangés que dans les mariages basés sur l'amour. Après dix ans, cette différence disparaît. (Adapté de Blood, 1967.)

exprime (verbalement ou autrement) son amour pour sa femme. Comme vous pouvez le voir, il n'y a pas de différences importantes entre les deux groupes lors des deux premières années de mariage. Les hommes dont le mariage est arrangé expriment autant d'émotions que ceux qui se sont mariés par amour. Entre la deuxième et la quatrième année de mariage, cependant, le degré d'affection décline de façon spectaculaire, particulièrement dans les mariages arrangés. Après neuf ans de mariage, les deux groupes présentent des résultats semblables et les manifestations d'affection par les maris sont environ du tiers de celles qui étaient exprimées au début du mariage. Ce déclin général dans l'expression de l'affection s'accompagne d'une diminution dans les relations sexuelles, l'ouverture de soi et la satisfaction conjugale en général (Blood et Wolfe, 1960; Pineo, 1961). Ainsi, peu importe les sentiments initiaux, l'avenir des relations dans le mariage semble peu reluisant.

Cependant, ces résultats ne signifient pas que les couples mariés font face à une sorte de loi de l'échec. Les résultats de Blood sont des moyennes, et il y a toujours de la variation autour

Encadré 4-4

L'amour: éros, affectivité et liberté

Dans l'expérience d'aimer et d'être aimé, Yves Saint-Arnaud (1970, 1974) distingue trois dynamismes autonomes qui transforment l'énergie en comportement. Il s'agit des dynamismes érotique, affectif et de liberté. Chacun de ces dynamismes intervient dans les formes diverses d'amour, mais l'un d'eux prédomine. Ainsi, dans l'amour passionné, le dynamisme érotique est marquant. Le dynamisme affectif est le plus fort dans l'amour affectueux. Enfin, le dynamisme de la liberté, du choix, caractérise particulièrement l'amour empathique. On peut associer une

d'une moyenne. Quelques couples vivent des mariages gratifiants; d'autres vivent des échecs. Blood interrogea les couples ayant réussi afin d'identifier ce qui les rendait exceptionnels. Les facteurs suivants se sont révélés particulièrement importants.

1. *La communication.* Les couples qui étaient ouverts sur leurs émotions et qui communiquaient librement étaient plus susceptibles d'être longtemps satisfaits de leur mariage que les couples renfermés qui ne communiquaient pas. Une longue série d'études expérimentales visant à découvrir comment des couples résolvent leurs conflits appuie ce résultat. Dans ces travaux, on a constaté que les couples en détresse souffrent d'un *déficit de communication*, c'est-à-dire qu'ils ne semblent pas envoyer ou percevoir adéquatement les signaux de leurs conjoints (Gottman, 1979). La capacité de communiquer habilement peut donc être un atout majeur dans le maintien d'une relation.

2. *L'équité dans les échanges.* Les couples qui partageaient équitablement les travaux du ménage avaient aussi plus de chances de demeurer proches. D'autres chercheurs croient que de bonnes relations exigent de l'équité dans chaque domaine et non pas seulement dans la répartition des tâches. Les partenaires doivent sentir qu'ils reçoivent d'une relation autant que ce qu'ils y mettent (Hatfield, Utne et Traupmann, 1979; Wish et coll., 1976). Ils doivent sentir que les tâches sont également réparties et que chaque partenaire accepte la responsabilité de ses tâches (Kelley, 1979). Comme une étude l'a montré, les hommes et les femmes qui

sentent que leur relation n'est pas équitable sont plus susceptibles d'avoir des aventures extra-conjugales que ceux et celles qui la perçoivent comme équitable (Berscheid, Walster et Bohrnstedt, 1973). Jesse Bernard (1972) soutient que, dans les mariages d'aujourd'hui, les hommes gagnent beaucoup plus et perdent moins que les femmes. Le mariage typique peut défavoriser les femmes qui veulent s'accomplir sur le plan personnel. Or, comme les femmes deviennent sensibilisées à leur condition, il arrive souvent qu'elles soient responsables de la rupture de la relation conjugale traditionnelle. Comme il a été montré, plus une épouse a des revenus élevés, plus il est probable qu'elle demande le divorce (Cherlin, 1979).

3. *L'égalité du pouvoir de décision.* On a constaté que les mariages les plus heureux étaient ceux dans lesquels les partenaires partageaient le pouvoir de décider. Si ce pouvoir ne semblait pas être réparti également, il était probable que la relation se détériorerait. La recherche de Stewart et Rubin (1976) sur les besoins de pouvoir des couples américains appuie ce résultat. Les chercheurs ont observé que les hommes qui ont des besoins de pouvoir élevés ont probablement vécu des ruptures de relations plus que ceux dont ces besoins sont faibles. Il n'y a pas de doute que plusieurs autres facteurs contribuent à la durabilité d'une relation satisfaisante (Levinger, 1976; Hatfield et Traupmann, 1981). Comme l'a montré une étude menée auprès de deux cent trente et un couples d'étudiants, la plupart des échecs sont survenus à cause de l'ennui, du désir

expression à chaque forme d'amour, dans l'ordre suivant: «Je t'aime», «Je t'aime bien» et «Je t'accompagne». Pourtant, des sentiments divers peuvent exister dans chaque forme d'amour. Ainsi, Pierre peut dire à Marie: «Je suis amoureux en ta présence, ton ami lorsque tu n'es pas là, et je t'accueille lorsqu'on se heurte» (1970). Savoir reconnaître les différents moments d'une relation et les manifestations de son évolution à travers diverses formes pourrait être un atout quant à la durée.

Dans son essai *J'aime*, Saint-Arnaud montre la relation entre l'expérience d'aimer et la réalisation de soi. Saint-Arnaud soutient que l'amour, vécu sous toutes ses formes, permet de prendre possession de soi-même. La relation entre les diverses formes d'amour et la réalisation de soi n'a pas été développée dans ces pages. Peut-être aimerez-vous, à cet égard, consulter les deux ouvrages de Saint-Arnaud qui sont suggérés à la fin de ce chapitre.

d'indépendance, de l'émergence d'intérêts différents et de besoins sexuels conflictuels (Hill, Rubin et Peplau, 1976).

Une équipe de chercheurs québécois a récemment fait ressortir un autre facteur associé à la satisfaction conjugale: le type de motivation à maintenir la relation. Selon la typologie de Deci et Ryan (1985), il y a motivation intrinsèque lorsqu'un individu entreprend des activités pour le plaisir et la satisfaction qu'elles lui procurent par elles-mêmes. Par opposition, lorsque les activités sont entreprises pour des raisons instrumentales, parce qu'elles conduisent à certains résultats, la motivation sous-jacente est dite extrinsèque.

Dans une étude faite auprès de couples qui vivent ensemble, Blais, Sabourin, Boucher et Val-lerand (1990) se sont intéressés aux styles de motivation intrinsèque et extrinsèque des parte-naires. Par définition, un partenaire davantage motivé de façon intrinsèque à maintenir la rela-tion de couple trouve en soi du plaisir à être avec l'autre et à partager ses activités. Au contraire, un partenaire qui désire maintenir la relation parce qu'elle lui permet d'obtenir la sécurité financière par exemple, est motivé de façon extrin-sèque.

Les chercheurs ont observé que plus les par-tenaires ont un style de motivation intrinsèque, plus leurs perceptions des comportements dans le couple sont positifs, à savoir leur perception du niveau de consensus, de cohésion et d'expres-sion de l'affection, et plus ils se montrent heureux de leur relation de couple. Par ailleurs, Blais et ses collègues ont observé que, dans un couple, le style de motivation de la femme est fortement lié aux perceptions de l'homme quant aux com-portements mentionnés plus haut, tandis que le style de motivation du partenaire masculin n'est pas associé aux mêmes perceptions chez la par-tenaire féminine. Cela soutient l'hypothèse selon laquelle les femmes joueraient un rôle particuliè-rement important dans le développement ou le maintien de la qualité dans les relations de couple.

Comme vous pouvez le voir, savoir comment maintenir des relations étroites entre deux person-nes est un sujet qui suscite beaucoup d'intérêt et d'interrogations. D'ailleurs, comme les normes et les valeurs changent, ce problème devra être réé-tudié constamment.

Résumé

1   L'attraction personnelle est définie comme un sentiment émotionnel positif envers une autre personne. L'attraction naît lorsqu'une autre personne donne des gratifications et elle décroît lorsque quelqu'un est puni. Selon la théorie de Georges Homans,

l'attraction dépend d'un profit, c'est-à-dire ce qui reste lorsque, des gratifications reçues, on soustrait les coûts de cette relation. Parce qu'une action peut, à certains moments, engendrer de la gratification et, à d'autres moments, un coût, la plupart des relations sont dans un équilibre précaire. Toute source d'attraction peut donner naissance autant à des sentiments positifs que négatifs.

2   La probabilité que deux personnes s'attirent l'une l'autre croît à mesure que la distance géographique diminue entre elles. C'est l'effet de proximité. Lorsqu'il y a proximité physique, il y a exposition continue à une autre personne et la familiarité qui en résulte peut augmenter l'attraction. Cet effet peut se produire parce que la présence de l'autre personne agit comme un réducteur de pulsion. Et cela peut arriver sans qu'une personne soit consciente du taux d'exposition.

3   Les règles de distance personnelle, souvent appelées règles de proxémie, contrôlent la distance physique maintenue entre les gens. Selon Edward Hall, on distingue dans la société occidentale contemporaine quatre zones de distance: la zone intime, pour ceux qui vivent des relations très profondes; la zone personnelle, pour les amis et les proches; la zone sociale, pour les rencontres d'occasion et les relations de travail; la zone publique, pour les étrangers dans des rencontres formelles. L'obéissance à ces règles de distance aide au développement de relations étroites. La transgression flagrante de ces règles peut produire de l'hostilité.

4   La beauté physique est souvent un puissant facteur d'attraction hétérosexuelle. Les gens ne recherchent pas toujours quelqu'un d'exceptionnellement attirant, mais plutôt quelqu'un dont l'attrait correspond à la perception de leur propre valeur. Les gens utilisent souvent la beauté physique pour se faire une idée de la personnalité de quelqu'un. On peut attribuer à une personne belle autant des caractéristiques positives que négatives.

5   Les gens sont fréquemment attirés par ceux dont les opinions, les valeurs, l'histoire sociale et d'autres caractéristiques sont semblables aux leurs. Cependant, les gens recherchent aussi ceux dont les attributs et les capacités complètent les leurs; cela permet d'augmenter les gratifications réciproques. L'importance relative de la similitude ou de la complémentarité dans la naissance et le maintien de l'attraction dépend de facteurs tels que les caractéristiques personnelles, la nature de la situation, le sens associé à la similitude et les motifs de l'individu relativement à la situation.

6   Les gens ont besoin de la considération positive des autres et ils peuvent être fortement attirés par ceux qui leur en procurent. Accorder de la considération positive peut par contre être utilisé comme une stratégie de patelinerie, c'est-à-dire une façon malhonnête d'arriver à ses propres fins.

7   Les études sur l'affiliation indiquent que l'attraction est souvent influencée par les besoins d'information des gens dans des situations ambiguës. Une évaluation honnête est habituellement appréciée. Cependant, après un échec particulièrement amer, un individu peut être attiré par quelqu'un qui manifeste de l'acceptation chaleureuse, même si elle n'est pas méritée.

8   Dans la culture occidentale, les relations profondes entre les gens se développent habituellement selon une série ordonnée d'étapes. Au départ, une conscience mutuelle se développe par suite de la proximité, de l'exposition répétée ou d'une réponse positive à l'apparence physique. À l'étape suivante, celle du contact superficiel, les intérêts mutuels et les attitudes de chacun peuvent être explorés. Si les relations continuent à être gratifiantes, un couple peut se rendre au stade de la mutualité. Celle-ci augmente à mesure que les partenaires se révèlent l'un à l'autre, s'acceptent l'un l'autre et satisfont leurs besoins réciproques.

9   Le chemin des relations profondes est basé sur les normes, ou règles, acceptées dans une société donnée. Ces normes peuvent influer sur l'expérience amoureuse. Même si l'amour semble décliner progressivement au cours de la plupart des mariages, certains couples trouvent une gratification constante à être ensemble. Les qualités qui peuvent contribuer à un mariage réussi sont une communication ouverte entre les partenaires, des échanges équitables, un pouvoir égal de décision et une motivation intrinsèque à maintenir la relation.

Lectures suggérées

En français

Brehm, S. (1984). Les relations intimes. *In* S. Moscovici (dir.). *Psychologie sociale.* Paris: Presses universitaires de France.

Saint-Arnaud, Y. (1970). *J'aime. Essai sur l'expérience d'aimer.* Montréal: Éditions du C.I.M. et Éditions du Jour.

Saint-Arnaud, Y. (1974). *La personne humaine.* Montréal: Éditions du C.I.M. et Éditions de l'Homme.

En anglais

Berscheid, E. et Walster, E.H. (1978). *Interpersonal attraction* (2e éd.). Reading, MA, Addison-Wesley.

Hendrick, C. et Hendrick, S. (1983). *Liking, loving, and relating.* Monterey, CA: Brooks Cole.

Sternberg, R.J. et Barnes, M.L. (dir.) (1988). *The psychology of love.* New Haven, CT: Yale University Press.

5

Le préjugé
et la discrimination

Chassez les préjugés par la porte, ils rentreront par la fenêtre.

Frédéric II

Objectifs d'apprentissage

☐ Après l'étude du présent chapitre, vous devriez être capable

1. de définir les préjugés et la discrimination, et de distinguer les composantes cognitive, affective et comportementale des préjugés;

2. d'expliquer les principaux effets psychologiques de la discrimination sur l'estime de soi, la disposition à échouer et la prédiction créatrice, et d'identifier les facteurs qui précisent la portée de ces effets;

3. de retracer dans la petite enfance les origines du préjugé, et de les relier au modelage parental et aux messages des médias;

4. d'identifier les facteurs qui contribuent au préjugé tout au long de la vie, y compris les punitions, la compétition intergroupe et la dissemblance;

5. d'examiner les façons dont le préjugé est soutenu par le renforcement social et la prégnance des attitudes;

6. d'analyser le rôle du stéréotype dans le maintien du préjugé;

7. d'expliquer comment le contact social et les pratiques de prise de conscience peuvent réduire le préjugé.

☐ *Récemment, lors d'un souper entre amis, un convive essayait de nous faire croire que les préju-gés n'existent plus. À son avis, l'extermination des Juifs par les nazis a été si horrible que la société contemporaine a retenu la leçon. Il soutenait que les affrontements ethniques et raciaux qui avaient lieu avant la Seconde Guerre mondiale sont chose du passé. Le point de vue de notre ami était intéressant, mais pas réellement convaincant. Nous étions d'avis que les gens cachent peut-être plus habilement leurs préjugés. Les préjugés ne sont peut-être plus dirigés vers quelques grou-pes (comme les Noirs ou les Juifs), mais plus généralisés. Afin d'en avoir le cœur net, nous avons demandé à nos étudiants d'écrire, sans s'identifier, quelques lignes sur les préjugés qu'ils pen-sent avoir. Même si nous nous attendions à une certaine intolérance à l'égard d'autres groupes, l'intensité de leurs réponses nous a surpris. En voici quelques-unes.*

«Je suis sexiste, même si je tente de ne pas l'être. Il faut, à mon avis, que ce soient des hommes qui occupent des postes de direction. Je ne fais pas confiance aux femmes en position de pouvoir et je suis paternaliste envers celles qui ne le sont pas.»

«J'ai toujours eu un préjugé contre les hommes. Ils me semblent mesquins, égoïstes et égo-centriques.»

«Les étudiants en médecine pensent être la crème de la société.»

«Les femmes qui ne veulent pas d'enfant ne sont pas de vraies femmes.»

«Jamais je ne prendrais un taxi conduit par un Haïtien. Ils n'ont aucun sens de l'orientation et je pense même qu'ils font des détours pour faire plus d'argent.»

«Les immigrants s'entassent à plusieurs familles dans le même logement, font de nombreux enfants et vivent au crochet de la société en récoltant des chèques d'allocations familiales, au détriment des pauvres travailleurs.»

«Les personnes grosses sont dégoûtantes. C'est leur faute si elles sont grosses parce qu'elles ne font aucun effort pour s'arrêter de manger.»

Il est certain que, d'une façon ou d'une autre, des préjugés nous habitent tous et toutes. La plupart des gens évaluent négativement certains groupes, tout en faisant eux-mêmes partie de groupes qui sont la cible de l'antipathie et même de l'animosité d'autres personnes. Ces préjugés ne sont pas sans conséquences. Le massacre de six millions de Juifs par l'Allemagne nazie est peut-être l'exem-ple le plus criant de l'histoire contemporaine. Néanmoins, plusieurs Amérindiens, Noirs ou personnes handicapées peuvent en raconter long sur les souffrances et les épreuves qui envahissent la vie quoti-dienne de quelqu'un qui est victime de discrimination sociale et économique, résultat d'un préjugé ancré chez la majorité.

Étant donné le caractère généralisé du préjugé et l'importance de ses conséquences, une ques-tion se pose: Que pouvons-nous faire? Il est plus facile de poser la question que d'y répondre. Les solutions dépendent de la façon dont on définit le problème. Nous intéressons-nous au **préjugé** (un type d'attitude) ou à la **discrimination** (un type de comportement)? Même si ces mots sont souvent utilisés de façon interchangeable, les psychologues sociaux considèrent qu'il est important de distin-guer les attitudes des comportements (*voir le chapitre 6*). Les gens n'agissent pas toujours selon ce qu'ils ressentent. Des contraintes situationnelles peuvent empêcher une personne qui a un préjugé de se comporter de façon discriminatoire. De plus, certains gestes de discrimination peuvent être tel-lement enracinés dans une culture qu'un individu raciste ou sexiste peut ne pas être conscient de ses propres préjugés. C'est ainsi que les tentatives pour réduire des préjugés sont parfois différentes de celles qui visent à réduire la discrimination. Serait-il possible de venir à bout de toutes les attitudes négatives? En tout cas, plusieurs moyens de réduire la discrimination sont possibles, notamment les procédures légales et économiques.

Tant sur le plan théorique qu'empirique, les psychologues sociaux se sont davantage intéressés aux préjugés qu'au comportement discriminatoire. Nous ne dérogerons pas à cette tradition puisque nous allons, dans le présent chapitre, concentrer notre attention sur le préjugé. Nous considérerons d'abord le préjugé comme un type d'attitude et nous aborderons plusieurs conséquences psychologiques de la discrimination. Nous examinerons ensuite une question vaste: le développement et le maintien du préjugé. Comment acquiert-on un préjugé dans l'enfance et plus tard dans la vie? Comment est-il renforcé dans les expériences quotidiennes? En conclusion du chapitre, nous reconsidérerons la question posée au départ: Que pouvons-nous faire au sujet des préjugés?

Le préjugé et la discrimination: de quoi s'agit-il?

Une **attitude** peut être définie comme une disposition à réagir de façon favorable ou défavorable à un objet particulier ou à une classe d'objets (Oskamp, 1977). En d'autres termes, les attitudes (1) portent sur un *sujet* (l'objet), (2) sont de *nature évaluative* (favorable ou défavorable) et (3) durent *relativement longtemps* (d'où la prédisposition à réagir). Les gens peuvent avoir des attitudes à l'égard d'à peu près n'importe quoi ou n'importe qui, des tartes aux pommes aux Amérindiens, de la psychologie sociale à la professeure qui l'enseigne. Dans chaque cas, l'individu a une disposition à réagir à l'objet ou au groupe, qui varie du positif (par exemple, aimer ou appuyer) au négatif (par exemple, détester ou mépriser). Le préjugé présente ces caractéristiques, il est donc une attitude. Cette définition est plutôt générale. Les psychologues sociaux qui s'intéressent aux attitudes ont donc tenté de raffiner le concept. Ils ont distingué trois composantes des attitudes. Deux d'entre elles sont familières puisqu'il en a été question antérieurement; la troisième composante apparaît pour la première fois dans ce chapitre.

1. *La composante cognitive.* Les concepts et les perceptions d'une personne à l'égard de l'objet ou de la classe d'objets forment la **composante cognitive**. Par exemple, le fait d'avoir une attitude à l'égard des disciples de Hare Krishna nécessite que l'individu ait un concept de ce groupe: il doit pouvoir le différencier des autres groupes. Comme nous l'avons vu au chapitre 2, les gens ont tendance à regrouper les concepts. Des concepts comme religion, dévotion et prosélytisme peuvent être associés aux mots disciples de Hare Krishna, ce qui fonde la base d'une théorie implicite à propos du groupe. L'exemple du début du chapitre contient de tels liens: *hommes* et *mesquins*, *gros* et *dégoûtants* sont des types d'association de ce genre.

2. *La composante affective.* Les sentiments de la personne relativement à l'objet ou à la classe d'objets constituent la **composante affective**. En principe, les préjugés peuvent reposer autant sur des sentiments positifs que négatifs. Cependant, on s'intéresse surtout au préjugé comme attitude négative. Celui qui estimerait que tous les disciples de Krishna sont mauvais entretiendrait un préjugé. La méfiance envers les femmes exprimée par l'un de nos étudiants est un autre exemple de ce phénomène.

3. *La composante comportementale.* Cette composante correspond chez un individu à l'orientation de son action devant l'objet ou la classe d'objets. Le fait de croire qu'on devrait interdire aux disciples de Krishna de chanter en groupe sur les places du centre-ville de Montréal ou que ce groupe devrait être banni pourrait donc constituer la **composante comportementale** du préjugé de cette personne. Si l'étudiant de notre exemple avait suggéré de retirer aux chauffeurs haïtiens leur permis de conduire, il aurait exprimé la composante comportementale de son attitude.

Le *préjugé* est donc une prédisposition à réagir défavorablement, ou éventuellement favorablement, à une personne sur la base de son appartenance à une classe ou à une catégorie. Les termes que nos étudiants ont choisi d'utiliser dans leurs textes illustrent les composantes affectives et cognitives des préjugés. À travers des termes comme *mesquins*, *égoïstes* et *dégoûtants*, les étudiants ne plaçaient pas seulement les gens dans des catégories conceptuelles, mais ils révélaient également leur mépris. Ces divers sentiments et croyances se répercutaient également sur le plan comportemental pour plusieurs de ces étudiants. Par exemple, celui qui avait des

Génocide. Dans le présent chapitre, nous concentrons notre attention sur les effets psychologiques de la discrimination. Mais celle-ci peut conduire aux pires atrocités et même au meurtre. On ne sait pas si cette famille juive-allemande, que l'on voit en train de fuir son domicile, en 1939, a survécu à l'holocauste. Ont-ils figuré parmi les six millions de Juifs exterminés? Si l'on songe à tous les conflits actuels dans le monde, il y a lieu de se demander si les horreurs du passé nous servent réellement de leçons.

préjugés contre les grosses personnes nous a avoué plus tard qu'il les évite et qu'il ne pourrait jamais se lier d'amitié avec une personne obèse. Sur le plan comportemental, nous pouvons dire que le préjugé est de la *discrimination*. Si vous acceptez cette définition large, le préjugé est universel. Certains théoriciens préfèrent réserver le terme *préjugé* pour désigner une *aversion injustifiée* à l'égard d'un groupe ou de ses membres. Ils sont portés à concevoir l'hostilité envers les groupes minoritaires comme un préjugé, parce que ces sentiments sont injustifiés. Par contre, des sentiments négatifs envers les drogués ne seraient pas considérés comme des préjugés, puisque ces sentiments pourraient se justifier par les dommages que ces gens se causent à eux-mêmes et qu'ils infligent aux autres. Selon nous, les gens sont capables de justifier à peu près tous leurs sentiments négatifs, qu'ils soient envers les drogués ou tout autre groupe, et il est virtuellement

impossible d'apprécier objectivement la justesse de leur évaluation. Ce que certains trouvent justifiable, d'autres le trouvent absurde, et il n'existe pas d'étalon objectif pour établir ce qui est correct. Cependant, certaines attitudes défavorables, justifiées ou non, risquent plus que d'autres d'avoir des conséquences négatives pour la société. Ces attitudes — racisme, sexisme et préjugés religieux — qui peuvent rendre malheureuses un grand nombre de personnes et diviser la société, font l'objet du présent chapitre.

Les effets de la discrimination

Considérez les données suivantes.

«*L'espérance de vie à la naissance, chez les Autochtones, est nettement inférieure à celle de l'ensemble de la population canadienne. Les Autochtones nés durant les années 1980 atteindront, en moyenne, 68 ans, alors que les enfants canadiens peuvent espérer atteindre 76 ans*» (Institut canadien de la santé infantile, 1989).

Au Canada, en 1985, «*les femmes en emploi pendant toute l'année ont reçu en moyenne 59,6 % des gains moyens des hommes, soit une légère diminution comparativement au taux de 60,1 % enregistré en 1984. En dollars, l'écart des gains entre les hommes et les femmes qui ont travaillé pendant toute l'année s'est accru, passant de 11 039 $ en 1984 à 11 613 $ en 1985.*» De plus, seulement 23 % des femmes travaillant à plein temps ont gagné 25 000 $ et plus, ce qui était le cas de 56 % des hommes (*Les femmes dans la population active*, 1987).

Ces dernières années, de telles statistiques ont servi de base à de puissants mouvements sociaux. Ce type d'inégalité des chances s'inscrit parmi les effets les plus manifestes de la discrimination. Cependant, les psychologues sociaux se sont intéressés à des effets moins apparents, soit les *effets psychologiques* des privations sur les plans social, éducatif et économique. Bien que moins apparents, ces effets sont douloureux et nocifs. De l'extérieur, la société peut sembler pacifique, alors que plusieurs de ses membres vivent une vie d'enfer sur le plan personnel. Explorons les effets de la discrimination sur ce que ressentent les gens envers eux-mêmes, et sur leurs attentes quant au succès et à l'échec.

La cible: l'estime de soi

La personne visée par la discrimination porte souvent un lourd fardeau psychologique. Elle peut en venir à se percevoir comme sans valeur ou comme inférieure aux autres (*voir l'exposé du chapitre 3 sur la perception de soi*). De tels effets ont d'abord été identifiés par des chercheurs en sciences sociales qui faisaient eux-mêmes partie de groupes minoritaires. Par exemple, Kenneth Clark (1965), un ancien président de l'Association américaine de psychologie, a parlé du préjugé complexe du Noir envers lui-même, préjugé fondé sur une perception de soi pernicieuse et sur l'appartenance à un groupe haï. Un peu de la même façon, Kurt Lewin (1941), un Juif qui s'est enfui du régime nazi, a suggéré que les Juifs sont devenus hostiles à force d'être victimes de discrimination. Cependant, plutôt que de diriger leur hostilité vers l'agresseur, il semble qu'ils la retourneraient vers eux-mêmes.

Kenneth Clark et Mamie Clark (1947) furent les premiers à étudier la haine dirigée vers soi. Ils présentèrent des paires de poupées à des enfants noirs âgés de trois à sept ans. Une des poupées de chaque paire était brun foncé, tandis que l'autre était plus pâle. On demanda aux enfants de comparer les poupées de plusieurs façons. On leur demanda avec quelle poupée ils préféraient jouer, laquelle était plus belle, laquelle avait l'air méchante, et ainsi de suite. Les Clark ont observé que les deux tiers des enfants préféraient la poupée à la peau plus pâle. Les enfants noirs semblaient détester les poupées qui leur ressemblaient le plus. De nombreuses recherches appuyèrent les résultats de cette étude. Les résultats d'une récente étude montréalaise effectuée auprès d'enfants noirs Antillais, de maternelle et de troisième année du primaire, vont également dans ce sens (Doyle, Aboud et Sufrategui, 1992). Les chercheuses ont montré que les enfants noirs de maternelle attribuent davantage de qualificatifs positifs aux Blancs qu'aux membres de leur propre groupe antillais. Les enfants plus âgés se montrent plus favorables envers leur propre groupe, mais ne manifestent pas de préjugés négatifs envers les Blancs.

Même si les préjugés et la discrimination existent encore envers les femmes, globalement, la société occidentale est devenue très sensible à toutes les questions reliées au sexisme (*voir l'encadré 5-1*). Il importe de connaître les principaux travaux portant sur les préjugés envers les femmes, même si certains de ceux-là peuvent à certains égards paraître périmés ou même erronés aujourd'hui. En effet, la psychologie sociale, tout comme la société, a évolué et le fait de connaître les péripéties de cette évolution favorise une compréhension plus juste et plus approfondie des phénomènes actuels. Ainsi, il y a quelques décennies, des recherches sur la femme américaine ont donné lieu à des résultats semblables à ceux qui ont été décrits relativement à la population noire

Stéréotypes
Traits caractérisant le rôle sexuel masculin
Agressif
Indépendant
Non émotif
Cache ses émotions
Objectif
Pas facilement influencé
Dominant
Aime les mathématiques et les sciences
Pas nerveux dans une crise mineure
Actif
Compétitif
Logique
Matérialiste
Habile en affaires
Direct
Sait comment fonctionne le monde
N'est pas facilement blessé
Aventureux
Prend facilement des décisions
Ne pleure jamais
Se comporte comme un meneur
Confiant en soi
N'est pas mal à l'aise d'être agressif
Ambitieux
Capable de séparer les sentiments des idées
Non dépendant
Pas vaniteux à propos de l'apparence
Pense que les hommes sont supérieurs aux femmes
Parle librement de sexualité avec les hommes
Traits caractérisant le rôle sexuel féminin
N'utilise pas de langage rude
Loquace
Pleine de tact
Douce
Consciente des sentiments des autres
Religieuse
Préoccupée de son apparence
Habitudes soignées
Tranquille
Fort besoin de sécurité
Apprécie l'art et la littérature
Exprime des sentiments tendres

Source: Extrait de Rosenkrantz et coll., 1968.

Tableau 5-1 Les stéréotypes associés aux rôles sexuels et l'estime de soi

Notez l'écart entre le grand nombre de traits masculins qui étaient fortement valorisés autant par les hommes que par les femmes et le peu de traits féminins qui étaient fortement valorisés autant par les hommes que par les femmes.

Encadré 5-1

Les préjugés sexistes: même les psychologues sont pris en défaut!

Les préjugés, disons-nous dans ce chapitre, se trouvent partout. Les psychologues n'en sont pas à l'abri; à preuve le guide officiel de publication de l'American Psychological Association. Ce manuel, édictant les normes de publication dans les revues scientifiques de l'Association, précise une série de lignes directrices qui permettent d'éviter les formules sexistes, sur le plan du langage ou même des conclusions scientifiques (American Psychological Association, 1984).

Dans une analyse des écrits scientifiques portant sur les différences entre les sexes, Olga Favreau (1977) a mis en évidence plusieurs biais liés au sexe. Elle a

américaine (Fernberger, 1948; Lynn, 1959). Au cours d'une série de recherches approfondies, des chercheurs ont demandé à plus de mille adultes leur opinion sur la femme et l'homme moyens (Rosenkrantz et coll., 1968). Ils ont constaté que, chez les deux sexes, on évaluait les hommes comme plus indépendants, objectifs, actifs, logiques, dirigeants, ambitieux et informés que les femmes. Les femmes recevaient quelques attributs positifs. Elles étaient perçues comme plus diplomates que les hommes, et comme plus tendres et plus sensibles aux autres qu'eux. Cependant, lorsqu'on interrogeait les gens sur le caractère agréable des divers traits, plus des trois quarts des traits typiquement associés aux hommes furent perçus comme plus désirables que ceux attribués aux femmes (*voir le tableau 5-1*).

Ces attitudes étaient-elles adoptées par les femmes elles-mêmes? Lorsqu'on demanda à des filles et à des garçons âgés de six à dix ans de nommer leurs activités et leurs objets favoris, tous ont dit préférer ceux qui sont traditionnellement masculins (D. Brown, 1958). Devant un ensemble de traits négatifs fréquemment associés aux femmes (par exemple, être plaignarde, frivole, pointilleuse et prude), il a été montré que les femmes interrogées avaient plus que les hommes tendance à trouver que les descriptions étaient appropriées (Williams et Bennet, 1975). Les hommes auraient souvent moins de préjugés contre les femmes que les femmes n'ent ont elles-mêmes (Linsenmeir et Wortman, 1979). Pour un travail égal, elles peuvent s'accorder et accorder aux autres femmes une rémunération moindre, par rapport à ce que font les hommes pour eux-mêmes (Callahan-Levy et Messé, 1979; Greenglass, 1982).

Non seulement les femmes peuvent-elles avoir une image négative d'elles-mêmes, mais les gens croient souvent qu'elles *devraient* se percevoir ainsi. Ainsi, dans une étude de Broverman et ses collègues (1972), les étudiants masculins croyaient que les traits habituellement considérés comme masculins étaient plus désirables pour les hommes que pour les femmes. Selon eux, les femmes devraient être moins indépendantes, moins rationnelles et moins ambitieuses que les hommes. D'autres recherches ont montré que les hommes comme les femmes croient que la femme idéale est nettement moins indépendante, dominante et active, mais plus émotive que l'homme idéal (Elman et coll., 1970). On a montré que de telles idées préconçues étaient également partagées par des psychologues, des psychiatres et des travailleurs sociaux masculins et féminins. Dans une étude, on demanda à soixante-dix-neuf cliniciens en santé mentale d'évaluer l'homme et la femme mûrs d'esprit, en santé et socialement compétents (Broverman et coll., 1970). Les personnes des deux sexes étaient d'accord pour dire que la femme en santé diffère de l'homme en santé en étant plus soumise, moins indépendante, moins aventureuse, plus facilement influençable, moins objective, moins combative, plus nerveuse durant des crises mineures, plus émotive et plus vaniteuse quant à l'apparence.

Les chercheurs ont conclu que les hommes comme les femmes incorporent des traits de rôles sexuels positifs et négatifs dans leurs concepts de

observé que les revues critiques accordaient souvent plus d'importance aux tâches où les hommes excellent et sous-évaluaient celles où le rendement est meilleur chez les femmes. Par ailleurs, certains auteurs concluaient à des différences favorisant les hommes, alors que celles-ci n'existaient tout simplement pas. Tout comme Maccoby et Jacklin (1974), Favreau a identifié des recensions d'écrits scientifiques où l'auteur mentionnait une étude rapportant des différences allant dans un sens, sans mentionner que d'autres travaux concluaient à l'absence de différence ou à une différence allant en sens opposé. Dans d'autres cas, des citations erronées laissaient croire à la présence de différences entre les sexes, alors que la source originale ne permettait pas de conclure de la sorte. Finalement, Favreau rapporte qu'en certaines circonstances, des psychologues bien en vue ont transposé leur lecture sexiste de la réalité à un public de non-psychologues et, ce faisant, on fait valoir des arguments qui n'ont aucune valeur scientifique.

soi. Puisque les traits féminins risquent davantage d'avoir des connotations négatives, les femmes pourraient avoir plus que les hommes un concept de soi négatif. Par ailleurs, plusieurs chercheurs ont soutenu que les femmes souffriraient d'un deuxième effet du préjugé, soit la disposition à échouer. Comme nous l'avons déjà mentionné, la société a beaucoup évolué et certains des résultats présentés précédemment pourraient ne plus être aussi valides aujourd'hui. D'ailleurs, probablement sous l'impulsion de chercheurs comme Maccoby et Jacklyn (1974), on s'entend aujourd'hui pour affirmer que les différences entre les sexes sont beaucoup moins importantes que les similarités qui ont été identifiées. De plus, il faut considérer les différences entre les femmes, les différences entre les hommes, de même que le rôle sexuel intériorisé (voir l'encadré 5-2). Cependant, qu'on les considère périmés ou non, ces résultats permettent certainement de mieux comprendre les origines des enjeux actuels quant au rôle et aux droits des femmes. Nous allons donc dans le même esprit examiner tout un courant de recherches, fort marquant en psychologie, portant sur la disposition à échouer.

La disposition à échouer

Comment des gens qui croient que les portes du succès leur sont fermées vont-ils réagir? Il est possible qu'ils abandonnent, puisque les efforts qu'exige la réussite dépendent largement de la perception de la *probabilité de succès*. Si quelqu'un pense qu'il est impossible de réussir quelque chose, il est peu probable qu'il s'y essaie.

Les gens peuvent même trouver rassurant de ne pas essayer. L'un de nos étudiants a déjà fait la remarque suivante: «Si je n'essaie pas, je n'aurai jamais à constater que je n'ai aucune aptitude.» Il y a donc de bonnes raisons de croire que la victime de discrimination puisse développer un pattern de comportement fondé sur l'autodéfaite.

Les attitudes d'autodéfaite ont retenu l'attention dans les recherches sur la psychologie des femmes. Matina Horner (1972) se disait que les femmes sont anxieuses par rapport à la réussite parce qu'elles s'attendent à des conséquences négatives si elles réussissent. Elles auraient souvent peur d'être rejetées par des hommes et des femmes, surtout si elles réussissent dans des secteurs traditionnellement réservés aux hommes, et elles craindraient de se sentir non féminines. Dans cet esprit, Horner (1970) demanda à des hommes et à des femmes d'écrire une histoire à partir de la mise en situation suivante: «Après les examens du premier trimestre, Anne se retrouve à la tête de sa classe de médecine.» Pour les hommes, le héros était Jean. Selon Horner, les histoires imaginées par les sujets révéleraient leurs propres peurs et motivations cachées. En fait, 65 % des femmes ont écrit des histoires où l'on pouvait voir qu'elles avaient peur du succès. Le rejet social était un thème fréquent. Par exemple, dans une histoire, Anne s'organise pour obtenir de moins bonnes notes au trimestre suivant et fait tout en son pouvoir pour aider son ami Michel à obtenir de meilleurs résultats. Anne abandonne ensuite ses études de médecine, épouse Michel et élève leurs enfants pendant qu'il termine sa médecine. Seulement 10 % des hommes ont rédigé des

Encadré 5-2

Est-il préférable d'être un homme, une femme ou l'un *et* l'autre?

Selon les stéréotypes traditionnels relatifs aux **rôles sexuels**, les hommes et les femmes diffèrent à plusieurs égards: dans leur comportement, leurs aptitudes et leur tempérament. Comme nous le voyons dans ce chapitre, le stéréotype masculin traditionnel inclut des traits tels que l'autonomie, l'activité, la discipline, la logique, le courage, la fermeté et une orientation vers la poursuite de buts. Par opposition, le stéréotype féminin traditionnel met l'accent sur l'attention aux autres, l'expressivité émotionnelle, la dépendance, la passivité et la relation aux autres. Des recherches montrent que les hommes et les femmes agissent de façon cohérente avec ces stéréotypes. Par exemple, au cours d'une conversation, les femmes se regardent et se font des gestes plus fréquemment et plus longuement que les hommes (Ickes et Barnes, 1977). Ces différents patterns de comportements sont généralement vus comme propres à la nature humaine, c'est-à-dire comme une partie fondamentale du caractère de l'homme et de la femme.

Des théoriciens ont remis en question les stéréotypes traditionnels et défendu de nouvelles options pour les rôles sexuels. Ces théoriciens affirment que le lien entre les types de rôles sexuels traditionnels et le genre biologique devrait être sérieusement critiqué (Bem, 1974, 1977; Pleck et Sawyer, 1974; Spence et Helmreich, 1977). La constitution biologique d'une personne n'exige pas qu'elle soit plus ou moins disciplinée, courageuse, expressive ou attentive aux autres. Ils croient plutôt que ces styles reflètent un processus d'influence sociale; les gens adoptent ces styles dans le but de bien s'adapter à l'intérieur de la culture. Si les exigences de la culture ou les besoins de l'individu changeaient, les patterns

histoires où Jean ne réussissait pas. Les autres hommes témoignaient des sentiments très positifs qui indiquaient le désir de faire tout son possible et la confiance en l'avenir. Ils croyaient également que le succès de Jean le mènerait à d'autres réussites. Il a également été montré que cette réaction négative au succès augmentait de façon constante avec l'âge. Seulement 47 % d'un échantillon d'étudiantes des premières années du secondaire montraient de telles réactions, alors que c'était le cas chez 60 % des étudiantes à la fin de leur secondaire. Les résultats grimpèrent à 81 % chez les étudiantes du collégial (Horner et Rhœm, 1968).

En raison de doutes émis sur la méthode et les interprétations de Horner (Condry et Dyer, 1976; Shaver, 1976), d'autres chercheurs ont tenté d'aborder le problème différemment. Ils ont étudié les attentes liées au succès chez les femmes, plutôt que de les interroger sur ses conséquences. Certains ont montré que, au regard de plusieurs tâches, l'espérance de succès des

femmes était inférieure à celle des hommes (Frieze, 1976). D'autres auteurs ont observé que les femmes attribuaient souvent leur succès à la chance et se blâmaient fréquemment lors d'un échec (Bar-Tal et Frieze, 1977). Par contre, d'autres chercheurs n'ont identifié aucune différence dans le genre d'histoires rédigées par les hommes et celles écrites par les femmes (Levine et Crumrine, 1975; Tresemer, 1977). (*Voir l'encadré 5-1 sur la publication de résultats portant sur l'absence de différences entre les sexes.*) Cherry et Deaux (1978) ont eu la sagacité de refaire l'expérience de Horner en plaçant le personnage de l'histoire en situation d'emploi traditionnel ou non traditionnel relativement à son sexe. Selon la condition expérimentale, Jean ou Anne se retrouvait à la tête de sa classe, soit en médecine, soit en sciences infirmières. Les chercheuses ont observé que les hommes comme les femmes évoquaient des conséquences difficiles (témoignant de la peur du succès) en situation d'emploi non traditionnel. Il faut donc bien mettre en contexte

de comportement pourraient également changer. Les styles traditionnels sont fortement restrictifs; ils exigent certains genres de comportements qui peuvent sembler tout à fait contraires à ce qu'un individu souhaite. Par exemple, plusieurs hommes aimeraient être doux et porter une attention particulière aux autres. De même, plusieurs femmes préféreraient être actives et autonomes. Aussi, ces personnes verraient d'un bon œil l'effondrement des patterns traditionnels associés aux rôles sexuels. Cette rupture pourrait faciliter le développement d'un style de comportement **androgyne**, c'est-à-dire un comportement où la personne exprimerait des traits traditionnellement attribués soit à l'un, soit à l'autre sexe, selon les circonstances et selon ses désirs (Bakan, 1966).

Pour démontrer la force de ces arguments, des chercheurs ont mis au point des instruments de mesure qui leur permettent d'identifier les personnes qui sont engagées dans des rôles sexuels traditionnels et celles qui sont androgynes. Parmi ces instruments de mesure, le plus connu est probablement l'inventaire des rôles sexuels de Bem (abrégé en anglais par BSRI) conçu par Sandra Bem (1974, 1977, 1979). L'instrument se compose de quarante caractéristiques de personnalité. Des étudiants du premier cycle ont jugé vingt de ces caractéristiques comme plus désirables pour les hommes que pour les femmes. On y trouve des traits comme ambitieux, dominant et confiant en soi. Les autres traits ont été jugés plus souhaitables pour les femmes que pour les hommes. Parmi ces traits: être affectueux, doux et compréhensif. En répondant au questionnaire, la personne évalue jusqu'à quel point chaque trait s'applique dans son cas. Ces auto-évaluations permettent l'identification des personnes masculines ou féminines au sens traditionnel, et des personnes androgynes. Une personne peut obtenir un score fort ou faible sur l'une ou sur l'autre des trois dimensions, indépendamment du genre biologique. Michel Alain (1987) a traduit et validé cet instrument en français.

les phénomènes psycho-sociaux qu'on étudie. Examinons maintenant une autre conséquence importante de la discrimination.

La discrimination créatrice: l'effet Pygmalion

Les gens qui font preuve de discrimination envers les autres peuvent souvent créer chez ceux qui sont visés le comportement qui justifie leur discrimination. Le préjugé agit comme un type d'expectative ou d'attente. Admettons que votre préjugé vous fasse croire que les membres d'un certain groupe sont «incapables de s'occuper d'eux-mêmes». Vous vous attendez à ce comportement de leur part et vous agirez probablement envers eux de façon paternaliste, créant chez eux de la dépendance. Ces attentes qui peuvent se réaliser d'elles-mêmes sont appelées **prédictions créatrices**. On les a particulièrement observées en classe. Ainsi, un enseignant qui croit que les élèves sont incapables de s'occuper d'eux-

mêmes risque de créer chez eux le comportement d'impuissance auquel il s'attend (Cooper et Fazio, 1979).

Il serait contre l'éthique de chercher à démontrer les effets négatifs des attentes préjudiciables. Aussi, les chercheurs en ont largement illustré les effets positifs. Rosenthal et Jacobson (1968) ont fait passer un test d'intelligence à des écoliers du primaire lors de la rentrée scolaire. Il s'agissait d'un test ordinaire, mais on fit croire qu'il pouvait prédire la probabilité d'un développement intellectuel rapide chez un enfant dans un avenir rapproché. Les éducateurs des enfants furent avertis qu'ils pouvaient s'attendre à ce que certains écoliers désignés s'épanouissent intellectuellement durant la prochaine année, selon leurs résultats au test. En réalité, les écoliers qui devaient s'épanouir avaient été sélectionnés *au hasard*. Les chercheurs avaient simplement choisi dans chaque classe environ 20 % des écoliers, dont ils avaient donné le nom aux éducateurs. Ils ont ainsi créé des attentes positives envers un

Les recherches faites avec cet instrument indiquent que les gens caractérisés par un type sexuel traditionnel se comportent fort différemment des personnes androgynes. Par exemple, dans une situation de conformisme où le sujet a la possibilité de comparer ses jugements à ceux des autres (Crutchfield, 1955), les gens qui obtiennent des scores élevés sur les traits féminins se conforment plus que ceux qui sont ou masculins ou androgynes (Bem, 1975). Ce résultat se confirme chez les hommes comme chez les femmes.

Lorsqu'on donne la possibilité à des hommes androgynes de jouer avec un chaton (une activité considérée comme traditionnellement féminine), ils passent plus de temps à le faire et apprécient plus cette activité que les hommes qui ont des scores de masculinité élevés. On a observé que des femmes androgynes et des femmes féminines accordaient plus d'attention chaleureuse à un étudiant esseulé qui avait besoin de «counseling» (Bem, Martyna et Watson, 1976). Le comportement des gens dont les scores de féminité et de masculinité sont élevés diffèrent beaucoup au cours de la conversation. Par exemple, les individus féminins au sens traditionnel sourient souvent lorsqu'ils ne parlent pas et les individus masculins au sens traditionnel ont tendance à changer le cours de la conversation. Par opposition, les individus androgynes utilisent des signaux qui sont traditionnellement associés aux deux sexes (LaFrance et Carmen, 1980).

Fait intéressant, les chercheurs ont observé que les gens qui manifestent des patterns de comportements associés aux types sexuels traditionnels éprouvent souvent des difficultés dans leurs relations hétérosexuelles parce que leurs styles de réponse sont incompatibles avec ceux de l'autre sexe (Bem et Lenney, 1976). Le style masculin détaché et logique s'harmonise mal avec le style féminin plus sociable et expressif. Dans ses relations, l'individu androgyne parvient souvent à se comporter de façon adaptée et compatible avec l'un ou l'autre sexe (Ickes et Barnes, 1978). Alain et Lussier (1988) ont observé par ailleurs que les sujets androgynes

groupe d'écoliers dans chaque classe, tout en ne créant aucune attente envers les autres. Ils se demandaient alors si ces attentes entraîneraient les éducateurs à faire de la discrimination positive, influençant ainsi la performance des enfants.

Afin de vérifier les effets de la discrimination, les chercheurs ont administré de nouveau le test d'intelligence quatre, huit et vingt mois après avoir créé les attentes. Ils ont obtenu également les résultats scolaires et les évaluations faites par les éducateurs de chaque enfant. Quatre mois après la création des fausses attentes, les enfants que l'on s'attendait à voir s'épanouir ont commencé à montrer des quotients intellectuels plus élevés. La différence entre les deux groupes continua à augmenter et devint saisissante à la fin de l'année (*voir la figure 5-1*). Les enfants de première et de deuxième année, pour lesquels les attentes étaient élevées, montrèrent une augmentation de 10 à 15 points du niveau de quotient intellectuel, par rapport au groupe témoin. Cette augmentation persista l'année *suivante*.

Parallèlement à cette amélioration relativement aux tests, les notes données aux écoliers par les éducateurs augmentèrent. Les enfants desquels on attendait beaucoup reçurent des notes plus élevées et de meilleures évaluations personnelles de la part des éducateurs, particulièrement dans les premières classes du primaire. Les enfants pour lesquels on n'avait pas créé d'attentes positives étaient évalués comme moins curieux, moins intéressés, moins heureux et moins aptes à réussir dans l'avenir. En somme, les éducateurs avaient effectivement créé ce à quoi ils s'attendaient. Certains écoliers s'étaient améliorés non pas parce qu'ils étaient plus intelligents ou plus talentueux, mais parce que les éducateurs s'attendaient à ce qu'ils réussissent mieux. On appelle **effet Pygmalion** le fait de créer chez les autres ce que l'on attend d'eux. L'expression provient de la légende du sculpteur grec Pygmalion qui créa une statue d'une si grande beauté qu'il en tomba amoureux et qu'elle devint vivante.

s'adaptaient beaucoup mieux à la suite d'un divorce que les sujets caractérisés comme féminins, masculins ou indifférenciés.

D'après les données de Santé Québec (qui vont dans le sens des résultats d'autres enquêtes semblables), la prévalence de la dépression sévère au Québec est de 2,0 % chez les femmes et de 1,2 % chez les hommes âgés de 15 ans et plus (Guyon, 1990). Des chercheurs québécois (Conway, Giannopoulos, Stiefenhofer, 1990) se sont intéressés à la relation entre la façon de répondre ou de s'adapter à la tristesse et les rôles sexuels stéréotypés. Ils se sont intéressés à la rumination sur l'affect négatif (parler davantage de ses sentiments aux autres, chercher à identifier les causes de sa tristesse) et à la distraction (des comportements initiés pour être moins en contact avec ses sentiments). Or, selon l'expérience clinique, la rumination devrait accroître les risques de dépression, alors qu'au contraire la distraction devrait les diminuer. Les chercheurs ont constaté que le rôle féminin était associé à la rumination, alors que le rôle masculin était relié à la distraction.

Comme vous pouvez le constater, ces recherches remettent en question certaines valeurs. Les chercheurs soutiennent que les modes traditionnels de comportements féminins et masculins ne sont pas fonctionnels, et qu'ils devraient être mis au rancart. Ils vont même jusqu'à tenter de montrer que la personne androgyne est «meilleure» à certains égards. En conséquence, leurs travaux sont devenus sujets à controverse (Bem, 1979; Locksley et Colten, 1979; Pedhazur et Tetenbaum, 1979; Spence et Helmreich, 1979). On a émis des doutes quant aux instruments de mesure, à la robustesse et à l'interprétation de divers résultats. Néanmoins, en examinant plus attentivement nos façons habituelles de nous comporter en société, nous pouvons prendre conscience des lacunes qu'elles comportent, et éventuellement trouver de nouveaux modes de fonctionnement plus appropriés.

Même si les découvertes de Rosenthal et de Jacobson furent contestées à l'époque, plusieurs démonstrations similaires ont laissé peu de doutes sur le pouvoir des attentes sociales de changer le comportement (Dusek, Hall et Meyer, 1985). On a identifié quatre principales sources d'influence sociale opérant en classe. Premièrement, les éducateurs créent un *climat émotionnel* en manifestant de la chaleur et de la considération positive à certains élèves, mais pas à d'autres. Les éducateurs sourient, hochent la tête pour montrer leur assentiment, se penchent vers leurs élèves préférés et maintiennent plus de contact visuel avec eux (Chaiken, Sigler et Derlega, 1974). Deuxièmement, les éducateurs ne donnent pas à tous les écoliers la même quantité d'*intrants informationnels*. Ils essaient d'enseigner aux écoliers qu'ils préfèrent une matière plus abondante comportant de plus grandes difficultés (Taylor, 1979). Troisièmement, les éducateurs n'encouragent pas chez chacun de leurs écoliers la même quantité d'*extrants d'apprentissage*. Les

écoliers favoris ont plus de chances de parler, ont à répondre à des questions plus difficiles et l'on est plus patient avec eux. Enfin, en ce qui concerne la correction des travaux scolaires, les éducateurs varient quant à la *rétroaction* qu'ils donnent aux écoliers. Les écoliers favoris bénéficient souvent de rétroactions plus précises et plus constantes.

Lorsque, dans les établissements scolaires, on s'attend à ce que des membres de groupes minoritaires échouent, leur avancement social, éducatif et économique peut être systématiquement entravé. En raison de l'importance des problèmes sociaux vécus, les Américains ont beaucoup contribué à démontrer le phénomène de discrimination dans le milieu scolaire. Il a été montré que des enseignants de race blanche interagissant avec des élèves de race noire évalués comme talentueux, donnaient peu de rétroaction positive et pouvaient même parfois les ignorer tout à fait. Souvent, des enseignants blancs attendent moins des enfants de niveau social inférieur que

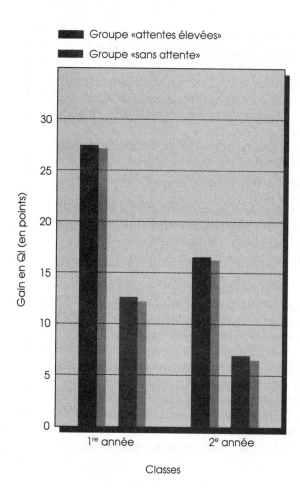

■ Groupe «attentes élevées»

■ Groupe «sans attente»

Figure 5-1   Les éducateurs et l'effet Pygmalion

Les enfants pour lesquels les éducateurs s'attendaient à une croissance intellectuelle rapide montrèrent une augmentation de leur quotient intellectuel. En réalité, les noms des enfants furent choisis au hasard. Les enfants pour lesquels les éducateurs n'attendaient rien de tel montrèrent moins de gains. (Adapté de Rosenthal et Jacobson 1968.)

des enfants de classe moyenne. Par ailleurs, les élèves noirs croient souvent que les enseignants blancs évaluent faiblement leurs capacités. À l'école, les dés sont pipés. Les membres de groupes minoritaires sont perdants en raison d'une subtile discrimination à leur égard. On peut très bien imaginer ce phénomène dans une classe québécoise ou belge, où il défavoriserait un individu appartenant à un groupe minoritaire, par exemple, un enfant tamoul.

Comment échapper à ces effets de la *discrimination institutionnelle*? Certains théoriciens croient que les membres de groupes minoritaires doivent agir davantage pour combattre la discrimination. D'autres théoriciens croient que c'est particulièrement le système scolaire qui doit être décentralisé. La discrimination peut diminuer lorsque la communauté locale a l'autorité en matière de politiques scolaires. Enfin, d'autres suggèrent la mise en œuvre de programmes d'*action positive*, afin de donner aux groupes qui sont victimes de discrimination la possibilité d'effectuer un rattrapage, en leur donnant un avantage. Par exemple, un programme d'équité relativement à l'emploi dans une entreprise favorisera, à compétence égale, l'embauchage de femmes plutôt que de candidats masculins (*voir l'encadré 5-5*).

Pourtant, tous ne sont pas d'accord

Nous venons de passer en revue les résultats de plusieurs études qui illustrent les effets de la discrimination. Nous avons vu que les cibles de la discrimination vivent souvent une perte d'estime de soi, une disposition à échouer et une tendance à répondre aux attentes négatives. Plusieurs psychologues se sont intensément engagés dans de tels travaux. Ils sont convaincus que leurs recherches (1) sensibilisent les gens aux façons subtiles dont la discrimination nuit aux autres, (2) font prendre conscience aux gens des forces sousjacentes qui affectent leur vie et (3) créent une motivation pour le changement social. Pourtant, tous ne sont pas d'accord ou, à tout le moins, certains d'entre eux émettent des réserves importantes quant aux effets psychologiques de la discrimination. Deux conclusions principales peuvent être tirées de cette nouvelle analyse.

1. *Tous ne sont pas touchés de la même façon.* La plupart des études sur les effets préjudiciables de la discrimination tirent des conclusions généralisées qui impliquent que les effets sont les mêmes pour toutes les cibles. Pourtant, les victimes de discrimination ne sont pas toutes blessées psychologiquement. Afin de démontrer ce point de vue, on a soumis à un test d'estime de soi près de deux mille élèves de la troisième à la douzième année des écoles publiques de Baltimore (Rosenberg et Simmons, 1971). On leur a demandé, par exemple, s'ils avaient déjà éprouvé des sentiments comme «il y a des tas de choses qui ne vont pas chez moi», ou «je ne suis pas bon à grand chose». Les chercheurs ne constatèrent *aucune différence* entre les sentiments d'estime de soi des Noirs et des Blancs dans cette ville où se côtoyaient des individus de races différentes. De plus, les Noirs évaluèrent généralement

les Noirs comme (1) des gens qui apportent beaucoup sur le plan culturel, (2) aussi attirants physiquement que les Blancs et (3) de statut social aussi élevé. Les enfants noirs à la peau la plus foncée, sans père, d'intelligence et de statut socio-économique inférieurs ne montrèrent pas d'estime de soi plus basse que celle du Blanc moyen. En fait, ce sont les élèves blancs de niveau socio-économique inférieur et provenant d'un foyer désuni qui manifestèrent la plus faible estime de soi. Il peut être tentant de conclure de cette recherche que le niveau élevé d'estime de soi des Noirs était dû à la plus grande proportion de Noirs dans le système scolaire. Il y aurait moins de discrimination lorsqu'il y a plus de Noirs, ce qui diminuerait les effets négatifs sur l'estime de soi. Des recherches approfondies ont cependant montré qu'une minorité noire dans un système scolaire intégré peut également maintenir un niveau élevé d'estime de soi (Epps, 1975).

2. *Les effets de la discrimination dépendent des conditions socio-historiques.* La majeure partie des recherches sur la discrimination a été effectuée il y a plusieurs années. Aujourd'hui, la conscience de la culture noire est élevée, les questions qui touchent les droits des femmes sont importantes, et les entraves à la mobilité sociale et économique ont été réduites. Compte tenu de ce contexte, il semble possible que les conclusions de plusieurs des premières recherches ne soient plus valides. Certaines recherches tendent à montrer que les différences d'estime de soi entre les enfants noirs et les enfants blancs peuvent avoir diminué, sinon disparu en grande partie (Dusek, Hall et Meyer, 1985). De même, les jugements biaisés diminuent lorsque le statut des femmes change. Nous avons vu que la croyance qui voulait que les femmes craignent plus le succès que les hommes est peut-être moins vraie aujourd'hui qu'elle ne l'était au moment où Horner a fait sa première étude (Robbins et Robbins, 1973). Il faut être prudent lorsqu'on généralise des résultats dans le temps. La discrimination peut avoir des effets psychologiques dévastateurs sur l'estime de soi et sur les attentes; mais, malgré tout, le changement social se produit continuellement.

Les origines du préjugé

Les préjugés sont présents partout. Chacun de nous a déjà entretenu un préjugé et en a également été victime. Étant donné les problèmes sociaux que ces préjugés engendrent, il faut se demander comment ils font leur apparition. La compréhension des origines du préjugé est nécessaire afin de mettre sur pied des contre-mesures efficaces. Deux sources majeures de préjugés exigent une attention particulière: la socialisation du jeune enfant, ainsi que les récompenses et les punitions à l'âge adulte.

La socialisation de l'enfant: on prépare le terrain

Plusieurs croient que les fondements de la majorité des attitudes envers autrui s'établissent dès l'enfance et que le préjugé commence durant ces années dites de formation. La recherche tend à appuyer ce point de vue. Par exemple, des préjugés raciaux ont été relevés chez de jeunes enfants américains blancs ayant à peine trois ans. De telles attitudes augmentent jusqu'à un moment avancé de l'adolescence où elles se stabilisent (Wilson, 1963). Cela dépend toutefois de l'endroit et de l'époque. Par exemple, en Nouvelle-Zélande, la discrimination raciale n'apparaîtrait qu'à l'âge de sept ans (Vaughan, 1963).

En Amérique du Sud, on a constaté que les préjugés raciaux d'enfants blancs atteignaient un sommet en deuxième année du primaire et diminuaient par la suite (Williams, Best et Boswell, 1975). Ces études suggèrent que l'apprentissage d'un préjugé par un enfant, l'âge où il est appris et le fait qu'il augmente ou qu'il diminue avec le temps dépendent beaucoup du contexte historique. L'apprentissage d'un préjugé peut se faire aussitôt qu'un enfant peut apprendre des concepts, ou ne jamais survenir. Comment alors les enfants apprennent-ils des préjugés? Considérons deux sources possibles: le modelage parental et les médias.

Le modelage parental: le problème de l'autoritarisme

Les parents peuvent avoir une influence puissante sur la conduite de leurs enfants. Les enfants observent ce que font leurs parents et ils copient leurs actions. Cette imitation des actions des autres s'appelle **modelage**. Dans nos exposés sur l'altruisme (*voir le chapitre* 7) et l'agression (*voir le chapitre 8*), nous examinerons en détail les facteurs qui influent sur le modelage. Pour l'instant, le modelage nous intéresse parce qu'il est un processus par lequel les enfants peuvent acquérir les attitudes et surtout les préjugés de leurs parents.

Deux fillettes, futures étoiles. Les enfants apprennent les comportements sociaux par modelage; mais en valorisant certains comportements inédits des enfants, les parents peuvent prévenir le développement de préjugés et de comportements discriminatoires. Si elles ne deviennent pas étoiles de la Ligue nationale de hockey, ces fillettes auront appris à jouer sur différents fronts.

C'est de la recherche sur la personnalité autoritaire qu'a émergé l'un des premiers ensembles de découvertes qui ont attiré l'attention sur le lien entre le modelage et les préjugés. Durant les années quarante, une équipe de chercheurs s'attaqua à l'exploration des origines de l'**antisémitisme**. L'équipe comprenait Adorno et Frenkel-Brunswik qui avaient tous deux fui l'Allemagne nazie, ainsi que Levinson et Sanford, deux Américains. Consternés par les traitements horribles infligés aux Juifs par les nazis, ces chercheurs voulaient découvrir quel type de gens haïssaient les Juifs. Au cours de leurs travaux, ils en sont venus à croire que le problème dépassait

l'antisémitisme. Ils ont suggéré l'existence d'un type particulier de personnalité qui a tendance à détester non seulement les Juifs, mais aussi tous les groupes minoritaires (Adorno et coll., 1950). Cette personnalité fut désignée par le terme **autoritariste**, parce que les gens ayant une telle personnalité semblaient suivre les leaders de façon aveugle. Les autoritaristes s'accrochent au type de valeurs et aux modes de vie conventionnels qui sont fréquemment endossés par les leaders politiques ou religieux. Ils semblent condamner tout ce qui n'est pas conventionnel. Puisque les groupes minoritaires sont typiquement non conventionnels, ils sont dès lors méprisés par les autoritaristes.

La mesure principale de l'autoritarisme est l'**échelle F** (F pour fasciste). Elle a été utilisée par des centaines de chercheurs depuis les années cinquante (Cherry et Byrne, 1977). On a observé que les autoritaristes ont des styles de pensée rigides. Ils semblent aveugles aux variations dans le comportement des autres ou aux faits qui ne confirment pas leur vision déformée des autres. Ils sont moins capables que les non-autoritaristes de passer d'un mode de résolution de problèmes à un autre (Rokeach, 1948). Dans des conditions de grande ambiguïté, ils ont davantage tendance à s'attacher plus rapidement à une norme que les non-autoritaristes (Milton, 1957). Contrairement aux non-autoritaristes, ils voient des images réelles lorsqu'ils sont exposés à des stimuli ambigus et ils continuent à voir ces images lorsque c'est inopportun. Ils ont des idées préconçues positives envers la police (Larsen, 1968; Mitchell, 1973) et des idées préconçues négatives envers la pornographie (Byrne et coll, 1973; Griffitt, 1973). Ils sont également très sensibles à l'influence sociale, particulièrement lorsque l'agent d'influence est d'un statut social plus élevé qu'eux (Crutchfield, 1955; Nadler, 1959). De plus, lorsqu'ils sont jurés, ils ont tendance à rendre des verdicts de culpabilité et à recommander de longues sentences (Bray et Noble, 1978). Ils semblent laisser leurs émotions guider leur vision de la culpabilité ou de l'innocence de l'accusé (Mitchell et Byrne, 1973).

Lorsque les chercheurs ont étudié la façon dont les gens deviennent autoritaristes, les effets du modelage sont devenus manifestes. Des informations tirées d'interviews ont suggéré que les enfants apprennent de leurs parents les attitudes de base envers l'autorité et les groupes minoritaires. D'autres chercheurs ont constaté que les étudiants dont les scores F étaient élevés avaient

C'EST TOUT À FAIT LE NEZ DE SON PÈRE...

PRÉJUGÉ

PRÉJUGÉ

généralement des parents dont les scores F étaient également élevés (Byrne, 1965).

Dans leur façon d'éduquer leurs enfants, les parents autoritaristes insistent plus que les parents non autoritaristes sur la discipline, le conventionnalisme et la soumission à l'autorité (Levinson et Huffman, 1955). Tous ces résultats suggèrent que l'autoritarisme se perpétue de lui-même. Les parents autoritaristes ont tendance à élever des enfants autoritaristes qui auront des attitudes préjudiciables. Cela ne signifie pas qu'un enfant qui s'est modelé sur ses parents autoritaristes le sera toute sa vie. Des recherches ont montré que ces tendances peuvent diminuer singulièrement si, plus tard dans sa vie, cet enfant fait partie d'un groupe social qui punit les tendances autoritaristes (Griffitt et Garcia, 1979).

Les conclusions de travaux récents suggèrent que les préjugés chez les jeunes enfants ne sont pas uniquement le résultat du modelage parental, mais sont aussi le reflet de limites cognitives associées au développement de l'enfant. Doyle, Aboud et Sufrategui (1992) ont observé que les enfants blancs de troisième année ont moins de préjugés envers les Noirs et les Amérindiens que n'en ont les enfants blancs de la maternelle. Selon les chercheuses, cette différence s'explique par le développement cognitif plus élémentaire chez

les jeunes enfants qui, avant sept ans, ont de la difficulté à discerner avec finesse des éléments présents chez un individu. Doyle et ses collègues suggèrent de tenir compte de ces limites cognitives dans les efforts faits auprès de jeunes enfants pour diminuer les préjugés, en favorisant particulièrement la flexibilité cognitive, soit la prise en considération de la pluralité des caractéristiques individuelles par opposition aux strictes différences au plan de l'appartenance ethnique.

Les médias et les préjugés

En Occident, les enfants sont continuellement exposés à la télévision, aux livres, aux magazines, et ainsi de suite. Plusieurs psychologues croient que ces sources d'information ont de fortes influences sur le développement des idées et du comportement des enfants. En moyenne, les enfants passent plusieurs heures par jour à regarder la télévision. À l'âge de douze ans, la plupart des enfants ont passé plus d'heures devant le téléviseur qu'à l'école (Gerbner et Gross, 1976). Les livres pour enfants et les émissions télévisées sont souvent conçus de façon à avoir un maximum d'effet et à susciter l'intérêt. Évidemment, peu d'écrivains ou de producteurs désirent enseigner des préjugés. Malgré cela, une analyse du contenu des livres et des émissions télévisées montre que des messages contribuent souvent, que leurs auteurs le veuillent ou non, à introduire des préjugés et de la discrimination. Une des découvertes les plus étonnantes provient de l'étude sur les idées préconçues au sujet des sexes. Quelle image d'eux-mêmes les médias renvoient-ils aux jeunes garçons et filles? Comment les deux sexes sont-ils présentés? Au Québec, l'analyse de Lise Dunnigan (1975) portant sur des manuels scolaires alors approuvés par le ministère de l'Éducation a montré les distorsions suivantes au sujet des sexes.

- Les femmes étaient sous-représentées en valeur numérique.

- Les personnages masculins étaient plus souvent au cœur des textes et des illustrations: 73 % des personnages centraux étaient masculins.

- Les attitudes et les émotions étaient distinguées en fonction du sexe: l'amour, l'affection, la faiblesse, la peur et la dépendance étaient plus souvent associés aux personnages féminins, alors que la colère, l'agressivité, le courage, la force et le leadership étaient plus souvent associés aux personnages masculins.

- Les rôles étaient déterminés en fonction du sexe: la mère assumant de deux à huit fois plus souvent le rôle parental. Les femmes se situaient principalement au foyer, entourées de leur famille, alors que les hommes étaient habituellement montrés en milieu de travail.

Les résultats de cette recherche donnèrent lieu à des changements importants: avant de recevoir l'approbation du ministère de l'Éducation du Québec, les manuels scolaires sont maintenant examinés selon des critères précis de représentation pour ce qui est du sexe, de la race et des handicaps physiques. La cote obtenue est communiquée aux commissions scolaires qui ont ainsi la possibilité de choisir les manuels en tenant compte de ce critère. Cela est un exemple concret d'application de la recherche sociale visant à combattre les préjugés et la discrimination.

D'autres chercheurs ont analysé le contenu de 1733 annonces publicitaires télédiffusées par trois stations canadiennes, pendant une période de huit semaines en 1983 (Moore et Cadeau, 1985). Ils ont constaté que dans 88 % des cas la voix off était celle d'un homme, que lorsqu'un personnage principal était identifiable il s'agissait d'un homme dans 65 % des cas, et que les hommes âgés étaient deux fois plus nombreux que les femmes âgées. Par ailleurs, l'analyse de Moore et Cadeau a montré que les minorités visibles n'étaient présentes que dans moins de 4 % de l'ensemble des annonces; lorsqu'elles l'étaient, il s'agissait habituellement d'hommes tenant des rôles secondaires. Les chercheurs concluaient alors que bien peu de choses ont changé dans la représentation des femmes à la télévision.

Tout n'est pas forcément négatif à la télévision et dans les médias. De nombreux efforts ont été faits pour présenter aux jeunes une image différente des filles. En plus des rectifications apportées dans les manuels scolaires, on peut songer par exemple à la sympathique Passe-Partout, de l'émission du même nom, qui affirme et démontre depuis plusieurs années que le hockey, entre autres choses, n'est pas strictement réservé aux garçons. Dans d'autres émissions, on oriente les filles vers une formation non traditionnelle (plombière, mathématicienne, électronicienne...). Toutefois, le ministère de l'Éducation du Québec a dû mettre au point un court-métrage vidéo, *Clippe, mais clippe égal,* pour dénoncer le sexisme (et également la violence) qu'on trouve trop souvent dans les vidéoclips. D'après vous, les choses ont-elles changé significativement ces dernières années?

En résumé, nous voyons que les expériences des premières années de la vie peuvent être responsables d'une grande partie des préjugés rencontrés quotidiennement. Les enfants apprennent souvent à penser comme leurs aînés et apprennent également plusieurs attitudes négatives par le truchement des médias. Certaines expériences vécues lorsqu'on est jeune peuvent avoir des répercussions sur le reste de la vie, alors que d'autres n'en auront pas. On apprend et on désapprend continuellement des attitudes. Un préjugé peut apparaître ou disparaître à n'importe quel moment dans la vie d'un individu. Ainsi, le processus que nous avons décrit peut opérer dans la vie de certains adultes, tout comme les processus d'apprentissage qui touchent les adultes peuvent se produire pendant l'enfance. Nous examinerons maintenant diverses sources des préjugés qui apparaissent dans la vie quotidienne de plusieurs adultes.

Les avantages du préjugé

Au chapitre 4, nous avons souligné le fait que les gens sont souvent attirés par ceux qui leur offrent des récompenses. Nous prolongerons cette proposition en disant que les gens développent fréquemment des préjugés contre les personnes qui les punissent. Cela signifie que la punition provoque de l'hostilité envers l'agent de punition. On peut exprimer l'hostilité en donnant à l'agent des étiquettes négatives, en ayant un sentiment de répulsion ou d'antipathie, ou encore en tentant de punir l'agent. Par exemple, si vous vous faites voler votre automobile, vous pouvez maudire le voleur et chercher des moyens de vous venger. Vous ne seriez peut-être pas en colère si quelqu'un d'autre se faisait voler son automobile. Il est possible que vous voyiez le tout comme une vengeance du pauvre sur le riche, et vous penseriez peut-être à trouver des moyens de changer la société plutôt qu'à punir le voleur.

La punition peut produire d'autres réactions qui empoisonnent les relations entre les gens. Tout d'abord, la personne offensée ou brimée peut manquer de discernement ou devenir moins raisonnable et considérer seulement les attributs spécifiques de la personne qui a causé la douleur, négligeant ses qualités (Brigham, 1971; Secord et Backman, 1964). Le voleur d'automobile peut être considéré comme un fauteur de troubles qui ne mérite que d'être puni. Le propriétaire de l'automobile ne se préoccupe pas de la situation de vie globale du voleur. De plus, la personne offensée peut même *accentuer les différences* (Tajfel, 1973): le voleur et les gens de son espèce en viennent à être perçus comme appartenant à une culture tout à fait différente, c'est-à-dire immorale, mauvaise et indigne de confiance.

Plusieurs études appuient l'idée d'un lien entre la punition et le préjugé. Par exemple, on interrogea trois cents Américains qui n'étaient pas Juifs sur leur satisfaction quant à leur situation financière et quant à la scène politique nationale. On les questionna également sur leurs attitudes envers les Juifs (Campbell, 1947). Les résultats de cette analyse sont consignés au tableau 5-2. Comme vous pouvez le constater, il y a une forte relation entre l'insatisfaction et l'antisémitisme. Les gens qui ont exprimé un mécontentement général ont aussi manifesté plus de préjugés que ceux qui n'ont pas démontré cette insatisfaction. Seulement 22 % de ceux qui étaient généralement satisfaits montrèrent une forme de préjugé. Parmi ceux qui étaient insatisfaits, 62 % percevaient les Juifs de façon préjudiciable. Ceux qui vivaient une satisfaction intermédiaire se trouvaient entre les deux extrêmes. Les Juifs servaient donc de **boucs émissaires** aux mécontents. L'hostilité engendrée par la frustration politique et économique se projetait sur des cibles socialement acceptables.

Cette association entre la menace de perdre quelque chose et le préjugé pourrait être sous-jacente au point de vue répandu dans les travaux sur les relations ethniques au Canada, selon lequel les francophones du Québec seraient plus xénophobes que ne le sont les anglophones (Baker, 1977 et Porter, 1965 cités par Bolduc et Fortin, 1990). Or, Denis Bolduc de l'Université Laval et Pierre Fortin de l'Université du Québec à Montréal ont récemment montré que l'opinion en matière d'immigration et de multiculturalisme des Montréalais nés au Canada est pratiquement la même d'un groupe linguistique à l'autre. Les chercheurs ont constaté que ce n'est pas l'appartenance à un groupe ethnique (être francophone ou anglophone) mais plutôt certaines caractéris-

Type de réponse	Degré de satisfaction économique et politique	
	Satisfait ou modérément satisfait (%)	Insatisfait ou modérément insatisfait (%)
Exprime de la sympathie pour les Juifs	12,0	3,8
Ne montre pas d'antipathie pour les Juifs	65,8	34,0
Exprime de l'antipathie pour les Juifs, les évite ou montre de l'hostilité active	22,2	62,2

Source: Adapté de Campbell, 1947.

Tableau 5-2   Les Juifs sont-ils des boucs émissaires économiques?

Dans cette étude, les répondants qui étaient insatisfaits de leur situation économique et politique étaient plus portés à exprimer des attitudes négatives envers les Juifs que ceux qui étaient satisfaits. Ces résultats appuient l'idée selon laquelle l'insatisfaction engendre le préjugé.

tiques liées à l'activité (travailler à l'extérieur de la maison), à l'emploi (occuper un poste professionnel) et à la scolarité (détenir un diplôme collégial ou universitaire) qui expliquent les attitudes positives envers les immigrants. Les auteurs rapportent que même en 1987, date où a été effectué le sondage analysé, la proportion des francophones travaillant à l'extérieur de la maison, occupant des postes de professionnels et détenant un diplôme post-secondaire est inférieure à celle que l'on trouve chez les anglophones. D'après des analyses appropriées, cela expliquerait pourquoi certains groupes de francophones québécois, en particulier en région, seraient plus réticents face aux immigrants. Par ailleurs, Bolduc et Fortin ont constaté que la menace perçue quant à la survie de la langue française au Québec explique en partie les réticences. Il importe cependant de rappeler une conclusion de leur étude: à l'heure actuelle, les Québécois ne reconnaissent malheureusement pas d'emblée l'apport des immigrants à l'économie et à l'emploi, et cela quelle que soit la langue d'usage.

De telles corrélations peuvent bien sûr être interprétées de diverses façons, mais elles sont cohérentes avec d'autres études qui montrent comment les jugements deviennent biaisés envers des personnes qui sont perçues comme nuisibles ou menaçantes (Konečni, 1979). Plusieurs études montrent des degrés élevés de racisme chez les Blancs de niveau socio-économique inférieur qui peuvent avoir l'impression que les Noirs vont voler leurs emplois (Maykovich, 1975). Les Blancs qui se sentent menacés par les activistes noirs sont portés à être d'emblée contre les Noirs impliqués dans des procédures judiciaires (Ashmore et Butsch, 1972). Les Noirs qui se sentent harcelés par la police peuvent devenir particulièrement hostiles envers la société blanche et risquent davantage de participer à des manifestations violentes (Sears et McConahay, 1972). Divers types de punitions soulèvent des enjeux qui peuvent avoir une grande portée. Examinons en détail les effets de deux formes de punition: la compétition intergroupe et la dissemblance.

La compétition intergroupe: c'est nous contre eux

L'un des résultats les plus saisissants et les plus controversés obtenus lors des premiers travaux sur les relations raciales fut celui de la relation entre le lynchage de Noirs et le niveau de prospérité économique du sud des États-Unis. Le nombre de lynchages de Noirs augmenta entre 1880 et 1930, soit à une période où la prospérité a connu un déclin. Les lynchages diminuèrent durant les années prospères (Hovland et Sears, 1940). Même si plusieurs interprétations peuvent être tirées de ces constatations, elles coïncident avec les données provenant d'autres nations et d'autres époques. Plus il y a de compétition pour des ressources limitées, plus il y a d'hostilité entre divers groupes ethniques (Brewer, 1979; Lane, 1976). Des chercheurs ont tenté d'identifier les raisons des querelles brutales et sanglantes entre des clans au Maroc. Selon l'une des explications proposées, les débats sur les droits d'accès à l'eau dans les terres desséchées à cause de l'insuffisance des pluies et les discussions sur les sols à utiliser en pâturages auraient provoqué les querelles entre les clans (Lewis, 1961). La compétition intergroupe peut donc jouer un rôle important dans la création du préjugé et de la discrimination.

L'étude de la compétition entre les groupes a révélé plusieurs phénomènes intéressants. Dans les premiers travaux sur le problème, Muzafer Sherif et ses collègues (Sherif et Sherif, 1953; Sherif, White et Harvey, 1955; Sherif et coll., 1961) ont conduit une série d'études sur la compétition intergroupe dans des colonies de vacances pour garçons. Dans l'une de ces études, on observa deux groupes donnés de garçons, d'abord lorsqu'ils faisaient des excursions ou de la natation, jouaient au baseball et participaient aux autres activités de la colonie. Au cours de cette période, chaque groupe développa ses propres règles non écrites, ses leaders informels, son nom de groupe, ainsi que d'autres caractéristiques d'organisation de groupe. Les chercheurs, se présentant comme des moniteurs de la colonie, amenèrent ensuite les groupes à se rencontrer à l'intérieur d'une compétition. Ils organisèrent des parties de souque à la corde, de football, de baseball, et d'autres jeux où les équipes s'affrontaient. Par suite de la compétition, les garçons commencèrent à faire une distinction nette entre le «nous» et le «eux». Leur propre groupe était perçu comme supérieur, alors que le groupe adverse était vu comme indésirable. Les chercheurs firent en sorte que les groupes soient jumelés de façon équilibrée pour les diverses compétitions. Cependant, à mesure que les parties se déroulaient, les joueurs perdirent leur esprit sportif et se mirent à se lancer des accusations et à se crier des injures. Des batailles entre les deux groupes éclatèrent à la fin du tournoi. Les chercheurs tentèrent alors d'améliorer les relations entre les groupes et essayèrent de les rassembler de nouveau. On s'organisa pour faire manger ensemble les membres des deux groupes. Les chercheurs espéraient que les hostilités seraient réduites si le contact était augmenté. Cependant, un groupe parvint à arriver avant l'autre au lieu prévu et ses membres mangèrent presque toute la nourriture. Les membres du second groupe devinrent furieux lorsqu'ils arrivèrent. Une bagarre éclata et l'on dut mettre fin à la rencontre.

Les travaux de Tajfel et Turner (1986) sur le paradigme des groupes minimaux ont donné lieu à de nombreuses expérimentations montrant l'importance de la simple catégorisation sociale sur le développement de l'identité sociale. Le paradigme des groupes minimaux repose sur la catégorisation à partir d'un détail (la catégorisation repose donc sur un minimum) et tout à fait arbitraire de la part du chercheur, différenciant des individus: «eux» et «nous». Les sujets peuvent être différenciés par une simple couleur (les bleus et les rouges) ou par le fait d'avoir commis le même genre d'erreur en surévaluant ou en sous-évaluant le nombre de points présentés sur une diapositive, par exemple. De façon générale, l'individu ainsi catégorisé en vient à faire preuve de favoritisme envers son groupe et à le croire supérieur à l'autre groupe. Dans une étude, on classa des sujets en deux groupes dont on leur disait qu'ils avaient été formés au hasard (Billig et Tajfel, 1973). Ce seul élément d'information fut suffisant pour produire du favoritisme lorsque les sujets ont eu à séparer des récompenses entre leur groupe et l'autre. Les sujets donnèrent plus aux membres de leur propre groupe. La catégorisation sociale a été clairement associée à l'estime de soi; l'individu se sentant menacé réduirait cette menace par la compétition sociale qui peut se traduire par de la discrimination (Lemyre et Smith, 1985).

La discrimination ne survient pas toujours dans le sens décrit précédemment. Ainsi, Paicheler et Darmon (1977-78) ont montré que les membres de groupes défavorisés peuvent avoir tendance à favoriser l'autre groupe si en réalité il lui est supérieur. S'intéressant au fait qu'il y ait ou non présence de discrimination fondée sur la différence «eux / nous», Sachdev et Bourhis (1991), de l'Université du Québec à Montréal, ont raffiné l'étude du paradigme des groupes minimaux en intégrant trois caractéristiques: le statut (élevé ou faible), le pouvoir (dominant ou subordonné) et l'importance numérique du groupe (majoritaire ou minoritaire). Des étudiants furent classés dans l'un des huit groupes formés sur la base de ces caractéristiques. Les chercheurs ont observé que les membres d'un groupe classé comme de peu de statut faisaient preuve de discrimination lorsqu'ils avaient un pouvoir élevé, mais ne le faisaient pas s'ils n'en détenaient aucun. De plus, les membres du groupe minoritaire, dominant et ayant un statut élevé manifestèrent beaucoup de discrimination, tandis que les minorités subordonnées et n'ayant pas de statut n'ont pas manifesté de discrimination et ont même montré du favoritisme envers les individus *n'appartenant pas* à leur groupe.

Depuis les premiers travaux des années cinquante, menés par Sherif et ses collègues, jusqu'à aujourd'hui, il semble se dégager des constantes sur les conflits entre les groupes.

1. Lorsque des groupes sont engagés dans une compétition frustrante, des attitudes défavorables ou préjudiciables envers les compétiteurs se développent à l'intérieur de chaque groupe (Sherif et Sherif, 1979). Ces préjugés s'incorporent aux normes du groupe et il en résulte qu'une action positive envers un membre d'un groupe adverse sera punie par son propre groupe. Le fait de critiquer ou de maudire le groupe opposé peut augmenter l'approbation des pairs (Ferguson et Kelley, 1964). Le préjugé peut se développer contre le groupe de l'extérieur, même si ses membres possèdent des caractéristiques physiques et personnelles qui sont les mêmes que celles des membres de son propre groupe. Une étude interculturelle a montré dans dix-sept sociétés différentes une forte tendance générale à évaluer plus positivement sa propre culture sur un certain nombre de traits, comparativement à d'autres cultures (Brewer, 1974). Comme nous l'avons vu au chapitre 2, il peut être très difficile de changer une vision préjudiciable lorsqu'elle s'est développée. Les gens voient d'abord ce qu'ils veulent voir. Une étude a montré que deux groupes d'étudiants, qui regardaient des films de football collégial mettant aux prises leurs collègues respectifs, avaient tendance à voir davantage l'autre équipe violer les règlements et à ne pas voir les violations de leur équipe (Hastorf et Cantril, 1954). Étant donné ces préjugés opposés, les deux groupes d'étudiants ne semblaient pas regarder la même partie.

2. Lorsque se développe le préjugé contre les membres d'un autre groupe, les membres de son propre groupe développent des attitudes de glorification de soi. Cela peut survenir, que le groupe réussisse ou qu'il échoue (Hinkle et Schopler, 1979; Worchel et coll., 1975). Premièrement, les membres du groupe se sentent plus sûrs d'eux en se rappelant leurs qualités. Ils croient que leur groupe est fort, qu'il peut vaincre tous les autres et qu'il n'a rien à craindre. Deuxièmement, les membres du groupe améliorent leur estime d'eux-mêmes en songeant aux qualités du groupe (Tajfel et Turner, 1979). Étant membres du groupe, ils ont l'impression de posséder toutes les forces du groupe dans son ensemble. Ces attitudes de glorification de soi peuvent être utiles pour bâtir un esprit d'équipe ou une fierté au sein de l'organisation dont on fait partie. Elles peuvent également être dangereuses, par exemple lorsqu'une ferveur nationaliste mène à l'attaque de pays limitrophes.

3. Lorsque les membres d'un groupe complimentent leur propre groupe et dépendent les uns des autres pour leur sécurité et leur estime de soi, les membres de groupes extérieurs peuvent les percevoir comme snobs ou arrogants (Campbell, 1967). Ce groupe peut en fait être perçu comme **ethnocentrique,** c'est-à-dire comme doté d'un sentiment de supériorité en tout (Brewer, 1979). Alors que les membres du groupe se sentent loyaux, ceux des autres groupes trouvent qu'ils ont un esprit de clan. Ils se considèrent comme une communauté d'amis solides, alors que les autres y voient un cercle fermé ou des gens prétentieux. Pour les gens de l'extérieur, la perception que les membres du groupe ont d'eux-mêmes semble viser à exclure les étrangers. En fait, si un membre d'un groupe dont vous ne faites pas partie est chaleureux avec vous, vous aurez peut-être l'impression que son comportement ne représente pas ses vrais sentiments. Vous pouvez penser qu'il n'est aimable que parce que la situation l'exige (Regan, Straus et Fazio, 1974).

La dissemblance engendre le mécontentement

Comment réagiriez-vous devant quelqu'un qui croit que le seul but valable dans la vie est d'avoir des relations sexuelles avec le plus grand nombre possible de partenaires? Votre réaction serait probablement négative et vous excluriez cette personne de votre groupe social. La raison principale de cette réaction est la différence de points de vue. Les gens ont tendance à ne pas aimer ceux qui sont différents et le préjugé peut naître de cette aversion. Ce point de vue trouva un premier appui dans une étude qui a montré que les préjugés raciaux les plus marqués se manifestent chez les Blancs qui perçoivent les Noirs comme différents d'eux (Byrne et Wong, 1962). Dans une autre recherche, les membres de jurys furent plus portés à croire un accusé coupable lorsqu'il était de race différente de la leur (Davis, Bray et Holt, 1984) et cela serait vrai autant pour les Blancs que pour les Noirs (Ugwaegbu, 1979). Pourquoi les gens ont-ils de telles réactions discriminatoires? L'une des raisons est qu'une personne différente peut menacer l'estime de soi. La différence dans les croyances remet en question les croyances personnelles.

Le facteur de similarité peut également être plus important pour une personne que les différences raciales. Dans une étude, on observa des candidats à un emploi, des Noirs et des Blancs, dans un établissement de santé mentale afin de démontrer l'importance relative de la race et de la similarité (Rokeach et Mezei, 1966). Avant l'entrevue, chaque candidat attendait dans une pièce où quatre compères de l'expérimentateur étaient déjà assis. Chacun lisait un article intitulé «Les problèmes d'intervention auprès des malades mentaux». Deux compères étaient blancs, deux étaient noirs. Lorsque le candidat s'asseyait, un des compères commençait ce qui semblait être une conversation spontanée sur la façon de composer avec des malades mentaux. On amenait graduellement le sujet à prendre part à la conversation. Deux des compères (un Blanc, un Noir) manifestaient leur accord avec lui, tandis que les deux autres se montraient en désaccord, quel que soit son point de vue. Le sujet se trouvait donc dans une discussion où un Noir et un Blanc partageaient ses croyances, alors qu'un Blanc et un Noir s'opposaient à lui. Par la suite, l'expérimentateur demandait en privé à chaque candidat de choisir les deux hommes du groupe avec lesquels il préférerait travailler s'il était embauché. Trente sujets sur cinquante ont dit préférer les deux hommes qui *étaient d'accord* avec eux. Seulement trois sujets préférèrent les deux qui étaient en désaccord avec eux. L'accord d'opinion se révéla un facteur si important qu'il surmontait les préférences raciales. Les Noirs autant que les Blancs avaient tendance à choisir l'homme qui était d'accord avec eux, quelle que soit sa race. On a constaté que la similarité peut surpasser les effets des différences raciales (Goldstein et Davis, 1972). Cette découverte trouve plusieurs applications dans les tentatives effectuées pour réduire le préjugé. Certains psychologues croient que plusieurs attitudes qui ressemblent à des préjugés raciaux sont en fait des préjugés contre des groupes économiques différents du sien (Smedley et Bayton, 1978). D'autres psychologues croient qu'en soulignant les ressemblances entre les gens ceux-ci pourront travailler plus harmonieusement, que ce soit à l'intérieur d'une école, d'un groupe communautaire ou au cours d'un stage de perfectionnement dans une entreprise. Cependant, le fait de souligner les similarités n'est pas toujours efficace pour créer l'accord (Goldstein et Davis, 1972). Même lorsque les croyances sont similaires, les préjugés peuvent encore constituer des obstacles dans des relations étroites ou dans le mariage (Triandis et Davis, 1965).

Nous voyons donc que le préjugé a ses origines dans les influences parentales et culturelles de l'enfance, et dans certaines expériences négatives de la vie d'adulte. Lorsque les gens sont frustrés d'une façon ou d'une autre, ils peuvent détourner leur hostilité vers un substitut socialement acceptable, comme un groupe minoritaire. La compétition entre les groupes et le simple fait de trouver différents les membres d'un autre groupe peuvent aussi contribuer au développement du préjugé.

Le maintien du préjugé

Nous avons vu que le préjugé peut se développer n'importe quand dans la vie, et envers les membres d'à peu près n'importe quel groupe. De plus, le préjugé peut continuellement changer, ce qui amènerait les gens à être incohérents dans leurs préjugés. Nous ne pouvons pas être sûrs que quelqu'un qui est progressiste aujourd'hui ne sera pas raciste demain. En réalité, les gens montrent-ils de telles incohérences dans leurs préjugés? Considérons les résultats de diverses recherches.

Au début des années trente, Richard LaPiere voyagea en automobile avec un couple de Chinois; ils parcoururent 16 000 km à travers les États-Unis. Le trio dormit ou mangea dans deux cent cinquante et un hôtels, motels et restaurants. Après le voyage, LaPiere écrivit à chaque

établissement, leur demandant s'ils acceptaient des «individus de race chinoise comme clients». Une seule des cent vingt-huit réponses à ses lettres fut positive.

Une étude sur le terrain auprès de mineurs, en Virginie, montra que plus de 80 % des mineurs blancs manifestaient de l'amitié et de la solidarité envers les mineurs noirs au moment où tous étaient dans la mine. Cependant, lorsqu'ils ne travaillaient pas dans la mine, seulement 20 % des mineurs blancs maintenaient des relations amicales avec leurs compagnons de travail noirs (Minard, 1952).

On demanda à des gens leur opinion sur les Juifs lors d'un sondage d'opinion publique. Lorsque l'intervieweur ressemblait à un Juif et portait un nom juif, les attitudes antisémites étaient à peu près inexistantes. Cependant, lorsque l'intervieweur n'avait pas de caractéristiques juives apparentes, les attitudes antisémites augmentaient considérablement (Robinson et Rhode, 1946).

Malgré les résultats de ces recherches, vous pouvez encore mettre en doute l'affirmation selon laquelle les préjugés des gens sont incohérents (Dillehay, 1973). Ainsi, les administrateurs des restaurants et des hôtels qui ont répondu à LaPiere qu'ils refuseraient d'admettre des membres de minorités raciales n'étaient probablement pas les mêmes personnes qui avaient été heureuses d'accueillir le couple chinois à leur arrivée à l'établissement. Un regard sur l'actualité et sur l'histoire suggère également que les préjugés tendent à demeurer stables avec le temps. Les conflits entre les catholiques et les protestants en Irlande du Nord, entre les Blancs et les Noirs en Afrique du Sud, et entre les Israéliens et les Arabes, tout comme les dissensions entre les francophones et les anglophones du Québec, durent depuis plusieurs années. Le préjugé peut-il changer, comme le suggère l'argument mentionné précédemment, ou demeure-t-il stable? D'après les recherches, le préjugé persiste et est exprimé si des **mécanismes de maintien** sont présents pour le soutenir d'une situation à l'autre. Sans ces mécanismes de maintien, les attitudes et les comportements d'un individu peuvent changer avec les circonstances. En présence de ces mécanismes de maintien, le préjugé peut durer toute une vie. Considérons trois influences importantes qui maintiennent le préjugé chez les groupes sociaux: les valeurs partagées qui se traduisent par du renforcement social, la conscience de l'adhésion à un groupe et les stéréotypes.

Le renforcement social: la carotte et le bâton

En réponse à la question que nous avions posée à nos étudiants quant à leurs préjugés, une étudiante a écrit ce qui suit.

> J'ai grandi dans une région où il y a beaucoup de préjugés contre les Amérindiens. Plusieurs les perçoivent comme des bons à rien, des ivrognes. Je dois avouer que j'ai moi-même cru cela longtemps. Après mon arrivée au collège, je me suis mise à penser à leur situation là-bas et je me suis rendu compte que les attitudes populaires des gens de chez nous sont très préjudiciables. Mais ce qui est terrible c'est que chaque fois que je retourne à la maison pour quelque temps, je retourne à mes anciennes habitudes. Je fais des blagues sur les Amérindiens, je manifeste mon accord à ceux qui disent que c'est de leur faute s'ils n'ont pas d'emploi, et ainsi de suite. Il m'est difficile de dire à mes amis qu'ils ne sont qu'une bande de racistes.

Cette étudiante identifie peut-être le facteur qui, à lui seul, constitue le plus puissant mécanisme de **maintien du préjugé**, le renforcement social. Il semble que la persistance des préjugés dépend largement de la proportion de renforcement social qu'ils obtiennent. Si l'expression des préjugés suscite des gestes d'amitié, il est difficile de les abandonner. Par contre, le préjugé peut disparaître très rapidement s'il provoque la punition. Selon Thomas Pettigrew (1969), l'appui social est fondamentalement responsable de la persistance du racisme dans certaines régions du sud des États-Unis. Il affirme ce qui suit.

> C'est le chemin de la facilité de favoriser la suprématie blanche dans la plupart des milieux du Sud. Lorsqu'un individu a des parents et des amis qui ont des préjugés raciaux, lorsque son monde accepte la discrimination raciale comme mode de vie, lorsque sa déviance signifie un ostracisme certain, alors ses attitudes anti-Noirs ne sont pas vraiment significatives, mais sont plutôt le reflet de l'adaptation sociale.

C'est pour cette raison que Martin Luther King junior (1968) préconisa une «association de gens inadaptés, c'est-à-dire une association de gens qui refusent de se conformer aux normes racistes de la société qui les entoure».

Le renforcement social peut être responsable des réponses incohérentes dont nous avons parlé plus haut. Les coûts sociaux de l'expression du préjugé étaient peut-être tellement élevés que le préjugé ne pouvait être maintenu (Wicker, 1969). Peut-être que les gérants des hôtels et des

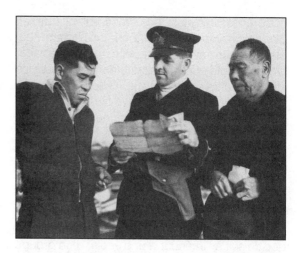

Au cours de la Seconde Guerre mondiale, les individus d'origine japonaise firent l'objet de contrôles serrés au Canada. On voit ici un citoyen faisant vérifier ses papiers. Plusieurs Japonais d'origine virent leurs biens confisqués; certains furent même internés dans des camps de travail (Archives nationales du Canada / PA-112539).

restaurants ne voulaient pas se trouver dans l'embarras en refusant au couple chinois l'accès à leur établissement. Quand le couple n'était pas présent, les gérants n'avaient pas à affronter cette situation et ils étaient capables de soutenir leur préjugé. Le même type de craintes peut avoir permis aux mineurs noirs et blancs de bien s'entendre en public, et aux répondants à l'enquête de cacher leur antisémitisme lorsqu'un intervieweur semblait être juif. Lorsque les coûts sociaux du maintien et de l'expression du préjugé sont trop importants, le préjugé peut être nié temporairement ou abandonné définitivement. Le renforcement que les parents donnent à leurs enfants peut être particulièrement important. Par exemple, si la déségrégation scolaire (soit l'intégration des enfants noirs et des enfants blancs dans les mêmes écoles, survenue aux États-Unis il y a quelques décennies) peut aider à diminuer le préjugé racial (Silverman et Shaw, 1973; Webster, 1961), elle n'y réussit pas toujours (Armor, 1972). Les parents peuvent être l'une des raisons les plus importantes de l'échec de la déségrégation scolaire. Lorsque les parents s'opposent à l'intégration, leurs enfants maintiennent habituellement des préjugés (Stephan et Rosenfield, 1978).

La prégnance de l'attitude: c'est ce que l'on voit qui compte

Les gérants des hôtels et des restaurants, les mineurs et les répondants au questionnaire semblaient ne pas vouloir exprimer leurs préjugés en présence des victimes, par crainte de représailles.

Cette possibilité a conduit plusieurs chercheurs à tenter de mesurer le préjugé de façon plus fiable. Par exemple, les chercheurs ont utilisé la méthode de l'**appareillage bidon** ou du détecteur de mensonge simulé pour mesurer le préjugé. On dit à des sujets que l'appareillage électrique auquel ils sont reliés va indiquer s'ils mentent (Bégin et Bouchard, 1982; Jones et Sigall, 1971; Quigley-Fernandez et Tedeschi, 1978). Dans ces conditions, les sujets révèlent habituellement plus d'attitudes négatives envers d'autres groupes. Mais comment être certain qu'un préjugé manifesté par un individu est bien ancré, et n'est pas que la réponse aux attentes de l'expérimentateur?

La question des vrais préjugés se complique par la structure des attitudes des gens. Les gens possèdent habituellement plus d'une sorte d'attitudes envers une autre personne ou un groupe. Si vous pensez aux enseignants, par exemple, il est probable que vous vous souveniez de moments où vos attitudes envers eux étaient très positives, et d'autres où elles étaient plutôt hostiles. Presque tous, nous avons eu de bonnes et de mauvaises expériences avec plusieurs autres groupes. En fait, la plupart des expériences d'apprentissage sont incohérentes (Wicker, 1969) et il en résulte que les attitudes des gens le sont également. Celui qui semble être raciste peut avoir des attitudes humanitaires et celui qui semble philantrophe peut être un raciste potentiel.

De ce point de vue, pour maintenir une attitude il faut la rendre **prégnante**, c'est-à-dire la rendre apparente en attirant l'attention sur elle. Si l'on rappelle continuellement aux gens comment ils doivent se sentir, leurs attitudes vont persister longtemps. Les gouvernements tentent de soutenir l'intérêt pour la guerre en faisant constamment de la publicité sur les besoins de la nation et en encourageant des attitudes hostiles envers l'ennemi. Les bulletins de nouvelles, les discours publics, les placards le long des routes, les autocollants sur les pare-chocs, ainsi que d'autres moyens peuvent être utilisés pour augmenter la prégnance d'une attitude donnée.

Dans une expérience classique démontrant les effets de la prégnance, des groupes d'étudiants catholiques ont été interrogés sur leurs croyances religieuses (Charters et Newcomb, 1958). On rappela leur catholicisme aux sujets du **groupe expérimental** et on leur dit qu'ils discuteraient de principes religieux. Leur identité de catholique fut donc rendue prégnante. On ne rappela d'aucune façon leur affiliation religieuse aux sujets du **groupe témoin**. Plus tard, on interrogea tous les sujets sur leurs «opinions personnelles» quant à divers aspects des croyances religieuses, tout en leur garantissant l'anonymat.

La figure 5-2 permet de comparer les points de vue des deux groupes sur des questions reliées à l'Église catholique (au sujet du pape, des Saintes Écritures, et ainsi de suite). Les croyances exprimées par les étudiants non catholiques de la même université sont également représentées. Comme vous pouvez le voir, les étudiants dont l'affiliation religieuse avait été rendue prégnante énoncèrent des opinions personnelles semblables à celles de l'Église. Les croyances des étudiants catholiques à qui l'on n'avait pas rappelé leur religion ressemblèrent, au contraire,

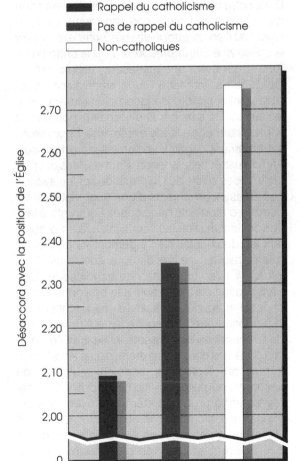

Figure 5-2   L'effet de prégnance

Cette étude montre que les rappels sont utiles pour maintenir les convictions religieuses. Notez le faible degré de désaccord avec la position de l'Église sur d'importantes questions relatives à la foi chez des étudiants à qui l'on a rappelé leur catholicisme. (Adapté de Charters et Newcomb, 1958.)

à celles exprimées par les non catholiques. Ainsi, le simple rappel de leur identité de catholiques incita les étudiants à exprimer des attitudes conformes aux croyances orthodoxes. Ce que les étudiants croyaient sincèrement dépendait des circonstances.

Habituellement, les gens ne sont pas conscients de leurs diverses attitudes. À un moment donné, ils peuvent n'être conscients que d'une seule attitude et elle peut leur sembler réelle et authentique à ce moment, comme un reflet de leur vrai soi (Gergen, 1981). Les chercheurs ont tenté de savoir ce qui se produit lorsqu'un individu se rend compte qu'il est ambivalent, c'est-à-dire qu'il possède des attitudes positives et négatives. Katz et Glass (1979) suggèrent que ces gens trouvent déplaisant l'état d'ambivalence. Dans notre culture occidentale, il est sous-entendu que chacun doit avoir des sentiments clairs et savoir où il en est (*rappelez-vous notre exposé sur la cohérence des impressions dans le chapitre 2*). Ainsi, pour éviter une menace à l'estime de soi, les gens qui font face à une ambivalence possible vont répondre de façon plus extrême que les autres. Pour ne paraître ni chair ni poisson, ils vont montrer une attitude extrêmement positive ou extrêmement négative, selon les circonstances. Afin d'illustrer cette position, Katz et Glass ont présenté à des sujets de l'information sur les avantages et les inconvénients d'une augmentation du nombre d'étudiants handicapés fréquentant leur université. On stimulait l'ambivalence en présentant les deux côtés de l'argument. Les sujets lisaient ensuite l'une des deux transcriptions d'une interview avec une personne handicapée. Une transcription était favorable à la personne handicapée, l'autre, défavorable. Ils évaluèrent ensuite la personne handicapée. Le fait d'être exposé à de l'information ambivalente influençait l'évaluation dans des directions extrêmes. Les sujets montrèrent des sentiments fortement marqués, ou nettement négatifs ou nettement positifs, comparativement à un groupe témoin n'ayant pas été exposé à l'information ambivalente. L'ambivalence paraît donc être un état de malaise qu'on peut souvent soulager en prenant une position extrême.

Nous pouvons conclure de cette discussion qu'il faut assurer la prégnance d'une attitude afin qu'elle soit maintenue: il est possible que l'on ait à rappeler aux gens leurs attitudes. Cependant, si l'on rappelle aux gens leur ambivalence, ils peuvent montrer une attitude extrêmement négative ou extrêmement positive.

Les stéréotypes: ces sables mouvants

Frog, bloke, pédé, newfie, nigger black, maudit français sont tous des termes utilisés pour communiquer une animosité envers des groupes particuliers. Cependant, les pensées des gens au sujet de tels groupes se réduisent rarement au simple fait de les traiter de tous les noms (*voir l'exposé sur l'organisation des impressions au chapitre 2*). Lorsqu'on attribue un nom à un groupe, plusieurs concepts viennent rapidement s'ajouter à l'esprit. Le concept «newfie» peut amener d'autres concepts comme épais, niais ou borné. La facilité avec laquelle de telles associations se produisent fut démontrée dès 1933, lorsque Katz et Braly demandèrent à cent étudiants de choisir, parmi une série de quatre-vingt-quatre, cinq attributs qu'ils croyaient les plus caractéristiques de divers groupes ethniques. Les étudiants montrèrent un fort consensus dans leurs points de vue. Plus de 75 % furent d'accord pour dire que les Noirs sont paresseux et superstitieux, que les Juifs sont astucieux et que les Allemands ont un esprit scientifique. Environ la moitié des étudiants virent les Américains comme intelligents, les Italiens comme impulsifs, les Irlandais comme batailleurs et les Turcs comme cruels (*voir le tableau 5-3*).

La plupart du temps, ces caractérisations étaient faites sans connaissance directe. Par exemple, la plupart des étudiants n'avaient rencontré aucun Turc, mais ils étaient tout à fait prêts à les décrire de façon générale. D'autres recherches montrent que les étudiants sont même disposés à décrire des peuples fictifs désignés par des noms tout aussi imaginaires (Hartley, 1946). Règle générale, ces inconnus sont décrits en termes peu flatteurs. Ces résultats reflètent-ils simplement un manque de subtilité envers les autres, qui pouvait exister dans les années trente à Princeton, l'une des plus prestigieuses universités de la Nouvelle-Angleterre? Lorsque l'étude fut reproduite au même endroit, vers la fin des années soixante, les étudiants montrèrent encore des réactions stéréotypées. Vous pouvez cependant noter au tableau 5-3 que, trente ans plus tard, les étudiants ont mis moins d'étiquettes négatives sur les groupes dans leur ensemble.

Les fondements cognitifs des stéréotypes

Ces descriptions simplifiées de groupes d'individus sont des **stéréotypes,** d'après le nom utilisé par Walter Lippmann dans ses premiers travaux

Groupe ethnique et trait	Étudiants notant le trait (%)	
	1933	1967
Américains		
Industrieux	48	23
Intelligents	47	20
Matérialistes	33	67
Ambitieux	33	42
Progressistes	27	17
Aimant le plaisir	26	28
Noirs		
Superstitieux	84	13
Paresseux	75	26
Insouciants	38	27
Ignorants	38	11
Musiciens	26	47
Prétentieux	26	25
Juifs		
Astucieux	79	30
Mercenaires	49	15
Industrieux	48	33
Avares	34	17
Intelligents	29	37
Ambitieux	21	48
Turcs		
Cruels	47	9
Religieux	26	7
Traîtres	21	13
Sensuels	20	9
Ignorants	15	13
Malpropres	15	14

Source: Adapté de Karlins, Coffman et Walters, 1969.

Tableau 5-3   Les stéréotypes d'hier et d'aujourd'hui

Une série d'études a montré un déclin dans la disposition des étudiants à utiliser des étiquettes louangeuses ou méprisantes pour décrire divers groupes ethniques. Les étiquettes négatives ont accusé la plus forte baisse, mais les stéréotypes n'ont pas entièrement disparu, même chez un groupe de jeunes très instruits.

sur l'opinion publique. Pour Lippman (1922), les stéréotypes sont les «images dans notre tête». Les chercheurs en sciences sociales parlent aujourd'hui des stéréotypes comme de concepts ou de catégories dans lesquelles nous plaçons les autres (Taylor, 1981). Une catégorie est un stéréotype lorsque les membres d'une culture ou d'une sous-culture croient sans réserve qu'un concept particulier caractérise tous les membres

d'un groupe. Ceux qui disent que les Japonais sont industrieux ou que les Juifs ont un esprit de clan sont donc d'accord avec un stéréotype social courant et le font sans y réfléchir plus avant. Les stéréotypes constituent un mécanisme important dans le maintien d'un préjugé. Lorsque les gens s'entendent sur des étiquettes de préjugés, cet étiquetage devient résistant au changement. Les membres du groupe qui étiquette partagent une réalité qui soutient la communication entre eux.

Les stéréotypes influent sur plusieurs actions quotidiennes. Prenez la simple question de l'habillement. Les gens semblent observer continuellement les vêtements que portent les autres. Pour savoir comment réagir, ils se basent sur des idées stéréotypées, sur les caractéristiques des gens qui portent des types particuliers de vêtements. Par exemple, des femmes à qui l'on montra des photographies de mannequins portant des robes différentes, furent immédiatement prêtes à décrire la personnalité de chaque mannequin, son niveau d'instruction, sa moralité, ses passe-temps, et ainsi de suite (Gibbins, 1969). Une mannequin qui portait tel type particulier de robe était décrite comme snob, aimant le plaisir, affirmative, rebelle, joyeuse et de mœurs légères. Les stéréotypes de l'habillement guident-ils les actions des gens? Il semble que oui. La recherche a montré que le succès dans la collecte de noms pour une pétition dépend plus de l'habillement de celui qui fait signer la pétition que de la cause elle-même. À un coin de rue ordinaire, un individu vêtu de façon conventionnelle recueillera habituellement plus de signatures qu'une personne vêtue de façon négligée (Keasy et Tomlinson-Keasy, 1973). Lors d'un ralliement pour une cause progressiste, comme la promotion de la paix ou les droits des femmes, l'inverse a des chances de se produire (Suedfeld, Bochner et Matas, 1971). Il semble que les gens qui ont une vision stéréotypée des individus habillés de façon négligée supposent qu'ils sont engagés dans des causes progressistes ou radicales.

Les gens peuvent adopter des stéréotypes au sujet de leur propre groupe autant qu'à l'égard des autres groupes. Les résultats peuvent être différents dans les deux cas. Les stéréotypes relatifs à son propre groupe sont habituellement complexes et très nuancés. Au contraire, le manque de contact avec les membres d'un autre groupe peut signifier que les stéréotypes d'un individu reflètent un ensemble d'idées simple sur ce qu'ils sont (Wilder, 1978). Cette différence dans la complexité des stéréotypes peut avoir une variété d'effets importants.

Encadré 5-3

L'homophobie, ou l'hostilité envers les homosexuels

Le fait de s'écarter des normes sexuelles d'une communauté a souvent entraîné la punition des déviants qui sont découverts. Les homosexuels, surtout en ce qui a trait aux hommes homosexuels, ont été sujets au ridicule, à l'exclusion et à de mauvais traitements physiques et psychologiques, et cela depuis des années. En raison du caractère extrême de plusieurs réactions envers les homosexuels, les psychologues soupçonnent que ces réactions sont phobiques, c'est-à-dire fondées sur une peur qui dépasse le domaine de la raison. Le terme homophobie est souvent utilisé pour caractériser l'hostilité, voire même la haine irrationnelle et durable envers les homosexuels (Lehne, 1976; MacDonald, 1976). Plusieurs hétérosexuels caractérisent les homosexuels comme «malades et dangereux» (Pattison, 1975) et accentuent les différences entre les homosexuels et eux-mêmes (Krulewitz et Nash, 1980). Les résultats d'un sondage effectué en 1984, aux États Unis, par le *National Gay and Lesbian Force* auprès de plus de 2000 gais et lesbiennes, démontrent en effet que 44 % des personnes interrogées avaient été victimes de violence physique et que 94 % d'entre elles avaient déjà été l'objet d'une forme quelconque de violence, incluant les insultes verbales, le vandalisme et le recours abusif à la force de la part des policiers (Berrill, 1990).

Les gens évitent souvent d'être près de quelqu'un qui est identifié comme homosexuel (Wolfgang et Wolfgang, 1971). Lorsqu'un groupe apprend qu'un de ses membres est homosexuel, ce dernier devient souvent l'un des membres les moins populaires, même s'il était auparavant le plus apprécié. De plus, un homme étiqueté comme homosexuel est généralement perçu comme plus tendu, plus superficiel, plus prêt à céder, plus impulsif, plus passif et plus tranquille qu'un homme étiqueté comme hétérosexuel. Il est également évalué comme moins honnête, moins juste, moins en santé, moins stable, moins intellectuel, moins amical et moins propre en raison de son «homosexualité» (Karr, 1975, 1978).

Les chercheurs qui ont étudié les origines de l'homophobie ont présenté plusieurs explications. L'entraînement aux rôles sexuels où il y a insistance sur le fait d'être masculin ou féminin pourrait être un facteur expliquant, partiellement du

1. *La surgénéralisation.* Lorsque les gens interagissent avec d'autres groupes que les leurs, ils peuvent davantage être enclins à généraliser à partir du comportement d'un seul individu (Quattrone et Jones, 1980). Ainsi, si un touriste allemand se comporte grossièrement, un Canadien pourrait être porté à conclure que tous les Allemands sont grossiers. Si un Canadien agissait exactement de la même façon, il est probable que l'on ne tirerait aucune conclusion sur les Canadiens en général.

2. *Les biais négatifs dans le souvenir.* Les stéréotypes du groupe extérieur peuvent également créer un biais négatif dans le

souvenir. La recherche a montré que souvent les gens se souviennent mieux des faits qui appuient leurs stéréotypes (Rothbart, Evans et Fulero, 1979). Et, plus important encore, les gens ont tendance à mieux se souvenir des faits sujets à la critique que des faits positifs du groupe de l'extérieur (Howard et Rothbart, 1980). Ainsi, avec le temps, l'existence du stéréotype relatif au groupe extérieur pourra entretenir le préjugé à son égard.

3. *Les jugements polarisés.* L'évaluation de groupes extérieurs peut varier beaucoup d'une situation à une autre (Linville et Jones, 1980). S'il n'a qu'une connaissance rudimentaire de ce qu'est vraiment l'autre groupe,

moins, l'apparition de ce phénomène. Les garçons apprennent très jeunes que montrer des caractéristiques féminines les expose au ridicule (Lehne, 1976) et que se faire appeler «tapette» a l'effet cinglant d'une gifle. Des recherches indiquent que les hommes qui ont une attitude conservatrice quant aux comportements qu'ils jugent appropriés pour les hommes tendent à obtenir des cotes d'homophobie plus élevées que les hommes aux attitudes moins étroites. Ces individus homophobes tendent aussi à croire que les hommes qui affichent des «caractéristiques féminines» présentent des tendances homosexuelles (Dunbar, Brown et Amoroso, 1973). Une étude interculturelle sur les attitudes envers les homosexuels vient appuyer l'hypothèse selon laquelle l'homophobie provient de l'entraînement aux rôles sexuels (Brown et Amoroso, 1975). Cette étude, entreprise au Brésil, aux Antilles et au Canada, révèle que, des trois cultures, les Brésiliens ont les règles les plus rigides pour différencier les comportements masculins et féminins, et les attitudes les plus négatives envers les homosexuels. Les Canadiens se sont révélés les moins stricts en ce qui concerne les règles du comportement sexuel considéré comme approprié, ainsi que les moins homophobiques des trois peuples. Les Antillais ont obtenu des résultats modérés sur les deux échelles.

D'autres chercheurs croient que l'homophobie peut tirer son origine des doutes individuels quant à ses propres préférences sexuelles (MacDonald, 1976). En dirigeant leur hostilité vers les homosexuels, les gens peuvent se convaincre qu'ils ne sont pas homosexuels; l'extériorisation de ces conflits internes vécus par l'individu contribuerait ainsi à réduire l'anxiété qui leur est associée (Herek, 1984). La recherche indique que les hommes hétérosexuels qui peuvent avoir des caractéristiques semblables à celles des homosexuels deviennent particulièrement négatifs dans leur évaluation des homosexuels (San Miguel et Milham, 1976). S'ils commencent à penser qu'ils peuvent être homosexuels, leur dénégation prend la forme de l'homophobie. De plus, les hommes qui sont les plus négatifs envers leur sexualité sont plus portés que d'autres à mépriser et à craindre la sexualité des autres (Churchill, 1967).

Plusieurs études ont porté sur les caractéristiques des personnes qui démontrent des attitudes négatives à l'endroit des homosexuels (voir Herek, 1984, pour une recension des écrits). Ces personnes ont généralement moins de contacts avec les gais et les lesbiennes. Elles ont vécu dans des endroits où les attitudes négatives envers les homosexuels étaient la norme; elles se retrouvent davantage

l'individu peut être sujet à un déplacement de jugement polarisé. Afin d'illustrer cela, des chercheurs ont demandé à des étudiants blancs de lire des demandes d'admission à une école de droit. Ils ont présenté à un groupe une demande impressionnante en disant qu'elle était celle d'un candidat noir; ils ont dit à l'autre groupe que la même demande avait été envoyée par un candidat blanc. Les sujets jugèrent le candidat noir beaucoup plus positivement qu'ils ne jugèrent le candidat blanc. On demanda ensuite aux sujets de juger une demande peu impressionnante. On procéda de la même façon. Cette fois, les sujets jugèrent le candidat noir plus sévèrement qu'ils ne jugèrent le candidat blanc. En fait, leur évaluation des membres de l'autre groupe était polarisée; les candidats noirs étaient ou très bons ou très mauvais. Les sujets étaient beaucoup plus prudents dans l'évaluation des membres de leur propre groupe racial. Il est intéressant de noter qu'on a retrouvé le même type de polarisation lorsque des hommes ont évalué des postulantes (Linville et Jones, 1980). Même si elles étaient de race blanche, pour ces hommes les femmes faisaient tout de même partie d'un autre groupe.

chez les gens plus âgés et moins instruits. Elles ont tendance à adopter une idéologie religieuse conservatrice, expriment des attitudes traditionnelles au sujet des rôles sexuels et manifestent davantage de culpabilité quant à la sexualité. Enfin, elles présentent généralement des comportements accentués d'**autoritarisme**. Ces attitudes sont aussi plus fortement négatives envers les homosexuels de son propre sexe qu'envers ceux ou celles du sexe opposé. Toutefois, il est à noter que, de façon générale, les hommes affichent des attitudes plus négatives que ne le font les femmes.

Il semble par ailleurs y avoir un lien entre la croyance relative aux déterminants de l'homosexualité et le degré de la tolérance manifestée à l'endroit des homosexuels. En effet, ceux qui croient que l'homosexualité est innée tendent à être plus tolérants que ceux pour qui l'homosexuel a choisi de l'être ou a appris à le devenir (Ernulf et Innala, 1989).

En Amérique du Nord, au cours des années soixante-dix, les réactions homophobiques ont connu un fléchissement. Par exemple, dans une enquête effectuée en 1970, 84 % des répondants étaient d'avis que l'homosexualité est «une corruption sociale qui peut causer l'écroulement de la civilisation» (Levitt et Klassen, 1974). Cependant, en 1977, 56 % des répondants ont affirmé que les homosexuels devraient avoir des possibilités d'emploi égales (Gallup, 1977). Malgré la diminution de l'hostilité alors enregistrée, une attitude libérale ne prévalait toujours pas. Ainsi, la plupart des Américains s'opposaient à ce que les homosexuels enseignent à l'école primaire (65 %) ou deviennent membres du clergé (54 %). Par ailleurs, plusieurs croyaient que les homosexuels ne devraient pas avoir la permission de pratiquer la médecine (44 %) ou de servir dans les forces armées (38 %). De plus, 43 % de la population niaient aux adultes consentants la liberté de s'engager dans des comportements homosexuels (Gallup, 1977).

Depuis le début des années quatre-vingt, le phénomène du sida est venu ajouter à la complexité des problèmes auxquels doit faire face la communauté gaie. Dans une recension d'écrits scientifiques dans le domaine de la santé, publiés aux États-Unis entre 1983 et 1987, 61 % des articles véhiculaient une image négative de l'homosexualité et des homosexuels (Schwanberg, 1990). Dans une autre recherche, l'on a présenté à des sujets, 300 jeunes universitaires américains, des informations où une personne pouvait être décrite comme atteinte de leucémie ou du sida et être soit homosexuelle, soit hétérosexuelle (St-Lawrence et

4. *La corrélation illusoire.* Nous portons de mauvais jugements sur la présence simultanée de deux événements ou caractéristiques. Par exemple, si vous croyez que les juifs hassidiques sont obtus et fermés à tout contact avec leurs voisins qui ne sont pas juifs, vous aurez tendance à noter toute information allant dans le sens de cette croyance et à rejeter toute autre information qui relaterait le comportement chaleureux d'un membre de ce groupe envers un Québécois francophone un jour de fête nationale. Ce phénomène de corrélation illusoire est donc une tendance à rechercher de l'information qui soutient une croyance stéréotypée selon laquelle certaines personnes possèdent des caractéristiques particulières et à éviter l'information qui entre en contradiction avec cette croyance. Il en résulte une surestimation dans les attentes des individus quant à l'association entre deux événements ou caractéristiques. Si l'on vous présentait un juif hassidique qui désire participer à un comité de rapprochement entre les membres de différentes confessions, peut-être auriez-vous tendance à croire qu'il est de mauvaise foi.

Les stéréotypes: le pour et le contre

Parce que les stéréotypes tendent à maintenir les préjugés, nous les voyons habituellement comme

coll., 1990). Les sujets devaient par la suite répondre à une série de questions mesurant leurs attitudes et leur degré de consentement éventuel à avoir des interactions avec la personne décrite. Faisant ressortir la prépondérance des préjugés à l'égard des homosexuels, les attitudes les plus négatives se sont manifestées dans la condition où il s'agissait d'une personne homosexuelle, quelle que soit la maladie dont elle était atteinte.

Certains psychologues sociaux ont exploré des moyens de réduire l'homophobie. Par exemple, à l'université, un seul cours sur l'homosexualité a diminué singulièrement les préjugés contre les homosexuels (Morin, 1974). La visite de bars gais a également réduit les réactions homophobiques chez des groupes d'étudiants du deuxième cycle (Morin et Garfinkle, 1978). Des membres qui ont fait partie de groupes d'hommes discutant de problèmes d'intimité, de communication et d'amitié en sont venus à accepter l'homosexualité (Pleck, 1975). Enfin, la fréquentation à long terme d'individus homosexuels dissipe également les mythes sur les gais et augmente les attitudes d'approbation à leur égard (McConaghy, 1970). On a montré cependant que ces interactions doivent se dérouler d'égal à égal, dans un contexte où règne une ambiance de respect mutuel et de coopération dans l'atteinte d'objectifs communs (Amir, 1976). On peut se demander si le traitement plutôt positif, et certainement novateur, de l'homosexualité dans plusieurs dramatiques et téléromans québécois (*Jamais deux sans toi, Un signe de feu, Le cœur découvert*, et certaines émissions de Janette Bertrand) contribue ou contribuera à diminuer les préjugés envers les homosexuels.

Les difficultés vécues par les individus gais ont été exacerbées par l'association directe du sida à l'homosexualité. Une recherche effectuée auprès de la population montréalaise (Dupras, Levy, Samson et Tessier, 1989), a montré que parmi différentes attitudes, ce sont les mesures reliées à l'homophobie qui prédisent davantage l'adoption d'attitudes négatives devant le sida. Dans la même veine, Berrill (1990) fait remarquer que les informations véhiculées à la suite de l'apparition de cette maladie, de même que les réactions qu'elles ont suscitées dans la communauté gaie en général, ont contribué à augmenter la visibilité des homosexuels, qui en sont venus à être de plus en plus étroitement associés au sida. C'est ainsi, ajoute Berrill, que le sida semble être devenu le prétexte auquel les homophobes ont recours pour justifier la manifestation de leurs attitudes belliqueuses envers les homosexuels.

des malédictions sociales. Cependant, les stéréotypes peuvent être un sous-produit inévitable et fonctionnellement valable de l'interaction sociale. La vie sociale ne serait que chaos et conflit s'il n'y avait pas de ces compréhensions partagées, mais plus ou moins inexactes des individus et des groupes. Les stéréotypes permettent des interactions paisibles et coopératives. Par exemple, la plupart des gens partagent la croyance stéréotypée que les autres ne sont pas dangereux. Cela est généralement vrai, mais pas toujours justifié. Cependant, les relations positives se désintégreraient si cette croyance n'était pas accessible à chaque nouvelle rencontre et si les intentions d'autrui devaient être vérifiées et revérifiées à tout

instant. Des relations satisfaisantes nécessitent souvent que les participants partagent un grand nombre de vérités partielles.

Cette dernière affirmation fait allusion à une deuxième valeur importante du stéréotype. La plupart des stéréotypes semblent contenir ce que Gordon Allport (1954) a appelé le «germe de vérité», dans ses travaux innovateurs sur le préjugé. Les stéréotypes sont souvent basés sur un nombre suffisant de faits pour qu'ils puissent servir à prédire les actions d'autrui. Parfois la quantité d'appui factuel peut être considérable.

Même les gens visés par les stéréotypes peuvent être d'accord avec les faits sur lesquels ils reposent. Par exemple, lorsque les gens de six

pays différents évaluèrent le caractère national des Anglais, des Russes, des Allemands, des Américains, des Français et des Italiens (Peabody, 1985), ils montrèrent un accord à peu près unanime dans leur appréciation de leur propre caractère national et de celui des autres. De plus, les gens des nations évaluées ont généralement été d'accord avec les juges des autres nations. Les termes qui furent choisis pour caractériser les nations dépendaient cependant des sentiments positifs ou négatifs envers elles. Comme vous pouvez le voir au tableau 5-4, on s'entendait pour dire que les Anglais, les Allemands et les Russes jouaient serré dans leurs interactions. Toutefois, on choisissait un mot positif comme *économe* ou un mot négatif comme *pingre*, selon que la nationalité était aimée ou détestée. On percevait que les Américains, les Français et les Italiens avaient un style décontracté. Cependant, un jugement positif, comme *spontané*, à l'opposé d'une

Regroupement des nationalités et type de trait stéréotypé choisi			
Anglais, Russes, Allemands		**Français, Italiens, Américains**	
Positif	**Négatif**	**Positif**	**Négatif**
Économes	Pingres	Généreux	Extravagants
Sérieux	Menaçants	Sereins	Frivoles
Sceptiques	Méfiants	Confiants	Crédules
Prudents	Timides	Hardis	Imprudents
Sélectifs	Difficiles à satisfaire	Larges d'esprit	Manquant de discernement

Source: Adapté de Peabody, 1980.

Tableau 5-4   Derrière les stéréotypes, une once de vérité?

Lorsqu'on demanda à des gens de divers pays de décrire leur caractère national et celui d'autres nations, on trouva un degré élevé d'accord. Les Français, les Italiens et les Américains étaient généralement perçus comme des gens qui ne s'en font pas, alors que les Anglais, les Russes et les Allemands étaient décrits comme l'opposé. Les répondants qui aimaient un pays avaient tendance à donner des étiquettes positives aux traits qui avaient été étiquetés négativement par ceux qui ne l'aimaient pas.

évaluation négative, comme *impulsif*, était fonction des sentiments des juges. Malgré leur utilité et leur exactitude partielle, les stéréotypes peuvent créer des problèmes sociaux importants. Comme le théoricien Donald Campbell (1967) le souligne, les stéréotypes peuvent entraîner des erreurs importantes et engendrer des comportements néfastes pour les membres de la société. Voici quelques-uns de ces biais.

1. *La surestimation des différences entre les groupes.* Le fait de placer les gens dans une catégorie ou dans une autre tend à accentuer les différences entre les groupes. Le fait de répartir les gens dans des groupes, comme enfants, adolescents, adultes et personnes âgées, accentue les différences entre ces groupes. Les valeurs, les besoins et les autres caractéristiques de tels groupes varient sans doute un peu, mais, parce qu'ils sont stéréotypés, cela laisse entendre qu'ils sont très différents.

2. *La sous-estimation des variations à l'intérieur d'un groupe.* Les stéréotypes laissent supposer que tous les individus formant un grand groupe sont semblables. Cependant, à l'intérieur de chaque groupe, il y a toujours des individus qui ont des modes de vie différents des autres membres. Par exemple, il y a des adolescents qui ressemblent à des enfants ou à des adultes plus qu'à leurs pairs. Cependant, en raison du stéréotype, les gens ont tendance à voir tous les adolescents comme semblables.

3. *La distorsion de la réalité.* Les regroupements de surgénéralisations qui font les stéréotypes sont habituellement reçus comme de pures vérités. Par exemple, l'affirmation selon laquelle les Américains raffolent tous de «la bouffe minute» est habituellement présentée sans réserve, alors que cette affirmation peut ne pas être très fondée.

4. *La justification de l'hostilité ou de l'oppression.* Tant que le stéréotype demeure au premier plan de la conscience, un individu n'est jamais obligé d'en examiner les raisons sous-jacentes. Par exemple, un adolescent qui n'est pas certain de son orientation sexuelle peut, personnellement, trouver l'homosexualité menaçante. Il devient hostile et commence à stéréotyper le comportement des homosexuels, les croyant malades ou pervertis. Par la suite, il peut faire de la discrimination envers les homosexuels à cause

du stéréotype; ce dernier peut être utilisé comme une excuse pour continuer l'hostilité.

En résumé, nous voyons qu'une fois acquis, le préjugé peut être maintenu de plusieurs façons. Le fait qu'il persiste ou non et qu'il soit exprimé ou pas dépend de l'appui social qu'il reçoit et de sa prégnance dans une situation donnée. L'usage courant des stéréotypes peut assurer une robustesse au préjugé.

Après avoir exploré les façons dont se développent et se maintiennent les préjugés, nous allons maintenant considérer le problème important de la réduction du préjugé.

La réduction du préjugé

Plusieurs chemins mènent au préjugé et il est facile de les emprunter. L'existence des préjugés dans une société compétitive composée de plusieurs groupes est probablement inévitable. Cependant, reconnaître leur omniprésence ne signifie pas les accepter pour autant. Certains préjugés présentent des dangers sociaux réels en nourrissant les luttes amères entre les races, les groupes économiques, les sexes et les religions. À propos des religions, il est intéressant de constater que si, dans les sociétés occidentales tant européennes qu'américaines, les pratiques religieuses

Les préjugés raciaux ne sont pas inévitables. À l'école, à la garderie, au terrain de jeux, les enfants des sociétés occidentales sont et seront de plus en plus en contact avec des enfants provenant de milieux raciaux et ethniques différents. Cela peut contribuer à réduire les préjugés; toutefois, comme nous l'expliquons dans le texte, le simple fait de rassembler les gens ne suffit pas.

ont aujourd'hui relativement peu de répercussions sur la vie quotidienne, ces sociétés sont confrontées à la présence des valeurs et des pratiques associées aux religions des nombreux immigrants qu'elles reçoivent. Ainsi, d'un côté de l'Atlantique comme de l'autre, les journaux ont rapporté différents enjeux. Par exemple, au Canada, un juge Sikh devrait-il avoir le droit de porter son arme traditionnelle en cour? En France, une écolière peut-elle porter en classe le foulard type des musulmanes? Une chauffeure d'autobus de Montréal peut-elle, au volant de son véhicule, porter le tchador?

Les préjugés étant à la source de nombreux conflits sociaux, les chercheurs en sciences sociales ont donc tenté de trouver des moyens de les réduire. Une possibilité évidente consiste à réduire la discrimination, c'est-à-dire à changer les comportements des gens. Quelques moyens éventuels d'effectuer ce genre de changements peuvent être tirés de notre exposé précédent. Par exemple, les parents peuvent réduire la discrimination chez leurs enfants en n'ayant pas de comportement discriminatoire. Les stéréotypes négatifs contenus dans les livres et dans les émissions de télévision peuvent être éliminés. On peut venir à bout des politiques sexistes et racistes des écoles. Il est plus difficile de composer avec le préjugé qui se développe dans les relations quotidiennes, puisqu'il est souvent soutenu par les groupes de pairs et les coutumes établies. Des programmes spéciaux ou des politiques peuvent être nécessaires pour combattre ces sources de préjugés plus informelles. Nous allons maintenant explorer trois moyens particuliers de réduire le préjugé: l'augmentation du contact, l'instruction et des pratiques de prise de conscience.

L'augmentation du contact

Plusieurs psychologues croient que la meilleure façon de réduire le préjugé entre les groupes consiste à les rassembler et à les mettre dans des situations où chaque groupe peut en apprendre davantage sur l'autre et développer des relations durables. C'est ce qu'on appelle l'*hypothèse du contact*. De cette façon, il est possible de surmonter les barrières de communication qui semblent être une source importante de conflit entre les gens (Newcomb, 1947). Lorsque les groupes restent chacun de leur côté, l'**hostilité autistique** peut se développer. Lorsque les gens manquent d'information sur les autres, ils ne parviennent pas à comprendre le pourquoi de leurs actions. Aussi,

lorsqu'un individu trouve frustrantes les actions d'une autre personne et ne comprend pas son raisonnement, il développe de l'hostilité non exprimée sans vérifier le point de vue de l'autre. Si des gens sont en contact, ils ne peuvent pas se blâmer mutuellement aussi facilement que s'ils ne le sont pas. Si des membres de groupes distincts développent de l'hostilité autistique, le phénomène de **reflet dans les préjugés intergroupes** peut survenir (Bronfenbrenner, 1960). Chacune des parties se perçoit alors comme bien intentionnée et bien pensante, et croit que l'ennemi est dans l'erreur et menaçant.

Selon l'hypothèse du contact, en augmentant le contact, l'autre groupe perd son étrangeté et semble être plus différencié. Ce groupe n'est plus perçu comme un tout ou un ensemble de gens équivalents et plus ou moins interchangeables, mais plutôt comme une conjonction d'individus uniques. Lorsque l'autre groupe est perçu de façon plus différenciée, la discrimination peut s'en trouver réduite (Wilder, 1978). Avec le contact, l'individu en vient à percevoir des similarités entre lui et des membres de l'autre groupe. En réalité, lorsque les groupes passent du temps ensemble, ils commencent à s'imiter mutuellement et les différences peuvent parfois disparaître (Eaton et Clore, 1975). Dans une société intégrée, les croyances non fondées ont moins d'occasions de se développer au sujet d'«eux autres». Il devient difficile aussi de placer les gens dans des catégories simples et stéréotypées. Des ateliers de résolution de problèmes, rassemblant des leaders de groupes hostiles pour discuter ensemble de leurs problèmes d'interaction, se sont révélés fructueux comme forme de contact (Kelman et Cohen, 1979). Plusieurs psychologues sociaux ont étudié les contacts dans la communauté. Une étude sur le logement interracial fournit un appui solide à l'hypothèse du contact (Deutsch et Collins, 1951). Deux types différents d'ensembles résidentiels furent comparés. Dans un premier, on a distribué les logements aux Noirs et aux Blancs, sans considération de race. Dans l'autre, on a séparé les Noirs et les Blancs. On mena une série d'interviews auprès des habitants des deux types d'ensembles. D'après les résultats, les contacts fortuits et de voisinage étaient plus nombreux dans les ensembles intégrés que dans les ensembles où la ségrégation était appliquée (*voir le tableau 5-5*). Ce qui nous importe le plus ici, c'est que les habitants des ensembles intégrés étaient plus portés que les habitants des autres ensembles à signaler des relations amicales avec les gens de l'autre race. Par exemple, les Blancs des habitations intégrées montrèrent beaucoup plus de sentiments positifs envers les Noirs que les Blancs des habitations où la ségrégation était appliquée.

Des études effectuées dans plusieurs autres situations ont donné des résultats similaires. Le fait de vivre dans des habitations intégrées réduit la tendance à stéréotyper les membres de groupes minoritaires (Kramer, 1950). Il a été montré que l'appréhension envers l'intégration dans les quartiers de banlieue a décliné un an après l'instauration de l'intégration (Hamilton et Bishop, 1976). Lorsqu'une école primaire devenait intégrationniste, la distance sociale entre les écoliers blancs et les écoliers noirs semblait diminuer, alors qu'augmentait le désir des enfants d'avoir des relations avec des individus de races différentes (Koslin et coll., 1969). Les situations de travail où diverses races se côtoient peuvent rendre un employé plus disposé à travailler sur une base égalitaire avec des membres d'une autre race (Harding et Hogrefe, 1952). Les colonies de vacances intégrées peuvent réduire les préjugés des campeurs (Clore et coll., 1978). Rassembler les membres de différents groupes collégiaux peut réduire leurs préjugés; les séparer produit l'effet inverse (Wilder et Thompson, 1980). Même le contact d'une seule personne qui contredit les stéréotypes antérieurs pourrait réduire le préjugé (Gurwitz et Dodge, 1977).

Toutefois, le seul fait de rassembler des gens ne réduit pas toujours les préjugés (Amir, 1976). Le contact peut échouer et il peut même envenimer la situation. On peut penser à certaines écoles de Montréal hétérogènes au plan racial et pourtant caractérisées par de nombreux et parfois violents conflits entre les étudiants. Plusieurs facteurs additionnels doivent être considérés.

1. *L'égalité de statut.* La longue histoire des contacts entre les hommes et les femmes ne semble pas avoir eu d'effet apparent sur les droits des femmes dans le monde. L'inégalité des rôles assignés à chaque sexe peut expliquer en partie pourquoi le contact n'a pu réduire les préjugés. Le rôle de domestique longtemps dévolu aux femmes est en grande partie responsable de ce que l'on sous-estime encore leur valeur (Tavris et Offir, 1977). D'après les recherches, si l'on veut que le contact porte fruit, il faut bien s'assurer que les membres de groupes différents aient le même statut (Horowitz, 1985). Si, dans une situation, on désire réduire le préjugé en augmentant le contact, il faut que les individus partent sur un pied d'égalité (Pettigrew, 1969). De plus, un appui social devrait renforcer cette relation de rôle équitable (Campbell, 1958; Foley, 1976).

2. *Des buts communs.* Les individus peuvent avoir besoin de partager des buts communs

Lieu de rencontre	Type d'ensemble résidentiel			
	Intégration		Ségrégation	
	Ensemble *A* (%)	Ensemble *B* (%)	Ensemble *C* (%)	Ensemble *D* (%)
L'édifice	60*	53	0	0
La salle de lavage à l'intérieur ou près de l'immeuble	13	17	0	0
Des bancs extérieurs	46	64	7	21
Le bureau	2	1	7	17
Les assemblées de locataires	2	17	28	28
Un magasin près de l'ensemble	12	13	81	60
L'école des enfants	1	3	14	0

* N'ont été inclus que les Blancs qui ont répondu «oui» ou «incertain» à la question sur la façon dont ils ont rencontré des Noirs. Les pourcentages dépassent cent parce que plusieurs personnes ont nommé plus d'un lieu de rencontre.

Source: Adapté de Deutsch et Collins, 1951.

Tableau 5-5   Les effets de l'intégration sur les contacts interraciaux

Notez que les habitants des ensembles résidentiels intégrés rencontrent leurs voisins de façon informelle autour de leur résidence, alors que les contacts dans les ensembles où il y a ségrégation se produisent plus souvent dans des rencontres formelles ou dans des lieux situés hors de l'ensemble résidentiel.

Encadré 5-4

Je me perçois, tu me perçois, ils se perçoivent: la conjugaison des perceptions de l'identité chez les minorités ethniques

Pour une variété de raisons démographiques, humanitaires, économiques, les communautés ethniques sont appelées à prendre de plus en plus de place dans les sociétés occidentales. Aussi, les préjugés et les frictions entre les groupes, prenant la forme de discrimination et parfois de violence, interpellent-ils les psychologues sociaux. Une équipe de chercheurs de l'Université McGill s'intéresse depuis plusieurs années aux minorités du Québec (Lambert, Mermigis et Taylor, 1986; Lambert et Taylor, 1990; Moghaddam, 1988; Moghaddam et Taylor, 1987). L'une des questions qui les intéresse est la façon dont les minorités perçoivent leur identité.

Selon Moghaddam et Taylor (1987), être membre d'une minorité visible influe sur la façon dont l'individu se perçoit au sein de la société québécoise. Dans leur étude, comparativement aux immigrants d'Europe de l'Est, les membres des minorités visibles (Haïtiens, Indiens, Vietnamiens, Sud-Américains) avaient davantage tendance à ne pas s'identifier aux Canadiens ou aux Québécois, et ils se sentaient plutôt isolés en tant qu'étrangers ou immigrants. De plus, les membres de ces minorités visibles percevaient que les groupes majoritaires les voyaient moins comme des «Canadiens» ou des «Québécois», et plutôt comme des «étrangers». Moghaddam et Taylor ont observé que plus les immigrants des minorités visibles demeuraient longtemps au Québec, plus ils s'identifiaient avec les Canadiens, mais moins ils se croyaient perçus comme des Canadiens par les anglophones et par les francophones. L'explication pessimiste de cette tendance serait que le temps de résidence s'accompagne d'une expérience plus fréquente de la discrimination et donc d'un sentiment de rejet par la majorité (Moghaddam, 1992).

pour que les contacts aient des effets bénéfiques. Ils doivent sentir qu'ils travaillent ensemble à des fins similaires (Weigel, Wiser et Cook, 1975). Comme Muzafer Sherif (1979) le dit, pour réussir ils ont besoin de *buts transcendants* qu'ils ne peuvent atteindre qu'en travaillant ensemble. Afin d'illustrer ce point de vue, on organisa une situation de travail où des Noirs et des Blancs avaient des statuts égaux et partageaient des buts communs (Cook, 1971). Des femmes blanches du sud des États-Unis qui avaient des attitudes particulièrement racistes furent choisies pour travailler avec des femmes noires dans un jeu de gestion d'entreprise. Les équipes interraciales devaient coopérer pour gérer un chemin de fer simulé. Les membres des équipes ont travaillé ensemble plus d'une heure par jour, pendant environ trois semai-

nes. Dans cette situation, les femmes racistes ont presque invariablement développé des relations étroites avec leurs coéquipières noires. Ces sujets ont montré également une diminution du préjugé sur des mesures générales prises hors du contexte de travail. On ne trouva pas de réduction du préjugé chez un groupe témoin de femmes racistes qui n'avaient pas participé aux rencontres d'équipe.

3. *Le succès.* Lorsque des gens travaillent étroitement ensemble, la capacité du groupe d'atteindre ses buts est un autre facteur qui contribue à la réduction du préjugé (Blanchard, Adelman et Cook, 1975; Worchel, 1979). Lorsqu'un groupe de travail ou une équipe sportive remporte des succès, les préjugés tombent et, souvent, de fortes amitiés se développent. Toutefois, si des

Les chercheurs se sont demandé si les immigrants se font une idée juste de la perception qu'ont d'eux les membres du groupe majoritaire. Pour répondre à cette interrogation, ils ont étudié les perceptions d'étudiants montréalais de niveau collégial: des Québécois francophones et des immigrants de divers groupes ethniques, dont des Européens francophones, des Juifs, des Latino-Américains, des Haïtiens et des immigrants du Sud-Est asiatique (Moghaddam, Taylor et Tchoryk-Pelletier, 1991: cité dans Moghaddam, 1992). Lesquels de ces groupes se percevaient davantage comme Québécois? Les Européens francophones. Pour leur part, les Haïtiens et les Juifs étaient ceux qui se percevaient le moins comme Québécois. Par contre, fait saisissant, les Québécois francophones percevaient autant les Juifs que les Européens francophones, comme les plus Québécois. À cet égard, la minorité juive avait donc une perception qui était à l'antipode des perceptions qu'avaient les sujets québécois francophones à leur égard.

Les chercheurs ont également décelé des différences entre les perceptions des étudiants de deux groupes parlant français: les Européens francophones, la minorité la moins «visible» et les Haïtiens, la minorité la plus «visible». Les Européens francophones croyaient que les Québécois francophones les percevaient plus comme des «Québécois», et moins comme des étrangers et des immigrants qu'ils ne le faisaient en réalité. Par opposition, les Haïtiens se croyaient moins perçus comme des «Québécois» par les Québécois francophones qu'ils ne l'étaient en réalité. Selon Moghaddam, cette disparité entre les perceptions des Québécois, et l'un et l'autre des groupes minoritaires peut s'expliquer par des considérations historiques rattachées aux groupes. Les immigrants européens francophones sont issus de pays colonisateurs, tandis que les Haïtiens, comme d'autres minorités visibles, viennent de pays colonisés où leur groupe d'appartenance a subi l'esclavage. Des expériences historiques expliqueraient donc, du moins en partie, l'erreur dans la perception d'être accepté ou non par la majorité. D'après votre expérience personnelle, croyez-vous que ces considérations jouent effectivement?

groupes qui coopèrent subissent un échec, chacun peut en venir à blâmer l'autre groupe (Worchel et coll., 1977). En raison de l'hostilité accumulée envers l'autre groupe, il devient facile de le rendre responsable de l'échec.

4. *La participation à la prise de décision.* Il est plus probable que le préjugé diminue lorsque tous les membres du groupe ont la chance d'exprimer leurs opinions, comparativement à une situation où seulement quelques personnes peuvent le faire (Weigel et Cook, 1975).

Maintenant que nous avons vu comment on peut utiliser les contacts intergroupes pour réduire le préjugé, examinons les effets de l'éducation sur les attitudes envers les autres.

L'instruction et la réduction du préjugé

L'instruction est considérée comme une voie privilégiée pour réduire le préjugé. L'éducation permet de faire connaître des groupes de gens, les antécédents historiques des problèmes actuels, et ainsi de suite. Ayant reçu cette information, les gens devraient accepter davantage les autres. L'éducation devrait avoir un effet libérateur. Mais qu'en est-il réellement? Y a-t-il des éléments de preuve qui appuient cette hypothèse? On peut trouver une réponse à cette question dans une étude sur les attitudes des Blancs envers les Noirs. On a interviewé deux mille six cents Blancs vivant dans des centres urbains aux États-Unis (Campbell, 1971). Abordant la question des attitudes relatives au contact interracial, on leur a demandé, par exemple, dans quelle mesure ils

Les événements survenus à Oka, non loin de Montréal, au cours de l'été 1990 constituent un point culminant des problèmes que rencontrent les autochtones et les peuples dits «fondateurs» à cohabiter en sol canadien. Ce que l'on a appelé l'«été indien» commença le 11 juillet par l'intervention de la Sûreté du Québec, dont le but était de démanteler des barricades érigées par les autochtones, pour se terminer le 26 septembre par la reddition des *Warriors* à l'armée. Durant ces 78 jours, les affrontements entre les Blancs et les autochtones furent souvent violents et exacerbèrent des tensions interethniques existantes.

aimeraient que leurs enfants aient des amis noirs, jusqu'à quel point ils seraient ennuyés si leur superviseur était un Noir compétent et comment ils réagiraient si une famille noire emménageait dans la maison voisine de la leur. On s'intéressa aussi à la sympathie pour le mouvement de libération noir américain. Étaient-ils en faveur des marches pacifistes et sentaient-ils que les Noirs allaient trop vite en affaires?

La figure 5-3 présente les principales corrélations entre la scolarité et les préjugés. Comme vous pouvez le constater, il existe une forte relation entre l'instruction et les attitudes envers le contact interracial, et envers le mouvement noir américain. Les attitudes positives envers le contact interracial, et la sympathie pour le mouvement noir augmentent avec la scolarité. Les hommes et les femmes qui ont complété le secondaire montrent moins de préjugés que ceux qui ne l'ont pas terminé. Ceux qui ont terminé des études post-secondaires constituent le groupe qui mani-

feste le moins de préjugés. Des recherches additionnelles indiquent que l'instruction produit le même effet chez les Noirs. En effet, les Noirs qui ont étudié au moins quelque temps après le secondaire ont deux fois moins de préjugés contre les Blancs que les Noirs qui n'ont fait qu'une neuvième année (Marx, 1969). Une scolarité plus grande est également associée à moins de préjugés contre les Juifs (Selznick et Steinberg, 1969).

Il faut interpréter ces résultats avec prudence. Il se peut, par exemple, que la scolarité fasse simplement que les gens nuancent davantage leurs réponses lors d'une enquête. Les gens instruits n'ont peut-être pas moins de préjugés, mais sont peut-être plus prudents durant une interview. Il se peut également que les résultats reflètent non pas l'effet de la scolarité, mais celui d'un autre facteur, comme l'intelligence. Si les gens plus intelligents sont moins portés à avoir des préjugés, tout en étant plus enclins à poursuivre leurs études jusqu'au diplôme collégial, les résultats peuvent alors être dus à l'intelligence et non à la scolarité. Dans une recherche auprès d'étudiants de la ville de Québec, Guimond, Palmer et Bégin (1989) ont soutenu qu'en soi, l'instruction ne ferait pas diminuer les préjugés. En se socialisant aux valeurs du groupe auquel ils appartiennent ou souhaitent appartenir par leur formation, les étudiants intègrent les préjugés du groupe lui-même. Dans leur échantillon, les étudiants et les étudiantes en sciences sociales étaient effectivement plus favorables à l'égard des «socialistes» à mesure que leur niveau scolaire augmentait (et donc que la socialisation se poursuivait), alors que les étudiants et étudiantes en administration devenaient moins favorables à ce groupe. Un effet inverse fut observé par rapport à l'évaluation des «militaires» et des «conservateurs». Ils en ont conclu que l'instruction n'est pas un facteur qui contribuerait à faire diminuer tous les préjugés, mais plutôt que le domaine d'études aurait un effet différentiel sur les attitudes intergroupes.

Les pratiques de prise de conscience

Depuis quelques années, un processus et des techniques de **prise de conscience**, encore appelées de conscientisation, sont de plus en plus mis de l'avant par divers groupes, plus particulièrement par ceux qui tentent de changer la structure traditionnelle des rôles sexuels (Kravetz et Sargent, 1977). On vise souvent ainsi à sensibiliser les membres de groupes aux influences oppressives sur leur vie et à développer un sentiment de solidarité et de pouvoir collectif, et un moyen de défense collective. Martha Mednick (1975) a décrit le processus de prise de conscience de la façon suivante. Au départ, les individus

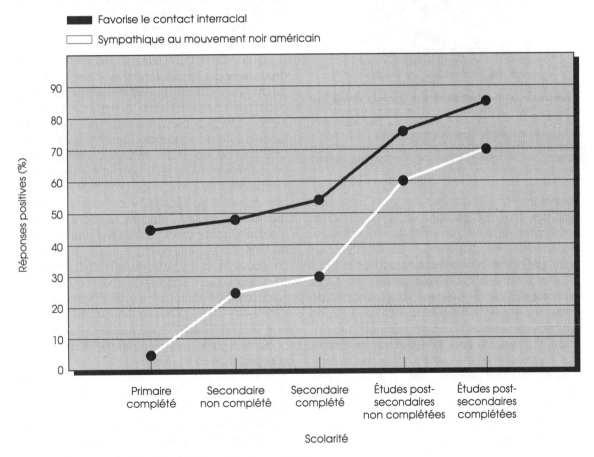

Figure 5-3   La scolarité modifie-t-elle les attitudes raciales?

La scolarité semble encourager l'appui au contact interracial et au mouvement noir chez cet échantillon d'individus de moins de quarante ans. Notez que les sujets qui n'ont fréquenté que l'école primaire n'ont aucune sympathie pour le mouvement noir. Il est possible que les gens les moins instruits soient ceux qui perdraient le plus si la structure de pouvoir était modifiée. (Adapté de Campbell, 1971.)

De nouvelles portes d'entrée sur le marché du travail. Pour contrer la discrimination au travail, divers programmes ont été mis sur pied. Ce programme, parrainé par des organismes gouvernementaux, s'adresse aux femmes désireuses de réintégrer le marché de l'emploi et de faire carrière dans un métier autrefois fermé aux femmes. Signe des temps, même des frais de garderie sont remboursés.

se sentent insatisfaits de leur condition. Par exemple, des femmes peuvent trouver les tâches ménagères traditionnelles abrutissantes, et se sentir déprimées et malheureuses. Elles peuvent en venir à se blâmer elles-mêmes de leur sort et sentir qu'elles n'ont aucun contrôle sur leur vie. C'est le moment d'utiliser des techniques directes de prise de conscience lorsque des individus, ici des femmes, commencent à se percevoir comme élément d'un groupe opprimé. Elles reconnaissent que leur problème est commun à plusieurs femmes en tant que groupe; elles ne le voient pas comme provoqué par leur situation strictement personnelle. Les membres du groupe constatent alors qu'ils sont traités injustement par rapport à d'autres groupes similaires. Si ce sentiment est associé à du mécontentement, ces membres éprouvent un sentiment de **privation relative** (Crosby, 1982). Les techniques de prise de conscience permettent de passer du blâme que l'on s'attribue personnellement au blâme du système, perçu alors comme responsable de la condition injuste. Tel que le montre la figure 5-4, le sentiment de contrôle personnel peut alors augmenter et des actions dirigées vers le système peuvent être entreprises. À ce moment, l'agent de prise de conscience tente de proposer une idéologie derrière laquelle les femmes peuvent s'unir. On leur montre que le système social contrôle l'individu et qu'il est responsable de leur insatisfaction. En tant que membre d'un groupe, la femme en vient à percevoir qu'elle peut exercer plus de contrôle. Le groupe peut alors diriger une action contre le système (*voir la figure 5-4*). Les travaux sur la privation relative sont importants en ce qui concerne les femmes et plus particulièrement l'équité en emploi et les programmes d'action positive (*voir à ce propos l'encadré 5-5*).

Les activités de prise de conscience entraînent la création d'autres façons possibles de voir la réalité. Dans la mesure où les membres de groupes opprimés acceptent la vision de la réalité dominante, ils ne peuvent développer un autre cadre de compréhension. L'éveil de la conscience offre à la personne opprimée une autre façon d'évaluer sa position. De cette façon, l'individu peut se libérer des chaînes constituées par la vision de la réalité qu'a la majorité. Les tentatives de prise de conscience produisent-elles des changements significatifs? Elles ne le font probablement pas toutes. Toutefois, elles ont fréquemment un effet important. En réalité, les participants développent souvent envers le monde une approche ouverte et dynamique qui s'accompagne d'un désir élevé d'accomplissement et d'une forte valorisation de l'autonomie et de l'indépendance (Cherniss, 1972). D'autres recherches montrent que les participants à des groupes de prise de conscience améliorent leur estime de soi et leur connaissance de soi, acquièrent un sentiment de compétence, sont plus à l'aise dans leur corps et deviennent plus préoccupés quant à l'égalité (Eastman, 1973; Newton et Walton, 1974). Sans aucun doute, les pratiques de prise de conscience offrent un potentiel à exploiter.

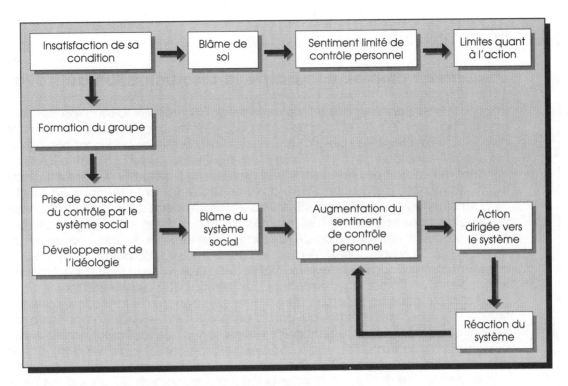

Figure 5-4   Une esquisse du processus de prise de conscience

Au départ, les gens sont insatisfaits de leurs conditions de vie. Ils peuvent se blâmer pour ces conditions ou se percevoir comme membres d'un groupe opprimé. Si la conscience de l'adhésion au groupe augmente, des changements peuvent se produire chez l'individu et dans la société. (Adapté de Mednic, 1975.)

Résumé

1   Le préjugé est une attitude. Une attitude peut être définie comme une prédisposition à réagir de façon favorable ou défavorable à un objet particulier ou à une classe d'objets. Les attitudes ont trois composantes: cognitive, affective et comportementale. Sur le plan cognitif, l'individu possède un concept ou une perception de l'objet ou de la classe d'objets. Sur le plan affectif, il possède un sentiment qui peut varier du positif au négatif. Sur le plan comportemental, son action est orientée vers l'objet. Lorsque ces composantes s'expriment dans le comportement, on l'appelle discrimination.

2   Un résultat des pratiques discriminatoires est que leurs victimes peuvent en venir à éprouver des problèmes d'estime de soi ou un sentiment d'infériorité. Dans la société américaine, de tels effets de discrimination ont été démontrés chez les Noirs et chez les femmes. Les victimes de la discrimination peuvent également développer une disposition à échouer. Cela signifie qu'en situation de compétition ils peuvent éviter la possibilité de réussir. Ils peuvent aussi se comporter de façon à justifier la discrimination dont ils souffrent. On est en présence de l'effet Pygmalion lorsque quelqu'un crée chez autrui ce qu'il s'attend à y trouver. Cet effet a été démontré très nettement dans des études sur les relations enseignants-étudiants. Cependant, toutes les cibles de discrimination

Encadré 5-5

L'équité en emploi: combattre la discrimination au travail

Depuis plusieurs années, des efforts sont faits pour améliorer la situation des femmes en matière d'équité en emploi. L'un des objectifs fondamentaux est de faire en sorte que les femmes soient plus justement représentées à tous les niveaux et dans tous les secteurs de la vie active. Cela signifie que pour combattre la discrimination à l'endroit des femmes, il faut modifier des attitudes et des comportements en matière de gestion. Ainsi, diverses stratégies ont été mises sur pied.

Francine Tougas, de l'Université d'Ottawa, étudie depuis une dizaine d'années les réactions des hommes et des femmes quant à différentes stratégies utilisées pour promouvoir l'amélioration de la situation des femmes. Tougas regroupe ces stratégies en deux catégories: l'élimination des barrières systémiques et les mesures compensatoires (Tougas et Veilleux, 1991). L'élimination de barrières systémiques regroupe les stratégies qui permettent aux femmes de s'aider elles-mêmes: des cours d'information sur les profils de carrière, des congés de formation, l'affectation de mentors à des femmes qui ont du potentiel. Les mesures compensatoires, encore appelées «de traitement préférentiel» sont d'une tout autre nature. L'établissement de quotas est l'une de ces mesures: l'on cherche alors à atteindre un objectif quantitatif en ce qui concerne l'embauche ou la promotion de femmes. Une autre mesure consiste à donner priorité aux candidats féminins dans l'attribution d'emplois ou de promotions: à compétence égale, on donnera priorité à une femme.

Comment les hommes et les femmes réagissent-ils à ces deux types de stratégies? D'après Tougas et Veilleux (1989, 1991), les hommes sont majoritairement favorables aux stratégies qui visent à l'élimination de barrières systémiques. Selon les chercheuses, les hommes sont d'accord avec ces stratégies parce qu'elles ne portent pas atteinte au principe du mérite, principe de base de l'attribution des ressources dans notre société. De même, la majorité des femmes (employées de bureau, cadres, professionnelles, femmes au foyer) sont d'accord avec ce type de stratégies (Tougas et Veilleux, 1988; Tougas, Beaton et Joly, 1992). Par contre, l'équipe de Tougas a montré que les hommes sont en majorité défavorables

ne ressentent pas nécessairement ces effets. Les résultats de la discrimination dépendent du groupe concerné et des conditions historiques.

3   Le préjugé peut commencer dans les premières années de la vie. Il est souvent acquis lorsqu'un enfant se modèle sur ses parents. La personnalité autoritariste a été analysée avec soin en raison du lien étroit entre l'autoritarisme et les préjugés contre les minorités. D'après plusieurs études, la personnalité des autoritaristes ressemble à celle de leurs parents. Les médias, y compris les émissions télévisées et les livres pour enfants, suscitent également l'acquisition de préjugés chez les enfants. Des études sur ces médias ont révélé diverses façons dont on encourage le préjugé contre les femmes. Plusieurs efforts sont cependant mis en œuvre pour réduire ces préjugés.

4   Les préjugés peuvent se développer à tout âge. Lorsqu'un adulte subit un mauvais traitement quelconque de la part d'autres individus, il risque fort de développer des préjugés. On qualifie de bouc émissaire le groupe qui est injustement tenu responsable des problèmes d'un autre groupe. La compétition intergroupe peut souvent engendrer

aux mesures de traitement compensatoire (Tougas, Dubé et Veilleux, 1987; Tougas et Beaton, 1991). Cette stratégie est perçue comme injuste, défavorable au principe du mérite et susceptible de promouvoir les personnes sous-qualifiées. Qu'en est-il des femmes? Les premières études de Tougas montraient que les femmes étaient, comme les hommes, opposées au traitement compensatoire (Tougas, Dubé et Veilleux, 1987; Tougas et Veilleux, 1988). Or, dans des études récentes, il semble bien que la situation ait évolué. Chez divers groupes de femmes (employées de bureau, cadres, professionnelles, étudiantes), la majorité des femmes se sont prononcées en faveur de stratégies de traitement compensatoire comme moyen d'améliorer leur représentation dans les secteurs où elles sont sous-représentées (Tougas, Beaton et Veilleux, 1991). Tougas et Veilleux (1991) expliquent cette volte-face dans l'attitude des femmes par une perte de leur confiance dans la capacité du système de se débarrasser de ses iniquités dans un avenir rapproché, les efforts de promotion des femmes depuis les vingt dernières années ayant en définitive apporté bien peu de changement. Les femmes continuent à soutenir l'élimination des barrières systémiques, mais seraient d'avis que les mesures compensatoires sont maintenant une nécessité. Ces résultats montrent encore une fois la nécessité d'étudier les attitudes et les préjugés dans leur contexte, en tenant compte de l'évolution des tendances et des pratiques sociales.

Les femmes qui bénéficient de mesures de traitement compensatoire pourraient-elles en conséquence faire l'objet de préjugés? Dirait-on d'elles qu'elles sont incompétentes et qu'elles ne doivent leur poste qu'à leur genre biologique? Ou encore, les bénéficiaires de programmes à traitement compensatoire pourraient-elles en venir à douter de leurs propres capacités? Tougas et Veilleux (1991) soutiennent qu'une condition essentielle pour que ces mesures n'entraînent pas de tels effets est l'appui des hommes au redressement de la situation des femmes par rapport aux hommes. D'après les chercheuses, il faut que les patrons et collègues masculins reconnaissent que, par rapport aux injustes pratiques administratives actuelles, le traitement compensatoire est juste et ne doit pas être associé à la promotion de l'incompétence. Combattre la discrimination à l'égard des femmes avec l'appui du groupe qui a longtemps bénéficié des pratiques administratives antérieures que l'on veut corriger, voilà un défi de taille pour les promoteurs de stratégies d'action positive.

des préjugés. Comme la similarité peut encourager le développement de l'attraction, la dissemblance peut favoriser la naissance du préjugé.

5   Le préjugé est souvent maintenu par le renforcement social. Les préjugés servent parfois à préserver l'amitié dans certains groupes sociaux. Le maintien d'une attitude dépend également de sa prégnance, c'est-à-dire de son rappel au moment considéré. Les stéréotypes sont des concepts partagés par un groupe d'individus qui ne les remettent pas en question. Les stéréotypes aident aussi à maintenir le préjugé. Ils sont essentiels à la vie sociale, mais ils ont des effets secondaires déplorables, tels que la surestimation des différences entre les groupes, la sous-estimation des variations à l'intérieur d'un groupe, la distorsion de la réalité et la justification de l'hostilité.

6   Il est possible de réduire les préjugés dans la société en augmentant le contact social entre des groupes opposés. Cependant, pour que le contact puisse réduire le préjugé, il doit y avoir égalité de statut entre les membres, poursuite de buts communs, capacité du groupe d'atteindre ses buts et égalité de participation au travail collectif.

Selon certaines indications, la scolarité pourrait réduire le préjugé, mais plusieurs interprétations forcent à nuancer cette position. Les techniques de prise de conscience peuvent être utilisées par les victimes de discrimination pour en réduire les effets sur elles, et dans le but de changer la société.

Lectures suggérées

En français

Bourhis, R. et Guimond, S. (dir.) (1992, *sous presse*). La psychologie sociale des préjugés et de la discrimination entre groupes sociaux. *Revue québécoise de psychologie, 13* (numéro 1 entier).

Rosenthal, R. et Jacobson, L. (1971). *Pygmalion à l'école*. Tournai: Casterman.

En anglais

Austin, W. G. et Worchel, S. (1979). *The social psychology of intergroup relations*. Monterey, CA: Brooks/Cole.

Basow, S. (1986). *Gender stereotypes: traditions and alternatives*. Pacific Grove, CA: Brooks/Cole. Katz, P.A. (dir.) (1976). *Towards the elimination of racism*. Elmsford, NY: Pergamon Press.

Taylor, D.M. et Moghaddam, F.M. (1987). *Theories of intergroup relations: international social psychological perspectives*. New York: Praeger.

Worchel, S. et Austin, W.G. (dir.) (1986). *Psychology of intergroup relations*. Monterey, CA: Brooks/Cole.

6

Le changement des attitudes

*Dans tout ce qui ne tient pas aux premiers besoins
de la nature, nos opinions sont la règle de nos
actions.*

Jean-Jacques Rousseau

Objectifs d'apprentissage

☐ Après l'étude du présent chapitre, vous devriez être
capable

1. de donner un aperçu de l'approche behavioriste du
changement des attitudes en analysant chacun des facteurs du stimulus: le communicateur, le message, le
canal, l'auditoire et l'environnement des communications;

2. d'analyser l'efficacité du communicateur en fonction de
la crédibilité, de l'attrait physique et de l'expression de
l'intention;

3. de relier le caractère persuasif d'un message, une fois
qu'il est bien compris, à l'idée de faire connaître un ou
les deux côtés de la médaille, et à la technique d'éveil
de la peur;

4. d'expliquer dans quelles situations les contacts face à
face et les messages écrits sont les canaux de communication privilégiés;

5. d'expliquer comment les auditoires participent véritablement de façon active au changement des attitudes par
leur désir d'atteindre l'harmonie, par leur besoin d'imperméabilité à la persuasion et par leurs personnalités;

6. de relier les effets de la distraction et des associations
personne-environnement au caractère persuasif de
l'environnement des communications;

7. d'expliquer l'approche cognitive du changement des
attitudes relativement à la dissonance, au jeu de rôle,
aux décisions prises par soumission forcée et à l'exposition sélective;

8. d'expliquer comment les gens traitent l'information lors
de prises de décisions évaluatives, en considérant particulièrement l'information environnementale, la perception de soi et le balayage des souvenirs;

9. d'identifier les arguments dans le débat, qui portent sur
la prédiction du comportement par les attitudes;

10. d'évaluer le modèle de Fishbein sur la prédiction du
comportement, à partir des intentions décrites, en tant
que tentative d'explication unifiée du changement des
attitudes.

☐ *Lorsqu'il était étudiant à l'université, Charles passait la plus grande partie de son temps libre à travailler au sein d'un groupe d'écologistes. Il était particulièrement engagé dans des comités qui dénonçaient la pollution industrielle. Après ses études en droit, on lui offrit un emploi de prestige bien rémunéré dans une entreprise de fabrication de papier. Il hésita avant d'accepter le poste, car cette compagnie n'avait pas une très bonne réputation en matière de protection de l'environnement. Avec le temps, Charles devint cependant de plus en plus engagé dans la vie de l'entreprise et en vint à reléguer ses préoccupations environnementales à l'arrière-plan. Il éprouve maintenant de l'hostilité envers ceux qui exigent que la compagnie suive des normes antipollution plus sévères. Ses attitudes se sont complètement transformées à l'intérieur d'une période de cinq ans et ce changement a eu des conséquences importantes sur son mode de vie.*

Le changement des attitudes constitue une particularité centrale de la vie sociale. Les gens sont constamment soumis à des pressions dont le but est le changement de leurs attitudes. En retour, ils exercent également des pressions sur les autres pour qu'ils changent. Les gens diffèrent les uns des autres quant à leurs attitudes envers des candidats politiques, des produits de consommation, des amis et des étrangers. Quel que soit le sujet considéré, la qualité de la vie sociale peut dépendre de la disposition des gens à changer ou non leurs attitudes. En 1935, l'éminent théoricien Gordon Allport écrivait que le concept d'attitude est «la clef de voûte de l'édifice de la psychologie sociale américaine». Près de quarante ans plus tard, Herbert Kelman, son successeur à Harvard, écrivait: «Depuis la publication de l'article de Allport, les attitudes sont devenues, s'il se peut, encore plus centrales en psychologie sociale» (1974). Les psychologues sociaux se préoccupent des attitudes à cause du lien étroit entre les attitudes et les actions des gens. La conduite humaine est fortement influencée par les pensées et les sentiments sous-jacents. Cela signifie que les gens agissent souvent à partir de ce qu'ils croient et de ce qu'ils éprouvent quant aux autres, quant à eux-mêmes et quant au monde qui les entoure. Quiconque désire améliorer les conditions de la vie sociale fait habituellement face aux difficultés que pose le changement des attitudes des autres. Cette tâche se retrouve dans tous les domaines de la vie sociale, des relations étroites à la psychothérapie, en passant par les droits des minorités ethniques.

Les psychologues sociaux ont proposé de nombreuses définitions de l'attitude et chacune d'elles reflète une prise de position particulière. McGuire (1985) a identifié huit motifs de désaccord théorique à propos d'une définition conceptuelle relativement neutre de l'attitude, à savoir un processus de médiatisation regroupant un ensemble d'objets dans une catégorie conceptuelle. Zanna et Rempel (1988) proposent une définition semblable, mais intègrent la dimension évaluative habituellement présente dans les travaux sur les attitudes: l'attitude est une catégorisation d'un objet sur une dimension évaluative. Dans ce chapitre, nous considérerons le fait que l'attitude est une prédisposition à réagir de façon positive ou négative à une personne ou à un objet, ou encore à un ensemble de personnes ou d'objets. Les attitudes portent toujours sur un sujet (des personnes ou des objets), elles sont de nature évaluative et sont relativement persistantes.

Dans nos exposés sur l'attraction et sur le préjugé, nous avons étudié le développement des attitudes. Nous nous sommes demandé comment les gens en viennent à avoir des sentiments positifs ou négatifs les uns envers les autres. Dans le présent chapitre, nous étudierons les moyens de changer les attitudes dans la société. Nous concentrerons particulièrement notre attention sur les processus qui peuvent produire de tels changements, et nous comparerons deux approches majeures qui permettent de comprendre le changement des attitudes. La première approche est issue de la tradition behavioriste et insiste sur les effets qu'a le monde extérieur sur les attitudes (par exemple, les caractéristiques physiques ou personnelles de celui ou celle qui tente de persuader). La seconde approche est étroitement reliée à l'orientation cognitive et met l'accent sur les processus mentaux qui influent sur le changement des attitudes. Après avoir considéré ces approches en détail, nous explorerons la relation entre les attitudes et le comportement. Précisons que les deux ne sont pas toujours étroitement liés. La relation est complexe et mérite un examen approfondi.

La communication et la persuasion

Si vous étiez en train d'établir un plan dans le but de changer les attitudes de quelqu'un, par où commenceriez-vous? Il vous viendrait probablement immédiatement à l'esprit que, généralement, les changements d'attitudes se produisent lorsqu'une personne communique avec une autre. La communication sociale produit la plupart des changements d'attitudes. Si vous partez de ce point de vue, logiquement vous commencerez par l'identification des facteurs du processus de communication susceptibles de produire un changement des attitudes. Par exemple, qu'est-ce qui, chez la personne qui livre la communication, ou dans la communication même, produit le changement? Ce type d'interrogation constitue la base d'un imposant effort de recherche qui a commencé dans les années quarante et qui se poursuit toujours. Durant les années quarante, le gouvernement américain désirait mobiliser la population en vue d'appuyer l'effort de guerre, et persuader les gens de faire personnellement les sacrifices nécessaires pour assurer la victoire. Des psychologues sociaux ont contribué à l'effort de guerre en élaborant et en vérifiant des théories susceptibles d'aider le gouvernement à influencer les attitudes du public. Le spécialiste des attitudes Carl Hovland et ses collègues du Centre de changement des attitudes de Yale guidèrent les travaux. Ceux-ci s'appuyaient sur l'orientation stimulus-réponse des behavioristes. Dans leurs théories, ils portaient une attention particulière aux caractéristiques du stimulus à l'intérieur du processus de persuasion, à savoir: comment chaque caractéristique du stimulus augmente ou diminue les effets de la persuasion sur les attitudes. On peut aisément classer en cinq catégories les caractéristiques fondamentales émergeant de ces travaux.

1. Le *communicateur*. La personnalité, le style et les autres caractéristiques de la personne qui tente d'influencer.

2. Le *message*. Le contenu, le style et les autres caractéristiques de la communication.

3. Le *canal*. Le média utilisé pour présenter la communication, par exemple, la télévision, la radio ou un dépliant.

4. L'*auditoire*. Les caractéristiques psychologiques de l'individu ou des individus à qui s'adresse la communication.

5. L'*environnement de la communication*. Les caractéristiques sociales et physiques du cadre de la communication, c'est-à-dire les personnes présentes et l'environnement dans lequel elles se trouvent.

La recherche se poursuit sur chacune de ces catégories. Étudions-les l'une après l'autre.

Le communicateur

Chaque jour, les gens sont bombardés de plusieurs messages persuasifs. Les recherches révèlent que la réaction au message dépend souvent des caractéristiques de la personne qui tente de persuader, sans égard à la valeur du message. Examinons trois caractéristiques auxquelles les psychologues sociaux se sont intéressés: la crédibilité du communicateur, son attrait physique et les intentions perçues chez lui.

La crédibilité du communicateur et l'effet d'assoupissement

Lorsque les gens reçoivent un message persuasif, ils se posent une question importante sur le communicateur: est-il crédible? C'est-à-dire, est-il digne de confiance, bien informé; s'agit-il d'une source d'information objective (Birnbaum et Stegner, 1979)? Si le communicateur, ou la source, est crédible, l'auditeur peut être impressionné par un message qui, autrement, l'aurait laissé froid. Dans une étude classique appuyant cette position, des étudiants furent soumis à quatre communications différentes sur des sujets comme la possibilité de fabriquer des sous-marins atomiques, les effets de la télévision sur l'industrie cinématographique et la pénurie d'acier (Hovland et Weiss, 1951). Deux des communications étaient attribuées à une source hautement crédible, l'éminent physicien J. Robert Oppenheimer. Les deux autres communications étaient attribuées à une source ayant peu de crédibilité à cette époque, le journal russe *La Pravda*. Avant et après leur lecture de la communication persuasive, les sujets ont été soumis à un questionnaire mesurant leurs attitudes quant aux questions traitées.

Les résultats furent clairs. Les sujets soumis aux arguments de la source hautement crédible étaient nettement plus influencés que ceux qui croyaient que les *mêmes* arguments étaient l'opinion d'une source ayant peu de crédibilité. Les évaluations de la justesse des arguments suivaient le pattern de changement des attitudes. Par exemple, 96 % des sujets considéraient que l'argument de Oppenheimer était juste, alors que seulement 69 % considéraient le même argument comme juste lorsqu'il était attribué à *La Pravda*. On trouve des effets semblables lorsqu'on spécifie que le communicateur détient une *expertise* pertinente par rapport au message persuasif (Horai, Naccari et Fatoullah, 1974). De plus, on retrouve ces effets dans plusieurs cultures différentes (McGinnies et Ward, 1974).

Combien de temps les effets de crédibilité durent-ils? Persistent-ils plus longtemps lorsque la source jouit d'une crédibilité élevée? Afin d'explorer ces questions, Hovland et Weiss ont mesuré de nouveau les attitudes des sujets quatre semaines après l'expérience. Ils ont constaté que les deux messages avaient un effet à long terme. Cependant, contrairement à leur attente, l'effet du message à haute crédibilité *diminua* au cours de la période, alors que les effets du message de faible crédibilité *augmentèrent* et devinrent après quatre semaines *plus puissants* qu'ils ne l'étaient immédiatement après l'émission du message.

Vous pouvez voir à la figure 6-1 que les attitudes des deux groupes étaient passablement similaires après quatre semaines. Le terme **effet d'assoupissement** est utilisé pour décrire l'effet différé d'une source de faible crédibilité sur les attitudes. Au début, cet effet est voilé mais l'influence qu'il exerce augmente avec le temps. On l'a retrouvé souvent, mais pas toujours, dans les recherches sur le changement des attitudes (Cook et coll., 1979; Gillig et Greenwald, 1974).

Comment se fait-il qu'un effet d'assoupissement puisse se produire? Pourquoi le message émanant d'une source hautement crédible perd-il de son effet? Selon les chercheurs, le message et la source deviennent *dissociés* avec le temps. La personne se souvient du message, mais non de sa source, et l'effet de la crédibilité de la source s'estompe. Afin de démontrer ce raisonnement, les chercheurs montrèrent que l'effet d'assoupissement ne se produit pas si l'on rappelle aux gens l'identité du communicateur. Le pouvoir du communicateur demeure alors semblable à ce qu'il était au moment de l'émission du message (Kelman et Hovland, 1953). En d'autres termes, les effets de la crédibilité sont renouvelés par le *rappel de l'identité du communicateur*.

Par des recherches additionnelles on a tenté d'explorer les limites de la **crédibilité du communicateur**. Par exemple, l'effet d'un message peut augmenter si un auditoire apprend qu'un

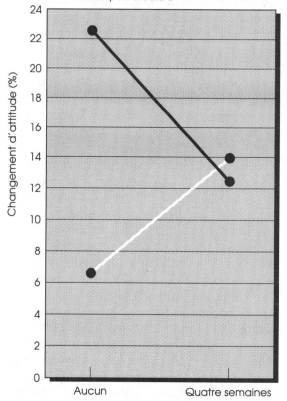

◼ Groupe recevant un message d'une source hautement crédible
☐ Groupe recevant un message d'une source peu crédible

Figure 6-1   L'effet d'assoupissement

Dans cette démonstration du pouvoir persuasif différé d'un communicateur peu crédible, notez la disparition de la différence entre les attitudes des deux groupes de sujets. (Adapté de Hovland et Weiss, 1951.)

message persuasif n'est pas à l'avantage de celui qui le communique (Eagly, Wood et Chaiken, 1978). Ainsi, des personnages publics, comme des politiciens ou des leaders de mouvements populaires, peuvent être perçus comme plus dignes de crédibilité lorsque leurs arguments sont à l'opposé de ce à quoi l'on pourrait s'attendre (Kœske et Crano, 1968). Par ailleurs, afin de réduire l'influence d'un communicateur crédible, la meilleure tactique semble être de présenter un *autre* communicateur crédible qui est en désaccord avec le premier (Ference, 1971). En cour, plusieurs avocats utilisent ce principe à leur avantage. Il est également possible de montrer comment la source est biaisée. De cette façon, on peut venir à douter de son expertise (Birnbaum et Stegner, 1979).

L'attrait du communicateur

De nos jours, en Occident, ce ne sont pas seulement des gens qui sont spécialement formés pour gouverner qui accèdent à des postes politiques. Des comédiens, des poètes, des journalistes, des astronautes et même une star italienne de films pornographiques ont été élus à divers paliers. Est-il possible que leurs succès politiques soient le produit de leur attrait personnel? Quelqu'un pourrait-il accepter leurs opinions politiques principalement parce qu'ils sont beaux, courageux ou ont le sens de l'humour? Comme l'explique le spécialiste des attitudes, Herbert Kelman (1968), l'attrait personnel peut affecter l'auditeur parce qu'il veut ressembler au communicateur ou parce qu'il *s'identifie* à lui. Un communicateur attirant peut éveiller plus facilement l'attention de l'auditeur qu'un communicateur qui ne l'est pas, puisqu'il ou elle est agréable à regarder et à écouter. L'auditeur peut également s'imaginer que le communicateur attirant aime les gens qui sont de son avis.

Dans une démonstration de la relation entre l'attrait et le changement des attitudes, on questionna des étudiants masculins sur diverses réformes éducatives (Mills et Aronson, 1965). Deux mois plus tard, les étudiants se rencontrèrent dans de grands groupes où on leur présenta l'opinion d'une camarade de classe sur l'un des sujets. Un groupe entendit une très jolie étudiante comparer l'enseignement général à l'enseignement spécialisé. Un second groupe entendit la même femme présenter les mêmes points de vue, mais elle avait changé de vêtements et de coiffure, ce qui la rendait peu séduisante. Des mesures d'attitudes effectuées plus tard montrèrent que la femme réussissait davantage à persuader lorsque son apparence était attirante. L'apparence du communicateur peut avoir un effet particulièrement puissant lorsque le message est *impopulaire*. Cependant, lorsque le message est susceptible d'être bien accueilli de toute façon, l'apparence de la source peut n'être qu'un facteur négligeable (Eagly et Chaikin, 1975).

L'intention manifestée: les effets de l'avertissement

Si nous avions commencé cet ouvrage en disant que nous allions essayer de changer vos croyances, vous l'auriez peut-être fermé sans vouloir le lire plus avant. La plupart des gens n'aiment pas se faire dire que d'autres personnes tentent de les convaincre de quelque chose. Ils peuvent

L'attrait, un avantage de plus. Les concepteurs de cette annonce ont appliqué le principe selon lequel un communicateur attirant peut éveiller plus facilement l'attention du public. De plus, en choisissant une vedette noire appréciée des jeunes, ils misent sur l'accentuation de la dimension affective pour modifier les attitudes à l'égard d'autres communautés ethniques.

donc offrir de la résistance (Allyn et Festinger, 1961; Hass, 1975). Une des raisons qui expliquent cette résistance est la suivante. En affirmant que vous serez convaincu, nous laisserions supposer que vous êtes crédule ou que vos opinions sont moins valables que les nôtres. En réaction à cela, il est probable que vous vous prépareriez à vous défendre (Petty et Cacioppo, 1979). De la même façon, l'énoncé d'intention peut signifier de la compétition: vous pourriez croire que nous sommes contre vous. Vous pourriez alors tenter de trouver des imperfections dans nos arguments. L'énoncé des intentions suggère également que nos opinions seront biaisées. Comment pouvez-vous être assuré que les arguments présentés sont fondés si notre but premier est de convaincre? Une étude sur l'effet de l'avertissement a montré que les gens commencent à devenir physiquement tendus dès qu'ils apprennent que quelqu'un va être en désaccord avec eux (Cacioppo et Petty, 1979). Des observateurs ont même détecté des changements subtils dans les muscles faciaux au moment où des sujets récalcitrants commençaient à formuler des contre-arguments.

Lorsque l'auditoire a déjà adopté une position particulière, l'avertissement peut provoquer de la résistance à la persuasion (Freedman et Sears, 1965; Kiesler, 1971). En réalité, le seul fait de mentionner qu'un débat peut avoir lieu peut renforcer la résistance d'un individu qui maintient une position (Sears, Freedman et O'Connor, 1964). La personne engagée peut ébaucher des contre-arguments pour se préparer à la rencontre. Cependant, toute cette préparation peut se révéler inefficace à longue échéance. Une fois entendu, le message de l'opposant peut s'infiltrer. Comme dans l'effet d'assoupissement, le message peut commencer à changer les attitudes lorsque l'avertissement est oublié (Watts et Holt, 1979).

Cependant, malgré toutes ces raisons de rejeter les idées de la personne qui cherche à persuader et qui annonce ses couleurs, les gens ne se ferment pas toujours à ses idées. Les points de vue du communicateur peuvent être bienvenus s'il n'y a ni menace implicite, ni suggestion d'infériorité, ni compétition. Les prédicateurs fondamentalistes font souvent connaître à leurs auditeurs leur intention de persuader, et la réaction est généralement enthousiaste. Les auditeurs veulent être persuadés. Les gens qui savent que quelqu'un va tenter de les persuader peuvent même changer leurs attitudes pour être d'accord avec celles de la personne qui cherche à persuader sans *même entendre* le moindre argument à l'appui (Hass, 1975).

Nous voyons que la crédibilité, l'attrait physique et l'expression de l'intention du communicateur peuvent influer de façon importante sur le pouvoir de persuasion d'un message. D'autres facteurs peuvent également affecter la persuasion. Par exemple, l'effet du message peut parfois être augmenté si le communicateur est perçu comme semblable à la cible (Gœthals et Nelson, 1973; Hendrick et Bukoff, 1976). Les gens ont tendance à être influencés par les opinions qui émanent de ceux qui leur ressemblent et à avoir davantage confiance en elles. La persuasion peut également être accrue par la perception d'une similarité dans les styles de vie (Dabbs, 1964; Leventhal et Perlœ, 1962; Mills et Jellison, 1967), dans les attitudes (Berscheid, 1966), dans l'expérience antérieure (Brock, 1965) et dans la race (Aronson et Golden, 1962; Mazen et Leventhal, 1972). Cependant, la similarité doit être vue comme véritable et non adoptée pour la circons-

tance. Par exemple, sur la scène politique, les candidats qui changent d'opinion pour s'adapter à divers groupes sont peu appréciés (Allegeir et coll., 1979).

Considérons maintenant les caractéristiques des messages persuasifs.

Le message

> Mon argument repose sur les preuves suivantes: ...
>
> Si vous respectez vraiment la vie, vous direz avec nous que...
>
> Toute personne responsable et réfléchie comprendra que...

Ainsi va la rhétorique qui finit par s'infiltrer. Nous savons tous par expérience que les messages exercent une influence importante; le psychologue s'interroge donc sur ce qui fait leur puissance. Le message doit d'abord être compréhensible, car le changement des attitudes ne peut pas réellement se produire si les gens ne le *comprennent* pas (Eagly et Chaiken, 1975). En fait, un message peut causer du ressentiment actif s'il confond un auditoire (Eagly, 1974). D'autres facteurs peuvent être importants lorsque la compréhension s'est établie. Considérons-en deux: le fait que l'on présente un seul côté ou les deux côtés de la médaille, et l'éveil de la peur.

Un seul côté, les deux côtés et la conclusion

Lorsqu'on tente de convaincre quelqu'un, est-il préférable de présenter seulement les arguments qui appuient son point de vue ou de faire valoir également l'autre côté de la médaille? Durant la Seconde Guerre mondiale, Hovland et ses collègues ont effectué une étude classique sur la question. À une période avancée de la guerre, le gouvernement américain commençait à s'inquiéter de ce que les troupes puissent se créer de faux espoirs quant à une reddition rapide des Japonais. Leur désappointement aurait pu influer sur leur moral et réduire leur combativité. Afin de faire échec à cette possibilité, on tenta de persuader les troupes que la guerre avec les Japonais pourrait être longue. Dans cet esprit, Hovland, Lumsdaine et Sheffield (1949) préparèrent deux messages persuasifs différents. Le premier présentait des arguments allant dans *un seul sens*; il soulignait la force des troupes japonaises, les difficultés d'une guerre dans le Pacifique et d'autres facteurs qui risquaient de prolonger la

guerre. On retrouvait les *deux côtés* de la médaille dans le second message: il présentait les mêmes arguments que le premier, mais incluait aussi plusieurs faits opposés (par exemple, la supériorité militaire des États-Unis et les problèmes de stratégie des Japonais). Chaque message fut présenté à plus de deux cents hommes et leur évaluation de la durée probable de la guerre fut mesurée avant et après la réception des communications.

Les résultats montrèrent que de façon générale, *aucun* message n'était supérieur. L'efficacité du message dépendait des caractéristiques de l'auditeur, et particulièrement de sa scolarité. La communication qui faisait valoir les deux points de vue opposés fut plus efficace chez les plus instruits, tandis que le message qui présentait un seul côté influença davantage les gens moins instruits. L'instruction augmente peut-être la sensibilité à un message qui présente plusieurs facettes. Les gens qui ont moins de scolarité peuvent être moins portés que ceux qui sont plus instruits à mettre en doute ce qu'ils entendent, à poser des questions sur ce qui est omis. Lorsque les gens instruits croient qu'on évite de leur montrer l'autre côté d'un argument, une résistance suspicieuse peut se développer et le communicateur peut avoir moins d'influence (Jones et Brehm, 1970). Un auditoire éclairé peut avoir besoin de savoir au début d'une communication qu'un autre point de vue existe et de savoir ce qu'il est (Hass et Linder, 1972).

En présentant les points de vue opposés sur une question, on la rend souvent plus compliquée. Faut-il donc alors présenter une conclusion à l'auditoire? Apparemment, la force d'un argument serait plus puissante en présence de conclusions très claires pour l'auditoire. Dans l'une des premières études sur cette question, on a montré qu'il est plus efficace de tirer des conclusions à propos de la dévaluation du dollar américain que de laisser l'auditoire conclure de lui-même (Hovland et Mandell, 1952). L'argumentation était peut-être tellement complexe dans ce cas que cela aidait grandement de proposer des conclusions. Il y a cependant beaucoup de gens qui n'apprécient guère être «guidés par la main» vers une conclusion évidente. Lors d'une étude sur le préjugé, on a constaté qu'un film antipréjugé *ne* tirant *pas* une conclusion était beaucoup plus efficace chez un auditoire intelligent qu'un film qui propose une conclusion (Cooper et Dinerman, 1951). Ce groupe s'offusquait peut-être de ce qu'on lui impose une conclusion trop évidente.

Le salaire de la peur

«L'usage du tabac est la principale cause du cancer du poumon.» «Le tabac réduit l'espérance de

Manipuler des serpents. Un message persuasif peut éveiller la peur chez les gens, mais il peut également leur permettre de maîtriser leurs anxiétés fondamentales. Ces gens qui croient au message de l'Église de la Pentecôte sont convaincus que le serpent ne les blessera pas. Leurs comportements illustrent bien le pouvoir de la persuasion.

vie.» Voilà des exemples de message que l'on trouve sur les paquets de cigarettes et qui sont spécialement conçus pour provoquer la peur. En imposant aux fabricants de produits du tabac d'imprimer ce genre de messages, les promoteurs de campagnes de prévention du gouvernement fédéral espèrent que la peur augmentera l'attention portée à l'argument et causera un lien psychologique entre le tabac et la peur. La peur modifierait alors l'attitude du lecteur envers le tabac. Plusieurs études montrent que plus un message provoque la peur, plus il est puissant en ce qui a trait au changement des attitudes et du comportement. Des messages qui éveillent la peur ont effectivement modifié les attitudes de bien des gens quant au tabagisme et les ont amenés à réduire leur consommation de tabac (Insko, Arkoff et Insko, 1965; Leventhal, Watts et Pagano, 1967). La peur a également motivé des gens à recevoir des injections de sérum antitétanique (Dabbs et Leventhal, 1966), à prendre davantage soin de leurs dents (Halfner, 1965; Leventhal et

Singer, 1966), à boucler leurs ceintures de sécurité (Leventhal et Niles, 1965) et à changer leurs attitudes envers la Chine communiste, les abris antinucléaires, les essais de bombes atomiques et la peine capitale (*voir la revue des écrits effectuée par* Leventhal, 1970).

Malgré ces résultats, on ne peut affirmer que les messages qui éveillent la peur sont toujours efficaces. Dans l'une des premières études sur cette question, les chercheurs ont observé qu'en fait, la peur peut inhiber le changement des attitudes (Janis et Feshbach, 1953). Les chercheurs ont fait varier le degré d'incitation dans une tentative effectuée pour modifier les attitudes relatives au brossage des dents. Dans une conférence très alarmante, on insistait sur les conséquences douloureuses de la carie dentaire avancée et des infections buccales graves. Dans une autre conférence, on faisait peu état des conséquences désastreuses d'une mauvaise hygiène dentaire et on présentait des diapositives non menaçantes. Une semaine plus tard, les chercheurs constatèrent que seulement 8 % des sujets ayant entendu la conférence alarmante avaient suivi les recommandations. D'un autre côté, 36 % des membres du groupe soumis au message peu inquiétant déclarèrent s'être conformés au message.

Les psychologues sociaux se sont beaucoup intéressés aux circonstances qui font que la peur produit ou non des changements d'attitudes. La présence ou l'absence de *moyens efficaces de faire face à la situation* (Janis et Feshbach, 1953) est peut-être le facteur qui détermine le plus les réactions à l'éveil de la peur. Des études de messages portant sur la sécurité routière, le tabagisme et les maladies transmises sexuellement ont montré que l'augmentation du degré d'éveil de la peur peut amener de grands changements des attitudes si le message indique comment éviter le danger. Cependant, si la communication ne mentionne aucune solution efficace, les gens peuvent s'engager dans un **évitement défensif** (Rogers et Mewborn, 1976). La résistance à la persuasion augmente parallèlement à l'augmentation de la peur. Il semble donc la communication peut faire boomerang si les messages qui éveillent la peur n'offrent pas de stratégies claires pour éviter les conséquences redoutables. Cet **effet de boomerang** peut effectivement faire en sorte que la position initiale de l'auditoire soit fortifiée plutôt qu'ébranlée.

Pour résumer les caractéristiques d'un message persuasif, nous voyons que le fait de présenter ou non des points de vue opposés dans un message et la peur qu'il provoque peuvent en augmenter ou en diminuer l'effet. D'autres facteurs sont également pertinents. Par exemple, si un communicateur utilise des *questions rhétoriques* comme «Ne pensez-vous pas?» et «N'est-ce pas?», il peut souvent augmenter l'efficacité du message. L'*effet de récence* et l'*effet de primauté* peuvent également influer sur le changement des attitudes. Vous aimerez peut-être retourner à notre exposé du chapitre 2 pour revoir ces processus.

Le canal de communication

Présenter un message de la façon la plus efficace possible est une question fondamentale pour quiconque tente de changer les attitudes. Quel média devrait-on utiliser? Le message devrait-il être prononcé en personne ou devrait-on utiliser les journaux, la poste ou les vidéoclips? Des changements peuvent se produire dans les attitudes raciales des gens lorsque les médias sont bien choisis (Peterson et Thurstone, 1933). Il en est de même pour les achats de biens de consommation (Bauer, 1964), les préférences électorales (Grush, 1980) et l'identification à divers héros (Zajonc, 1954). En échangeant les rôles attribués aux hommes et aux femmes dans des messages publicitaires télévisés, on peut augmenter la confiance en soi et l'indépendance de jugement des femmes (Jennings [Walstedt], Geis et Brown, 1980). De piètres choix quant aux médias peuvent ne pas provoquer de changement des attitudes ou de l'action (Berelson, Lazarsfeld et McPee, 1954; Campbell, Gurin et Miller, 1954).

Il est très difficile de généraliser quant au meilleur média à utiliser dans n'importe quelle situation. Le choix du média doit être adapté au moment et aux circonstances. Par exemple, la publicité dans les journaux atteint un auditoire autre que celui de la télévision, et ces auditoires peuvent changer considérablement avec les années. Les recherches suggèrent que plus un média ressemble étroitement à une interaction face à face, plus le message est convaincant. Par exemple, les politiciens qui font du porte à porte peuvent être plus convaincants que ceux qui paraissent à la télévision; par ailleurs, la télévision peut être plus efficace que la radio qui peut elle-même être plus puissante que les journaux (Frandsen, 1963; Williams, 1975). Dans des relations face à face, il est plus difficile pour l'auditoire de se retirer en s'en allant ou en changeant de poste. De plus, les normes de savoir-vivre empêchent peut-être l'auditoire de manifester fortement sa désapprobation. Il arrive pourtant que cet avantage n'existe plus à certains moments. Les gens peuvent ne pas comprendre ce qui est présenté dans la situation face à face si les contenus des messages sont complexes (Chaiken et Eagly, 1976). Le matériel peut être étudié plus attentivement lorsqu'il est disponible sous forme écrite, et son contenu peut être assimilé plus facilement.

L'auditoire

Dans notre exposé, nous avons jusqu'à maintenant considéré la cible de la persuasion comme un individu relativement passif qui reste là à se faire manipuler. Maintenant, rectifions ce tableau en étudiant la façon dont l'auditoire est actif dans le processus de tentative de persuasion par autrui. Les gens ne font pas qu'absorber le point de vue des autres: ils *agissent* sur l'information qu'ils reçoivent. Leurs propres dispositions peuvent

avoir une influence considérable sur la probabilité d'un changement de leurs attitudes. Nous considérerons maintenant trois volets de recherches sur les façons dont l'auditoire agit sur l'information qu'il reçoit. Ces recherches portent sur le désir des gens d'atteindre l'harmonie, leur besoin d'être protégés d'une attaque et leur personnalité.

Le biais positif: un accord à n'importe quel prix

Diverses études suggèrent que plusieurs personnes détiennent un **biais positif** envers les tentatives de persuasion, c'est-à-dire une tendance à être d'accord avec n'importe quel message persuasif (Sears et Whitney, 1973). Par exemple, des résultats de sondages d'opinion publique suggèrent que les personnages politiques tendent à être évalués positivement, quel que soit leur parti, et que de telles évaluations ont tendance à persister pendant une longue période (Lane, 1965). Les candidats à la présidence des États-Unis ont eu tendance à recevoir une cote positive dans les sondages, à l'exception de quelques-uns. Des groupes qui visent à faire valoir les droits et libertés, de même que des leaders noirs ont également été évalués positivement (Sears et Riley, 1969). Dans des communautés noires qui se remettaient d'émeutes importantes, autant les citoyens ordinaires que ceux qui s'étaient fait arrêter durant les émeutes évaluaient positivement

tous les leaders, à l'exception des plus extrémistes. Il arrive parfois que les gens modifient leurs attitudes pour être d'accord avec ceux qu'ils vont bientôt rencontrer (Cialdini et coll., 1976). Ils désirent peut-être éviter toute opposition qui pourrait survenir dans l'interaction (Hass et Mann, 1976).

Les recherches suggèrent que le biais positif peut être une caractéristique particulière aux Américains (Almond et Verba, 1963). On a observé que des échantillons d'Anglais, d'Allemands, d'Italiens et de Mexicains sont beaucoup plus critiques que les Américains quant aux leaders des partis d'opposition. Les écoles des États-Unis peuvent être responsables du biais positif. Par exemple, plusieurs instituteurs de l'école primaire enseignent à leurs écoliers à ne pas aimer les conflits politiques (Hess et Torney, 1976). L'élimination de la controverse semble être plus présente chez les instituteurs de longue date ou qui enseignent dans des petites villes, particulièrement dans le Sud et le Centre-Ouest (Jennings et Zeigler, 1968). Ces découvertes suscitent des interrogations quant au jugement politique des Américains. On peut s'interroger sur la capacité de discernement des gens qui ne peuvent pas tolérer la controverse. Cependant, l'éducation peut, dans certaines circonstances, être aussi importante pour réduire le biais positif que pour le créer. Le biais positif peut être annulé lorsque l'éducation encourage le débat (Sears et Riley, 1969).

L'imperméabilité à la persuasion

Si les biais positifs existent, l'imperméabilité à la persuasion existe également. Les gens sont en effet souvent fermés aux points de vue des autres. Ils peuvent combattre ou rejeter certaines opinions. Pourquoi les gens sont-ils tantôt imperméables à la persuasion et tantôt vulnérables? William McGuire et ses collègues (1961) se sont intéressés à la vulnérabilité des attitudes pour lesquelles existe un consensus social indiscutable et aux façons de réduire cette vulnérabilité. Par exemple, presque tout le monde est d'accord pour dire qu'il est souhaitable de se brosser les dents au moins une fois par jour, qu'il est avisé de subir un examen médical périodique, et qu'une alimentation équilibrée favorise la santé. De telles formulations sont des **truismes culturels**: dans les sociétés occidentales contemporaines, les gens ont été socialisés de telle façon qu'ils les acceptent sans les mettre en doute. De tels truismes culturels sont particulièrement intéressants parce qu'ils peuvent être essentiels à la cohésion sociale. Ils représentent des domaines d'accord commun qui permettent aux gens de voir des ressemblances essentielles entre eux et les autres, et de se comprendre mutuellement, de même qu'ils offrent un terrain commun pour que des relations puissent s'établir. Cependant, comme le prétend McGuire, ces truismes sont précisément les plus vulnérables à l'attaque. Les gens ne sont pas équipés pour défendre ces truismes parce qu'ils n'ont jamais été remis en question ou critiqués. Ces accords, qui ont une importance centrale pour la solidarité sociale, peuvent être extrêmement vulnérables à l'attaque.

McGuire affirme que les gens peuvent être rendus imperméables à la persuasion s'ils sont auparavant soumis à (1) des arguments contre les truismes qui sont combinés à (2) des arguments qui montrent comment les contre-arguments sont incorrects. Une personne peut se former une *justification de réfutation* en examinant le pour et le contre d'une question. Les gens sauront à quelles attaques s'attendre et pourquoi elles sont fausses. Ceux qui sont amenés à développer une *justification de réfutation* devraient être plus résistants à l'influence que ceux qui ne peuvent compter que sur une *justification d'appui*, c'est-à-dire basée sur une série d'arguments qui *ne* font *qu'*appuyer ce qu'ils croient déjà. Avoir une justification d'appui serait tout de même préférable à *ne pas avoir de justification du tout*.

Afin de démontrer ces idées, on présenta à des étudiants une série de truismes et on leur demanda d'indiquer leur degré d'accord ou de désaccord avec chacun (McGuire et Papageorgis, 1961). Chaque sujet fut alors soumis à une justification de réfutation pour un truisme choisi au hasard et à une justification d'appui pour un autre. Deux jours plus tard, on exposa chaque sujet à trois attaques. Une attaque était dirigée contre le truisme qui avait fait l'objet d'une justification de réfutation, une deuxième, contre le truisme qui avait reçu une justification d'appui et une troisième, contre un truisme pour lequel on n'avait proposé aucune justification. L'accord des étudiants quant aux truismes fut testé après qu'ils eurent entendu les attaques.

L'accord final des étudiants relativement aux truismes est présenté à la figure 6-2. Vous pouvez voir que l'attaque contre les truismes avait peu d'influence lorsque les sujets disposaient d'une justification de réfutation, c'est-à-dire lorsqu'ils étaient rendus imperméables à l'attaque. À l'opposé, les sujets se montraient vulnérables à l'attaque sur les questions pour lesquelles on leur avait proposé une justification d'appui. La justification d'appui s'est révélée à peine supérieure à l'absence de justification. Des recherches subséquentes ont montré que la résistance à une attaque persuasive peut être augmentée davantage en accélérant le rythme cardiaque des gens (Cacioppo, 1979). Lorsque les gens présentent un haut niveau d'activation, même provoqué artificiellement, ils pensent à un plus grand nombre d'arguments contre celui ou celle qui persuade. Il semble être nécessaire qu'un individu sache comment défendre ses croyances pour résister à l'influence. Souvent, une personne entêtée peut être mieux préparée.

La personnalité et la perméabilité à la persuasion

Chaque personne a son style et des façons préférées de composer avec les autres. Ces préférences influent sur l'ouverture ou sur la résistance à la persuasion. Un des domaines de recherche les mieux développés est centré sur les effets de l'estime de soi sur la perméabilité à la persuasion. Comme nous l'avons vu au chapitre précédent, les gens qui ont une faible estime de soi ont souvent besoin de l'approbation d'autrui. Pour combler ce besoin, ils peuvent être particulièrement portés à adopter les opinions des autres et à douter de la valeur de leurs propres opinions.

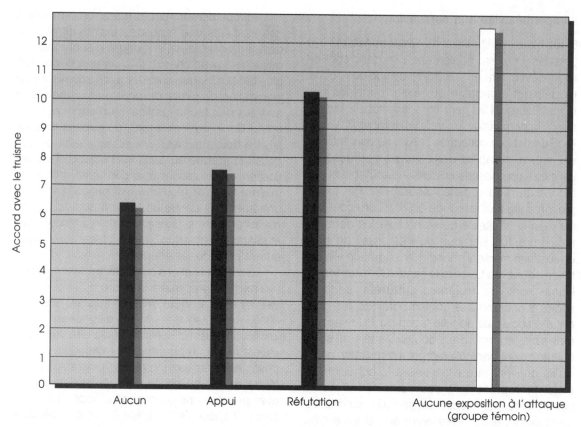

Figure 6-2   L'immunité contre la persuasion

Les gens qui connaissent des faits reliés aux deux aspects d'une question peuvent réfuter les arguments et résister à la persuasion. Les gens qui ne peuvent qu'*appuyer* ce qu'ils croient déjà sont plus portés que d'autres à céder à un argument persuasif contraire. (Adapté de McGuire et Papageorgis, 1961.)

Éprouvant peu d'estime pour eux-mêmes, ils n'ont pas confiance en eux et les opinions des autres leur semblent plus valables que les leurs. De la même façon, les gens qui ont une haute estime d'eux-mêmes peuvent ne pas vouloir changer d'idée sur quoi que ce soit.

Diverses études soutiennent ce raisonnement. À partir des résultats obtenus à une batterie de tests, Hovland et Janis (1959) ont formé un groupe de gens très faciles à persuader et un groupe d'individus très indépendants dans leurs attitudes, et ils ont tenté d'identifier comment les deux groupes différaient quant à leur personnalité. Ils ont constaté que les sentiments de médiocrité personnelle étaient nettement plus forts dans le groupe facile à persuader (Janis et Field, 1959). De plus, lorsqu'ils effectuaient des tâches à deux, ceux qui avaient des scores élevés au test d'estime de soi avaient davantage tendance à tenter de changer l'opinion de leur partenaire. De plus, ils risquaient moins de se faire influencer et de modifier leurs propres opinions (Cohen, 1959). Le même phénomène surviendrait chez les enfants. Une étude a en effet montré que les enfants jugés populaires et attirants sont moins faciles à persuader que ceux qui ont de faibles scores de popularité et d'attrait (Lesser et Abelson, 1959). Il serait naïf de conclure de ces recherches que tous les gens qui doutent d'eux-mêmes sont faciles à convaincre (McGuire, 1961). Les incertitudes personnelles peuvent rendre les gens hostiles aux autres. À cet égard, une réaction commune peut être la suivante: «Qu'est-ce qu'ils ont ces "fins-fins" à se penser si bons?» Tous les gens qui ont une faible estime de soi n'agissent pas de la même façon. L'estime de soi n'est qu'un des nombreux facteurs qui interviennent dans les réactions des gens à l'influence sociale (Katz et Stotland, 1959).

Nous venons d'examiner trois façons par lesquelles un auditoire agit sur l'information qu'il reçoit, déterminant ainsi l'importance du changement des attitudes. Premièrement, le *biais positif* peut prédisposer un auditoire à accepter tout message qui vise à persuader. Deuxièmement, la *familiarité* avec les contre-arguments et les faiblesses des arguments en faveur de cette position peut rendre un auditoire imperméable à la persuasion. Troisièmement, des *caractéristiques individuelles*, particulièrement en ce qui touche l'estime de soi, peuvent influer autant sur l'ouverture que sur la résistance aux tentatives de persuasion. Après notre étude de l'auditoire, abordons maintenant l'analyse d'un dernier ensemble de facteurs qui influent sur le changement des attitudes, soit le contexte de la communication.

L'environnement des communications

La communication survient dans divers milieux sociaux et physiques, et ces environnements peuvent avoir un effet marqué sur le fait que survienne ou non un changement d'attitudes. Parmi plusieurs facteurs de l'environnement qui peuvent influer sur la réussite ou sur l'échec d'une incitation persuasive, deux d'entre eux ont particulièrement retenu l'attention des chercheurs: la distraction et les associations apprises.

La distraction perturbe-t-elle toujours?

Lorsque du bruit perturbe l'écoute d'une série télévisée ou lorsque l'image du téléviseur devient embrouillée, les gens cessent habituellement de porter attention à ce qui se dit. Même si de telles distractions peuvent réduire l'efficacité de la communication (Vohs et Garrett, 1968), cela ne se produit pas toujours (Festinger et Maccoby, 1964; Insko, Turnbull et Yandell, 1975). Ainsi, il arrive parfois qu'une distraction *mineure* renforce l'effet. Par exemple, les distractions peuvent inciter les gens à *augmenter* leurs efforts pour écouter un conférencier (Dorris, 1967). Par ailleurs, plus il faut faire d'efforts pour comprendre, plus le temps passé à réfléchir à des contre-arguments peut décroître (Baron, Baron et Miller, 1973; Insko et coll., 1975). Cela peut augmenter le pouvoir de persuasion du communicateur au moment même où on le souhaite le moins (Petty, Wells et Brock, 1976).

Il existe bien sûr plusieurs types de distractions et chacun soulève des questions légèrement différentes. Considérez, par exemple, l'action d'un interpellateur sur l'effet d'un discours politique. L'interpellation peut diminuer l'évaluation que font les gens de la crédibilité de l'orateur et diminuer le caractère persuasif du discours. En présence d'interpellateurs, même ceux qui étaient initialement d'accord avec le conférencier peuvent en venir à douter de leur point de vue (Sloan, Love et Ostrom, 1974). Par contre, l'interpellation peut aussi augmenter le pouvoir de persuasion du communicateur. Si l'interpellateur soulève l'antagonisme, l'auditoire peut s'unir pour défendre l'orateur. Dans la mesure où celui-ci réagit avec calme et sait répondre aux questions soulevées, il peut effacer tout effet négatif de l'interpellation (Petty, Wells et Brock, 1976).

L'association entre la personne et l'environnement

Les gens disent souvent d'un restaurant que l'ambiance y est agréable ou d'un quartier qu'il est sûr ou dangereux. De telles impressions à propos d'un milieu peuvent influer sur les réactions par rapport aux individus qui y sont rencontrés. Les impressions relatives à un lieu peuvent en venir à être associées aux sentiments à l'égard d'une personne (y compris les sentiments envers son message). La réaction à une communication peut donc dépendre du lieu où elle est présentée (Zanna, Kiesler et Pilkonis, 1970).

Pour montrer les effets des associations apprises sur la persuasion, des chercheurs ont présenté des communications persuasives à deux groupes d'étudiants (Janis, Kaye et Kirschner, 1965). On a offert aux sujets d'un premier groupe des arachides et un verre d'eau gazeuse, ce que l'expérimentateur consommait à leur arrivée. On n'offrit ni nourriture ni boisson aux sujets du second groupe. Les chercheurs ont constaté que le fait, agréable, de manger tout en lisant des messages persuasifs a augmenté la probabilité d'un changement d'attitudes. Les implications de cette recherche sont inquiétantes. Les attitudes des gens envers les autres peuvent-elles être influencées par des impressions sur le lieu où les autres vivent, par exemple, plutôt que par leurs caractéristiques véritables? Le spectacle de rangées de maisons de banlieue conçues sans imagination colore-t-il les attitudes envers les gens qui les habitent? La saleté et le délabrement d'un taudis font-ils que les gens se sentent moins positifs à l'égard

Encadré 6-1

L'assimilation et le contraste: ce qui nous fait diviser le monde en noir et blanc

Une question importante pour tout auditoire est de savoir si un message persuasif correspond ou non à ce que chacun croit déjà. Le fait que les gens ont rarement une seule croyance relativement à un sujet complique la question. La plupart des gens détiennent plutôt diverses croyances reliées les unes aux autres. Pour explorer la façon dont une personne porte des jugements sur les messages qui lui arrivent, les théoriciens Muzafer Sherif et Carl Hovland (1961) ont suggéré que les gens ordonnent leurs croyances relatives à un sujet sur un continuum qui va du positif au négatif. Par exemple, dans le cas d'une nouvelle loi sur la conscription, l'énoncé «chacun devrait être disposé à aider son pays en servant dans l'armée» se situerait à l'extrémité positive du continuum. L'énoncé «la conscription ne fait qu'augmenter le pouvoir militaire dans un gouvernement» serait alors placé vers l'extrémité négative du continuum. Un certain nombre d'énoncés que la personne serait prête à endosser, comme d'autres avec lesquels elle serait en désaccord sont susceptibles d'exister sur ce continuum, quel que soit son avis sur la conscription. Sherif et Hovland utilisent le terme *latitude d'acceptation* pour désigner l'éventail d'énoncés avec lesquels une personne serait d'accord et le terme *latitude de rejet* pour indiquer l'éventail d'énoncés que la personne rejetterait.

Les latitudes d'acceptation et de rejet peuvent être cruciales dans l'identification de la réaction des gens aux messages persuasifs. Les messages qui tombent tout juste dans la latitude d'acceptation d'une personne sont souvent jugés comme *appuyant davantage* sa position qu'ils ne le font vraiment. Ce type de distorsion est appelé **assimilation**. Les messages qui tombent tout juste dans la latitude de rejet sont déformés dans la direction opposée. Ils sont perçus comme *appuyant moins* la position de la personne qu'ils ne le font en réalité. Ce type de distorsion est appelé **contraste**. Les processus d'assimilation et de contraste

de ses habitants? De telles possibilités valent la peine d'être explorées. Il est certain que d'autres facteurs du milieu peuvent influer sur l'importance du changement d'attitudes. Comme l'a montré une étude portant sur l'environnement social, lorsqu'ils sont en groupe, les gens tiennent souvent pour acquis que les autres prendront la responsabilité d'examiner les problèmes (Petty, Harkins et Williams, 1980). En ne réfléchissant pas aux questions soulevées, ils montrent souvent moins de changement d'attitudes qu'ils ne le feraient s'ils étaient seuls. Ainsi, chaque membre d'une famille peut ne pas faire attention à un discours politique, croyant qu'au moins un membre de la famille sera bien informé. Le discours tombe alors dans l'oreille de sourds.

Notre exposé sur la compréhension du changement des attitudes d'après l'orientation behavioriste s'achève maintenant. Avec sa concentration particulière sur les caractéristiques de l'environnement, la tradition behavioriste est riche et elle offre un éclairage fécond sur les facteurs susceptibles d'influer sur les attitudes. Pour les politiciens, les activistes sociaux et d'autres individus engagés dans le changement des attitudes, cette tradition permet de mettre le doigt sur divers facteurs à prendre en considération dans la planification de stratégies. Elle informe l'agent de changement qu'il devrait porter attention à des caractéristiques spécifiques du communicateur, du message, du média, du récepteur et de l'environnement des communications.

Mais cette approche répond-elle à toutes les questions que vous vous posez au sujet du changement des attitudes? Éprouvez-vous quelque doute à propos de cette orientation? L'exposé

permettent aux individus de simplifier la réalité, c'est-à-dire qu'ils permettent de percevoir le monde en noir et blanc.

Pour démontrer l'assimilation et le contraste, Hovland, Harvey et Sherif (1957) ont conduit une étude sur le terrain dans une communauté divisée sur la question de la restriction de la vente de boissons alcoolisées. Ils présentèrent un message modérément en faveur de la réglementation à trois différents groupes de sujets: les *Humides*, en faveur de l'abolition des contrôles sur la vente et la consommation d'alcool; les *Secs*, en faveur de la prohibition; et les *Modérés*, qui voulaient la réglementation et le contrôle de la vente d'alcool. Les sujets de chacun des groupes écoutèrent le message de quinze minutes, puis jugèrent s'ils le trouvaient positif ou négatif. Les sujets aux points de vue extrêmes (les Humides et les Secs) virent le message comme *appuyant moins* leur position qu'il ne le faisait vraiment. Le message ne tombait pas dans leur latitude d'acceptation et un effet de contraste se produisit alors. Les Modérés montrèrent la tendance inverse. Ils perçurent le message comme *appuyant davantage* leur position qu'il ne le faisait en réalité. Un effet d'assimilation se produisit puisque le message se trouvait dans leur latitude d'acceptation.

Plusieurs autres recherches ont révélé des effets d'assimilation et de contraste dans nombre de situations (Judd et Harackiewicz, 1980; Ward, 1966; Zavalloni et Cook, 1965). Les chercheurs ont montré que ces effets peuvent avoir une influence importante sur les comportements des gens. Ils peuvent, par exemple, influer sur leur participation à des programmes d'économie d'énergie (Sherman et coll., 1978). De tels effets ont motivé les théoriciens à considérer plus attentivement les processus d'assimilation et de contraste (Eiser et Strœbe, 1972; Tajfel, 1957; Upshaw, 1969). Dans des recherches additionnelles, on s'est intéressé aux facteurs qui influent sur ces biais. Ces travaux suggèrent que le fait d'être *engagé par rapport à un problème* peut, de façon très importante, influencer l'individu à diviser le monde en noir et blanc. Les gens qui ont investi émotivement dans un problème sont plus que les autres portés à s'engager dans l'assimilation et le contraste (Sherif, Sherif et Nebergall, 1965).

vous a peut-être fait songer à une énumération de facteurs non reliés entre eux. Vous vous êtes peut-être demandé pourquoi nous n'avons pas fait état de principes unificateurs. En fait, plusieurs psychologues sociaux s'inquiètent également de ce manque de cohérence et recherchent un principe unificateur. Les chercheurs s'intéressent de plus en plus aux processus cognitifs. Selon eux, le changement des attitudes peut dépendre de la façon dont les gens traitent l'information. Ces chercheurs ont apporté plusieurs idées nouvelles relativement au processus de changement des attitudes. Considérons plus en détail les apports de l'approche cognitive.

La cognition et le changement des attitudes

Nous avons parlé pour la première fois au chapitre 1 de l'orientation cognitive en psychologie sociale. Nous avons vu qu'il est possible d'obtenir beaucoup d'information sur les relations humaines en explorant la façon dont les gens pensent. Cette approche a dominé notre discussion de la perception sociale (*voir le chapitre 2*) lorsque nous avons étudié la façon dont les gens conceptualisent leurs actions et celles des autres. En quoi l'étude des processus de la pensée peut-elle nous aider à comprendre le changement des attitudes? Pour répondre à cette question, nous étudierons d'abord le besoin de cohérence cognitive de l'individu et la façon dont ce besoin agit sur le changement des attitudes. Nous examinerons ensuite en quoi la façon d'utiliser l'information peut influer sur les attitudes. Nous nous préoccuperons en particulier des trois sources que les gens utilisent pour traiter l'information, soit l'environnement, leurs propres actions et leurs souvenirs. Enfin, nous porterons notre attention sur les modèles cognitifs grâce auxquels on tente de prédire le comportement des gens sur la base de leurs attitudes.

La dissonance cognitive et le changement des attitudes

Si vous désirez perdre du poids, vous ne projetterez pas de doubler votre consommation de desserts. Si vous croyez en l'importance de la pureté de l'air, peut-être penserez-vous à des façons de réduire la pollution atmosphérique. Ces choix semblent logiques et sensés. Plusieurs psychologues croient que de telles décisions sont le reflet d'une motivation fondamentale de **cohérence cognitive,** c'est-à-dire de cohérence dans un ensemble de pensées qu'a un individu (*voir l'exposé du chapitre 2 sur la constance dans les impressions*). Selon ce postulat, la plupart des gens veulent que leurs idées soient liées les unes aux autres de façon logique. Cela n'aurait pas de bon sens de croire que quelque chose est vrai, désirable ou nécessaire, et de croire en même temps le contraire (*voir* Abelson et coll., 1968). La formulation la plus célèbre de ce point de vue est la théorie de la **dissonance cognitive** de Leon Festinger (1957). Selon Festinger, lorsqu'une personne possède deux cognitions (deux idées à propos d'univers quelconque) cohérentes entre elles, elle éprouve un état satisfaisant de **consonance cognitive.** Cependant, deux (ou plusieurs) cognitions incohérentes entre elles (lorsqu'une cognition implique l'opposé de l'autre) entraînent un état d'activation déplaisant appelé *dissonance*. Selon Festinger, les gens cherchent à réduire cet état perturbateur de dissonance cognitive.

La dissonance devient de plus en plus pénible à mesure que les cognitions augmentent en importance. Le fait de prendre un comprimé d'aspirine peut être incohérent avec l'opinion que vous avez de n'être pas un drogué. Toutefois, la dissonance est probablement faible, puisque prendre de l'aspirine est un geste banal. Cependant, chez plusieurs, le fait de prendre des drogues, comme du crack ou de la cocaïne, pourrait susciter beaucoup de dissonance. En effet, la consommation de drogues peut être incohérente avec les opinions sur sa santé ou son statut légal,

des questions qui revêtent beaucoup d'importance pour un individu. Ainsi, *l'étendue de la dissonance augmente à mesure que les cognitions augmentent en importance. Plus la dissonance est élevée, plus grande est la motivation à réduire la dissonance.*

Il est possible de réduire la dissonance de plusieurs façons. Prenez, par exemple, les cognitions dissonantes suivantes: «Je réprouve le piratage de logiciels» et «J'utilise un logiciel piraté.» On peut réduire la dissonance entre ces cognitions en *changeant le comportement*, c'est-à-dire en n'utilisant pas ces logiciels. Cependant, on peut également réduire la dissonance en *changeant la cognition*, c'est-à-dire en changeant d'idée à propos du piratage de logiciels. Une personne pourrait reconsidérer les choses et conclure que les producteurs font des profits exorbitants sur les logiciels qu'ils vendent et qu'il n'est pas si grave pour un étudiant dont le budget est étroit d'utiliser quelques logiciels piratés. Les deux types de changements amènent la consonance.

Vous commencez sans doute maintenant à voir comment la motivation à atteindre la cohérence cognitive est reliée au changement des attitudes. Plusieurs cognitions, ou pensées, sont évaluatives et correspondent donc à la définition des attitudes. «Je réprouve le piratage de logiciels» est un exemple manifeste. Le changement entre «je suis contre le piratage de logiciels», et «l'utilisation de logiciels piratés n'est pas toujours si mauvaise» est un changement d'attitude. La cohérence cognitive est donc souvent équivalente à la cohérence d'attitudes.

Voyons maintenant deux façons d'utiliser la réduction de la dissonance afin de changer les attitudes.

Changer les attitudes en changeant le comportement

Souvent, les gens se rendent compte qu'ils agissent sans avoir mûrement réfléchi. Ils peuvent défendre un point de vue avant que leurs pensées ne soient complètement formulées. Ils peuvent encore se joindre à une foule enthousiaste de sympathisants sans vraiment se préoccuper de ce qui se passe. Cependant, si les gens recherchent fortement une cohérence dans leurs cognitions, ces comportements de surface devraient avoir un effet significatif sur les attitudes. Considérez la situation suivante. Vous agissez d'une certaine façon et il en émerge la cognition «j'agis de façon amicale envers Stéphane», alors que vous détenez une deuxième cognition incohérente avec celle-ci, «je n'aime pas Stéphane». La dissonance ressentie peut alors être réduite si vous changez vos pensées à propos de Stéphane. Vous pourriez créer la cohérence en devenant plus positif envers lui («Ce n'est pas un mauvais gars, après tout.»). Vous pourriez aussi changer votre comportement, c'est-à-dire agir de façon inamicale. Cependant, puisque le comportement est déjà passé («Je me suis comporté de façon amicale envers Stéphane.»), il se peut qu'une modification de conduite soit impossible. De plus, il peut être plus facile de modifier vos idées que votre comportement (Brehm, 1960). Alors que peut-être personne ne s'apercevra de votre changement d'attitude, un comportement inamical envers Stéphane pourrait vous attirer des ennuis. Aussi, dans un cas semblable, la façon la plus facile de résoudre la dissonance provenant de l'incohérence entre les attitudes et le comportement est de changer l'attitude.

Dans la plupart des recherches qui visent à démontrer les effets du comportement sur les attitudes, on a utilisé des méthodes de **jeu de rôles** dans lesquelles on demande aux gens de faire un discours ou d'agir d'une certaine façon. Comme le suggère la théorie de la dissonance, les gens peuvent en venir à changer leurs attitudes simplement parce qu'ils ont joué un certain rôle. Les attitudes suivent donc le comportement. Dans une expérience classique sur le jeu de rôle et le changement des attitudes, on a demandé aux sujets de présenter un exposé oral, à partir de grandes lignes, alors que d'autres sujets ne faisaient qu'écouter (Janis et King, 1954). Dans son exposé, chaque sujet devait appuyer une position plus extrême que celle qu'il avait tenue auparavant en privé (selon des mesures antérieures). Des mesures des attitudes des sujets ont été prises après le jeu de rôle. Les croyances des orateurs ont montré un changement significatif dans le sens des attitudes exprimées dans le discours, alors que les attitudes des auditeurs furent peu influencées. Cette méthode du jeu de rôle a également été utilisée pour réduire les préjugés raciaux. Au cours d'une étude, on a demandé à des Blancs qui avaient des préjugés contre les Noirs soit de jouer le rôle d'un Noir qui déménage dans un quartier entièrement blanc, soit de regarder les autres jouer ce rôle (Culbertson, 1957). Des mesures subséquentes ont révélé que,

comparativement aux spectateurs, les acteurs ont davantage réduit leurs préjugés. Des chercheurs ont réussi à changer les attitudes envers les athlètes d'équipes intercollégiales en incitant les gens à jouer des rôles particuliers (Rabbie, Brehm et Cohen, 1959). Ils ont aussi réussi à créer de l'hostilité envers une autre personne (Jones et Davis, 1965) et à réduire le tabagisme (Janis et Mann, 1965).

Des recherches additionnelles révèlent que plus les efforts consacrés au jeu de rôle sont importants, plus les effets sont marqués. Pourquoi en est-il ainsi? On soutient ici que le fait de mettre énormément d'efforts à défendre quelque chose en quoi un individu ne croit pas personnellement éveille plus de dissonance qu'un faible investissement d'énergie. Si vous faisiez un détour pour rendre service à Stéphane, quelqu'un que vous n'aimez pas, il se créerait beaucoup plus de dissonance que si vous ne faisiez que le saluer et lui sourire. Plus grande est la dissonance, plus grand est le changement d'attitude. Des chercheurs ont démontré cette proposition de façon astucieuse (Zimbardo et Ebbeson, 1969). Des sujets qui présentaient un exposé en désaccord avec leur opinion personnelle écoutaient simultanément leur propre voix dans des écouteurs. Leur voix était décalée d'une fraction de seconde pour rendre la tâche particulièrement difficile. Si vous avez déjà entendu le son de votre voix qui se répercute après avoir parlé, vous pouvez estimer la difficulté à laquelle les sujets faisaient face en tentant de porter attention à ce qu'ils disaient. Les sujets d'un groupe témoin n'étaient pas astreints à cette difficulté. Les sujets soumis à la *rétroaction auditive différée* étaient deux fois plus souvent convaincus par leur propre présentation que ceux qui présentèrent l'exposé sans distraction.

Des travaux subséquents ont montré que le jeu de rôle agréable peut ne pas avoir d'effet sur les attitudes (Cooper, Zanna et Gœthals, 1974; Hoyt, Henley et Collins, 1972). Le jeu de rôle agréable ne nécessite pas d'effort et crée peu de dissonance. De la même façon, les attitudes des gens ne changeront pas si on leur dit que les sentiments désagréables éprouvés pendant le jeu de rôle sont l'effet d'une pilule prise auparavant (Zanna, Higgins et Taves, 1976). En d'autres termes, les attitudes changent lorsque les gens ne peuvent pas expliquer leurs sentiments de dissonance.

Encadré 6-2

Lorsque la prédiction ne se réalise pas

Même si la majorité des recherches sur la théorie de la dissonance ont été effectuées en laboratoire, l'une des premières et des plus fascinantes études a été effectuée au cours d'un événement réel, soit une prédiction de la fin du monde. Festinger et ses collègues Schachter et Riecken (1956) ont noté dans un journal l'histoire de Marian Keech, qui disait avoir reçu des messages du cosmos. Mme Keech disait que des êtres supérieurs provenant de la planète Clarion l'avaient avertie de la destruction de la Terre. Ces êtres avaient visité la Terre en soucoupes volantes et avaient observé des failles dans la croûte terrestre. Ils avaient prédit qu'un tremblement de terre serait suivi d'une inondation et que l'eau couvrirait la terre, du cercle arctique jusqu'au golfe du Mexique. L'événement était censé se produire le 21 décembre. Mme Keech attira un petit groupe d'adeptes, et ils formèrent un groupe appelé *Les Chercheurs*. Ils se rencontrèrent durant plusieurs mois afin de discuter de questions spirituelles et de cosmologie. Plusieurs d'entre eux mirent fin à leurs activités normales: ils quittèrent leur emploi et distribuèrent leurs biens. Festinger et ses collègues se sont intéressés à ce groupe en raison de la forte dissonance qu'il éprouverait en se rendant compte que la catastrophe ne se produirait pas. Le fait de constater que la fin du monde ne s'est pas produite entrerait en contradiction directe avec leur croyance en la prédiction de Mme Keech. Comment les membres du groupe allaient-ils réduire la dissonance qui serait produite par ces cognitions contradictoires. Pour répondre à cette question, les chercheurs se sont joints au groupe de croyants.

Le matin du 20 décembre, Mme Keech rapporta qu'elle avait reçu un message prescrivant que le groupe devait être prêt à s'envoler dans une soucoupe volante, à minuit. Quelques minutes avant minuit, le groupe se rassembla dans la salle de séjour chez Mme Keech. Leur manteau sur le bras, ils s'assirent et surveillèrent l'horloge. Minuit arriva et, bien sûr, rien ne se produisit dans les minutes qui suivirent; ils restèrent alors assis en silence. Ils commencèrent graduellement à parler, à revoir leurs croyances et à exprimer de la douleur et du désespoir. Mme Keech pleura et pria pour que les croyants répandent leur lumière sur les autres.

La soumission forcée ou l'échec des récompenses

Les recherches sur les jeux de rôle laissent-elles croire que si l'on *force* les gens à se comporter d'une certaine manière, leurs attitudes personnelles vont se modifier en accord avec leur comportement? Les élèves allophones qui sont forcés de fréquenter des écoles francophones en viendront-ils à aimer leurs camarades de classe? Les peuples envahis cesseront-ils d'aimer leur patrie s'ils doivent se soumettre aux conquérants? Une personne forcée d'avoir des relations sexuelles en viendra-t-elle à aimer le partenaire? Intuitivement, la réponse à ces questions est négative. Festinger (1957) a fourni une explication théorique intéressante à ce sujet. De façon spécifique, la cognition «je suis forcé de faire X» n'est pas incohérente ou dissonante par rapport à la cognition «je n'aime pas X.» Il y a peu de raisons de s'attendre à un changement d'attitudes lorsqu'il n'y a pas stimulation de dissonance. Selon Festinger, plus il y a de pression sur une personne *pour qu'elle accomplisse une action non voulue, moins il y a de stimulation de dissonance.*

Ce genre de raisonnement semble plutôt simple, mais les recherches qui le soutiennent ont soulevé de nombreuses controverses. Dans ce débat, la question importante porte sur le type de pression mise sur celui qui accomplit une action. La plupart des gens s'accorderaient à dire qu'il

À 4 h 45, Mme Keech annonça soudainement qu'elle avait reçu un message informant le groupe que, par leur foi, ils avaient réussi à sauver la Terre. Ce message produisit une grande réjouissance. Leur foi était rétablie. Ils s'adressèrent aux médias et se mirent à tenter de convertir ceux qui avaient exprimé le moindre intérêt pour l'événement. Les membres du groupe ne réduisirent pas la dissonance en admettant douloureusement qu'ils s'étaient trompés, mais en augmentant l'intensité de leur croyance initiale.

Une étude ultérieure réalisée encore une fois dans un contexte réel porta sur une secte religieuse dirigée par un prophète qui croyait en l'imminence d'un désastre nucléaire (Hardyck et Braden, 1962). Le groupe de cent trois hommes, femmes et enfants se blottit dans un abri souterrain pendant quarante-deux jours dans l'attente de l'événement. Lorsque enfin on leur dit de sortir de l'abri, ils tinrent une joyeuse réunion pendant laquelle le pasteur demanda: «Avez-vous obtenu victoire?» Le groupe répondit à l'unisson: «Oui, Dieu soit béni.» Ils affirmèrent ensuite aux intervieweurs que leur foi avait été augmentée par l'expérience. Ils ne tentèrent pas de faire du prosélytisme. Les chercheurs croient que les membres du groupe s'en sont abstenus parce que leur groupe était déjà assez nombreux et parce qu'ils avaient de bonnes raisons de s'attendre à ce que le public les tourne en dérision.

Des expressions semblables d'augmentation de la foi en réaction à une catastrophe furent rapportées lorsqu'un barrage se brisa à Toccoa, en Georgie. L'inondation tua trente-huit personnes sur le campus d'un collège voué à l'étude de la Bible. Les étudiants et le corps professoral ne donnèrent encore ici aucune indication d'une baisse de la croyance en l'amour de Dieu à leur égard. Ils louangèrent Dieu. Ils affirmèrent que ceux qui étaient allés rejoindre Dieu étaient chanceux et que ceux qui avaient été sauvés par Lui devaient le remercier. Un étudiant nota: «Nous avons prié pour que Dieu descende et touche notre campus de Sa façon particulière.»

D'après Festinger et ses collègues, les croyances se renforcent devant des événements qui les contredisent, particulièrement lorsque les gens reçoivent un fort appui social d'autres croyants. Les gens peuvent trouver ensemble une façon de renouveler leur foi. Seuls, ils pourraient ne pas être capables de soutenir leur foi.

y aurait peu d'augmentation dans l'appréciation d'une activité désagréable si la pression impliquait une *punition*. Mais que se produit-il si l'acteur est *récompensé* pour s'engager dans une action désagréable? Après tout, la récompense constitue aussi une source utile de pression. C'est sur cette question de la récompense que plusieurs psychologues cessent d'être d'accord avec les théoriciens de la dissonance. Ces derniers suggèrent que la récompense devrait avoir les mêmes effets que la punition. Autant la récompense que la punition *poussent* l'acteur à agir et, par conséquent, elles ne devraient pas engendrer un sentiment positif envers l'activité. Cependant, l'observation courante et les principes élémentaires de l'apprentissage suggèrent fortement que les gens en arrivent à *aimer* les actions pour lesquelles ils sont récompensés. Les critiques de la théorie de la dissonance pourraient dire que si les gens sont récompensés pour apprendre une langue seconde, pour obéir aux conquérants ou pour avoir des relations sexuelles non désirées, ils développeront des attitudes positives. Ces deux points de vue s'opposent donc.

Les résultats de plusieurs recherches soutiennent le point de vue de la dissonance. Festinger et Carlsmith (1959) se sont dit, par exemple, que si l'on payait suffisamment les gens pour qu'ils disent un mensonge, ils ne devraient pas éprouver de dissonance. Ils se diraient qu'ils ont été *forcés* par l'importance de la récompense à s'engager dans une supercherie. Cependant, si l'on n'accordait aux gens qu'une faible somme pour dire le même mensonge, ils seraient incapables de justifier leur comportement. Ils feraient donc face à une dissonance pénible qu'ils pourraient réduire en parvenant à croire au mensonge. Les chercheurs ont donné vingt dollars à un groupe d'étudiants pour dire à un camarade de classe qu'une tâche extrêmement ennuyeuse était en fait très intéressante. Les étudiants d'un autre groupe reçurent seulement un dollar pour faire le même mensonge. Des tests ultérieurs ont montré que les étudiants moins payés étaient plus convaincus que la tâche n'était pas si moche que ne l'étaient les étudiants bien payés.

Dans une autre recherche, on a demandé à des sujets affamés d'accepter des heures additionnelles de jeûne (Brehm et Crocker, 1962). On a offert cinq dollars à certains d'entre eux s'ils continuaient à jeûner, alors que l'on n'a rien offert aux sujets d'un autre groupe. Plus tard, lorsqu'on a demandé aux sujets d'évaluer leur faim, ceux à qui l'on n'avait offert aucune récompense ont dit avoir moins faim comparativement à ceux qui avaient été payés.

Alors qu'une récompense élevée pour une action peut souvent produire moins de changement d'attitudes qu'une faible récompense, des théoriciens continuent à résister à cette interprétation et nous explorerons leurs points de vue plus loin dans ce chapitre. D'autres critiques croient que la tâche la plus importante est d'identifier les conditions où les récompenses réussissent à changer les attitudes et les conditions où elles sont inefficaces. Ce problème reste à résoudre.

Nous avons vu que lorsqu'on persuade les gens, sans les forcer, d'adopter une ligne de conduite, ils peuvent changer leurs attitudes afin de les rendre cohérentes avec leur comportement. Cependant, les gens décident souvent de leurs actions sans avoir été encouragés ou persuadés de l'extérieur. Nous allons maintenant examiner comment la réduction de la dissonance peut influer sur le changement des attitudes dans des conditions de libre choix.

Décider et changer d'attitudes

Les étudiants font souvent face à des choix difficiles: à quel collège s'inscrire, quelle concentration choisir. De tels choix dépendent en partie des attitudes, mais les attitudes sont souvent composites. L'université X a une bonne réputation, mais elle est située trop loin. L'université Y offre les cours désirés, mais elle a la réputation d'être continuellement aux prises avec des conflits entre les étudiants et l'administration. Avec des attitudes aussi mêlées, comment les gens doivent-ils prendre leurs décisions? La réponse est simple du point de vue des théoriciens de la dissonance. Les gens doivent faire un choix (n'importe lequel) et la réduction de la dissonance s'occupe habituellement du reste. Lorsque la décision est prise, les attitudes ont tendance à aller dans une direction qui justifie la décision. Cela fonctionne de la façon suivante. La cognition «j'ai choisi X» est dissonante par rapport à la cognition «Y pourrait être mieux». Afin de réduire cette dissonance, l'individu peut développer (1) une attitude plus positive envers l'option choisie ou (2) une attitude plus négative envers l'option rejetée. Chacune des deux options est susceptible de rendre la personne satisfaite de sa décision.

Dans l'une des premières études sur ce point de vue, on demanda à deux cents femmes qui participaient à une supposée étude de marché d'évaluer divers produits (Brehm, 1956). Après avoir fait les évaluations, on leur a donné la possibilité de choisir entre deux produits. Dans un groupe, on laissa les femmes choisir entre des produits de *valeur similaire* (par exemple, un grille-pain automatique et un gril automatique pour sandwichs). On se disait que ce choix créerait une dissonance particulièrement élevée du fait que l'option rejetée serait aussi attirante que l'option choisie. Les femmes d'un autre groupe eurent le choix entre des produits de *valeur très différente*. Les chercheurs supposaient que ce choix produirait moins de dissonance, puisqu'un objet était manifestement plus désirable que l'autre. Après avoir choisi entre les produits, les femmes devaient évaluer les produits une deuxième fois («maintenant que vous avez eu plus de temps pour y penser»). Les chercheurs désiraient savoir si les femmes modifieraient leurs attitudes et en viendraient à voir l'objet choisi comme plus attrayant et l'option rejetée comme moins attrayante.

La figure 6-3 présente les changements d'attitude des femmes envers les produits. Vous pouvez voir qu'il y a très peu de changement de l'attitude dans la condition de faible dissonance où les produits n'étaient pas difficiles à comparer. Un changement substantiel de l'attitude se produisit dans la condition de dissonance élevée où les produits étaient similaires. Le produit choisi était évalué comme nettement plus attrayant, alors

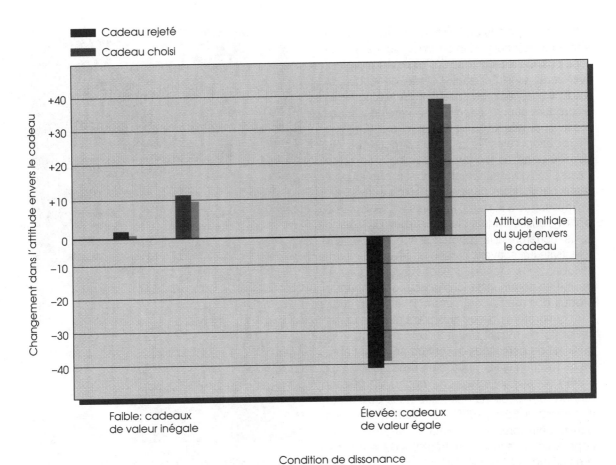

Figure 6-3   La dissonance et le changement de l'attitude

La justification n'est pas nécessaire lors d'un choix entre des produits de valeur inégale. Mais lorsque le choix ne s'impose pas de lui-même, les gens en viennent à valoriser l'objet choisi et à dévaluer celui qui est rejeté, réduisant ainsi la dissonance cognitive. (Adapté de Brehm, 1956.)

que l'option rejetée était perçue comme moins attrayante. De tels résultats ont été obtenus par plusieurs autres chercheurs (Deustch, Krauss et Rosenau, 1962; Walster, 1964).

Dans quelles conditions cet ajustement des attitudes est-il susceptible de se produire? De tels effets dépendent en grande partie de la perception de l'individu: jusqu'à quel point se voit-il lui-même comme *personnellement responsable* du choix (Wicklund et Brehm, 1976)? En d'autres termes, l'individu doit éprouver un sentiment de liberté de choix et être capable de prévoir les conséquences du choix (Cooper, 1971; Gœthals, Cooper et Naficy, 1979). Il semble que les gens doivent aussi avoir un sentiment d'*engagement* dans leur choix pour que de tels effets se produisent. S'ils sentent qu'ils pourront renverser le choix plus tard (c'est-à-dire changer d'idée), il se produira peu de changement des attitudes (Allen,

1964; Davidson et Kiesler, 1964). Or, le mariage représente un tel engagement. Les partenaires peuvent avoir besoin de réduire la dissonance en se convainquant personnellement que chacun d'eux est le seul et l'unique, et que tous les autres choix sont inférieurs. Un engagement moindre, comme passer quelques jours ensemble, ne mettrait probablement pas en branle le processus de dissonance. Mais étudions de plus près le processus de réduction de la dissonance après la prise de décision. De quelle façon précise un individu soutient-il sa décision? La réponse à cette question a de larges conséquences.

La sélectivité dans l'exposition, l'apprentissage et la mémoire

Comment les gens font-ils pour se convaincre que finalement leur choix était le meilleur? Ils recherchent parfois de l'information qui soutient leur choix et ignorent l'information qui ne le supporte pas. Cette technique de l'**exposition sélective** serait illustrée dans l'étude de choix de produits si les femmes avaient regardé à nouveau les produits et porté attention aux caractéristiques positives et négatives de l'objet choisi. Ce type d'exposition sélective a depuis longtemps été identifié dans les recherches sur les médias de masse. Les gens ne remarquent pas tous les panneaux publicitaires, pas plus qu'ils n'écoutent tous les messages à la radio, ni toutes les réclames à la télévision. Ils tendent plutôt à être sélectifs parce qu'ils recherchent la cohérence cognitive, et leur sélectivité est souvent biaisée en faveur de leurs *attitudes préexistantes*. Joseph Klapper, un spécialiste en communications, a noté que «chaque produit des médias de masse (1) attire un auditoire qui préfère déjà ce type particulier de matériel et (2) ne réussit pas à attirer un nombre significatif de personnes qui ont un penchant contraire ou qui n'étaient pas intéressées jusque-là» (1949). Des recherches ont montré un certain nombre d'exceptions à la règle de la sélectivité (Freedman et Sears, 1965). Par exemple, les gens peuvent être prêts à examiner les arguments de l'opposition lorsqu'ils sont très sûrs de leurs propres attitudes (Rosnow, Gitler et Holz, 1969). Ils peuvent également porter attention aux arguments de l'opposition par souci d'*impartialité* (Sears, 1965) ou parce que le message peut leur être *utile* (Canon, 1964). Les démonstrations de l'exposition sélective demeurent néanmoins très nombreuses (*voir le résumé de* Wicklund et Brehm, 1976) et leurs conclusions sont importantes. Par exemple, on a observé que des gens qui s'opposent sur une question peuvent devenir encore plus extrêmes dans leurs positions si davantage d'information devient disponible (Lord, Ross et Lepper, 1979). Chaque partie tend à sélectionner dans l'information disponible précisément les éléments qui concordent avec ses attitudes existantes. Une information plus complète et mieux présentée n'augmente donc pas nécessairement le degré d'accord entre les gens.

Les gens ne font pas qu'éviter des messages qui ne soutiennent pas leurs attitudes existantes. Ils ont aussi souvent de la difficulté à comprendre du matériel opposé ou à s'en souvenir. Plusieurs études ont montré que les gens ont tendance à mieux apprendre les arguments cohérents avec leurs attitudes existantes et à s'en souvenir plus longtemps. On a montré, par exemple, que les femmes sont plus portées que les

L'exposition sélective. Ce représentant du mouvement de la simplicité volontaire transmet un message clair: Cessez de travailler et ayez du plaisir. Mais qui donc rejoindra-t-il ainsi? Croyez-vous que les jeunes professionnels en pleine ascension, les gens d'affaires bien établis, les étudiants préoccupés par l'obtention de leur diplôme seront réceptifs à ce message? Les recherches montrent que les gens ont tendance à éviter les messages qui ne soutiennent pas leurs opinions déjà existantes

hommes à se souvenir de faits contre les hommes (Alper et Korchin, 1952).

Pour résumer notre exposé sur la dissonance cognitive, nous pouvons dire que les gens sont souvent motivés à atteindre ou à poursuivre une cohérence dans l'ensemble de leurs pensées. Lorsqu'ils se rendent compte qu'ils appuient simultanément une position et son opposé, ils peuvent ressentir un état de dissonance inconfortable. Une façon de réduire la dissonance est de changer ses attitudes. Lorsque le comportement contredit les attitudes, il arrive fréquemment que les gens les modifient afin d'être en accord avec leur comportement. Le changement des attitudes ne se produit généralement pas si l'on force les gens à adopter un comportement. Cependant, le comportement *volontaire* augmente la possibilité de réduction de la dissonance. Après avoir effectué un libre choix, les gens développent souvent une attitude plus positive envers l'option choisie et une attitude plus négative envers l'option rejetée. Un tel changement d'attitudes réduit la dissonance. Dans le processus de réduction de la dissonance, il arrive souvent que l'individu dirige son attention et se souvienne de façon sélective.

Le traitement de l'information et le changement des attitudes

Les principes de cohérence cognitive occupent une position centrale dans les études des psychologues sociaux sur le changement des attitudes. Non seulement la théorie semble-t-elle unifier la compréhension, mais elle offre des hypothèses intéressantes quant à certains aspects du comportement humain qui semblent irrationnels. En s'efforçant d'être cohérents, les gens rationalisent leurs actions et leurs choix simplement parce qu'ils les ont effectués. Plusieurs psychologues sociaux croient cependant que l'on insiste trop sur la cohérence, alors que d'autres processus cognitifs doivent être considérés. Comme ils l'affirment, les gens prennent souvent en considération plusieurs sources d'information qu'ils intègrent afin d'en arriver à des décisions relatives aux qualités positives ou négatives de l'objet d'une attitude. Nous allons maintenant considérer quelques recherches sur la façon dont les gens utilisent l'information de sources variées pour prendre des décisions de nature évaluative. Nous verrons que les gens tirent leur information de l'environnement, de la perception qu'ils ont de leur propre comportement, de même que de leurs souvenirs. Selon la distinction proposée par Petty et Cacioppo (1981, 1986), si le changement d'attitudes résulte d'une analyse logique et rationnelle des faits et arguments présentés pour persuader, le changement s'opère par ce qu'ils appellent la route principale ou centrale. Si au contraire, la persuasion résulte de processus non cognitifs, tels que le fait d'être simplement exposé à des arguments ou encore le désir de plaire au communicateur, le changement s'opère alors par une route secondaire dite aussi périphérique.

L'information de l'environnement

Les gens cherchent dans l'environnement l'information dont ils ont besoin pour former leurs attitudes. L'information peut être acquise auprès d'amis, de médias et de plusieurs autres sources (Ostrom, 1977). Avant de décider, par exemple, d'appuyer un candidat comme premier ministre, les gens s'informent généralement du point de vue du candidat sur l'économie, le chômage, les droits et libertés, l'écologie et d'autres sujets. Mais jusqu'à quel point la quantité d'information est-elle déterminante dans la décision de voter pour un candidat donné? Un élément d'information solide a-t-il autant de poids qu'une douzaine d'arguments moindres?

Dans une étude sur cette question, plus de sept cents étudiants ont écouté les témoignages des deux parties d'une cause judiciaire (Calder, Insko et Yandell, 1974). On a soumis les étudiants à diverses quantités d'informations à l'appui de la position de la poursuite ou de la défense. Certains étudiants n'ont été soumis qu'à un seul argument favorisant un verdict de culpabilité ou d'innocence. D'autres ont été soumis à quatre arguments d'un côté ou de l'autre, tandis que d'autres groupes ont entendu des éléments de témoignages supplémentaires. Après avoir pris connaissance des faits, les étudiants ont évalué le degré de culpabilité ou d'innocence de l'accusé.

La figure 6-4 montre les effets des arguments de la poursuite. Notez que plus les étudiants ont reçu d'arguments, plus leur évaluation de la culpabilité de l'accusé a été extrême. Une courbe

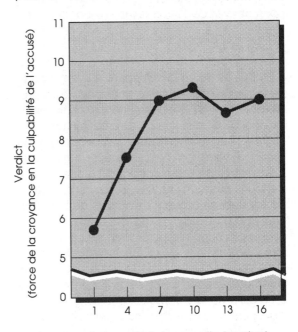

Figure 6-4 **Coupable ou innocent: combien d'arguments sont nécessaires?**

Dans cette simulation de l'expérience des membres d'un jury, plus le procureur de la poursuite a présenté d'arguments, plus les jurés ont cru fortement en la culpabilité de l'accusé. Cependant, après dix arguments, il y eut plafonnement: des arguments additionnels ajoutèrent proportionnellement moins de poids. (Adapté de Calder, Insko et Yandell, 1974.)

similaire reflète les réponses des étudiants soumis aux arguments de la défense. Même si ces résultats semblent assez directs, notez une particularité du graphique. D'un plus grand nombre d'informations découle, proportionnellement, moins de changement dans l'évaluation de la culpabilité (ou de l'innocence). Ainsi, le fait de passer d'un argument unique à quatre arguments a eu pour résultat un plus grand changement dans l'évaluation de la culpabilité (ou de l'innocence) que le fait de passer de quatre à sept arguments. En termes mathématiques, la pente qui relie la quantité d'informations à la persuasion suit une accélération négative. Lorsque onze arguments ont été présentés d'un côté ou de l'autre, l'augmentation dans les évaluations a été à peine notable. Les arguments initiaux créent peut-être une attitude de base que les arguments qui suivent ne peuvent modifier que légèrement (*voir l'exposé du chapitre 2 sur les effets de primauté*).

La perception de soi: «vous êtes ce que vous faites»

Les gens ne font pas que scruter l'environnement pour obtenir de l'information, ils portent aussi attention à leur propre comportement comme source d'information sur laquelle ils pourront baser leurs attitudes. Par exemple, les attitudes à propos de soi se développent souvent à partir de la perception qu'a une personne de sa propre performance. Si votre performance au tennis est exceptionnelle, vous avez probablement une attitude positive envers votre habileté à jouer au tennis. Si vous commenciez à perdre régulièrement, votre attitude se déplacerait probablement dans une direction négative. En ce sens, l'estime de soi dépend souvent du succès de la performance d'un individu (Diggory, 1966).

Les effets de la perception de soi peuvent être vus sous un angle différent. Ainsi, Daryl Bem (1972) pense que les gens ne savent pas toujours comment ils se sentent ou ce qu'ils pensent quant à un sujet donné. Lorsqu'on les questionne sur leurs pensées ou sur leurs sentiments, ils peuvent ne pas être certains de ce qu'ils croient exactement. Il n'est pas facile de faire de l'introspection et d'être sûr de ses attitudes (Nisbett et Wilson, 1977). Lorsque les attitudes ne sont pas claires, les gens peuvent utiliser leur propre comportement comme source d'information sur leurs sentiments. Si l'on vous demandait, par exemple, si vous aimez votre professeure de psychologie sociale, vous pourriez examiner vos activités.

Êtes-vous toujours présent au cours? La critiquez-vous lorsque vous êtes avec vos camarades? Vous comportez-vous de façon cordiale lorsque vous conversez avec elle? Selon Bem, les gens identifient leurs attitudes en examinant de tels comportements.

Les arguments de Bem peuvent être utilisés pour interpréter les effets du jeu de rôle décrits par les chercheurs qui s'intéressent à la dissonance. D'après la théorie de la dissonance, il y a production de dissonance lorsqu'une personne adopte une position donnée qui se trouve en désaccord avec ses attitudes personnelles. Pour réduire la dissonance, l'individu peut adopter privément de nouvelles attitudes, de sorte qu'elles soient en accord avec la position qu'il tient en public. Cependant, du point de vue de Bem, la dissonance n'intervient pas ici. Les gens observent simplement leur propre comportement et c'est seulement sur cette base qu'ils arrivent à comprendre comment ils doivent se sentir.

Afin de démontrer son point de vue, Bem a utilisé une étude bien connue sur la dissonance. Dans l'étude originale (Cohen, 1962), des étudiants étaient interviewés juste après une émeute importante où des camarades affirmaient avoir été brutalisés par la police. L'hostilité envers la police était élevée sur le campus. On demanda individuellement à des étudiants s'ils accepteraient d'écrire, contre rémunération, un court texte à l'appui de l'action policière. On offrit cinquante cents aux sujets d'un groupe, alors que l'on promit un dollar à ceux d'un autre groupe. Comme nous l'avons vu, d'après la théorie de la dissonance, écrire contre la plus petite rémunération devait créer plus de dissonance avec les croyances intérieures qu'accepter une somme plus élevée pour le même geste. La théorie de la dissonance prédirait donc plus de changement positif des attitudes envers la police dans la condition où l'on offrait cinquante cents que dans celle où l'on offrait un dollar. Les résultats obtenus ont correspondu exactement à ce pattern.

Bem ajouta des conditions à l'étude de Cohen. Il a *dévoilé* aux sujets toutes les circonstances et les procédés de l'expérience originale, et il leur a demandé quelles seraient, à leur avis, les attitudes résultantes des sujets. Selon Bem, les gens observent habituellement le comportement et utilisent leur observation afin de décider ce que devrait être l'attitude de l'acteur. Donc, s'ils voient que l'étudiant est prêt à écrire le texte pour cinquante cents, ils peuvent conclure que son attitude est plus favorable envers le sujet que ne l'est

l'attitude du sujet qui réclame un dollar. La dissonance n'intervient pas dans ce processus de jugement des attitudes à partir du comportement. Les sujets de Bem étaient capables de prédire parfaitement le pattern de résultats obtenus dans l'expérience originale. D'après ses résultats, il est possible que les sujets originaux aient jugé simplement leurs attitudes sur la base de leur comportement.

Évidemment, les résultats ne sont guère concluants et Bem a été attaqué pour ses points de vue, comme vous pouvez l'imaginer (Jones et coll., 1968; Schaffer, 1975). Bem (1978) a cependant réussi à soutenir sa position par des raisonnements astucieux et par la contre-critique. Les théoriciens de la dissonance n'ont pas réussi à démontrer que l'interprétation que fait Bem de leurs résultats est nécessairement fausse (Wicklund et Brehm, 1976). La théorie de la perception de soi demeure donc une option plausible tout en étant différente de celle de la théorie de la dissonance.

Le balayage des souvenirs: le changement auto-induit des attitudes

La mémoire est une autre source d'information très utile pour produire un changement d'attitudes. Supposons par exemple, que l'on vous demande quelle est votre attitude envers les agissements des autorités au cours de la crise d'Octobre (1970) au Québec. Vous tenteriez alors de vous rappeler ce que vous savez de cette crise majeure dans l'histoire contemporaine du Québec. Si parmi vos différents souvenirs, vous vous attardez au fait que le gouvernement fédéral appliqua la loi des mesures de guerre qui permettait aux policiers d'effectuer des perquisitions sans mandat et d'incarcérer toute personne suspecte d'appartenance au Front de libération du Québec, il se peut que vous concluiez que votre attitude envers les autorités de l'époque est négative.

Le premier travail significatif sur la mémoire et les attitudes a été effectué par Hovland et ses collègues (Hovland, Janis et Kelley, 1953). Ils tentaient d'expliquer théoriquement l'observation selon laquelle lorsque les gens jouent un rôle donné, ils en viennent à croire au rôle qu'ils jouent. Selon Hovland et ses collègues, le fait d'accepter de présenter un exposé ou de jouer un rôle motive un acteur à réfléchir aux arguments positifs qui soutiennent la position et à supprimer ou à éviter activement ceux qui s'y opposent. En fait, l'acteur s'engage dans un **balayage sélectif** de ses souvenirs. Ayant à l'esprit tous les arguments à l'appui, une personne pourrait vraisemblablement changer ses attitudes dans le sens de la présentation publique. Afin de démontrer leur point de vue, les chercheurs ont comparé le changement d'attitudes chez deux groupes d'étudiants qui avaient lu un exposé en silence. Les étudiants d'un groupe devaient ensuite *lire* l'exposé à voix haute et ceux d'un autre groupe

Encadré 6-3

L'équilibre cognitif: maintenir l'ordre dans ses attitudes

L'un des aspects les plus intéressants de l'approche cognitive des attitudes réside dans la façon de voir la relation entre la pensée et les sentiments. Les théoriciens, en commençant par Freud, ont maintenu que les pensées sont les victimes des émotions, c'est-à-dire que les désirs et les besoins d'un individu modèlent ses pensées. Les théoriciens de la cognition suggèrent que l'opposé peut être vrai, c'est-à-dire que la façon habituelle de penser peut influer sur les sentiments. La théorie de l'équilibre est l'un de ces points de vue les plus fascinants. Cette théorie a été proposée à l'origine par Fritz Heider (1946) que l'on trouve, photographié avec Kurt Lewin, au chapitre 1. Elle a ensuite été modifiée et élargie (Cartwright et Harary, 1956; Newcomb, 1953; Osgood et Tannenbaum, 1955; Rosenberg et Abelson, 1960).

Comme Heider (1946) le soutenait, les gens ont tendance à organiser en unités leurs perceptions des objets et des autres personnes. On perçoit, par exemple, que les gens appartiennent à des familles ou qu'ils forment des couples ou des clans. On perçoit également qu'ils forment des unités avec les objets qu'ils possèdent; ces objets leur «appartiennent». Selon Heider, ce type de regroupement mental a une forte influence sur les sentiments ou sur les attitudes. Les gens veulent voir une relation positive entre les objets ou les autres personnes à l'intérieur de l'unité cognitive. Les gens qui composent une unité devraient être reliés les uns aux autres par des sentiments positifs. Ils devraient également se montrer attachés aux objets qu'ils possèdent par des attitudes positives. On dit que l'*équilibre cognitif* existe lorsque les éléments d'une unité sont reliés par des sentiments, ou des attitudes, positifs. D'après Heider, lorsque existe un déséquilibre, il y a tendance à amener les relations à un état d'équilibre.

Voyons comment la théorie de l'équilibre pourrait fonctionner dans le cas d'une personne (P), d'une autre personne (O) et d'un objet (X). Dans cet exemple, l'objet, X, est la poésie écrite par P. Comme vous pouvez le voir dans le diagramme, P a une attitude positive envers X. Des sentiments positifs relient également P et O qui sont de bons amis. Si P veut savoir ce que O pense de sa poésie et veut que O demeure dans l'unité avec P, une seule réponse est possible: une attitude positive doit être exprimée. Si vous étiez O, ne vous sentiriez-vous pas fortement pressé de répondre positivement?

Regardez les autres diagrammes P-O-X. Comme vous pouvez le voir, si P et O sont de bons amis et s'ils ont chacun une attitude négative envers une étoile de cinéma quelconque, leur relation sera en équilibre. Leur unité demeure dans un état positif et l'étoile de cinéma est séparée de tous deux. Si P et O sont ennemis et que P déteste les mathématiques, P peut espérer que O aura une attitude positive envers cette matière. De cette façon, P n'aurait pas de base pour former une unité avec O. En règle générale, on peut établir l'existence de l'équilibre dans une triade P-O-X en multipliant les signes de trois sentiments. Si le résultat est positif, il y a équilibre. Dans l'exemple original où P est l'auteur de la poésie, $(+) \times (+) \times (+) = +$.

avaient à *improviser* une version de l'exposé (King et Janis, 1956). Selon les chercheurs, les étudiants qui improvisaient étaient obligés de faire un balayage de leurs souvenirs pour trouver des arguments à l'appui de leur position publique. On s'attendait alors à ce que les improvisateurs

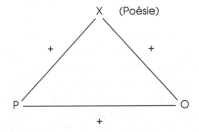

X (Poésie)

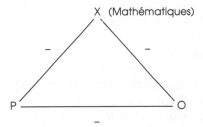

X (Mathématiques)

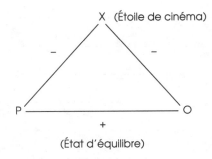

X (Étoile de cinéma)

(État d'équilibre)

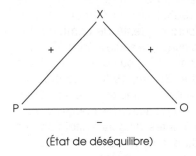

X

(État de déséquilibre)

Lorsque diverses relations équilibrées et non équilibrées sont décrites, les gens croient généralement que les relations équilibrées sont plus acceptables, harmonieuses ou préférables que celles qui ne le sont pas (Jordan, 1953; Rodrigues, 1968; Rossman et Gollob, 1976). De plus, si l'on décrit aux gens deux des trois relations dans une triade (comme les sentiments de P à propos de sa poésie et les sentiments de P envers O), leurs prédictions à propos de la troisième relation (les sentiments de O à l'égard de la poésie) soutiennent généralement la théorie de l'équilibre (Burnstein, 1967; Wellens et Thistlethwaite, 1971). Dans une étude sur le développement des relations entre des étudiants, Newcomb (1961) a constaté que la connaissance des sentiments des étudiants sur plusieurs questions avant leur entrée au collège permettait de prédire avec succès leurs choix d'amis au collège. Les étudiants choisissent des amis qui permettent l'équilibre, des amis avec lesquels ils partagent leurs opinions sur ce qu'ils aiment et sur ce qu'ils n'aiment pas.

Certaines recherches suggèrent que des biais additionnels peuvent parfois interférer avec les effets d'équilibre ou les accentuer (Gollob, 1974). Par exemple, le *biais d'accord* se rapporte à la tendance générale des gens à préférer des relations positives et à s'opposer à celles qui sont négatives (Whitney, 1971). Ainsi, une triade constituée de trois sentiments positifs serait préférée à une triade comportant deux sentiments négatifs et un positif. Le *biais de justice* se rapporte à la tendance à préférer des unités où les punitions de diverses sortes forment une unité avec les gens qui ne sont pas aimés (Eiser, 1980; Gollob, 1974). Cependant, malgré ces facteurs additionnels subtils, la préférence générale pour un équilibre global demeure l'influence la plus sérieuse sur les attitudes (Thompson Gard et Phillips, 1980).

changent d'attitudes plus que les lecteurs. Les résultats ont appuyé ce raisonnement. De plus, des recherches ultérieures ont confirmé les effets du balayage des souvenirs. Si l'on encourage les gens à réfléchir au pour et au contre d'un point de vue sans savoir qu'ils auront à le défendre, ils ne balaient pas leurs souvenirs de façon sélective et l'on n'observe pas d'effets de jeu de rôle (Greenwald, 1970).

Comme vous pouvez le constater, cette façon de voir les choses met encore au défi les chercheurs qui s'intéressent à la dissonance. Les effets du jeu de rôle sur les attitudes peuvent être des exemples de balayage sélectif plutôt que de réduction de la dissonance. Les tenants de la dissonance n'ont pas bien reçu cet argument et un débat féroce est engagé depuis des années entre eux et les partisans du balayage des souvenirs (Elms et Janis, 1965; Janis et Gilmore, 1965). D'autres chercheurs ont tenté de combiner les deux explications dans une seule théorie (Gerard, Conolley et Wilhelmy, 1974) ou de comparer leurs forces (Wicklund et Brehm, 1976). Les théories multiples paraissant souhaitables, il ne serait pas sage d'exclure l'un ou l'autre des points de vue. Des théories différentes dirigent l'attention sur divers aspects du comportement.

Cet accent mis sur les processus de mémoire et sur leur influence sur les attitudes s'est étendu dans une nouvelle direction. D'après Abraham Tesser (1978), les gens ont tendance à *simplifier* une expérience lorsqu'ils y repensent. Cela signifie que les êtres humains essaient d'organiser leurs souvenirs de façon cohérente en oubliant rapidement les aspects incohérents ou hors de propos. Les souvenirs des expériences passées peuvent alors se condenser et s'intensifier. En vous rappelant des souvenirs reliés à une personne attirante rencontrée l'été dernier, vous vous souviendrez probablement d'images qui soutiennent le concept d'attirance et vous oublierez les images désagréables. Il est possible que vous développiez ainsi une attitude plus positive de l'autre personne en son absence qu'en sa présence.

Le raisonnement de Tesser suggère que, avec le temps, les sentiments positifs devraient devenir plus positifs et les sentiments négatifs, plus négatifs. En d'autres termes, plus une personne réfléchit sérieusement et profondément à un souvenir donné, plus son attitude va se **polariser**. Afin de démontrer ce point de vue, des chercheurs ont demandé à des sujets quels étaient leurs sentiments à propos de thèmes variés, comme la légalisation de la prostitution et la révolution politique (Tesser et Conlee, 1975). On a alors demandé aux sujets de réfléchir davantage à ces problèmes et de faire connaître de nouveau leurs attitudes. Le temps de réflexion variait de trente secondes à trois minutes. Selon les chercheurs, l'attitude devait se polariser (devenir plus

positive si elle était initialement positive et plus négative si elle était initialement négative) lorsqu'un temps de réflexion plus long était accordé à un problème. Comme vous pouvez le voir à la figure 6-5, les attitudes sont devenues effectivement plus polarisées lorsque les sujets réfléchissaient plus longuement, peu importe le problème. Lorsque les gens plongent dans leur réserve de souvenirs, leurs attitudes deviennent souvent plus extrêmes.

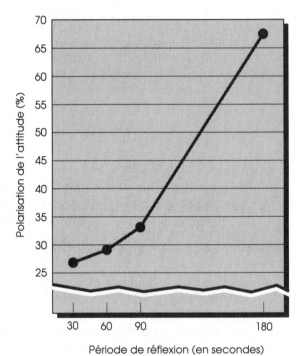

Figure 6-5   L'effet polarisant de la mémoire

Plus les gens réfléchissent à un ensemble de faits, plus ils simplifient et intensifient leur attitude; leur point de vue devient alors plus extrême. (Adapté de Tesser et Conlee, 1975.)

Nous avons examiné deux arguments relatifs à la fonction de la cognition dans le changement des attitudes. D'un côté, (1) la motivation à parvenir à une cohérence entre les cognitions peut aussi conduire au changement. Par ailleurs, (2) le traitement de l'information provenant de l'environnement, du propre comportement des gens et de la mémoire peut aussi conduire au changement. Nous compléterons maintenant notre exposé en considérant l'une des questions les plus importantes du domaine, à savoir le lien entre les attitudes et le comportement.

Le lien entre les attitudes et le comportement: la question critique

Dans l'introduction du présent chapitre, nous avons souligné que l'étude des attitudes occupe une position centrale en psychologie sociale parce que les attitudes sont très étroitement reliées aux actions. Ainsi, le fait de connaître les attitudes d'une personne envers une autre, envers un groupe ou envers un objet devrait rendre possible la prédiction du comportement de cette personne. Intuitivement, ce postulat semble sensé. Par exemple, les gens ont tendance à voter pour les candidats envers lesquels ils ont des attitudes positives. Ils ont aussi tendance à éviter de vivre dans les lieux qu'ils n'aiment pas. Les attitudes semblent prédire assez justement l'action dans chacune de ces situations.

Nous avons cependant vu, au chapitre 5, que les préjugés ne sont pas toujours reliés au comportement discriminatoire. Les gens peuvent avoir des préjugés sans pour autant les exprimer. Ils peuvent également participer à de la discrimination institutionnelle sans avoir aucune attitude négative sous-jacente. En 1969, Allen Wicker mit sérieusement en doute le postulat selon lequel les attitudes prédisent bien le comportement. Après une revue approfondie de la documentation abondante faisant état des liens entre les attitudes et l'action, Wicker en vint à la conclusion suivante. Les attitudes ne seraient pas reliées aux comportements observables ou n'y seraient que peu reliées. D'après Wicker, cela semble beaucoup plus probable que de croire en une étroite relation entre les attitudes et les comportements. En fait, d'après les recherches existantes, on ne pouvait observer qu'une très faible relation entre les attitudes et le comportement. Il semblait difficile de pouvoir prédire le comportement d'une personne à partir de ses attitudes. Depuis lors, à l'instar de Wicker, d'autres chercheurs remettent en question le postulat traditionnel du lien étroit entre les attitudes et les actions (Calder et Ross, 1973; Deutscher, 1973; McClelland et Winter, 1969). Pour mieux saisir le point de vue de Wicker, considérez une étude dans laquelle on a interviewé quelque cinq cents personnes sur leurs attitudes relativement au ramassage des papiers qui jonchent le sol (Bickman, 1972). Environ 94 % ont indiqué des sentiments de responsabilité personnelle marquée dans cette situation. Pourtant, après l'interview, moins de 2 % d'entre eux prirent la peine de ramasser un papier qui avait été placé bien en évidence par l'expérimentateur.

Quelques réponses possibles à la question attitude-comportement

Plusieurs ont cherché de façon énergique des moyens de lutter contre le doute croissant au sujet de la relation entre les attitudes et le comportement. D'après une approche, la conclusion de Wicker reposait sur un échantillon d'études déficient; ses tenants recherchent des contre-exemples où les attitudes sont clairement reliées à l'action (Kahle et Berman, 1979). Un contre-exemple typique vient d'une enquête faite sur une grande échelle, portant sur les attitudes reliées à l'absence de discrimination (quant à la race et à la nationalité) dans la vente de propriétés. On observa dans cette étude, que les attitudes initiales étaient fortement corrélées avec l'accord ultérieur des gens à signer et à faire signer des pétitions favorisant cette proposition (Brannon et coll., 1973). De la même façon, dans une étude d'envergure sur l'appui féminin au mouvement de libération des femmes, on a constaté que les attitudes envers ce mouvement prédisaient fortement l'adhésion, tandis que vingt autres variables la prédisaient moins bien (Goldschmidt et coll., 1974). Les attitudes envers le viol sont également révélatrices (Brownmiller, 1975). Les attitudes des gens envers les violeurs varient, et on a observé que ces attitudes influent sur (1) la volonté des victimes de rapporter un viol (Schwendinger et Schwendinger, 1974), sur (2) la façon dont les juges et les jurys traitent les victimes de viol (Bohmer et Blumberg, 1975; Scroggs, 1976) et sur (3) l'ampleur de l'enquête policière (Galton, 1976; Keefe et O'Reilley, 1976). Ces résultats suggèrent que les attitudes peuvent ne pas *toujours* prédire le comportement, mais il serait incorrect de dire qu'elles ne le font *jamais*.

Une deuxième approche visant à répondre aux questions soulevées par Wicker et par d'autres met l'accent sur l'identification de divers procédés de recherche qui peuvent améliorer la probabilité de faire de bonnes prédictions. Par exemple, les chercheurs ont noté que la manifestation comportementale d'une attitude peut prendre diverses formes. La corrélation entre une mesure des attitudes et une *seule* action peut être faible. Cependant, la mesure des attitudes peut bien prédire une action si l'on considère le *pattern global* du comportement d'une personne, c'est-à-dire une variété de ses actions (Fishbein et Ajzen, 1974; Schwartz et Tessler, 1972; Werner, 1978). Afin d'illustrer cela, des chercheurs ont élaboré une mesure générale des attitudes envers

Encadré 6-4

Les attitudes, les comportements et l'éducation à l'environnement

La dégradation de l'environnement est un problème mondial extrêmement important. Afin de corriger la situation ou de renverser la tendance, les éducateurs en environnement ont particulièrement mis de l'avant des programmes qui visent à augmenter les connaissances écologiques, croyant qu'elles pourraient engendrer des comportements plus responsables au regard de l'écologie. C'est ainsi que des campagnes d'information de différente envergure ont été mises sur pied à divers niveaux. Mais que faut-il penser de ces entreprises en ce qui concerne l'amélioration des conditions environnementales? À cet égard, O'Riordan (1976) nous porte à réfléchir quand il affirme que «il est naïf de croire que la connaissance augmente nécessairement la conscience. Le traitement de l'information est en fait influencé par l'intérêt et l'engagement personnels.» Plusieurs chercheurs qui tentent de modifier les comportements écologiques, se sont intéressés aux attitudes qui leur sont sous-jacentes.

Certains auteurs ont proposé une approche générale où l'attitude est définie par trois composantes: les dimensions cognitive, affective et comportementale (*voir* Triandis, 1971). Ces trois dimensions sont vues comme interreliées, de sorte qu'une modification de l'une ou l'autre des composantes entraîne des répercussions sur les unes et sur les autres. Cela aboutit à une modification de l'attitude dans son ensemble, pour finalement modifier le comportement. Maloney, Ward et Braucht (1975) ont élaboré une échelle de mesure des attitudes écologiques fondée sur le modèle trichotomique des attitudes. La sous-échelle *connaissances* (dimension cognitive) évalue les connaissances reliées à des situations, ou phénomènes, écologiques spécifiques. La *disposition affective* (dimension affective) mesure les émotions ressenties par le sujet quant à la dégradation de l'environnement. Enfin, la *prédisposition à agir* (dimension comportementale) mesure ce que le répondant dit être prêt à faire quant à diverses situations impliquant un engagement écologique. Par ailleurs, l'instrument de Maloney et de ses collègues inclut une sous-échelle d'*engagement factuel* où le sujet est appelé à inventorier

la protection de la qualité de l'environnement (Weigel et Newman, 1976). Cette mesure ne prédisait pas très bien la probabilité qu'une personne signe une pétition contre les centrales nucléaires ou une pétition en faveur de l'augmentation des normes relatives à l'échappement des gaz des automobiles. Cela ne permettait pas non plus de bien prédire si une personne allait ramasser un papier sur le sol ou ramasser du papier et du verre pour le recyclage. Cependant, lorsque les chercheurs ont mis au point une mesure comportementale globale qui incluait la signature de la pétition, la volonté de ramasser les papiers et de recycler les rebuts, la mesure générale des attitudes prédisait nettement le pattern global du

comportement. Plus le score d'une personne était élevé sur la mesure des attitudes, plus nombreuses étaient les activités proécologiques. De façon plus formelle, nous pouvons dire que la probabilité de prédire l'action à partir des attitudes peut être augmentée si l'on utilise des *mesures d'action multiples*.

Les chercheurs ont également montré qu'une grande partie des travaux antérieurs ont produit de piètres résultats en raison du *manque de correspondance entre la mesure des attitudes et les comportements cibles* (Ajzen et Fishbein, 1977; Weigel, Vernon et Tognacci, 1974). Par exemple, si la mesure des attitudes touche aux sentiments *généralisés* envers n'importe quel

les comportements proécologiques qu'il a déjà manifestés. Plusieurs ont étudié la préoccupation écologique à l'aide de cet instrument, notamment en Allemagne (Amelang et coll., 1977), aux États-Unis (Borden et Francis, 1978; Borden et Schettino, 1979; Dispoto, 1977a, 1977b; Jorgenson, 1978; Nichols, 1980), au Québec (Jutras, 1982) et en Ontario (Smythe et Brook, 1980). Tous ces auteurs ont rapporté des corrélations intéressantes entre le comportement inventorié et l'une ou l'autre des trois composantes de l'attitude.

Jutras s'est particulièrement intéressée à la relation entre chacune des composantes et le comportement, de même qu'à leur relation d'ensemble avec ce dernier. Elle rapporte que les dimensions cognitive, affective et comportementale des attitudes expliquent 25 % de la variance de la mesure d'engagement factuel, alors que, d'après Wicker (1969) dont il a été question dans ces pages, seulement 10 % du comportement-critère parviendrait à être expliqué par des variables d'attitudes. D'après Jutras, si la validité et la fiabilité des mesures élaborées sont élevées et si l'on utilise des techniques statistiques appropriées, il est possible de démontrer la valeur de la relation attitude-comportement. Par ailleurs, comme Oskamp (1977) et Triandis (1971) l'ont souligné, le comportement est à la fois fonction des attitudes, des normes, des habitudes, des attentes de renforcement, des situations particulières et des événements inattendus. Ces chercheurs reconnaissent donc l'intervention d'autres facteurs, tout en soutenant l'intérêt qu'il y a à modifier les attitudes pour changer les comportements qui y sont reliés.

Jutras a noté que divers chercheurs rapportent des relations attitudes écologiques-comportements écologiques fort variées. Elle a montré que la nature de la ou des dimensions mesurées dans l'échelle d'attitudes est, entre autres choses, responsable de cette divergence dans la force des relations rapportées. Une étude réalisée auprès d'un échantillon de plus de deux cents Montréalais francophones a permis d'observer que la dimension cognitive (connaissances) est beaucoup moins reliée au comportement proécologique que ne le sont les dimensions affective (disposition affective) ou comportementale (prédisposition à agir). Cela est d'autant plus inquiétant que, jusqu'à maintenant, les programmes d'éducation visent à modifier les attitudes écologiques surtout par une intervention cognitive, c'est-à-dire en augmentant les connaissances des gens. Il conviendrait donc d'insister particulièrement sur la disposition affective et la prédisposition à agir à l'égard de considérations écologiques.

groupe (Noirs ou Blancs, autochtones ou Tamouls), il y a peu de raisons de croire que la mesure prédira bien la générosité envers un membre *particulier* d'un de ces groupes. Les mesures des attitudes recouvrent des sentiments généraux, alors que le comportement est un type particulier d'action dirigée vers un individu unique. La correspondance entre les deux mesures peut faire défaut. Cependant, un chercheur qui mesure les attitudes reliées aux méthodes de contraception et qui mesure ensuite les pratiques de contraception véritables observera probablement une forte corrélation (Kothandapani, 1971). Les mesures présentent alors un degré de correspondance plus élevé.

Une autre réponse importante à l'attaque lancée contre le lien entre les attitudes et le comportement se trouve dans l'identification de divers facteurs susceptibles de renforcer ou d'affaiblir le lien (Wicker, 1971). Un individu peut, par exemple, avoir une attitude positive envers le mouvement écologique, mais sa signature d'une pétition ou sa participation aux activités du mouvement peuvent dépendre de plusieurs autres facteurs, comme le temps disponible, les autres responsabilités ou les possibilités de participer.

On a étudié une variété de facteurs qui renforcent ou affaiblissent le lien attitude-comportement. D'abord, la prédiction du comportement par les attitudes dépend de *l'intervalle de temps* qui sépare la mesure des attitudes du comportement cible (Schwartz, 1978). L'on peut parvenir à changer les attitudes dans une situation donnée, mais un tel changement ne dure pas toujours (Cook et Flay, 1978). Plusieurs chercheurs considèrent que les attitudes sont très élastiques et sujettes à des changements spontanés et spectaculaires (Cialdini et coll., 1976; Hass et Mann, 1976). Il existe donc une faible relation entre les attitudes envers un candidat politique plusieurs mois avant le scrutin et le comportement au moment du vote. Si l'attitude est mesurée la veille de l'élection, la relation attitude-comportement peut être élevée (Davidson et Jaccard, 1979). La prédiction du comportement par les attitudes dépend aussi de l'*expérience* rattachée à l'attitude (Fazio et Zanna, 1981). Les attitudes fondées sur l'expérience personnelle sont davantage susceptibles de prédire le comportement que celles qui reposent sur l'expérience d'autrui. Si les gens ont peu confiance en leurs attitudes, elles peuvent ne pas être reliées à leur comportement. Enfin, certaines personnes maintiennent plus que d'autres une correspondance plus étroite entre leur comportement et leurs attitudes. En particulier, les gens qui ne tentent pas de se conformer aux situations sociales ou de s'y adapter sont plus souvent susceptibles d'agir selon leurs attitudes que ne le sont les gens plus flexibles socialement (Snyder et Tanke, 1976; Zanna, Olson et Fazio, 1980).

Ces justifications contre les arguments de Wicker se tiennent, mais les chercheurs n'ont pas été entièrement satisfaits. Le problème est semblable à celui que rencontrent les partisans de l'approche de la persuasion pour le changement des attitudes: la solution n'est pas élégante. Trop de facteurs doivent être considérés et ils semblent souvent non reliés. La théorie cognitive joue encore un rôle particulier dans la solution du problème d'intégration. Plusieurs psychologues sociaux considèrent que l'approche cognitive peut aider à éclaircir et à créer l'unité requise. La formulation de Fishbein relative à la valeur de l'attente constitue une percée intéressante pour créer une explication unifiée.

Le modèle de Fishbein sur la prédiction comportementale

Selon la proposition de Martin Fishbein, les gens agissent en conformité avec leurs *intentions* (Fishbein, 1967, 1972; Fishbein et Ajzen, 1975). Afin de savoir si quelqu'un va se joindre à une manifestation prochoix en matière d'avortement, vous n'avez qu'à lui demander ce qu'il ou elle a l'intention de faire. Si la réponse est honnête et que rien n'intervient entre-temps, le comportement présentera une corrélation élevée avec les intentions. Les intentions sont cependant influencées par deux facteurs principaux: les *attitudes* et la *pression sociale*.

1. *Les attitudes.* Ce que les gens ont l'intention de faire dépend de leurs attitudes associées au comportement. Un individu qui a une attitude négative à l'égard des manifestations prochoix relatives à l'avortement n'assistera probablement pas à une protestation. Celui ou celle dont l'attitude envers la participation est positive peut bien avoir l'intention de protester. Cependant, les attitudes dépendent également de deux facteurs; le premier est relié aux *attentes en ce qui a trait au résultat*. Le protestataire potentiel réfléchira probablement aux résultats d'une manifestation prochoix avant de décider de manifester. La protestation favorisera-t-elle le libre choix des femmes ou mènera-t-elle seulement à une désillusion? Un deuxième facteur qui contribue à l'attitude de la personne est la *valeur accordée au résultat attendu*. Si le protestataire s'attend à ce que les manifestations entraînent une décriminalisation de l'avortement et s'il accorde une valeur élevée à ce résultat, on peut s'attendre à une attitude très positive envers les manifestations. Cette attitude mènerait probablement à une augmentation de l'intention d'y participer. La plupart des gens ont évidemment des attentes variées, chacune étant valorisée à un degré différent. L'attitude globale consisterait donc en la somme de chaque attente pondérée par sa valeur.

2. *La pression sociale.* La pression sociale dépend premièrement des *croyances normatives*, c'est-à-dire des croyances relatives à l'opinion des autres sur ce que nous devrions faire dans un cas particulier. Par exemple, si les amis et les proches s'opposent aux manifestations, cela peut inciter le protestataire potentiel à éviter de participer à des manifestations pour le libre choix en matière d'avortement. Cependant, le degré de pression dépendra aussi de la *motivation à se conformer* aux désirs des autres. Le protestataire peut être conscient des sentiments négatifs de ses proches à l'égard des

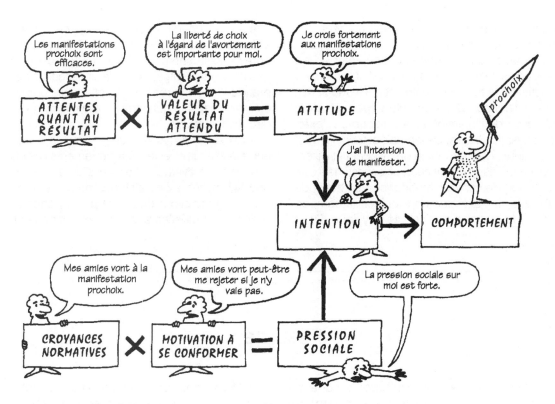

Figure 6-6   Le modèle de Fishbein

Ce modèle rend possible la prédiction du comportement d'une personne à partir de la connaissance que l'on a de son intention, laquelle est fonction de deux facteurs principaux: son attitude et la pression sociale.

manifestations, mais il peut s'y conformer ou non.

Selon le modèle de Fishbein, l'intention de participer dépend de l'attitude additionnée de la somme des croyances de la personne quant aux attentes des autres, pondérée par la motivation individuelle à s'y conformer. En d'autres termes, le comportement des gens dans une situation donnée dépend des attitudes et de la pression sociale. Afin de prédire le comportement à partir des attitudes, il est nécessaire de bien connaître la façon dont les gens perçoivent et évaluent les résultats de leurs actions, y compris les réactions des autres à leur égard (*voir la figure 6-6*).

Le modèle de Fishbein a suscité beaucoup d'attention parce qu'il est clair et logique, et parce qu'il permet des prédictions fiables sur les activités des gens. Dans l'une des premières études, Fishbein (1966) a tenté de prédire si des étudiants auraient des relations sexuelles avant le mariage. Au début du semestre, il a évalué leurs attitudes à l'égard des relations sexuelles prémaritales, leurs croyances relativement à ce que les autres considéraient qu'ils devraient faire et leur

motivation à se conformer aux attentes des autres. À la fin du semestre, il a demandé aux étudiants s'ils avaient eu des relations sexuelles durant le semestre. Les résultats ont montré que les mesures initiales prédisaient très bien les intentions des étudiants et que les intentions prédisaient avec succès l'activité sexuelle. D'autres chercheurs ont ainsi prédit avec succès des comportements comme l'utilisation par les femmes de contraceptifs oraux (Werner et Middlestadt, 1979), les réactions à des projets d'énergie nucléaire (Bowman et Fishbein, 1978), des gestes altruistes (Pomazal et Jaccard, 1976), la pratique de l'activité physique (Godin et Shephard, 1986) et la fréquentation de l'église (Brinberg, 1979).

Selon la théorie de l'action raisonnée de Fishbein et Ajzen, le comportement est rationnel et il est le résultat d'une analyse systématique de la part de l'individu. Or, comme le soutient Triandis (1977), tous les comportements individuels ne sont pas sous le contrôle de la volonté. La force de l'habitude, soit la fréquence à laquelle un comportement donné s'est manifesté antérieurement, constitue, tout comme l'intention, un facteur important pour prédire le comportement. De même, certaines conditions peuvent faciliter la manifestation du comportement ou l'empêcher. Par ailleurs, la réponse émotionnelle (positive ou négative) à la pensée d'entreprendre une action peut l'influencer. Dans une étude portant sur la prédiction de l'intention et la pratique de l'exercice physique, Valois, Desharnais et Godin (1988) ont observé que le modèle de Fishbein et Ajzen, et celui de Triandis sont aussi efficaces, mais que ce dernier démontre l'importance de l'habitude préalable de l'exercice pour prévoir le comportement de pratique de l'activité physique. Dans une autre recherche portant sur l'intention et les attitudes quant à la pratique de l'activité physique après l'accouchement, Godin (1987) a montré que chez les primipares, le plaisir associé à cette pratique (soit une réponse émotionnelle positive) était la dimension qui permettait le mieux de prédire les intentions.

En somme, les recherches sur la relation entre les attitudes et les comportements se poursuivent très activement. Il est possible de conclure que les mesures des attitudes peuvent aider à faire des prédictions précises du comportement, si elles sont utilisées avec soin et raffinement.

Résumé

1   Le changement des attitudes est une particularité centrale de la vie sociale. La recherche sur ce sujet reflète deux orientations théoriques principales: l'orientation behavioriste et l'orientation cognitive. Dans l'approche behavioriste du changement des attitudes, on insiste sur divers facteurs reliés aux stimuli qui augmentent ou diminuent les effets de la persuasion sur les attitudes. Ce sont le communicateur, le message, le canal, les caractéristiques de l'auditoire et l'environnement des communications.

2   La crédibilité du communicateur augmente souvent l'efficacité d'un message. Pourtant, avec le temps, un message livré par une source de faible crédibilité peut avoir un effet croissant. Cet effet à retardement, appelé effet d'assoupissement, semble se produire parce que le message est dissocié de sa source particulière. La qualité persuasive d'un message est aussi accrue par l'attrait personnel du communicateur. Si le communicateur prévient l'auditoire d'une incitation persuasive, l'auditoire peut résister à la persuasion. L'avertissement peut cependant augmenter l'effet de persuasion si l'auditoire ne se sent pas menacé par l'avertissement.

3   Pour être persuasif, un message doit d'abord être compris. La quantité d'information qui devrait être contenue dans le message dépend des caractéristiques de l'auditoire. Présenter tous les aspects d'une question et ne pas tirer de conclusion claire peut être inefficace avec un auditoire peu instruit, mais très persuasif auprès de gens plus instruits. La menace d'effets alarmants peut augmenter l'efficacité d'un message. Cependant, la communication peut faire boomerang si le message n'offre pas de stratégies qui permettent d'éviter ces effets.

4   Le choix du média le plus efficace pour communiquer dépend du moment et des circonstances. Lorsqu'on présente du matériel simple, plus un média s'approche d'une interaction face à face, plus il peut être persuasif.

5   L'auditoire participe activement au changement des attitudes. Les gens montrent souvent un biais positif envers les communicateurs, c'est-à-dire une tendance à être d'accord avec n'importe quel message. Ce biais peut être encouragé par l'école. Les gens résistent aussi à la persuasion. On peut s'imperméabiliser efficacement contre la persuasion si l'on connaît les arguments de l'opposition et la faiblesse de ces

arguments. L'individu apprend ainsi à se défendre par la réfutation. Les gens qui ont une faible estime de soi sont souvent plus faciles à persuader que ceux qui ont confiance en eux.

6 L'environnement des communications peut influer sur le succès ou l'échec d'un message. Une distraction intense peut être perturbatrice, alors que des distractions mineures peuvent augmenter l'attention, accroissant ainsi les effets de persuasion. En raison des associations apprises, les communicateurs peuvent souvent avoir plus d'influence s'ils se présentent dans des environnements plaisants.

7 L'approche cognitive du changement des attitudes met l'accent sur les processus de pensée de l'auditoire et particulièrement sur le besoin de cohérence cognitive. La théorie de la dissonance cognitive de Festinger suggère que lorsque deux ou plusieurs cognitions sont incohérentes, l'individu peut se trouver dans une situation pénible de dissonance cognitive et il tentera de réduire cet inconfort en changeant le comportement ou la cognition. Lorsque les gens adoptent publiquement un rôle qui est en contradiction avec leurs attitudes personnelles, il peut en résulter de la dissonance. La dissonance peut être résolue par le changement d'attitude personnelle dans la direction du point de vue publiquement défendu. Il y a moins de production de dissonance et de changement des attitudes lorsqu'on pousse un individu à s'engager dans un comportement contraire à ses attitudes personnelles. Lorsqu'ils peuvent effectuer un libre choix, les gens changent ultérieurement leurs attitudes pour appuyer le choix. Souvent, dans le processus de réduction de la dissonance, les gens dirigent leur attention, et ils se souviennent de façon sélective.

8 Les gens traitent l'information pour parvenir à des décisions quant au caractère bon ou mauvais des objets d'attitudes. Ils peuvent travailler ardemment pour parvenir à des jugements basés sur l'information disponible dans l'environnement. Cependant, plus il y a d'information reçue, moins l'ajout d'information a d'effet. Les gens examinent souvent leur propre comportement pour déterminer quelles sont leurs attitudes. Les gens effectuent également un balayage de leurs souvenirs pour retracer de l'information pertinente. Cependant, ce balayage de l'information peut souvent être biaisé dans le sens du résultat souhaité.

9 Le postulat d'une relation étroite entre les attitudes et le comportement occupe une place centrale en psychologie sociale. Cependant, plusieurs chercheurs rappellent que souvent les attitudes n'arrivent pas à prédire le comportement. En contrepartie, les tenants du lien attitude-comportement mettent de l'avant des études où la prédiction a été réalisée. Selon eux, le problème vient de ce que les modèles théoriques et les plans de recherche sont impuissants à identifier la relation entre les attitudes et le comportement.

10 Fishbein a proposé un modèle qui rend possible la prédiction du comportement à partir des attitudes. Le modèle tient compte des attentes d'un individu quant au résultat, à la valeur qu'il accorde aux résultats, à sa perception de ce qui est normatif ou correct et à sa motivation à se conformer aux critères normatifs.

Lectures suggérées

En français

Lamarche, L. (1979). Les attitudes et le changement des attitudes. *In* G. Bégin et P. Joshi (dir.). *Psychologie sociale*. Québec: Les Presses de l'Université Laval.

Thomas, R. et Alaphilippe, D. (1983). *Les attitudes*. Paris: Presses universitaires de France, coll. «Que sais-je?».

En anglais

Ajzen, I. et Fishbein, M. (1980). *Understanding attitudes and predicting social behavior*. Englewood Cliffs, NJ: Prentice-Hall.

Oskamp, S. (1977). *Attitudes and opinions*. Englewood Cliffs, NJ: Prentice-Hall.

Petty, R.E. et Cacioppo, J.T. (1981). *Attitudes and persuasion: classic and contemporary approaches*. Dubuque: W.C. Brown.

Zimbardo, P. et Ebbesen, E.B., Maslach, C. (1977). *Influencing attitudes and changing behavior*. Reading: Addison-Wesley.

7

L'action sociale positive

La libéralité consiste moins à donner beaucoup qu'à donner à propos.

Jean de La Bruyère

Objectifs d'apprentissage

☐ Après l'étude du présent chapitre, vous devriez être capable

1. de définir l'action sociale positive et de la distinguer de l'altruisme;

2. d'indiquer comment les gens prennent la décision d'aider ou non, en se basant sur leur évaluation personnelle du plaisir, de la réduction de la douleur et de la disponibilité de ressources;

3. d'expliquer comment les gens prennent la décision d'aider, en se basant sur leurs appréciations personnelles de la personne en difficulté et en considérant la perception du besoin, la justification de l'aide à apporter et l'attrait du bénéficiaire;

4. d'évaluer l'influence du contexte social sur la probabilité d'une offre d'aide;

5. d'analyser le rôle des normes sociales dans l'encouragement à l'action sociale positive et les façons dont les modèles peuvent influer sur la disposition d'une personne à apporter de l'aide;

6. d'évaluer les arguments selon lesquels la socialisation en bas âge détermine pour la vie les dispositions altruistes de quelqu'un;

7. d'évaluer le point de vue situationniste selon lequel la conduite altruiste varie selon les circonstances;

8. de décrire comment l'apport d'aide peut servir à manipuler ou à rabaisser le bénéficiaire;

9. d'examiner comment l'aide peut engendrer du ressentiment en encourageant des sentiments d'obligation.

☐ *Une avocate qui attendait le train dans une gare urbaine a été forcée, sous la menace d'une arme, de se rendre au bout du quai où elle a été rouée de coups et violée. Ce n'est qu'environ vingt-quatre heures plus tard qu'elle a été découverte par un groupe de personnes qui enquêtaient sur un cas de viol survenu au même endroit un an auparavant. La femme a été transportée de toute urgence à l'hôpital et a survécu, mais elle souffrait de lésions cérébrales importantes. Plusieurs personnes avaient vu la femme effrayée se faire bousculer dans la gare par un homme à l'air rude. Aucun témoin n'a suivi le couple, n'a appelé la police ni n'a tenté de s'enquérir de ce qui se passait. Plusieurs jours plus tard, une femme a confié qu'elle avait remarqué le couple et qu'elle s'était sentie bouleversée. Grâce à sa description du violeur, on a finalement pu procéder à son arrestation. Au cours des vingt-quatre heures pendant lesquelles la victime battue a été étendue sur le quai, plusieurs personnes l'avaient remarquée, mais elles aussi avaient négligé de lui venir en aide. Plusieurs employés des chemins de fer ont dit avoir pensé qu'il s'agissait d'une clocharde.*

Dans cette situation, les gens faisaient face à la possibilité d'aider une personne en détresse et ils ont choisi de ne pas intervenir. Il s'agit là d'un exemple saisissant de situation à laquelle les gens peuvent faire face quotidiennement. La rencontre d'un mendiant dans la rue, un appel à donner du sang ou le coup de téléphone d'un ami isolé ou déprimé sont des occasions de faire quelque chose pour être utile à quelqu'un. On peut appeler cette activité de l'**action sociale positive** (Staub, 1978). Donner de l'argent ou des biens à des œuvres de charité, coopérer à la réalisation d'un projet et rendre service à une personne en difficulté sont des exemples typiques d'action sociale positive. Un comportement de ce type peut être mis en opposition avec le **comportement antisocial** comme l'agression, la discrimination, la destruction et l'égoïsme (Bar-Tal, 1976). Certains théoriciens utilisent le terme **comportement prosocial** pour souligner l'opposition avec le comportement antisocial. D'autres théoriciens préfèrent utiliser le terme **altruisme** afin de souligner les éléments de sacrifice personnel reliés à plusieurs actions sociales positives. Le comportement altruiste correspond à une action dont d'autres personnes bénéficient et pour laquelle aucune récompense extérieure n'est attendue. D'autres chercheurs parlent de comportements d'aide ou de soutien. Mais quels que soient les mots que l'on utilise et l'accent que l'on y met, ces comportements que nous désignerons de façon générale par l'action sociale positive sont fascinants. En effet, de tels comportements semblent moralement admirables et contribuent aussi à la survie de la société (Campbell, 1978; Cohen, 1978). La plupart des gens admirent celui qui fait des sacrifices, ou même simplement un effort pour aider les autres, et la plupart s'accordent à dire que cela irait bien mieux dans le monde si chacun était moins centré sur soi et, par conséquent, pensait davantage aux autres.

Plusieurs psychologues sociaux s'intéressent aux façons dont la culture peut encourager l'action sociale positive. Ils s'intéressent, par exemple, aux moyens d'améliorer les relations des gens entre eux et aux façons de promouvoir une préoccupation générale du bien-être d'autrui. Un premier pas dans ce sens consiste à mettre de l'avant une compréhension des origines d'une telle action. Dans quelles conditions les gens sont-ils davantage susceptibles d'aider les autres? À quel moment les gens sont-ils susceptibles de tourner le dos à ceux qui ont besoin d'aide?

Nous nous préoccuperons de ces questions dans le présent chapitre. Nous considérerons d'abord les décisions que les gens prennent au moment de s'engager dans une action sociale positive. Nous porterons particulièrement attention aux façons dont les gens calculent (1) les avantages et les coûts personnels d'une telle action, (2) les besoins et la valeur de la personne ou du groupe à aider et (3) le caractère approprié de l'action. Nous verrons que les gens considèrent les avantages et les inconvénients qu'il y a à apporter de l'aide, et qu'ils prennent leurs décisions en conséquence. Nous étudierons ensuite l'action sociale positive du point de vue du bénéficiaire. Se sacrifier pour aider les autres n'est pas toujours un geste de bonté. L'aide peut créer de la souffrance chez la personne qui reçoit. L'aide peut également placer celui qui reçoit dans une situation désavantageuse par rapport au donateur.

L'évaluation du donateur: les avantages personnels qu'il y a à donner

Pourquoi les gens s'entraident-ils, même lorsqu'il leur en coûte d'aider? Depuis plusieurs années, nous avons demandé à nos étudiants de prendre note de leur propre comportement. Chaque fois qu'ils se rendaient compte qu'ils faisaient quelque chose pour quelqu'un, ils devaient penser aux motifs de leur action. Les comptes rendus des étudiants ont suggéré que les actions apparemment les plus désintéressées étaient en fait autogratifiantes. En faisant des sacrifices, ils sentaient qu'ils faisaient des gains psychologiques. De plus, les étudiants se posaient diverses questions lorsqu'ils se trouvaient dans une situation où ils pouvaient aider. La décision d'aider semblait dépendre des réponses à ces questions. Estimer les *gains* et les *pertes* découlant de l'aide à apporter semble être caractéristique de la majorité des réactions aux besoins d'autrui. Il semble que les gens procèdent à une **évaluation de l'action sociale positive** (Lynch et Cohen, 1978;

Piliavin, Piliavin et Rodin, 1975). De façon typique, ils se demandent ce qu'ils vont gagner, ce qu'ils pourraient perdre et s'ils peuvent se permettre d'aider.

L'action procure-t-elle du plaisir?

Dans plusieurs cas, l'action sociale positive ne correspond pas à un sacrifice personnel, c'est-à-dire que l'aidant semble placer les autres en premier, alors qu'en fait il éprouve beaucoup de satisfaction personnelle. L'action sociale positive peut servir indirectement n'importe quel besoin personnel. L'obligeance de plusieurs personnes tire son origine de l'espoir d'obtenir des faveurs divines. Par exemple, certaines des plus belles verrières des cathédrales européennes ont été offertes par des individus qui avaient l'impression que leur chemin vers le ciel pourrait être pavé de vitraux. Certaines personnes peuvent secourir les autres pour satisfaire un parent ou un groupe de pairs intériorisés. Un individu peut se dire: «Ils ne sont peut-être pas ici, mais s'ils y étaient ils m'aimeraient vraiment pour ce que je fais là.» D'autres

encore aident parce qu'ils s'attendent à des gains personnels directs. Les conductrices d'automobile obtiennent souvent plus facilement que les conducteurs de l'aide de la part de passants masculins (West, Whitney et Schnedler, 1975). Il serait difficile d'exclure la possibilité qu'un intérêt hétérosexuel inspire de tels gestes de bonne volonté.

Pour montrer les diverses récompenses que les gens peuvent obtenir en apportant de l'aide, nous avons donné à un grand nombre d'étudiants du premier cycle l'occasion d'aider d'autres personnes (Gergen, Gergen et Meter, 1972). Les tâches consistaient à seconder un chercheur dans un projet portant sur les états inhabituels de conscience, à conseiller des élèves du secondaire en difficulté et à aider au service de psychologie du collège. Des tests sur les besoins des étudiants ont révélé par la suite que la plupart d'entre eux choisissaient de prêter leur concours au projet qui leur apporterait le plus de plaisir. Les étudiants qui aimaient la nouveauté étaient plus enclins que les autres à se porter volontaires pour les recherches sur les états inhabituels de conscience. Les étudiants qui aimaient les relations sociales intenses évitaient ce choix et étaient plus intéressés que les autres à porter assistance aux élèves en difficulté. Ainsi, les étudiants choisissaient d'aider d'une façon qui leur était personnellement agréable.

L'action sociale positive n'est évidemment qu'un des moyens par lesquels les gens peuvent tenter d'obtenir des récompenses, comme une faveur divine, l'amour d'une personne intériorisée ou la nouveauté. Arrive-t-il que les gens aiment aider pour le seul plaisir de le faire? Il semble que oui. L'individu normalement socialisé parvient habituellement à une évaluation positive de l'action morale. Il a appris à apprécier les personnes capables de s'oublier, généreuses, serviables et charitables. Les enfants apprennent très jeunes de telles leçons. Même les enfants du primaire croient qu'il est souhaitable de donner de l'argent aux nécessiteux. Les jeunes enfants et les adolescents donnent des notes positives aux personnes qui aident les autres (Bryan et Walbek, 1970). Les gens apprennent ainsi que l'action altruiste est bonne. Ils peuvent sentir qu'ils sont eux-mêmes bons en agissant de façon altruiste. Les résultats de recherches soutiennent cette notion. Plusieurs personnes qui travaillent à défendre les droits civiques croient qu'ils expriment ainsi leur besoin de valoriser les autres (Rosenhan, 1978). De façon similaire, plusieurs chrétiens qui ont aidé des Juifs à échapper aux nazis croyaient être motivés par des sentiments positifs de moralité (London, 1970). Plusieurs donneurs de rein ont dit éprouver des sentiments de bonté et de noblesse après avoir donné une partie d'eux-mêmes (Fellner et Marshall, 1970).

Il semble bien que les gens développent la capacité de se récompenser eux-mêmes de leurs bonnes actions.

Puis-je éviter la douleur? La réponse empathique

Si les gens sont susceptibles de bien agir lorsqu'ils pensent au plaisir que cela leur procurera, le fait d'éviter la douleur devrait avoir l'effet opposé. Par exemple, alors que n'importe quel spectateur aurait tendance à aider un enfant qui se débat dans la partie peu profonde d'une piscine, peu de gens accepteraient de plonger seuls dans une vague déferlante pour secourir un homme affolé pris par le ressac. Dans une recherche visant à démontrer cette idée, des chercheurs ont constaté que la probabilité d'un don de sang dépend du fait que la personne pense ou non que le don aura pour résultat de la douleur, un étourdis-

L'empathie et l'altruisme. Même les très jeunes enfants semblent capables d'éprouver ce que les autres éprouvent. Les recherches ont montré que les gens peuvent être davantage enclins à aider lorsqu'ils ressentent de l'empathie pour une personne qui a mal ou qui est dans le besoin.

sement ou un manque d'énergie (Pomazal et Jaccard, 1976). Par ailleurs, il est possible d'éviter les coûts de l'aide en se tenant éloignés des gens qui en demandent, particulièrement de ceux qui réussissent habituellement à l'obtenir (Pancer et coll., 1979). De telles démonstrations (*voir aussi* McGovern, 1976; Penner et coll., 1976; Wagner et Wheeler, 1969) sont si frappantes que plusieurs théoriciens croient que l'évaluation des coûts de l'aide est habituellement le déterminant le plus puissant de l'obligeance (Hatfield, Walster et Piliavin, 1978).

Cependant, de façon paradoxale, la douleur peut également susciter l'obligeance. Ce type de motivation émane de la capacité humaine de *réponse empathique*, c'est-à-dire la capacité de s'imaginer à la place des autres (Hoffman, 1975). La plupart des gens éprouvent des émotions pénibles lorsqu'ils voient une personne en détresse (Berger, 1962; Geer et Jamecky, 1973). Ils peuvent alléger cette peine en aidant la personne en question. On explique que le fait d'apporter de l'aide réduit la *propre douleur* de l'observateur (Lenrow, 1965; Weiss et coll., 1971). L'action sociale positive réduit alors la souffrance de deux personnes, l'autre et soi-même.

En tant que réponse empathique, l'obligeance est peut-être la clé d'une controverse vieille de plusieurs siècles. Les penseurs sociaux ont longtemps affirmé que l'action sociale positive est fondamentale chez les êtres humains qui, en tant que créatures les plus intellectuellement évoluées sur la terre, sont, **d'instinct,** portés à aider les autres. Mais la plupart des psychologues contemporains rejettent cette notion. Pour la majorité des théoriciens d'aujourd'hui, il y a de trop nombreuses variations interculturelles, de trop nombreuses différences entre les personnes d'une même culture et trop d'exceptions individuelles à la règle de l'obligeance pour accepter l'argument selon lequel les gens sont instinctivement altruistes (*voir* Campbell, 1978; Cohen, 1978). Cependant, même si les gens ne sont pas génétiquement préprogrammés pour aider les autres, la génétique semble effectivement fournir la capacité d'**empathie** qui motive l'action sociale positive. La contribution génétique est donc plutôt indirecte que directe.

À peu près tout le monde a déjà eu l'occasion de ressentir la douleur éprouvée par une autre personne. Les enfants montrent déjà cette capacité au cours de leur deuxième année de vie (Goldstein et Michaels, 1985). Ce sentiment d'unité avec une personne peut inciter un individu à agir dans l'intérêt de l'autre. Par exemple, dans une étude, on a demandé à des étudiants du premier cycle d'imaginer qu'un ami en était à la phase terminale d'une maladie et on leur a demandé de penser aux sentiments de l'ami mourant (Thompson, Lowan, Rosenhan, 1980). Plus tard, lorsqu'on a offert aux sujets la possibilité de rendre service à quelqu'un de façon anonyme, ils étaient beaucoup plus susceptibles d'accorder leur assistance que les sujets d'un autre groupe à qui l'on avait demandé de penser à *leur propre* réaction à la maladie plutôt qu'à celle de leur ami.

Il est clair, néanmoins, que les enfants et les adultes ne répondent pas toujours de façon empathique. Les gens trouvent parfois plaisir à la détresse d'un autre. Il faut donc se demander quelles sont les circonstances qui encouragent ou qui réduisent l'empathie. Un facteur qui peut influer sur la quantité d'empathie est la *similitude de la victime avec soi-même* (Krebs, 1975). Cette possibilité semble très plausible à la lumière de notre exposé sur les façons dont la similitude augmente souvent l'attraction d'une personne pour une autre (*voir le chapitre 4*). Afin de démontrer les effets de la similitude sur l'empathie, Dennis Krebs a demandé à un groupe d'étudiants d'observer un autre étudiant (dont on avait retenu les services à cet effet) jouant à la roulette. On a averti les sujets que le joueur recevrait de l'argent pour chaque gain et un choc douloureux pour chaque perte. De plus, dans chaque groupe, on a dit à la moitié des sujets que le joueur avait une personnalité très semblable à la leur, alors qu'on a dit à l'autre moitié qu'il était passablement différent. Krebs espérait démontrer que lorsque les sujets sentaient que le joueur serait puni pour ses pertes, ils éprouveraient eux-mêmes une part de sa douleur. Krebs s'attendait aussi à ce que les sujets qui pensaient que le joueur était semblable à eux ressentent plus de douleur que ceux qui pensaient qu'il était passablement différent.

C'est par l'activation physiologique des sujets que Krebs a mesuré l'empathie. Le niveau d'activation a été mesuré par la réaction galvanique de la peau. À la figure 7-1, vous pouvez voir que lorsque le joueur souffrait et était perçu comme semblable au sujet, il y avait production d'une activation empathique plus importante que lorsque le joueur souffrait, mais était perçu comme dissemblable.

Krebs s'est aussi demandé si les sujets qui avaient montré le plus d'activation empathique se comporteraient également de façon altruiste. Seraient-ils plus susceptibles que les sujets du

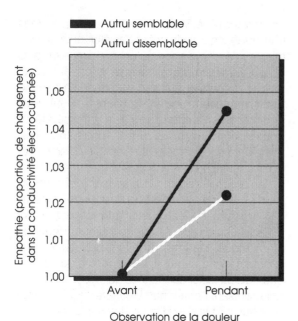

Figure 7-1   Les effets de la similitude sur l'empathie

Notez que le fait de voir souffrir une personne semblable à soi a produit une activation plus grande que le fait d'observer une personne dissemblable vivant la même expérience. (Adapté de Krebs, 1975.)

groupe dissemblable de sacrifier quelque chose pour le joueur souffrant? On a permis à chaque sujet de partager une somme avec l'autre joueur de façon que plus ce sujet donnait de l'argent au joueur, moins il lui en restait. Les sujets qui avaient éprouvé le plus d'empathie, c'est-à-dire qui pensaient que le joueur avait souffert et était semblable à eux, donnèrent également plus d'argent pour le récompenser.

La similitude n'est qu'un des facteurs qui peuvent influer sur l'empathie. Un deuxième facteur important est la *prise de conscience des conditions produisant la douleur*. Voir chez une personne une expression de souffrance ne suscite pas, en soi, un haut degré d'activation. Lorsque l'on croit que la même expression est une réaction à un choc électrique, l'activation est élevée (Vaughan et Lanzetta, 1980). La *disposition cognitive* d'un individu, c'est-à-dire le point de vue qu'il adopte lorsqu'il pense à la personne qui a besoin d'aide, est un autre facteur qui peut augmenter l'empathie (Regan et Totten, 1975). Si par exemple, on demande à un individu, de s'imaginer à la place d'une victime, il aura tendance à ressentir de l'empathie, à se préoccuper des causes du problème, à se souvenir de façon précise et, ce qui est le plus important pour notre objet, à apporter de l'aide (Harvey et coll., 1980). À l'opposé, un individu peut éprouver peu de

détresse empathique lorsqu'on lui demande d'observer une victime du point de vue d'un scientifique objectif poursuivant des recherches. Un tel entraînement à l'objectivité permet peut-être au personnel médical et paramédical d'éviter d'être envahi par la douleur de leurs patients. Plusieurs chercheurs croient que les gens peuvent *apprendre à* adopter le point de vue des autres (Aronfreed, 1968; Ekstein, 1978). Diverses études ont montré que les enfants peuvent être entraînés à adopter le point de vue d'autrui et que cet entraînement augmente la probabilité qu'ils aident d'autres personnes en détresse (Staub, 1978). L'obligeance peut aussi être augmentée si l'on *étiquette* les sentiments comme empathiques (Coke, Batson et McDavis, 1978). Comme vous l'avez vu dans notre exposé du chapitre 3 sur l'autoétiquetage, l'activation émotionnelle est habituellement ambiguë et mène elle-même à plusieurs interprétations différentes. Imaginez que vous voyez souffrir quelqu'un et que vous croyez que le sentiment désagréable que vous éprouvez est de la peur. Il se peut que vous ayez alors moins tendance à apporter de l'aide que si vous aviez cru éprouver une inquiétude au sujet de la personne (Gaertner et Dovidio, 1977).

Ai-je les ressources? L'effet de satisfaction de soi

En plus de se demander combien de plaisir ou de douleur résultera de l'action d'aider, les gens peuvent aussi se demander s'ils ont ou non les ressources qui leur permettent de donner. La façon dont les gens estiment leurs ressources dépend d'un certain nombre de facteurs différents. Il existe d'abord des *variations interculturelles* dans la définition de ce qui constitue des ressources adéquates. Les mêmes ressources objectives peuvent être considérées comme suffisantes par un groupe et insuffisantes par un autre (L'Armand et Pepitone, 1975). Prenons, par exemple, des gens qui ont un revenu identique; certains auront l'impression d'avoir beaucoup d'argent, alors que d'autres penseront qu'ils en ont désespérément besoin de plus.

Des facteurs situationnels peuvent aussi modifier les évaluations de nos ressources selon le moment. Dans une démonstration captivante de cette proposition, Darley et Batson (1973) ont évalué la serviabilité d'étudiants qui assistaient à un séminaire religieux. On peut s'attendre à ce que des séminaristes portent secours à des individus en difficulté. Après tout, ils prévoient consacrer leur vie professionnelle au service de l'humanité. Cependant, Darley et Batson étaient d'avis que le temps est également un bien précieux. Lorsque des gens, même des «altruistes en formation», disposent de beaucoup de temps, ils vont s'engager dans plus d'actions socialement bénéfiques que lorsque leur temps est limité. On a invité les séminaristes à préparer et à enregistrer une homélie. Un groupe avait comme sujet le bon Samaritain, un récit de la Bible qui louange l'individu qui sacrifie ses ressources pour aider un étranger. Le thème donné à l'autre groupe n'était pas relié à l'altruisme. On a également divisé le groupe selon le temps à consacrer à la tâche. On a dit à la moitié des sujets de chaque groupe qu'ils avaient *amplement de temps* pour se rendre à un immeuble voisin afin d'enregistrer l'exposé, et l'on a dit à l'autre moitié qu'ils étaient *déjà en retard et devraient se dépêcher*. Pendant que chacun des sujets marchait le long d'une rue étroite pour se rendre à la séance d'enregistrement, il rencontrait un jeune homme qui toussait et gémissait, étendu dans l'embrasure d'une porte. Bien sûr, le jeune homme était un **compère** des chercheurs. On voulait savoir qui s'arrêterait pour offrir de l'aide. Les résultats ont été clairs: 41 % de ceux qui avaient du temps devant eux se sont arrêtés pour aider, alors que seulement 10 % de ceux qui étaient pressés l'ont fait. Le rappel proposé par la parabole du bon Samaritain n'a pas produit de différence. Les séminaristes à qui l'on avait proposé ce thème n'aidaient généralement pas s'ils étaient en retard.

Ces résultats suggèrent que même les personnes très motivées par rapport à l'action sociale positive peuvent ne pas s'arrêter pour aider quelqu'un si elles sont pressées par le temps. Néanmoins, les facteurs situationnels n'ont pas toujours un effet négatif. *Les évaluations que font les gens de leurs propres capacités d'aide peuvent être augmentées par des facteurs situationnels.* Un succès soudain peut faire sentir aux gens qu'il leur est possible de donner davantage. Comme Alice Isen (1970) l'indique, si l'on fait en sorte que des personnes se sentent bonnes, cela peut les conduire à des comportements plus altruistes ou généreux. De bons sentiments peuvent non seulement augmenter la sensation de prospérité chez une personne, mais ils peuvent également rappeler à l'esprit des incidents positifs du passé (Isen et coll., 1978). Cette augmentation des sentiments de prospérité personnelle a tendance à augmenter la générosité d'une personne. Afin d'illustrer cet **effet de satisfaction**

de soi, Isen (1970) a étudié les relations entre la réussite à un test de créativité et la contribution à une œuvre de charité. L'expérimentatrice a dit à un groupe d'enseignantes du secondaire, choisies au hasard, qu'elles avaient très bien réussi à un test de créativité. Elle a dit à d'autres enseignantes qu'elles avaient eu de faibles résultats. L'expérimentatrice paya ensuite chaque enseignante pour le temps accordé et s'absenta quelques instants. Alors que l'enseignante attendait le retour de l'expérimentatrice, un compère entrait dans la pièce en portant une boîte de collecte de fonds étiquetée «Fonds des élèves du secondaire pour l'air conditionné». Il expliquait les besoins d'un climatiseur d'air, mettait la boîte sur la table et s'en allait. Les expériences de succès et d'échec des enseignantes avaient des effets saisissants sur leur générosité ultérieure. Les enseignantes qui avaient réussi au test donnèrent à peu près sept fois plus d'argent au fonds que celles qui avaient échoué. (Par la suite, on a expliqué l'étude à toutes les enseignantes et les dons furent remis.)

Peu importe ce qui engendre l'effet de satisfaction de soi, le fait de se sentir bien ou bon, et ce, à propos de n'importe quoi, peut augmenter l'obligeance d'une personne. Une étude a montré que des gens qui trouvaient par hasard une pièce de monnaie dans la sébile de remboursement d'un téléphone public étaient plus susceptibles d'aider un passant inconnu qui échappait «accidentellement» des papiers en face d'eux que d'autres usagers du téléphone qui n'avaient pas trouvé d'argent (Isen et Levin, 1972). Le beau temps peut aussi augmenter la serviabilité. Dans les climats nordiques, l'intensité du soleil, la température et la vélocité du vent peuvent aussi influer sur le degré d'aide que les gens sont prêts à apporter à autrui (Cunningham, 1979).

Dans d'autres études, on a constaté (1) qu'un gain de statut peut augmenter le désir des gens d'aider les autres (Midlarsky et Midlarsky, 1976), (2) que la réussite à un test peut augmenter la disposition à donner volontiers du temps à la Société américaine du cancer, par exemple (Weyant, 1978), et (3) qu'une musique apaisante peut augmenter la volonté des gens de rendre service aux autres (Fried et Berkowitz, 1979). On trouve également des effets de satisfaction de soi chez les enfants. Les enfants sont davantage susceptibles de faire un don à une œuvre s'ils réussissent que s'ils échouent à un jeu (Isen, Horn et Rosenhan, 1973). Le simple fait de rappeler aux enfants des événements agréables de leur vie peut favoriser le comportement charitable envers d'autres enfants (Rosenhan, Underwood et Moore, 1974). Cependant, les effets de satisfaction de soi ne semblent pas durer longtemps. Ce type de comportement reflète l'humeur du moment, laquelle peut changer selon le changement de situation (Isen, Clark et Schwartz, 1976; Weyant, 1978). De plus, si l'acte d'aider est si difficile ou douloureux qu'il risque d'interférer avec la bonne humeur d'une personne, celle-ci peut préférer ne pas aider (Isen et Simmonds, 1978).

Même si l'humeur positive peut être une source de comportements d'aide, certains chercheurs croient que l'humeur négative peut avoir le même effet dans certaines conditions (Apsler, 1975; Kidd et Berkowitz, 1976; Konečni, 1972; Steele, 1975). En particulier, les gens qui sont d'une humeur négative peuvent aider d'autres personnes parce qu'en agissant ainsi, ils soulageront peut-être leur inconfort. Comme nous l'avons vu, en accordant de l'aide, une personne peut se sentir meilleure et améliorer son humeur. Même les jeunes enfants peuvent avoir maîtrisé ce mécanisme. Dans une étude, on a demandé à des enfants de la première à la troisième année d'imaginer soit une expérience triste ou une expérience neutre (Kenrick, Bauman et Cialdini, 1979). Lorsque, plus tard, on a donné aux enfants la possibilité de contribuer à une œuvre de charité, ceux qui avaient pensé à des événements tristes donnaient plus que ceux qui avaient pensé à des événements neutres.

La culpabilité, vue comme une humeur négative, peut souvent avoir le même effet (Regan, 1971). Lorsqu'on n'agit pas selon ses principes, des sentiments de culpabilité momentanée peuvent surgir; on tente alors de réduire ces sentiments en apportant de l'aide. Ainsi, lorsque les gens n'ont pas agi selon leurs propres normes (Weyant, 1978), lorsqu'ils ont été incités à mentir (Kidd et Berkowitz, 1976) ou lorsqu'ils croient avoir fait rater une expérience de psychologie (Cunningham, Steinberg et Greu, 1980), ou encore lorsqu'on les fait se sentir coupables d'avoir brisé un appareil-photo, par exemple (Cunningham, Steinberg et Greu, 1980), ils feront peut-être tout ce qu'ils peuvent pour aider autrui.

En résumé, nous voyons que, devant des situations où une aide peut être nécessaire, les gens prennent d'abord des décisions par rapport à eux-mêmes. Ils peuvent se demander dans quelle mesure l'acte d'aider va leur procurer du plaisir soit par récompense directe, soit par avantage psychologique indirect. De plus, les gens peuvent évaluer le degré de douleur possible. L'obligeance peut parfois être réduite par le désir d'éviter la douleur, et parfois augmentée par le désir de faire cesser la douleur empathique ressentie. Les gens peuvent aussi se demander s'ils ont les ressources qui leur permettent d'aider. Une humeur positive peut augmenter le sentiment que les ressources sont suffisantes, tandis qu'un comportement d'aide peut être motivé par le désir de diminuer son sentiment de culpabilité.

L'évaluation de la personne en difficulté

Nous voyons que les gens s'interrogent fréquemment sur les récompenses, les coûts et les ressources avant de s'engager dans l'action sociale positive. Cependant, en plus de ces questions introspectives, les gens s'interrogent aussi sur la personne qui a besoin d'aide. Y a-t-il réellement un problème? A-t-on vraiment besoin d'aide? Est-ce que la victime m'est assez sympathique? Examinons plus en détail de telles questions.

Le besoin est-il perceptible? Le problème de la préoccupation de soi

Avant que l'aide puisse se concrétiser, l'aidant potentiel doit se rendre compte qu'une aide est nécessaire. Si une personne est clairement dépendante d'une autre, l'aide peut être apportée immédiatement (Gruder, Romer et Korth, 1978). Si quelqu'un court de graves dangers, il est plus susceptible d'obtenir du secours que si le danger est mince (Austin, 1979). Cependant, on ne remarque pas toujours le besoin (Schwartz, 1974). Plusieurs facteurs subtils peuvent éveiller ou diminuer l'attention portée à la détresse d'autrui. Le ton de la voix d'une personne peut, par exemple, être un facteur important. Faire une demande d'une voix qui dénote l'urgence peut augmenter les chances de recevoir de l'aide (Langer et Abelson, 1972). Un niveau élevé de bruit ambiant peut aussi distraire les gens qui ne percevront pas les besoins des autres (Mathews et Canon, 1975). Cependant, ce qui compte peut-être le plus, c'est la présence de quelqu'un qui définit la situation comme un besoin d'aide (Bar-Tal, 1976). Les situations d'urgence, par exemple, sont souvent ambiguës. Souvent, les gens ne veulent pas croire qu'il existe une situation de crise et ils ne veulent pas non plus avoir l'air idiots en étiquetant la situation comme urgente si elle ne l'est pas. Ou encore, les gens ne veulent pas prendre le risque de se tromper dans leur définition d'une situation d'urgence. Ironiquement, les gens vont souvent risquer la vie d'autrui plutôt que de risquer d'être embarrassés.

Leonard Berkowitz (1970) a affirmé que la valeur mise sur la préoccupation de soi, c'est-à-dire l'examen de ses sentiments, de ses motivations, de ses buts, peut interférer avec une préoccupation appropriée pour ses semblables. Comme Berkowitz l'écrit, «les inquiétudes quant à son propre soi, les pensées et les doutes à propos de sa valeur personnelle, les rêves de succès ou la peur de l'échec dans des activités importantes peuvent tous distraire la personne, de sorte qu'elle ne pense pas (momentanément du moins) à l'idéal d'aider». Pour démontrer son point de vue, Berkowitz et ses collègues ont étudié auprès d'un groupe d'étudiants la relation entre la préoccupation de soi et la serviabilité. On a activé la préoccupation de soi chez la moitié des sujets en leur disant que la tâche qu'ils allaient exécuter, c'est-à-dire évaluer des photographies, allait servir d'indicateur de leur «intelligence sociale». Le reste des sujets croyaient qu'ils allaient exprimer de simples préférences pour des physionomies. Plus tard au cours de la séance, l'expérimentateur demandait à chaque sujet d'aider à analyser les données d'une autre étude. Les sujets dont on avait activé la préoccupation de soi ont moins aidé l'expérimentateur que ceux qui n'avaient pas été stimulés à penser à eux-mêmes.

La préoccupation de soi diminue-t-elle toujours le comportement d'aide? Probablement pas. Dans l'étude de Berkowitz, la préoccupation de soi était une réponse à la menace d'échec. Lorsque la préoccupation de soi *n'est pas menaçante*, elle peut même *augmenter* le sentiment personnel de responsabilité et le désir d'aider. Dans une étude, on a montré à des étudiants des photographies d'eux-mêmes, puis des photographies de victimes de maladies transmises sexuellement. Ces étudiants se montrèrent davantage disposés à aider les victimes que des étudiants qui n'avaient pas eu la possibilité de voir des photographies d'eux-mêmes (Duval, Duval et Neely, 1979). Un minutieux examen de soi peut donc augmenter la prise de conscience d'une dépendance mutuelle et peut finalement se révéler précieux pour encourager l'action sociale positive.

L'aide est-elle méritée? L'hypothèse du monde juste

Après avoir noté que de l'aide est requise, une personne se demande souvent si l'aide est *méritée*. Des gens meurent de faim, personne ne peut le nier. Cependant, la décision d'aider ceux qui risquent de mourir de faim peut dépendre en grande partie du degré de conviction quant au fait que les victimes méritent cette aide. La croyance selon laquelle les gens sont *responsables* de leur infortune (*voir l'encadré 2-2*) peut contrebalancer le penchant à les aider. Melvin Lerner (1970) affirme qu'une telle réaction se fonde sur l'**hypothèse du monde juste**.

> Il semble que plusieurs personnes se préoccupent profondément de la justice pour elles-mêmes et pour les autres, non pas de la justice au sens légal, mais dans un sens psychologique plus général. Ils veulent croire en un monde où les gens obtiennent ce qu'ils méritent ou... méritent ce qu'ils obtiennent.

Cette croyance donne à réfléchir. Celui qui croit en un monde juste peut en venir à croire que les gens qui souffrent méritent leur souffrance. Voir une personne souffrante peut inciter les gens à penser que la personne a fait quelque chose pour mériter sa situation. De ce point de vue, les pauvres n'ont pas à être aidés puisqu'ils méritent leur condition.

Lors d'une expérience saisissante, Lerner (1965) a demandé à des étudiantes d'évaluer l'apparence et la personnalité d'une «victime» de sexe féminin. Les sujets croyaient participer à une étude sur la perception de l'activation émotionnelle. Elles voyaient à un poste de télévision en circuit fermé une autre étudiante (la complice de l'expérimentateur) qui gémissait et hurlait pendant qu'elle recevait des chocs électriques «extrêmement douloureux». On a dit aux sujets que la victime ne savait pas, lorsqu'elle s'était engagée dans l'expérience, qu'elle recevrait des chocs et qu'elle ne pourrait pas mettre fin à sa participation. En réalité, elle n'éprouvait aucune souffrance. L'expérimentateur faisait varier les consignes afin de manipuler, chez les étudiantes, leur perception de la douleur de la victime. On a dit à certaines que l'événement *se terminerait bientôt*. On a dit à d'autres qu'une autre séance suivrait et que la femme aurait encore à subir des chocs pendant dix minutes.

Afin d'étudier la relation entre la souffrance observée et les sentiments d'hostilité, on a demandé aux sujets d'évaluer l'attrait de la

Encadré 7-1

Mort à l'arrivée... ou non?

Si jamais vous vous effondrez, soudainement et dangereusement malade, il est très probable que quelqu'un d'autre qu'un médecin décide non seulement que vous êtes mort ou non, mais également que vous vivrez ou non (Simpson, 1976).

Cette prédiction sinistre est le reflet des résultats d'une étude sur les services ambulanciers et les procédures d'admission, effectuée par Michael A. Simpson du Royal Free Hospital Medical School de l'Université de Londres. Les recherches de Simpson ont été stimulées par les travaux du sociologue américain David Sudnow (1973) sur l'interprétation sociale de la mort. Lorsque quelqu'un trouve une personne inconsciente, il doit opter pour l'une ou l'autre des possibilités suivantes: (1) cette personne n'a pas besoin d'aide parce qu'elle semble simplement malade («elle est seulement ivre»), (2) elle a un urgent besoin d'aide ou (3) elle est morte ou quasi morte. Placer une victime dans la première catégorie permet au passant de continuer son chemin sans agir. Le choix de cette catégorie explique le faible niveau d'obligeance retrouvé dans plusieurs des études rapportées dans le présent chapitre. Décider que des soins médicaux sont nécessaires de façon urgente signifie habituellement que des tentatives de réanimation commencent immédiatement, que le personnel de l'ambulance continue les tentatives de réanimation et que le personnel de la salle d'urgence se prépare à l'arrivée de la victime. Si l'on suppose que la victime est morte ou vouée à la mort, les tentatives de réanimation sont presque inexistantes, les ambulanciers ne se dépêchent pas et le personnel de l'urgence est peu empressé.

Comme Simpson et Sudnow l'affirment, la catégorie où l'on place la victime inconsciente dépend grandement de facteurs sociaux. Ainsi, l'âge peut avoir une influence majeure sur le processus de catégorisation. Comme Simpson l'a observé, plus le patient est âgé, plus il risque que son manque de signes vitaux soit jugé d'après les apparences; en d'autres termes, on supposera qu'il est mort. Parmi dix des personnes les plus âgées observées par Simpson, sept avaient été clas-

victime, son adaptation, son intelligence et d'autres traits. On a constaté que ces évaluations étaient fortement influencées par le degré de souffrance que la victime allait éprouver. Les étudiantes qui pensaient que l'épisode était presque terminé ont montré une légère aversion pour la victime. Les sujets qui pensaient que la victime allait subir une autre séance de chocs l'ont évaluée plus négativement. Elles la trouvaient moins bien adaptée, moins attirante, et ainsi de suite. Plus on croyait que la souffrance éprouvée par la personne était grande, moins on l'évaluait positivement.

De tels résultats semblent contredire une grande partie de ce que nous avons avancé précédemment sur le rôle de l'empathie dans les relations humaines. Nous avons souligné que la tendance à aider est reliée à la douleur éprouvée par autrui. L'obligeance empathique peut-elle exister parallèlement au désir de blâmer les victimes qui souffrent? Il n'y a pas de raison pour que des sentiments opposés ne puissent coexister. La plupart des gens éprouvent probablement certains sentiments hostiles, même envers leurs proches. Cependant, il y a habituellement un type de sentiment, positif ou négatif, qui prévaut. Comment pouvons-nous réduire les sentiments négatifs et augmenter les positifs, réduisant ainsi la tendance des gens à blâmer les victimes qui souffrent?

Une façon efficace de réduire la tendance à blâmer la victime est d'augmenter l'information sur la cause de la souffrance. On a moins tendance à blâmer la victime si elle est perçue

sées comme mortes et n'ont reçu aucune aide dans la salle d'urgence. Cependant, chez la personne plus jeune, la même absence de signes vitaux pourra être vue comme un «arrêt cardiaque», et les tentatives de réanimation peuvent commencer immédiatement. Chez tous les patients de trente à quarante-trois ans, on a tenté énergiquement de leur sauver la vie. Un autre facteur qui peut déterminer la catégorie dans laquelle on place les gens est le caractère moral présumé. L'usage de l'alcool, particulièrement chez une personne malpropre ou habillée pauvrement, fait supposer qu'elle «n'est que soûle», et on ne lui accorde que peu d'attention. On croit souvent aussi que les alcooliques sont morts ou sur le point de mourir. Les drogués, les prostitués, les vagabonds, les personnes blessées dans des bagarres, les homosexuels et ceux qui tentent de se suicider sont moins souvent jugés comme des individus qui ont un besoin urgent d'attention. Selon Simpson, le personnel médical d'un hôpital semble croire que ces personnes méritent moins d'aide que celles qui ont un caractère moral supérieur. Dans les cas de tentatives de suicide qui nécessitent un lavage d'estomac, Simpson rapporte avoir observé à plusieurs reprises le zèle sinistre du personnel s'encourageant mutuellement par des commentaires comme «Cela lui apprendra» ou «Peut-être y pensera-t-elle deux fois avant de faire cela de nouveau.»

À l'opposé, une personne qui a réussi, selon les normes de la société, reçoit habituellement une aide rapide et continue. Le *New York Times* (1963) rapporte les commentaires d'un médecin de Dallas quant aux efforts faits pour ramener le président Kennedy à la vie.

> *Médicalement, il était évident que le Président n'était pas vivant lorsqu'il a été amené. Il n'y avait pas de respiration spontanée. Il avait les pupilles dilatées et fixes. Il avait sans aucun doute une blessure mortelle à la tête. Cependant techniquement, en utilisant la réanimation vigoureuse, les tubes intraveineux et toutes les mesures de soutien, nous avons été capables de susciter un semblant de battement cardiaque* (cité dans Simpson, 1976).

Comme Simpson le dit, «pour éviter de mourir d'une attaque cardiaque, ayez l'air aussi jeune que vous le pouvez, habillez-vous bien, masquez vos déviances et gardez l'haleine fraîche».

comme totalement innocente (Piliavin, Hardyck et Vadom, 1967) ou si l'action irresponsable de quelqu'un d'autre a causé sa souffrance (Simons et Piliavin, 1972). Ainsi, par exemple, des travailleurs peuvent aider leurs camarades qui tirent de l'arrière si les déficiences du camarade semblent résulter de la mauvaise gestion de quelqu'un d'autre (Berkowitz, 1973).

Le bénéficiaire est-il attirant?

En évaluant la personne qui a besoin d'aide, l'aidant éventuel ne se limite pas à évaluer si l'aide est nécessaire et à déterminer si elle est méritée ou non. Il pose aussi des jugements sur l'attrait et sur le caractère sympathique de l'individu qui a besoin d'aide. Les gens n'aident pas simplement *n'importe qui*; ils sont beaucoup plus susceptibles d'aider ceux qu'ils trouvent attirants ou aimables. De tels facteurs peuvent aussi opérer sur le plan gouvernemental. Les gouvernements sont généralement moins enclins à fournir de l'aide aux pays en développement dont les politiques ou le leadership ne sont pas en accord avec les leurs. Ainsi, l'assistance accordée par le Canada aux pays en développement est basée sur des critères relatifs au respect des droits de la personne. Sur le plan personnel, on a fait de nombreuses démonstrations des effets de l'attirance sur le comportement d'aide. Par exemple, des travailleurs sont beaucoup plus susceptibles d'aider un superviseur qui est perçu comme aimable qu'un superviseur qui ne l'est pas (Daniels et Berkowitz, 1963). Une personne qui a une vilaine tache de naissance et qui se trouve en situation d'urgence dans le métro est moins susceptible de recevoir de l'aide que ne l'est une autre qui n'a pas de marque (Piliavin, Piliavin et Rodin, 1975). Ou encore, si une victime ne saigne pas de la bouche, elle reçoit plus d'aide que si elle saigne (Piliavin et Piliavin, 1972). Les sujets de sexe masculin ont plus tendance à donner de l'argent à une femme pour un vaccin antitétanique lorsqu'elle est attirante que lorsqu'elle l'est peu (West et Brown, 1975). Demander de l'aide d'un ton positif et optimiste peut augmenter la probabilité d'être aidé (Kriss, Indenbaum et Tesch, 1974); cependant, les gens qui s'affirment trop peuvent ne pas réussir à obtenir de l'aide (Katz, Cohen et Glass, 1975). Les effets de l'attirance peuvent commencer dès le plus jeune âge. L'enfant d'âge préscolaire partage ses jouets selon l'amabilité du bénéficiaire (Staub, 1978). Malgré les valeurs communautaires prônées dans les kibboutz israéliens, les enfants y sont plus enclins à aider leurs meilleurs amis qu'à aider n'importe qui d'autre (Sharabany, 1973, 1974).

De tels résultats soulèvent un paradoxe affligeant. Les gens dans le besoin sont généralement parmi les membres les moins attirants de la société, mais ils peuvent être les moins susceptibles de susciter un comportement d'aide. Le fait qu'on porte moins assistance aux gens qui en ont le plus besoin n'est pas simplement une question théorique. Il a été montré que les médecins généralistes et les psychiatres répugnent à traiter des patients de niveau socio-économique inférieur. Des études faites dans une clinique publique indiquent, par exemple, que les enfants dont les parents sont des travailleurs non spécialisés sont beaucoup moins susceptibles d'être dirigés en psychothérapie que les enfants de professionnels (de Ajuriaguerra, 1980). Ce biais n'était pas fondé sur des facteurs financiers, car le coût du traitement était assumé par l'État. La dissemblance est apparemment un facteur important. La personne de classe inférieure est différente du praticien quant aux habiletés verbales, aux intérêts, aux valeurs, à la motivation, et ainsi de suite. Il importe que les praticiens de la santé prennent conscience du fait que ce manque d'attirance peut dans certains cas nuire à des personnes en difficulté.

En résumé, nous voyons que non seulement les gens portent un jugement sur eux-mêmes avant d'apporter de l'aide, mais qu'ils examinent

aussi les caractéristiques du bénéficiaire éventuel. Les gens se demandent si l'autre personne a vraiment besoin d'aide. La réponse à cette question peut dépendre du coût associé à l'aide et de la préoccupation de soi de l'aidant. Les gens peuvent aussi se demander si l'aide est méritée. Les individus qui croient en l'existence d'un monde juste peuvent décider que les victimes méritent leurs problèmes et que, par conséquent, il n'y a pas lieu d'aider.

L'évaluation du contexte social

L'action sociale positive dépasse presque toujours la simple relation entre l'aidant et la victime. Non seulement les gens prennent-ils en considération leur propre plaisir et leur propre douleur ainsi que les caractéristiques de la victime, mais ils sont aussi influencés par leur entourage. Les relations d'aide ont lieu dans le contexte de l'environnement social et physique. Cet environnement peut faire toute la différence entre aider ou pas, tenter de secourir ou non, ou encore faire des sacrifices ou non. Ici encore, l'aidant éventuel se pose certaines questions, dans ce cas-ci relativement à la situation: si quelque chose ne va pas, pourquoi quelqu'un d'autre n'aide-t-il pas? L'aide est-elle appropriée dans ces circonstances? Comment les autres se comportent-ils?

D'autres aidants sont-ils disponibles? L'intervention du témoin

Les psychologues sociaux se sont vivement intéressés aux effets de la présence d'autrui sur les tendances des gens à aider quelqu'un. La question a pris une signification particulière en 1964 lorsqu'une jeune femme, du nom de Kitty Genovese, a été attaquée un soir hors de l'immeuble où elle habitait, dans un complexe résidentiel de New York. Ses hurlements de douleur et ses appels au secours ont attiré au moins trente-neuf voisins à leurs fenêtres. En sécurité dans leurs appartements, ces gens ont regardé l'agresseur battre Kitty Genovese durant plus de trente minutes et la poignarder à plusieurs reprises. *Aucun* des témoins n'est venu à sa défense, ni même ne s'est donné la peine de téléphoner à la police. De tels événements soulèvent une question: pourquoi personne n'a aidé?

Bibb Latané et John Darley (1970) ont proposé la réponse la plus élaborée à cette question. Latané et Darley affirment qu'il ne faut pas accuser de cruauté les voisins de Kitty Genovese. Ils

suggèrent que la plupart des gens se comporteraient comme eux. Dans une situation qui requiert de l'aide, l'inaction des gens naît d'une question typique qu'ils se posent quant à l'environnement social. Avant de considérer cette question, mettez-vous à la place de l'un des sujets de Latané et Darley dans une expérience conçue pour démontrer leurs idées.

Vous vous présentez à un laboratoire de psychologie pour participer à une étude sur les problèmes étudiants et l'on vous place dans l'une des nombreuses pièces donnant sur un long corridor. Afin de protéger l'anonymat et de favoriser la libre expression des idées, la discussion à laquelle vous allez participer se fera par un système d'interphone. On vous fournit un microphone et des écouteurs, et on vous dit que chaque personne donnera son opinion à son tour, puisque l'expérimentateur ne prendra pas part à la discussion initiale ou ne l'écoutera pas (encore pour faciliter l'expression des idées). Le microphone de chaque personne sera actionné électroniquement pendant environ deux minutes et la personne pourra alors donner un premier aperçu

Je ne vois rien de mal. Une caméra cachée a filmé un des compères de Harold Takooshian qui vole une automobile. Sur environ trois mille cinq cents témoins de ce crime simulé et d'autres similaires, seulement neuf ont dit quelque chose au voleur. Un seul témoin, en visite à New York, a pris l'homme en chasse. Pour un exposé plus poussé sur le témoin pas-si-innocent-que-ça, lisez l'encadré 7-2.

Encadré 7-2

Le crime et le témoin pas-si-innocent-que-ça

Un des aspects les plus effrayants de la vie urbaine est de savoir que si vous êtes la cible d'une agression, il y a peu de chances que quelqu'un vous vienne en aide. Les cambriolages, les vols d'automobiles, les vols à l'esbroufe de sacs à main semblent se produire sans que personne lève le doigt. La plupart des gens se demandent s'ils agiraient différemment s'ils étaient eux-mêmes témoins de tels événements.

Le psychologue social Harold Takooshian a tenté de soumettre cette inaction collective à l'attention du public (McCall, 1980). Afin de le provoquer et de lui en faire prendre conscience, Takooshian a utilisé des simulations de crimes qui démontrent l'indifférence des gens aux difficultés d'autrui. Dans un exemple extrême, un homme transportait une femme qui semblait inconsciente, la lançait dans le coffre d'une automobile qu'il refermait brusquement et partait dans l'automobile. Même si plusieurs témoins étaient présents au cours des vingt répétitions de cette scène, peu d'entre eux ont arrêté l'homme, noté le numéro de la plaque d'immatriculation ou appelé la police.

Afin de voir si l'absence de réponse des témoins était due à une peur pour leur sécurité personnelle, Takooshian s'est arrangé pour qu'il y ait sur les lieux un «policier» armé d'un revolver, d'une matraque et muni de menottes lorsqu'un «bandit» ouvrait par effraction une portière d'automobile et volait des manteaux de fourrure et des appareils photographiques. Pas un seul témoin n'a parlé au policier. Cependant, cinq témoins ont averti le voleur de la présence du policier. Dans l'un des cas, les chercheurs ont interrogé un vendeur itinérant qui a répondu: «Je l'ai vu, mais je m'en... Emparez-vous de tout le pâté. Ce n'est pas à moi.» Takooshian croit que l'apathie des témoins est responsable d'une grande partie des crimes qui se produisent aujourd'hui dans la rue. Selon lui, si les témoins offraient aux victimes un soutien, même minime, la criminalité dans la rue diminuerait.

Dans une étude où des vols à l'étalage étaient simulés dans un supermarché du Québec, seulement douze des cent quatre-vingt-douze sujets observés ont spontanément rapporté le vol, et vingt-six autres l'ont fait après avoir été interrogés. Quatre-vingt-neuf autres personnes ont déclaré plus tard qu'elles dénonceraient un tel délit. Cela illustre, comme nous l'avons vu au chapitre 6, l'écart qui peut exister entre les attitudes exprimées et le comportement. De plus, les chercheuses ont constaté que le voleur était plus susceptible d'être dénoncé quand il était jeune et lorsqu'il semblait appartenir à la classe ouvrière plutôt qu'à la classe moyenne (Lortie-Lussier, Gagné, Roberge, 1984).

Les études d'autres chercheurs offrent des explications supplémentaires au fait que les gens n'interviennent pas.

1. *La difficulté d'identifier un crime.* Même si le crime se produit ouvertement, souvent les gens ne réussissent pas à définir l'événement comme un crime (Gelfand et coll., 1973). Les témoins peuvent définir de diverses autres façons des gestes flagrants de vol à l'étalage et de vol.

de ses problèmes. Pendant la seconde phase, chaque personne aura encore deux minutes pour commenter ce que les autres ont dit. Au cours de cette période, seule la personne dont le microphone est actionné peut parler. En effet, aucune interruption du circuit électronique n'est

2. *Le manque de motivation.* Lorsqu'un crime est identifié, le témoin doit vouloir intervenir. Des recherches suggèrent, par exemple, que les femmes peuvent être motivées par des sentiments d'empathie pour la victime, alors que les hommes peuvent s'attacher davantage à l'importance du crime (Austin, 1979). Les hommes sont plus susceptibles d'intervenir si le crime est important que s'il a peu de conséquences. Un témoin peut aussi être porté à intervenir si on lui a demandé de surveiller la propriété de quelqu'un. Dans une étude, un groupe de personnes qui se faisaient bronzer ont demandé à des individus qui se trouvaient à proximité de surveiller leur radio en leur absence. Ces témoins étaient beaucoup plus susceptibles d'intervenir lorsqu'un «voleur» prenait la radio que les témoins dont on n'avait obtenu aucun engagement (Moriarty, 1975).

3. *La présence d'autrui.* Des témoins seuls sont plus susceptibles d'agir que ceux qui sont en groupe (Shaffer, Rogel et Hendrick, 1975). Apparemment, la responsabilité de rapporter le crime est dispersée entre les membres du groupe. Cependant, dans le cas des groupes de témoins, l'intervention est plus probable si on les incite à aider.

Par ailleurs, pourquoi les victimes d'un crime ne rapportent-elles pas toujours l'incident? Plusieurs victimes sentent apparemment que la police n'agira pas ou qu'elle sera incapable d'appréhender le criminel. De plus, la victime peut vouloir éviter le stress émotionnel dû au fait de revivre l'expérience déplaisante. Pour étudier la possibilité que les gens oublient volontiers un crime plutôt que d'agir en conséquence, Martin Greenberg et ses collègues ont conçu des expériences en laboratoire où les sujets étaient victimes d'un vol mineur (Greenberg et coll., 1979,1980; Greenberg, Wilson et Mills, 1983). On a sollicité, par des annonces dans les journaux, huit cents volontaires pour une étude sur l'efficacité du travail industriel. Pendant le déroulement de ces études, un volontaire (compère des expérimentateurs) a escroqué à chacun des sujets leur salaire légitime et est parti avec l'argent. Après la découverte du vol, un témoin (dont les expérimentateurs avaient également retenu les services) a incité certains sujets à faire quelque chose à propos du vol, a dit à certains sujets de ne rien faire et n'a rien dit aux autres. Il s'agissait de savoir si les sujets, selon qu'ils avaient reçu ou non des conseils, appelleraient la police, ce qui était une solution évidente dans les circonstances. Peu de sujets se sont préoccupés de rapporter le crime. Cependant, ceux que l'on avait encouragés à ne rien faire étaient moins susceptibles d'appeler la police que ceux qui avaient été incités dans des termes vagues «à faire quelque chose» et que ceux à qui on n'avait donné aucun conseil. Dans des études ultérieures, le témoin suggérait spécifiquement d'appeler la police. L'empressement des sujets à déclarer le crime a augmenté de façon marquée dans ces conditions.

Des enquêtes montrent que la plupart des victimes de crime s'entretiennent au moins avec une personne avant de décider de l'action à entreprendre (Van Kirk, 1978). Il est clair que ceux qui sont en mesure de donner des conseils peuvent influencer fortement la victime quant à sa décision de déclarer le crime. Cela vaut certainement la peine de déclarer un crime, car même si le criminel n'est pas appréhendé, l'accumulation de rapports peut mener à une amélioration des systèmes de sécurité publique.

possible et personne ne peut communiquer par microphone avec qui que ce soit dans les autres pièces.

Vous vous rendez compte que six personnes participent à la discussion et que votre tour vient en dernier. Le premier étudiant parle de ses difficultés à s'adapter à la ville et à ses études. Il mentionne aussi, avec gêne, qu'il est sujet à des crises convulsives, particulièrement lorsqu'il étudie ou lorsqu'il doit passer des examens. Les autres étudiants parlent de leur vie et de leurs problèmes et vous donnez vos opinions, terminant ainsi le premier tour. Le second tour commence et l'étudiant qui a dit avoir des crises commence à parler calmement, mais sa voix devient ensuite plus incohérente. Vous l'entendez dire:

> Je-euh-si quelqu'un pouvait m'aider à sortir ce serait ce serait euh-euh s-s-sûrement mieux parce que euh-euh ce que j'-euhj'-euh-j'ai une de ces cri... euh-euh chose qui m'arrive et-et-et j'apprécierais euh beaucoup de l'aide alors si quelqu'un pouvait-euh-m'aider-euh-euh un p-p-peu est-ce que quelqu'un pourrait euh-euh-m'ai-m'ai-m'aider-euh-euh-euh (étouffements)... Je vais mourir-euh-euh-je... vais mourir-euh-euh-crise-euh (étouffements, puis silence). (Latané et Darley, 1970)

Vous pourriez ne pas entendre les derniers mots parce que, comme plusieurs autres étudiants, vous seriez allé aider avant qu'il ne se taise. Vous pourriez aussi attendre jusqu'au dernier étouffement, réfléchir une minute, puis chercher de l'aide. Ou vous pourriez ne rien faire du tout.

Latané et Darley se sont intéressés au comportement d'aide du sujet dans ce «cas urgent». Dans leur série d'expériences, il n'y avait pas de situation réellement urgente: les sujets écoutaient les voix préenregistrées d'autres personnes. On s'interrogeait sur l'effet du *nombre d'autres témoins présents* sur l'obligeance d'un individu. Combien de temps les sujets mettraient-ils à répondre à l'urgence? Combien de participants quitteraient la salle de l'expérience pour chercher de l'aide s'il y avait *cinq* aidants potentiels (comme dans la situation décrite) plutôt qu'*un* ou *deux*? La question du nombre est importante. Si plusieurs autres personnes sont présentes dans un éventuel cas d'urgence, la prédisposition d'une personne en particulier à aider peut être réduite par la présence des autres. Cette réduction de la tendance à aider peut être reliée à trois sources.

1. *La responsabilité de l'action est dispersée.* Plus il y a de témoins présents, moins un individu peut ressentir une responsabilité personnelle d'apporter de l'aide (Berkowitz, 1978). L'individu peut penser: «Je n'ai pas à être le seul à aider; tous les autres sont aussi responsables.» Il peut aussi penser que quelqu'un d'autre s'est déjà occupé du

problème. La tendance à reporter la responsabilité sur les autres peut être particulièrement forte *lorsqu'il est coûteux d'apporter de l'aide* (Morgan, 1978). Si quelqu'un risque de se blesser en aidant une autre personne, plusieurs raisons peuvent se présenter à l'esprit pour justifier le fait que la responsabilité de l'aide revienne à quelqu'un d'autre. Si un membre d'un autre groupe racial a besoin d'aide, les aidants potentiels peuvent craindre d'être incompris et, peut-être, d'être tenus responsables de la situation d'urgence. Il est plus facile de reporter la responsabilité sur les autres que d'aider un étranger (Gaertner et Dovidio, 1977).

2. *L'éventualité de la gêne d'avoir mal défini la situation est accrue.* Comme nous l'avons vu, il est parfois difficile de déterminer si l'aide est nécessaire. Une mauvaise interprétation d'une situation peut conduire au ridicule. S'il n'y a personne pour se moquer d'une erreur possible, un individu peut se sentir moins inhibé face au risque couru et procéder à la vérification de la nécessité d'aider. Le risque d'être embarrassé est plus grand si plusieurs personnes sont présentes.

3. *La définition collective de la situation peut encourager l'inaction.* Comme la personne voit les autres regarder et ne pas aider, elle peut conclure qu'il ne s'agit pas d'un cas urgent, que l'aide n'est pas nécessaire ou qu'il n'est pas sans risque d'aider. Il en résulte que les membres d'un groupe entier peuvent s'influencer les uns les autres et demeurer dans l'ignorance collective (Howard et Crano, 1974).

Les gens pensent-ils réellement ainsi? Regardons les résultats de l'étude de Latané et Darley. La figure 7-2 montre le pourcentage de sujets qui sont allés chercher de l'aide dans la période qui va du premier cri du compère jusqu'à la fin des quatre minutes qui suivent. Comme l'indique le graphique, si vous aviez été dans le groupe de six personnes, la probabilité que vous ayez couru à la porte avant la fin de la période de quatre minutes est d'environ 30 %. Au contraire, si vous aviez été dans le groupe de trois personnes, la probabilité serait de 62 %, et si vous aviez été seul à parler avec la victime, la probabilité serait de 85 %. Peu importe le moment au cours de cette période de quatre minutes, les sujets appartenant à un groupe de deux personnes ont, proportionnellement, réagi en plus grand nombre que ceux

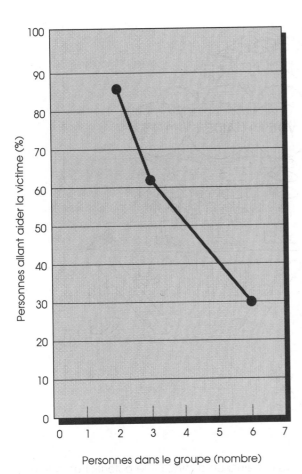

Figure 7-2   L'effet de la dimension du groupe sur l'apport d'aide

Plus il y a de membres dans un groupe, moins il est probable qu'un membre donné réagisse en situation d'urgence. (Adapté de Latané et Darley, 1970.)

appartenant à un groupe de trois personnes. Les sujets de ces deux derniers groupes ont également réagi en plus grand nombre que les sujets appartenant à un groupe de six personnes.

Plusieurs autres études ont confirmé cette relation fascinante entre le nombre de personnes présentes et le degré de comportement d'aide. Par exemple, Latané et Darley (1968) ont fait remplir des questionnaires à des étudiants, en faisant varier dans la salle le nombre de compères. À un moment donné, on envoyait de la fumée dans la pièce par un orifice pratiqué dans le mur. La fumée entrait par bouffées irrégulières, mais graduellement elle remplissait la pièce et embrouillait la vue des occupants. Dans la condition expérimentale où les étudiants travaillaient sans compagnon dans la pièce, 75 % ont rapporté le cas comme urgent aux autorités. Dans la condition où trois personnes étaient présentes, seulement 38 % des étudiants ont déclaré la présence

de fumée. Dans une étude ultérieure sur l'effet du témoin (Latané et Rodin, 1969), des étudiants masculins étaient assis seuls ou avec d'autres dans une salle d'attente. Ils entendaient, venant d'une pièce adjacente, la voix d'une «chercheuse en marketing» qui disait qu'elle allait grimper sur une chaise pour atteindre une pile de papiers sur la bibliothèque. Un fracas, puis un cri se faisaient alors entendre. La femme criait: «Oh! mon Dieu! Mon pied... je... je... ne suis pas capable de le bouger.» Plus de 70 % des sujets qui attendaient seuls se sont portés à son secours, alors que seulement 40 % de ceux qui attendaient avec d'autres l'ont fait. On a aussi démontré les effets de groupes sur le comportement d'aide dans des situations réelles. Par exemple, les chercheurs ont constaté que si quelqu'un est seul dans une ville et a besoin d'un service, il est beaucoup plus susceptible de l'obtenir s'il demande à un individu seul que s'il s'approche d'un groupe de personnes qui marchent et parlent ensemble (Latané, 1970; Levy et coll., 1972).

Cependant, de tels résultats semblent aller contre le sens commun. Habituellement, plus il y a de personnes disponibles dans une situation d'urgence, plus on s'attendrait à ce que l'aide soit rapide et efficace. Si un grand nombre de personnes n'apporte pas toujours la sécurité, dans quelles conditions la dimension du groupe augmente-t-elle donc les probabilités d'être aidé, plutôt que de les diminuer? Trois facteurs semblent particulièrement susceptibles d'influer sur la probabilité d'action sociale positive.

1. *La possibilité de communication.* Si les témoins communiquent entre eux et peuvent se concerter afin de choisir celui ou celle qui devrait prendre la responsabilité, l'aide sera souvent apportée. Dans les études décrites plus haut, les sujets ne pouvaient pas toujours discuter de la situation d'urgence avec les compères de l'expérimentateur et pouvaient, par conséquent, supposer que quelqu'un d'autre s'en occupait. Une augmentation de la communication peut briser le sceau de l'ignorance collective, c'est-à-dire que les gens auraient moins tendance à supposer que le silence d'autrui signifie qu'il n'y a pas d'urgence ou qu'il n'y a pas lieu d'agir.

2. *L'existence de plusieurs rôles d'aidants.* Lorsqu'une situation nécessite l'aide de plusieurs personnes, de nombreuses tâches doivent être accomplies et plus il y a de gens qui contribuent, plus c'est efficace (Latané

et Dabbs, 1975). Les gens sont plus susceptibles d'aider dans une situation de crise où il y a plusieurs victimes que lorsque le nombre de victimes est faible (Wegner et Schaefer, 1978). Les appels à la sauvegarde de l'environnement semblent attirer des bénévoles sur cette base; à peu près tous peuvent faire quelque chose.

3. *La cohésion dans le groupe.* Lorsque les témoins se connaissent et forment un groupe d'individus qui s'apprécient, il y a plus de chances que quelqu'un intervienne si le nombre de témoins est grand (Rutkowski, Gruder et Romer, 1983). Il se peut que, se connaissant, les membres du groupe soient capables de se concerter sur la nécessité d'apporter de l'aide, ou que chacun d'entre eux soit plus susceptible d'agir selon les attentes de générosité des autres membres du groupe.

Retournons aux études portant sur l'intervention des témoins. Nous voyons qu'il y avait souvent dispersion de la responsabilité par manque de communication et que le nombre de rôles d'aidants était habituellement limité. En effet, les augmentations dans la dimension du groupe opé-raient ainsi en diminuant le potentiel de responsabilité individuelle et en réduisant la probabilité que chacun puisse accomplir une tâche. À la lumière des facteurs présentés précédemment, considérons une étude du comportement social positif dans le métro (Piliavin, Rodin et Piliavin, 1969). Des étudiants compères des chercheurs ont créé deux situations d'urgence différentes. Dans la moitié des cas, l'un des étudiants compères sentait l'alcool, portait une bouteille d'alcool dans un sac de papier et se faisait passer pour un ivrogne. Dans les autres cas, l'étudiant compère était habillé de manière identique, portait une canne noire et ne montrait aucun signe d'ivresse. Ivrogne ou boiteux, l'étudiant compère se tenait debout tranquille jusqu'à ce que le métro ait passé la première station, puis il titubait et s'effondrait. Un deuxième étudiant compère était assis discrètement dans une autre section du wagon et observait les tentatives des passagers d'apporter de l'aide à la victime effondrée. Si personne ne lui venait en aide après un laps de temps déterminé, l'observateur aidait la victime à se relever et l'escortait hors de la rame. Selon vous, comment la variation du nombre de passagers a-t-elle influé sur l'aide qu'a reçue la victime?

L'effet du témoin. Si vous avez déjà visité une grande ville, vous avez probablement, comme les gens que l'on voit ici, marché près d'une forme inerte étendue sur le pavé. Votre comportement reflète l'effet du témoin: plus il y a de témoins dans une situation d'urgence, plus il faut de temps avant que de l'aide soit apportée.

Les passagers pouvaient difficilement éviter de communiquer puisqu'ils étaient en mesure de se parler. Ils pouvaient aussi voir si la victime recevait de l'aide et ils étaient conscients que plusieurs rôles d'aidants pouvaient être joués. Il en fallait pour transporter la victime, pour rester avec elle pendant que d'autres devaient chercher différents types d'aide et pour empêcher les curieux de s'entasser trop près. Les résultats de l'expérience ont semblé refléter ces facteurs. Contrairement aux études en laboratoire, plus le groupe de témoins était grand, plus l'aide était apportée rapidement. Que la victime semble ivre ou qu'elle se serve d'une canne, on offrait de l'aide plus rapidement lorsque sept témoins ou plus étaient présents que lorsque le groupe de témoins était de quatre à six. Dans le cas de l'ivrogne, l'aide survenait deux fois plus lentement lorsque le nombre de témoins variait de un à trois plutôt que de quatre à six. On a aussi obtenu de tels résultats dans d'autres recherches (Clark et Word, 1974; Schwarb et Clausen, 1970; Staub, 1970), ce qui montre bien qu'un plus grand nombre

d'aidants potentiels peut signifier une plus grande sécurité.

Quelle est la norme?

L'aidant éventuel peut se demander non seulement combien de personnes peuvent aider, mais aussi si l'action est appropriée dans le contexte. En d'autres termes, avant d'aider la plupart des gens se demandent quelle est la **norme**. Les normes sont des patterns de comportements observés chez un grand nombre de personnes. Les gens obéissent habituellement aux normes parce qu'ils sont souvent punis s'ils ne le font pas. Par exemple, des personnes qui négligent les normes de décence habituelles s'exposent à de sévères critiques. Ne pas agir correctement et raisonnablement, comme un être humain «normal», peut transformer un individu en un paria moral. Ainsi, passer le sel durant le repas à quelqu'un qui le demande et fournir de la nourriture à ses enfants sont des exemples de comportement normatif. Dans la société nord-américaine, il existe de puissantes normes selon lesquelles il faut soutenir les victimes innocentes (Harris et Meyer, 1973; Konečni, 1972) et les individus qui ont besoin de secours (Gruder, Romer et Korth, 1978). Selon la norme de **responsabilité sociale**, les individus qui ont besoin d'aide doivent être aidés, indépendamment des avantages passés ou futurs retirés par les aidants potentiels (Berkowitz, 1972). À titre d'exemple, des chercheurs ont étudié un cas particulier de cette norme de responsabilité, soit la norme subjective concernant l'aide à apporter à une conjointe ou à un conjoint ayant subi une crise cardiaque (Daltroy et Godin, 1989). Les chercheurs ont montré que cette norme subjective, définie comme la perception de ce que les proches croient devoir faire dans une situation donnée, était bien reliée à l'intention d'encourager le conjoint ou la conjointe à poursuivre activement son programme d'activité physique. Selon eux, il est socialement attendu que l'époux ou l'épouse d'une personne qui se trouve dans une situation de crise, comme un accident cardio-vasculaire, donne un tel soutien et, en conséquence, reçoive l'approbation sociale tout en évitant la critique de son entourage.

C'est autour de la réciprocité que l'on a poussé le plus avant les travaux sur la relation entre les normes et l'action sociale positive. La réciprocité est la norme selon laquelle on retourne du bien et non du mal à ceux qui ont rendu service. Faire du mal à quelqu'un qui a aidé est méprisé à peu près universellement. Selon Alvin Gouldner (1960), la norme de **réciprocité** est essentielle à la société. Si les gens ne s'attendaient pas à ce que les autres fassent du bien en retour du bien, les relations sociales seraient empreintes de doutes et de soupçons. Lorsqu'on le leur demande, les gens expriment généralement la croyance selon laquelle cette norme influe sur plusieurs de leurs actions positives envers les autres (Muir et Weinstein, 1962). Plusieurs chercheurs ont tenté d'illustrer la norme de réciprocité dans l'action. Par exemple, des chercheurs ont constaté que plus un individu a reçu de l'aide d'une autre personne dans le passé, plus il est probable qu'il aidera son bienfaiteur si ce dernier est dans le besoin (Pruitt, 1968; Wilke et Lanzetta, 1970). De plus, une personne qui, accidentellement, fait du mal à quelqu'un et qui ne peut réparer en faisant quelque chose de bien pour cette personne peut trouver quelqu'un d'autre à aider (Rawlings, 1970). Le besoin de réciprocité peut persister jusqu'à ce que la personne qui a infligé la blessure trouve quelqu'un à aider. De telles ten-

dances peuvent commencer dès le jeune âge. Les enfants de la maternelle sont plus susceptibles de partager des craies avec un enfant qui leur a déjà donné des friandises qu'avec un enfant qui ne l'a pas fait (Staub et Sherk, 1970).

Cependant, on n'obéit pas *toujours* à la norme de réciprocité. Par exemple, si les gens sentent que l'assistance d'autrui n'est pas *volontaire*, ils peuvent se sentir bien peu obligés de faire quelque chose en retour (Goranson et Berkowitz, 1966). Apparemment, pour que la norme de réciprocité s'applique, un service provenant d'autrui devrait indiquer clairement sa sympathie et non une action forcée. Ce principe peut expliquer pourquoi l'amour *dû* à quelqu'un n'engendre que peu de satisfaction. Un tel amour pourrait être exprimé *seulement* parce que celui ou celle qui aime est dans l'obligation de le faire. De plus, si un service rendu est *inapproprié*, le bénéficiaire peut ne pas se préoccuper de rendre un service en retour (Schopler et Thompson, 1968). Les normes gouvernent les types d'échanges qui sont appropriés dans des circonstances données, relativement au moment et à l'endroit où ils vont se produire (Foa et Foa, 1974). Si l'on n'obéit pas à ces normes, la réciprocité devient hors de propos. Par exemple, nous avons déjà effectué une étude dans une petite ville du Danemark où une collègue portait un panier de pièces de monnaie et tentait d'en donner à des inconnus dans la rue. Sur le panier, on avait écrit «argent gratuit». Cependant, à peu près personne n'acceptait les pièces; donner ainsi de l'argent ne faisait simplement pas partie du système normatif de la culture. En fait, à peu près autant de personnes ont réagi en mettant de l'argent *dans* le panier qu'en prenant. Il existait des normes pour donner à des œuvres de charité, mais pas pour accepter de l'argent gratuit.

Même si plusieurs grandes normes culturelles spécifient combien d'aide une personne devrait donner aux autres, Shalom Schwartz (1977) a affirmé que les gens possèdent aussi des *normes personnelles* qui peuvent exercer sur les actions une influence très importante. Comme Schwartz le notait, la plupart des gens se sentent personnellement obligés de venir en aide dans diverses situations et ils sont peinés s'ils n'agissent pas selon ces sentiments. Ainsi, par exemple, les gens qui se sentent personnellement obligés de donner du sang sont plus susceptibles de le faire que ceux qui n'éprouvent pas une telle obligation (Pomazal, 1974; Zuckerman et Reis, 1978). Les gens qui se sentent responsables du

bien-être de la communauté, ou plus particulièrement des bénéficiaires de l'aide sociale par exemple, sont davantage prêts à donner des ressources pour certaines causes que les gens qui ne se sentent pas une telle responsabilité (Fleishman, 1980; Schwartz et Fleishman, 1978).

Nous ne pouvons pas toujours compter sur les normes personnelles pour que se produisent des actions d'aide. Comme Schwartz (1977) l'a démontré, les gens oublient parfois la norme, ils ne voient pas qu'elle est pertinente ou ils ne veulent pas croire qu'elle s'applique, particulièrement dans une situation où il en coûte d'apporter de l'aide. Dans de tels cas, il se peut qu'on doive activer la norme en rappelant aux gens ce qui est approprié ou correct. Dans une expérience, on faisait simplement entendre par hasard un court bulletin de nouvelles qui narrait des situations d'altruisme. Cela s'est révélé suffisant pour augmenter la coopération des gens dans une situation de jeu ultérieure (Hornstein et coll., 1976). Dans une autre étude, on a rendu les gens conscients d'eux-mêmes en les faisant se regarder dans un miroir ou en leur demandant de compléter une esquisse biographique (Duval, Duval et Neely, 1979). Le fait de rendre les gens conscients d'eux-mêmes a fait augmenter leurs sentiments de responsabilité et leur disposition à aider les pauvres.

Qui apporte de l'aide? Les effets des modèles

Même si les normes peuvent être puissantes, il se produit souvent des situations où il faut les établir. Par exemple, quelle est la norme quand il s'agit de donner à votre jeune sœur de l'information sur la façon de se protéger des maladies transmises sexuellement? Dans les cas où les normes sont ambiguës, les gens peuvent chercher à s'orienter d'après le comportement des modèles, ceux qui se sont déjà engagés malgré l'ambiguïté de la situation (Staub, 1978). Les **modèles** sont utiles pour montrer comment aider, être généreux ou faire du bien à autrui. Les modèles peuvent inciter les gens à se joindre à une équipe de recherche (Ross, 1970), à changer un pneu crevé (Bryan et Test, 1967) ou à donner à des œuvres de charité (Rushton, 1975). Les modèles sont tellement efficaces que les chercheurs se sont demandé s'ils influaient sur les actions *même lorsqu'ils n'étaient pas physiquement présents.* En d'autres termes, les gens s'imaginent-ils la présence ou le comportement d'un modèle et agissent-ils en conséquence? Pour appuyer ce point de vue, on a constaté que les étudiants croient fortement que le comportement altruiste de leurs parents influe sur leurs propres actions altruistes (Rettig, 1956). De plus, les personnes les plus prêtes à faire des sacrifices personnels pour le mouvement des droits civiques voient leurs parents comme des personnes dont la conscience sociale est supérieure à la moyenne. Les personnes moins engagées dans le mouvement des droits civiques ont beaucoup moins tendance à voir leurs parents de cette façon (Rosenhan, 1970). Enfin, les jeunes filles évaluées comme altruistes par leurs camarades de classe ont habituellement des mères qui valorisent l'altruisme (Hoffman, 1975).

N'importe quel modèle peut-il influer sur le comportement social positif? Il semble que non. Les gens sont plus susceptibles de suivre un modèle qui est *semblable* à *eux* que d'en suivre un qui est différent. Dans une démonstration saisissante de l'effet de la similitude sur l'efficacité d'un modèle, des chercheurs ont déposé çà et là, dans les rues de New York, des enveloppes ouvertes d'où dépassait un portefeuille (Hornstein, Fisch et Holmes, 1968). Il y avait de l'argent dans le portefeuille et une lettre dans l'enveloppe. Dans l'une des versions de la lettre, le signataire s'exprimait en anglais de la façon habituelle et expliquait qu'il rendait le portefeuille. Dans l'autre version, le même message était exprimé, mais dans un anglais boiteux, vraisemblablement rédigé par un étranger. Les chercheurs voulaient savoir si ceux qui trouveraient l'enveloppe la posteraient et rendraient l'argent. Ce qui nous intéresse le plus ici, c'est de savoir si la similitude entre celui qui trouverait la lettre et le signataire (le modèle) influerait sur la probabilité de remise de l'argent.

La moitié de ceux qui trouvaient l'enveloppe lisaient une lettre qui, traduite en français, disait: «J'ai trouvé votre portefeuille que je vous rends. Tout est là comme je l'ai trouvé.» Les autres lisaient une lettre qui disait: «Je suis visiter votre pays et je trouver vos façons pas familier et étrange. Mais je avoir trouver votre portefeuille et je vous le rendre. Tout être là comme je le avoir trouver.» Selon les chercheurs, si la similitude avait un effet, la note en anglais ordinaire devait susciter plus de retours du portefeuille et de l'argent que la note à consonance étrangère. Effectivement, parmi ceux qui ont trouvé la lettre écrite en bon anglais, un plus grand nombre ont suivi l'exemple du modèle. À l'opposé, ceux qui ont trouvé la lettre à consonance étrangère ont été plus nombreux à voler l'argent et le portefeuille plutôt qu'à les rendre.

La similitude du modèle n'est pas la seule caractéristique sur laquelle les gens peuvent régler leur comportement. Les gens préfèrent souvent imiter le modèle qui est en mesure de donner des *récompenses* (Hartup et Coates, 1967).

Les effets de modelage sont probables si le modèle a été très *chaleureux* auparavant (Weissbrod, 1975) ou si le modèle semble *moralement cohérent*, c'est-à-dire si ses paroles coïncident avec ses actions (Midlarsky, Bryan et Brickman, 1973). Enfin, des signes qui indiquent que le modèle éprouve un *plaisir personnel* après avoir aidé quelqu'un peuvent aussi augmenter les effets de modelage (Bryan, 1971).

En résumé, nous voyons que les gens se posent des questions sur le contexte social au moment de décider s'ils vont apporter ou non de l'aide. La question clé est de savoir si l'action a vraiment besoin d'être entreprise. Si d'autres personnes sont présentes, l'individu peut reporter son sentiment de responsabilité sur les autres ou éviter d'agir, de peur de mal interpréter la situation. L'inaction d'autrui peut aussi faire en sorte que l'aide semble inutile. Enfin, l'aidant éventuel peut être influencé par les normes qui s'appliquent à la situation et par l'observation de modèles obligeants.

Y a-t-il de vrais Samaritains?

Jusqu'à maintenant, notre analyse n'a pas laissé beaucoup de place à la noblesse et à l'idéalisme quant au comportement social positif. Apparemment, la plupart des gens ne se sacrifient pas pour autrui de façon irréfléchie. Mais n'y a-t-il pas des gens qui sont foncièrement bons? Et d'où vient que ces personnes, que l'on pourrait qualifier de «vrais Samaritains», sont plus que d'autres portées à l'altruisme? La réponse est souvent envisagée dans le cadre du débat entre la position de la socialisation de l'enfant et celle du situationnisme.

Les effets de l'apprentissage en bas âge

Par des *recherches longitudinales*, on peut obtenir de l'information fiable sur les effets à long terme de la socialisation en bas âge. Dans ce cas, le chercheur suit le développement d'individus à partir de la petite enfance jusqu'à l'âge adulte, ce qui permet d'examiner les relations entre la petite enfance de chaque individu et ses comportements d'adulte. La petite brute de six ans sera-t-elle agressive à vingt-six ans? L'enfant timide à la maternelle évite-t-il les rassemblements sociaux à trente-six ans? L'enfant qui partage des bonbons avec ses compagnons de première année est-il le même adulte qui prévoit dans son budget une somme pour les œuvres de bien-faisance? Dans l'étude la plus exhaustive en ce genre, on a suivi un échantillon de quelque quatre-vingts hommes et femmes, de la petite enfance à l'âge adulte, trente ans plus tard (Kagan et Moss, 1962). On a fait plus de cent évaluations objectives de caractéristiques comme l'agressivité, la passivité, la dépendance, la motivation de réalisation et l'intérêt sexuel à divers intervalles au cours de la période d'observation. On a alors établi des corrélations pour mesurer le niveau de relation entre les scores de la petite enfance et ceux qui ont été obtenus à l'âge adulte. Les chercheurs voulaient savoir si les dispositions de personnalité de l'enfance préfigurent celles de l'âge adulte. On a calculé des corrélations additionnelles entre les scores des adultes et ceux qui avaient été obtenus lorsque les sujets avaient entre trois et six ans, puis entre six et dix ans. On pouvait donc relier les caractéristiques à divers stades de développement aux traits des individus devenus adultes.

Kagan et Moss rapportent que plusieurs mesures prises au cours des périodes du jeune âge permettent de prédire avec succès le comportement de l'adulte. Mais en examinant l'analyse de plus près, on peut soulever de sérieuses questions (Gergen, 1977). Premièrement, afin de démontrer la persistance de traits sur une période de trente ans, les chercheurs ont sélectionné, parmi une foule de données, uniquement les corrélations appuyant cette conclusion (*voir, au chapitre 1, l'exposé sur la corrélation*). En d'autres termes, plusieurs corrélations ne montraient pas de relation entre les caractéristiques de l'enfance et celles de l'âge adulte, et ces résultats négatifs ont dû être mis de côté pour que les chercheurs puissent appuyer leur argumentation. Une analyse plus serrée indique que parmi les corrélations entre les mesures prises de l'âge de trois ans à l'âge de six ans et celles effectuées à l'âge adulte, aucune n'était significative. Deuxièmement, même s'il existe des corrélations significatives entre les mesures prises à la fin de l'enfance et celles prises à l'âge adulte, le degré de ces corrélations est très faible. Ainsi, même lorsque les dispositions de l'enfance sont effectivement reliées aux mêmes dispositions à l'âge adulte, *la force de la relation est faible*. Les recherches longitudinales ne semblent donc apporter qu'un appui négligeable à la supposition selon laquelle la socialisation en bas âge influe sur le comportement de l'adulte. Ni les études de cas ni les recherches longitudinales ne permettent

d'appuyer la notion selon laquelle ce qui se produit au cours de l'enfance a nécessairement des effets durables.

La constance transsituationnelle: à la recherche du caractère

Une autre façon de s'interroger sur les effets qu'a l'apprentissage en bas âge sur le comportement de l'adulte consiste à examiner le degré de constance du comportement dans les diverses situations. Plutôt que de comparer le comportement pendant l'enfance avec le comportement à l'âge adulte, nous pouvons nous demander si les gens qui montrent certaines caractéristiques dans une situation donnée se comportent de façon similaire dans d'autres situations. Par exemple, les hommes qui sont honnêtes dans leurs transactions d'affaires sont-ils aussi honnêtes avec leurs épouses et leurs enfants, avec leurs voisins et au regard de l'impôt? Si l'on trouvait un degré de constance élevé dans le comportement à travers les situations, cela suggérerait que les adultes possèdent effectivement des ensembles stables de traits de personnalité reconnaissables dans diverses circonstances.

En 1928, Hartshorne et May ont effectué une étude classique sur cette question d'une disposition constante à être moral, ou honnête. Quelque six mille enfants ont été soumis à une variété de tests où ils avaient toujours la possibilité de tricher. Les chercheurs pouvaient déceler la tricherie chez un enfant sans qu'il sache qu'il avait été repéré. Parmi les mesures, il y avait (1) un test de copie, dans lequel on permettait aux enfants de corriger leurs propres tests que l'on vérifiait par la suite pour connaître le nombre de réponses changées au moment de la correction; (2) un test de rapidité, où l'on mesurait la tricherie par la différence obtenue entre la note à un test d'essai et la note obtenue lorsqu'il était possible de tricher; (3) un test de regard furtif, dans lequel on mesurait la tromperie par la ressemblance entre la solution de l'enfant et celle qui ne pouvait être atteinte qu'en trichant; (4) un test où l'enfant pouvait feindre de connaître la réponse; (5) un test d'athlétisme, dans lequel on mesurait la tromperie par la différence entre une note mentionnée par l'enfant, et une note enregistrée par l'enseignant; et (6) un test de mensonge, où la note était basée sur la différence entre le compte rendu des parents sur le comportement de l'enfant et le compte rendu de l'enfant.

Les corrélations entre les diverses notes sont présentées au tableau 7-1. Comme nous l'avons vu au chapitre 1, plus la corrélation est élevée, plus l'association entre les valeurs obtenues aux deux mesures est forte. Il est clair qu'il y a peu de relation entre les diverses mesures de l'honnêteté des enfants aux divers tests. La résistance à la tentation de tricher ne semble pas être une caractéristique stable de cette population. Aucune corrélation ne dépasse 0,31 et la corrélation moyenne n'est que de 0,21 (la corrélation théorique maximale est de 1,00). Ainsi, connaître la note d'un individu sur une mesure ne nous informe presque pas quant à la possibilité qu'il triche ou non dans une autre situation. La variabilité entre les situations semble être la norme.

D'autres études sur la moralité (Kurdek, 1978), sur la ponctualité (Dudycha, 1936) et sur la sociabilité (Newcomb, 1929) ont donné des résultats similaires. Dans chaque cas, il est difficile de prédire le comportement d'une situation à une autre, ce qui ne signifie toutefois pas qu'il n'existe pas de continuité d'une situation à une autre; on peut effectivement discerner un faible degré de corrélation (Burton, 1963; Koretzky, Kohn et Jaeger, 1978; Nelson, Grinder et Mutterer, 1969). Cependant, comme l'a conclu Walter Mischel (1968) dans une revue approfondie des recherches pertinentes, on n'atteint que rarement une corrélation de 0,30 entre la mesure de n'importe quelle disposition comportementale et une action dans n'importe quelle situation donnée. Ainsi, même si un individu agit de façon altruiste dans une situation, il n'est pas certain que son comportement soit le même dans une autre situation.

Le situationnisme est-il la clé?

Étant donné l'absence de preuve formelle permettant de soutenir le point de vue selon lequel la socialisation en bas âge imprime chez l'individu l'altruisme ou toute autre disposition comportementale, nous allons diriger notre attention vers la possibilité opposée. Les gens sont-ils des créatures formées par les circonstances? S'adaptent-ils continuellement aux nouvelles situations de façon que des engagements et des sentiments nouveaux, des croyances et des valeurs morales nouvelles émergent selon ce que chaque nouvelle situation exige? On appelle **situationnisme** le point de vue selon lequel les circonstances déterminent les actions (Bowers, 1973). Lors même que peu de psychologues sociaux souscriraient à la vision situationniste dans sa forme extrême, le situationnisme est central dans la grande majorité des expériences de psychologie sociale. Comme nous l'avons vu dans nos exposés sur la perception sociale, sur l'attraction, sur le préjugé et sur le changement des attitudes, les gens sont influencés par les situations.

	Corrélations entre les mesures de tricherie				
	Copie	**Rapidité**	**Regard furtif**	**Feinte**	**Athlétisme**
Copie	—				
Rapidité	0,29	—			
Regard furtif	0,28	0,22	—		
Feinte	0,29	0,26	0,20	—	
Athlétisme	0,20	0,19	0,06	0,18	—
Mensonge	0,31	0,25	0,16	0,21	0,00

Source: Adapté de Hartshorne et May, 1928.

Tableau 7-1   L'honnêteté peut dépendre de l'occasion

Ces coefficients de corrélation suggèrent qu'il existe peu de correspondance entre les comportements associés à chaque ensemble de deux tâches. Notez, par exemple, qu'il n'y a absolument aucune relation entre la tendance des enfants à mentir et leur tendance à tricher lors d'une activité athlétique.

Les situations expérimentales produisent de puissants effets sur les pensées des gens, sur leurs sentiments et sur leurs actions. Néanmoins, la majorité des études sont conçues dans le but spécifique de démontrer le pouvoir des facteurs situationnels. On s'intéresse rarement à la constance à travers les situations.

Récemment, des chercheurs ont commencé à étudier plus attentivement la constance des traits et des styles personnels, ou des dispositions. Bem et Allen (1974) ont affirmé, par exemple, que chaque personne peut avoir certains traits ou dispositions stables, et certains traits instables. Une personne peut manifester un trait de façon constante et un autre de façon inconstante. Un individu peut être argumentateur avec tout le monde, mais varier dans sa transparence d'une situation à une autre. Une autre personne peut être transparente de façon constante, mais varier dans sa disposition à argumenter. Ainsi, afin de découvrir si des dispositions sous-jacentes existent, des traits différents pour différentes personnes doivent être pris en considération.

Afin d'illustrer leur point de vue, Bem et Allen ont demandé à des étudiants d'évaluer la variabilité de leurs dispositions amicales d'une situation à une autre. Certains étudiants ont indiqué que ce trait était très stable, et d'autres qu'il était très variable. Bem et Allen se demandaient si les étudiants qui se caractérisaient eux-mêmes comme généralement amicaux manifesteraient effectivement beaucoup de constance entre les situations, ce qui démontrerait l'existence de dispositions, de traits stables. On a mis les auto-évaluations des étudiants en corrélation avec les impressions relatives à leurs dispositions amicales fournies par leurs parents et un ami intime. Le tableau 7-2 présente ces corrélations. Vous pouvez voir que, chez les étudiants qui croyaient être amicaux de façon constante, il existe un degré d'accord important entre les auto-évaluations et les observations d'autrui quant aux dispositions amicales générales. Par opposition, les corrélations entre les mesures sont de beaucoup inférieures chez les étudiants qui se disaient plutôt inconstants. Ainsi, ces données suggèrent que chaque personne peut faire montre de beaucoup de constance dans la manifestation de certaines caractéristiques d'une situation à une autre, mais démontrer de l'inconstance par rapport à d'autres caractéristiques.

Une autre étude apporte un appui supplémentaire au point de vue selon lequel les gens possèdent des traits stables. On a demandé à des étudiants de faire des rapports quotidiens ou de tenir un journal de leurs expériences personnelles pendant une période allant jusqu'à cinq semaines (Epstein, 1980). On a porté particulièrement attention à leurs évaluations des expériences positives et négatives vécues chaque jour. La façon dont les étudiants évaluaient leurs actions et leurs sentiments positifs et négatifs s'est révélée hautement fiable. On a augmenté le nombre de jours durant lesquels ils tenaient leur journal, et la constance de leurs évaluations s'est accrue. D'autres recherches indiquent que les auto-évaluations effectuées à l'adolescence montrent souvent un degré de constance au moins modéré par rapport aux auto-évaluations effectuées lorsque les mêmes personnes atteignent la trentaine (Block,

Ensembles de rapports corrélés	Type de croyance sur soi	
	Amical de façon constante	Amical de façon inconstante
Sa mère et soi	r = 0,61	r = 0,51
Son père et soi	0,48	0,24
Son ami(e) et soi	0,62	0,56
Sa mère et son père	0,75	0,28
Sa mère et son ami(e)	0,71	0,40
Son père et son ami(e)	0,50	0,34

Source: Adapté de Bem et Allen, 1974.

Tableau 7-2   La constance et l'inconstance dans le comportement

Ces données suggèrent que les gens qui pensent être constants dans leurs dispositions amicales ont probablement raison. Les gens qui les connaissent bien sont d'accord avec eux. De la même façon, les gens qui ne se perçoivent pas comme amicaux de façon constante le sont probablement moins. Chaque personne peut être constante à certains égards et inconstante à d'autres.

Encadré 7-3

S'engager dans l'action communautaire, mais pourquoi?

Probablement depuis toujours, le bénévolat et particulièrement la participation à des groupes d'aide à des individus qui éprouvent des difficultés temporaires ou permanentes constituent l'une des forces de nos sociétés. On y porte peut-être davantage attention ces dernières années pour des raisons tant idéologiques qu'économiques (*pour plus de détails, voir* Balthazar, 1991). Il s'agit d'un réservoir d'assistance extrêmement précieux et des plus variés. Vous connaissez certainement l'existence de groupes qui offrent des services d'aide: les *Grands Frères et Grandes Sœurs*, la *Société Alzheimer*, les groupes d'auxiliaires bénévoles dans les hôpitaux, les diverses fondations collectant des fonds pour des individus atteints de maladies telles que la fibrose kystique ou le cancer, des groupes offrant des services dits alternatifs à des personnes atteintes de troubles mentaux, des organismes offrant des services aux itinérants, et ainsi de suite. Environ le tiers des Québécois pratiquent le bénévolat: 14 % auprès des personnes âgées, 15 % auprès des enfants et des adolescents, 6 % auprès des personnes handicapées et 8 % auprès d'autres groupes (Renaud, Jutras et Bouchard, 1987). Ces bénévoles sont autant des hommes que des femmes, faisant ou non partie de la population active.

Pourquoi les individus s'engagent-ils donc ainsi dans une action bénévole? Nous avons vu, dans le présent chapitre, que les gens font le compte des gains et des coûts de l'aide. Selon Maurice Payette (1983) de l'Université de Sherbrooke, l'individu qui s'engage dans l'action communautaire peut satisfaire un certain nombre de ses besoins d'auto-actualisation sur la base des gains qu'il fera en participant de la sorte. Se basant sur un postulat de Gordon Allport (1945) qui affirme que la croissance personnelle de l'individu passe par la participation

---

1977). Aussi, bien que l'âge adulte ne soit pas nécessairement une période stable (Runyon, 1980), les chercheurs trouvent souvent un degré élevé de stabilité dans le temps chez les populations adultes (Costa, McCrae et Arenberg, 1980).

La solution interactionniste

Tentons de rassembler en un tout cohérent les preuves apparemment conflictuelles que nous avons exposées. D'abord, il n'y a pas de forte raison de croire que la socialisation en bas âge imprime pour la vie des habitudes morales ou autres. Les gens semblent être capables de changer à n'importe quel moment de leur vie. Si les dispositions du jeune âge persistent, cela peut être dû à l'appui continu de l'environnement social. De plus, l'existence de traits stables à l'âge adulte ne signifie pas nécessairement que les traits se sont développés au cours de l'enfance. Par exemple, si un homme entre dans l'armée, sa vie peut

changer considérablement. Il peut développer et maintenir des modes de comportement constants tant qu'il demeure au service de l'armée. Cependant, lorsqu'il retourne à la vie civile, il abandonne plusieurs de ces modes. Les gens peuvent manifester des traits constants ou des dispositions à travers le temps, mais ces traits peuvent être acquis ou abandonnés à n'importe quelle période de la vie.

Nous voyons donc que les situations peuvent modifier ou changer les dispositions des gens, mais, par ailleurs, certains traits ou dispositions persistent chez les gens dans diverses situations. Aujourd'hui, la plupart des psychologues sociaux sont d'avis que les actions des gens résultent d'une interaction des dispositions personnelles et des facteurs situationnels (Magnusson et Endler, 1977). Ainsi, par exemple, une personne peut avoir une disposition à ne pas mentir qui résulte à la fois de la socialisation en bas âge et du soutien du groupe de pairs. Cependant, lorsque cette

communautaire, Payette soutient que la participation communautaire peut contribuer à fournir des éléments de réponse à quatre grandes catégories de besoins.

1. *Se développer personnellement.* En faisant partie de tels groupes, l'individu peut tester et explorer des aspects de son être que son travail habituel ne permet pas d'actualiser (parler en groupe, animer une activité).

2. *Avoir du contrôle.* Le participant peut par son action exercer un certain pouvoir dans son milieu, en faisant modifier le menu des enfants à la garderie, par exemple. Il peut aussi se défendre ou se protéger. C'est un avantage de ceux qui font partie d'une association de gais sur un campus universitaire. Le participant peut être mieux informé ou savoir ce qui se passe dans un mouvement écologique ou autre. Enfin, le participant peut avoir le sentiment d'agir et d'être efficace en arrivant à des résultats concrets, par exemple des repas chauds apportés à des personnes âgées, à domicile.

3. *Rencontrer des gens.* La participation à un groupe communautaire permet de créer des liens significatifs et gratifiants, de sentir le soutien de ses pairs et de s'identifier à un groupe. Ces avantages sont très intéressants pour les individus qui ne peuvent combler ce besoin dans leur milieu de travail ou qui sont éloignés de leur famille.

4. *Chercher un sens.* Certaines personnes s'engagent dans l'action communautaire pour comprendre davantage le monde qui les entoure et exprimer des valeurs auxquelles elles croient. Il peut s'agir de valeurs de disponibilité aux autres, de gratuité, de démocratie.

En envisageant la participation communautaire comme une réponse à des besoins psychologiques, Payette propose une grille d'explication qui réconcilie la position pragmatique de l'échange (l'individu fait le compte des avantages et des inconvénients) et la position humaniste de l'actualisation de soi et de la croissance personnelle.

personne se trouve dans une situation où un bon ami est menacé et où mentir peut le protéger, son comportement va finalement refléter l'opération combinée de la disposition et de la pression due à la situation.

Les réactions à l'aide: lorsque les cadeaux sont mal perçus

Quel est l'avis de celui ou celle qui reçoit des témoignages de bonté? Cela est une question fort intéressante qui retiendra maintenant notre attention. La majorité des gens estiment que l'aide est toujours appréciée et qu'elle engendrera naturellement de la bonne volonté. Lorsqu'un individu s'arrête pour aider quelqu'un à changer un pneu, qu'il donne de son temps pour aider un analphabète à apprendre à lire ou qu'il envoie un don à un organisme de charité, on suppose que le bénéficiaire sera content, fera des éloges et sera peut-être même porté à aider les autres en retour.

La plus grande partie de notre exposé précédent suggère certainement que cela constitue un point de vue raisonnable. Nous avons dit que l'attraction sociale augmente lorsqu'une personne reçoit des bienfaits d'une autre personne (*voir le chapitre 4*). De plus, comme nous venons de le voir, la norme de réciprocité exhorte fortement à rendre le bien pour le bien.

L'obligeance crée cependant un problème concret. Selon les mots d'un représentant de l'aide aux pays en développement, «un des problèmes primordiaux de notre époque est l'écart immense entre les pays riches et les pays pauvres, entre ceux qui possèdent et ceux qui ne possèdent pas. Cet écart ne constitue pas seulement un scandale moral, il constitue une menace à la paix mondiale» (Sommer, 1979). Presque toutes les nations puissantes du monde ont réagi à ce problème en développant des programmes d'aide aux pays en développement. Cependant, plusieurs échecs sont venus ternir l'histoire de tels

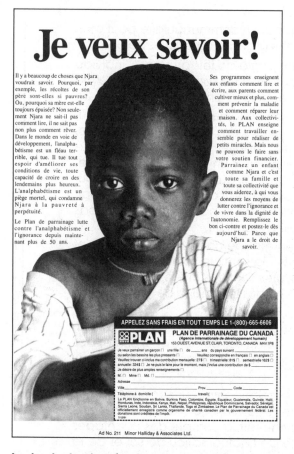

Je veux savoir!

Il y a beaucoup de choses que Njara voudrait savoir. Pourquoi, par exemple, les récoltes de son père sont-elles si pauvres? Ou, pourquoi sa mère est-elle toujours épuisée? Non seulement Njara ne sait-il pas comment lire, il ne sait pas non plus comment rêver. Dans le monde en voie de développement, l'analphabétisme est un fléau terrible, qui tue. Il tue tout espoir d'améliorer ses conditions de vie, toute capacité de croire en des lendemains plus heureux. L'analphabétisme est un piège mortel, qui condamne Njara à la pauvreté à perpétuité.

Le Plan de parrainage lutte contre l'analphabétisme et l'ignorance depuis maintenant plus de 50 ans.

Ses programmes enseignent aux enfants comment lire et écrire, aux parents comment cultiver mieux et plus, comment prévenir la maladie et comment réparer leur maison. Aux collectivités, le PLAN enseigne comment travailler ensemble pour réaliser de petits miracles. Mais nous ne pouvons le faire sans votre soutien financier. Parrainez un enfant comme Njara et c'est toute sa famille et toute sa collectivité que vous aiderez, à qui vous donnerez les moyens de lutter contre l'ignorance et de vivre dans la dignité et l'autonomie. Remplissez le bon ci-contre et postez-le dès aujourd'hui. Parce que Njara a le droit de savoir.

APPELEZ SANS FRAIS EN TOUT TEMPS LE 1-(800)-665-6606

PLAN · **PLAN DE PARRAINAGE DU CANADA**
(Agence internationale de développement humain)
153 OUEST, AVENUE ST. CLAIR, TORONTO, CANADA M4V 1P8

Je veux parrainer un garçon ☐ une fille ☐ de ___ ans ___ du pays suivant ___ ou selon les besoins les plus pressants ☐ Veuillez correspondre en français ☐ en anglais ☐
Veuillez trouver ci-inclus ma contribution mensuelle: 27$ ☐ trimestrielle: 81$ ☐ semestrielle 162$ ☐
annuelle: 324$ ☐ Je ne puis le faire pour le moment, mais j'inclus une contribution de $ ___
Je désire de plus amples renseignements ☐

M. ☐ Mme ☐ Md. ☐
Adresse ___
Ville ___ Prov. ___ Code ___
Téléphone à domicile ( ) ___ travail ( ) ___

Le PLAN fonctionne en Bolivie, Burkina Faso, Colombie, Égypte, Équateur, Guatemala, Guinée, Haïti, Honduras, Inde, Indonésie, Kenya, Mali, Népal, Philippines, république Dominicaine, Salvador, Sénégal, Sierra Leone, Soudan, Sri Lanka, Thaïlande, Togo et Zimbabwe. Le Plan de Parrainage du Canada est officiellement enregistré comme organisme de charité canadien par le gouvernement fédéral. Les donations sont créditées de l'impôt.

Ad No. 211   Minor Halliday & Associates Ltd.

Inspirer le donateur éventuel. Les concepteurs de cette annonce publicitaire semblent avoir pris en considération des facteurs fondamentaux dans l'évaluation de l'action sociale positive. Notez l'énoncé clair quant aux conséquences positives et à l'attirance envers des enfants qui requièrent de l'aide. Ce procédé est toutefois de plus en plus critiqué, notamment par le Conseil canadien pour la coopération internationale, parce qu'il renforce l'image d'impuissance et de dépendance des pays en développement.

programmes. Les bénéficiaires ont résisté à certains programmes; des nations donatrices ont été expulsées des pays qui recevaient de l'aide; des approvisionnements donnés ont été volés ou brûlés; dans certains cas, ceux qui aidaient ont été assassinés par ceux-là mêmes qu'ils tentaient d'aider. Il est clair que l'on ne peut pas supposer que les bonnes actions sont toujours appréciées (Fisher, Nadler et Whitcher, 1980).

Il faut comprendre que la situation du bénéficiaire n'est pas toujours facile. La maxime d'Ernest Renan selon laquelle «il y a plus de plaisir à donner qu'à recevoir» peut être vraie de plus d'une façon. Certains critiques sociaux ont affirmé que l'aide aux groupes défavorisés bénéficie à ceux qui sont au pouvoir (Guttentag, 1973; Ryan, 1971). Les critiques prétendent que l'aide apportée à une personne en difficulté la fait paraître incompétente et cache le principal problème, c'est-à-dire l'échec de la société qui ne fournit pas à chacun un rôle significatif et un revenu convenable (Lenrow, 1978). La personne qui reçoit de l'aide fait face à trois problèmes majeurs: le donateur peut tenter de manipuler le bénéficiaire, et le bénéficiaire peut se sentir vil ou encore hostile au donateur.

L'aide comme moyen de manipulation

Nous avons déjà eu l'occasion d'interviewer un ministre tunisien sur son point de vue relativement à l'aide américaine à son pays. Le mot *interview* n'est probablement pas le meilleur pour décrire notre expérience. Le ministre a passé deux heures à inonder l'aide américaine d'un torrent d'insultes. Sa principale plainte se rapportait à la façon dont l'aide était utilisée pour manipuler les politiques de sa nation. La Tunisie était considérablement en difficulté, le ministre affirmait que le gouvernement des États-Unis utilisait l'aide pour promouvoir ses propres intérêts, plutôt que de donner simplement pour des raisons humanitaires. Il disait que la Tunisie était forcée de soutenir certaines politiques américaines aux Nations Unies, de représenter les points de vue américains dans le bloc arabe, de construire un système d'éducation qui reflétait les philosophies éducatives américaines, et ainsi de suite. Cette préoccupation pour le caractère manipulateur de l'aide a des échos partout dans le monde. Comme le dit le vieux proverbe inuit, «avec des cadeaux vous faites des esclaves, tout comme avec des fouets vous faites des chiens» (cité dans Farb, 1968). Si l'aide est perçue comme une manipulation, les gens peuvent ne pas l'accepter (Gergen et Gergen, 1972) et, s'ils l'acceptent, ils peuvent ne pas éprouver de reconnaissance ni d'obligation en retour (Greenberg, 1980).

Le point de vue selon lequel l'aide est une manipulation laisse supposer que les riches pays donateurs, ou toute personne qui semble très riche et qui offre un cadeau, peuvent y trouver un désavantage. Le bénéficiaire peut penser que le cadeau est dérisoire pour le donateur ou qu'il n'a pas été offert sincèrement. Dans une expérience conçue pour illustrer cet aspect, des étudiants du premier cycle, groupés par deux, jouaient à des jeux où ils pouvaient gagner de l'argent (Pruitt, 1968). À la fin du premier jeu, on a permis à l'un des étudiants de diviser les gains. En privé, on lui a donné la consigne de se

Pas besoin d'aide ici. Cette femme indigente, ses possessions à ses côtés, semble suggérer aux passants de garder leurs distances. Les personnes de ce type font partie du paysage des grandes villes. Elles chérissent leur indépendance et réagissent parfois de façon hostile aux offres d'aide.

comporter généreusement, en donnant à son partenaire 80 % du dollar qu'ils avaient gagné. Dans une situation opposée, on a dit au donateur de ne donner que 20 % des gains. Toutefois, les partenaires recevaient *précisément la même* somme parce que les sujets de la deuxième situation avaient gagné quatre dollars. La différence résidait dans le *pourcentage* d'argent remis. Le partenaire qui partageait un dollar donnait peu, mais semblait faire un grand sacrifice. Le partenaire qui partageait quatre dollars donnait la même somme, mais le sacrifice semblait dérisoire. La variation dans le sacrifice personnel est apparue comme une source d'influence importante lorsque le second sujet a, à son tour, divisé les gains. Les sujets qui avaient reçu 80 % des ressources

du donateur étaient beaucoup plus généreux que ceux qui avaient reçu 20 %. Des démonstrations similaires ont confirmé que cette réaction est typique, à la fois en Europe et en Asie (Fisher et Nadler, 1976; Gergen et coll., 1975; Pruitt, 1968). L'aide américaine ne réussira peut-être jamais à construire des relations amicales à l'étranger. Les ressources des États-Unis sont tellement grandes en comparaison de celles des nations en difficulté que, quoi que donnent les Américains, cela pourra sembler dérisoire.

L'aide comme source d'avilissement

Vous êtes-vous déjà demandé à quoi peut penser un mendiant lorsqu'il est debout, la main tendue? La plupart des gens ne peuvent pas s'imaginer être si exposés au mépris public. Jusqu'à un certain point, la plupart des gens qui se tournent vers les autres se trouvent pourtant dans une telle situation. Accepter son manque d'autosuffisance et la supériorité de l'autre sous certains aspects est souvent sous-jacent à la demande d'aide. Ainsi, les nations les plus démunies, les bénéficiaires de l'aide sociale, les mendiants et d'autres qui ont besoin d'aide doivent affronter la situation délicate dans laquelle ils semblent être faibles ou inférieurs. Offrir de l'aide suggère aussi que la personne en difficulté est incapable de s'aider elle-même (Brickman et coll., 1979). Le bénéficiaire de l'aide peut donc en venir à voir diminuer son estime de soi (Andreas, 1969; Nadler, Altman et Fisher, 1979). L'offre d'aide peut aussi produire un ressentiment intense.

Dans une expérience illustrant comment l'aide peut produire du ressentiment, on a demandé à des étudiants italiens de résoudre un casse-tête (Morse, 1972). On a fait systématiquement varier l'importance de la réussite. On a dit à certains sujets que le casse-tête était une mesure de l'intelligence, rendant ainsi la tâche importante pour leur estime de soi. On n'a pas relié de facteur personnel à la réussite chez les sujets du second groupe. On leur a simplement dit qu'il s'agissait d'un prétest du casse-tête pour des travaux subséquents. Comme chaque sujet travaillait sur le casse-tête, l'expérimentateur «venait à passer» et regardait le travail du sujet. L'expérimentateur marmonnait alors que le sujet ne semblait pas réussir très bien et il lui donnait une solution lui permettant de terminer facilement le casse-tête. Les sujets indiquaient ensuite, en privé, leurs sentiments envers l'expérimentateur. Les sujets qui pensaient que le test était un indicateur de leur intelligence étaient très fâchés d'avoir reçu l'aide de l'expérimentateur. Même si l'expérimentateur donnait précisément le même degré d'aide à tous les sujets, la réaction était de l'hostilité lorsque l'aide laissait supposer que le sujet n'était pas intelligent.

Des recherches additionnelles indiquent que les gens en difficulté évitent souvent de chercher de l'aide pour des raisons liées à l'estime de soi (Broll, Gross et Piliavin, 1974). Plusieurs individus ne veulent pas reconnaître une infériorité à quelque égard que ce soit et leur orgueil les empêche de demander de l'aide. De plus, ils peuvent croire que le bienfaiteur les jugera incompétents (De Paulo et Fisher, 1980). Les résultats de ces travaux peuvent avoir des conséquences d'une portée considérable. D'abord, même si l'aide est disponible, plusieurs personnes appauvries peuvent souffrir durant des années en raison de leur besoin de conserver leur estime de soi. Il est cependant possible de les aider. Si les gens *n'ont pas à demander* de l'aide, mais qu'on leur en offre sans porter atteinte à leur estime de soi, ils peuvent l'accepter plus volontiers (Broll, Gross et Piliavin, 1974).

L'aide comme source d'obligation

Vous est-il déjà arrivé d'acheter un cadeau à un ami et d'avoir été victime de sa colère au lieu de recevoir ses remerciements? L'ami n'avait peut-être pas les moyens de vous offrir un cadeau et, par conséquent, n'en voulait pas de votre part. Accepter un cadeau sans pouvoir en donner un en retour peut créer chez le bénéficiaire une obligation qui n'a pas de fin. Comme Démosthène le disait, «rappeler à quelqu'un une de vos bonnes actions à son égard ressemble beaucoup à un reproche». Georges Homans (1974) a appelé ce sentiment la **tension de l'obligation**. Homans croit que les gens éprouvent une telle tension chaque fois que quelqu'un leur fait du bien. Cette tension désagréable peut être vécue comme une dette (Greenberg, 1980).

La tension de l'obligation interfère-t-elle réellement dans les relations? Robert Dillon (1968), un chercheur en matière de questions mondiales, croit que oui. Après la Seconde Guerre mondiale, les États-Unis ont fourni des milliards de dollars aux pays de l'Europe de l'Ouest pour aider à la reconstruction, ce que l'on a appelé le plan Marshall. Cependant, les sentiments des Européens envers les États-Unis se sont refroidis peu après. De son étude de la situation, Dillon conclut que le principal problème du programme d'aide américain était qu'il créait une tension d'obligation et qu'il n'y avait pas moyen de l'alléger. Les nations européennes étaient encore trop pauvres pour rétablir l'équilibre et parvenir ainsi à se sentir égales. Reverrons-nous une perception similaire à la suite des efforts actuels pour aider à la reconstruction des pays de l'Europe de l'Est?

Afin d'étudier la tension de l'obligation sur le plan individuel, une étude en laboratoire a été organisée au Japon, en Suède et aux États-Unis (Gergen et coll., 1975). On a demandé à des étudiants masculins de jouer à un jeu de paris qui pourrait leur permettre de gagner une belle somme d'argent. Le jeu était conçu de façon que les sujets perdent leur mise jusqu'à ce qu'ils atteignent un point où un autre lancer du dé malchanceux épuise leur enjeu. Rendu à ce point, chaque sujet recevait un cadeau en argent additionnel de la part d'un autre «participant» (un compère) pour lui permettre de continuer la partie. Chez un groupe de sujets, le cadeau était accompagné d'une note disant qu'on ne voulait rien en retour. En fait, le sujet recevait un cadeau *sans possibilité de s'acquitter de l'obligation.* Un groupe de comparaison recevait une note demandant de remettre l'argent à la fin de la partie. Le sujet avait donc une *occasion de s'acquitter de l'obligation.* Tous les sujets ont eu par la suite l'occasion d'évaluer le bienfaiteur de façon anonyme.

Les évaluations du bienfaiteur se sont révélées très intéressantes. Comme vous pouvez le voir à la figure 7-3, les étudiants des trois nations avaient des sentiments plus favorables envers quelqu'un qui leur donnait essentiellement moins, c'est-à-dire quelqu'un qui leur prêtait l'argent plutôt que de le leur donner. Ils préféraient le bienfaiteur qui voulait qu'on lui rende son cadeau à celui qui avait donné quelque chose sans attendre quoi que ce soit en retour. De la même façon, il arrive souvent que les gens évitent de demander de l'aide s'ils ne peuvent donner quelque chose en retour (Greenberg et Shapiro, 1971). De plus, si une personne reçoit de l'aide de quelqu'un à qui elle ne peut renvoyer l'ascenseur, elle peut détester le bienfaiteur (Castro, 1974; Gross et Latané, 1973). Cette haine peut être particulièrement forte si le donateur est très semblable au bénéficiaire (Clark, Gotay et Mills, 1974). Si vous donnez un cadeau à un ami qui ne peut pas vous rendre la pareille, vous risquez de menacer votre amitié.

En résumé, nous voyons que des actions sociales positives peuvent ne pas être perçues

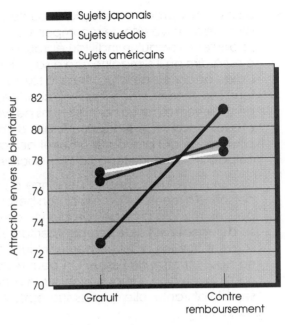

Légende:
- Sujets japonais
- Sujets suédois
- Sujets américains

Figure 7-3 Lorsque donner cause du tort au donateur

Dans cette étude interculturelle, les sujets de trois pays étaient plus attirés par un bienfaiteur qui demandait un remboursement que par une personne trop généreuse. (Adapté de Gergen et coll., 1975.)

comme des actes altruistes. Le donateur avisé veillera à ce que ses actions ne ressemblent pas à des manipulations ou ne paraissent pas reliées à des intérêts personnels, à ce que l'aide ne menace pas l'estime de soi du bénéficiaire, ni ne laisse le bénéficiaire dans un état d'obligation. Comme l'écrivait le dramaturge Pierre Corneille, «la façon de donner vaut mieux que ce qu'on donne» (*Le Menteur,* 1642, acte I, scène I). Nous connaissons maintenant certaines des principales composantes de cette façon de donner.

Résumé

1 Lorsqu'une personne fait quelque chose dans l'intérêt d'une autre, son comportement est appelé action sociale positive. L'altruisme est semblable à l'action sociale positive, mais le terme implique que l'action ou le bienfait est accompli sans attente de récompense en retour.

2 Habituellement, les gens s'évaluent avant de donner de l'aide. Ils pèsent les récompenses et les coûts de l'action positive suggérée. Ils peuvent d'abord se demander

si l'aide leur procurera du plaisir ou non. Apporter de l'aide à autrui peut être source d'une grande variété de récompenses. Les gens agissent de façon positive pour réduire la douleur. Lorsqu'un individu éprouve de l'empathie pour une personne qui souffre, c'est-à-dire qu'il s'imagine être à sa place, cela peut augmenter la disposition à aider. L'aide apportée peut réduire à la fois la souffrance de la victime et celle de l'observateur. Les gens prennent aussi en considération leurs propres ressources lorsqu'ils décident s'ils vont aider ou non. Les gens peuvent augmenter l'évaluation de leurs ressources et avoir davantage tendance à faire du bien aux autres lorsqu'ils sont dans une humeur positive, ce qui provoque un effet de satisfaction de soi. De même, un sentiment de culpabilité peut inciter à l'action sociale positive.

3   Les gens évaluent aussi la personne en difficulté. Généralement, on n'aide pas une personne à moins de percevoir son besoin. Une préoccupation excessive de soi-même peut entraver la prise de conscience de ce besoin. L'éventuel aidant peut également se demander si l'aide semble méritée. Ceux qui croient en un monde juste pensent souvent que les pauvres méritent leur condition et que, par conséquent, ils peuvent ne pas leur offrir de l'aide. On peut réduire l'effet de cette idée préconçue en donnant davantage d'information sur la souffrance des gens. Si la personne en difficulté semble attirante, elle est plus susceptible de recevoir de l'aide que si elle semble peu attirante.

4   Avant d'aider, les gens évaluent le contexte social. Plus il y a de témoins dans une situation d'urgence, plus le délai dans l'apport de secours peut augmenter. L'absence de réaction des individus dans des grands groupes peut être reliée à la diffusion de la responsabilité d'apporter de l'aide. La possibilité d'éprouver une gêne de s'être trompé croît aussi à mesure que le groupe augmente. Enfin, l'inactivité des autres témoins peut faire croire qu'il est inutile d'intervenir. Cependant, la tendance à ne pas réagir dans les grands groupes peut être renversée si les gens communiquent les uns avec les autres, si la situation exige plusieurs aidants assumant différents rôles ou si le groupe d'aidants potentiels est formé d'individus qui se connaissent déjà et s'apprécient.

5   En décidant d'aider, les gens peuvent prendre en considération les normes habituelles de la société. Ne pas suivre les normes peut entraîner la punition sociale. La norme de réciprocité exige que les gens rendent le bien pour le bien et qu'ils ne causent pas de tort à ceux qui les ont aidés. La norme de réciprocité, de même que les normes personnelles qui encouragent l'action sociale positive peuvent contribuer à ce que les gens apportent leur aide dans plusieurs situations. Les gens prennent également en considération le comportement de modèles qui rendent service aux personnes en difficulté. Lorsque le modèle est semblable à l'observateur, les effets positifs de l'apport d'aide peuvent être particulièrement puissants.

6   Plusieurs théoriciens croient que la socialisation en bas âge imprime des dispositions personnelles, tel l'altruisme, qui peuvent persister durant toute la vie d'une personne. Les recherches longitudinales ne soutiennent pas ce point de vue. Les situationnistes affirment que la conduite des gens est déterminée principalement par les caractéristiques des situations immédiates dans lesquelles les gens se trouvent. Cependant, ce point de vue extrême ne reçoit pas d'appui. Des études qui prennent en considération les différences entre les gens suggèrent l'existence de dispositions individuelles stables. La position la plus généralement acceptée aujourd'hui en psychologie sociale est le point de vue interactionniste. Selon ce dernier, les gens ont déjà diverses dispositions dans les situations et leur comportement résulte d'une combinaison de facteurs situationnels et personnels.

7   Recevoir de l'aide est une bonne chose qui peut avoir un mauvais côté. L'aide peut engendrer beaucoup d'angoisse chez la personne qui en a besoin. Le bénéficiaire peut éprouver du ressentiment s'il croit que l'on utilise l'aide pour le manipuler. Les offres

d'aide qui laissent croire que le bénéficiaire est inférieur au donateur peuvent aussi provoquer du ressentiment.

8   L'aide est souvent accompagnée d'une tension de l'obligation. Le bénéficiaire ressent alors envers le donateur une dette ou l'obligation de faire quelque chose en retour. Dans certaines conditions, les gens peuvent préférer un prêt à un don, puisque ce dernier crée une tension qui est difficile à alléger.

Lectures suggérées

En français

Bégin, G. (1979). Altruisme et comportement d'aide. *In* G. Bégin et P. Joshi (dir.). *Psychologie sociale.* Québec: Les Presses de l'Université Laval.

En anglais

Bar-Tal, D. (1976). *Prosocial behavior: Theory and research.* New York: John Wiley.

Fisher, J.D., Nadler, A. et Depaulo, B.M. (1983). *New directions in helping* (volumes 1 à 3). New York: Academic Press.

Piliavin, J.A., Dovidio, J.F., Gaertner, S.L. et Clark, R.D. (1981). *Emergency intervention.* New York: Academic Press.

Staub E., Bar-Tal, D., Karylowski, J. et Reykowski, J. (dir.) (1984). *Development and maintenance of prosocial behavior.* New York: Plenum Press.

8

L'agression

En opposant la haine à la haine, on ne fait que la répandre, en surface comme en profondeur.

Mahātma Gāndhi

Objectifs d'apprentissage

☐ Après l'étude du présent chapitre, vous devriez être capable

1. de définir l'agression ainsi que ses formes active, passive, directe et indirecte;

2. d'évaluer l'affirmation selon laquelle les gens sont, d'instinct, agressifs;

3. d'expliquer de quelles façons les récompenses, les punitions et le modelage influent sur le comportement agressif;

4. d'évaluer le rôle de la télévision dans l'incitation à la violence;

5. de décrire comment les normes sociales influent sur le comportement agressif;

6. de mettre en relation avec l'agression les théories de la frustration et de l'activation généralisée;

7. de relier à l'agression les stimuli érotiques, et la consommation d'alcool et de drogue;

8. de juger si l'expression de l'agression augmente ou diminue la possibilité d'agression ultérieure;

9. d'expliquer comment le comportement agressif peut être réduit par l'apprentissage d'autres façons de répondre à l'activation;

10. d'identifier des facteurs de situation qui influent sur l'agression, comme la dé-individuation, la présence des armes et la chaleur.

☐ Le 8 mai 1984, un caporal de l'Armée canadienne fait irruption dans l'immeuble principal de l'Assemblée nationale du Québec et tire sur toutes les personnes qui se trouvent sur son passage. Celui que l'on surnomma «le tireur fou» tua trois personnes et en blessa treize. D'après son témoignage, il voulait «détruire le PQ (Parti québécois), René Lévesque (alors premier ministre du Québec) et le gouvernement».

☐ Des journaux ont rapporté récemment que deux frères, accusés d'être les leaders d'un réseau de cambriolage, plaisantaient en disant avoir tué trois jeunes membres de leur bande. L'une de leurs victimes, conduite vers une fosse creusée dans un bois, remarqua le trou creusé et, en tentant de s'enfuir, s'en approcha jusqu'à deux pieds avant d'être abattue. Selon l'un des meurtriers, les deux frères avaient ri du fait qu'ils n'avaient pas eu à transporter le corps de leur victime pour l'enterrer.

Des rapports de violence paraissent chaque matin dans les journaux. Bien que l'apparition des armes à feu soit relativement récente dans l'histoire de l'humanité, la violence n'est pas une chose nouvelle. Avant l'ère chrétienne, les Romains ont exterminé les populations de villes entières. Les chefs religieux médiévaux utilisaient le poison pour se débarrasser des indésirables. Plus récemment, plus de six millions de Juifs ont été exterminés sous le régime nazi. La vaste expérience de l'agression que possède la civilisation occidentale a eu peu d'effets sur la diminution de la violence. À en juger par le nombre de victimes de mort violente, il semble que les êtres humains se servent de leurs connaissances accumulées pour perfectionner leurs outils de violence plutôt que pour contrôler ou réduire leur agression.

Le rôle central que l'agression a continuellement joué dans le comportement humain est un profond mystère. Considérez vos propres réactions aux événements que nous avons relatés. Elles sont probablement semblables aux nôtres, un mélange de dégoût et de désarroi. Comment se fait-il que des personnes peuvent traiter leurs semblables de façon cruelle? Quel type de gens peuvent ainsi détruire la vie des autres avec tant de désinvolture? L'agression de moindre envergure est également pénible. Il n'est pas plaisant, par exemple, de voir une personne en attaquer une autre verbalement. Les générations passées ont sans doute connu ces réactions de dégoût et de désarroi et, à travers l'histoire de l'humanité, la majorité des gens aurait sûrement préféré une société où l'agression aurait moins prédominé. Les questions qui nous intriguent sont donc les suivantes. (1) Si l'agression est tellement condamnée, comment expliquer qu'elle se perpétue si vigoureusement? (2) Pourquoi les gens trouvent-ils si difficile de contrôler l'agression? (3) L'agression est-elle inévitable dans la société humaine?

Nous examinerons tout d'abord deux points de vue divergents relatifs à l'agression. Le premier met l'accent sur le caractère héréditaire de l'agression, tandis que l'autre insiste sur son caractère acquis. Même si à la naissance les êtres humains peuvent avoir des prédispositions biologiques à l'agression, l'apprentissage social semble être un facteur plus important pour déterminer le moment et le lieu de l'apparition de l'agression. Nous étudierons le rôle de l'émotion dans l'action agressive et nous verrons que l'agression n'est pas toujours un processus rationnel, comme le laissent supposer les théories de l'apprentissage. Des états émotionnels comme la frustration, la colère et l'hostilité contribuent aussi à l'activité agressive. Ayant examiné les rôles respectifs de l'apprentissage et de l'émotion dans l'émergence du comportement agressif, nous analyserons l'effet des situations sociales sur l'agression. La présence d'une action agressive dépend souvent de l'environnement social et physique, de facteurs comme la présence d'autres personnes et la présence d'armes. En examinant ces questions, nous pourrons mieux comprendre pourquoi l'agression continue à être si présente dans la vie sociale et comment on peut y remédier.

La définition de l'agression

Même si tous sont d'accord sur l'importance du problème de l'agression, les gens ne s'entendent pas sur la signification de ce terme. Certains considèrent la chasse et la pêche comme des formes d'agression, d'autres pas. On ne s'entend pas non plus sur l'application de ce terme à une blessure accidentelle, au vol, aux jurons et au simple fait d'espérer que quelqu'un souffrira. Aucune définition ne rend vraiment justice à l'éventail des réflexions et des recherches en ce domaine. Cependant, la plupart des psychologues sociaux définissent l'**agression** comme un *comportement visant la production de résultats négatifs chez autrui, comme de la douleur, de la peine ou la mort* (Bandura, 1973; Baron, 1977). Il est utile d'énoncer plusieurs distinctions parmi les différents types d'agression. Par exemple, on peut distinguer l'*agression directe ou hostile*, où l'acte agressif est une fin en soi, de l'*agression indirecte ou instrumentale*, où infliger une douleur ou une souffrance est un moyen d'atteindre un objectif. Insulter quelqu'un qui s'est montré grossier envers vous est une forme d'agression directe, parce que l'insulte vise spécifiquement à blesser l'autre personne. Taper un enfant qui jouait dans la rue est une forme d'agression indirecte, parce que la douleur est un moyen d'enseigner à l'enfant à ne pas jouer dans la rue. De plus, on peut distinguer l'*agression active*, où le mal provient d'une activité comme donner un coup ou critiquer, de l'*agression passive*, où l'inactivité peut causer le mal (par exemple, ne pas aider à soulager la douleur de quelqu'un). Enfin, on peut trouver des différences importantes dans les processus qui sous-tendent l'*agression physique* et l'*agression verbale*.

Peut-être avez-vous remarqué que notre définition de l'agression ne fait aucune référence aux *sentiments* intérieurs de colère et d'hostilité qui sont habituellement associés à l'agression. Cette omission reflète le point de vue généralement accepté selon lequel le comportement agressif est souvent indépendant des émotions. Après tout, il arrive souvent que l'agression semble se manifester sans colère. Une guerre presse-bouton peut être menée avec une froide lucidité. De plus, les gens en colère ou inamicaux ne se comportent pas toujours agressivement; ils font souvent contre mauvaise fortune bon cœur. Ainsi, le lien entre une forte émotion et un comportement agressif ne semble pas être assez étroit pour *nécessiter* l'inclusion de l'émotion dans la définition

fondamentale. Cependant, l'agression et l'émotion sont entremêlées dans la majorité des expériences des gens. Les chercheurs se sont sérieusement penchés sur ce sujet que nous exposerons en détail dans le présent chapitre.

Précisons que notre définition de l'agression met l'accent sur le point de vue de l'agresseur. Lorsqu'on définit l'agression comme une action conçue par l'agresseur pour blesser ou punir quelqu'un, le point de vue de la cible visée ou de l'observateur extérieur est mis dans l'ombre (Kane, Joseph et Tedeschi, 1976). En évaluant ce qui est agressif et ce qui ne l'est pas, l'observateur peut utiliser des critères assez différents de ceux de l'agresseur. Par exemple, si vous êtes blessé par quelqu'un, vous pouvez postuler que l'action de celui-ci était délibérée, même s'il le nie catégoriquement. «Comment ça, tu pensais que ça ne me blesserait pas!» pourriez-vous vous exclamer. Vous êtes alors en train de dire à votre attaquant que vous définissez une action particulière comme agressive, même si lui ne le pense pas. Il faut garder à l'esprit de telles différences de perspectives lorsqu'on analyse des recherches où ce sont les expérimentateurs qui décident ce qui constitue une agression (Rajecki et coll., 1979).

Enfin, il existe un biais relatif aux valeurs qui est inhérent à la définition de l'agression. L'agression est en effet présentée comme une forme négative de comportement qui doit être éliminé ou contrôlé. Par contre, il y a des gens, en particulier ceux qui sont opprimés dans leur société, qui peuvent utiliser l'agression pour attirer l'attention sur leur condition (Lubek, 1979). Le soulèvement des Kurdes contre l'oppression des autorités irakiennes illustre ce phénomène. Les émeutes en Afrique du Sud et dans les ghettos américains sont d'autres exemples d'activités agressives qui ont retenu l'attention et suscité un support, internationalement. Le postulat automatique selon lequel l'agression doit être réduite ou contrôlée ignore les fonctions sociales potentiellement utiles de l'agression. À certains moments, la paix peut simplement signifier que l'oppression est sans faille aucune.

Les fondements biologiques de l'agression

Après nous être mesurés au problème de la définition de l'agression, dirigeons notre attention sur les origines de celle-ci. Pourquoi l'agression? Nous essaierons de répondre à cette question en

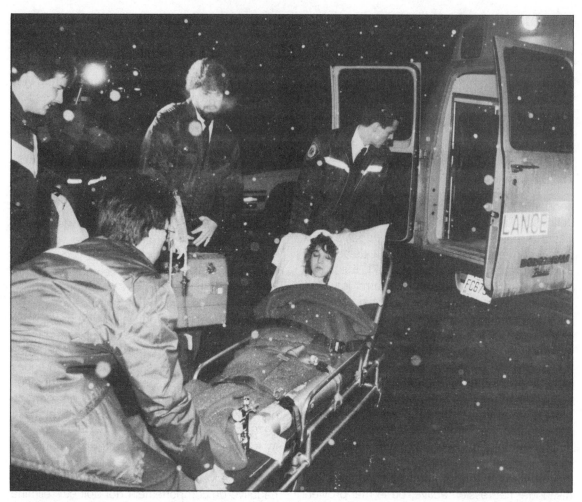

Être victime de violence, ça n'arrive pas qu'aux autres. La violence est un phénomène social difficile à comprendre et lourd de conséquences. Tous ceux qui vécurent de près ou de loin le massacre des quatorze femmes à l'École Polytechnique de l'Université de Montréal, le 6 décembre 1989, l'ont douloureusement ressenti. Les témoins, les étudiants et le personnel de l'École ont eu besoin du soutien de leur entourage, de même que d'aide professionnelle pour surmonter les sentiments de peur, de rage et d'incompréhension que ce tragique événement laissa dans toute la communauté universitaire canadienne et dans toute la société québécoise.

considérant d'abord une approche qui met l'accent sur son aspect naturel.

L'instinct d'agression

Le comportement humain à travers les siècles et les cultures, ou dans les premiers stades du développement d'un enfant, est presque toujours marqué par de l'agression. «L'histoire révèle une longue suite ininterrompue de guerres, d'invasions, de torture et de destruction remontant aux vagues origines de la société organisée» (Baron, 1977). Au cours des dernières décennies, par exemple, des conflits violents se sont produits dans cent quatorze des cent vingt et un plus grands pays du monde (Gurr, 1970). Le comportement agressif se retrouve chez tous les groupes d'âge. Même les très jeunes enfants se font du mal les uns les autres pour des vétilles. L'étendue et la persistance du comportement agressif suggèrent que l'agression fait partie intégrante de la nature humaine. Les gens semblent hériter d'une disposition à se conduire agressivement. William McDougall (1908), un des premiers psychologues, appela cette disposition un «**instinct de pugnacité**». Freud croyait aussi que l'agression est instinctive. En 1932, la Société des Nations organisa un échange entre Albert Einstein et Freud. Einstein interrogea Freud sur les causes de la guerre. La réponse de Freud fut centrée sur la notion selon laquelle l'être humain a dès la naissance deux pulsions fondamentales, l'une dirigée vers le plaisir (**éros**), l'autre vers la mort et la destruction (**thanatos**). La guerre, croyait Freud, était d'abord le résultat des tentatives individuelles pour satisfaire ses pulsions destructrices: «Cet instinct existe dans chaque être humain, s'efforçant de travailler à sa ruine et de réduire la vie à son état premier de matière inerte» (Freud, 1964).

Les **éthologistes**, des biologistes qui s'intéressent avant tout aux types de comportements communs aux différentes espèces animales, sont parvenus à des conclusions similaires au sujet de la disposition innée à agresser. L'éthologiste Konrad Lorenz (1966, 1970), lauréat du prix Nobel, a mené des recherches sur l'agression chez un grand nombre d'espèces. Il est convaincu que tant les êtres humains que les animaux inférieurs sont naturellement agressifs. Cependant, par sélection naturelle, la plupart des espèces animales ont développé des moyens, inscrits dans leurs gènes, de contrôler et de limiter l'agression à l'intérieur de leurs espèces. Par exemple, les combats simulés où les adversaires se menacent, se poussent ou se griffent, mais ne s'entretuent jamais même quand ils pourraient le faire facilement, sont courants chez des espèces animales. Les animaux s'arrêtent *instinctivement* juste avant de se détruire l'un l'autre. Selon Lorenz, il faut des siècles pour que se développent de telles inhibitions innées. Lorenz soutient que les êtres humains n'ont pas réussi à développer ces moyens de contrôle. D'après Lorenz, les capacités mentales supérieures des êtres humains leur ont plutôt servi à inventer une technologie sophistiquée de destruction. L'instinct de contrôle de l'agression à l'intérieur de l'espèce n'a pas eu le temps de se développer. Les êtres humains se trouvent donc au bord d'un précipice: ils possèdent les moyens de détruire leur propre espèce et ils ont peu d'inhibitions instinctives qui les empêchent de le faire.

Les arguments de Lorenz et de Freud laissent penser qu'il n'y a pas grand chose à faire pour prévenir l'agression humaine. Les êtres humains sont destinés, génétiquement, à agir de façon autodestructrice. Comme Freud le disait, «il n'y a aucune chance que l'être humain réussisse à supprimer les tendances agressives de l'humanité» (1964). Lorenz a suggéré que les chances de survie de l'espèce humaine seraient meilleures si l'agression était canalisée dans des compétitions athlétiques. Cependant, les **recherches interculturelles** indiquent que c'est dans les cultures les plus guerrières que les sports de compétition sont le plus développés (Sipes, 1973). Les études sur la personnalité des athlètes révèlent aussi que, comme groupe, ils ont des tendances agressives plus élevées que les autres individus (Gaskell et Pearton, 1979).

La biologie dicte-t-elle la destinée?

Les arguments de Lorenz et de Freud annoncent-ils un désastre pour l'avenir de l'espèce humaine? Il y a de bonnes raisons de penser que la réponse est non. Une partie de l'agressivité animale observée par les éthologistes peut être identifiée à l'activation des hormones sexuelles mâles, les *androgènes* (Brown, 1976). L'activation hormonale de l'agression est beaucoup moins puissante chez les êtres humains (Ehrenkranz, Bliss et Sheard, 1974). L'injection d'androgènes chez des animaux mâles ou femelles de différentes espèces accroît l'agressivité; la castration, pour sa part, la réduit fréquemment (Conner, 1972). Chez les êtres humains, l'injection ou la stimulation d'hormones sexuelles mâles semble avoir peu d'effets *directs* ou de liens logiques avec l'agression (Leshner, 1978). Cependant, les hormones peuvent contribuer aux différences individuelles observées dans l'excitation émotionnelle ou le niveau d'activation. Les gens très émotifs ou actifs peuvent devenir agressifs dans certaines conditions (Widom, 1978). Par contre, les effets de ces hormones sur les êtres humains sont *indirects*. La sécrétion hormonale ne rend pas les gens plus agressifs; elle les rend simplement plus excités ou accroît leur niveau d'activation générale.

Si l'agression est parfois d'origine hormonale chez les animaux inférieurs, d'autres comportements agressifs sont *spécifiques à des situations*. Cela signifie que l'agression survient habituellement dans des conditions particulières et qu'elle n'est pas généralisée ou aléatoire. Voici quatre types d'agression spécifique à une situation: (1) l'*agression territoriale*, où l'animal défend son propre territoire; (2) l'*agression du prédateur*, où il tue pour se nourrir; (3) l'*agression maternelle*, où la mère attaque ceux qui menacent sa progéniture; et (4) l'*agression induite par la peur*, où l'animal menacé peut s'élancer vers un autre (Moyer, 1971). Des circonstances particulières favorisent donc l'agression chez les animaux inférieurs. Si l'agression spécifique à des situations se produit aussi chez les êtres humains, la modification des circonstances qui déclenchent la violence devrait réduire le taux d'agressivité humaine. S'il n'y a pas de menaces, par exemple, l'agression induite par la peur ne devrait pas se manifester. En effet, la présence d'un potentiel biologique d'agression ne signifie pas que son expression est inévitable. Les conditions environnementales peuvent être modifiées et l'agression peut alors être contrôlée.

L'argument le plus important contre le caractère instinctif de l'agression humaine émane des recherches sur les *différences interculturelles*. Tous les gens semblent avoir des besoins fondamentaux semblables en ce qui concerne la nourriture, l'oxygène, l'eau, et ainsi de suite. Le facteur déterminant de ces besoins primaires semble être une constitution biologique commune. Par contre, les études interculturelles démontrent que tous les gens n'ont pas une disposition similaire à agresser. Dans plusieurs sociétés, la guerre est presque absente. Comme l'a remarqué l'anthropologue Margaret Mead, «ni les Inuit ni les Lepchas des montagnes de l'Himalaya ne comprennent la guerre, défensive ou non. L'idée de guerre est absente et cette idée est aussi essentielle pour pouvoir faire la guerre que l'alphabet est essentiel pour pouvoir écrire» (1940). De plus, il ne semble pas y avoir, dans les sociétés, de rythmes périodiques d'agression comme ceux qui gouvernent la faim, le sommeil, et ainsi de suite. Le degré d'agression que l'on trouve dans les sociétés dépend plutôt de circonstances historiques. Une culture pacifique depuis des générations peut devenir destructrice si certaines conditions sont changées; de même, une culture depuis longtemps belliqueuse peut vivre dans l'harmonie pendant des siècles. La tribu Semar, de Malaisie, depuis longtemps de tempérament pacifique et ne connaissant à peu près pas la guerre, fut entraînée dans la bataille lors de la guerre civile, en Malaisie, dans les années cinquante. «Arrachés à leur société non violente et forcés à tuer, ils semblent avoir été plongés dans une sorte d'insanité qu'ils appelaient l'ivresse du sang... Ils ne pensaient qu'à tuer» (Dentan, 1968). Par contraste, les tribus guerrières japonaises du Xe siècle ont été assujetties à un pouvoir pacifique qui a duré presque neuf cents ans.

Nous voyons donc que, même si tous partagent, jusqu'à un certain point, une constitution biologique semblable et qu'il existe chez les êtres humains une certaine prédisposition à l'activation et à l'activité, le degré d'agressivité varie considérablement d'un individu à l'autre. Le fait d'être humain n'est pas synonyme d'être agressif ou pacifique. Comme l'a dit le célèbre sociobiologiste E.O. Wilson, «L'agression humaine ne peut être expliquée ni par une influence démoniaque ni par un instinct bestial» (1978). La biologie peut préparer le terrain pour l'agression, mais son influence demeure indirecte. Pour comprendre la prédominance de l'agression chez les êtres humains, il faut regarder la façon dont l'agression se développe au cours de la vie quotidienne.

Apprendre à être agressif

Si l'agression ne découle pas d'un caractère biologique, pourquoi alors est-elle si persistante dans les relations humaines? Comme le soutient Dolf Zillmann (1978), l'agression persiste parce qu'elle rapporte. Cela signifie que pour atteindre ses objectifs dans la société moderne, on doit souvent choisir de se comporter agressivement. De ce point de vue, les gens semblent apprendre à être agressifs et, dans ce contexte, la récompense et la punition semblent jouer un rôle très important. C'est ce que nous verrons maintenant. Nous examinerons comment chacun de ces processus influe sur l'apprentissage de l'agression. De plus, nous considérerons deux façons dont les cultures enseignent la violence: la télévision et les normes.

Le pouvoir de la récompense et de la punition

Plusieurs recherches suggèrent que tant les animaux que les humains modifient leurs comportements pour obtenir des récompenses ou éviter des punitions. Voyons comment ce point de vue s'applique à un exemple d'agressivité extrême, les émeutes raciales survenues dans le quartier Watts de Los Angeles, en 1968. Les émeutes furent violentes. Des bâtisses furent incendiées, des magasins pillés, et les combats armés entre la police et les émeutiers firent plus de douze morts. On a même dû faire appel à des unités de la Garde nationale pour arrêter l'émeute par la force des armes.

Peu après la fin des émeutes, trois cents hommes noirs du quartier de Watts furent interviewés (Ransford, 1968). L'une des questions clés était de savoir si l'émeute avait eu une valeur de récompense, autrement dit les répondants voyaient-ils là un moyen utile d'atteindre un objectif souhaité, tel que des droits égaux? Le chercheur s'intéressait aussi à la relation entre l'insatisfaction et l'approbation de l'émeute comme moyen d'obtenir satisfaction. On a donc demandé à chaque répondant s'il serait «prêt à utiliser la violence quand les droits des Noirs sont en cause». On leur a aussi demandé à quel point ils se sentaient, comme Noirs, insatisfaits du traitement qu'on leur accordait à Los Angeles et s'ils croyaient avoir un certain pouvoir d'influence sur les politiques du gouvernement. Presque deux tiers des répondants qui éprouvaient une forte insatisfaction sociale et se sentaient frustrés par les canaux gouvernementaux réguliers fermaient les yeux sur l'utilisation de la violence pour obtenir des droits égaux. Par ailleurs, moins de 15 % de ceux qui n'étaient que moyennement insatisfaits et ne se sentaient pas tout à fait impuissants croyaient que la violence était justifiée. Les émeutes paraissaient donc être un moyen d'atteindre un objectif souhaité.

Ce résultat suggère-t-il qu'une redistribution des récompenses pourrait changer le degré d'agression qui existe dans la société? Si l'agression ne desservait pas une fonction et si d'autres solutions se révélaient plus gratifiantes, le degré d'agression diminuerait-il? Des recherches apportent un appui à ce point de vue. Voici, à titre d'illustration, une étude visant à modifier l'agressivité de jeunes garçons dans une classe de maternelle (Brown et Elliot, 1965). Les jardinières d'enfants sont souvent tourmentées par les chamailleries et les échauffourées de leurs jeunes élèves. Afin de réduire ce type d'activités, les chercheurs ont demandé aux jardinières de récompenser tous les comportements sociaux positifs ou coopératifs des enfants et de faire peu de cas de tous les comportements agressifs. Le raisonnement des chercheurs était que les enfants qui se conduisaient mal pourraient considérer l'attention des jardinières comme une récompense. Les jardinières appliquèrent ces nouvelles tactiques pendant deux semaines et les résultats obtenus sont présentés au tableau 8-1. Vous pouvez voir que les

comportements d'agression, tant verbale que physique, ont diminué substantiellement.

Des observations additionnelles furent effectuées quelques semaines après que les jardinières eurent cessé leurs tactiques de récompense. Elles ont montré que l'agression physique avait augmenté, mais que l'agression verbale avait continué à décroître. On a alors demandé aux jardinières de recommencer à récompenser les comportements coopératifs et d'ignorer de nouveau les activités agressives. Les résultats de ce nouvel essai sont aussi montrés au tableau 8-1.

L'agression physique a diminué de nouveau et l'agression verbale a continué de décroître, se situant à moins de 20 % de ce qu'elle était au début de l'expérience. Les jardinières ont été particulièrement étonnées de constater que les garçons les plus violents étaient devenus amicaux et coopératifs au cours de la deuxième période de renforcement. Apparemment, une utilisation soigneuse de la récompense peut avoir des effets marqués sur le degré d'agressivité des enfants de la maternelle.

La punition est-elle aussi efficace pour influer sur les comportements agressifs? Comme l'écrivait Richard Walters, un psychologue du développement, dans l'une de ses périodes de scepticisme, «ce n'est que l'expectative d'une vengeance [. . .] qui retient plusieurs individus d'exprimer plus librement de l'agression» (1966). De fait, plusieurs recherches ont démontré avec succès que l'agression peut être réduite au moyen de la punition. Par exemple, le fait de punir un enfant qui joue agressivement avec une poupée peut réduire la violence de son jeu (Hollenberg et Sperry, 1951). Le son répété d'une sonnerie agaçante peut réussir à arrêter un enfant qui donne une rossée à une poupée de taille humaine (Deur et Parke, 1970). Lorsque des

Moment de l'observation	Nombre moyen d'actions agressives		
	Physique	Verbale	Totale
Avant le traitement	41,2	22,8	64,0
Après deux semaines de traitement	26,0	17,4	43,4
Quelques semaines après le traitement	37,8	13,8	51,6
Après le deuxième traitement	21,0	4,6	25,6

Source: Adapté de Brown et Elliot, 1965.

Tableau 8-1   L'effet de la récompense sur l'agressivité des enfants

Ignorer l'agression et récompenser les bonnes actions ont eu des effets puissants sur des garçons d'une classe de maternelle. L'agressivité physique a été particulièrement influencée par le fait qu'on s'en préoccupait ou pas.

adultes qui administrent des chocs électriques à une autre personne en reçoivent en retour, ils réduisent l'intensité des chocs qu'ils administrent (Donnerstein et Donnerstein, 1976; Wilson et Rogers, 1975).

Mais la punition peut aussi *encourager* l'agression. Les pays en guerre recourent invariablement à des châtiments pour faire respecter leur autorité en territoires occupés. Habituellement, ils n'y réussissent pas. Les Anglais en Amérique, au XVIIIe siècle, les nazis en Norvège, au XXe siècle, les Américains au Viêt-nam ou les Russes en Afghanistan, ont utilisé des châtiments inhumains dans leurs tentatives de «stabiliser» des populations par ailleurs hostiles. Selon les

L'agression déplacée. La déviation de l'agression a une valeur d'adaptation considérable lorsque la cible initiale est forte et puissante, et que la nouvelle cible est un objet inanimé. Malheureusement, il est rare cependant qu'on déplace son agression en donnant un coup de pied sur une boîte de métal. L'agression est plus souvent dirigée vers ce qui est faible et sans pouvoir (*voir l'encadré 8-3 traitant de la violence dirigée vers les enfants*).

principes élémentaires du conditionnement, de tels châtiments devraient décourager la résistance. Cependant, dans chacun de ces cas, la résistance a continué et les traitements brutaux de l'agresseur ont semblé provoquer une contre-agression.

Le modelage: voir, c'est devenir

L'agression est apprise non seulement à partir de récompenses et de punitions, mais aussi par les modèles qui sont observés. Les modèles transmettent de l'information sur ce qui rapporte, sur ce qui est approprié et sur la façon d'y arriver. Comme le théoricien de l'apprentissage social, Albert Bandura, le soutient, «quelques-unes des formes élémentaires de l'agression physique peuvent être mises au point avec un minimum de conseils. Cependant, la plupart des activités agressives (duel avec couteaux à cran d'arrêt, bagarres avec des adversaires, engagement dans un combat militaire, vengeance par la raillerie) nécessitent des habiletés complexes requérant un apprentissage social extensif» (1973). Non seulement les modèles montrent-ils à l'individu comment être agressif, mais ils affaiblissent en plus les inhibitions contre l'agression en démontrant la désirabilité ou l'efficacité d'une action donnée. Toutefois, les modèles peuvent aussi montrer aux gens comment utiliser des moyens non agressifs pour résoudre des problèmes (Resick et Sweet, 1979; Tracy et Clark, 1974).

Plusieurs études mettent en évidence les effets des modèles sur le comportement agressif. Dans l'une des premières recherches sur le sujet, on a, pendant deux minutes, exposé deux groupes d'enfants de la maternelle au comportement d'un modèle adulte (Bandura, Ross et Ross, 1961). Dans un groupe, les enfants virent un adulte qui attaquait physiquement et verbalement une grande poupée. Le modèle s'asseyait sur la poupée, lui donnait un coup sur le nez, la frappait à la tête avec un maillet et la traînait à travers la pièce en disant des choses comme «frappe-le sur le nez», «écrase-le», et ainsi de suite. Dans le groupe témoin, les enfants virent un modèle qui jouait pacifiquement avec des éléments à assembler. Par la suite, on a laissé les enfants s'amuser avec divers jouets pendant que des observateurs notaient leurs actions. Les observations ont montré que les enfants qui avaient été exposés au modèle agressif étaient, physiquement et verbalement, beaucoup plus agressifs dans leurs jeux que les enfants qui avaient vu le modèle plus pacifique.

Les modèles influent-ils aussi sur l'agression chez les adultes? Nous avons vu précédemment, dans l'exemple des émeutes de Watts, à Los Angeles, que certaines personnes accordaient à une émeute une valeur positive de récompense. Il se peut aussi que l'émeute ait joué un rôle important pour développer l'agressivité des participants à l'émeute, comme le suggère la description suivante.

> Sans réfléchir consciemment à son acte, il se précipita dans la rue et lança sur une des voitures de police la bouteille d'eau gazeuse vide qu'il avait dans la main. La bouteille frappa le pare-chocs arrière de l'automobile du sergent Rankin et vola en éclats. Ce fut comme si, dans le fracas de la bouteille, le millier de personnes se trouvant dans la rue avait trouvé sa propre libération. Ce fut comme si, dans une violente contorsion, les liens qui les retenaient s'étaient brisés. Les pierres, les bouteilles, les morceaux de bois et de fer, tous les projectiles à portée de la main furent lancés contre les portes et les côtés des automobiles qui, coincées depuis vingt minutes dans l'embouteillage, se mirent à avancer dans la foule... Il était 19 h 45. Au milieu du vacarme du métal tordu, des vitres éclatées, des cris de confusion et des clameurs de triomphe, le soulèvement de Los Angeles avait commencé (Conot, 1967).

Les modèles peuvent aussi réduire l'agression chez les gens. Le leader indien le Mahātma Gāndhi a utilisé des stratégies pacifiques contre les colonialistes britanniques. Le comportement de Gāndhi a servi de modèle à travers l'Inde et la terre entière. Dans une démonstration en laboratoire portant sur les effets réducteurs de l'agression que peuvent avoir les modèles, on a montré à des étudiants masculins un enregistrement vidéo où un étudiant administrait des chocs électriques à une victime (Donnerstein et Donnerstein, 1977). Ces étudiants participaient à une expérience où eux aussi, par la suite, devaient administrer de tels chocs à des camarades de classe. Les sujets d'un premier groupe voyaient un étudiant qui choisissait de donner des chocs le moins douloureux possible à sa victime. Les sujets du deuxième groupe n'avaient pas de modèle: ils ne pouvaient voir l'intensité des chocs administrés à la victime. Comme le montre la figure 8-1, le modèle non agressif a exercé une influence. Les sujets ayant été témoins de ses actes ont manifesté un comportement nettement moins agressif que ceux qui n'avaient aucun modèle sur lequel s'appuyer.

Les conséquences malheureuses du modèle punitif

On pourrait croire que les enfants punis sévèrement pour leurs fautes deviendront respectueux, obéissants et moins agressifs à mesure qu'ils vieilliront. Cependant, les résultats de recherche apportent peu d'appui à cette idée. En fait, la plupart des données montrent qu'une punition sévère rend les enfants *plus* agressifs. On a observé, par exemple, que des mères qui disaient

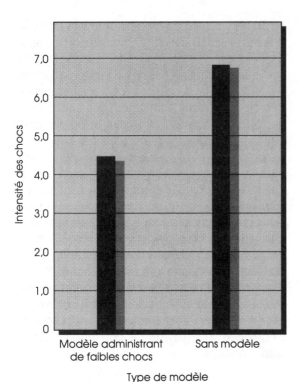

Figure 8-1   La non-violence peut être enseignée

Les étudiants ayant observé un modèle non agressif ont eu moins tendance à administrer des chocs intenses à une «victime» que ceux qui n'avaient pas de modèle à suivre. (Adapté de Donnerstein et Donnerstein, 1977.)

avoir recours aux punitions sévères de façon routinière, décrivaient leurs enfants comme particulièrement agressifs (Sears, Maccoby et Levin, 1957). Dans une autre étude, on a montré que des écoliers du primaire évalués comme très agressifs par leurs camarades étaient plus nombreux que leurs copains non agressifs à avoir des parents qui les punissaient physiquement (Bandura, 1960). De la même façon, d'autres études ont démontré que les adolescents masculins, dont on connaissait le degré élevé d'agression (délinquants en probation), venaient souvent de familles où la punition physique était chose naturelle. Au contraire, les garcons peu agressifs ont souvent grandi dans des familles paisibles (Allinsmith, 1960; Bandura et Walters, 1963).

L'agressivité exprimée par les enfants soumis à de fréquentes punitions peut être fortement influencée par le modelage. Même si les enfants peuvent se soumettre temporairement à des parents punitifs, ces derniers servent de modèles d'agression à l'enfant. Il est possible que plus tard, l'enfant se serve des mêmes tactiques, aussi bien avec ses propres parents qu'avec d'autres personnes (Anderson et Burgess, 1977). En

réalité, lorsque des parents ont recours à la violence, ils peuvent bel et bien être en train de favoriser le comportement qu'ils essaient d'éliminer chez l'enfant.

L'agression peut aussi être encouragée, ou découragée, par des modèles culturels. Le concept contemporain de masculinité comporte de l'agressivité. Même si les femmes peuvent être violentes lorsqu'elles voient que l'agression peut être justifiée ou utile à leurs buts (Frodi, Macaulay et Thome, 1977), la féminité est moins associée à l'agression que ne l'est la masculinité (Bem, 1974). Dans la culture occidentale, les hommes sont souvent plus agressifs physiquement que les femmes (Gaebelein, 1977; Quay, 1965). Par exemple, les hommes sont plus susceptibles que les femmes de commettre des vols à main armée et des meurtres, de participer à des rixes publiques et à des compétitions sportives. Ils sont aussi plus susceptibles que les femmes de privilégier des solutions militaires aux problèmes dans le monde (Eysenck, 1950). Un petit garçon peut choisir ce modèle dans ses jeux et le conserver dans sa vie adulte. Évidemment, avec les changements sociaux que l'on a connus depuis quelques années, notamment en matière de rôles sexuels, il se peut que les différences observées entre hommes et femmes se soient amenuisées.

Les effets de la violence à la télévision

Entre trois et seize ans, l'enfant moyen passe plus de temps à regarder la télévision qu'à toute autre activité, considérées une à une, à l'exception du sommeil. Les enfants américains passent approximativement cinq heures par jour devant le téléviseur et sont exposés à une quantité phénoménale d'images agressives. Durant une semaine moyenne, entre 19 h 30 et 21 h 00, presque 30 millions de jeunes téléspectateurs sont rivés à leurs téléviseurs et peuvent être témoins d'environ quatre-vingt-quatre morts violentes. Au moment où l'enfant américain moyen atteint l'âge de seize ans, il aura vu quelque vingt mille homicides. De plus, plusieurs des «bons», c'est-à-dire les personnages intelligents et altruistes, sont aussi agressifs que les «méchants». Plusieurs enfants s'inspirent activement de leurs héros de la télévision, et le comportement qu'ils copient est souvent agressif.

Plusieurs rapports non officiels suggèrent que la télévision encourage le comportement agressif. Il y a plusieurs années, à Boston, une bande de jeunes obligea une femme à s'arroser d'essence et ils mirent le feu à ses vêtements. Ce meurtre inhabituel était presque identique à un autre, montré deux jours plus tôt dans une émission dramatique à la télévision. À Baltimore, un homme déclencha une fusillade dans une usine, à peine quelques heures après qu'un événement similaire eut été montré dans une populaire émission de télévision. Enfin, en Floride, dans le cas d'un adolescent qui avait tué une veuve âgée, les avocats appuyèrent leur défense sur l'argument voulant qu'il ait été une victime de la violence à la télévision.

Un grand nombre d'expériences en laboratoire démontrent aussi que le fait d'observer de la violence peut augmenter l'agression chez l'observateur (Comstock et coll., 1978; Geen, 1978). Les études que nous avons décrites sur le modelage et l'agression chez les enfants vont en ce sens. Dans une expérience, on a donné à des sujets, dans le cadre d'un jeu de laboratoire, la possibilité d'administrer un choc électrique à une autre personne (Berkowitz et Geen, 1967). Auparavant, cependant, on a présenté à quelques-uns

des sujets un film dans lequel une victime d'agression ressemblait à l'individu auquel ils pourraient donner un choc. Les sujets qui avaient vu le film administrèrent un choc beaucoup plus intense que ceux qui ne l'avaient pas vu. Les recherches indiquent aussi qu'on peut détecter les effets de l'observation de la violence jusqu'à cinq mois après l'observation initiale (Kniveton, 1973).

Plusieurs chercheurs se sont penchés sur des situations de la vie réelle pour recueillir des preuves des effets de la violence à la télévision. Dans une étude très approfondie, on a recueilli de l'information sur les habitudes d'écoute de la télévision chez des enfants de troisième année, de même que des évaluations de l'agressivité générale de chacun d'eux (Eron, 1980). Des mesures additionnelles d'agressivité furent prises environ dix ans plus tard, lorsque les jeunes avaient environ dix-huit ans. Pour ce faire, tous les camarades d'une classe se sont évalués les uns les autres à partir de questions comme «Qui a commencé des batailles sans raison?» et «Qui a l'habitude de dire des choses mesquines?» Comme le montre la figure 8-2, les tendances

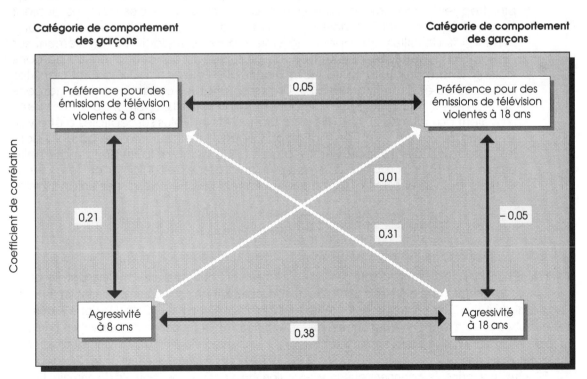

Figure 8-2   La télévision favorise-t-elle vraiment la violence?

Les résultats de cette étude longitudinale suggèrent que, chez les garçons, la télévision favorise la violence. Remarquez la corrélation significative entre l'exposition en bas âge à la violence à la télévision et l'agressivité ultérieure. (Adapté de Eron, 1980.)

Encadré 8-1

La violence physique chez les garçons: peut-on intervenir?

Selon certains travaux américains, anglais et suédois (Farrington, 1991; Huesmann, Eron, Lefkowitz et Walder, 1984; Stattin et Magnusson, 1989), la majorité des adolescents et des hommes adultes qui recourent souvent à la violence physique étaient dans leur enfance déjà plus agressifs que les autres garçons. Par contre, les garçons les plus agressifs entre l'âge de 8 et 10 ans ne deviennent pas systématiquement des adultes violents. Les chercheurs du *Groupe de recherche sur l'inadaptation psychosociale chez l'enfant,* de l'Université de Montréal, veulent comprendre les facteurs qui conduisent certains enfants et pas d'autres à maintenir jusqu'à l'adolescence leurs comportements agressifs. Ils ont entrepris en 1984 une série de **recherches longitudinales** avec des filles et des garçons québécois qui fréquentaient alors la maternelle. Les informations recueillies auprès d'un grand échantillon d'enfants, dont les parents sont francophones et nés au Canada, proviennent de différentes sources: l'observation directe des comportements par les chercheurs, les entrevues, les tests et les questionnaires remplis par le garçon, ses parents, ses compagnons de classe et ses enseignants, et la consultation de dossiers officiels de différents organismes (scolaires, sociaux, juridiques). Les chercheurs utilisent trois comportements pour définir la violence physique: se battre, malmener et intimider les autres, frapper et mordre les autres (Tremblay et coll., 1990).

Les chercheurs ont observé que les comportements violents sont beaucoup plus fréquents chez les garçons que chez les filles: 14 % des garçons avaient recours fréquemment à la violence physique, alors que c'était le cas chez seulement 4,4 % des filles. Par ailleurs, la violence ne se répartit pas également sur l'ensemble du territoire du Québec. La plus grande concentration de garçons violents à la maternelle se trouve à Montréal et plus particulièrement dans les milieux socio-économiques faibles. Diverses variables caractérisent les garçons qui manifestent davantage de comportements violents. Les garçons dont les mères n'avaient pas plus de 20 ans à leur naissance étaient plus susceptibles d'être violents que ceux dont les mères étaient plus âgées. Le cinquième des garçons dont les parents s'étaient séparés entre la naissance du fils et la fin de la maternelle étaient violents, par rapport à un peu plus du dixième des enfants dont les parents vivaient toujours ensemble. Comme le soulignent les chercheurs, ces enfants vivent

agressives observées à huit ans ne sont pas corrélées avec les préférences d'émissions de télévision à dix-huit ans. Par contre, la quantité de violence observée à la télévision à huit ans est corrélée de façon significative avec l'agressivité mesurée à dix-huit ans.

D'autres personnes soutiennent que la violence à la télévision n'a pas que des effets négatifs sur l'action; la réaction que l'on a face à la violence serait également influencée. En fait, les gens deviennent habitués à la violence lorsqu'ils

l'observent continuellement. Cela signifie qu'ils acceptent la violence comme une façon de vivre (Thomas et Drabman, 1978). On appelle **désensibilisation** la réduction de l'activation produite par une exposition fréquente (Comstock et coll., 1978). Pour illustrer les effets de la désensibilisation, on a donné à des enfants du primaire la responsabilité de surveiller le jeu de deux enfants plus jeunes qui, à un certain moment, en sont venus à faire des dégâts et à se battre (Drabman et Thomas, 1974, 1976). Auparavant, on avait

une série de problèmes qui s'ajoutent les uns aux autres: il ne faut pas associer directement violence et rupture familiale.

La violence à la maternelle peut être une situation transitoire, liée à l'adaptation à un nouvel environnement. Aussi, Tremblay et ses collègues ont voulu savoir quels facteurs seraient associés à la violence qui persiste après la maternelle. Ils ont donc comparé des garçons violents à la maternelle à des garçons des mêmes milieux, qui, selon les enseignants, n'avaient jamais présenté de comportements violents. Les chercheurs ont constaté que les caractéristiques associées à la violence chez les garçons de la maternelle se retrouvent chez les enfants qui plus tard persistent dans ces comportements violents. En effet, les garçons les plus susceptibles de maintenir un style de comportement violent provenaient surtout de familles dirigées par une jeune femme en difficulté financière, qui a eu un fils alors qu'elle était âgée de 20 ans ou moins.

Le dépistage en milieu scolaire, dès la maternelle, des enfants qui risquent d'adopter et de maintenir un mode de vie violent permet d'intervenir. C'est ainsi que les chercheurs du *Groupe de recherche sur l'inadaptation psychosociale chez l'enfant* ont mis sur pied un programme d'intervention auprès des familles touchées. D'une part, ce programme vise à aider les parents à acquérir des moyens de réduire les comportements agressifs de leur garçon. D'autre part, on enseigne aux garçons à recourir plus fréquemment à des comportements positifs dans leurs interactions avec leurs camarades et à utiliser moins fréquemment des comportements violents pour résoudre des conflits. Les premiers effets du programme d'intervention se sont manifestés: les garçons du groupe expérimental bénéficiant du programme semblent mieux adaptés au milieu scolaire, cinq ans après la maternelle. Seulement 13 % d'entre eux rencontraient des difficultés de comportement et de rendement scolaire, contre 31 % chez les garçons des groupes témoins. Les garçons du groupe expérimental ont rapporté s'être moins battus à la maison et à l'extérieur; ils avaient aussi moins tendance à voler à la maison (Tremblay et coll., 1991). Les chercheurs poursuivent leurs études longitudinales pour vérifier les effets à long terme (particulièrement au moment de l'adolescence) d'une intervention préventive auprès des garçons agressifs à la maternelle. Comme le soutiennent les chercheurs, la violence physique est associée à plusieurs problèmes sociaux, dont la pauvreté, la grossesse à l'adolescence et les difficultés familiales sévères. Intervenir auprès des individus aux prises avec les problèmes de violence, les enfants et leurs parents, est une solution intéressante et nécessaire; cependant, la modification des conditions socio-environnementales qui favorisent l'éclosion de la violence chez les enfants ne demeure-t-elle pas une responsabilité collective?

montré un film violent à la moitié des jeunes surveillants; les autres n'ont vu aucun film. Les chercheurs voulaient savoir si le fait de voir le film influerait sur le degré de tolérance des jeunes surveillants envers les enfants qui se battaient. Ils ont constaté que les surveillants qui avaient vu le film violent prenaient beaucoup plus de temps à rapporter l'agression des jeunes enfants que ceux qui n'avaient pas vu le film. Ceux qui avaient vu le film ont semblé aussi être moins dérangés par le combat des enfants. De la même façon,

lorsque l'on compare des enfants qui passent plusieurs heures par semaine à regarder la télévision à d'autres qui ne la regardent que rarement, les premiers montrent beaucoup moins d'activation physiologique que les autres lorsqu'ils regardent un violent combat de boxe. Lorsqu'ils regardent des films non violents, cependant, les deux groupes ne diffèrent pas dans leur degré d'activation (Cline, Croft et Courrier, 1973). On observe des effets similaires chez les adultes qui ont observé

depuis longtemps de la violence à la télévision (Thomas et coll., 1977).

En dépit du grand nombre d'études qui démontrent que la violence à la télévision est reliée à l'agression, il nous faut considérer le point de vue contraire. Seymour Feshbach (1976) soutient que, si les gens considèrent la télévision comme un jeu de l'imagination (comme un exercice de fiction), l'observation de la violence peut effectivement *réduire* le nombre d'actions agressives. Donner libre cours à ses tendances agressives par l'imagination peut faire diminuer le besoin d'être agressif dans la vie réelle. Pour appuyer ce point de vue, on a mené sur le terrain une expérience d'envergure. On a soumis des garçons de neuf à quinze ans à un régime de télévision composé d'émissions à contenu très agressif pour les uns et non agressif pour les autres (Feshbach et Singer, 1971). Les garçons ayant vu les émissions non violentes engagèrent deux fois plus de batailles que ceux qui avaient vu des émissions violentes. Ils se lancèrent aussi dans deux fois plus de discussions orageuses et s'insultèrent entre eux plus souvent que les autres. Des études en laboratoire beaucoup mieux contrôlées vont aussi dans le sens de la position de Feshbach (Berkowitz et Alioto, 1973; Noble, 1973). Ces résultats laissent penser que la relation entre la violence à la télévision et l'agression n'est pas aussi simple qu'on le pensait de prime

abord. Il se peut que certaines personnes soient plus susceptibles que d'autres d'être influencées par la violence télévisée. Pour certaines personnes, la télévision peut effacer les frustrations de la journée; pour d'autres, les émissions peuvent suggérer des idées d'action dans leur vie réelle. Ces dernières pourraient être influencées parce qu'elles sont incapables de dissocier la réalité de la fiction ou ne veulent pas le faire.

Plusieurs critiques se sont servis des résultats de Feshbach pour soutenir que la programmation à la télévision ne devrait pas être censurée. D'autres ont souligné diverses failles méthodologiques qui remettent en question les premiers travaux sur la violence à la télévision (Armor, 1976; Kaplan et Singer, 1976). Ils soutiennent, par exemple, que la violence à la télévision ne provoque pas l'agression, mais plutôt que ceux qui ont des motivations agressives peuvent choisir des émissions violentes (Fenigstein, 1979). D'autres, par ailleurs, ont l'impression que seuls les effets négatifs de la télévision ont été explorés et qu'il faut encore en étudier les effets positifs (Rubenstein, 1976). Il semble donc, pour plusieurs, qu'il y a suffisamment de doutes sur les effets de la violence à la télévision pour qu'il soit injuste de la réglementer. Cependant, la violence demeure toujours un thème majeur dans les émissions de télévision et il est nécessaire d'accorder

Les jeux vidéo: faut-il s'en inquiéter? De nombreux parents s'inquiètent de l'intérêt de leurs enfants pour des jeux vidéo qui consistent à exterminer les personnages ennemis au moyen de bombes ou de mitrailleuses, par exemple. Après la période de jeu, l'enfant sera-t-il libéré de certaines tensions ou au contraire stimulé à agir agressivement envers les autres? Si l'on se fie aux conclusions des travaux sur l'effet de la violence à la télévision sur les enfants, la réponse à cette question n'est pas univoque et demeure très préoccupante.

une attention continue à ses effets. De leur recension des écrits sur la question, Roberts et Maccoby (1985) concluent qu'il «est difficile d'ignorer le fait qu'une proportion extrêmement élevée de résultats font état d'une relation causale entre l'exposition à des médias montrant de la violence et la probabilité accrue que les spectateurs se comportent de façon violente par la suite».

Les règles non écrites de la violence

Tu dois lui casser la figure.

Tu ne peux pas me dire ça.

Elle a bien mérité ce qu'elle a eu.

Jusqu'à quel point l'agression est-elle justifiée dans diverses situations? Comme nous l'avons mentionné lors de notre exposé sur l'**action sociale positive**, les questions sur le caractère approprié d'une action particulière trouvent habituellement une réponse dans les **normes**, ou règles, culturelles. Par exemple, la plupart des gens seraient d'accord pour dire qu'il est lâche de ne pas répondre à une insulte. Même si ces normes communes ne sont pas écrites, les

membres d'une culture semblent les apprendre sans effort. Ces normes sont directement encouragées («Il faut qu'elle apprenne à se défendre»). Elles sont continuellement présentées dans les médias de masse («Là, fiston, si c'est eux qui ont commencé, il faut que tu te défendes.»). On les utilise souvent dans nos conversations quotidiennes au sujet d'autres personnes («Vraiment, Pierre n'aurait pas dû la frapper.»). L'agression qui semble gratuite et spontanée peut aussi être gouvernée par ce genre de règles invisibles. On a observé que les bagarres de voyous qui éclatent dans l'assistance lors de matchs de soccer suivent un pattern commun (Marsh, Rosser et Harré, 1978). Certains individus sont «censés» commencer ces querelles à un certain moment; désobéir à ces règles informelles amène le mépris des autres membres du groupe.

Les règles qui gouvernent la violence dans la culture américaine laissent aux policiers une latitude considérable pour se conduire agressivement. À preuve, les nombreux cas de «bavures» policières dont font état périodiquement les médias. Dans une enquête d'envergure, on a demandé à des gens comment la police devrait

Encadré 8-2

De la violence conjugale comme problème social

Comme c'est le cas de plusieurs autres phénomènes sociaux, si la violence conjugale existe depuis longtemps, ce n'est que depuis peu que l'on en parle plus ouvertement. Les manifestations de haine dans un cadre de vie que l'on voudrait voir comme un milieu d'amour choquent, tout comme elles nous interpellent: nous voudrions comprendre pour mieux agir. Il n'y a pas longtemps, la violence conjugale était considérée comme une affaire privée entre deux adultes, n'ayant aucune incidence sur l'environnement social (Cadrin, 1991). Depuis quelques années, les perceptions ont quelque peu changé. Les gens sont devenus plus conscients de la violence conjugale, notamment par l'étalage qu'en font les médias (Auger, 1991) et par les campagnes gouvernementales qui ont pour but de la dénoncer. Par ailleurs, les corps policiers sont un peu plus sensibilisés à ce problème et les gens cachent peut-être moins qu'auparavant les cas de violence conjugale dont ils entendent parler. Quoi qu'il en soit, les chercheurs comme les intervenants tentent de décrire la violence conjugale, de comprendre ce qui la cause, d'identifier quelles sont les conséquences et d'intervenir pour la prévenir ou du moins en atténuer les répercussions.

Bien que les hommes puissent aussi l'être, ce sont surtout les femmes qui sont victimes de violence conjugale. Celle-ci peut prendre diverses formes: psychologique, verbale, physique, sexuelle (Larouche, 1985). Il est très difficile de mesurer l'ampleur du phénomène parce qu'il semble que seulement une faible proportion des femmes victimes de violence la rapportent. On se base généralement sur le nombre de femmes qui se présentent dans des maisons d'hébergement pour femmes victimes de violence conjugale ou dans les cliniques d'urgence des hôpitaux, ou encore sur le nombre de femmes qui demandent le divorce en invoquant la cruauté physique et les cas rapportés à la police. Selon un estimé fréquemment cité, au Canada le nombre de femmes victimes de violence conjugale se chiffrait en 1978 à une femme sur dix (MacLeod, 1980).

se comporter en cas d'infractions où il y a dommage à la propriété, mais aucune blessure personnelle (Blumenthal et coll., 1972). Les «bandits», dans les cas présentés, étaient de trois types: une bande de voyous, des Noirs impliqués dans une émeute de ghetto ou des étudiants blancs. On a demandé à chaque répondant si la police devrait (1) ne rien faire; (2) procéder à des arrestations sans utiliser de matraques ou de fusils; (3) utiliser des matraques, mais pas de fusils; (4) tirer sans chercher à tuer; ou (5) tirer pour tuer. Les deux tiers des répondants étaient d'avis que la police devrait tirer sur les voyous et les émeutiers, sans toutefois chercher à les tuer. La moitié croyait que la police devrait aussi tirer sur les étudiants, mais, là aussi, sans chercher à les tuer. Un pourcentage appréciable de répondants avait un point de vue encore plus radical. Presque un tiers des répondants souhaitait que la police tire sur les voyous et les émeutiers avec l'intention de tuer. Un cinquième approuvait qu'elle tire sur les étudiants avec l'intention de tuer. Les plus âgés et les moins instruits parmi la population favorisent davantage la violence (Blumenthal et coll., 1975). De telles attitudes peuvent expliquer comment il se fait que, dans les zones urbaines aux États-Unis, les policiers tirent en moyenne deux balles par mois sur des suspects non armés (Inn, Wheeler et Sparling, 1977). Dans la culture nord-américaine, il semble y avoir beaucoup de mollesse dans les règles implicites qui justifient la violence; à notre avis, un changement social est nécessaire en cette matière.

La violence conjugale se retrouve partout, quels que soient le statut socio-économique, la race, la nationalité d'origine, l'âge, le milieu urbain ou rural. Du moins en apparence, le problème semble plus fréquent dans les milieux défavorisés, peut-être parce qu'en milieu favorisé, les victimes de violence conjugale sont davantage capables d'y mettre un terme ou de la cacher (Commission d'enquête sur les services de santé et les services sociaux, 1987).

Tenter de comprendre les causes sous-jacentes de la violence conjugale est une entreprise extrêmement difficile qui suscite des débats provoqués, entre autres choses, par le point de vue où l'on se place. Plusieurs facteurs sont avancés pour expliquer le phénomène, allant des facteurs individuels reliés au passé de la victime ou de l'agresseur (en particulier avoir vu subir ou manifester de la violence conjugale dans son enfance) aux situations de stress aigu et aux grandes difficultés financières, et à un ensemble de valeurs sociales (telles celles qui sous-tendent les conditions d'inégalité qui prévalent dans les relation hommes-femmes) qui contribueraient à la persistance du phénomène (Commission d'enquête sur les services de santé et les services sociaux, 1987; Pépin et coll., 1985). Les travaux se poursuivent pour vérifier davantage ces hypothèses. Examinons maintenant la question de l'effet de la violence conjugale.

Les conséquences de la violence conjugale sur la santé physique et mentale des femmes et des enfants constituent peut-être l'effet le plus immédiat du problème. Pourtant, encore ici, ce n'est que récemment que les chercheurs ont commencé à étudier la question. Dans une recherche exploratoire sur le sujet, Kerouac, Taggart et Lescop (1986) ont étudié l'état de santé de 130 femmes violentées se retrouvant en maison d'hébergement. L'équipe de chercheuses de l'Université de Montréal a constaté que les femmes manifestaient beaucoup d'anxiété et de dépression, et que leurs enfants semblaient avoir plus de problèmes visuels et auditifs que l'ensemble des enfants québécois. Plusieurs des comportements des enfants rapportés par les mères semblaient indiquer que ceux-là éprouvaient des problèmes psychologiques pouvant être associés à la violence vécue dans le ménage. À la différence de Kerouac et ses collègues, dont l'échantillon était composé de femmes vivant une situation de crise (elles étaient hébergées au moment de l'entrevue), Chénard, Cadrin et Loiselle (1990) ont étudié la santé des femmes

Au début du présent chapitre, nous nous demandions pourquoi l'agression continue à être un pivot de la vie sociale. Même si les gens en général n'aiment pas l'agression, elle perdure. Notre première tentative d'explication nous a conduits à considérer la base génétique, ou biologique, de l'agression. Même si les facteurs biologiques peuvent jouer un certain rôle dans l'agression humaine, nous avons conclu que l'héritage génétique des êtres humains n'est pas suffisant pour rendre l'agression inévitable. Nous croyons plutôt que, selon ses expériences sociales, une personne sera agressive ou non tout au long de sa vie. L'agression peut augmenter ou décroître selon les expériences d'apprentissage de chaque individu. L'agression est quelquefois choisie parce qu'elle apporte de la gratification ou parce qu'elle permet à l'individu d'éviter une punition. Elle peut aussi être apprise ou désapprise par l'observation de modèles agressifs. Dans notre culture contemporaine, l'une des sources les plus envahissantes de modèles agressifs est la télévision. Les normes culturelles constituent une autre source d'apprentissage de l'agression. Les gens souscrivent sans trop y penser aux normes de violence, et ils les transmettent souvent à leurs enfants parce qu'ils les croient «bonnes».

L'émotion et l'agression

Jusqu'à maintenant, nous n'avons pas tenu compte des sentiments dans notre analyse de l'agression. Nous avons présenté l'agression

et de leurs enfants qui avaient séjourné dans une maison d'hébergement au moins un an avant la période de leur enquête. Les chercheuses du Département de santé communautaire du Centre hospitalier de Rimouski ont utilisé comme questionnaire celui de l'enquête Santé Québec (1987) conduite auprès de 11 323 foyers québécois, afin de comparer leurs données à celles recueillies auprès de la population générale. Elles ont montré que le fait de vivre dans un contexte de violence a effectivement un effet négatif marqué sur la santé des femmes et des enfants en cause.

Comparativement à une population présentant les mêmes caractéristiques socio-économiques, les femmes victimes de violence présentaient plus de problèmes chroniques de santé physique (p. ex.: maux de tête, arthrite et rhumatisme, maux de dos, troubles digestifs fonctionnels, anémie). Les différences observées entre les femmes victimes de violence et les autres étaient encore plus marquées quant à la santé mentale. Alors qu'à peine 4 % de la population de comparaison souffraient de dépression, environ 14 % des femmes victimes de violence présentaient ce problème. La confusion ou la perte de mémoire se retrouvait chez environ 5 % des victimes; moins de 0,5 % de la population de comparaison déclarait éprouver ce problème. La différence la plus saisissante est sans doute la grande nervosité ou irritabilité déclarée par environ 42 % des victimes et par seulement 7 % des femmes de la population témoin.

Tout comme pour leurs mères, l'état de santé des enfants qui ont séjourné en maison d'hébergement était moins bon que celui des enfants du groupe de contrôle provenant de l'enquête Santé Québec. En effet, 63 % des premiers présentaient au moins un problème de santé, comparativement à 46 % chez les seconds. C'est également en ce qui concerne la santé mentale que les différences les plus marquées apparaissent. Plus de 16 % d'entre eux souffraient d'un problème psychologique qualifié de sévère, alors que c'est le cas de moins de 2 % chez les enfants du groupe de contrôle. En particulier, 12 % d'entre eux manifestaient de la grande nervosité ou de l'irritabilité, comparativement à un peu plus de 1 % chez le groupe de contrôle. Les chercheuses concluent donc que l'équilibre psychologique des enfants témoins ou victimes de violence est compromis, soit directement parce que leur propre santé est affectée, soit indirectement en ce

comme une stratégie apprise que l'individu adopte pour atteindre divers objectifs. Même si ce point de vue aide à comprendre la présence envahissante de l'agression dans la société humaine, il ne tient pas compte du fait que la colère ou la rage dominent souvent les expériences agressives d'une personne. Les expériences d'agression les plus dramatiques chez un individu surviennent habituellement lorsqu'il perd le contrôle de lui-même et qu'il est entraîné dans le feu de l'action. La nature émotionnelle des êtres humains rend-elle l'agression inévitable? L'agression est-elle une réponse naturelle lorsqu'une personne est en colère? Des émotions fortes rendent-elles inutile toute tentative d'enseigner des moyens non agressifs de résoudre des problèmes? Pour répondre à ces questions, nous

étudierons la relation entre des états émotionnels et l'agression.

La frustration et l'agression

De 1940 à 1960, la recherche sur l'agression menée par les psychologues américains a été dominée par les idées mises de l'avant dans l'ouvrage classique de Dollard, Doob, Miller, Mowrer et Sears, *Frustration and Aggression* (1939). La thèse sous-jacente à leurs travaux était audacieuse: «L'apparition d'un comportement agressif présuppose toujours l'existence d'une frustration et, vice versa, [. . .] l'existence d'une frustration conduit toujours à une certaine forme d'agression.» En d'autres termes, ces théoriciens suggéraient que, chaque fois que les gens éprouvent une

que la santé de leur mère étant atteinte, cela pourrait avoir des répercussions sur eux.

Le fait de se soustraire à la violence peut-il améliorer la santé des femmes violentées et celle de leurs enfants? Cela se pourrait: 18 % des femmes qui vivaient encore avec un conjoint présentaient plus de deux problèmes psychologiques qualifiés de sévères, alors que c'était le cas de seulement 10 % des femmes qui avaient quitté leur conjoint et vivaient seules. De même, 30 % des enfants dont la mère vivait encore avec un conjoint présentaient au moins un problème psychologique qualifié de sévère, tandis que c'était le cas de seulement 8 % des enfants dont la mère vivait sans conjoint.

La violence conjugale a non seulement des répercussions sur le plan individuel, elle en a aussi sur le plan social, économique et politique. La violence conjugale est véritablement un problème de société: il s'agit d'un acte criminel, pouvant conduire au meurtre, au suicide, au manque d'efficacité au travail ou à l'école et à la pauvreté. La violence entraîne des coûts importants sur le plan de l'utilisation des services de santé et des services juridiques. C'est pour cela et parce qu'on a des raisons de croire que les causes de la violence ne sont pas uniquement du ressort des individus en présence que les stratégies pour contrer la violence conjugale ou familiale doivent passer par des interventions touchant la famille, la communauté et la société. Avoir un logement décent, avoir accès à des ressources minimales, vivre dans un milieu où les femmes ne sont pas vues comme des victimes désignées, grandir dans une société où l'on ne présente pas l'usage de la force physique comme une solution aux problèmes, soutenir, dans la société, des attitudes non traditionnelles envers les rôles sexuels (Lavoie, Martin, Valiquette, 1988), favoriser un nouveau partage des responsabilités au sein de la famille, poursuivre les efforts pour modifier les attitudes des policiers à l'égard de certaines formes de violence conjugale (Lavoie, Jacob, Hardy et Martin, 1989), trouver des modalités efficaces au plan de l'intervention juridique, mieux former les intervenants des services sociaux qui travaillent auprès des femmes violentées (Gagnon et Lavoie, 1990), et continuer à dénoncer la violence au sein du couple et de la famille sont des conditions qui dépassent la compréhension du problème et l'intervention au plan strictement individuel, et qui doivent préoccuper l'ensemble de la société.

frustration, définie comme un obstacle à leurs buts, il en résulte nécessairement de l'agression. Ainsi, chaque fois qu'il y a agression, on n'a qu'à rechercher la frustration qui l'a causée pour comprendre cette agression. Comme vous pouvez l'imaginer, une affirmation aussi générale et aussi simple, proposée par des chercheurs aussi renommés, a vivement retenu l'attention (Berkowitz, 1969).

Cependant, en dépit de la simplicité attrayante de l'**hypothèse de la frustration-agression**, des critiques ont suggéré que cette proposition pouvait être trop large. Premièrement, l'expérience de la *frustration ne semble pas toujours produire un comportement agressif*. Par exemple, comme nous le verrons au chapitre 12, certaines personnes deviennent déprimées et inactives lorsqu'elles ne peuvent entreprendre une action efficace (Seligman, 1975). Il peut arriver *quelquefois* que la frustration précède l'agression, mais la frustration peut aussi entraîner d'autres réactions. Deuxièmement, *l'agression peut souvent se produire sans être précédée de frustration*. Par exemple, des soldats peuvent tirer sur des troupes ennemies parce qu'on leur a ordonné de le faire; ils peuvent le faire aussi à cause d'un sentiment de patriotisme, mais pas parce qu'ils se sentent frustrés. À la lumière de ces contradictions, les premiers théoriciens ont révisé leur formulation et ils ont soutenu que la frustration peut précéder certaines formes d'agression, et que l'agression est à l'occasion engendrée par de la frustration (Miller, 1941). Le théoricien de l'agression Leonard Berkowitz

(1988) a récemment proposé que, selon les circonstances, la frustration peut engendrer soit la fuite, soit l'agression. Les tendances à la fuite se manifesteraient particulièrement lors des premiers contacts avec l'événement déplaisant, surtout si les caractéristiques génétiques de l'organisme favorisent les réactions d'évitement, ou si les réponses de fuite ont été fréquemment renforcées par le passé, ou encore si le sujet croit que dans les circonstances, il pourrait être dangereux d'attaquer la cible. Les conditions susceptibles de déclencher l'agression ont été davantage étudiées; nous les examinons dans les paragraphes suivants.

L'une des conditions qui peuvent augmenter l'agression est un *accroissement du degré de frustration que vit un individu.* C'est-à-dire que, plus quelque chose est désiré, plus la frustration est élevée et plus les probabilités d'agression sont grandes si les désirs de la personne sont menacés. Pour illustrer cette idée, un chercheur donna à des compères, hommes et femmes, la consigne de se faufiler entre des files d'attente à l'entrée de restaurants ou de cinémas et aux caisses d'épiceries (Harris, 1974). La moitié du temps, les compères se glissaient devant la deuxième personne qui attendait en ligne; l'autre moitié du temps, ils se plaçaient devant la douzième personne. Le chercheur émettait l'hypothèse selon laquelle ceux qui étaient sur le point d'atteindre leur but vivraient une plus grande frustration d'en avoir été éloignés que ceux qui étaient loin de leur but. La deuxième personne en ligne devrait donc réagir envers l'intrus de façon plus agressive que la douzième personne de la file. Les réactions des personnes en ligne servaient d'indicateurs de l'agression. Comme vous pouvez le voir à la figure 8-3, les réactions verbales des gens qui étaient au début de la file furent beaucoup plus nombreuses que celles des gens qui se trouvaient plus loin. Le degré d'agression varia aussi en fonction du sexe de l'intrus. On était plus gentil avec les femmes qu'avec les hommes. Les gens ont peut-être l'impression que, pour modifier le comportement d'un homme, il faut le traiter de façon plus agressive qu'une femme.

Une deuxième condition qui peut resserrer le lien entre l'agression et la frustration est l'*arbitraire. Plus la source de frustration semble arbitraire, plus la réaction est agressive.* Ainsi, si vous vous hâtez pour aller dîner et que quelqu'un vous agrippe par le bras, il est possible que vous deveniez frustré. Si cette personne n'avait pas une bonne raison de le faire, vous pourriez lui

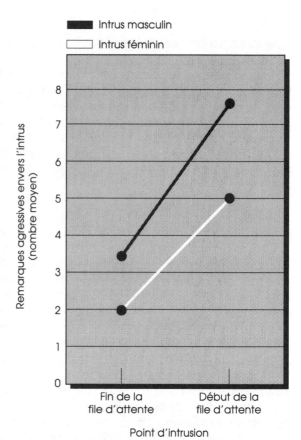

Figure 8-3   La relation entre la frustration et l'agression

Se glisser au début d'une file d'attente engendrera une plus grande flambée d'insultes verbales que se glisser à la fin d'une telle file. Cependant, les femmes qui se comportent de cette façon subissent moins de réactions agressives que les hommes. (Adapté de Harris, 1974.)

répondre de façon agressive. Au contraire, si la personne qui vous a pris par le bras vous dit: «Venez vite, votre camarade de chambre est très malade», l'agression sera le dernier de vos soucis. Dans de telles circonstances, la source de frustration ne paraîtrait pas arbitraire; elle s'expliquerait fort bien à l'intérieur d'une culture. Pour démontrer cette idée, un chercheur a comparé les réactions de sujets à une frustration que seuls certains d'entre eux avaient perçue comme arbitraire (Worchel, 1974). On a fait croire à quelques étudiants que, en retour de leur participation à l'expérience, ils pourraient choisir soit une équivalence de crédit applicable à leur cours de psychologie, soit cinq dollars ou une bouteille d'eau de cologne pour hommes. On a dit aux autres étudiants qu'ils recevraient aussi quelque chose, mais que ce serait l'assistant de l'expérimentateur qui choisirait la récompense. Au terme de l'expérience, chaque étudiant a reçu la récompense la moins attrayante. Tous ont donc été

L'hypothèse de la frustration-agression sur le vif. La frustration ne conduit pas toujours à de l'agression. La frustration provenant d'un embouteillage ou d'une collision mineure est parfois suffisante pour déclencher des insultes verbales ou de la violence physique, même chez des gens qui se maîtrisent relativement bien.

frustrés, mais seuls ceux qui croyaient pouvoir la choisir étaient frustrés *arbitrairement*. Un peu plus tard, on a donné aux étudiants la chance d'évaluer l'assistant et, par le fait même, d'exprimer de l'agression. Les sujets frustrés arbitrairement se sont montrés beaucoup plus hostiles. Nous voyons donc qu'il est possible d'identifier des conditions où il est fort probable que de l'agression se manifeste par suite de la frustration.

En plus de l'envergure et de l'arbitraire de la frustration, d'autres facteurs peuvent influer sur la relation frustration-agression. Si vous êtes frustré par une autre personne, par exemple, vous pouvez être plus susceptible de réagir agressivement si l'autre personne est *moins* puissante que vous ou si *elle n'a pas la capacité de se venger* (Berkowitz, 1969). En dépit de la portée de certains de ces résultats, l'attention des psychologues sociaux s'est déplacée au cours des dernières années. Auparavant centrées sur les effets de la frustration, les recherches sont maintenant dirigées sur l'influence de l'activation généralisée sur l'agression.

L'activation généralisée et l'agression

Comme vous vous en souvenez sûrement (*voir le chapitre 3*), les gens ont souvent de la difficulté à identifier leurs sentiments. Les gens vivent des expériences d'**activation** émotionnelle généralisée et ils définissent cette activation de plusieurs façons différentes. Par exemple, si quelqu'un prenait vingt dollars dans votre porte-monnaie, vous pourriez expérimenter une activation considérable. Vous pourriez appeler cela de la *colère* si le prévenu était un voleur de petite envergure; mais vous appelleriez probablement cela du *désappointement* si le coupable était l'un de vos meilleurs camarades. Ce genre de raisonnement a poussé les chercheurs à s'intéresser beaucoup moins à la frustration. Après tout, la frustration n'est qu'une autre étiquette pour l'activation généralisée que les gens ressentent lorsque leurs objectifs sont menacés. Les premiers résultats des recherches sur la frustration et l'agression peuvent avoir reflété non une augmentation de l'état émotionnel spécifique appelé *frustration*, mais en vérité une augmentation de l'activation généralisée. La question est peut-être plutôt de comprendre comment l'activation émotionnelle généralisée est reliée à l'agression.

En étudiant l'activation généralisée, les chercheurs ont d'abord tenté de démontrer qu'à peu près tous les types d'activation forte peuvent accroître les probabilités d'apparition d'actes agressifs (*voir la revue de* Rule et Nesdale, 1976). En d'autres termes, pour qu'une activité agressive devienne probable, il n'est pas nécessaire que le sentiment soit identifié comme de la colère, de l'irritation ou de la frustration. Pour appuyer ce point de vue, les chercheurs ont montré qu'il est possible d'accroître les tendances d'une personne à agresser, au moyen d'exercices vigoureux (Zillmann, Katcher et Milavsky, 1972), d'activité compétitive (Christy, Gelfand et Hartmann, 1971) et d'injection de drogues stimulantes (O'Neal et Kaufman, 1972).

Ce qui est intéressant, c'est que ces études ont montré que l'activation suscitée par une forme d'activité, par exemple conduire une bicyclette, peut se déplacer à une situation différente, par exemple une conversation ayant lieu après la promenade à bicyclette. Lorsque l'activation produite dans une situation intensifie un comportement dans une situation tout à fait différente, il y a **transfert d'excitation** (Zillmann, 1978). Selon une hypothèse, le lien étroit souvent trouvé entre l'amour et l'agression peut s'expliquer par un transfert d'excitation. Les épisodes d'agression intense surviennent souvent au foyer et impliquent des personnes d'une même famille (Gelles, 1974). Les époux, les amants et d'autres intimes sont les cibles les plus fréquentes d'assauts et de meurtres. L'activation engendrée par l'intimité pourrait

Encadré 8-3

Quand la violence familiale affecte les enfants

Pour plusieurs enfants, la violence fait partie de la vie de famille. Il s'agit d'un problème sérieux: le Groupe de travail québécois sur les jeunes (1991) réuni à la demande du ministre de la Santé invitait, à l'automne 1991, la population à relever le défi de prévenir et de réduire dans les dix prochaines années, et dans une proportion d'au moins 25 % à 30 %, les abus physiques, sexuels et émotionnels de même que la négligence chez les 0 à 12 ans. Cette violence peut s'exprimer dans des gestes concrets; on peut la définir comme un acte non accidentel commis par une personne à l'égard d'un enfant, constituant ou pouvant constituer une menace pour la santé physique ou mentale de l'enfant. Les abus peuvent survenir sur différents plans: physique, sexuel, affectif, cognitif, éducatif ou communautaire (Mayer-Renaud et Berthiaume, 1985). Les abus par défaut correspondent aux actes de négligence qui ont un effet négatif sur la satisfaction des besoins fondamentaux de l'enfant, sur le plan physique (alimentation, hygiène ou habillement) ou affectif, qu'ils concernent la sécurité de l'enfant ou encore la stimulation intellectuelle nécessaire à son bon développement (Commission d'enquête sur les services de santé et les services sociaux,1986).

Les faits qui entourent la violence physique sont particulièrement saisissants. Un individu court plus le risque d'être frappé ou tué dans sa maison par un membre de sa famille que par n'importe qui d'autre à n'importe quel autre endroit (Gelles et Straus, 1979). Aux États-Unis et en Grande-Bretagne, presque une victime de meurtre sur quatre est tuée par un membre de sa famille. Cependant, la forme de violence la plus fréquente au foyer demeure relativement cachée aux yeux du public, à savoir le fait qu'un enfant soit battu par ses parents. Une enquête nationale a révélé qu'il y a, aux États-Unis, quatre millions de personnes qui connaissent un enfant qui a été battu (Gil, 1970). Lors d'une autre enquête, 82 % des membres d'un groupe d'enfants de trois et quatre ans ont indiqué qu'ils avaient été frappés par un parent au cours de l'année; trois enfants sur cent ont révélé que leurs parents les avaient menacés avec un fusil ou un couteau (Gelles et Straus, 1979). Des estimations du nombre d'enfants qui *meurent* chaque année parce qu'ils ont été battus par leurs parents varient de un par jour à cinq mille

intensifier tous les sentiments agressifs qui existent. L'activation peut être dangereuse (*voir les encadrés 8-2 et 8-3 sur la violence dans la famille*).

Les chercheurs contemporains ne soutiennent pas que *toute* activation produit de l'agression. Ils sont plutôt à la recherche des conditions particulières qui peuvent augmenter ou diminuer la probabilité d'agression à la suite de l'activation, c'est-à-dire quand et où l'activation est le plus dangereuse (Rule et Nesdale, 1976). Les chercheurs ont observé que l'activation tend à provoquer de l'agression *si l'agression représente une tendance de réponse dominante* dans une situation (Donnerstein et Wilson, 1976; Konečni,

1975). L'activation devient donc dangereuse au milieu d'une vive discussion, puisque l'agression est souvent une tendance de réponse dominante dans ce type de situation.

Dans une expérience effectuée pour illustrer l'influence des tendances de réponse, un compère des expérimentateurs a insulté un groupe d'étudiants masculins. On traitait correctement les étudiants du *groupe témoin* (Zillmann, Katcher et Milavsky, 1972). Les étudiants des deux groupes ont ensuite exécuté des exercices rigoureux pendant deux minutes et demie. On se disait que l'exercice augmenterait de façon égale l'activation des deux groupes. Chez le groupe

par année (U.S. Senate, 1973). Des données plus récentes recueillies aux États-Unis par Gelles et Straus (1988) et au Canada par McLeod (1987) confirment l'ampleur actuelle du phénomène des enfants maltraités. De trois à quatre millions de familles américaines et pas moins de 500 000 foyers canadiens vivraient chaque année des actes violents, les enfants en étant souvent les victimes directes. Chamberland, Bouchard et Beaudry (1986), dans leur étude effectuée en 1983 sur le territoire francophone de l'île de Montréal, évaluent, à partir des dossiers de plaintes jugées fondées à la Direction de la protection de la jeunesse, le taux d'incidence (c'est-à-dire les nouveaux cas connus) de mauvais traitements envers les enfants à 6 par 1 000 enfants, sur une période de six mois.

Quelles sont les origines d'une telle violence? Au moins trois facteurs majeurs semblent être en cause.

1. *Le stress et le déplacement d'agression.* Plusieurs chercheurs croient que le stress quotidien est une source importante de la brutalité envers les enfants (Justice et Duncan, 1976). Le stress provenant d'une série de facteurs s'accumule au cours de la journée et, souvent, les gens ne peuvent presque rien faire pour l'apaiser. Un travailleur peut difficilement exprimer sa colère envers son employeur, de peur d'être mis à la porte. Dans les embouteillages, les automobilistes sont impuissants et ne peuvent pas se libérer de leur impatience. Il en résulte que l'adulte, épuisé et irrité, fait un déplacement d'agression, c'est-à-dire qu'il peut s'attaquer à une cible différente de celle qui a engendré le stress. Les enfants sont souvent cette cible de déplacement, non seulement parce qu'ils sont accessibles, mais parce qu'ils sont sans défense ou encore parce qu'ils sont perçus comme étant la propriété des parents. Les études ont permis d'associer des indicateurs variés de stress au fait de maltraiter un enfant, et cela de façon statistiquement fiable. Par exemple, le revenu prédit la violence envers les enfants: moins le revenu est élevé, plus la violence est fréquente (Gil, 1971; Sattin et Miller, 1971). Un chercheur a observé qu'une large proportion des mères qui brutalisaient leurs enfants vivaient un stress de nature économique et qu'elles étaient sans ressources (Garbarino, 1976). Chamberland, Bouchard et Beaudry (1986), s'inspirant des travaux de Garbarino, ont établi que le taux d'incidence de mauvais traitements à Montréal est 2,8 fois supérieur dans les secteurs économiquement démunis comparativement à d'autres secteurs où les moyens sont plus

expérimental, en raison des insultes reçues, l'agression devrait cependant être la tendance de réponse dominante. Lorsqu'on a permis aux deux groupes d'administrer des chocs électriques au compère, les étudiants qui avaient été insultés ont administré plus de chocs que ceux qui avaient été traités poliment.

Un second facteur qui peut influer sur le fait que l'activation produise ou non de l'agression est la *manière dont l'activation est étiquetée*. Lorsqu'ils sont engagés dans une discussion orageuse, les gens ont tendance à étiqueter leur activation comme de la colère. À cause de cette étiquette, il est probable qu'un comportement

agressif s'ensuivra. Ce raisonnement trouve aussi une illustration dans une étude où des étudiants masculins devaient administrer des chocs électriques à un compère qui les avaient insultés (Zillmann, Johnson et Day, 1974). Ces étudiants avaient aussi participé à un exercice vigoureux pendant une minute et demie. Cependant, l'exercice était *soit précédé*, *soit suivi* d'une période de repos de six minutes, en position assise. Les chercheurs tenaient le raisonnement suivant. Si les étudiants font l'exercice et, après, s'asseoient tranquillement, ils pourront être portés à croire que leur activation résiduelle est due à de la colère. En effet, ayant eu la possibilité de relaxer, leur

élevés. Dans cette recherche, menée au *Laboratoire de recherche en écologie humaine et sociale* à l'Université du Québec à Montréal, on a relevé une forte corrélation (0,84) entre le pourcentage de familles en situation de pauvreté dans les quartiers correspondant aux secteurs de recensement et le taux d'incidence d'enfants maltraités.

Toutefois, Chamberland et ses collègues ont observé des taux de mauvais traitements étonnamment bas dans certains secteurs pourtant très pauvres. D'après les chercheurs, la qualité du réseau social expliquerait cette situation. Par rapport aux mères des quartiers à faibles risques, les mères des quartiers où l'incidence était particulièrement élevée se démarquaient de la façon suivante: elles appréciaient moins leur voisinage, déclaraient un réseau de soutien plus fermé sur lui-même, plus conflictuel et moins disponible. Les mères des secteurs à hauts risques jugeaient leur quartier moins sûr et plus pollué, considéraient que leurs voisins étaient moins chaleureux et que leur milieu était peu favorable pour élever un enfant. À l'appui de ces perceptions, des informateurs clés dans les communautés étudiées ont confirmé que l'action des aidants naturels ou des bénévoles y était moins présente. De même, les informateurs clés percevaient que les problèmes de violence dans les relations parents-enfants était plus aigus dans ces secteurs à hauts risques (Chamberland et Bouchard, 1990).

Somme toute, dans les milieux où le tissu social est plus solide, le manque de ressources financières aurait moins de répercussions quant aux mauvais traitements infligés aux enfants. On peut penser que les mères qui vivent dans des quartiers défavorisés où elles peuvent tirer avantage de diverses ressources auraient plus de facilité à faire face au stress quotidien.

2. *Les sanctions culturelles.* Même lorsqu'ils vivent beaucoup de stress, la plupart des adultes ne battraient probablement pas leurs enfants, à moins qu'il n'y ait une sanction culturelle pour ce type de comportement. Les adultes n'attaquent pas, par exemple, les enfants ou les animaux de leurs voisins. Des règles informelles très fortes interdisent de telles actions. Par contre, le fait de battre ses propres enfants est un acte qui a longtemps été sanctionné dans la société (Gil, 1975). De fait, plusieurs parents américains se servent d'une forme quelconque de punition physique envers leurs enfants (Gelles et Straus, 1979).

activation ne pourrait être due à l'exercice. Par contre, les étudiants se reposant avant de faire l'exercice seraient plus susceptibles de percevoir leur activation comme due à l'exercice, car ils n'auraient pas eu la chance de se reposer après. Tous les étudiants ont alors eu la possibilité d'administrer des chocs au compère qui les avait insultés. Comme vous pouvez le voir à la figure 8-4, présentée à la page 278, les étudiants qui devaient attribuer leur activation à l'exercice ont été beaucoup moins agressifs que ceux qui semblaient croire qu'elle était causée par de la colère. Les deux groupes de sujets avaient été insultés et, chez les deux, l'activation avait été augmentée par l'exercice. Néanmoins, ceux qui étaient *plus* activés à cause du moment où se situait l'exercice se sont comportés *moins* agressivement que ceux qui étaient *moins* activés, mais qui étiquetaient leur activation comme de la colère. La façon dont l'individu interprète ou étiquette l'activation ressentie semble donc un facteur clé dans l'agression, alors que la frustration pourrait n'être qu'un cas particulier d'activation. Les gens qui sont émotionnellement activés développent souvent un comportement actif. Si l'agression est une réponse dominante dans la situation où les gens se trouvent, et s'ils perçoivent leurs sentiments comme de la colère, de l'irritation ou de la frustration,

3. *Le parent agressif.* Tous les gens font face à un certain degré de stress et sont conscients du fait que la culture approuve la punition physique. Pourtant, la plupart des gens ne battent pas leurs enfants. Il semble que certaines personnes soient plus susceptibles que d'autres de réagir au stress en battant leurs enfants. Dans certains cas, il se peut que le parent agressif ne fasse qu'imiter des modèles de sa propre famille. De nombreuses études montrent que plusieurs des parents qui battent leurs enfants ont été eux-mêmes battus dans leur enfance (Zalba, 1967) ou se sont conformés à des modèles adultes violents (Green, Gaines et Sandgrund, 1974). Un chercheur a découvert une famille dans laquelle cinq générations d'enfants avaient été maltraitées (Silver, Dublin et Lourie, 1969). Cependant, le modelage ne peut pas expliquer tous les cas d'enfants battus. Il semble que plusieurs de ceux qui brutalisent des enfants sont des personnes isolées socialement qui souffrent de problèmes émotionnels graves ou qui ont d'autres problèmes sociaux et émotionnels (Helfer et Kempe, 1972; Maden et Wrench, 1977; Smith, 1973). Il semble aussi que les parents agressifs auraient des attentes irréalistes par rapport à leurs enfants (Azar et Rhorbeck, 1986). Par ailleurs, devant un comportement inadéquat, par exemple, les parents agressifs auraient plus que les autres tendance à attribuer à l'enfant une intention malicieuse (Larrance et Twentyman, 1983).

Certaines approches sociales peuvent être envisagées pour réduire le problème des enfants battus. On peut d'une part s'attaquer aux normes culturelles qui sanctionnent ce comportement. Si la punition physique devenait socialement inacceptable, elle serait davantage contrôlée par la communauté et elle apparaîtrait moins souvent, à cause de la honte qui rejaillirait sur qui l'utilise. D'autre part, on peut chercher à renforcer les liens communautaires dans les quartiers défavorisés pour faire en sorte que les gens y trouvent des éléments de réponses à leurs problèmes quotidiens. Enfin, comme le suggère le Groupe de travail sur les jeunes, s'attaquer plus directement à des causes structurelles, notamment la pauvreté, est une avenue à considérer sérieusement si l'on veut prévenir la négligence et les mauvais traitements aux enfants.

l'activation peut très bien entraîner un comportement agressif.

Le sexe, la drogue et l'agression

L'intérêt soulevé par les résultats des recherches sur l'activation généralisée et les impulsions agressives a amené les psychologues sociaux à se demander si d'autres types d'activation, comme l'excitation sexuelle, et les drogues, comme l'alcool et la marijuana, peuvent augmenter les tendances agressives. On s'intéresse depuis longtemps à la relation entre le sexe et l'agression, aussi bien dans les arts que dans les sciences.

Les résultats des recherches sur les effets de l'excitation sexuelle sur l'agression sont quelque peu contradictoires. Des études ont montré que le fait d'être exposé à des images sexuellement excitantes peut rendre les gens plus agressifs (Jaffe et coll., 1974; Meyer, 1972) ou peut effectivement diminuer les tendances à se comporter agressivement (Baron, 1978; Frodi, 1977). Même s'il n'y a pas de doute que plusieurs facteurs sont en jeu (Baron, 1977; Zillmann et Sapolsky, 1977), il appert que du matériel sexuellement provocant génère de l'activation qui peut être étiquetée de différentes façons. L'activation peut être perçue comme plaisante ou elle peut être prise comme

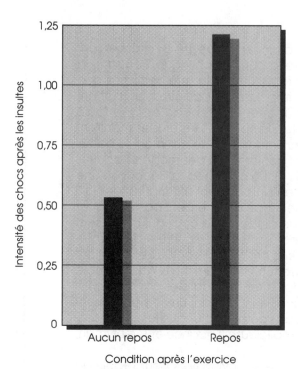

Figure 8-4   Les gens savent-ils s'ils sont en colère?

Les sujets qui interprètent leur état d'activation physiologique comme causé par l'effort sont moins susceptibles de manifester de l'agression envers une personne qui les a insultés que ceux qui interprètent leur activation comme de la colère. (Adapté de Zillmann, Johnson et Day, 1974.)

(Axe vertical : Intensité des chocs après les insultes — graduations 0, 0,25, 0,50, 0,75, 1,00, 1,25)
(Axe horizontal : Aucun repos / Repos — Condition après l'exercice)

un signe de dégoût. Si les sentiments sont considérés comme plaisants, l'agression peut ne pas être une réponse adéquate. Mais si les sentiments sont perçus comme dégoûtants, l'agression peut alors sembler une réponse appropriée.

Pour illustrer le lien entre l'excitation sexuelle et l'agression, des étudiants ont encore ici été insultés par le compère d'un expérimentateur. Ils avaient aussi la possibilité de lui administrer des chocs électriques (White, 1979). Cependant, les étudiants avaient auparavant regardé des séries de diapositives en couleurs. Un premier groupe avait vu des diapositives représentant des scènes d'activités sexuelles que plusieurs personnes trouvent plaisantes. Un deuxième groupe avait vu des scènes d'activités sexuelles que plusieurs personnes perçoivent comme dégoûtantes. Les sujets d'un troisième groupe avaient vu des scènes représentant des hommes et des femmes engagés dans des activités non sexuelles. Les mesures d'intensité des chocs administrés au compère ont montré que ce sont les étudiants qui avaient regardé des diapositives leur permettant d'identifier leur activation comme du plaisir qui ont administré les chocs les moins intenses. Leur agression était nettement plus faible que celle des étudiants

qui avaient regardé des diapositives neutres. Par contre, les étudiants qui avaient regardé des diapositives les amenant à identifier leur activation comme du dégoût ont administré les chocs les plus intenses. Ainsi, des sentiments agréables peuvent réduire l'agression; ce résultat est appuyé par les études sur l'humeur (Baron, 1978). Quand les gens rient, ils identifient leur activation comme plaisante et il ne semble pas y avoir d'agression. Une activation perçue négativement peut cependant augmenter les probabilités d'agression. Une question fort pertinente socialement est de savoir si la pornographie conduit à la violence. Il semble que ce soit les formes d'agression présentes dans le matériel pornographique et non la présence de contenu érotique qui pourraient susciter l'agression et la violence. C'est ce que Donnerstein, Linz et Penrod (1987) concluent de leur revue des travaux empiriques sur ce sujet. Ces résultats sont certainement importants lorsqu'on doit prendre en considération les droits et libertés individuels, tout comme les risques sociaux associés à la mise en vente de matériel à caractère sexuel.

Quels sont les effets des excitants sur l'agression et, en particulier, les effets de l'alcool et de la marijuana? La sagesse populaire suggère que l'alcool contribue à l'agression et que la marijuana entraîne un doux état pacifique. Cependant, l'alcool est aussi largement perçu comme relaxant. Il ne faut pas oublier non plus que, comme l'a conclu une commission présidentielle américaine (President's Commission on Law Enforcement, 1967), l'usage de la drogue est souvent relié à des crimes violents.

Même si les résultats des recherches dans ce domaine ne sont pas homogènes (Abel, 1977; Bennett, Buss et Carpenter, 1969), l'opinion de la majorité est mise en lumière dans une étude en laboratoire visant à comparer les effets de différentes doses d'alcool ou de marijuana sur l'agression (Taylor et coll., 1976). Lors de cette recherche, des sujets masculins reçurent un cocktail spécial composé de boisson gazeuse au gingembre et de l'une ou de l'autre de ces substances: alcool, THC (la substance active dans la marijuana) ou huile de menthe (comme substance témoin). Les sujets reçurent soit une dose légère, soit une dose relativement forte de chaque substance. Ils participèrent ensuite à un jeu de compétition où ils devaient administrer des chocs électriques à leurs adversaires. Les chercheurs voulaient savoir si l'intensité des chocs administrés aux adversaires par les sujets varierait selon les diverses conditions expérimentales. Le tableau 8-2 montre que les sujets qui ont reçu une petite dose d'alcool ou de marijuana ont administré à leurs adversaires des chocs moins intenses que ceux du groupe témoin ayant reçu de l'huile de menthe. La faible dose des deux types de drogues semble avoir eu un effet adoucissant. Chez les sujets ayant consommé une dose plus forte de drogue, on remarque une nette différence entre les effets de l'alcool et ceux de la marijuana. Les sujets du groupe ayant consommé une forte dose d'alcool ont administré les chocs les *plus intenses* de tous les groupes. Par contre, ceux du groupe ayant reçu une forte dose de marijuana ont administré les chocs les *moins intenses*. Comme les sujets ne connaissaient pas le type de drogue qu'ils avaient consommée, il est peu probable que les résultats puissent s'expliquer par des raisons d'étiquetage de la part des sujets. Il semble que les fortes doses d'alcool ont temporairement généré de l'activation et contribué à l'agression, alors que les fortes doses de marijuana ont réduit l'activation et l'agression.

Mais, même si les drogues peuvent influer sur le niveau d'activation, leur effet final sur le comportement sera influencé par la vision sociale que l'on en a. Lorsque les gens croient que l'alcool cause l'agression, ils ont une excuse pour agir agressivement lorsqu'ils en boivent. Ils peuvent rejeter la responsabilité de l'agression sur la consommation d'alcool et diminuer ainsi leur propre responsabilité (Gelles, 1972). Des recherches sur la violence faite aux femmes ont montré que lorsqu'un homme bat sa femme, les gens le tiennent moins responsable s'il était en état d'ébriété (Richardson et Campbell, 1980). Toutefois, une femme battue par son mari est davantage blâmée si elle était ivre.

La réduction de l'agression: l'approche émotionnelle

Les résultats des recherches décrites dans le présent chapitre fournissent des idées pour la réduction de l'agression dans la société. Nous avons déjà suggéré la possibilité de réduire l'agression en modifiant les modes de récompenses et de punitions, et en exposant les gens à des modèles non agressifs. Les résultats de recherches sur la composante émotionnelle de l'agression peuvent-ils permettre de réduire l'agression sur une large échelle? Considérons deux de ces possibilités: la catharsis et la recanalisation de l'activation.

La catharsis: se débarrasser de ce qu'on a sur le cœur

Les auteurs du livre *Frustration and Aggression* (Dollard et Coll, 1939) croient que si une personne agit de façon agressive, sa motivation ultérieure à agresser sera réduite. Ainsi, selon cette hypothèse de la catharsis, si vous êtes enseignant et que deux de vos élèves échangent continuellement des remarques agressives, le fait de leur donner des gants de boxe et de les laisser se battre épuiserait leur conflit. Ils réduiraient de la sorte leurs tensions et il se pourrait même qu'ils deviennent des amis. La libération émotionnelle est donc au centre de l'hypothèse de la **catharsis**. Ce concept est ancien et date du temps de Platon. Cependant, on s'y intéresse encore aujourd'hui. Par exemple, plusieurs psychothérapeutes encouragent leurs clients à exprimer leurs émotions refoulées, croyant qu'après le défoulement émotionnel l'apaisement surviendra. Le cri primal, l'imitation d'animaux par le grognement ou le

Drogue	Intensité des chocs administrés aux adversaires	
	Faible dose	**Forte dose**
Alcool	2,1	5,4
Marijuana	3,1	1,9
Huile de menthe (groupe témoin)	3,9	

Source: Adapté de Taylor et coll., 1976

Tableau 8-2   L'alcool et la marijuana, des effets différents

À forte dose, l'alcool et la marijuana exercent un effet sur l'agression. L'alcool augmente l'agressivité et la marijuana la diminue.

rugissement et l'encouragement d'assauts physiques sont diverses techniques utilisées par les théoriciens pour promouvoir la catharsis (Janov, 1970). On a aussi tenté d'utiliser des activités athlétiques pour réduire l'agression juvénile. Le raisonnement est le suivant: «S'ils peuvent se battre et régler leurs problèmes sur le terrain de jeu, ils n'auront pas à le faire hors du terrain.» La notion de catharsis a plusieurs défenseurs.

Deux arguments distincts sont avancés pour appuyer la notion selon laquelle la catharsis réduit l'agression.

1. *La réduction de l'activation.* Selon cet argument, si un individu se sent tourmenté, l'agression envers son tourmenteur peut réduire l'activation émotionnelle. Après avoir contre-attaqué, l'individu ne ressent plus d'activation.

2. *La réduction de l'agression.* Selon cet argument, après qu'une personne s'est comportée agressivement envers son tourmenteur, il y a une diminution générale des probabilités qu'une agression ultérieure se produise. Ayant contre-attaqué une fois, l'individu n'attaquera pas de nouveau. Même si plusieurs théoriciens regroupent ces deux arguments en un seul, nous verrons qu'il y a d'importantes raisons de les considérer séparément.

Les chercheurs ont réussi à démontrer que la *réduction de l'activation* peut survenir à la suite de l'agression contre un tourmenteur (*voir la revue de* Geen et Quanty, 1977). Par exemple, dans plusieurs des premières études sur le sujet, des étudiants étaient harcelés et importunés par un expérimentateur (Baker et Schaie, 1969; Hokanson et Shetler, 1961). Plus tard, les sujets avaient la possibilité d'administrer des chocs à l'expérimentateur ou de l'évaluer par un questionnaire. Les sujets du groupe témoin étaient aussi harcelés, mais n'avaient pas l'occasion d'exprimer leur agressivité. Ceux qui pouvaient se comporter agressivement ont retrouvé leur niveau normal de tension artérielle (c'est-à-dire le niveau d'activation normal) plus rapidement que ceux qui n'ont pas pu manifester leur agressivité. Cependant, le comportement agressif ne diminue pas toujours le niveau d'activation. Si le tourmenteur est puissant et que des attaques futures sont possibles, la victime peut demeurer passablement activée et alerte (Hokanson et Burgess, 1962). De plus, si l'agresseur se sent coupable ou s'il croit qu'il a agi de façon insensée ou inappropriée, il se peut

que l'agression n'apporte pas de réduction de l'activation (Schill, 1972). En réalité, lorsque le niveau d'activation demeure élevé, une nouvelle agression peut survenir.

Nous voyons donc que l'agression peut réduire l'*activation*, mais seulement dans certaines conditions. Qu'en est-il du deuxième argument sur les effets de la catharsis? L'*acte d'agresser* peut-il réduire les tendances ultérieures à se comporter agressivement (Konečni, 1975)? Cet effet de la catharsis semble moins probable. De fait, plusieurs recherches montrent qu'un acte agressif augmente la probabilité d'agression ultérieure. Par exemple, des officiers de police rapportaient ainsi les paroles d'un homme accusé d'avoir tué quatre personnes: «Il a dit [...] qu'il éprouvait une étrange sensation à l'estomac, mais qu'après le premier [meurtre] [...] c'était facile.» Plusieurs études ont montré qu'un acte d'agression en amène un autre. Quelques chercheurs ont soutenu, par exemple, que les jeux agressifs augmentent les tendances ultérieures des enfants à se comporter agressivement plutôt que de les diminuer. Si l'on permet à des enfants en colère de frapper violemment une boîte avec un marteau de caoutchouc, cela ne diminue pas leur agression ultérieure envers leur tourmenteur. En fait, le martelage augmente souvent l'agression ultérieure (Hornberger, 1959; Ryan, 1970).

De la même façon, les joueurs de football du collégial semblent démontrer un accroissement, plutôt qu'une diminution, de leur hostilité générale à mesure que la saison de football avance (Patterson, 1974). De plus, la majorité des spectateurs sont plus hostiles après qu'avant une partie (Goldstein et Arms, 1971), et, victoire ou pas, les bagarres suivant les parties sont fréquentes (Sloan, 1979). Enfin, dans diverses études en laboratoire où l'expérimentateur éveillait l'hostilité d'étudiants, on a comparé les sujets à qui l'on permettait d'administrer des chocs à leur tourmenteur avec d'autres qui n'avaient pas la possibilité de se venger. Lors de l'évaluation ultérieure de l'antagoniste, on a trouvé plus critiques les sujets qui avaient exprimé leur agressivité, comparativement à ceux qui ne l'avaient pas fait (Berkowitz, Geen et Macaulay, 1962; Geen, 1968).

Si l'ensemble de ces résultats suggère que l'agression augmente la probabilité d'agression future, il ne signifie pas cependant que l'agression ne produit aucun effet s'apparentant à ceux de la catharsis. Dans certaines conditions, un acte agressif peut réduire la probabilité d'une agression future. D'une part, le fait de savoir que quelqu'un d'autre a fait souffrir le tourmenteur peut faire diminuer le comportement agressif de la victime (Doob et Wood, 1972). D'autre part, la probabilité d'agression subséquente peut être réduite lorsque l'agression est utilisée pour remettre une punition reçue. Si une vengeance ramène les deux parties sur un pied d'égalité, le besoin d'agresser de nouveau peut disparaître. Par exemple, même si les clients d'un restaurant dont le service est très mauvais répondent souvent en critiquant les serveurs ou en réduisant leurs pourboires, le seul fait de s'apercevoir que quelqu'un d'autre critique un serveur pourrait être suffisant pour désamorcer l'agressivité chez les autres clients qui ne se plaindraient pas et ne réduiraient pas leurs pourboires.

La recanalisation de l'activation

Les premiers théoriciens du lien frustration-agression croyaient qu'une réponse agressive est innée. Se mettre en colère serait une réaction «naturelle» à la frustration. Cependant, nous savons maintenant que la frustration n'est qu'une des nombreuses façons d'étiqueter l'activation qui précède quelquefois l'agression, et que l'agression ne représente qu'une seule des nombreuses réponses possibles. Des cultures différentes ont des idées divergentes sur ce qui constitue une action *appropriée*. Au Japon, par exemple, une réaction courante devant la frustration, la colère ou l'irritation est de devenir très calme; devenir violent paraîtrait une absurdité. Il est peu probable que la constitution génétique des Occidentaux sur ce point diffère de celle des Japonais. Il ne fait pas de doute que le lien entre l'étiquetage d'une émotion et le comportement lui-même se forge dans l'apprentissage de ce qui est approprié dans une culture donnée.

Le postulat selon lequel la relation entre un état émotionnel et une action sociale est avant tout apprise a des implications importantes pour réduire l'agression dans la société. Si les gens peuvent apprendre que l'agression est convenable, nécessaire ou bonne lorsqu'ils se sentent en colère, ils devraient aussi être capables d'apprendre des réponses autres que l'agression. Dans une illustration optimiste d'un tel réapprentissage, on a montré à des sujets féminins à réduire leur activation dans une situation où elle devait normalement augmenter (Stone et Hokanson, 1969). Chaque sujet était placé dans une cabine isolée et recevait la consigne d'interagir, au moyen de trois boutons, avec un autre sujet (en fait, l'expérimentateur) placé dans une cabine adjacente. À tour de rôle, chacun des deux sujets pouvait soit *administrer un choc électrique douloureux à l'autre* (par des électrodes fixées au bout des doigts), soit *donner une récompense symbolique à l'autre* (signalée par un voyant lumineux dans la cabine du sujet), ou *s'administrer à elle-même un choc douloureux* (en appuyant sur le bouton autochoc). Le sujet pouvait commencer la séquence en appuyant sur le bouton récompense et attendre la réponse de l'autre sujet. Par la suite, elle pouvait récompenser l'autre, lui donner un choc ou s'en donner un à elle-même. Dans une première série d'échanges où les sujets voyaient que leur supposée partenaire répondait de façon aléatoire, elles se sont rarement administré des chocs, mais utilisaient souvent les boutons de récompense ou de choc envoyé à l'autre.

Le devis de recherche prévoyait que, à un moment particulier du déroulement de l'expérience, les sujets découvraient que si elles choisissaient d'administrer un choc ou de donner une récompense à l'autre, elles recevaient un choc en retour. Par contre, si elles s'administraient un choc à elles-mêmes, elles recevaient une récompense en retour. En d'autres termes, elles étaient récompensées pour s'être punies elles-mêmes et étaient punies pour tout autre type de comportement. Lors des essais subséquents, le nombre de chocs qu'elles s'administraient augmenta de façon significative. Ainsi, en réponse aux punitions de l'autre, les sujets ont appris à se punir elles-mêmes. De plus, les mesures de la tension artérielle systolique (un indice d'activation émotionnelle), qui étaient demeurées relativement élevées pendant la phase initiale de l'expérience, ont diminué après que les participantes ont appris à s'administrer des chocs. Effectivement, le fait d'apprendre à s'administrer des chocs pour éviter la punition a réduit l'activation. L'auto-administration de chocs a entraîné une réduction de l'activation causée par le comportement agressif d'une autre personne. Précisons que la morale de cette expérience n'est certes pas de glorifier le masochisme, mais d'illustrer que les réponses à l'activation sont bel et bien apprises.

En résumé, nous avons vu que les psychologues sociaux croyaient de prime abord que la *frustration* est le principal état émotionnel qui précède l'agression. Des études ultérieures ont montré que l'*activation généralisée* n'augmente pas toujours les probabilités de réponses agressives et que l'étiquetage de cette activation est déterminante dans l'occurrence du comportement agressif. L'excitation causée par l'activation sexuelle ou par de fortes doses d'alcool peut augmenter les probabilités de comportements agressifs. Contrairement à ce que suggère le concept de *catharsis*, un acte d'agression ne réduit pas nécessairement les tendances ultérieures à agresser. Dans certaines conditions, le fait d'agir agressivement peut entraîner l'effet opposé, soit générer plus d'agression. L'activation peut être canalisée dans plusieurs directions. Les recherches ont montré que des gens qui seraient naturellement portés à se libérer de leur colère par de l'agression peuvent apprendre des modes d'action entièrement différents et, par la même occasion, réduire leur niveau d'activation. Il est clair que les gens peuvent apprendre des réponses non agressives aux situations d'attaque, de frustration ou de perte de pouvoir (Worchel, Arnold et Harrison, 1978). Dans l'apprentissage de la non-agression, les récompenses et les punitions peuvent se révéler des outils utiles (Dengerink, Schnedler et Covey, 1978). Cependant, les individus peuvent aussi être capables de modifier consciemment leur propre mode de réponses en apprenant à communiquer, en cherchant à être compréhensifs ou en relaxant, par exemple, plutôt qu'en attaquant. Il y a un grand besoin de recherches sur ces possibilités de solutions.

Le rôle complexe des circonstances

Jusqu'à maintenant, nous avons examiné les effets de l'apprentissage et de l'activation émotionnelle sur l'acte agressif. Nous conclurons le présent chapitre en considérant les effets de l'environnement social et physique sur le comportement agressif. Considérons quelques exemples récents. Un homme doux et affectueux découvre de la cocaïne cachée dans la chambre de son fils. Même s'il n'a jamais attaqué personne, il bat son fils sans pitié. La situation menaçante où il se trouvait a servi à déclencher sa rage. Les circonstances peuvent aussi rendre des gens pacifiques. On a permis à un groupe d'adolescents hostiles de se joindre à une classe du secondaire fonctionnant selon un mode coopératif. Après quelques semaines dans cette classe, le groupe d'adolescents hostiles a décidé de se consacrer à des activités d'entraide communautaire. Les explications que nous avons considérées jusqu'à maintenant ne sont pas suffisantes pour tenir compte de changements aussi saisissants que ceux-ci. Manifestement, une situation immédiate

a des effets très considérables sur l'action agressive. Considérons trois facteurs liés à la situation qui ont attiré l'attention des psychologues sociaux: la présence d'autres personnes, la présence d'armes et la chaleur.

La présence des autres: facteur d'identité ou de dé-individuation

Une personne est-elle susceptible d'être plus ou moins agressive selon que d'autres personnes sont présentes? Les psychologues se sont vivement intéressés à cette question en raison des implications importantes qu'elle a sur la planification sociale. Par exemple, en milieu urbain, les individus sont *presque toujours* en présence d'autres personnes. Si cette situation augmente les probabilités de violence, les zones très peuplées peuvent être un terrain propice pour engendrer la violence. Par ailleurs, si elle réduit l'activité agressive, les villes pourraient être des milieux de vie particulièrement sûrs.

L'agression devrait être réduite par la présence des autres. Puisque l'agression est habituellement considérée comme quelque chose d'indésirable, la présence de témoins devrait réduire les probabilités d'agression. Après tout, le fait d'être identifié par quelqu'un peut amener une punition. Ce raisonnement semble être appuyé par les résultats de recherches qui montrent que les gens inhibent leurs impulsions agressives s'ils croient qu'elles entraîneront une punition (Donnerstein et Donnerstein, 1975; Rogers, 1980; Wilson et Rogers, 1975). Cependant, dans les milieux urbains, la situation est plus complexe. Lorsque les gens sont rassemblés en grands groupes, l'identification est souvent difficile, car aucun individu ne se détache des autres et les probabilités d'agression peuvent augmenter.

Lorsque les marques d'identité d'un individu sont réduites, l'on est en présence d'un phénomène de **dé-individuation.** Son identité est perdue dans la masse environnante. Lorsqu'une personne est dé-individuée, donc impossible à identifier, la peur de la punition peut être amoindrie. Ainsi, le milieu urbain offre, avec la densité de sa population, une liberté d'agresser.

Les effets de la dé-individuation ont été fréquemment étudiés dans les laboratoires de psychologie. L'une des premières études a montré que les étudiants appartenant à des groupes où l'identification personnelle était difficile manifestaient beaucoup plus d'hostilité envers leurs parents que les étudiants de groupes où une telle identification était facile (Festinger, Pepitone et Newcomb, 1952). Dans l'une des études les plus imaginatives sur la dé-individuation, les chercheurs ont manipulé leurs conditions expérimentales de façon que mille trois cents enfants aient l'occasion de voler de l'argent et des bonbons lors d'une soirée d'halloween (Diener et coll., 1976). Lorsque les enfants étaient complètement anonymes (par exemple, en portant un déguisement qui masquait leur identité et en voyageant en grands groupes), ils étaient plus susceptibles de voler.

Le lien entre la dé-individuation et l'agression a été illustré dans une étude intéressante faite par Philip Zimbardo (1969). Des étudiantes ont participé à une expérience où elles devaient administrer des chocs électriques à une autre étudiante afin de susciter un apprentissage. La moitié des sujets de l'expérience étaient dé-individuées, c'est-à-dire qu'elles portaient des vestes de laboratoire épaisses et une cagoule qui cachait leur visage; on s'adressait à quatre d'entre elles à la fois sans jamais mentionner leur nom. Par opposition, les sujets du groupe individué ont été présentées les unes aux autres. Elles portaient une large étiquette d'identification et elles gardaient leurs vêtements personnels. Durant l'administration des chocs, les étudiantes dé-individuées étaient assises dans le noir. Les étudiantes individuées pouvaient se voir les unes les autres dans la pénombre.

Les chocs, administrés au moyen d'un bouton situé en face de chaque sujet, semblaient être douloureux pour l'étudiante-victime qui était visible à travers une glace d'observation. Elle frémissait, se tordait, grimaçait et, finalement, arrachait sa main de la courroie qui la retenait à l'électrode. (En réalité, elle ne recevait aucun choc et toutes les réactions étaient simulées.) La comparaison du nombre de chocs administrés par les deux groupes a montré que les étudiantes dé-individuées ont administré à leur victime deux fois plus de chocs que les étudiantes individuées. De plus, les étudiantes dé-individuées, auxquelles on avait dit que leur victime était honnête, sincère et chaleureuse, n'ont pas administré moins de chocs que celles qui avaient été amenées à voir leur victime comme prétentieuse et critique. Les étudiantes individuées, au contraire, ont modifié leur niveau d'agression en fonction des connaissances qu'elles avaient du caractère de leur victime.

Il ne faut pas conclure de cette série d'études que les personnes anonymes sont toujours dangereuses. L'anonymat semble libérer les gens de toutes sortes d'inhibitions sociales, parmi lesquelles figure l'inhibition contre l'agression. Si une situation favorise l'agression, comme dans l'expérience de Zimbardo, l'agression est alors plus susceptible de se produire. Comme nous le verrons lors de notre exposé sur la psychologie de l'environnement (*voir le chapitre 13*), l'anonymat peut, dans certains milieux, aider les gens à être plus ouverts ou affectueux (Gergen, Gergen et Barton, 1973; Johnson et Downing, 1979).

La présence d'armes

Le massacre de Polytechnique à l'Université de Montréal, le 6 décembre 1989, alors qu'un homme tua quatorze étudiantes en génie sous prétexte qu'elles étaient des «féministes», a soulevé un débat d'importance sur l'accès des simples citoyens à certains types d'armes à feu. Soudainement, les Québécois, tout comme de nombreux Canadiens, ont pris conscience du fait que le contrôle des armes à feu est une véritable question de vie ou de mort dans leur propre milieu. Les armes meurtrières sont une réalité de la vie quotidienne. Les policiers portent des armes à leur ceinture. Les chasseurs et les tireurs d'élite possèdent des carabines et des pistolets. Certains groupes des centres urbains portent des couteaux. Aux États-Unis, le nombre de propriétaires d'armes à feu est l'un des plus élevés du monde. Dans des pays comme le Japon, l'Angleterre et la Suède, les armes sont peu accessibles et le pourcentage de crimes violents dans ces pays est beaucoup moindre qu'aux États-Unis.

Pourquoi la présence d'armes devrait-elle accroître le niveau de violence? Plusieurs psychologues croient que deux mécanismes interviennent pour accroître le danger lorsqu'il y a présence d'armes. D'abord, *la présence d'armes peut augmenter la prégnance d'actions agressives*. Dans l'un des premiers essais visant à démontrer l'influence des armes sur l'agression, un compère de l'expérimentateur a insulté des garçons du collégial. Ceux-ci furent ensuite placés dans une situation où ils pouvaient administrer des chocs électriques à leur agresseur (Berkowitz et Lepage, 1967). Dans l'une des conditions expérimentales, un revolver de calibre 38 et un fusil de chasse de calibre 12 reposaient sur une table, près des sujets. Les chercheurs voulaient savoir si la simple présence des armes influerait sur le nombre de chocs administrés par les élèves. Les élèves qui pouvaient voir les armes ont administré à leur agresseur beaucoup plus de chocs que ceux qui ne les voyaient pas. Comme concluait Berkowitz, un peu plus tard, «le doigt appuie sur la gâchette, mais la gâchette peut aussi entraîner le doigt» (1969).

L'**effet des armes** démontré dans cette étude a suscité à la fois des commentaires critiques et des appuis. Quelques chercheurs ont confirmé l'apparition de tels effets (Frodi, 1975; Leyens et Parke, 1975), alors que d'autres doutent de leur importance (Buss, Booker et Buss, 1972). D'autres chercheurs encore ont le sentiment que cet effet joue ou non, selon la façon dont un individu interprète la présence des armes (Turner et Simons, 1974). Une personne qui perçoit les armes comme un signe de caractère ou de masculinité pourrait réagir assez différemment d'une autre pour qui les armes rappellent les fruits amers de la violence.

En plus d'accroître la prégnance d'actions agressives, les armes peuvent aussi influer sur l'agression en *fournissant un moyen d'atteindre un but ou de résoudre un problème.*

La chaleur et l'agression

Des expressions usuelles comme un *tempérament bouillant, avoir le feu aux trousses, le feu de la bataille* et *une chaude discussion* suggèrent que la chaleur et l'agression sont reliées. Ces expressions reflètent-elles réellement l'influence subtile de l'environnement sur nos actes? Il y a au moins un groupe de décideurs qui a eu l'impression qu'il pouvait exister une relation entre la chaleur et l'agression. À la fin des années soixante, il se produisit plusieurs émeutes violentes dans les ghettos urbains des États-Unis. L'émeute de Watts fut l'une des plus graves. Une commission nationale, mise sur pied pour déterminer les causes profondes de ces émeutes, a spécifiquement mentionné la température comme l'un des facteurs importants ayant pu y contribuer (U.S. Riot Commission Report, 1968). En fait, toutes les émeutes, à l'exception d'une seule, avaient commencé lorsqu'il faisait au moins 26 °C. Une recherche ultérieure a aussi montré que, au cours des sept jours précédant le déclenchement de cent deux émeutes majeures aux États-Unis, la température avait augmenté de façon significative (Baron et Ransberger, 1978). À mesure que

la température augmentait, les probabilités d'une émeute augmentaient aussi (Carlsmith et Andersen, 1979).

Même si personne ne croit que la chaleur a été la cause directe des émeutes, elle peut avoir été le facteur déclencheur de la violence dans ces groupes économiquement défavorisés. Les chercheurs ont essayé de démontrer cette hypothèse en laboratoire, mais, en général, leurs essais ne furent pas couronnés de succès (Baron et Lawton, 1972; Baron et Bell, 1976). En fait, dans quelques études, les gens sont même devenus *moins* agressifs lorsque les expérimentateurs ont augmenté la chaleur à plus de 32 °C dans le laboratoire. Les sujets ont indiqué qu'ils se sentaient plus irritables dans de telles conditions et qu'ils enduraient plus difficilement les autres dans cette situation (Baron et Lawton, 1972; Griffitt, 1970). Cependant, ces sentiments étaient rarement accompagnés de comportements agressifs.

Afin d'expliquer ces résultats contradictoires, les chercheurs ont suggéré que la chaleur entraîne avant tout des *sentiments négatifs* (Bell et Baron, 1975). Jusqu'à un certain point, cette activation négative peut être canalisée en agression. Donc, lorsque la température monte, l'agression peut augmenter. Cependant, lorsque la chaleur dépasse un certain point, les gens cessent de manifester leurs impulsions agressives et commencent plutôt à penser à la façon dont ils pourraient soulager leur inconfort. De fait, en général, les émeutes n'ont pas lieu au cours des jours les plus chauds de l'été. Les émeutes urbaines examinées par la Commission précédemment nommée se produisaient rarement lorsque la température dépassait 37 °C, température fréquemment observée dans les villes où les émeutes eurent lieu. Selon Schwartz (1968), la violence politique (coups d'état, terrorisme, assassinat) survient généralement lorsque le climat est modéré et non très chaud ou très froid. Enfin, les gens qui vivent dans des pays très chauds ne sont pas plus agressifs que ceux qui vivent sous des climats tempérés. Lorsque la température provoque un grand inconfort, les gens se préoccupent beaucoup moins d'agresser que de trouver des façons de se rafraîchir.

Résumé

1   Les psychologues sociaux définissent l'agression comme un comportement visant la production de résultats négatifs chez autrui. Cette définition insiste de façon particulière sur l'intention de l'agresseur potentiel, mais elle suggère que le comportement agressif peut être séparé des émotions.

2   Freud, Lorenz et plusieurs autres théoriciens soutiennent que d'instinct, les gens sont agressifs. Cependant, les différences individuelles et interculturelles observées dans l'agression humaine suggèrent que les influences d'ordre génétique sont très peu fortes.

3   L'apprentissage social semble avoir sur l'agressivité des gens une influence plus importante que la biologie. On utilise souvent l'agression pour obtenir des récompenses ou éviter des punitions. Cependant, utiliser la punition pour réduire l'agression peut ne la diminuer que temporairement, alors qu'elle peut stimuler son apparition ultérieure. L'apprentissage de l'agression peut aussi se faire par l'observation de modèles agressifs. Les parents qui punissent leurs enfants pour leur comportement agressif peuvent servir, sans s'en rendre compte, de modèles agressifs et augmenter l'agressivité chez leurs enfants.

4   La télévision procure aux enfants des modèles agressifs à imiter. On a observé que les enfants qui regardaient un grand nombre d'émissions violentes à la télévision manifestaient des tendances agressives dans les années ultérieures. L'observation de la violence à la télévision peut aussi désensibiliser les gens relativement à l'agression. Quelques critiques croient que les arguments contre la violence télévisée sont exagérés. Ils croient que la télévision favorise la violence chez ceux qui prennent la fiction télévisée pour la réalité, ou chez ceux qui sont déjà enclins à l'agression.

5   L'état émotionnel d'un individu peut aussi contribuer au comportement agressif. Les premiers chercheurs croyaient que toutes les formes d'agression découlaient d'une frustration. Même si plus personne ne soutient ce point de vue, les chercheurs ont réussi à isoler diverses conditions où la frustration précède l'agression. Par exemple, à mesure que la frustration est amplifiée ou devient plus arbitraire, l'agression devient un résultat de plus en plus probable. Aujourd'hui, les chercheurs ne s'attachent plus à la frustration, mais bien à l'influence de l'activation généralisée sur l'agression. Lorsque l'activation produite dans une situation intensifie un comportement dans une situation différente, il y a transfert d'excitation. Cette réorientation des ressources, l'activation, en agression peut survenir dans des situations où l'agression représente une tendance de réponse appropriée ou dominante, ou dans des situations où l'activation est étiquetée comme de la colère ou de l'hostilité.

6   D'autres formes d'activation peuvent aussi augmenter l'agressivité. Les stimuli érotiques augmentent souvent les probabilités d'agression lorsqu'un individu perçoit les stimuli comme dégoûtants; ce n'est cependant pas le cas lorsqu'ils sont considérés comme plaisants. En situation de laboratoire, de fortes doses d'alcool élèvent aussi le niveau d'agression, alors que de fortes doses de marijuana rendent les gens moins agressifs.

7   La plupart des gens croient que le fait d'exprimer ses impulsions agressives réduit l'agression ultérieure. Ils accordent foi à l'hypothèse de la catharsis, soit la réduction d'une émotion à travers son expression. Pourtant, cette hypothèse n'est vérifiée que dans certaines conditions restreintes. De façon générale, l'agression semble augmenter les

probabilités d'agression future. Il est possible de réduire l'agression en enseignant aux gens des moyens différents de répondre à l'activation.

8 Des facteurs de situation influent aussi sur l'agression. Lorsque les marques d'identité personnelle sont réduites par la présence d'autres personnes, la dé-individuation qui en résulte peut faire que les gens réagissent envers les autres de façon plus agressive. Les armes peuvent aussi augmenter les probabilités d'agression dans une situation, par exemple, lorsqu'elles peuvent être utilisées comme un moyen d'atteindre un but souhaité. Des élévations de température peuvent aussi accroître les sentiments négatifs et, ainsi, augmenter l'agression. Cependant, lorsque la chaleur devient vraiment accablante, le niveau d'agression diminue.

Lectures suggérées

En français

Fromm, E. (1973). *La passion de détruire. Anatomie de la destructivité humaine.* Paris: Robert Laffont.

Lorenz, K. (1969). *L'agression. Une histoire naturelle du mal.* Paris: Flammarion.

En anglais

Geen, R. G. et Donnerstein, E. (1983). *Aggression: theoretical and empirical reviews.* New York: Academic.

Goldstein, J.H. (1986). *Agression and crimes of violence* (2e édition). New York: Oxford University Press.

Huesmann, L.R. et Eron, L.D. (1986). *Television and the aggressive child: a cross-national comparison.* Hillsdale, NJ: Lawrence Erlbaum.

Zillmann, D. (1979). *Hostility and aggression.* New York: Halsted Press.

9

L'influence sociale

Quand tu seras à Rome, agis comme les Romains.

Saint Augustin

Objectifs d'apprentissage

☐ Après l'étude du présent chapitre, vous devriez être capable

1. de définir l'uniformité, le conformisme et la soumission à l'autorité, et de les différencier;

2. d'expliquer comment le fait de suivre les règles, d'imiter les modèles et de se comparer aux autres contribue à l'uniformité dans la société;

3. d'exposer deux études qui montrent la force des pressions de groupe et d'expliquer les trois processus qui peuvent avoir un rôle à jouer dans ces pressions de groupe;

4. d'identifier quatre facteurs susceptibles d'influer sur le degré de soumission à l'autorité dans une situation donnée;

5. d'exposer les effets négatifs du pouvoir en expliquant les cinq étapes qui conduisent un individu puissant à la corruption;

6. d'analyser comment la réactance et le besoin d'unicité peuvent renforcer le comportement indépendant;

7. d'examiner comment les caractéristiques de l'agent d'influence ou les techniques d'influence qu'il utilise, la surveillance et la présence de la dissidence peuvent influer sur le degré d'indépendance;

8. de définir les facteurs qui peuvent aider les minorités à exercer une influence sur les opinions, les valeurs et les comportements de la majorité.

☐ *Le temps passe, les modes changent. Dans les années soixante-dix, l'un de nous a eu un professeur qui se faisait remarquer par sa tenue vestimentaire. Alors que tous les autres professeurs masculins du département portaient des pantalons de velours côtelé et des tricots à col roulé, jour après jour il revêtait son complet gris, soyeux et d'une coupe datant d'une bonne dizaine d'années. Les bruits couraient que «le prof en cravate» voulait se démarquer et montrer son indépendance. Pourquoi ne s'habillait-il pas comme les autres?*

Sans faire une analyse approfondie des tendances vestimentaires et de l'influence des modes, il est facile de remarquer que certains les suivent aveuglément, tandis que d'autres y résistent farouchement. Même si chez plusieurs la position n'est pas aussi tranchée, la mode est un exemple de situation sociale où l'on peut observer ce conflit central présent dans notre société: le combat entre les pressions qui favorisent la divergence dans les opinions et les comportements, et celles qui poussent à se conformer à l'intérieur de la société existante.

Le sujet du présent chapitre est relatif au conflit entre la **similarité** et l'individualité. Nous nous intéresserons principalement aux pressions exercées pour favoriser la similarité, c'est-à-dire aux **influences sociales** qui changent le comportement ou les attitudes dans la direction des patterns qui prévalent dans une culture ou une sous-culture donnée. Nous présenterons trois formes d'influences importantes qui produisent la similarité dans les comportements des gens. L'**uniformité** est une forme de similarité qui repose sur le fait qu'un individu accepte le postulat tacite selon lequel il est désirable d'être comme les autres. Le **conformisme** est une forme de similarité qui se développe lorsqu'un individu cède à la pression sociale qui l'oblige à être comme les autres. La **soumission** à l'autorité est une forme de similarité qui repose sur l'acquiescement aux demandes faites par une figure d'autorité. Chacun de ces trois processus peut être extrêmement puissant, à la fois en ce qui a trait à ses effets immédiats et aux conséquences sociales qui peuvent en résulter. Nous traiterons finalement de sources de l'indépendance et de l'individualité. Nous examinerons des moyens par lesquels les gens peuvent faire échec aux pressions de conformisme et créer des conditions qui permettent une plus grande liberté d'action. Les gens sont souvent soumis à de fortes pressions qui les contraignent à être comme les autres; néanmoins, nous verrons qu'il est possible de renverser ces influences.

Les raisons de l'uniformité

Depuis longtemps, une caractéristique sociale frappe les philosophes sociaux: dans les groupes sociaux, les gens ont tendance à partager plusieurs caractéristiques similaires. Les raisons d'être d'une telle uniformité constituent une question à la fois fascinante et complexe. Demandez-vous, par exemple, pourquoi un grand pourcentage de jeunes étudiants portent aujourd'hui des jeans. Les jeans ne sont pas particulièrement bon marché. On ne peut pas dire qu'un jean est confortable; l'hiver, il ne nous tient pas au chaud, et l'été, il est trop chaud. Selon les critères traditionnels de la mode, on ne peut vraiment pas le considérer comme un vêtement très esthétique. Les étudiants choisissent-ils de porter des jeans simplement par crainte de la désapprobation sociale? Il est difficile de spécifier les raisons de l'existence d'une telle uniformité.

Au début du siècle, plusieurs philosophes croyaient que l'uniformité résulte de l'**instinct**. En d'autres termes, ils croyaient que la motivation à imiter d'autres personnes fait partie de la nature humaine. Ainsi, le théoricien Walter Bagehot soutenait qu'il existe une «attraction invincible, une nécessité absolue qui oblige tous les hommes, à l'exception des plus forts, à imiter ce qu'ils ont devant les yeux...» (1875). James Mark Baldwin (1895), spécialiste en psychologie du développement, croyait que l'individu est une «véritable machine à copier» et qu'on ne peut rien y changer. Des psychologues influents tels que William James et William McDougall ont également défendu la croyance selon laquelle l'imitation est

instinctive. Cependant, cette idée un peu simpliste n'est plus populaire depuis les années vingt (Bernard, 1926). Une révision des arguments (présentés au chapitre 8) contre l'instinct agressif vous permettrait de mieux saisir les raisons de ce manque d'intérêt. Ces arguments se comparent étroitement avec les arguments contre l'instinct d'imiter.

Les psychologues sociaux d'aujourd'hui ont dirigé leur attention sur trois facteurs qui influent sur l'uniformité dans la société: les normes sociales, le modelage et la comparaison sociale. Nous considérerons chacune de ces influences, tour à tour.

Suivre les règles: les normes sociales

Les règles informelles de la société constituent un premier facteur qui influe sur l'uniformité répandue dans la société. Les gens développent des **normes**, ou règles informelles, pour faciliter le déroulement des relations sociales. Ainsi, les enfants apprennent ces règles sans se rendre compte que d'autres options peuvent exister. Ainsi, lorsqu'un membre de la famille demande à un autre «s'il te plaît, passe-moi le beurre», l'autre acquiesce sans la moindre hésitation. Le système informel des règles qui régissent le comportement à table exige que l'on passe le beurre, et la majorité des gens ne pourraient même pas imaginer d'agir autrement. De la même façon, les gens y pensent rarement deux fois avant de retourner une salutation, de porter des vêtements en public ou d'attendre leur tour dans une file. S'ils ne faisaient pas l'une ou l'autre de ces choses, les autres exprimeraient leur consternation ou leur hostilité.

Comme le soutient le théoricien Harold Garfinkel (1967), plusieurs patterns d'actions courants sont régis par des règles invisibles. Or, les gens ne découvrent ces règles que lorsqu'elles sont transgressées. Afin de démontrer cela, Garfinkel a demandé à ses étudiants de vérifier les règles cachées qui opèrent dans leurs foyers en agissant comme un pensionnaire de la maison. Pendant quinze minutes, les étudiants étaient polis et distants, parlaient de façon formelle et seulement lorsqu'on leur adressait la parole. Si les règles cachées spécifient le comportement attendu d'un «bon» fils ou d'une «bonne» fille, agir comme un «bon» pensionnaire devrait conduire à une punition. C'est effectivement ce qui est arrivé. Les rapports des étudiants étaient remplis de comptes rendus d'étonnement, de perplexité, de choc, d'anxiété, d'embarras, de colère et d'accusations provenant de divers membres de la famille. Ces derniers accusaient l'étudiant d'être rosse, de manquer de savoir-vivre, d'être égoïste, désagréable ou impoli. Parmi les commentaires types, on trouvait: «Ne t'en occupe pas, il est encore de mauvaise humeur»; «Laisse faire, mais attends un peu qu'il me demande quelque chose»; «Tu ne t'occupes pas de moi, je te revaudrai bien ça un jour»; et «Pourquoi faut-il toujours que tu sèmes la pagaille dans notre famille?» Il est clair que, dans la majorité des foyers, des règles très fortes assurent le maintien de patterns de comportements particuliers.

Suivre le modèle: la contagion sociale

Nos exposés précédents sur l'action sociale positive (voir le chapitre 7) et l'agression (voir le chapitre 8) nous ont rendu familier un deuxième facteur qui influe sur le développement de patterns de comportements uniformes. De manière à apprendre à faire des choses plus efficacement, les gens imitent les actions des autres ou les utilisent comme modèle. Ainsi, si un individu résout un problème courant dans la vie de tous les jours, s'il trouve une nouvelle façon d'épargner l'énergie ou une nouvelle façon de s'assurer le bonheur, la solution est susceptible de se répandre rapidement dans toute la société. On parle du phénomène de **contagion** lorsque le comportement d'un modèle est imité par un grand nombre de personnes. On met ainsi l'accent sur la tendance du pattern de comportement à se propager d'une personne à une autre, un peu comme s'il s'agissait d'un virus.

Dans l'une des études les plus intéressantes sur la contagion, des chercheurs ont pris comme point de départ un bulletin de nouvelles annonçant un ensemble étrange de symptômes physiques présents parmi les travailleurs d'une filature du sud des États-Unis (Kerckhoff et Back, 1968). On dut fermer l'usine au milieu de juin, en période de très grande productivité, parce que onze employés souffraient de fortes nausées et de rash, et avaient été admis dans un hôpital local. Apparemment, un insecte porteur de maladies s'était glissé dans la filature avec un envoi de fibres. Le nombre d'employés infectés augmenta rapidement à plus de soixante et l'on fit appel à des inspecteurs des services de santé publique et à une équipe de biologistes, d'ingénieurs et d'exterminateurs. Leur enquête minutieuse les a menés à une fourmi noire, à une mouche domestique, à deux moustiques, à un cafard et à un lepte. L'examen médical des patients ne révéla aucun fondement biologique à leur maladie. À ce moment, il fallait considérer un fondement social à l'épidémie.

Kerckhoff et Back étaient intrigués par ce qu'ils appelèrent l'«épidémie de l'insecte de juin». Ils ont cherché à déterminer si la contagion sociale en était responsable, et ils ont trouvé un appui à l'hypothèse de la contagion. Une analyse des relations sociales dans l'usine a révélé que les travailleurs atteints étaient parmi les plus populaires de l'usine. Très peu de travailleurs isolés socialement avaient été piqués par l'«insecte». Les travailleurs bien en vue et appréciés semblaient être des sources majeures de l'effet. De plus, la «maladie» voyageait principalement parmi les groupes d'amis. Si le meilleur ami d'un travailleur était atteint, ce travailleur était plus susceptible qu'un étranger d'être «victime de l'insecte». Apparemment, le **modelage** avait produit un ensemble de symptômes uniformes.

Un cas semblable de contagion sociale plus récent est relaté par Geneviève Paicheler (1985). À la fin de mars 1983, une épidémie mystérieuse se répand dans une ville de Cisjordanie. Les personnes atteintes, surtout des adolescentes, souffrent d'une foule de problèmes cliniques dont des maux de tête, des évanouissements, des névralgies et des difficultés respiratoires. Une rumeur circule alors: l'eau aurait été contaminée par les autorités israéliennes pour empoisonner ou stériliser la population féminine palestinienne. On dépêche des médecins spécialistes américains qui procèdent à des investigations cliniques, épidémiologiques, toxiques et écologiques. Les résultats de leurs recherches sont nuls: les spécialistes concluent que seule l'*angoisse* a pu être à l'origine de l'épidémie. Comme le souligne Paicheler, «la haine de l'occupant israélien, la frustration et l'impuissance dues à la situation d'occupation, [ont trouvé] ici une expression extrême et paroxystique». L'angoisse s'était donc propagée par contagion sociale.

La comparaison sociale: dans le doute...

La série télévisée *Les Insolences d'une caméra* a présenté, il y a quelques années, une séquence où des gens entraient dans un ascenseur public où tous les passagers (des **compères** du réalisateur) faisaient dos aux portes. La personne qui ne se savait pas observée au moyen d'une caméra cachée imitait bientôt les autres et tournait elle aussi le dos aux portes. Ce genre d'uniformité de comportement ne peut pas s'expliquer par les règles sociales. Comme le soutient plutôt le théoricien Leon Festinger (1954), lorsque quelque chose fait que les gens doutent de leurs propres opinions ou actions, ils se tournent vers les autres pour obtenir de l'information. Plus spécifiquement, les gens peuvent comparer leurs attitudes et leurs actions avec celles des autres, et juger de leur à-propos en fonction de l'accord avec les autres. Lorsque cela arrive, les gens s'engagent dans un processus de **comparaison sociale** dans le but d'affiner leurs perceptions du monde (Gruder, 1971). Une personne qui entre dans un ascenseur et trouve les gens le dos tourné à la porte peut douter de son propre point de vue sur le comportement approprié dans un ascenseur. Puisque chacun, dans l'ascenseur, agit de la même façon, celui qui doute peut percevoir les autres comme plus ou mieux informés que lui.

Muzafir Sherif (1935) a été l'auteur d'une des plus saisissantes démonstrations des effets de la comparaison sociale. Afin de créer une situation ambiguë, Sherif a eu recours à une illusion d'optique: dans une pièce complètement noire, si l'on présente un point lumineux immobile, souvent ce dernier semble bouger. On appelle ce mouvement apparent de la lumière, l'**effet autocinétique**. Puisque aucun critère objectif ne peut permettre à l'observateur de juger du mouvement apparent de la lumière, les influences de comparaison sociale peuvent se révéler particulièrement puissantes dans cette situation. Sherif a placé des sujets un à un dans une pièce noire et leur a fait juger du mouvement de la lumière de façon indépendante. Il a alors rassemblé les sujets en petits groupes et leur a fait répéter la même tâche. Comme vous pouvez le voir à la figure 9-1, dans la situation de groupe, les jugements convergeaient vers un point central, alors que les jugements indépendants étaient plus variables.

Les gens croyaient-ils vraiment à ces nouveaux jugements? Pour le découvrir, Sherif a testé de nouveau le groupe après la séance en commun. Il a constaté que le consensus de groupe persistait. De façon générale, les estimations que les sujets, alors seuls, faisaient du mouvement de la lumière se rapprochaient du critère acquis dans le groupe. Des recherches ultérieures indiquent que les effets de groupe peuvent persister aussi longtemps qu'une année entière (Rohrer et coll., 1954). On a montré également que les participants qui s'intègrent à d'autres groupes peuvent essayer d'influencer leurs nouveaux pairs pour qu'ils acceptent les critères du groupe original (Jacobs et Campbell, 1961). Si aucune autre influence n'intervient, les effets de comparaison sociale peuvent persister longtemps.

Les jugements reposent souvent sur une comparaison avec d'autres personnes, mais pas avec n'importe qui. Les gens semblent se baser sur la similitude lorsqu'ils choisissent des personnes avec lesquelles ils se comparent (Castore et DiNinno, 1972). La similitude semble accroître la confiance des gens dans l'exactitude de l'information qu'ils obtiennent. Si d'autres personnes sont trop différentes, il est difficile de croire qu'elles constituent des sources d'information dignes de confiance. La similitude semble également accroître la confiance des gens dans leur propre jugement et rehausser leur estime de soi (Gruder, 1971).

Cela n'implique pas que les gens ne sont influencés que par les opinions ou les capacités des gens qui leur ressemblent le plus (Mettee et Smith, 1977). Les gens qui sont certains de leurs points de vue, par exemple, sont plus ouverts à diverses opinions que ne le sont les gens qui doutent de leurs idées. Connaître les positions extrêmes, soit le score le plus élevé ou le score le plus faible des autres, ou la position la plus extrême qu'ils prennent, peut parfois faciliter les jugements (Wheeler et coll., 1969). Il peut également arriver qu'un accord qui provient d'une personne fort différente rehausse la confiance en soi d'un individu (Gœthals et Nelson, 1973). Cependant, on peut

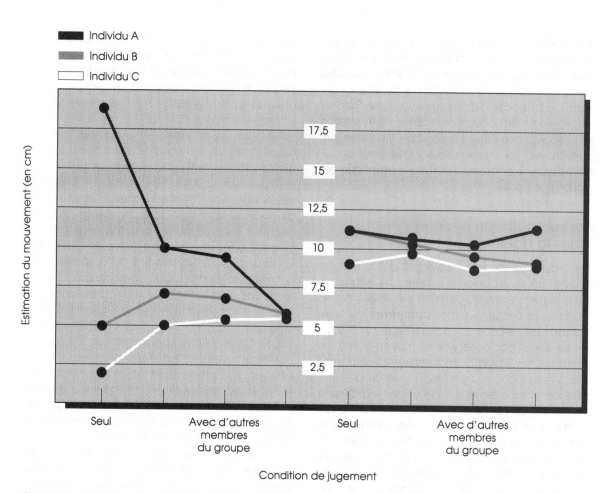

- ■ Individu A
- ▨ Individu B
- ☐ Individu C

Estimation du mouvement (en cm)

17,5

15

12,5

10

7,5

5

2,5

Seul · Avec d'autres membres du groupe · Seul · Avec d'autres membres du groupe

Condition de jugement

Figure 9-1   La comparaison sociale et l'effet autocinétique

Lorsque des gens sont seuls dans une pièce noire, ils émettent des jugements divers quant au mouvement apparent de la lumière. Lorsque les gens portent leurs jugements en situation de groupe, ils ont tendance à faire des estimations similaires quant au mouvement de la lumière. Comme on le voit à droite de la figure, si à leur entrée dans le groupe les membres partagent le même avis, ils demeurent d'accord. (Adapté de Sherif, 1958.)

généralement affirmer que, lorsqu'il y a doute et que l'individu cherche une information précise, les comparaisons s'établissent ordinairement avec des gens qui lui ressemblent et, habituellement, l'uniformité prévaut.

En résumé, nous avons examiné trois sources d'uniformité dans la société. Le modelage et le fait de suivre les règles contribuent tous deux à l'uniformité dans le comportement des gens. Les gens suivent sans y réfléchir les règles dictées par le sens commun et ils imitent souvent les actions des autres personnes. La comparaison sociale peut jouer un rôle puissant dans la production de l'uniformité. Lorsque les conditions sont ambiguës, les gens sont particulièrement susceptibles d'utiliser les actions des autres pour juger de leur propre comportement.

Le conformisme et la soumission à l'autorité

Nous avons vu que la pression en faveur de l'uniformité est une réalité de la vie sociale. Même si les gens peuvent exprimer le besoin d'un plus grand degré d'individualité, la majorité d'entre eux acceptent automatiquement de dire qu'il est souhaitable de ne pas être différent des autres. Néanmoins, pourriez-vous dire, ces pressions ne peuvent pas être réellement puissantes. Nous pouvons suivre les règles, imiter les autres et comparer nos opinions à celles des autres; mais cela n'arrive-t-il pas dans des situations ambiguës ou dans des situations qui, après tout, ne nous tiennent pas particulièrement à cœur? Lorsque les gens s'intéressent vraiment à une question, n'expriment-ils pas leur divergence d'opinion?

Pour évaluer l'effet des pressions qui contraignent à être comme tout le monde, considérons les recherches sur la conformité et la soumission destructive.

Les découvertes de Asch: c'est évident... et pourtant

En 1946, Solomon Asch a conduit une série d'expériences dont les résultats demeurent encore aujourd'hui saisissants. La principale conclusion de ses travaux peut se résumer en une phrase bien imagée de Geneviève Paicheler (1985): *il vaut mieux être plusieurs à se tromper que seul à avoir raison.* Pour mieux apprécier les résultats des travaux de Asch, mettez-vous à la place d'un sujet d'une de ses expériences. Vous vous portez volontaire pour participer à une recherche sur la perception. Sept autres participants sont présents. Vous êtes tous assis en face d'un panneau sur lequel seront placées des lignes de diverses longueurs. Votre tâche est de comparer la longueur des lignes. Pour chaque comparaison à établir, vous devez comparer avec trois autres lignes une ligne étalon qui mesure plusieurs centimètres. Chaque personne doit donner sa réponse à voix haute et vous donnez la vôtre en dernier. La tâche semble plutôt facile. Pour les deux premières comparaisons, les jugements sont faciles et tous les participants partagent le même avis. Au troisième tour, cependant, vous êtes soudainement surpris. La réponse correcte semble être évidente et pourtant le premier membre du groupe fait une erreur. Il a répondu qu'une ligne, qui de toute évidence est de quelques centimètres plus courte que la ligne étalon, lui est égale. «C'est stupide, comment peut-il commettre une telle erreur?» pensez-vous. C'est alors que le second participant est d'accord avec le premier. Avant que vous n'ayez le temps de réfléchir à ce qui arrive, vous vous apercevez que d'autres participants font la même erreur. En moins d'une minute, *chacun des sept* participants a été d'accord pour dire que sont égales les lignes qui de toute évidence sont inégales. C'est maintenant votre tour. Serez-vous d'accord avec le groupe ou non? Au cours des trente minutes qui vont suivre, vous ferez face à ce dilemme six fois de plus.

Asch a constaté que, placés dans cette situation, les sujets cèdent fréquemment à l'opinion erronée de la majorité (tous les autres sujets étaient en réalité des **complices** de Asch). Les sujets ont exprimé leur accord quant à l'opinion de la majorité dans 33,2 % des comparaisons critiques, c'est-à-dire des essais où la majorité donnait un jugement erroné. Seulement 20 % des participants sont demeurés pleinement indépendants devant la pression du groupe; et 10 % des sujets ont été d'accord avec la majorité sur tous les essais ou sur tous les essais sauf un. Et lorsque la différence entre les lignes était plus prononcée, les sujets se sont conformés à l'opinion de la majorité de façon presque aussi importante. Les sujets du **groupe témoin**, qui jugeaient les lignes en privé, étaient presque tout à fait exacts dans leurs estimations. La pression de groupe avait nettement exercé un effet puissant.

Nous traiterons plus loin dans ce chapitre des conditions qui conduisent à la divergence par rapport à un groupe. La question qui nous intéresse pour l'instant est la raison pour laquelle les sujets ont cédé à l'opinion de la majorité alors qu'elle allait contre toute évidence. Il semble que les sujets craignaient la désapprobation possible s'ils ne disaient pas comme le groupe. Comme l'a dit un participant, «je me sentais troublé, perplexe, partagé, tout à fait à part des autres. Chaque fois que je donnais une réponse opposée à celle des autres, je me demandais si je ne commençais pas à avoir l'air un peu débile» (Asch, 1952). Une variante de l'expérience originale montre le genre de critiques sociales que les sujets craignaient. Asch a formé un groupe de volontaires auquel se joignait un compère. Les sujets naïfs répondaient tous correctement. Cependant, le complice solitaire faisait les mêmes erreurs que le groupe de compères dans l'expérience précédente. Les réactions des sujets volontaires ont été saisissantes; ils répondaient fréquemment par des sarcasmes, des exclamations d'incrédulité et des rires. Un sujet a écrit ceci à propos du compère: «Je croyais d'abord que cette personne essayait de faire une blague stupide et cela m'ennuyait. Puis, je me suis dit qu'elle faisait bien pitié d'avoir une aussi mauvaise vue.» (Asch, 1952). Si dans l'étude originale les complices de Asch s'étaient comportés de la même manière, en raillant les sujets, la pression sociale aurait assurément augmenté le degré de conformisme.

La comparaison sociale influe-t-elle sur le conformisme? Les recherches de Asch confirment la position selon laquelle certaines personnes ont eu recours à leurs pairs pour obtenir de l'information relativement à l'exactitude de leurs jugements. Grâce à des interviews en profondeur menées après l'étude, Asch a constaté que les opinions erronées de la majorité amenaient

Encadré 9-1

Les effets secondaires de l'éducation collégiale: l'étude de Bennington

Une personne qui entre dans un établissement d'enseignement postsecondaire fait beaucoup plus que simplement suivre des cours et avoir du bon temps. À l'université comme au collège, l'étudiant fait alors partie d'un milieu social nouveau et particulier. La communauté a ses propres attitudes et ses propres valeurs relativement aux buts dans la vie, à la moralité, à la politique et à d'autres sujets. En se joignant à une communauté, les étudiants ne peuvent pas facilement rester à l'écart des tendances qui prévalent et ils en viennent habituellement à les adopter. Theodore Newcomb et ses collègues (1943) ont mené une étude classique sur l'influence des opinions dominantes sur les points de vue des étudiants. Ils ont étudié les attitudes politiques vers la fin des années trente au collège Bennington où, à l'époque, il n'y avait que des étudiantes. Ces dernières venaient principalement de foyers économiquement privilégiés où la position politique conservatrice dominait. Par opposition, à Bennington le climat politique favorisait des positions fortement libérales et radicales. Newcomb voulait savoir comment l'atmosphère relativement radicale de Bennington affecterait les préférences politiques des étudiantes.

souvent les sujets à douter de la validité de leurs propres jugements. Ils commençaient à se demander, par exemple, si la position de leur siège les empêchait de voir correctement ou s'ils ne souffraient pas de fatigue visuelle. Certains sujets semblaient même convaincus que l'opinion erronée de la majorité était réellement correcte.

La compréhension du conformisme progresse

Asch n'est que l'un des nombreux psychologues sociaux qui se sont intéressés aux puissants effets des pressions de groupe sur les décisions individuelles. En 1921, H.T. Moore a montré que des adultes pouvaient rapidement changer leurs points de vue sur ce qui constitue la «bonne» grammaire ou le comportement «éthique», selon l'opinion exprimée par d'autres. Les recherches impressionnantes de Asch ont incité plusieurs autres chercheurs à démontrer la soumission à la pression de groupe. Crutchfield (1955) a accompli un progrès méthodologique important en rendant plus efficace la procédure de Asch.

Chaque sujet était assis dans une cabine séparée d'où il pouvait observer un écran de projection. On projetait différents dessins sur l'écran et le sujet indiquait son jugement au moyen d'un interrupteur. Dans chaque cabine, un panneau électrique informait les sujets des jugements des autres «participants». En réalité, il n'y avait pas d'autres participants. L'expérimentateur contrôlait l'information présentée au tableau et il n'était pas nécessaire d'engager des compères.

Crutchfield a constaté qu'il était possible de faire rapidement changer les jugements sur une grande variété de sujets. Par exemple, des officiers militaires qui, en privé, se disaient de bons leaders pouvaient être influencés au point de ne pas se reconnaître cet attribut. D'autres chercheurs ont constaté qu'ils pouvaient amener des gens assez subtils à être d'accord avec le fait que la personne moyenne mange six repas par jour, que les bébés de sexe masculin ont une espérance de vie de vingt-cinq ans et que la population des États-Unis est surtout composée de personnes âgées (Tuddenham et McBride, 1959).

Les chercheurs ont constaté des différences marquées dans les attitudes politiques des étudiantes. Les attitudes des étudiantes de première année* avaient tendance à ressembler à celles de leurs parents, alors que celles des étudiantes de troisième et de quatrième années étaient beaucoup moins conservatrices. Les préférences des étudiantes quant aux candidats politiques à l'élection présidentielle de 1936 sont présentées sous forme de pourcentage dans le tableau qui suit. Les candidats à cette élection étaient le républicain Alfred Landon contre le démocrate libéral Franklin D. Roosevelt. Le candidat du Parti socialiste était Norman Thomas et le candidat communiste, Earl Browder. Comme vous pouvez le constater, Landon remporta la préférence des étudiantes de première année interrogées et celle de leurs parents.

Candidat	Première année		Deuxième année		Troisième et quatrième années	
	Étudiantes (%)	Parents (%)	Étudiantes (%)	Parents (%)	Étudiantes (%)	Parents (%)
Landon	62	66	43	69	15	60
Roosevelt	29	26	43	22	54	35
Thomas et Browder	9	7	15	8	30	4

* La classification des années scolaires au collège Bennington repose sur le système américain où le baccalauréat universitaire s'obtient en quatre ans et où la première année correspond à une année du collégial dans notre système.

Les théoriciens ont décrit d'importantes distinctions dans le processus qui mène à la pression de groupe. Herbert Kelman (1958, 1961) souligne qu'au moins trois processus distincts peuvent jouer: l'acquiescement, l'intériorisation et l'identification.

1. *L'acquiescement.* Le processus d'**acquiescement** appelé aussi *suivisme* survient lorsque des gens cèdent devant un groupe afin d'éviter d'être punis pour leur manque de conformisme. Dans ce cas, un individu peut acquiescer publiquement, mais rejeter l'opinion du groupe en privé. La majorité des sujets de l'étude de Asch semblaient acquiescer dans le but d'éviter une éventuelle punition des autres lorsqu'ils se trouvaient face à face avec eux (Deutsch et Gerard, 1955). Dans l'expérience de Crutchfield, les sujets étaient placés dans un contexte plus impersonnel. Comme ils n'avaient pas de contact réel avec le «groupe», ces sujets ont pu manifester moins d'acquiescement. Lorsqu'un individu désire plaire à un groupe ou s'y faire des amis, on dit qu'il est sous l'influence d'une **pression normative** qui le pousse à acquiescer (Kelley, 1952). Dans ce cas, plus l'individu est attiré par le groupe, plus l'acquiescement est susceptible d'être fort (Back, 1958). L'individu veut alors désespérément éviter de ne pas être aimé.

2. *L'intériorisation.* Le processus d'**intériorisation** survient lorsqu'une personne en vient à croire que le groupe a raison. La personne a incorporé les opinions, les préférences ou les actions du groupe dans son propre système de valeurs; il y a donc acceptation à la fois publique et privée. Dans la situation conçue par Asch, l'intériorisation n'a probablement joué que de façon mineure, puisque la majorité des sujets éprouvaient de la difficulté à croire les jugements, de toute évidence incorrects, portés par le groupe. Cependant, l'intériorisation a peut-être été un facteur clé dans la situation de Crutchfield. Les autres membres du groupe semblaient arriver de façon indépendante à la décision erronée, ce qui a pu faire croire aux sujets

En deuxième année, les préférences des étudiantes pour Roosevelt, Thomas et Browder augmentaient, alors que les préférences de leurs parents demeuraient semblables. Le nombre d'étudiantes de troisième et de quatrième années qui préféraient Landon tombait à seulement 15 %, ce qui contrastait vivement avec les positions conservatrices de leurs parents.

Des interviews avec des étudiantes ont permis de mieux comprendre la signification de ce changement. Comme l'a dit une étudiante, «j'ai accepté les attitudes libérales d'ici parce que j'ai toujours pensé secrètement que ma famille était bornée et intolérante, et parce que ici on accorde une valeur, du prestige à de telles attitudes. Je crois que cela s'insère dans le développement général de ma personnalité; auparavant, je n'avais jamais vraiment fait partie d'aucun milieu.»

Une autre étudiante s'est exprimée ainsi: «Je voulais tellement être acceptée que j'ai adopté la couleur politique de la communauté. Je ne pourrais tout simplement pas m'opposer à la collectivité, à moins que je ne me sois liée d'amitié avec plusieurs personnes et que je ne reçoive des appuis solides.»

Quelle fut l'expérience des étudiantes qui n'avaient pas changé d'opinion? Encore ici, les interviews sont instructives: «Je suis tout ce que ma mère a au monde. Ici, on considère qu'on est intellectuellement supérieur si l'on est libéral ou radical. Cela m'a mise sur la défensive parce que je refuse de voir ma mère comme intellectuellement inférieure à moi, comme tant d'autres étudiantes le font.» Une autre étudiante a ajouté ceci: «J'ai vécu difficilement ici l'opposition entre ma famille et la faculté. Dès que je me suis sentie réellement sûre de moi ici, j'ai décidé de ne pas me laisser trop influencer par l'atmosphère du collège. Chaque fois que je me suis rebellée contre ma famille, j'ai constaté jusqu'à quel point j'avais

que les autres avaient des connaissances supérieures aux leurs. L'appartenance à un groupe qui semble posséder des connaissances supérieures peut placer l'individu sous l'influence d'une **pression informationnelle** qui pousse à céder au groupe. Plus le dissident perçoit que la compétence du groupe est grande, plus il est susceptible de lui céder (Ettinger et coll., 1971; Hollander et Willis, 1967).

3. *L'identification*. Le processus d'**identification** survient lorsque l'individu cède à la pression du groupe parce que le groupe possède des qualités ou des caractéristiques que l'individu souhaite adopter. Comme dans l'intériorisation, la préférence du groupe est acceptée à la fois publiquement et en privé. Généralement, les effets de l'identification sont cependant moins profonds ou moins durables que les effets de l'intériorisation (Romer, 1979). L'identification ne figure probablement pas parmi les processus majeurs qui ont conduit au conformisme dans les expériences de Asch ou de Crutchfield,

puisque les sujets n'avaient que peu de chances de connaître les qualités personnelles des autres membres du groupe.

Existe-t-il une personnalité conformiste?

Un film fascinant, *Le Conformiste* (de Bernardo Bertolucci), raconte l'histoire d'un homme qui, dans son adolescence, a tué en secret un homme qui l'avait séduit. En raison de son douloureux secret, l'homme se sent coupé du monde qui l'entoure. Pour soulager sa culpabilité, il entreprend de se conformer absolument aux règles culturelles. Comme il vit dans l'Italie d'avant-guerre, il devient un fasciste loyal. Le parti lui demande d'assassiner l'un de ses amis, un professeur de philosophie qui vit en exil à Paris avec sa femme, qui est très belle. Le film illustre le conflit entre l'obsession de l'homme pour le conformisme et ses sentiments profonds pour le professeur et sa femme. Ce long métrage soulève d'importantes questions quant au conformisme dans la société. Existe-t-il une personnalité conformiste susceptible

terriblement tort et, ainsi, très naturellement, je n'ai pas dévié de l'attitude de mes parents.»

Qu'est-il arrivé aux étudiantes après leur départ du collège? Comme elles ont adhéré à différents groupes, probablement plus conservateurs que la communauté collégiale, ont-elles changé d'opinion une fois de plus, reflétant encore la position dominante dans leur environnement social? Une étude conduite vingt-cinq ans plus tard a permis de répondre à cette question (Newcomb et coll., 1967). On a fait un sondage auprès des anciennes étudiantes afin de connaître leurs préférences lors des élections présidentielles de 1960. Les résultats ont montré une préférence de 60 % pour Kennedy, le libéral, par rapport à Nixon, le conservateur. Pour fins de comparaison, on a composé un échantillon de sujets qui présentaient les caractéristiques économiques et sociales des femmes de Bennington, mais qui n'avaient pas étudié à ce collège. Dans cet échantillon témoin, seulement 30 % des sujets préféraient Kennedy. Apparemment, les valeurs libérales apprises à Bennington avaient persisté.

Les étudiantes avaient été très vulnérables au changement au moment de leur entrée au collège. Comment se fait-il alors que ces valeurs aient persisté chez elles? Newcomb croit que, au moment de leur entrée à Bennington, les étudiantes avaient des opinions politiques relativement simples. Elles se sont intégrées à un groupe sans être pleinement conscientes des répercussions possibles sur elles. Cependant, après avoir quitté Bennington, elles se sont fait des amis et ont souvent choisi pour époux des individus dont les opinions politiques ressemblaient aux leurs. Elles ne se sont donc pas engagées impétueusement dans un milieu social conservateur. Elles sont plutôt demeurées au sein d'une sous-culture qui appuyait leur position libérale.

de céder à la foule, quelle que soit la question en jeu?

Les chercheurs ont cru au départ à l'existence d'une personnalité conformiste. Ainsi, un chercheur a rapporté que 20 % des sujets sur lesquels on avait exercé des pressions pour qu'ils se conforment dans quatre situations distinctes se sont en effet conformés dans les quatre situations, sans exception (Vaughan, 1964). D'autres chercheurs se sont montrés en désaccord avec ce point de vue (Allen, 1975). Ils soutiennent que le conformisme est un moyen d'atteindre une certaine fin. Le héros de Bertolucci, par exemple, essaie de réduire sa propre culpabilité. En accord avec ce raisonnement, des études ont montré que les gens qui ont une faible estime de soi se conforment plus que les gens qui ont davantage confiance en eux-mêmes (De Charms et Rosenbaum, 1957; Rosenberg et coll., 1960). Les gens moins sûrs d'eux sont peut-être motivés par le besoin de sécurité. D'autres chercheurs ont constaté que les gens qui ont un grand besoin d'approbation sociale se conforment plus rapidement que ceux qui en ont moins besoin. Ils semblent essayer ainsi

de se faire aimer des autres (Crowne et Liverant, 1963; Strickland et Crowne, 1962). De plus, ceux qui ont un score élevé sur l'**échelle F** qui mesure l'**autoritarisme** (*voir le chapitre 5*) ont davantage tendance à se conformer que ceux qui obtiennent un score plus faible. L'autoritariste se conformerait en raison de son respect inconditionnel des conventions (Elms et Milgram, 1966).

Le conformisme semble donc être d'abord un moyen de satisfaire une variété de besoins psychologiques. Si l'on accepte ce postulat, l'existence d'un «vrai conformiste» semble alors peu vraisemblable. Il est probable que personne ne se soumet à la pression d'un groupe, *peu importe* les circonstances. Un comportement conformiste dans une situation (en classe, par exemple) ne satisfait peut-être pas les mêmes besoins que le conformisme dans une autre situation (dans son groupe d'amis, par exemple). Ainsi, on peut s'attendre à ce qu'une personne qui se conforme pour gagner le respect de l'autorité se conforme en classe, mais non en présence de ses amis. Par opposition, une personne qui recherche l'amitié peut se conformer aux pressions exercées par des amis, mais agir de façon très indépendante en classe. On a déjà cru que les femmes étaient plus conformistes que les hommes (Nord, 1969). Les recherches récentes ne révèlent pas de différences marquées entre les hommes et les femmes en ce qui concerne le conformisme (Eagly, 1978). Diverses raisons peuvent expliquer cette différence entre hier et aujourd'hui. Peut-être que l'accent mis aujourd'hui sur l'affirmation des femmes les encourage à éviter de se conformer à l'opinion des autres. Il se peut aussi que les sujets abordés dans ces travaux antérieurs aient été biaisés en défaveur des femmes. Ainsi, si on aborde des sujets que les femmes connaissent mieux, les garderies par exemple, les hommes auront tendance à se conformer plus que les femmes (More-lock, 1980). Enfin, rappelons ce que nous avons vu au chapitre 5 (*voir l'encadré 5-1*), les résultats qui ne montrent pas de différences entre les hommes et les femmes sont beaucoup moins fréquemment publiés que les résultats dits «positifs».

La soumission à l'autorité

Nous avons vu que les groupes peuvent avoir une influence puissante sur les actions des gens. Devant les pressions du groupe qui poussent à se conformer, les gens vont nier publiquement leurs croyances les plus profondes et seront d'accord avec des énoncés nettement faux. De tels effets ne se limitent pas à des situations de groupe. Les psychologues sociaux se sont intéressés à la capacité des figures d'autorité d'obtenir la soumission. Les chercheurs ont surtout essayé de comprendre la **soumission destructive**, c'est-à-dire le comportement de soumission qui vise à punir ou à exterminer des personnes, ou à détruire la propriété. Plusieurs atrocités militaires ou policières sont commises en réponse à des ordres. Les soldats et les officiers de police préféreraient peut-être éviter la violence, néanmoins ils se soumettent et agissent en conséquence. Plusieurs critiques sociaux croient que la persécution des Juifs dans l'Allemagne nazie a été due en partie au fait qu'un grand nombre d'Allemands étaient d'accord pour agir de façon soumise. Une nation occidentale pourrait-elle, aujourd'hui, se soumettre de façon aussi générale? Avant de répondre, mettez-vous à la place des hommes qui ont servi de sujets dans les expériences saisissantes de Stanley Milgram (1965) sur la soumission à l'autorité.

On vous paie quatre dollars cinquante l'heure (des honoraires honnêtes à l'époque) pour participer à un projet de recherche dans une université de prestige (l'Université Yale). Vous arrivez au laboratoire où vous rejoint un deuxième participant, un homme d'âge moyen, un peu chauve et qui fait un peu d'embonpoint. On vous informe que l'étude porte sur les effets qu'a la punition

Jonestown: le pouvoir qui tue. Les corps des disciples du leader religieux Jim Jones gisent autour du centre culturel de la communauté. Plus de neuf cents membres de ce culte ont suivi les ordres de leur leader et se sont suicidés en avalant du poison. Ce suicide de masse est un puissant exemple de l'influence possible du pouvoir sur les actions des gens.

L'élève de Milgram. Que feriez-vous si l'on vous ordonnait d'administrer à cet homme des chocs de plus en plus élevés? Obéiriez-vous comme la majorité des sujets l'ont fait, ou pourriez-vous résister à l'autorité de l'expérimentateur? Les recherches de Milgram suggèrent que vous auriez tendance à vous soumettre à ses ordres.

sur l'apprentissage. Dans l'expérience, vous aurez à travailler ensemble, l'un comme professeur, l'autre comme élève. On tire au sort et la chance vous favorise; vous serez le professeur et vous éviterez de ce fait la punition de l'élève, des chocs électriques. On vous montre un générateur de chocs électriques, un grand tableau comprenant une rangée de trente boutons, chacun servant à envoyer un choc à l'élève lorsqu'il commet une erreur. La série de boutons provoquent des chocs d'une intensité accrue. Ainsi, le bouton de l'extrême gauche indique un faible voltage, soit 15 V, le suivant indique 30 V, le troisième, 45 V, jusqu'au maximum de 450 V. Des étiquettes additionnelles donnent des indices de la signification des chiffres. Le voltage inférieur est étiqueté *choc léger*, tandis qu'un des plus élevés indique *danger: choc grave*. Vous devez vérifier l'apprentissage de l'élève qui effectue une tâche de mémorisation et vous êtes supposé lui donner un choc de 15 V à la première erreur, un choc de 30 V à la deuxième, et ainsi de suite. Afin de démontrer les effets produits par l'action des boutons, on vous donne un choc de 45 V, bref et légèrement douloureux. On attache alors l'élève à une chaise et on lui pose des électrodes aux poignets.

L'élève se révèle plutôt inepte. Vous découvrez rapidement que vous êtes passé du bouton de 15 V à celui de 45 V. Lorsque vous administrez 75 V, l'élève émet un grognement et un gémissement. Comme vous allez vers le 150 V, les réactions de douleur du sujet deviennent de plus en plus intenses, jusqu'au moment où, finalement, il crie qu'il ne veut plus participer. Bientôt, il ne répond plus à aucune question et commence à frapper sur le mur lorsqu'il reçoit un choc. Lorsque le degré de 330 V est atteint, il ne montre plus aucune réaction. Il s'était plaint antérieurement d'avoir le cœur fragile. Est-il possible qu'il ait subi un arrêt cardiaque? Cependant, chaque fois que vous exprimez un doute sur la procédure, l'expérimentateur insiste pour que vous continuiez. Si vous résistez, l'expérimentateur vous dit: «Vous n'avez pas le choix, vous devez continuer.» Il persiste dans ses exigences jusqu'à ce que vous soyez passé au bouton étiqueté *danger: choc grave*.

La «victime» de l'expérience était un compère de Milgram, l'«expérimentateur», un enseignant d'une école voisine et, en réalité, le «choc» n'était jamais donné. Mais si vous aviez été un sujet, auriez-vous continué à donner les chocs à l'élève qui était de toute évidence torturé par les conditions expérimentales et peut-être même sans vie? Les normes de la science suggèrent qu'un sujet doit suivre les consignes de l'expérimentateur. Or, ce dernier semblait punir toute tentative de mettre fin à la tâche. De plus, le sujet n'avait pas de base pour juger s'il devait continuer, c'est-à-dire aucune autre source d'information à partir de laquelle il aurait pu établir une comparaison. Au départ, Milgram ne croyait pas qu'un seul sujet pourrait continuer à obéir à l'expérimentateur jusqu'à ce que le choc maximal soit administré. Quarante psychiatres partageaient cet avis. Milgram leur a demandé de prédire si les sujets accepteraient de continuer. Ils ont prédit que la majorité des sujets ne dépasseraient pas la limite de 150 V. Ils ont également suggéré la possibilité que seuls de très rares individus, peut-être névrotiques, continueraient jusqu'à ce que le choc maximal soit donné.

On a tellement accordé d'attention à ce sujet que vous serez peut-être plus avisé que les psychiatres. La figure 9-2 présente leurs prédictions, de même que le comportement réel des sujets. Vous pouvez voir que quelque 62 % des sujets se sont *pleinement soumis* et ont continué à administrer les chocs jusqu'à ce qu'on leur dise qu'ils pouvaient arrêter. Cela ne leur était toutefois pas facile de donner les chocs. Plusieurs sujets ont fait preuve d'une grande angoisse, ont voulu protester, ont attaqué verbalement l'expérimentateur, ont manifesté de l'agitation ou ont éclaté de rire nerveusement. Néanmoins, la majorité des gens ont continué à obéir.

Les conditions de la soumission à l'autorité

Les résultats frappants obtenus par Milgram suggèrent qu'en général les gens n'ont pas tendance à résister aux exigences de l'autorité, même lorsqu'ils croient qu'elle a tort. Préoccupés par les effets potentiels de la soumission destructive, Milgram et d'autres psychologues sociaux se sont mis à chercher les facteurs qui, s'ils étaient modifiés, pourraient réduire la tendance à obéir aveuglément. Parmi les facteurs identifiés, on note les suivants.

1. *La légitimité de l'autorité.* Milgram soupçonnait que le haut degré de soumission observée dans l'étude originale était principalement dû à la légitimité conférée aux demandes de l'expérimentateur en raison de son lien avec la prestigieuse Université Yale. Afin d'explorer cette possibilité, il a mis sur

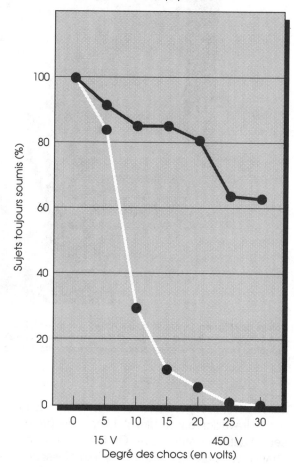

Figure 9-2 La soumission à l'autorité: les prévisions et la réalité

Près des deux tiers des sujets ont administré à leur victime «inconsciente» le choc le plus élevé qui était à leur disposition. Notez que les psychiatres croyaient que les gens n'accepteraient pas d'obéir ainsi à l'autorité. (Adapté de Milgram, 1974.)

pied un deuxième laboratoire dans un édifice commercial délabré de la ville de Bridgeport, au Connecticut. On présentait le commanditaire du test comme une firme privée de recherche commerciale. Les autres conditions de l'expérience demeuraient les mêmes. Ce changement de procédure a réduit la soumission jusqu'à un certain point. De l'échantillon de Bridgeport, 48 % ont administré le choc de degré maximal, comparativement à 62 % à Yale. Milgram a été frappé par la réduction relativement limitée du pourcentage de sujets soumis et a conclu qu'il était possible d'obtenir des degrés de soumission élevés même si l'institution n'était pas «particulièrement renommée ou éminente».

2. *La proximité de la victime.* Dans l'étude originale, la victime était dans une pièce voisine, hors de la vue du sujet. Les travaux ultérieurs de Milgram ont montré cependant que la soumission diminuait considérablement lorsque le sujet était dans la même pièce que la victime et qu'il devait presser la main de la victime sur une plaque de métal pour déclencher le choc (*voir le tableau 9-1*). Plus la victime était proche, moins il y avait de soumission.

3. *La proximité de l'autorité.* Dans l'étude originale, l'expérimentateur se tenait près du sujet. Cependant, lorsque l'expérimentateur communiquait ses instructions d'une pièce voisine ou par téléphone, la résistance à ses ordres augmentait brusquement (Rada et Rogers, 1973) (*voir le tableau 9-1*). Lorsque l'expérimentateur donnait ses instructions par téléphone, plusieurs sujets mentaient à propos de leur comportement. Ils disaient avoir administré des chocs intenses, alors qu'en réalité ils ne donnaient que le choc le plus faible possible.

4. *Les caractéristiques personnelles des sujets.* Les sujets soumis avaient, plus que les sujets qui n'obéissaient pas, tendance à voir l'élève, ou la victime, comme responsable de ce qui lui arrivait (*voir l'exposé sur l'hypothèse du monde juste, au chapitre 7*). Les sujets soumis attribuaient à l'élève une responsabilité deux fois plus grande que ne le faisaient les sujets rebelles. De même, ils s'attribuaient personnellement moins de responsabilité. Les sujets soumis semblaient également avoir des caractéristiques autoritaristes plus prononcées (Elms, 1972) et leur niveau de pensée morale était moins avancé (Kohlberg, 1965).

Les travaux sur la soumission à l'autorité: un débat déontologique

Les expériences de Milgram ont révélé des choses importantes sur l'être humain: chacun de nous peut se soumettre à l'autorité et agresser une victime qui n'a fait aucun tort à quiconque. Pourtant, ces travaux ont été à l'origine d'une controverse considérable. Plusieurs critiques considèrent les recherches de Milgram comme fondamentalement non éthiques (Baumrind, 1964). Ils ont mis en doute le droit de Milgram, en tant que scientifique, de soumettre des gens à des pressions intenses, de les tromper, de les humilier et de faire en sorte qu'ils se sentent coupables de leur comportement. Les critiques se sont également demandé si la valeur des connaissances obtenues par ces études justifiait l'exposition de plus d'un millier de personnes à un tel stress. Il y aurait peut-être eu lieu de recourir à des techniques moins nocives pour faire la démonstration visée (Mixon, 1972).

Pour sa défense, Milgram cite des preuves selon lesquelles 84 % des sujets interrogés par la suite se sont dits contents d'avoir pris part à l'étude. Moins de 2 % ont dit regretter d'avoir participé. La grande majorité des sujets ont indiqué avoir appris quelque chose d'important grâce à leur participation. D'autres psychologues ont soutenu qu'il est moralement justifiable de soumettre des sujets à des dilemmes moraux, parce qu'ils peuvent ainsi revoir leur système de valeurs et devenir de meilleures personnes (Crawford, 1972; Rosnow, 1978). Selon d'autres défenseurs,

Conditions de l'emplacement	Sujets ayant donné à la victime des chocs extrêmement dangereux (%)
Expérimentateur	
Près	62,5
Éloigné	45,0
Victime	
Près	49,0
Éloignée	65,0

Source: Adapté de Milgram, 1974.

Tableau 9-1   La relation entre la distance physique et la soumission à l'autorité

Notez que l'endroit où se trouvent l'expérimentateur et la victime influe sur la volonté des sujets d'administrer des chocs dangereux.

une méthode différente n'aurait pu être aussi fructueuse que celle de Milgram. Le but principal de Milgram était de montrer que la majorité des gens vont suivre les ordres et faire aux autres des choses atroces. Des comptes rendus de nouvelles n'auraient probablement jamais fourni des preuves aussi convaincantes. Vous pouvez constater que dans la majorité des cas de conflits d'éthique, il n'existe pas de solution facile.

En résumé, nous avons vu que des groupes et des figures d'autorité individuelles peuvent exercer des pressions puissantes sur les gens afin qu'ils adoptent des comportements qu'ils n'auraient probablement pas choisis autrement. Devant la pression de groupe, ie conformisme survient souvent parce que les gens veulent être acceptés par les autres membres du groupe et parce que les gens se tournent vers autrui pour obtenir de l'information susceptible d'améliorer leurs propres décisions. Les gens sont particulièrement portés à obéir si la figure d'autorité semble légitime et si elle est à proximité. Les caractéristiques personnelles des gens influent également sur leur façon de répondre aux pressions relatives au conformisme et à la soumission à l'autorité.

Les effets du pouvoir chez ceux qui le détiennent

Nous allons nous intéresser maintenant aux agents d'influence qui cherchent par le pouvoir à susciter des comportements chez les autres. Nous verrons que ceux qui détiennent et exercent un pouvoir sur les autres subissent, en contrecoup, des effets pervers du pouvoir.

Les effets négatifs du pouvoir

Considérez la situation suivante. Un soir, alors que vous retournez chez vous à pied, une voiture de police s'arrête brusquement et deux hommes en uniforme en sortent. Ils vous saisissent et vous placent sous arrêt comme suspect d'un vol à main armée. Les voisins regardent pendant qu'on vous passe les menottes, qu'on vous fouille et qu'on vous fait monter de force à l'arrière du véhicule.

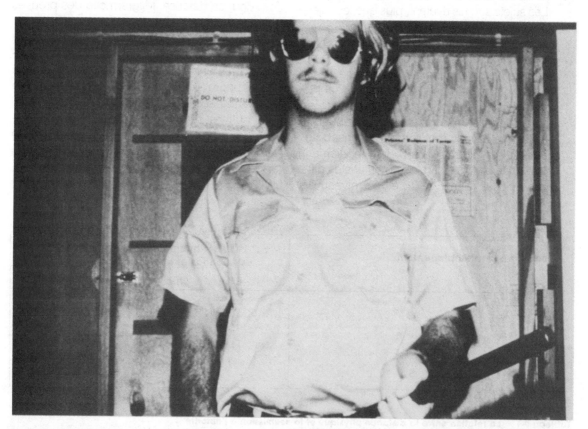

Un gardien de prison. Le jeune homme qui agrippe sa matraque est l'un des étudiants volontaires dans l'expérience de la prison simulée à Stanford. Cette expérience fournit une illustration vivante des effets négatifs de la possession du pouvoir.

Vous n'êtes pas totalement bouleversé par cette expérience parce que vous savez que votre «arrestation» est le début d'une expérience à laquelle vous avez accepté de participer pour la somme de quinze dollars par jour. En compagnie d'une douzaine d'autres étudiants volontaires, vous êtes ensuite conduit dans une cellule de prison simulée, dans le sous-sol de l'Université Stanford. Les gardiens, qui sont aussi des sujets volontaires, vous déshabillent, vaporisent sur vous un liquide anti-poux, vous photographient, vous mettent en cellule et vous ordonnent de garder le silence. Soudain, vous prenez pleinement et douloureusement conscience du fait que vous avez accepté d'être emprisonné pendant deux semaines.

Cette histoire illustre ce qu'ont vécu des sujets volontaires dans une expérience visant à remettre en question les vues traditionnelles sur la vie en prison (Haney, Banks et Zimbardo, 1973). Habituellement, les mauvais traitements entre prisonniers, le traitement brutal des gardiens à l'égard des prisonniers et les attaques des prisonniers contre les gardes sont attribués aux *dispositions personnelles* de ceux qui sont en cause. En d'autres termes, on émet l'hypothèse selon laquelle la violence et la cruauté exhibées par les deux groupes résultent du mauvais caractère des criminels endurcis ou de l'influence négative des criminels sur les caractéristiques personnelles des gardiens. Les chercheurs considéraient cette hypothèse avec scepticisme. Peut-être que la faute ne doit pas être attribuée aux individus, pensaient-ils; la *situation carcérale*, en soi, peut être corruptrice. Les êtres les plus humains peuvent devenir des bêtes dans des circonstances similaires. Les chercheurs ont choisi des étudiants comme sujets parce que les expériences de vie des étudiants diffèrent considérablement de celles d'un criminel professionnel. On se demandait donc si des étudiants ordinaires seraient corrompus par une situation de prison artificielle.

Considérons d'abord le comportement des étudiants à qui l'on avait fait jouer le rôle de prisonniers. En général, l'humeur des prisonniers est devenue de plus en plus négative à mesure que les jours se succédaient. Ils se critiquaient eux-mêmes et s'en prenaient leur situation. Ils ont fait montre d'une variété de symptômes pathologiques: dépression, pleurs, rage, anxiété aiguë ou maux et douleurs psychosomatiques. Presque la moitié des prisonniers durent rapidement être relâchés. Presque tous les autres se disaient prêts à perdre leur salaire s'ils pouvaient être relâchés.

Une fois l'expérience terminée, après six jours (pour des raisons humanitaires), tous les prisonniers ont exprimé une immense joie.

La perte de contrôle expérimentée a eu des conséquences extrêmement pénibles pour les sujets prisonniers. Mais ce qui nous intéresse particulièrement ici, c'est l'effet du grand pouvoir de coercition sur les étudiants à qui l'on avait fait jouer le rôle de gardiens. Dans l'expérience, on leur accordait une grande liberté dans le choix de leurs moyens de maintenir l'ordre dans la prison. Néanmoins, les gardiens ont presque toujours choisi de maltraiter les prisonniers. C'est par des ordres qu'ils s'adressaient le plus fréquemment aux prisonniers et les échanges verbaux demeuraient impersonnels. À mesure que le temps passait, le comportement abusif des gardiens s'intensifia et il persistait même quand les prisonniers cessaient de résister. On remarqua que durant les premières heures de la matinée, pendant que les prisonniers dormaient, un gardien (qui ne savait pas qu'il était observé) arpentait la cour, frappant vigoureusement dans sa main avec sa matraque. Un autre gardien plaça un prisonnier en réclusion solitaire (dans un petit placard) et il essaya de l'y garder toute la nuit, ne le disant pas aux expérimentateurs qui, selon lui, étaient trop doux pour les prisonniers. Plusieurs gardiens ont été volontaires pour faire du temps supplémentaire sans recevoir de supplément, et ils ont été peinés lorsqu'on termina l'expérience prématurément. Donc, ayant obtenu un grand pouvoir de coercition, ces jeunes hommes qui, par ailleurs, étaient honnêtes et pacifiques, devinrent tyranniques et inhumains. De plus, ils semblaient apprécier cela.

Le pouvoir qui corrompt

Pourquoi, dans cette étude de la prison factice, les gardiens sont-ils devenus si brutaux à cause de leur position? L'historien britannique Lord Acton a écrit: «Le pouvoir tend à corrompre et le pouvoir absolu tend à corrompre absolument.» Cela décrit assurément le comportement des gardiens. Mais pourquoi le pouvoir a-t-il cet effet? Dans une analyse rigoureuse des effets du pouvoir, David Kipnis (1977) a énoncé cinq étapes intimement liées qui font qu'un individu puissant devient corrompu. Considérons chacune d'elles, tour à tour.

1. *L'accès à des moyens de pouvoir augmente la probabilité que le pouvoir sera utilisé.* Nous

avons vu, au chapitre précédent, que la présence d'armes peut inciter un individu à les utiliser. Apparemment, l'accès au pouvoir produit le même genre de tentation. Dans une étude expérimentale de la relation entre la possession du pouvoir et son utilisation, Kipnis (1972) s'est organisé pour que des étudiants en administration supervisent des élèves du secondaire dans un jeu industriel. Le pouvoir des superviseurs sur les travailleurs était varié. Quelques superviseurs, ceux dont le pouvoir était élevé, pouvaient accorder des augmentations de salaire aux travailleurs, les affecter à un autre travail si leur performance était mauvaise, leur donner des instructions spéciales, déduire une partie de leur salaire et les congédier. D'autres superviseurs, ceux dont le pouvoir était faible, ne pouvaient qu'utiliser leur persuasion personnelle pour influencer les travailleurs. Les conditions expérimentales étaient conçues de façon que, dans les deux groupes, la productivité des travailleurs soit *exactement la même*. On se demandait si le fait de détenir beaucoup ou peu de pouvoir influerait sur le comportement des superviseurs. Comme vous pouvez le voir au tableau 9-2, ceux qui avaient du pouvoir l'utilisaient plus fréquemment. Ils essayaient rarement de persuader leurs «travailleurs» (ils n'ont utilisé la persuasion que dans environ 16 % du temps). Ils s'appuyaient plutôt sur les menaces, les promesses d'augmentation, et ainsi de suite. En d'autres termes, les tenants du pouvoir tendaient à utiliser les récompenses et la coercition.

2. *Plus le pouvoir est utilisé, plus le détenteur du pouvoir est susceptible de croire qu'il contrôle les actions de la cible.* Rappelez-vous

notre exposé sur l'attribution causale (*voir le chapitre 2*) où nous avons décrit comment les gens en viennent à décider si une action est contrôlée par son auteur ou par la situation. Les détenteurs du pouvoir font aussi des attributions causales (Kaplowitz, 1978) et peuvent utiliser ces mêmes principes. Conscient des récompenses et des coercitions qu'il utilise, le détenteur du pouvoir a tendance à percevoir le comportement de la cible comme involontaire. «Le travailleur fait cela parce que c'est moi qui le lui fais faire», peut penser le détenteur du pouvoir. Dans l'expérience de Kipnis, on a demandé aux deux types de superviseurs si leurs travailleurs étaient personnellement motivés ou s'ils étaient motivés par le salaire. Ceux qui avaient exercé plus de pouvoir avaient moins tendance à percevoir leurs travailleurs comme motivés personnellement. Ils attribuaient plutôt les efforts de leurs travailleurs à un désir de récompense en argent. D'autres chercheurs ont constaté que les gens qui ont un grand besoin de pouvoir sont également portés à se percevoir comme des agents des actions des autres (Fodor et Farrow, 1979).

3. *À mesure que le détenteur du pouvoir en vient à prendre le crédit des actions de la cible, celle-ci peut sembler devenir moins valable.* Dévaluer ceux qui sont perçus comme des pions est une réponse commune qui a été montrée dans des contextes industriels (Kipnis et Cosentino, 1969) et dans les relations de couples (Kipnis et coll., 1976). Dans un mariage, par exemple, si la prise de décisions est perçue comme unilatérale, celui qui prend les décisions peut se sentir moins attiré par son conjoint, moins satisfait et moins

Type de superviseurs	Nombre de tentatives d'influence		
	Période 1	Période 2	Période 3
Pouvoir élevé	2,1	4,0	8,2
Pouvoir faible	1,1	2,3	3,6

Source: Adapté de Kipnis, 1972.

Tableau 9-2   Le pouvoir corrompt-il?

Remarquez l'augmentation plus rapide de l'utilisation de l'influence par les superviseurs qui ont du pouvoir et l'utilisation moindre de l'influence par ceux qui n'ont pas de pouvoir.

heureux dans sa relation (Alpert, 1978). Cette tendance du détenteur du pouvoir à dévaluer la cible est particulièrement forte si la cible semble agir par peur de la punition (Wells, 1980); elle peut aussi être accrue si la cible est portée à être docile et obéissante. Comme un chercheur l'a exprimé, «la déférence et la docilité manifestées par le moins puissant sont perçues par le plus puissant comme un signe de faiblesse, sinon de servilité» (Sampson, 1975).

4. *À mesure que la valeur de la cible décroît, sa distance sociale avec le détenteur du pouvoir augmente.* Si les gens qui ont un pouvoir élevé tendent à dévaluer ceux qui en ont peu, ils risquent de ne pas vouloir s'engager dans des relations étroites ni «voir le monde à la façon de ceux qui n'ont pas de pouvoir» (Tjosvold et Sagaria, 1978). L'expérience de Kipnis fait aussi ressortir ce point. Quand on a demandé aux superviseurs s'ils aimeraient rencontrer des travailleurs après la fin de l'expérience et parler avec eux, ceux qui exerçaient un pouvoir élevé ont montré beaucoup moins de désir d'entrer en contact avec des travailleurs que ceux qui avaient un pouvoir faible.

5. *L'accès au pouvoir et son utilisation peuvent accroître l'estime de soi du puissant.* Un individu qui croit que les autres sont de simples pions peut en venir à avoir une estime de soi exagérée, particulièrement s'il croit que les instruments de pouvoir sont des indices de sa propre valeur. De même que le détenteur du pouvoir peut se sentir meilleur à cause de sa richesse ou de sa position, de même les gens sans pouvoir peuvent en venir à se dévaluer eux-mêmes. Par exemple, les gens qui vivent dans des quartiers non prestigieux peuvent éprouver moins de satisfaction de soi que ceux qui vivent dans de meilleurs quartiers. Dans les groupes sociaux, on évite parfois les gens qui ont peu de pouvoir (Bales, 1970), ajoutant ainsi à leur perception décroissante d'estime de soi. Une étude sur les administrateurs d'entreprises montre une corrélation positive entre le pouvoir et l'estime de soi (Kipnis, 1972). On peut tirer profit d'une haute estime de soi. Le problème commence lorsque le détenteur du pouvoir en vient à avoir une perception exagérément élevée de lui-même ou lorsque les sentiments d'exaltation de soi amènent ceux qui détiennent du pouvoir à se considérer exemptés des règles morales habituelles (Berle, 1967).

La description que fait Kipnis des étapes qui conduisent à la corruption offre une sombre vue des effets du pouvoir. Le fait de posséder du pouvoir doit-il *toujours* aboutir à l'augmentation de la recherche d'influence, à la dévaluation des moins puissants et à l'augmentation indue de l'estime de soi? La réponse à cette question est non, à la condition que les membres des organisations deviennent conscients des possibilités de corruption. En fait, le travail de Kipnis et d'autres chercheurs a incité quelques organisations à essayer de faire alterner les gens dans des positions de pouvoir, distribuant divers types de pouvoir à différentes personnes et offrant des fins de semaine de discussions où les gens de tous les échelons de l'organisation peuvent parler librement de leurs sentiments et de leurs opinions. Quelques chercheurs croient que, dans de bonnes conditions, la possession du pouvoir peut augmenter la compassion et approfondir la compréhension de soi et des autres (Berle, 1967; Cartwright et Zander, 1968). L'identification et l'établissement de telles conditions demeurent un défi à relever.

La résistance à l'influence

Le conformisme et la soumission sont des phénomènes profondément troublants. Dans une société libre, il faut parfois s'élever contre la majorité ou contre l'autorité. Lorsque les gens passent outre à leurs sentiments personnels et cèdent inconsidérément à la pression qui provient des groupes sociaux ou des figures d'autorité, le terrain est mûr pour la tyrannie. Dans cet esprit, des chercheurs se sont mis à étudier le *comportement indépendant*, c'est-à-dire le comportement où un individu essaie de résister à l'influence sociale afin d'atteindre un but quelconque. On fait habituellement une distinction entre l'**indépendance** et l'**anticonformisme** (Stricker, Messick et Jackson, 1970). Par ce dernier terme, on désigne le comportement par lequel braver le groupe ou la figure d'autorité devient une fin en soi. Nous traiterons de l'indépendance plutôt que de l'anticonformisme. Nous explorerons d'abord quelques-unes des sources psychologiques de l'indépendance, qui se manifeste par une autonomie, une divergence dans les opinions ou les comportements. Nous considérerons plusieurs aptitudes psychologiques qui encouragent à la dissidence. Nous examinerons ensuite diverses façons possibles de modifier les situations sociales pour réduire les effets de la pression sociale. Enfin, nous verrons quelques façons dont les minorités peuvent influencer la majorité.

Les sources psychologiques de l'indépendance

Pour diverses raisons, les gens résistent aux pressions exercées sur eux afin qu'ils se conforment: des croyances personnelles, des raisons d'ordre moral ou des engagements sociaux peuvent tous intervenir ici. Cependant, quelques psychologues sociaux croient que la résistance pourrait se développer à partir de besoins psychologiques profonds. Considérons deux de ces possibilités: le besoin de se sentir libre et le besoin de se sentir unique.

La réactance: le besoin d'être libre

Lorsque leurs parents leur rendent visite, plusieurs personnes réagissent par de l'irritation. Les enfants aiment leurs parents et veulent les voir, mais, à moins que la visite ne soit brève, ils craignent souvent une restriction de leur liberté. Cette perte de liberté les contrarie. Certains psychologues (Brehm, 1966; Wicklund et Brehm, 1976) croient que de telles réactions pourraient être extrêmement courantes dans la société. Ils affirment que les gens investissent profondément et de façon persistante pour maintenir leur liberté de choix. Lorsqu'ils se sentent menacés d'une réduction de leur liberté, ils réagissent par un état de motivation négatif appelé **réactance**. L'individu qui éprouve de la réactance cherchera à la réduire en tentant de regagner la liberté perdue.

Pour illustrer la réactance, nous examinerons une étude intéressante portant sur les réactions à la censure (Wicklund et Brehm, 1976). La censure restreint la liberté des gens et elle est susceptible de produire un état de réactance. La réactance peut se traduire par une augmentation de son appréciation ou de sa volonté d'obtenir le contenu censuré. Afin d'explorer le changement d'attitude que peut produire la censure, des chercheurs ont mesuré les attitudes d'élèves du secondaire quant à la possibilité d'abaisser l'âge légal pour voter (à ce moment, il était de vingt et un ans). La majorité des élèves approuvaient une telle politique. On annonçait par la suite qu'un orateur prononcerait pour l'ensemble des élèves un discours en faveur de cette politique. Ainsi, les élèves attendaient avec impatience le discours

appuyant fortement leur position. Cependant, on décommanda le discours le matin même où il devait être prononcé. On a dit à la moitié des élèves qu'un représentant de la commission scolaire régionale avait interdit à l'orateur de se présenter devant les élèves parce qu'il ne voulait pas que ces derniers l'entendent (condition de censure). On a dit aux autres élèves que l'orateur était malade. On a alors mesuré de nouveau les attitudes des élèves relativement à la possibilité d'abaisser l'âge requis pour voter. Les résultats ont montré l'échec de la censure. Les élèves qui croyaient que le représentant avait fait décommander le discours *sont devenus encore plus en faveur de la position censurée*. On n'a pas constaté une telle augmentation chez les élèves qui croyaient que l'orateur était tombé malade. Des résultats similaires ont été montrés par d'autres chercheurs (Ashmore, Ramchandra et Jones, 1971).

Nous voyons que la pression sociale peut parfois motiver les gens à résister au conformisme. Diverses conditions accroissent la probabilité d'une réponse de réactance.

1. *La réactance augmente d'autant plus que la liberté est menacée.* Plus la liberté d'un individu est menacée, plus sa résistance est grande. Une étude a montré, par exemple, que des gens sur lesquels on avait exercé beaucoup de pression pour qu'ils répondent à un questionnaire étaient beaucoup moins susceptibles d'accepter que ne l'étaient des gens qui avaient été sollicités moins ardemment (Doob et Zabrack, 1971).

2. *La réactance s'accroît avec l'augmentation de l'importance que l'individu accorde au comportement menacé.* Si un individu est indifférent à un sujet donné et que l'on attaque ce sujet, cela ne créera pas beaucoup de réactance chez lui. Mais, lorsqu'une question est importante, l'individu peut résister aux tentatives d'influence, même si la source de pression est quelqu'un pour qui il éprouve de l'attraction (Brehm et Mann, 1975). Une étude a montré que le fait de recevoir une faveur peut créer de la réactance. Si l'on reçoit une faveur, il faut apparemment la retourner et cette exigence réduit la liberté de choix (Brehm et Cole, 1966).

3. *La réactance est augmentée par la croyance que l'on a d'avoir droit à la liberté.* Si les gens pensent qu'ils ont droit à la liberté de parole, ils peuvent réagir avec plus d'hostilité aux

contrôles gouvernementaux sur la presse que s'ils ne postulent pas un tel droit dès le départ (Wortman et Brehm, 1975). De plus, si le degré de liberté est réduit, la réactance augmente (Wicklund, 1974). Si le gouvernement augmente légèrement les impôts, les gens ne se plaindront probablement pas. Si l'augmentation est considérable et que la liberté de dépenser est grandement réduite, les gens peuvent répondre en destituant le gouvernement en place.

L'unicité: le besoin d'être différent

Imaginez que vous êtes invité à une soirée importante. Vous passez un après-midi à magasiner pour trouver les vêtements qui conviennent tout à fait. Vous arrivez à la réception et vous vous apercevez que quatre autres personnes portent précisément les mêmes vêtements. Vous vous sentiriez peut-être irrité ou embarrassé. Certains psychologues croient que votre réaction exprimerait un besoin profond et important, celui d'être *unique* ou différent des autres (Snyder et Fromkin, 1980).

L'une des raisons pour lesquelles les gens veulent être uniques est que la majorité des sociétés valorisent fortement les personnes qui présentent des qualités rares. Par exemple, dans un groupe de touristes faisant un voyage organisé dans plusieurs pays d'Europe, une personne qui parle plusieurs langues recevra plus d'attention de la part des autres si les polyglottes se font rares dans le groupe. De plus, les sentiments d'identité personnelle semblent rattachés aux façons dont les gens *diffèrent* des autres plutôt qu'aux façons dont ils leur ressemblent. Si vous écrivez de la poésie, par exemple, vous pouvez penser que votre poésie constitue un aspect important de votre identité. Cependant, vous ne considérez probablement pas qu'écrire des lettres est un aspect important de ce que vous êtes, puisque tout le monde écrit des lettres.

Pour démontrer l'importance du besoin d'unicité, des chercheurs ont étudié les réactions de personnes qui apprenaient qu'elles étaient très semblables à d'autres. Placés dans cette situation, la majorité des gens ont montré du désarroi, une baisse d'estime de soi et une baisse de considération pour les personnes auxquelles ils étaient supposés ressembler. Lorsqu'on soumet des individus à des tests de pensée créative, ceux qui ne se croient pas uniques augmentent leur créativité. Ils font aussi preuve d'un désir accru

de se joindre à des expériences inhabituelles ou insolites (Ganster, McCuddy et Fromkin, 1977). Lorsque les gens tentent d'insister sur leur unicité, ils se comportent souvent de façon à accentuer leur supériorité par rapport aux autres (Myers, 1978). Les gens veulent souvent être plus que simplement différents; ils veulent aussi être un peu meilleurs (Myers, Wojcicki et Aardema, 1977).

Ce qui nous importe particulièrement ici, c'est que si l'on dit aux gens qu'ils sont semblables à un grand nombre d'autres personnes, leur conformisme peut diminuer de façon marquée. Dans une étude, on a fait varier le sentiment d'unicité chez des étudiants dans le but de déterminer l'effet de la perception de similarité sur le conformisme (Duval, 1972). On a dit aux étudiants que soit 5 %, 50 % ou 95 % des dix mille autres étudiants interrogés partageaient leurs «dix attitudes les plus importantes». Chacun des étudiants passait par la suite un test où il devait deviner le nombre de points apparaissant sur diverses diapositives. Avant de donner sa réponse, chaque étudiant entendait les estimations faites par deux autres personnes. Les étudiants à qui l'on avait dit qu'ils étaient semblables à la majorité des étudiants ont montré le *plus faible* degré d'accord avec les autres estimations.

Nous voyons donc que les gens valorisent beaucoup la liberté de choix et le fait d'être unique. Cependant, de telles valeurs ne se manifestent pas toujours. Les Romains de l'Antiquité ont abandonné avec joie une démocratie libre en faveur de l'autocratie. Par ailleurs, plusieurs personnes seraient prêtes à affirmer que la culture japonaise contemporaine valorise beaucoup plus le conformisme que l'unicité. Il apparaît nettement que pour faire échec au conformisme et à la soumission, les gens doivent mieux connaître les sources de réactance et le besoin d'unicité, de même que les conditions qui les renforcent ou les réduisent. Cependant, plusieurs critiques sociaux croient que la résistance individuelle à l'influence sociale ne peut suffire. Il faut porter attention aux *conditions* dans lesquelles les gens cèdent à l'influence. C'est ce que nous examinerons maintenant.

La modification des conditions qui favorisent le contrôle social

Vous vous rappellerez que les sujets des recherches de Milgram avaient beaucoup plus tendance à résister aux instructions reçues lorsque l'expérimentateur n'était pas dans la pièce que lorsqu'il était présent. De plus, lorsque la victime était dans la pièce, la résistance aux ordres de l'expérimentateur augmentait également. Dans chaque cas, on instaurait des changements dans la situation sociale et ces changements influaient sur la résistance des sujets à la pression. Nous allons considérer plusieurs types de facteurs situationnels auxquels il faut faire face si l'on veut réduire la pression sociale: les caractéristiques de l'agent d'influence, les techniques utilisées par l'agent et la présence ou l'absence de surveillance et d'appui social à la divergence.

Les caractéristiques sociales de l'agent d'influence

Les caractéristiques de l'agent d'influence peuvent jouer de façon extrêmement importante sur les réactions à la pression. Des gens feront beaucoup d'efforts pour se conformer aux désirs de certains individus et répondront négativement aux mêmes demandes venant d'autres personnes. Quelles sont les caractéristiques d'un agent d'influence qui augmentent la probabilité que les gens accèdent à ses demandes? L'attirance personnelle figure certainement parmi les premières sur la liste. Les membres du sexe opposé qui sont physiquement attirants ont souvent plus d'influence que ceux qui ne le sont pas. Cela a même été observé chez des sujets n'ayant que onze ans (Dion et Stein, 1978). Comparativement

aux inconnus, les amis ont habituellement une influence plus forte sur les actions des gens. Même une information minimale, par exemple simplement dire à des sujets qu'ils seront attirés par les autres, peut faire augmenter leur tendance à se conformer à l'opinion du groupe (Back, 1951).

Le *prestige* et le *savoir* augmentent également le pouvoir de l'agent d'influence (*voir le chapitre 6*). Cela signifie que les gens seront davantage prêts à accéder aux désirs de quelqu'un s'ils croient qu'il est un expert dans un domaine donné (*voir* McGuire, 1968). En réalité, si des agents d'influence possèdent des connaissances dans un domaine, ils peuvent exercer une influence dans des domaines où ils sont aussi ignorants que n'importe qui. Par exemple, lorsque des professionnels ou des individus financièrement à l'aise sont jurés, ils sont susceptibles d'exercer plus d'influence sur les autres membres du jury que les individus moins à l'aise ou sans titre professionnel (Strodtbeck, James et Hawkins, 1957). Cet effet semble refléter le respect des autres jurés à l'égard de la position de prestige de l'agent d'influence, plutôt qu'un respect pour ses connaissances supérieures.

Si dans la société on valorise l'indépendance, il est important de savoir que l'attirance ou l'expertise perçues peuvent augmenter le pouvoir d'un individu ou d'un groupe. Ainsi, on pourra favoriser la liberté de parole et la critique pour

contrecarrer l'importance de l'attirance et permettre de réfuter le point de vue de personnes qui jouiraient d'un pouvoir d'influence indu. Le journalisme critique, les partis politiques extrémistes, le débat intellectuel libre, les bandes dessinées insolentes, l'art d'avant-garde, et ainsi de suite, sont autant de moyens de réduire le pouvoir des agents d'influence.

Les techniques de l'agent d'influence: la trousse du parfait vendeur

L'apparence, le prestige et le savoir peuvent accroître l'efficacité des tentatives d'influence, mais les caractéristiques de l'agent d'influence ne sont qu'une facette du problème. Vous pouvez penser à quelques professeurs exceptionnellement influents qui ne possèdent pas de façon marquée ces caractéristiques, et à d'autres professeurs qui n'ont qu'une influence limitée même s'ils les possèdent toutes. Plusieurs psychologues sociaux croient que les techniques et le style personnels de l'agent d'influence sont aussi importants que les caractéristiques précédentes pour produire la soumission.

Examinons d'abord les effets du style personnel. Harvey London et ses collègues (London, 1973; London, Meldman et Lanckton, 1971) ont constitué des équipes de deux individus qui présentaient des arguments contraires dans la discussion d'un cas judiciaire. Après la discussion, on demandait à chaque personne de l'équipe si le «défendeur» était coupable ou innocent. Les chercheurs ont pu distinguer deux types de participants: ceux qui se laissaient facilement persuader par leur partenaire et ceux qui réussissaient très bien à le persuader. Mais qu'est-ce qui faisait la différence entre ces deux types? L'analyse des arguments a révélé que ceux qui réussissaient à persuader l'autre avaient tendance à utiliser des mots exprimant la confiance en leurs opinions, alors que ceux qui se laissaient persuader avaient tendance à exprimer des doutes. Les personnes persuasives faisaient preuve de confiance dès le début de la discussion et considéraient par la suite d'autres aspects. Néanmoins, lorsqu'une personne manifestait un niveau élevé de confiance tout au long de la discussion, cela tendait à faire en sorte que l'autre personne se sente inférieure ou sous l'effet d'une contrainte.

Cet homme réussirait-il à vous vendre une voiture? La réponse dépend des techniques de persuasion qu'il utilise. Les vendeurs emploient une variété de méthodes pour faire échec à la résistance qu'on oppose à leurs messages. Prendre conscience de leurs techniques est l'une des meilleures façons de leur résister et de maintenir son indépendance.

Trop de confiance produisait un **effet de boomerang**, et il en résultait moins de persuasion (London, McSeveney et Tropper, 1971). On a aussi montré que le fait de parler rapidement peut accroître l'influence d'une personne, dans la mesure où la vitesse d'élocution ne gêne pas la compréhension (Miller et coll., 1976).

Certaines techniques de persuasion peuvent également accroître cette influence. La technique du **pied-dans-l'entrebâillement-de-la-porte** a été particulièrement bien étudiée. L'agent d'influence demande d'abord une petite faveur pour en solliciter une plus importante par la suite. Pour démontrer l'efficacité de ce procédé, des chercheurs ont fait varier le genre de faveurs qu'ils demandaient à des ménagères de banlieue (Freedman et Fraser, 1966). S'identifiant comme des membres d'un comité pour la sécurité au volant, ils ont d'abord demandé aux femmes d'accorder une petite faveur, celle d'afficher un petit signe du comité dans la fenêtre avant de leur maison. Par la suite, les chercheurs ont encore contacté les femmes et leur ont demandé la permission de placer sur leur pelouse une grande affiche sur la sécurité routière. On n'avait pas demandé aux femmes du groupe témoin d'acquiescer à la demande de faveur initiale. Parmi les femmes qui avaient donné leur accord à la petite requête, 76 % ont également acquiescé à la requête plus importante. Par opposition, seulement 16 % des sujets du groupe témoin ont accepté d'exposer la grande affiche. Quoique la technique du pied-dans-l'entrebâillement-de-la-porte ne fonctionne pas toujours (Foss et Dempsey, 1979), elle a suffisamment porté fruit pour que s'y intéressent de nombreux chercheurs (Cann, Sherman et Elkes, 1975; Pliner et coll., 1974; Schwarzwald, Bizman et Raz, 1983; Snyder et Cunningham, 1975; Uranowitz, 1975). On a proposé plusieurs explications de cet effet. L'une d'elles suggère que le fait d'accorder une petite faveur change les perceptions que les gens ont d'eux-mêmes (DeJong, 1979). Ils en arrivent à se voir comme des personnes serviables et agissent alors de façon cohérente avec leur nouvelle vision d'eux-mêmes.

L'une des variations de la technique du pied-dans-l'entrebâillement-de-la-porte est la technique de la **faveur déguisée**. Dans cette technique, on demande d'abord aux gens une petite faveur. Lorsqu'ils ont donné leur accord, on les informe qu'accorder cette faveur leur demandera beaucoup. Pour obtenir l'acquiescement définitif, cette technique réussit beaucoup mieux qu'une technique où l'on informe les gens des coûts réels dès le début (Cialdini, 1984). Dans la technique de la **demande exagérée**, parfois appelée technique de la porte-en-pleine-face, on demande d'abord une faveur extrême (qui est habituellement refusée), puis on demande ensuite une faveur plus petite. La majorité des gens accordent alors la faveur modérée (Cialdini et coll., 1975). Il est possible que, se sentant coupables de ne pas acquiescer à la requête plus importante, les gens accordent la plus petite afin de réduire leur culpabilité.

Les chercheurs ont voulu découvrir comment la culpabilité et d'autres sentiments négatifs influent sur l'accord. Dans l'une des premières études sur la question, on faisait varier la punition que donnaient des sujets dans une expérience semblable à celles de Milgram afin de déterminer l'effet de cette variation sur la serviabilité (Carlsmith et Gross, 1969). La moitié des sujets pensaient que la punition qu'ils donnaient consistait en un timbre sonore, tandis que les autres croyaient qu'ils administraient un choc électrique douloureux. Après la tâche d'apprentissage, celui qui jouait le rôle d'élève mentionnait en passant qu'il avait besoin de volontaires pour aider à sauvegarder des séquoias dans le nord de la Californie. Chez les sujets qui croyaient avoir administré des chocs à l'élève, 75 % acceptaient d'aider, alors que seulement 25 % de ceux qui avaient utilisé le timbre se portaient volontaires. D'autres recherches montrent que les gens acquiescent souvent à des requêtes dans le but de passer pour une bonne personne aux yeux des autres (Wallace et Sadalla, 1966), pour éviter de sembler déviant (Kilter et Gross, 1975) et afin d'améliorer leurs sentiments personnels de bonté (Apsler, 1975). De tels motifs ont été examinés dans le chapitre 7 sur le comportement social positif.

Nous voyons donc qu'un agent d'influence dispose d'une variété de techniques pour parvenir à ses fins. Quiconque veut faire avancer la cause de l'autonomie dans la société doit se préparer à faire échec à de tels effets. Une façon de combattre l'efficacité de telles techniques consiste à les faire connaître. Lorsque quelqu'un est conscient des effets immérités que produisent la confiance en soi d'un autre ou la technique du pied-dans-l'entrebâillement-de-la-porte, par exemple, l'influence de ces techniques peut être émoussée.

La surveillance: «Big Brother» vous regarde

En exposant les recherches sur la soumission à l'autorité, nous avons mentionné que l'influence de l'autorité était nettement réduite lorsque l'autorité était absente. Lorsque les requêtes de soumission étaient reçues au téléphone, par exemple, elles étaient souvent ignorées. Ce résultat suggère que le succès des tentatives d'influence sociale dépend souvent de ce que les activités de la cible sont surveillées ou non. Les gens se soumettent souvent lorsqu'ils sont sous surveillance. S'ils ne se soumettent pas dans ces circonstances, ils risquent d'être punis. Il y a probablement moins de soumission à l'autorité si la surveillance est impossible.

L'utilisation de la surveillance pour accroître la soumission peut avoir des conséquences négatives pour la société. En particulier, la surveillance augmente souvent la suspicion du surveillant et, comme la méfiance augmente, le degré de surveillance s'accroît encore. Ainsi, l'on a examiné les effets que produit la possibilité de surveiller le comportement d'autrui sur la personne qui exerce une surveillance (Strickland, 1958). Les sujets devaient surveiller le travail de deux assistants. On disait aux sujets qu'ils pouvaient gagner jusqu'à dix dollars si les assistants réussissaient à accomplir la tâche; si les assistants échouaient, ils ne gagneraient rien du tout. Pendant que les assistants étaient au travail, les superviseurs pouvaient surveiller continuellement le travail de l'assistant A, mais ne pouvaient observer qu'occasionnellement les progrès de l'assistant B. La performance des deux assistants était identique. Cependant, les évaluations des superviseurs ont montré qu'ils percevaient très différemment le travail des deux assistants. L'assistant dont le travail était constamment contrôlé était perçu de façon significative comme moins fiable. Les superviseurs avaient l'impression que, laissé à lui-même, il n'aurait pas travaillé très fort. En réalité, ils croyaient que l'assistant A travaillait seulement parce qu'il était observé et qu'il serait toujours nécessaire de surveiller son comportement. Ces résultats sont inquiétants si l'on songe à tous les dispositifs électroniques mis en place pour surveiller le personnel dans les entreprises, l'enregistrement de la productivité des dactylos sur leur ordinateur ou du temps mis par les téléphonistes à répondre à une demande d'un abonné, par exemple.

L'appui social à la divergence

L'appui social à la divergence est un facteur important pour favoriser l'indépendance. Pour bien comprendre cet argument, retournons à l'étude classique conduite par Asch sur le conformisme. Lorsque les sujets de Asch faisaient face à une opinion de groupe unanime, mais incorrecte, dans environ 30 % des cas ils disaient comme le groupe. Dans une étude postérieure, Asch a cherché des façons de réduire le conformisme. Il a répété l'expérience, mais en instaurant un changement: *l'un des compères n'avait pas peur de se prononcer franchement pour la réponse correcte*. Ainsi, la majorité unanime était brisée par un seul énoncé de la réalité. Les effets de cette dissidence minoritaire sur les réactions des sujets se sont révélés puissants. Le conformisme est alors tombé à environ 5 %. Apparemment, si les gens peuvent trouver au moins un *certain* appui à leurs points de vue, ils vont résister à la pression et demeurer indépendants. Il semble qu'être isolé soit particulièrement difficile.

La possibilité de diminuer le conformisme de façon saisissante par un appui social minimal a stimulé beaucoup de chercheurs qui voulaient savoir si l'effet observé pouvait être généralisé à d'autres situations. En d'autres termes, la situation créée par Asch était-elle inhabituelle ou y a-t-il plusieurs autres genres de situations où un appui social minimal engendre de tels effets? Il a été montré que l'appui social peut diminuer le conformisme dans une grande diversité de circonstances (Allen, 1965; Edmonds, 1964; Hardy, 1957). Cet effet a été identifié chez des groupes d'enfants, des groupes de déficients mentaux et des groupes d'adultes (McCool, 1975). De plus, les chercheurs ont constaté qu'il n'est pas nécessaire que l'appui social soit continu, et qu'un appui occasionnel peut produire les mêmes effets. Par exemple, les sujets d'une étude recevaient un appui social relativement à leurs opinions pendant la première moitié de l'expérience (Allen et Bragg, 1965). À ce moment, en raison d'une prétendue défectuosité de l'équipement, le partenaire supporteur ne pouvait poursuivre l'expérience. Le sujet se trouvait alors isolé. Néanmoins, l'appui antérieur avait des effets durables: les sujets continuaient à s'opposer à la majorité, même sans la présence du partenaire supporteur. Une autre étude a montré que la présence d'un dissident en désaccord à la fois avec le groupe et avec le sujet peut encourager ce dernier à la dissidence (Bragg, 1972). Un dissident portait des jugements de toute évidence incorrects, se mettant ainsi en désaccord avec la majorité et avec le sujet. Les sujets se trouvaient alors libres de ne pas être du même avis que la majorité. En d'autres termes, la présence d'une autre voix dissidente, *peu importe le type*, peut encourager les autres à prendre des décisions indépendantes.

Il n'est pas toujours nécessaire que le supporteur donne son avis le premier pour réduire le conformisme. Lorsque le supporteur donne son appui *après coup*, c'est-à-dire quand l'opinion déviante est émise après que le sujet a parlé, le sujet peut être encouragé à affirmer son indépendance relativement à la pression du groupe (Boyanowsky et Trueman, 1972). En fait, si un sujet reçoit un tel appui lorsque les membres du groupe portent un type de jugement (par exemple, comparer la longueur des lignes), le sujet peut être prêt à s'opposer à la majorité lorsque les membres portent par la suite un autre type de jugement (par exemple, décider si les lois qui contrôlent la possession d'armes à feu devraient être plus sévères). Cela signifie qu'une *généralisation de l'opposition* s'instaure: l'indépendance développée dans un domaine se transmet à l'indépendance dans un autre domaine (Allen, 1975).

Encore une fois, ces résultats fournissent des lignes directrices claires pour l'établissement d'une société libre. Il faut respecter l'expression d'opinions dissidentes. Lorsque la dissidence est permise, les minorités peuvent se sentir libres de faire connaître clairement leurs opinions. Nous avons vu que les caractéristiques de l'agent d'influence, l'étroitesse de la surveillance et la présence de la dissidence peuvent influer sur le degré d'indépendance dans la société. Celui ou celle qui souhaite encourager l'indépendance par rapport à la pression sociale doit prendre en considération de tels facteurs.

L'influence de la minorité

Jusqu'à maintenant, nous avons abordé l'influence sociale comme si elle fonctionnait à sens unique. Le groupe ou la figure d'autorité exercent une influence sur une cible. La cible peut soit céder, soit résister. Mais il faut aussi considérer l'autre aspect de l'influence sociale: la possibilité pour la minorité d'influencer la majorité. Nous verrons que les minorités peuvent réussir à changer la majorité; c'est un fait qu'il faut étudier si l'on veut encourager les minorités à se défendre et à proposer de nouvelles idées.

Plusieurs révolutions politiques récentes illustrent le pouvoir d'influence des minorités sur les majorités. Des groupes révolutionnaires restreints, mais actifs, ont changé le cours de l'histoire de la Russie (et plutôt deux fois qu'une!), de la Chine, de Cuba et de nombreuses autres nations. Cependant, l'histoire laisse derrière elle plusieurs ambiguïtés et les psychologues sociaux ont essayé d'identifier plus précisément l'influence de la minorité. Ils ont cherché des réponses à deux questions majeures. Premièrement, quels genres d'influence les minorités ont-elles sur les majorités? Deuxièmement, dans quelles conditions les minorités sont-elles susceptibles de produire des effets qui leur sont favorables plutôt que défavorables? Examinons chacune de ces questions.

Lorsque la minorité s'en mêle

L'influence de la minorité fut expérimentalement démontrée pour la première fois par une équipe de chercheurs français, dans une recherche où l'on était supposé étudier la perception visuelle (Moscovici, Lage et Naffrechoux, 1969). Des diapositives présentant une couleur étaient montrées aux sujets réunis en groupes de six. Les sujets devaient indiquer quelle était la couleur présentée en mentionnant une couleur simple (et non bleu-vert ou bleu-gris, par exemple). En réalité, chacune des 36 diapositives présentait du bleu, mais on en faisait varier l'intensité lumineuse. Dans le **groupe expérimental**, deux des sujets, des complices des expérimentateurs, affirmaient de façon constante que la couleur était du vert. Dans le **groupe de contrôle**, qui ne comportait aucun complice, on a perçu du bleu sur presque toutes les diapositives. Avant de visionner les diapositives, les sujets avaient passé un test et chacun savait que tous, dans le groupe, avaient une vision normale. Les sujets ne pouvaient donc attribuer l'erreur apparente de ces deux sujets à une vision déficiente. Quelle influence eut la minorité sur les autres membres du groupe? Près d'un tiers des sujets ont rapporté voir du vert et sur 8 % de toutes les diapositives on a perçu du vert. Dans le groupe de contrôle, la fréquence de la réponse *vert* fut de 0,25 %. Bien sûr, la minorité n'a pas réussi à convaincre tous les sujets. Comme le souligne la chercheuse française Geneviève De Montmollin (1977), la très forte majorité des sujets continuèrent à donner une réponse exacte. Il n'en demeure pas moins que la démonstration de l'influence de la minorité sur la majorité avait été faite et cela a stimulé toute une série de recherches sur la base de l'expérience originale de Moscovici, Lage et Naffrechoux.

Dans l'une de ces recherches, on a fait intervenir une illusion d'optique: l'effet consécutif à la fixation d'une couleur (Moscovici et Personnaz, 1980). Cet effet se manifeste lorsque, après avoir fixé une couleur, puis un fond blanc, le sujet voit apparaître la couleur complémentaire de la couleur fixée au départ. Les chercheurs tenaient le raisonnement suivant: si les sujets disaient vert, tout en demeurant intérieurement convaincus qu'ils voyaient du bleu, ils verraient lors du test de l'effet consécutif la couleur complémentaire du bleu et non du vert. Or, parmi les sujets soumis à l'influence des compères qui disaient voir du vert, plusieurs ont effectivement rapporté, lors de l'effet consécutif, voir du rouge-pourpre, la couleur complémentaire du vert. L'influence de la minorité a donc modifié les perceptions intérieures des individus. La majorité avait été influencée dans ses opinions et non seulement dans son comportement.

Comme il a été mentionné précédemment, plusieurs minorités révolutionnaires parviennent à influencer la majorité; cependant, la plupart des révolutions échouent. En réalité, la dissidence de la minorité peut *éloigner* la majorité de la position défendue par la minorité. On appelle de tels renversements des effets de boomerang. Afin de démontrer les aspects à la fois positifs et négatifs d'une position soutenue par une minorité, des expérimentateurs ont organisé une mise en situation où des groupes de sujets évaluaient leurs préférences pour des tableaux (Nemeth et Wachtler, 1973). On présentait aux sujets des paires de tableaux et on leur demandait de choisir dans chaque paire celui qu'ils préféraient. On leur disait que, dans chaque paire, un tableau était l'œuvre d'un artiste italien et l'autre d'un artiste allemand. On établissait au hasard les prétendues nationalités. Fait intéressant, les choix préliminaires effectués par les sujets d'un groupe témoin ont indiqué une préférence pour les tableaux attribués aux Italiens. Puisque la nationalité du peintre avait été assignée au hasard pour chaque tableau, les chercheurs en ont conclu que ces résultats reflétaient un léger préjugé en faveur des artistes italiens. Partant de cette information, les chercheurs ont formé d'autres groupes de sujets en y incluant un compère, un dénommé Fritz Mueller. Lorsque les membres du groupe énonçaient leurs préférences, Mueller se plaçait dans une position minoritaire en montrant une préférence marquée et constante pour les œuvres allemandes. La position minoritaire de Mueller a eu un effet marqué sur les préférences de groupe. On a observé une augmentation prononcée de la popularité des œuvres allemandes.

Dans une variation fort intéressante de cette mise en situation, les chercheurs ont démontré un effet de boomerang. Ils remplaçaient Fritz Mueller par un certain Angelo Milano qui pour le groupe paraissait nettement être un Italien. Milano démontrait alors une préférence constante pour les œuvres italiennes. Ainsi, même si Milano faisait valoir la préférence générale dans le groupe, sa constance faisait ressortir de façon extrémiste le point de vue de la majorité. Cette expression extrême a réussi à faire renverser l'opinion de la majorité. Le groupe a alors commencé à exprimer une préférence pour les tableaux attribués aux peintres allemands. Non seulement l'expression extrémiste n'a pas réussi à gagner des adeptes, mais elle a échoué complètement. Il semble que cet effet de boomerang soit survenu parce que l'Italien, qui démontrait de façon constante une préférence pour les artistes de son propre pays, a rendu les sujets conscients de leurs propres préjugés. Peut-être en sont-ils venus à se sentir coupables et ont-ils essayé de compenser en favorisant aussi les tableaux allemands.

Lorsque la minorité se fait écouter

La position des dissidents minoritaires est précaire. Comment les dissidents peuvent-ils bénéficier des effets positifs et éviter les effets négatifs? Comment peuvent-ils s'y prendre pour faire changer d'idée les majorités tranquilles et satisfaites? Plusieurs éléments de réponses ont été apportés à ce sujet. Parmi les facteurs en jeu, l'un des plus importants est ce que le théoricien français Serge Moscovici (1985) appelle le «style de comportement» de l'agent d'influence. Selon Moscovici, la minorité qui parvient au succès démontre (1) un *investissement* relatif aux problèmes, (2) de l'*autonomie*, c'est-à-dire une capacité de demeurer indépendant quant à la pression du groupe et (3) de la *constance*. Cette dernière ne doit cependant pas être vue comme de la rigidité. Si en défendant sa position l'individu minoritaire est inflexible et dogmatique, il sera vu comme un entêté et ne réussira pas à amener la majorité dans sa direction. Il semble qu'un comportement flexible réussirait mieux à influencer la majorité que ne le fait la répétition rigide d'un comportement (Allen et Wilder, 1978; Nemeth, Swedlung et Kanki, 1974). En quelque sorte, le sujet doit être

Encadré 9-2

Pour influencer, regardez où va le vent!

Dans la société, certaines minorités cherchent à influencer les autres dans une direction d'avant-garde, tandis que d'autres s'investissent dans une direction rétrograde par rapport aux valeurs et à l'esprit de l'époque. Selon la chercheuse française Geneviève Paicheler (1985), le *Zeitgeist* ou cet esprit du temps est un facteur important pour qu'une minorité réussisse à influencer la majorité. Si une minorité cherche à convaincre un groupe dans la direction de l'évolution d'une certaine norme sociale, même si cette position est déviante, elle aura plus de chances de réussir que si la minorité défend une position rétrograde. Le contenu de l'attitude ou de l'opinion préconisée par une minorité doit donc s'accorder avec l'évolution des normes ou du contexte normatif dans une culture donnée. Dans le cas contraire, un effet répulsif peut survenir chez les membres du groupe.

Examinons de quelle façon Paicheler a mis à l'épreuve cette hypothèse dans le cadre d'une expérience répétée à une dizaine d'années d'intervalle. Dans une première expérience (Paicheler, 1974, 1985), on présenta à des groupes quelques énoncés qui devaient susciter la discussion au sujet du féminisme. Parmi les énoncés, se trouvaient des phrases telles que: *Après cinquante ans, un homme reste séduisant, une femme rarement. Les femmes conviennent particulièrement bien à des emplois de secrétariat.* Les sujets, par groupes de quatre femmes, étaient invités à discuter des énoncés afin d'en arriver à un consensus sur chacun d'eux. Le plan de recherche prévoyait trois groupes, un groupe de contrôle et deux groupes expérimentaux où une complice était présente. Dans un premier groupe expérimental, la complice adoptait une position féministe extrême, dans le second, une position antiféministe tout aussi extrême. Quelle que soit la position adoptée, la complice la défendait avec constance. Dans les trois groupes, on prenait des mesures d'attitude à l'égard du féminisme avant, pendant et après la discussion pour comparer d'éventuels changements dans les positions. Rappelons qu'à l'époque, une position féministe allait dans le sens de l'évolution de la société, qui devenait alors dans l'ensemble plus favorable aux revendications des femmes. À l'opposé, une position antiféministe représentait une manifestation réactionnaire, rétrograde.

Dans le groupe de contrôle, les opinions se sont polarisées dans le sens du féminisme. Les sujets ont donc eu tendance à se rallier à la position idéologique montante. Mais cet effet fut nettement plus marqué dans le groupe expérimental avec complice féministe: les sujets ont alors adopté dans 95 % des cas la

constant, pour ne pas donner l'impression qu'il hésite, mais ouvert, pour éviter d'être perçu comme rigide, tout en étant cohérent et rationnel dans le point de vue qu'il soutient (Moscovici et Faucheux, 1972; Nunnally et Hussek, 1958).

On a également montré que l'individu qui est associé à une seule minorité exerce plus d'influence que l'individu qui est associé à deux ou plusieurs minorités. Ainsi, Maass et Clark (1982; *voir* Maass et Clark, 1984) ont constaté qu'une minorité ostensiblement homosexuelle plaidant pour les droits des gais avait moins d'influence qu'une minorité hétérosexuelle plaidant pour la même cause. Comparativement à l'ensemble de la population américaine, ces derniers n'appartenaient de fait qu'à une minorité: ceux qui sont en faveur des droits des homosexuels. Par opposition, les représentants gais, en plus d'avoir des opinions divergentes de celles de la majorité, constituaient une minorité de par

position extrême de la complice. Bien que légèrement atténué, cet effet a persisté lorsque les sujets étaient de nouveau seuls et répondaient en privé au questionnaire mesurant les attitudes. Qu'est-il arrivé dans le groupe où la complice adoptait la position antiféministe? Dans la majorité des cas, les membres ne sont pas parvenus à un consensus, tandis que les attitudes ont convergé vers une valeur neutre. Les mesures d'attitudes postérieures à la discussion montrent que les sujets sont retournés à leur position initiale. Globalement, il y a donc eu influence lorsque la complice adoptait une position allant dans le sens d'une norme novatrice, et absence d'influence lorsque la complice soutenait une position rétrograde.

Au milieu des années soixante-dix, le féminisme était une position d'avant-garde. Dix ans, plus tard, cette position était devenue *normée*, c'est-à-dire plus ou quasi intégrée aux normes sociales. Cela jouerait-il sur l'influence exercée par les complices? C'est ce que Paicheler et Flath (1988) ont voulu savoir en reprenant l'expérience originale.

Les résultats obtenus lors de la reproduction de l'expérience indiquent qu'il y a eu polarisation des positions vers l'attitude féministe dans le groupe avec complice féministe et une polarisation même plus forte dans le groupe de contrôle. Aucun effet de la présence de la complice antiféministe n'a été observé. La norme en faveur des droits des femmes était stabilisée, la minorité féministe n'était donc plus en position d'innovation normative et de ce fait n'a pas joué un rôle très important dans les attitudes des sujets. Par ailleurs, la minorité réactionnaire, c'est-à-dire la complice antiféministe, n'a pas réussi à modifier globalement les attitudes du groupe parce que sa position allait à contrecourant.

Le phénomène de l'influence minoritaire doit donc être regardé dans le contexte où il se situe, son effet étant largement tributaire de son insertion dans l'évolution des normes de la société. Selon Maass et Clark (1984), de tels résultats permettent d'expliquer pourquoi certains groupes minoritaires, le Ku Klux Klan par exemple, sont parvenus à certaines périodes de l'histoire à avoir plus d'influence qu'à d'autres moments. Songez à certains groupes réactionnaires d'aujourd'hui, les jeunes néo-nazis par exemple. Selon vous, sont-ils à l'heure actuelle en position d'influencer la majorité? Par ailleurs, se pourrait-il que le message des écologistes ait proportionnellement moins d'effet aujourd'hui qu'il n'en a eu il y a à peine quelques années parce que la société a déjà intégré certaines de leurs positions dans les normes? Il est difficile de répondre avec certitude à ces questions parce que nous devons examiner sans recul la société dans laquelle nous vivons. L'intérêt de la reproduction de l'expérience de Paicheler est justement d'avoir permis d'étudier ces questions dans une perspective qui tient compte de l'évolution des normes et qui est conforme à l'esprit d'une psychologie sociale socio-historique (Gergen et Gergen, 1984).

leur orientation sexuelle même. Enfin, la minorité qui défend une cause pour laquelle elle ne semble pas avoir d'intérêt personnel réussit davantage à influencer la majorité. Des sujets masculins ont ainsi été davantage influencés par un homme que par une femme soutenant le droit à l'avortement (Maass, Clark, Haberkorn, 1982). Les personnes qui semblent plaider pour leur cause personnelle sont vues comme partiales et réussiraient moins à influencer la majorité.

D'autres facteurs peuvent contribuer à accroître l'influence de la minorité. Dans une expérience réalisée avec des étudiants universitaires, Lortie-Lussier, Lemieux et Godbout (1989) se sont intéressées à deux de ces facteurs: l'appui d'un leader à une cause soutenue par une minorité et le nombre de personnes constituant cette minorité. Les sujets lisaient d'abord un compte rendu de type journalistique d'un événement annuel réel, une marche nocturne organisée pour revendiquer les droits des femmes à vivre dans un environnement sans violence. Selon la condition expérimentale, les sujets étaient informés que 45, 200 ou 2000 personnes avaient participé à la marche. À la moitié d'entre eux, on rappelait que Golda Meir avait un jour dit en réponse à un projet de loi voulant imposer un couvre-feu aux femmes israéliennes que c'était aux hommes qu'on devrait l'imposer. Les chercheuses ont constaté que lorsque le compte rendu faisait état de seulement 45 participants, les sujets se disaient moins prêts y à participer eux-mêmes et percevaient moins que cet événement pouvait faire œuvre utile. Lorsque l'appui du leader était souligné, la perception d'utilité était à son maximum lorsque 2000 personnes y avaient participé. Toutefois, en présence de cet appui, l'intention d'y participer n'était pas affectée par le nombre de participants.

La minorité a donc beaucoup à faire pour défendre sa position. Le fait de valoriser fortement ses buts et d'être prêt à faire des sacrifices pour les atteindre peut souvent impressionner la majorité. Réussir à recueillir beaucoup de signatures pour une pétition proposée par un groupe minoritaire, par exemple, semble dépendre de la vigueur avec laquelle le pétitionnaire fait sa requête et de ce qu'il donne l'impression de croire à ce qui est demandé (Secord, Bevan et Katz, 1956). L'immense influence de Gāndhi et de Luther (Erikson, 1958, 1969) a peut-être résulté du courage avec lequel ils manifestaient leur conviction.

Parce que la minorité confronte les idées reçues et fait valoir un point de vue différent de celui de la majorité, elle peut être un facteur d'innovation et de progrès pour tout un groupe ou une collectivité. La minorité joue donc un rôle fort important dans la promotion du changement. Il a de fait été montré que la présence dans un groupe d'une opinion minoritaire peut favoriser les solutions créatives pour résoudre des problèmes (Nemeth, 1986). Observer une manifestation d'autonomie chez autrui peut être l'occasion d'un défi personnel. Si la présence d'idées différentes peut être rafraîchissante, elle est aussi parfois très troublante. On peut songer à des confrontations importantes: par exemple, lorsque Galilée soutenait que la Terre est en mouvement ou lorsque l'obstétricien autrichien Semmelweis voulut faire admettre aux médecins la nécessité de désinfecter leurs mains en passant de la salle d'autopsie à la salle d'accouchement (*pour une description fort intéressante de tels cas, voir* Paicheler, 1985). La minorité semble donc avoir la possibilité d'influencer la majorité. Cependant, les conditions précises qui permettent la réalisation de cette possibilité restent encore à connaître.

En résumé, les majorités sont souvent influencées par l'opinion de la minorité. En réponse à la pression de cette dernière, les majorités peuvent changer leurs opinions, leurs valeurs et leurs comportements. Cependant, afin d'éviter de produire un effet de boomerang, la minorité doit choisir soigneusement son style de comportement, caractérisé par de l'investissement, de l'autonomie et de la constance dans sa position. Parmi les autres facteurs qui aident la minorité à influencer la majorité, notons la perception du fait que les individus minoritaires défendent une cause qui ne sert pas uniquement leurs propres intérêts, la présence d'un leader qui appuie la position dissidente et le nombre de personnes qui constituent la minorité.

Résumé

1   Le conflit entre les pressions qui poussent à l'indépendance et celles qui engagent à s'intégrer à la société existante est central. L'uniformité, le conformisme et la soumission à l'autorité sont trois formes d'influences qui favorisent la similarité dans le comportement des gens.

2   L'uniformité dans les patterns de comportement des gens peut provenir de plusieurs sources. L'une d'elles est la maîtrise des règles informelles d'une culture dans le but de fonctionner efficacement dans la société. Lorsque les gens commencent à suivre

les règles sans y réfléchir, l'uniformité se produit. Pour déterminer leurs actions, les gens prennent aussi le comportement des autres pour modèle. Lorsque les effets de modelage se répandent chez un grand nombre d'individus, on parle de contagion sociale.

3 Le processus de comparaison sociale peut accroître l'uniformité. Les gens comparent leurs façons de voir avec celles des autres afin d'augmenter leur confiance en leurs propres jugements. Sherif a démontré ce processus dans ses études sur les réponses des individus et des groupes à l'effet autocinétique. Lorsque les gens choisissent d'autres personnes dans le but de se comparer avec elles, ils choisissent généralement celles qui leur paraissent semblables.

4 Le conformisme survient lorsqu'un individu change ses croyances personnelles ou son comportement en réponse à la pression sociale. Dans l'étude la plus célèbre sur le conformisme, Asch a demandé à des sujets de comparer simplement la longueur de différentes lignes. Lorsqu'un groupe de compères s'entendaient unanimement sur une décision manifestement incorrecte, les sujets se conformaient aux décisions incorrectes dans environ un tiers des essais. Kelman a distingué trois processus d'influence: l'acquiescement, où les gens se conforment pour éviter une punition du groupe; l'intériorisation, où les gens en arrivent à croire que le groupe est correct; et l'identification, où les gens tentent d'adopter les qualités ou les caractéristiques des membres du groupe. Les chercheurs ont d'abord cru à l'existence d'une personnalité conformiste. Ce point de vue semble cependant peu vraisemblable. Un individu peut adopter un comportement conformiste dans une situation et un comportement indépendant dans une autre. Le conformisme permet de satisfaire plusieurs besoins différents pour différentes personnes; aussi, les conformistes véritables sont-ils probablement rares.

5 La soumission destructive vise à punir ou à supprimer des individus ou à détruire la propriété. Dans ses démonstrations de la soumission destructive, Milgram a montré qu'environ 60 % des sujets de laboratoire vont administrer des chocs à un élève, même si le voltage est présumé dangereusement élevé et si la victime des chocs hurle de douleur ou gît peut-être, inconsciente. La tendance à se soumettre à l'autorité est fonction de divers facteurs: la légitimité de l'autorité, la distance par rapport à la victime et à l'autorité, et certaines caractéristiques personnelles des sujets. Les recherches de Milgram ont été à l'origine de grandes controverses en matière d'éthique expérimentale.

6 Les gens qui possèdent le pouvoir peuvent souvent être corrompus par leur propre pouvoir. Le fait d'avoir du pouvoir augmente la probabilité de l'utilisation de ce pouvoir pour essayer d'influencer les autres. Plus le détenteur du pouvoir exerce son pouvoir, plus il y a de risques qu'il en vienne à croire que les autres ne peuvent pas agir efficacement de leur propre chef. À mesure que le détenteur du pouvoir en vient à prendre le crédit des actions des autres, ces derniers peuvent être dévalués par celui qui détient le pouvoir. Ce dernier peut alors se distancer des autres et avoir un sentiment d'estime de soi exagérément élevé. Comme l'a démontré l'étude de la prison simulée à Stanford, l'influence corruptrice du pouvoir peut toucher presque toute personne qui accepte une position de pouvoir.

7 Différentes sources psychologiques peuvent promouvoir l'indépendance, c'est-à-dire qu'elles peuvent aider les gens à résister à la pression de groupe ou aux ordres de l'autorité. L'une de ces sources est la réactance, un état émotionnel négatif suscité par une réduction de la liberté de choix. La réactance augmente d'autant plus que la liberté est menacée, et lorsque l'individu croit qu'il a droit à cette liberté. La censure peut également engendrer de la réactance. De plus, les gens peuvent demeurer indépendants en raison d'un besoin de se sentir uniques.

8 Plusieurs conditions sociales peuvent faire augmenter ou diminuer l'indépendance à l'égard de la source d'influence. Les personnes physiquement attirantes ou qui ont du prestige ou du savoir peuvent particulièrement réussir à influencer les autres.

Certaines techniques peuvent aussi être utilisées pour obtenir l'accord ou la soumission. L'expression, à un degré modéré, de la confiance en soi peut favoriser la persuasion. La technique du pied-dans-l'entrebâillement-de-la-porte est efficace, de même que les tentatives qui font que la cible se sent coupable ou diminuée dans son estime de soi. La surveillance permet aussi de réduire efficacement l'indépendance. Cependant, toutes ces techniques peuvent échouer si la cible reçoit un appui social dans le sens de la divergence, c'est-à-dire si d'autres personnes présentes demeurent imperméables aux tentatives d'influence.

9 Il n'y a pas que les majorités qui puissent influencer les autres. Les minorités peuvent aussi réussir à faire changer les opinions, les valeurs et les comportements de la majorité dans le sens qu'elles souhaitent. De tels changements ont plus de chances de se produire lorsque la minorité montre un investissement important par rapport aux questions en jeu, fait preuve d'autonomie par rapport à la pression du groupe et de constance dans le temps. La perception du fait que les individus minoritaires défendent une cause qui ne sert pas uniquement leurs propres intérêts, la présence d'un leader qui appuie la position dissidente et le nombre de personnes qui constituent la minorité sont d'autres facteurs qui peuvent concourir à influencer la majorité.

Lectures suggérées

En français

Joule, R.V. et Beauvois, J.L. (1987). *Le petit traité de manipulation à l'usage des honnêtes gens.* Grenoble: Presses de l'Université de Grenoble.

Milgram, S. (1974). *Soumission à l'autorité.* Paris: Calmann-Lévy.

Moscovici, S. (dir.) (1984). *Psychologie sociale.* [Première partie: Influence et changements d'attitudes]. Paris: Presses universitaires de France.

Mugny, G. et Pérez, J.A. (1986). *Le déni et la raison. Psychologie de l'impact social des minorités.* Cousset (Fribourg): Delval.

Paicheler, G. (1985). *Psychologie des influences sociales.* Neuchâtel: Delachaux et Niestlé.

En anglais

Cialdini, R. (1988). *Influence, science and practice.* Glenview, IL.: Scott, Foresman.

Moscovici, S. (1985). Social influence and conformity. *In* G. Lindzey et E. Aronson (dir.): *The handbook of social psychology,* vol. II. New York: Random House.

Wheeler, L., Deci E., Reis, H. et Zuckerman, M. (1978). *Interpersonal influence* (2e éd.). Boston: Allyn and Bacon.

10

L'échange et la stratégie

À vouloir trop gagner l'on perd.

Jean de La Fontaine

Objectifs d'apprentissage

☐   Après l'étude du présent chapitre, vous devriez être capable

1.   d'énoncer les principes fondamentaux de la théorie de l'échange et de définir le processus d'accommodation;

2.   d'exposer les dimensions majeures sous-jacentes aux règles qui régissent les échanges;

3.   de présenter les règles qui déterminent la quantité appropriée de ressources à échanger et d'examiner les problèmes de surrécompenses et de sous-récompenses;

4.   d'identifier les avantages respectifs des règles de l'équité et de l'égalité dans l'échange social;

5.   d'expliquer le phénomène des motivations contradictoires dans les échanges;

6.   d'évaluer les stratégies de la coopération, du jeu dur et de l'appariement comme moyens d'obtenir la coopération;

7.   d'évaluer l'efficacité de l'utilisation de la menace et de la communication comme moyens d'obtenir la coopération.

□ *Claude, un étudiant de notre connaissance, se plaignait récemment de son amie Martine. Il la trouve très attirante et veut gagner son affection. Cependant, ses activités préférées, le camping, les excursions, la chasse et la pêche, ennuient Martine. Elle préfère passer son temps à flâner dans des quartiers intéressants de la ville, à essayer de nouveaux restaurants, à aller au cinéma et à rencontrer des amis. Claude trouve que, chaque fois qu'ils sont ensemble en ville, elle se montre très affectueuse à son égard. Quand il essaie de l'intéresser à des activités de plein air, par contre, elle le traite avec froideur. Claude voit la situation ainsi: «Je me sens comme si j'achetais son affection. Si je fais ce qu'elle veut, elle est vraiment gentille avec moi. Si je fais ce qui m'intéresse personnellement, elle semble ne plus se préoccuper de moi d'aucune façon.»*

Plusieurs psychologues sociaux seraient d'accord avec l'observation de Claude selon laquelle il est en train d'acheter l'amour de Martine. De plus, ils soutiendraient que, sous plusieurs aspects, toutes les relations sociales fonctionnent comme un marché public. Les gens procurent aux autres certains biens et services, et ils espèrent recevoir quelque chose en retour. En même temps qu'ils donnent, cependant, ils sont récompensés par d'autres qui, à leur tour, espèrent obtenir quelque chose en retour. Peu importe le type de relation, de l'attraction romantique à la prise de décision gouvernementale, on peut conceptualiser la vie sociale comme un processus donner/prendre ou acheter/vendre. En ce sens, chacun négocie pour réaliser la meilleure affaire possible. Vous pouvez trouver cynique cette vision des relations humaines et peut-être préféreriez-vous en adopter une plus noble. Cependant, avant de rejeter l'idée que les relations sociales peuvent être décrites comme de l'échange et de la stratégie, il vous faut considérer quelques-unes des réflexions intéressantes formulées par des chercheurs qui ont adopté ce point de vue.

Dans le présent chapitre, nous examinerons tout d'abord quelques-uns des principes fondamentaux de la théorie de l'**échange**. Nous considérerons alors les avenues de recherche importantes inspirées par cette théorie. Si la vie sociale est un processus d'achat et de vente, comment les gens évitent-ils les cycles incessants d'exploitation mutuelle? Nous verrons que l'harmonie sociale est protégée par des règles de l'échange social qui gouvernent à la fois les types d'échanges qui sont appropriés et la quantité des ressources à échanger. Malgré ces règles, l'exploitation demeure un facteur important de la vie sociale. Nous examinerons les facteurs qui favorisent cette exploitation et la façon dont on peut la réduire lorsqu'elle est destructrice.

Les principes fondamentaux de l'échange et de l'accommodation

La théorie de l'échange repose sur quatre postulats simples.

1. *L'action humaine a pour motivation fondamentale le désir d'obtenir du plaisir et d'éviter la douleur.* Peu importe la source du plaisir ou de la douleur, presque tous les comportements sociaux peuvent s'expliquer en ces termes. Même les actions de sacrifices extrêmes, y compris le martyre, peuvent être comprises à travers cette prémisse essentiellement **hédoniste**. L'individu qui se sacrifie peut renoncer au plaisir physique, mais il parvient ainsi à de plus grands gains comme la bénédiction divine qu'il pense obtenir, l'estime de ses amis ou quelque chose de semblable. Nous avons présenté ce principe du plaisir et de la douleur dans cet ouvrage, au cours de nos exposés sur l'attraction (*voir le chapitre 4*), les préjugés (*voir le chapitre 5*) et le comportement social positif (*voir le chapitre 7*).

2. *Les actions d'autrui sont des sources de plaisir et de douleur.* La plupart des gens accordent une grande valeur à la considération, à l'affection, au respect ou à l'amour des autres, de même qu'à ce que les autres donnent en temps, en assistance, en conseils, et ainsi de suite. Peu de gens se plaisent à vivre isolés comme des ermites. Mais précisément parce qu'on a tellement besoin des autres, ils sont une source importante de douleur. Les autres peuvent blesser aussi bien par une remarque qui semble anodine que par une attaque physique.

3. *Une personne peut, par ses propres actions, obtenir d'autrui des gestes qui lui procurent du plaisir.* Cette proposition décrit l'échange social: les gens échangent leurs propres actions contre celles des autres. Ils procurent du plaisir pour recevoir du plaisir. Claude agissait en fonction de ce principe lorsqu'il accompagnait Martine en ville pour obtenir son amour. De la même façon, si vous voulez recevoir l'affection d'un ami qui vous est proche, le fait de vous montrer chaleureux à son égard est une bonne stratégie. Vos actions constituent une monnaie d'échange qui sert à acheter le comportement de votre ami.

4. *Les gens tentent d'obtenir un plaisir maximal à un coût minimal.* Selon cette proposition, les gens dépensent le moins d'efforts possible pour obtenir le maximum de récompenses. En d'autres termes, les gens utilisent une **stratégie minimax** dans la vie sociale, minimisant la douleur tout en maximisant le plaisir. Si quelqu'un tente continuellement de réduire les coûts, une tendance à tricher ou à ruser subtilement dans la plupart des relations peut se développer. Après tout, si les autres apprennent que quelqu'un fait tout pour obtenir le plus possible avec le moindre effort possible, ils peuvent devenir rancuniers ou hostiles. Considérez un étudiant qui cherche à s'attirer les louanges d'un professeur tout en voulant réduire les coûts d'une bonne performance. L'une des stratégies pourrait être d'inclure en douce dans un travail de trimestre des citations d'auteurs peu connus ou des références à leurs ouvrages. Le professeur peut être à tort impressionné par les «recherches» approfondies de l'étudiant. Cette tactique réussit fréquemment. Cependant, si le professeur connaît ces auteurs, l'étudiant peut s'apercevoir que la stratégie s'est retournée contre lui.

Bien que la stratégie minimax soit très répandue, toutes les relations ne sont pas marquées par de l'exploitation. Puisque, pour le plaisir, les gens dépendent les uns des autres, ils essaient de favoriser des formes d'échanges qui maximisent le plaisir. Ils ont tendance à éviter des échanges basés sur l'exploitation et qui maximisent la douleur. Les gens interagiront donc souvent selon des modes qui fourniront le maximum de plaisir, ou de gains, à l'un et à l'autre. Lorsque les gens se procurent un **rendement mutuel maximal**, ils s'engagent dans un processus d'**accommodation** (Kelley, 1967).

Dans l'une des premières études sur le processus d'accommodation, on a offert à des sujets, groupés par deux, la possibilité d'en arriver à un résultat mutuellement satisfaisant dans une situation potentiellement douloureuse. On a isolé dans une pièce des étudiants du premier cycle et on leur a attaché des électrodes aux doigts (Sidowski, Wyckoff et Tabory, 1956). Sur une table placée devant chaque sujet se trouvaient deux boutons et un compteur. On a dit à chaque sujet qu'il pouvait pousser l'un ou l'autre des boutons aussi souvent qu'il le désirait. Il accumulait des points sur son compteur ou recevait un choc électrique, selon le bouton sur lequel il appuyait à un moment donné. Sa tâche était d'accumuler le plus de points possible. On le laissait alors seul pendant une période de vingt-cinq minutes. Sans qu'il le sache, cependant, les points ou les chocs reçus ne dépendaient pas des boutons sur lesquels il appuyait. Dans une pièce adjacente, un deuxième sujet était placé devant le même appareillage et avait reçu les mêmes consignes. Les chercheurs ont fait en sorte qu'en pressant le *bouton à sa droite*, le sujet qui se trouvait dans la première pièce procurait un point au second sujet; pour sa part, lorsque le sujet qui était dans la deuxième pièce actionnait le *bouton placé à sa gauche*, il faisait aussi obtenir un point à l'autre sujet. Chaque sujet pouvait aussi, toujours sans le savoir, administrer un choc électrique à l'autre: le *bouton de gauche*, dans la première pièce, procurait un choc au sujet de la deuxième pièce, alors que le *bouton de droite*, dans cette deuxième pièce, procurait un choc au sujet qui était dans la première pièce.

La figure 10-1 présente une **matrice de rendement**, soit un résumé des rendements possibles en plaisir et en douleur. L'obtention d'un point est indiquée par un signe plus (+) et la réception d'un choc, par un signe moins (−). Pour qu'une accommodation mutuelle se produise, le premier sujet doit presser le bouton à sa droite et le second sujet, celui à sa gauche. Toute autre combinaison punit l'un ou l'autre des sujets ou les deux à la fois. Dans cette situation, une accommodation mutuelle n'est pas chose facile. En effet, aucun des sujets ne sait que son résultat dépend des actions d'une autre personne et aucun ne connaît la combinaison gagnante. De plus, les deux sujets ne peuvent communiquer entre eux. Mais, en dépit de ces obstacles, les sujets apprennent rapidement à trouver une forme d'échange accommodant.

La figure 10-2 montre le nombre moyen de fois où les sujets ont pressé le bouton procurant un point pour chaque période de cinq minutes de l'expérience. Comme vous pouvez le voir, les récompenses (points) que les sujets se donnent l'un à l'autre sans le savoir augmentent régulièrement pendant les quinze premières minutes, puis elles se stabilisent. Les punitions (chocs), peu fréquentes dès le début, déclinent continuellement durant les vingt minutes suivantes. Les sujets ont réussi à trouver une façon d'établir entre eux un lien qui leur procurait un avantage mutuel élevé. Vous pouvez sûrement penser à plusieurs expériences similaires dans votre vie quotidienne. De bons amis essaient souvent de trouver des activités qui les rendent tous deux heureux. Les parents et les enfants essaient fréquemment d'ajuster leurs besoins afin de favoriser un certain degré d'harmonie dans la famille. Les amoureux font souvent beaucoup d'efforts pour s'adapter aux besoins et aux désirs de l'un et de l'autre. L'accommodation se trouve partout, même dans

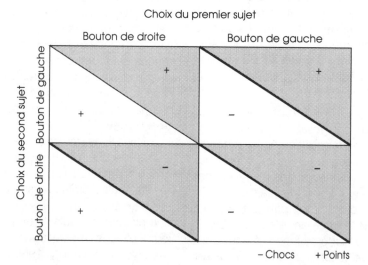

Figure 10-1   Une matrice de rendement

Ce diagramme résume les rendements possibles en plaisir et en douleur, selon les quatre combinaisons possibles. Les résultats du premier sujet sont indiqués au-dessus de la diagonale de chaque rectangle; ceux du second sujet figurent au-dessous de la diagonale. Ainsi, si les deux joueurs pressent le bouton de gauche, le premier sujet obtiendra un point et le second recevra un choc.

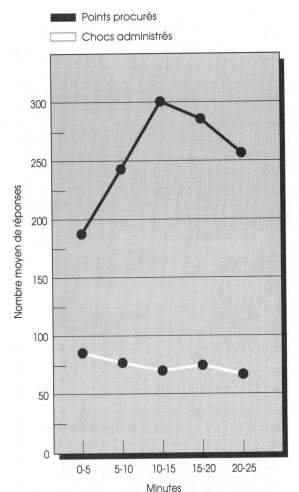

Nombre moyen de réponses

300

250

200

150

100

50

0

0-5   5-10   10-15   15-20   20-25

Minutes

Figure 10-2   Le processus d'accommodation dans l'action

Même si les sujets ignorent la présence de l'autre, ils sont capables d'ajuster leurs besoins réciproques. Remarquez qu'à mesure que le temps passe, ils se donnent l'un à l'autre plus de plaisir et moins de douleur. (Adapté de Sidowski, Wyckoff et Tabory, 1956.)

un monde où les actions peuvent reposer sur l'égoïsme.

En résumé, les théoriciens de l'échange perçoivent les gens comme des êtres qui essaient constamment de maximiser leur plaisir et de minimiser leur douleur. Toutefois, les relations n'impliquent pas nécessairement l'exploitation. En obtenant des autres du plaisir, les gens en procurent aux autres en retour. L'accommodation est le processus par lequel les gens parviennent à des relations qui apportent du plaisir aux deux parties.

Les règles de l'échange

Une fois que des modes d'échanges profitables ont été mis au point, les gens essaient de s'assu-

rer qu'ils seront maintenus. Ainsi, Claude peut laisser entendre à Martine qu'il espère qu'ils se reverront la fin de semaine suivante, ou Martine peut exprimer son désappointement s'il dit qu'il fera du camping à ce moment-là. S'ils réussissent à créer une attente selon laquelle ils passeront leurs moments de loisir ensemble, leurs attentes en arriveront à agir comme des règles. Ils auront tous les deux le sentiment qu'ils «doivent» être avec l'autre et que chacun a le droit de punir l'autre s'il décide soudainement de modifier cette façon de faire.

Les règles de l'échange dirigent les comportements aussi bien dans les relations individuelles que dans la société. De telles règles sont incluses dans les **normes** sociales de la culture (Homans, 1950). Par exemple, des normes claires gouvernent la conduite des gens dans un grand magasin. On s'attend à ce que les clients paient pour la marchandise qu'ils désirent et que les marchands offrent de la marchandise en échange de l'argent. Ce pattern d'échange se répète des millions de fois quotidiennement presque partout dans le monde. Les gens sont susceptibles d'être punis s'ils n'obéissent pas aux règles; les autres peuvent manifester de la désapprobation ou de l'hostilité. Dans la plupart des magasins, le fait de danser dans les allées constituerait une violation des règles usuelles et, si quelqu'un le faisait, les gens pourraient froncer les sourcils et le traiter d'imbécile. Si le système légal a fait de la règle une loi, ne pas s'y conformer entraîne des peines plus sévères. Prendre des biens sans payer, par exemple, peut conduire à une arrestation. En somme, les lois représentent les moyens qu'ont les gens de s'assurer que les échanges d'accommodation se maintiennent dans la culture et dans le temps.

Pour illustrer le fonctionnement des règles de l'échange, des chercheurs ont conçu une machine à plaisir. Les sujets pressent un bouton et déclenchent des vibrations physiques plaisantes aux fesses et aux cuisses d'une autre personne (Davis, Rainey et Brock, 1976). Habituellement, on a recours à de telles vibrations dans le contexte d'études d'apprentissage semblables à celle de Milgram (*voir, au chapitre 9, la présentation des recherches sur la soumission*). Le plaisir est une récompense pour les réponses correctes. L'individu qui procure le plaisir peut choisir le degré de plaisir qu'il veut donner à chaque essai d'apprentissage. Les règles de l'échange semblent régir le degré de plaisir que l'individu procure à celui qui apprend. Par exemple, dans la plupart des cultures occidentales, des règles informelles spécifient qu'il est approprié de donner du plaisir physique à un ami intime, mais que ce l'est moins d'en procurer à un étranger. Effectivement, lorsque celui qui apprend est l'amoureux du sujet, il reçoit plus de plaisir physique que lorsqu'il est un inconnu du sexe opposé (Davis et Martin, 1978). Une autre norme culturelle spécifie que lorsqu'un ami intime exprime de l'appréciation pour le plaisir reçu, il est de mise de lui en procurer davantage. Faire de même pour un inconnu pourrait être interprété comme une invitation à l'intimité. De nouveau, le comportement des sujets est cohérent avec la règle. Lorsque, dans l'expérience, un ami intime montrait des signes de grand plaisir, les sujets avaient tendance à lui procurer plus de plaisir en retour. Cependant, lorsque c'était un inconnu qui exprimait des signes croissants de plaisir, les sujets réduisaient le degré de plaisir qu'ils donnaient (Davis et Martin, 1978; Davis, Rainey et Brock, 1976).

Plusieurs psychologues sociaux croient que les règles informelles qui régissent les échanges dans la société ont des conséquences énormes dans la vie de tous les jours (Ginsburg, 1979; Harré et Secord, 1972; Thibaut et Kelley, 1959). De telles règles font que les relations sociales demeurent ordonnées et stables dans le temps (Bales, 1950; Thibaut et Kelley, 1959). Examinons deux grandes catégories de règles dans la société: celles qui concernent la qualité ou le type de ressources qui peuvent être échangées et celles qui régissent la quantité appropriée de ressources à échanger.

La théorie des ressources: les règles relatives au type de ressources

Plusieurs types d'actions procurent du plaisir aux autres: cela peut aller de gratter le dos de quelqu'un jusqu'à lui déclarer un attachement éternel. Plusieurs théoriciens croient que le fait de décrire toutes les règles sous-jacentes à toutes les façons de procurer du plaisir ne fournirait que des volumes imposants d'information démodée. Il serait plus utile, soutiennent-ils, de spécifier (1) un nombre limité de catégories permettant de classer les activités qui procurent du plaisir et (2) un nombre de règles fondamentales qui régissent les échanges d'activités dans ces différentes catégories. Il revient à Uriel et à Edna Foa d'avoir conduit l'entreprise la plus considérable pour identifier des catégories de récompenses et établir des relations entre elles (Foa et Foa, 1980). Sur la base

d'études de l'échange social dans diverses cultures, ils soutiennent que presque toutes les ressources que les gens utilisent au profit des uns et des autres peuvent être classées sans difficulté dans l'une des six catégories suivantes: amour, services, biens, argent, information et statut (voir la figure 10-3). Ainsi, par exemple, réparer la chaîne stéréophonique de quelqu'un serait lui rendre un service. Expliquer à quelqu'un comment rédiger une dissertation complexe serait lui donner de l'information et traiter une personne avec respect serait lui donner du statut. Le modèle de Foa pose un défi intellectuel: essayez d'identifier une façon de faire du bien à autrui qui ne pourrait être classée dans aucune de ces six catégories.

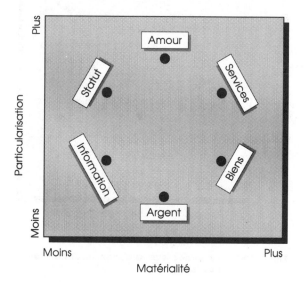

Figure 10-3   Les relations entre les catégories de ressources

Selon Uriel et Edna Foa, les six grandes catégories de ressources varient en fonction de leur particularisation et de leur matérialité. Les règles culturelles favorisent un échange entre des ressources similaires. Par exemple, la plupart des gens considèrent qu'il n'est pas approprié d'échanger une ressource dont la particularisation est faible, comme de l'argent, contre une ressource dont la particularisation est élevée, comme l'amour. (Adapté de Foa et Foa, 1980.)

Les règles principales qui dictent la façon dont les ressources peuvent être échangées sont fonction de deux dimensions majeures (Foa et Foa, 1980).

1. *La particularisation*. Certaines ressources sont données ou reçues seulement par des personnes particulières, alors que d'autres peuvent être échangées avec n'importe qui. Dans ses expériences de socialisation, le jeune enfant apprend qu'il peut échanger des expressions affectueuses avec, par

exemple, ses parents, les membres de sa famille et quelques autres personnes. En grandissant, cependant, les enfants apprennent ce qui en est des biens et de l'argent, et ils s'aperçoivent que ces ressources peuvent être échangées tant avec des amis qu'avec des étrangers. Ce ne sont pas des ressources ayant un degré élevé de **particularisation**.

2. *La matérialité.* Par les expériences de socialisation, les enfants apprennent aussi que le degré de **matérialité** des ressources varie. Des récompenses sous forme de biens (bonbons, jouets) et de services (la mère qui apporte de la nourriture) sont reconnues comme telles très tôt par l'enfant parce qu'elles sont très concrètes. Avec le développement des habiletés de raisonnement abstrait, l'enfant en vient à reconnaître des récompenses moins évidentes, mais significatives, comme le statut et l'information.

Uriel et Edna Foa croient que ces deux dimensions sont à la base d'une règle majeure de l'échange: *plus deux actions sont similaires quant à leurs degrés de particularisation et de matérialité, plus l'échange entre ces actions est approprié.* Ainsi, si quelqu'un vous donne une petite tape dans le dos, l'action peut être perçue comme un geste d'amour; elle est dirigée particulièrement vers vous. La règle générale stipule que vous devez répondre à cette action par une action similaire. Par exemple, vous pourriez lui répondre en lui donnant aussi une petite tape. Lui donner un dollar pour son geste serait inapproprié. Habituellement, l'argent ne permet pas la particularisation. De la même façon, si un boucher prépare pour vous une belle coupe de bœuf, il n'accepterait probablement pas un paiement abstrait comme un compliment. Il vous a procuré des biens concrets. Si vous dites: «Vous êtes vraiment un bon boucher», vous avez répondu à l'action concrète par un signe abstrait de statut. Si les gens ne répondent pas par un comportement du genre de celui dont ils ont bénéficié, ils peuvent être vus comme ne répondant pas correctement ou comme peu intéressés; ils peuvent ainsi provoquer de l'hostilité (Davis et Perkowitz, 1979).

Les Foa ont fourni plusieurs illustrations des principes essentiels qui sous-tendent l'échange de ressources (Donnenwerth et Foa, 1974; Foa et Foa, 1974). Dans l'une de ces études, un **compère** des Foa retournait des ressources plus ou moins différentes de celles qu'il recevait. Ils voulaient étudier les effets de ces réponses sur les sujets (Teichman et Foa, 1975). Le compère retournait à certains sujets des ressources semblables à celles qu'il avait reçues, quant aux degrés de particularisation et de matérialité. À d'autres occasions, il réagissait en retournant des ressources fortement dissemblables sous ces deux dimensions. Plus tard, les sujets évaluaient leur degré de satisfaction quant à l'échange effectué. En général, les sujets se sont montrés plus satisfaits des échanges où les ressources données et reçues se ressemblaient que des échanges où les ressources étaient dissemblables. Il y eut des exceptions, mais les Foa s'y attendaient. En effet, leurs règles sont générales et elles peuvent être rompues pour plusieurs raisons. Une autre étude a permis d'analyser les petites annonces placées dans la rubrique «annonces personnelles» de magazines par huit cents hommes et femmes à la recherche d'un partenaire (Harrison et Saeed, 1977). Les annonces placées par les femmes mettaient en général l'accent sur leur degré d'attrait physique et sur leur désir de sécurité financière. Les hommes, pour leur part, disaient rechercher des femmes séduisantes et ils offraient la sécurité financière. Les échanges proposés étaient donc symétriques, d'un faible degré de particularisation et d'un degré élevé de matérialité.

La théorie des **ressources** fournit une explication intéressante des types de comportements qui peuvent être échangés de façon appropriée. Examinons maintenant une deuxième avenue de recherche, plus approfondie, sur les règles qui régissent la quantité de ressources échangées.

La théorie de l'équité: les règles relatives à la quantité des ressources

L'analyse des Foa suggère fortement que les gens préfèrent échanger des ressources similaires. Il est clair, cependant, que les gens ne s'intéressent pas uniquement au *type* de ressources échangées, mais aussi à la *quantité* ou à l'importance des ressources dans la transaction. C'est le principe qui est à la base de la théorie de l'**équité**. Les gens peuvent préférer recevoir de l'amour en échange de leur amour, mais ils accordent une attention particulière à la *quantité* d'amour qu'ils reçoivent en retour du leur. Quelle est la force de ces règles? Examinez les cas suivants.

Votre compagne de chambre va amener l'un de ses amis intimes. Comme elle avait un travail de trimestre à terminer, elle a tout laissé en désordre: des mégots de cigarettes, de vieux cœurs de pommes et du café renversé ont laissé une odeur nauséabonde. Connaissant l'importance de cet ami pour votre copine, vous passez deux heures à tout nettoyer. Lorsqu'ils arrivent, ils s'asseoient sur le canapé et votre copine vous suggère aussitôt: «Tu n'étais pas supposée être quelque part maintenant?»

Un jeune homme vous aborde dans la rue et vous demande instamment de l'argent. Vous êtes presque sans le sou, mais sa situation vous désole. Aussi lui donnez-vous la monnaie que vous vouliez utiliser pour acheter de la gomme à mâcher. Il regarde la monnaie, la jette à vos pieds, vous injurie et s'en va.

Au cours d'un examen important, vous remarquez que l'étudiant assis à côté de vous copie en cachette à l'aide d'un calepin. Vous avez passé toute la nuit à préparer cet examen. Une semaine plus tard, vous vous apercevez que le tricheur a reçu une meilleure note que vous.

Il est probable que vous éprouveriez quelque malaise dans chacune de ces situations. Dans le premier cas, vous auriez donné de l'amitié et reçu en retour de la froideur polie. Dans le deuxième cas, vous avez donné de l'aide et reçu des insultes en retour. Dans le troisième cas, vous

avez travaillé fort pour obtenir une bonne note qui s'est révélée inférieure à celle de votre camarade de classe qui n'a pas travaillé. Il semble vraiment que nous nous préoccupions de l'équilibre entre ce qui est donné et ce qui est reçu.

Plusieurs théoriciens croient que les normes qui régissent l'équilibre entre ce qui est donné et ce qui est reçu sont essentielles au bien-être de la société (Gouldner, 1960). Si les gens essayaient tout le temps d'obtenir le plus possible pour eux-mêmes, la vie en société serait bien pénible; les gens passeraient leur temps à exploiter les autres, ils seraient méfiants et comploteraient constamment. Lors de notre exposé antérieur sur l'apport d'aide (*voir le chapitre 7*), nous avons vu que, selon la norme de **réciprocité**, les gens doivent répondre au bien par du bien et non par du mal. L'existence de la société dépend de la formation de normes qui favorisent des formes d'échange authentiques, honnêtes et justes. On peut trouver de telles normes dans presque toutes les cultures (Benedict, 1946; Gouldner, 1960; Malinowski, 1922; Westermarck, 1908).

L'une des règles importantes qui a trait à des formes équitables d'échange est la règle de l'**équité** (Walster, Walster et Berscheid, 1978). Il y a *équité* lorsque chaque participant à une relation perçoit que les récompenses (ou les gains) et les coûts sont relativement égaux pour tous. La relation de la compagne de chambre décrite précédemment n'était pas équitable parce que l'une des personnes a reçu toutes les récompenses et l'autre a subi tous les coûts. L'équité aurait pu être atteinte si la compagne avait exprimé une

L'apprentissage des règles d'échange. Les règles de l'échange social font partie des premiers apprentissages de la vie en groupe.

appréciation chaleureuse. Le mendiant non plus n'a pas récompensé l'acte social positif du passant. Pour sa part, le tricheur a bénéficié de gains importants sans aucun coût, alors que l'étudiant honnête a reçu des récompenses moindres pour un travail plus ardu. Dans chaque cas, le manque d'équité est déplaisant.

Les gens n'aiment pas faire face à un manque d'équité dans les relations sociales. Ils tenteront de se défaire du malaise ou de l'hostilité ressentis en rétablissant l'équité. Examinons les réactions à deux sortes de manque d'équité: la sous-récompense et la surrécompense. Nous compléterons cet exposé en considérant l'égalité comme une solution de rechange à l'équité.

La sous-récompense: l'incitation à rétablir l'équilibre

L'**anxiété** et la colère ressenties lorsqu'on reçoit moins qu'une juste part motivent habituellement les gens à essayer de rétablir l'équité. La façon la plus évidente de rétablir l'équité est d'exiger plus de gains. Par exemple, lorsque les travailleurs d'une usine pensent qu'ils ne reçoivent pas un salaire raisonnable pour leur travail, ils peuvent faire la grève pour obtenir des salaires plus éle-

vés (Marwell, Ratcliff et Schmitt, 1969; Schmitt et Marwell, 1977). Faire en sorte que le partenaire d'une relation soit placé dans une situation désagréable est une deuxième façon de rétablir l'équité. Ainsi, si les travailleurs croient que l'équilibre entre les gains et les coûts n'est pas équitable, ils peuvent faire en sorte que la productivité baisse (Adams, 1965; Clark, 1958; Lawler, 1968). On présume alors qu'une productivité plus faible augmente les soucis et les problèmes de l'employeur, et cela rétablirait l'équité du point de vue des travailleurs.

Dans une série de recherches intéressantes, des chercheurs ont retracé les sentiments d'équité des gens dans leurs relations hétérosexuelles. Par exemple, on a demandé à cinq cents étudiants du premier cycle d'évaluer tout ce qu'ils retiraient d'une relation intime et tout ce qu'ils y mettaient (Walster, Walster et Traupman, 1979). On a aussi demandé aux étudiants d'évaluer la satisfaction, le bonheur et la colère qui découlaient de cette relation. Les étudiants qui avaient l'impression de donner plus qu'ils ne recevaient étaient très insatisfaits. Selon leurs évaluations, ils étaient moins satisfaits, moins heureux et plus en colère que ceux qui avaient l'impression que ce qu'ils avaient donné était relativement égal à ce qu'ils avaient reçu. L'équité est probablement aussi un facteur important dans la stabilité conjugale. Une étude a établi une relation entre l'équité et la fidélité d'un conjoint (Walster, Traupman et Walster, 1979). À partir des résultats d'une enquête, les chercheurs ont réussi à différencier les gens mariés qui se sentaient relativement égaux à leur partenaire quant à leur charme en général, de ceux qui se sentaient plus désirables que leur partenaire. Ces derniers, pensait-on, devaient avoir l'impression d'être relativement sous-récompensés par rapport à leur valeur. Lorsque les chercheurs ont mesuré la volonté des répondants de s'engager dans des relations sexuelles extra-conjugales (un moyen de rétablir l'équité), ils ont observé que ceux qui croyaient posséder plus de charme que leur conjoint avaient des relations sexuelles extra-conjugales plus tôt après le mariage et avec plus de partenaires que ceux qui sentaient que les charmes des deux conjoints étaient égaux.

Un mariage heureux. Trouver l'équilibre entre ce qui est donné et ce qui est reçu est un facteur clé de la stabilité conjugale. Ce couple rayonne d'un sentiment de satisfaction qui suggère que leur échange conjugal est équitable.

La surrécompense: punition ou modification des perceptions?

Dans l'exemple de l'étudiant qui trichait, nous avons suggéré que les gens réagissent négativement lorsque quelqu'un reçoit une récompense sans avoir travaillé pour l'obtenir. Ce type de manque d'équité entraîne souvent le désir de voir la personne punie. En ce sens, la fonction du code criminel est d'assurer l'équité dans la société. Habituellement, un criminel s'empare d'une récompense sans en avoir payé le juste prix. Les amendes et les peines de prison sont des façons de rétablir l'équité. Ainsi, plus la récompense dont le criminel s'est emparé est grande, plus la punition est sévère.

De même que le plaisir du criminel peut entraîner une peine plus sévère, la souffrance d'un criminel peut réduire sa peine pour un crime. Dans une étude, on a demandé à des sujets de recommander une peine de prison pour un voleur à l'esbroufe qui, leur a-t-on dit, avait gravement battu une femme. En essayant de s'échapper, il était tombé et était devenu paralysé des pieds jusqu'au cou (Austin, Walster et Utne, 1976). Les sujets ont donné au criminel paralysé des peines beaucoup moins sévères que celles qu'ont données des sujets à qui l'on avait dit que le criminel ne s'était pas blessé.

Punir des individus qui prennent trop de récompenses est relativement facile. Mais qu'arrive-t-il si c'est vous qui êtes la personne surrécompensée? Si vous recevez plus que votre juste part, remettrez-vous quelques-unes de vos récompenses et augmenterez-vous vos coûts afin d'atteindre l'équité? La plupart des recherches indiquent que les gens se sentent mal à l'aise lorsqu'ils sont surrécompensés et cela peut les faire souffrir (Berscheid, Walster et Bohrnstedt, 1973; Schmitt et Marwell, 1977). Celui qui est récompensé alors que d'autres ne le sont pas ou qui reçoit une récompense sans donner en retour éprouve souvent de la culpabilité ou un sentiment de médiocrité, ou encore le sentiment d'être en dette envers autrui (Greenberg, 1980).

Dans une illustration classique des réactions à la surrécompense, des chercheurs ont engagé des étudiants pour corriger les épreuves d'un manuscrit (Adams et Jacobson, 1964). Dans l'une des conditions expérimentales, on a dit aux sujets que, même s'ils n'étaient pas qualifiés pour ce travail, ils recevraient la même rémunération que des lecteurs d'épreuves professionnels. En d'autres termes, le salaire serait, *de manière inéquitable, plus élevé* que celui qu'ils méritaient. Dans la condition expérimentale opposée, le salaire était le même, mais on avait dit aux sujets qu'ils recevaient le taux standard donné à des étudiants. En d'autres termes, le salaire était juste. Une évaluation de la qualité du travail des étudiants, mesurée par la somme des erreurs repérées, a montré que les sujets surpayés ont découvert, de façon significative, plus d'erreurs que ceux qu'on payait de façon équitable. En fournissant un effort supplémentaire, les sujets tentaient de rétablir l'équité.

Toutefois, une surrécompense n'entraîne pas toujours un effort supplémentaire au travail. Plusieurs chercheurs ont observé que les gens ne travaillent pas plus fort lorsqu'ils sont surrécompensés (Freedman, 1963; Valenzi et Andrews, 1971; Weick, 1966). Ils choisissent plutôt des moyens plus faciles pour rétablir l'équité. Une façon de le faire est de changer sa propre perception de l'événement, en recalculant à la fois les récompenses et les coûts. Par exemple, si vous recevez plus de louanges que les autres membres de votre équipe aussi méritants que vous, vous pouvez réévaluer votre contribution et décider qu'elle était supérieure à la leur. Vous croyez alors que vous méritez les louanges supplémentaires et vous n'avez pas besoin de vous sentir coupable.

Pour illustrer la façon dont cette réévaluation peut rétablir l'équité, on a récompensé des étudiants italiens et américains à des degrés d'équité variés pour un travail où ils devaient identifier des mots qui leur parvenaient déformés par des bruits parasites (Gergen, Morse et Bode, 1974). Après leur avoir décrit le travail, on a demandé aux étudiants d'estimer la difficulté de la tâche et le salaire qu'ils estimaient juste. On établissait ensuite la rétribution par un coup de dés. Le devis expérimental prévoyait en fait trois groupes. Dans le premier, les sujets devaient recevoir le salaire qu'ils avaient estimé juste. Les sujets du deuxième groupe devaient recevoir environ 30 % de plus que ce qu'ils avaient demandé et les sujets du troisième groupe, 80 % de plus. Les étudiants commençaient alors leur tâche difficile. Par la suite, on leur a demandé de réévaluer la difficulté de la tâche et l'équité du salaire.

Comme vous pouvez le voir à la figure 10-4, l'évaluation de la difficulté de la tâche dépendait du niveau de récompenses. Plus le surpaiement était élevé, plus la tâche était évaluée comme difficile, tant par les sujets italiens qu'américains. Les réévaluations de ce qui était perçu comme un juste salaire ont révélé la même tendance. Les

estimations du salaire juste ont augmenté en fonction du degré de surpaiement. Il est intéressant de constater qu'aucune différence n'a été observée dans la performance des sujets. Les sujets surpayés n'ont pas travaillé plus fort, ni distingué correctement plus de mots. Apparemment, à mesure que la récompense augmente, l'idée que l'on se fait de ce qui est juste peut changer. L'apparition de cette tactique est d'autant plus probable lorsqu'il n'y a personne autour pour exprimer son désaccord avec la réévaluation.

L'équité ou l'égalité: à chacun selon sa performance ou selon son besoin?

Même si l'équité vise à promouvoir un certain degré de justice dans l'échange social, plusieurs critiques sociaux ont le sentiment qu'une société uniquement fondée sur l'équité ferait du tort à beaucoup de ses membres. Les échanges

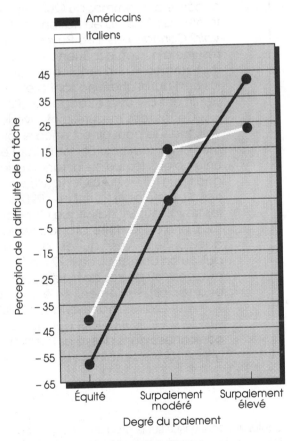

Figure 10-4   Quand trop devient assez

Les résultats de cette étude suggèrent que, du point de vue du travailleur, il est impossible d'être trop rémunéré. Notez que, à mesure que le paiement dépasse ce que les sujets percevaient comme juste, leur perception de la difficulté de la tâche augmente. (Adapté de Gergen, Morse et Bode, 1974.)

L'échange et la stratégie en milieu de travail: les femmes ont-elles le pouvoir de les mettre en application?

Discuter des échanges et des stratégies entre individus, comme nous le faisons dans ce chapitre, soulève la question de la possibilité même de participer à ces échanges et à ces stratégies. Or, fondamentalement, il semble que les règles du jeu soient inéquitables pour les femmes parce qu'elles n'ont pas accès au pouvoir de la même façon que les hommes. Sans pouvoir, les échanges entre des hommes et des femmes, en milieu de travail particulièrement, peuvent difficilement être équitables pour elles, alors que les stratégies usuelles des hommes leur sont difficilement accessibles.

Dans les sociétés occidentales, les femmes sont souvent écartées des structures sociales décisionnelles, tant politiques et économiques que religieuses, qui sont majoritairement investies par les hommes. Des siècles de domination des hommes en matière de pouvoir ont ainsi contribué à raffermir le modèle patriarcal qui, confronté aux revendications répétées de la part des femmes, subit une lente mutation. Par exemple, il a fallu attendre 1940 pour que le droit de vote soit accordé aux femmes du Québec, et 1962 pour assister à l'élection de la première femme à l'Assemblée nationale, Claire Kirkland-Casgrain. Dans son livre *Le pouvoir? Connais pas!* Lise Payette, élue députée à l'Assemblée nationale en 1976, résume ainsi son expérience vécue dans un monde essentiellement dominé par les hommes: «Entre le 15 novembre 1976 et le 20 mai 1980, entre la joie et la désillusion, j'aurai cheminé tant bien que mal dans le labyrinthe du pouvoir avec le sentiment d'y être étrangère.» (Payette, 1982).

Certes, des mesures ont favorisé l'intégration des femmes au marché du travail, mais le pouvoir est encore loin d'y être distribué également entre les hommes et les femmes. En 1990, sur l'ensemble des travailleurs, 96,6 % occupaient un emploi à temps plein, tandis que cette proportion chez les travailleuses n'atteignait que 75,9 %. Au Canada, en ce qui concerne les revenus moyens tirés d'un travail, ils s'établissaient en 1990 à 27 628 $ chez les travailleurs et à 16 292 $ chez les travailleuses (Statistique Canada, Enquête sur la population active, 1991). De plus, et c'est là notre propos, les femmes continuent à être absentes des postes décisionnels. Ainsi, qui est aux commandes de l'État québécois? Les hommes, puisqu'on comptait, en 1991, 5 femmes parmi les 36 sous-ministres en titre, tandis que des 132 postes de hauts fonctionnaires (sous-ministres, sous-ministres adjoints et associés), seulement 14 étaient occupés par des femmes (Richer, 1991).

Pour Claire Chamberland (1988) de l'Université de Montréal, c'est le processus de socialisation qui contribue le plus fortement à ce que les femmes soient cantonnées dans des rôles traditionnels qui les empêchent de s'intégrer et de progresser dans certains secteurs clés du monde du travail. Elle considère en effet

équitables sont basés sur la productivité ou la contribution d'un individu, non sur ses habiletés ou ses besoins. Accorder des récompenses sur la base de la performance pose problème aux gens dont les habiletés sont entravées par un accident ou une maladie, une formation inadéquate ou diverses contraintes de la vie. De plus, les besoins des gens varient grandement. Selon les principes d'équité, il faut continuer à récompenser celui qui a déjà accumulé une immense fortune et qui accomplit encore d'excellentes performances, sans se préoccuper des besoins insatisfaits de ceux qui n'obtiennent qu'une piètre performance.

qu'une majorité de jeunes filles et d'adolescentes sont, à un moment ou à un autre de leur vie, victimes d'une forme de négligence qui se manifeste aux plans éducatif, institutionnel et communautaire. Cette triple négligence est associée au manque d'outils nécessaires favorisant la prise en charge de leur avenir par les femmes elles-mêmes. Cette négligence se répercute également dans des règles de fonctionnement de la société qui n'offrent pas aux hommes et aux femmes des chances égales quant à l'accès aux ressources concrètes (l'argent et les biens), statutaires et informationnelles pouvant garantir le développement du potentiel des individus. Bref, les femmes ne peuvent pas facilement utiliser les stratégies accessibles aux hommes pour atteindre leurs buts.

Les carences du système de socialisation placeraient les femmes dans un cadre d'apprentissage conduisant inévitablement à l'intériorisation des valeurs véhiculées par la société à l'endroit des femmes. Comme le souligne Chamberland, il a été constaté que, comparativement aux hommes, les femmes «ont une perception d'elles-mêmes plus négative, se sentent moins compétentes, sont évaluées comme moins intelligentes, moins logiques et moins bien informées et sont terrorisées autant par leurs échecs que par leurs succès». L'intériorisation de ces valeurs provoque donc chez les femmes une baisse de l'estime de soi, alimentée par la perception négative manifestée à leur endroit. Cela se prolonge par l'insistance sur l'apprentissage des rôles masculins et féminins, de sorte que les filles

Se basant sur de tels arguments, plusieurs théoriciens sociaux avancent que l'équité n'est qu'une des formes de justice (Leventhal, 1980). Ils suggèrent que l'**égalité** dans la distribution des ressources peut être perçue comme une solution de rechange à l'*équité* (Sampson, 1975). Selon ce principe d'échange social, les récompenses sont distribuées suivant une base égalitaire, souvent en tenant compte des habiletés ou des besoins de chaque participant. Plusieurs études ont permis de mieux connaître les préoccupations des gens quant à l'égalité dans les relations humaines et leur propension à distribuer les récompenses sur cette base égalitaire. Par

auront tendance à choisir un emploi où elles ne seront pas en position de pouvoir et qui de plus leur permettra de cumuler leurs responsabilités de travailleuse et de mère.

Mais qu'arrive-t-il à celles qui aspirent à un poste de pouvoir et à une carrière dans un cadre institutionnel? Selon Simone Landry (1990) de l'Université du Québec à Montréal, elles seront confrontées sur tous les plans à plusieurs obstacles majeurs: l'entrée dans l'organisation et la progression hiérarchique, l'inégalité dans les salaires et les postes occupés par les femmes, le déséquilibre numérique qui favorise les hommes, l'insertion dans les réseaux informels et, finalement, le style de gestion des femmes et leur double rôle. Parce que d'emblée le statut des femmes serait perçu comme inférieur à celui des hommes, elles seraient désavantagées dès leur arrivée dans l'organisation. Elles doivent constamment faire la preuve de leur compétence et démontrer des habiletés exceptionnelles si elles espèrent progresser dans la hiérarchie de l'organisation, dont le fonctionnement et la structure sont à l'image du modèle masculin de gestion. Comme elles auront à subir les doutes des autres (et éventuellement leurs propres inquiétudes) face à leurs compétences, elles seront plus facilement écartées des postes décisionnels.

De plus, comme le rappelle Landry, parce que les femmes sont en moins grand nombre que les hommes au sommet de la hiérarchie, elles deviennent plus visibles, ce qui renforcerait les stéréotypes reliés au sexe. La femme peut alors être perçue selon divers rôles: la mère ou la confidente, la séductrice (songeons à tout le problème corollaire du harcèlement sexuel en milieu de travail et qui touche les femmes à tous les niveaux de responsabilités professionnelles, à preuve le cas de la professeure Anita Hill et du juge Thomas qui a passionné les États-Unis en 1991), la petite fille dotée d'une compétence limitée et admirative devant la performance de ses collègues masculins, ou encore la dame de fer que l'on taxe d'agressivité ou d'ambitions exagérées.

L'une des stratégies essentielles permettant d'obtenir du pouvoir dans l'organisation est de s'insérer dans les réseaux informels. Or, les femmes en sont écartées parce que les activités (parties de golf ou autres) se situent dans le cadre de stratégies et de jeux de pouvoirs où les femmes ne sont pas spontanément bienvenues. Par ailleurs, on percevrait les femmes comme moins capables de résoudre des problèmes en raison des caractéristiques interpersonnelles de leur style de gestion: empathie, écoute, ouverture et souplesse. Enfin, puisque dans la famille les femmes assument le plus souvent la majeure partie des responsabilités et des tâches reliées aux enfants, elles sont perçues par les hommes comme plus à risque quant à la continuité du bon fonctionnement de l'organisation, même si elles n'ont pas d'enfant et ce, simplement du fait qu'elles sont susceptibles d'en avoir éventuellement.

Mais comment les femmes pourront-elles avoir accès au pouvoir, utiliser des stratégies recevables dans l'organisation et participer aux échanges en ayant des chances équitables d'atteindre leurs objectifs? Si la proportion de femmes

exemple, on croit souvent que les gens qui ont des besoins plus grands méritent de plus grandes récompenses que ceux qui ont moins de besoins; ces sentiments motivent clairement la plupart des dons altruistes ou charitables (Berkowitz, 1972; Schwartz, 1970). Lorsqu'on a demandé à des sujets de répartir une somme d'argent entre eux-mêmes et un partenaire ayant soit un grand besoin d'argent, soit presque aucun besoin, ils ont donné, de façon significative, plus d'argent au partenaire ayant des besoins élevés (Leventhal et Weiss, 1969). C'est ce principe

dans l'entreprise était comparable à celle des hommes, les femmes ne seraient plus perçues comme des «femmes-alibis», selon la désignation de Kanter (1977). En augmentant le nombre de femmes dans les organisations, on arriverait peut-être à modifier leur situation et en particulier les attitudes à leur égard. Rinfret et Lortie-Lussier (sous presse), de l'Université d'Ottawa, ont vérifié l'effet de la force numérique des femmes cadres de niveaux intermédiaire et supérieur sur les attitudes des gestionnaires de la fonction publique fédérale. Les chercheuses voulaient savoir si une forte présence des femmes dans l'entreprise serait associée à des attitudes plus favorables à leur égard et à une meilleure appréciation de leur contribution à la culture organisationnelle. Les répondants, des hommes et des femmes, ont été soumis à l'une ou l'autre des conditions où l'on décrivait une situation dans laquelle les femmes comptaient respectivement pour 9 %, 20 %, 35 % ou 50 % du nombre de cadres dans l'organisation. Les chercheuses ont constaté tout d'abord que les attitudes à l'endroit des femmes cadres étaient favorables, quel que soit le pourcentage de l'effectif proposé aux répondants. Mais de quelle façon ces attitudes variaient-elles en fonction de la proportion de femmes cadres suggérée aux répondants? De 9 % à 35 %, les attitudes positives allaient croissant, puis diminuaient lorsque la proportion proposée était de 50 %. Les chercheuses suggèrent que la proportion idéale serait actuellement de 35 %. Rappelons que les répondants étaient mis en face d'une situation hypothétique puisqu'ils appartenaient à des ministères à vocation socio-économique employant 9 % ou 20 % de femmes cadres de niveaux intermédiaire et supérieur. Leur réaction à la proportion de 50 % pourrait être différente s'ils avaient eu à se prononcer sur une situation qui se serait mise en place graduellement. Comme le suggèrent les chercheuses, lorsque les femmes représenteront 50 % de l'effectif cadre, les appréhensions actuelles à leur endroit auront diminué et les attitudes pourraient alors être au moins aussi favorables qu'elles le sont lorsque la proportion proposée est de 20 %.

Nous avons vu que les difficultés d'accès des femmes au pouvoir et à la possibilité de participer comme les hommes aux échanges et aux stratégies en milieu de travail peuvent s'expliquer par des processus plus intériorisés, comme la socialisation et l'intégration par les femmes de perceptions négatives influant sur leur estime de soi, et par des processus sociaux jouant davantage sur les représentations sociales, telle la force numérique des femmes cadres dans une organisation. Ajoutons à ces processus intimement liés les difficultés concrètes à concilier vie de famille et poste de gestion, notamment en raison d'une carence dans les services de garde et la souplesse des horaires. En somme un ensemble de facteurs limitent de façon magistrale l'accès pour les femmes aux stratégies et aux types d'échanges qui caractérisent le travail quotidien des hommes.

d'égalité qui tient compte des besoins qui est à la base de notre mode de distribution des allocations familiales, par exemple. Si vous avez plusieurs enfants, vous recevrez une somme mensuelle supérieure à celle que reçoivent ceux qui n'en ont qu'un.

Étant donné les arguments solides utilisés pour distribuer les récompenses sur la base de l'égalité plutôt que sur celle de l'équité, plusieurs chercheurs s'intéressent au pouvoir de la **socialisation** dans le développement de cette préférence pour l'égalité. Des chercheurs ont observé que les femmes ont tendance à privilégier l'option de l'égalité plus souvent que les hommes (Benton, 1971; Leventhal et Lane, 1970), suggérant ainsi que la socialisation pourrait être en cause. L'étude suivante, effectuée auprès d'enfants, appuie également l'hypothèse de l'influence de la socialisation. Les chercheurs ont présenté deux situations de jeu à plus de cent enfants de trois à douze ans (Cohen et Sampson, 1975). Dans l'une des conditions expérimentales, on a dit aux enfants que deux poupées avaient accompli un travail d'importance inégale; dans la deuxième condition, on leur a dit que les deux poupées avaient fait la même quantité de travail. On a demandé aux enfants de répartir des guimauves entre les poupées. Les résultats montrent que la sensibilité des garçons aux considérations d'équité augmente avec l'âge. À douze ans, ils préfèrent de façon marquée distribuer les guimauves uniquement sur la base de la production. Les filles, au contraire, ont tendance à répartir les guimauves de façon plus égale, indépendamment de leur stade de développement. Nous avons plusieurs fois insisté dans ce manuel sur l'importance de tenir compte du contexte lorsqu'on étudie les différences dans les comportements des hommes et des femmes. Encore ici, cela se révèle important. En effet, Major et Adams (1983) ont montré que des hommes, placés en situation où l'amitié les intéresse davantage que la compétition, sont plus portés à valoriser l'égalité que l'équité dans la façon de répartir les ressources. De façon analogue, il faut bien voir que le principe d'équité n'est pas valorisé de la même manière dans toutes les cultures. Dans une étude comparant des étudiants américains et indiens, les sujets devaient diviser une prime entre deux employés. Les étudiants américains (provenant d'une culture où l'on valorise beaucoup la distribution des ressources selon l'effort et le travail) ont davantage tenu compte du mérite de l'employé, alors que les étudiants indiens accordaient plus d'importance au besoin d'argent des employés (Murphy-Berman et coll., 1984).

Nous avons vu que les cultures établissent des règles ou des normes d'échange pour assurer des patterns d'interaction sociale qui soient ordonnés, prévisibles et largement satisfaisants. Selon la théorie des Foa, l'éventail des ressources qui peuvent être échangées est limité. De plus, les règles de la société favorisent l'échange de ressources similaires quant à leurs degrés de particularisation et de matérialité. Dans les recherches, on a mis l'accent sur les règles qui régis-

sent la quantité de ressources échangées et particulièrement sur le caractère équitable d'un échange. Dans un échange équitable, les récompenses et les coûts relatifs de chaque personne sont égaux. L'iniquité entraîne souvent un malaise et les gens essaient alors de rétablir l'équité. Dans des situations de sous-récompenses, on peut atteindre l'équité en augmentant les récompenses, en réduisant les coûts ou en punissant les individus dans l'échange. Dans des situations de surrécompenses, on peut atteindre l'équité en travaillant plus fort. Cependant, lorsque les circonstances sociales le permettent, les gens peuvent modifier leurs perceptions de ce qui est juste, utilisant ainsi des moyens psychologiques de rétablir l'équité. Les critiques font ressortir que la règle de l'équité peut être injuste et que la règle de l'égalité offre plusieurs avantages. Le mode de socialisation peut insuffler aux gens une préférence pour l'égalité ou pour l'équité.

De l'exploitation à la coopération

Les théoriciens de l'échange postulent que les gens essaient d'obtenir le plus possible à un coût minimal. Cette stratégie n'entraîne pas l'effondrement de la société parce que les gens (1) reçoivent de la satisfaction des échanges qui apportent un plaisir mutuel et (2) établissent des règles qui assurent le maintien de ces échanges. Cependant, l'exploitation est une caractéristique centrale de la vie sociale et l'ambiguïté des règles de l'échange en est en partie responsable. Les gens ne sont pas d'accord sur ce qui constitue un échange équitable, c'est-à-dire sur les coûts ou les avantages rattachés à une action. Il est souvent difficile de convaincre les autres que quelqu'un est traité de façon inéquitable; le succès d'une telle démarche peut dépendre de l'habileté de la personne à manipuler les mots (Harris et Joyce, 1980). Dans les relations profondes, où les gens sont supposés prendre soin l'un de l'autre, les gens ne veulent pas toujours comptabiliser soigneusement ce qu'ils donnent et ce qu'ils reçoivent (Clark et Mills, 1979). Ils peuvent éviter de garder un bilan précis des récompenses et des coûts afin que leurs relations personnelles ne ressemblent pas à des transactions d'affaires (Pryor et Graburn, 1980). En plus d'être causée par des règles ambiguës, l'exploitation peut aussi résulter de l'établissement d'échanges qui profitent à certaines personnes, mais sont défavorables à d'autres. Comme nous l'avons vu lors de notre exposé sur les préjugés (*voir le cha-pitre 5*), les membres d'un groupe donné peuvent travailler pour le bénéfice des membres de ce groupe, tout en exploitant ceux d'un autre groupe donné.

Les règles d'équité et d'égalité peuvent réduire l'exploitation; l'ambiguïté et les préféren-ces intragroupes peuvent l'augmenter. La plupart des situations d'échanges comportent alors des conflits psychologiques. C'est pourquoi les psy-chologues sociaux se sont particulièrement inté-ressés à un type d'échange basé sur des moti-vations contradictoires et dans lequel le désir de coopérer entre en *conflit* avec le désir d'exploi-ter. Nous examinerons maintenant les résultats de recherches portant sur les échanges à motivations contradictoires et ce qu'elles nous apprennent quant à la réduction de l'exploitation.

L'exploitation dans l'échange à motivations contradictoires

Réexaminons la matrice de rendement utilisée par Sidowski, Wyckoff et Tabory (figure 10-1). Dans cette situation, les *deux* participants obtenaient le gain le plus élevé lorsqu'ils appuyaient sur une combinaison de boutons leur procurant des points à tous les deux. Même si chaque partenaire igno-rait la présence de l'autre, ils en sont néanmoins arrivés à établir un système de coopération.

Considérez maintenant la matrice de rende-ment montrée à la figure 10-5. Dans cette situa-tion, les participants sont placés devant un bouton rouge et un bouton noir. Si les deux participants appuient sur le bouton noir au cours d'un essai donné, les deux gagnent cinq dollars. S'ils pres-sent tous deux le bouton rouge, ils perdent tous deux cinq dollars. Ce qui est plus important, c'est que si l'un des participants choisit le bouton rouge alors que l'autre appuie sur le bouton noir, il se produit une répartition inégale des récompenses et des punitions. Celui qui appuie sur le bouton rouge reçoit quinze dollars, alors que celui qui choisit le bouton noir ne reçoit rien du tout. Dans cette situation, l'avantage de la coopération n'est pas aussi évident. La coopération apporte à cha-cun cinq dollars. Cependant, si un seul des parti-cipants choisit de coopérer, il peut être exploité par l'autre. Or, l'exploitation triple les gains de l'autre participant. La coopération semble soudai-nement moins désirable. Mais si les deux choi-sissent d'exploiter, ils seront tous deux pénalisés. Opter pour l'exploitation n'est pas sans danger.

Ni l'accommodation ni l'exploitation ne repré-sentent un choix évident dans la situation de ren-dement présentée à la figure 10-5. On appelle ce type d'échange une situation à **motivations con-tradictoires**. Dans ce type de situation, l'individu fait face au **dilemme du prisonnier**. Cette ex-pression est basée sur la situation dramatique sui-vante (Luce et Raiffa, 1957): on arrête deux sus-pects, puis on les sépare. Le procureur est convaincu qu'ils sont coupables d'un crime spé-cifique, mais il ne possède pas de preuves suffi-santes pour qu'on les reconnaisse coupables lors d'un procès. Il dit à chaque prisonnier qu'il a le choix d'avouer ou de rester silencieux. Le procu-reur dit que, si aucun des deux n'avoue, il les

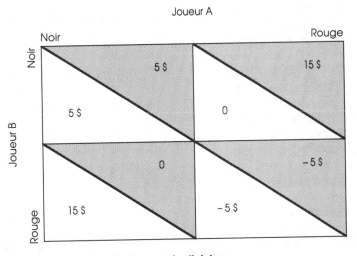

Figure 10-5   Une matrice de situation à motivations contradictoires

Dans cette situation de rendement, la coopération (appuyer sur le bouton noir) peut mener à l'exploitation. Dans chaque case, le gain du joueur A paraît au-dessus de la diagonale et celui du joueur B, au-dessous de la diagonale.

inculpera tous les deux sous une accusation mineure, forgée de toutes pièces, et qu'ils recevront une punition mineure. S'ils avouent tous les deux, ils seront poursuivis, mais le procureur recommandera une sentence moindre que la peine la plus sévère. Si l'un avoue et que l'autre garde le silence, on permettra à celui qui avoue de témoigner contre son complice et on le libérera; on donnera la peine maximale à celui qui garde le silence.

Plusieurs théoriciens croient que le dilemme du prisonnier représente une situation courante dans la vie quotidienne. Considérez, par exemple, les difficultés inhérentes à une relation de couple typique. Si les deux partenaires sont engagés dans la relation et s'apportent beaucoup l'un à l'autre, leur coopération peut conduire à une relation profondément satisfaisante. Cependant, en s'engageant, chaque partenaire court le risque d'être blessé ou exploité. Si l'un des partenaires décide de quitter l'autre, ce dernier peut se trouver désespéré. Mais si les deux se comportent prudemment et évitent de se rendre vulnérables, la relation peut les désappointer tous les deux. Des dilemmes semblables se présentent de façon plus générale dans la vie sociale. Par exemple, dans sa «tragédie du pâturage», Garrett Hardin (1968) a décrit la répartition que fait la société de ses ressources naturelles. Si tous les gardiens de troupeaux utilisent un pâturage commun et que chacun veut faire paître le plus grand nombre possible de têtes de bétail, la terre peut devenir surutilisée et s'appauvrir. Tous les gardiens perdraient alors leur bétail. S'ils coopèrent, cependant, chacun doit limiter la grandeur de son troupeau, ce qui signifie des profits moins élevés et la possibilité d'être exploité.

En général, dans les situations de dilemme du prisonnier, les participants qui doivent faire face à des choix semblables à ceux de la figure 10-5 ne choisissent pas la coopération. Indépendamment du nombre d'essais et du type d'enjeu ou de son importance (points sans aucune valeur, menue monnaie ou dollars), les sujets s'exploitent habituellement l'un l'autre (Christie, Gergen et Marlowe, 1970; Minas et coll., 1960; Rapoport, 1974a). Peu importe le nombre de personnes qui s'en trouveront exploitées, l'option de la coopération a peu de chance d'être choisie (Komorita, Sweeney et Kravitz, 1980). Il ne faut pas croire que ce résultat signifie que tous les gens exploitent les autres à chaque occasion. Comme nous l'avons fait remarquer précédemment, il existe toujours de grandes différences dans le comportement des individus, de même que d'une culture à l'autre. Néanmoins, en moyenne, les sujets qui font face à ce type de choix particulier ont tendance à maximiser leurs propres gains plutôt qu'à coopérer avec leurs compagnons de laboratoire.

Les multiples avenues de la coopération

L'exploitation des uns et des autres dans le contexte du laboratoire ressemble tellement au comportement de la vie de tous les jours que plusieurs chercheurs se sont intéressés à la réduction de l'exploitation et à la stimulation de la coopération tant dans les relations individuelles que dans les relations de groupe. L'une des façons de stimuler la coopération est évidente. Si l'on augmente les gains de la coopération et si l'on rend l'exploitation plus coûteuse, la coopération devrait être l'option la plus fréquemment choisie. Même si ce moyen semble être assez simple, la croyance répandue quant au caractère positif de la compétition peut créer des obstacles à son application. Par exemple, les fabricants d'automobiles pourraient réussir plus rapidement à mettre sur pied un moteur efficace fonctionnant sans essence s'ils mettaient leurs ressources en commun. Cependant, rien ne favorise généralement une telle coopération. Parmi les autres principales façons d'augmenter la coopération, on note l'adoption de stratégies qui suscitent une réponse de coopération, l'utilisation de la menace et l'amélioration des communications. Considérons successivement chacun de ces moyens.

La stratégie de coopération

Placé devant la situation de la tragédie du pâturage décrite précédemment, vous pourriez décider que la coopération totale est le choix le plus avisé. Vous pourriez réduire la taille de votre troupeau ou réduire votre utilisation de la ressource naturelle limitée. De tels actes de coopération démontreraient vos bonnes intentions et fourniraient aux autres un modèle d'action. Certes, comme l'ont démontré plusieurs études expérimentales, une stratégie de coopération constante de la part d'un joueur dans le jeu du dilemme du prisonnier a souvent des effets positifs sur l'autre joueur (Gruder et Duslak, 1973; Rubin et Brown, 1975). Si l'un des joueurs choisit constamment de coopérer pour obtenir un gain conjoint maximal, le partenaire prend habituellement part à cette stratégie. De telles démonstrations de coopération peuvent être particulièrement importantes aux premières étapes de l'échange (Pilisuk et Skolnick, 1968).

Cependant, une stratégie pleinement coopérative expose le joueur à un certain degré de danger; la coopération inconditionnelle peut en effet inciter les autres à l'exploitation (Hamner et Yukl, 1977). Une utilisation très prudente de la stratégie de coopération est à conseiller lorsque les autres sont *hautement compétitifs* ou susceptibles de *se douter des motivations de quelqu'un à coopérer*. Dans ces circonstances, le fait de coopérer peut être exploité (Kelley et Stahelski, 1970). De plus, lorsqu'il y a *peu de chances que s'installe une relation de confiance de longue durée*, les gens sont susceptibles d'abuser de celui qui coopère (Marlowe, Gergen et Doob, 1966). Enfin, c'est lorsque les participants ont des *occasions de communiquer* que les stratégies de coopération peuvent être le plus efficaces. Lorsque l'individu coopératif indique clairement ses intentions ou lorsque les participants discutent de leurs aspirations et de leurs besoins mutuels, une stratégie de coopération peut souvent être utilisée pour promouvoir les besoins de tous (Pruitt et Lewis, 1975).

La stratégie du jeu dur

Certains peuvent voir dans la coopération une stratégie pour les cœurs sensibles et préférer l'esprit de résistance courageuse personnifié, par exemple, par John Wayne dans les films de cowboys. Jusqu'à un certain point, des recherches viennent appuyer ce choix. Comme le soutiennent les théoriciens des jeux, les concessions faites à l'opposant élèvent le niveau des résultats auxquels cet opposant aspire (Siegel et Fouraker, 1960). Cependant, le fait d'adopter une position dure et de faire peu de concessions peut entraîner chez l'opposant une diminution de ses aspirations et faire en sorte qu'elle en vienne à apprécier les plus petites concessions. Cette position a été démontrée plusieurs fois en laboratoire. Si, dans le jeu du dilemme du prisonnier, un participant adopte une position dure, l'opposant diminue ses aspirations de gains personnels (Chertkoff et Baird, 1971; Druckman, Solomon et Zechmeister, 1972; Holmes, Throop et Strickland, 1971). On a pu démontrer de tels changements dans le niveau d'aspiration dans de nombreuses études auprès d'étudiants et auprès de cadres d'entreprises à l'étranger (Harnett, Cummings et Hamner, 1973).

Mais, en dépit de son efficacité, la stratégie du jeu dur comporte des risques importants. Ainsi, une étude a montré que plus la stratégie utilisée par un négociateur était dure, plus l'opposant devenait désagréable et moins il était coopératif (Hamner, 1974). Ce n'est que lorsque le négociateur adoucissait sa position que les deux personnes pouvaient en arriver à des accords profitables. L'utilisateur d'une stratégie dure était perçu comme étant «rigide, déraisonnable et non coopératif». En d'autres termes, le stratège qui opte pour la ligne dure peut réussir à atteindre ses fins par la force brute, mais si l'opposant a l'occasion de se retirer de la situation, de conclure une meilleure affaire ailleurs ou d'exploiter le négociateur, il est fort probable qu'il le fera.

Une combinaison de pacifisme et de dureté permettrait-elle de mieux favoriser la coopération? Quelques chercheurs le croient. La stratégie du *pécheur repentant* semble fonctionner efficacement. Dans cette stratégie, le négociateur commence par jouer dur, mais, après coup, il adopte une orientation coopérative et très agréable. Quand le «pêcheur» joue dur, l'opposant joue dur également. Cependant, lorsque le changement vers la coopération s'installe, il se produit habituellement une augmentation saisissante de la coopération de l'opposant (Deutsch, 1975).

La stratégie de l'appariement: le difficile sentier de la paix

Une troisième stratégie importante pour obtenir la coopération est fondée sur les principes simples du renforcement: la coopération est récompensée par de la coopération et l'exploitation est punie par de la contre-exploitation. Cette approche est appelée la stratégie de l'*appariement*. Les résultats de plusieurs jeux en laboratoire suggèrent que cette stratégie peut être efficace avec le temps. Si un jeu requiert que les partenaires répondent successivement (l'un après l'autre), la stratégie d'appariement produit en général un haut degré de coopération (*voir la revue des écrits faite par* Oskamp, 1971).

La stratégie d'appariement entraîne aussi certains risques. Par exemple, si l'un des partenaires choisit l'exploitation, l'appariement peut entraîner un échange de coups sans fin. En fait, si l'on s'en tenait strictement au principe «œil pour œil, dent pour dent», il en résulterait une destruction mutuelle. Certains critiques de l'état des relations internationales actuelles croient que plusieurs pays du monde sont emprisonnés

à l'intérieur d'un cycle incessant d'exploitation mutuelle. Chaque pays craint une éventuelle attaque de l'autre pays et chacun se méfie de toutes les démarches de l'autre. Cela aboutit à une spirale ascendante de préparatifs à l'agression.

Charles Osgood (1962) a proposé une stratégie dans le but de résoudre ce dilemme. Osgood affirme que, devant une impasse destructive, il faut mettre de l'avant une **stratégie des échanges gradués**. Un participant doit d'abord prendre l'initiative et faire un geste de coopération, si petit soit-il. Au début, il se peut qu'un pays ne veuille pas réduire sa capacité défensive, mais d'autres gestes conduisant à la coopération sont possibles: par exemple, des échanges culturels, une exploration scientifique mutuelle ou une augmentation des échanges commerciaux. Si de tels gestes de coopération minimale réussissent, on peut faire de plus nombreuses offres de coopération. L'autre aussi peut en venir à faire de telles offres, ce qui entraîne une diminution continue de la tension internationale. À mesure que le niveau de tension diminue, une réduction des dépenses allouées à la défense commence à devenir plausible.

Les théoriciens croient que, pour que réussisse la stratégie des échanges gradués, le participant qui recherche la paix devrait (1) annoncer les gestes de coopération dès le début; (2) inviter l'autre à faire de même; (3) effectuer les gestes de coopération de façon claire et inviter l'autre à les vérifier; et (4) proposer suffisamment de concessions, de façon que les plans de coopération paraissent crédibles, mais pas au point qu'il soit impossible de se défendre (Lindskold, 1979). Le participant qui recherche la paix doit être prêt à accomplir ces gestes même si l'adversaire ne fait rien en retour. Des résultats expérimentaux suggèrent que la stratégie des échanges gradués peut réussir (Pilisuk et Skolnick, 1968). Les relations internationales pourraient bien bénéficier de ces travaux.

Les chercheurs ont compris, avec les années, qu'aucune stratégie unique ne se traduit par un succès constant (Hamner et Yukl, 1977). Une stratégie donnée peut réussir avec certains types de personnes et pas avec d'autres, ou elle peut réussir à certains moments et échouer à d'autres (Yukl et coll., 1976). De plus, une fois que les opposants deviennent conscients de la stratégie, ils peuvent adopter une contre-stratégie qui en réduit l'efficacité. À la lumière de ces problèmes, la meilleure approche globale dans le but d'augmenter la coopération est peut-être la *rigidité flexible* (Pruitt et Lewis, 1975). Cela signifie que les gens devraient maintenir leurs *objectifs* de façon rigide tout en étant très flexibles dans le choix des *moyens* d'atteindre ces objectifs. Ainsi, si vous apparteniez à un club et que vous vouliez que les critères d'adhésion changent, vous devriez tenir à votre objectif, mais accepter de considérer plusieurs façons différentes de l'atteindre.

La menace et la coopération

Nous avons vu que l'augmentation des gains et l'utilisation de diverses stratégies de rendement peut améliorer la coopération. Si ces méthodes ne fonctionnent pas, la coopération peut parfois être obtenue simplement en utilisant la *menace*. Avec la menace, il n'est pas nécessaire d'employer directement la récompense ou la punition; la *promesse* d'une récompense ou d'une punition peut suffire. Quelqu'un peut menacer de se retirer d'une relation insatisfaisante, d'annuler le paiement d'une marchandise défectueuse ou de réduire l'aide économique à un pays rebelle.

La menace est-elle un moyen efficace d'engendrer de la coopération? Pour répondre à cette question, considérons tout d'abord les premiers travaux dans ce domaine effectués par Morton Deutsch et Robert Krauss (1960). Ces chercheurs ont conçu un jeu de négociation dans lequel les profits sont basés sur la vitesse avec laquelle une tâche est complétée. Chaque participant doit s'imaginer qu'il est en charge d'une compagnie de camionnage (soit Express ou Rapido). La compagnie est censée transporter de la marchandise sur une route tracée sur une planche de jeu placée devant les participants. Pour chaque voyage complété, les participants sont payés soixante cents moins leurs dépenses d'opération (un cent pour chaque seconde où la marchandise est en transit). Comme vous pouvez le voir à la figure 10-6, les deux compagnies commencent chaque essai à partir d'une position distincte, elles doivent se rendre à une destination différente et elles ont le choix entre une route longue et une route courte. Le conflit survient lorsque les participants se rendent compte que la route la plus rapide, celle qui leur permet de faire le plus d'argent, est une route à *une seule voie*. Si les deux participants choisissent ce chemin, ils seront incapables de se croiser et pourront rester immobiles tout en perdant tous les deux de l'argent. L'autre option est d'utiliser tour à tour la route courte et d'accepter, chacun leur tour, l'amende mineure (dix cents) qui leur est infligée pour avoir pris la route la plus longue.

Une fois les options clairement expliquées, Deutsch et Krauss proposaient aux participants divers moyens de menace. Dans la condition expérimentale de *menace bilatérale*, les compagnies Express et Rapido ont toutes deux une barrière qu'elles peuvent utiliser pour bloquer le passage de l'autre (c'est la condition illustrée à la figure 10-6). Dans la condition expérimentale de *menace unilatérale*, seule Express possède une barrière. Cet avantage prive effectivement Rapido de la route la plus courte parce que

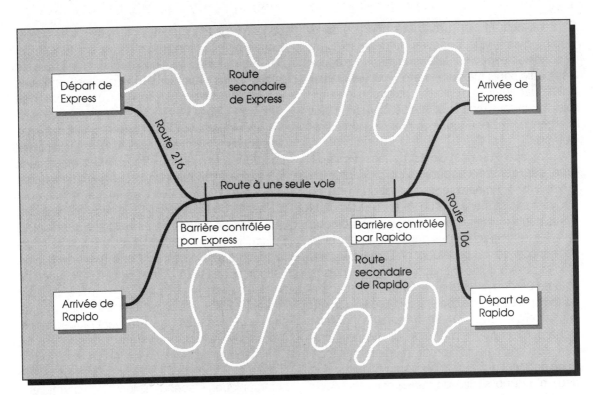

Figure 10-6   Le jeu du camionnage de Deutsch et Krauss

Dans cette version du jeu, remarquez la présence de deux barrières. Chaque opposant peut menacer l'autre en lui bloquant l'accès de la route à une seule voie qui conduit le plus directement à l'objectif. (Adapté de Deutsch et Krauss, 1960.)

Communiquer pour coopérer

Nous avons vu dans ce chapitre que la communication est un ingrédient fondamental de la coopération. Toutefois, la communication ne donne pas invariablement lieu à une coopération efficace. Yves Saint-Arnaud, de l'Université de Sherbrooke, s'intéresse depuis de nombreuses années aux principes sous-jacents à la communication comme à la coopération efficaces. Il a développé un modèle de coopération efficace, modèle qu'il utilise dans des activités de perfectionnement qui s'adressent aux individus qui veulent rendre leurs échanges sociaux véritablement coopératifs. Une caractéristique fondamentale du modèle de Saint-Arnaud est qu'il repose sur une orientation humaniste de l'individu selon laquelle la personne humaine est un organisme capable de percevoir, de penser, de vivre des émotions et de faire des choix. Cette orientation suppose trois postulats: (1) toute personne est compétente pour choisir sa propre conduite, (2) à chaque instant, chacun dispose de toute l'information dont il a besoin pour faire un choix personnel et (3) chacun peut se comprendre lui-même en faisant des liens entre son comportement et son expérience personnelle (Saint-Arnaud, 1983). Comme vous le verrez, il s'agit d'un modèle qui contraste avec certaines stratégies plus dures, dont certaines ont été abordées dans ce chapitre.

Express peut utiliser la barrière pour pénaliser Rapido qui n'a aucun moyen de défense. Dans la condition expérimentale *sans menace*, aucun des participants n'a de barrière. Tous les participants, par équipes de deux, ont joué le jeu vingt fois. Ils ont tous reçu la consigne de faire le plus d'argent possible. Aucune communication n'était permise.

Les effets du pouvoir de menace sur l'aptitude des gens à coopérer sont présentés au tableau 10-1. Remarquez que c'est quand ils ne peuvent pas se menacer l'un l'autre que les deux participants obtiennent le plus d'argent. Lorsque l'un des participants ou les deux ont la possibilité de menacer, les deux *perdent* de l'argent. En fait, plus la possibilité de menace est élevée, plus la somme perdue augmente. En moyenne, dans la condition de menace bilatérale, les sujets en arrivent à perdre conjointement presque neuf dollars. Ils ne perdent que la moitié de ce montant lorsque c'est seulement Express qui peut menacer. Ils ne gagnent de l'argent que lorsque aucun des deux n'a la possibilité de menacer.

Prise isolément, cette étude suggère non seulement que la menace fait obstacle à la coopération, mais aussi qu'elle réduit réellement les bénéfices de chacune des personnes intéressées. Cependant, la menace se révèle souvent efficace, tant dans les relations quotidiennes que sur la scène internationale. Dans quelles conditions la menace est-elle susceptible de conduire au succès?

Quelques chercheurs croient que *lorsque les enjeux sont importants*, les gens sont susceptibles de céder à la menace (Gallo, 1966; McClintock et McNeel, 1966). Dans le jeu de camionnage, les joueurs qui reculaient devant la menace ont pu sentir qu'ils *perdraient la face*, c'est-à-dire qu'on les percevrait comme faibles et ridicules. Puisqu'il y avait peu d'argent en jeu, leur fierté a pu prendre le dessus. Dans les relations internationales, les enjeux sont plus élevés, la vie de plusieurs personnes peut être en cause, par exemple. Dans ces conditions, il importe peu de sauver la face. Les gens peuvent en venir ainsi à coopérer avec un agent menaçant.

Au cours de l'expérience initiale, il n'était pas permis aux compagnies Express et Rapido de communiquer. Cependant, lorsqu'on permet aux gens de *communiquer* et qu'on les encourage à négocier entre eux, la menace ne constitue pas une barrière insurmontable à la coopération

Selon le modèle de coopération efficace proposé par Saint-Arnaud (1990), trois conditions doivent être réunies pour que se développe une relation coopérative.

1. *La cible commune.* Tout d'abord, les individus doivent poursuivre une cible commune. Les deux partenaires doivent partager le même but; une interaction où chacun tente d'imposer sa propre cible ne pourrait être efficace. La coopération exige donc que l'on prenne le temps de formuler précisément ce qu'on veut atteindre avec l'autre et de vérifier si ce que l'autre veut atteindre est compatible avec ce qu'on souhaite réaliser ou correspond à ce souhait.

2. *La complémentarité des compétences.* Les partenaires doivent se reconnaître mutuellement un champ de compétence par rapport à la cible. La clarification de ses propres compétences et de celles de l'autre favorise une communication claire et éventuellement une coopération efficace. Différents problèmes peuvent surgir à cet égard. Si l'interlocuteur ne se reconnaît aucune compétence par rapport à la cible poursuivie, il développera une attitude de dépendance face à l'acteur. Ce dernier doit alors aider son interlocuteur à reconnaître son champ de compétence. Dans la situation opposée, l'interlocuteur ne reconnaît pas de compétence à l'acteur. Ce dernier doit alors démontrer sa crédibilité et faire reconnaître son champ de compétence.

3. *L'équilibre du pouvoir.* Chacun des membres de l'interaction doit exercer une influence sur son partenaire en fonction de son champ de compétence. À

(Deutsch et Krauss, 1962; Krauss et Deutsch, 1966). Si les demandes sont raisonnables, le pouvoir de menace peut même accroître la coopération (Bonoma et Tedeschi, 1973; Michelini et Messe, 1974; Schlenker et coll., 1970). Il semble que la colère joue ici un rôle déterminant. Si la personne menacée n'est pas en colère, la menace peut en effet augmenter la coopération mutuelle (Heilman, 1974; Rubin, Lewicki et Dunn, 1973).

La communication, la confiance et la coopération

L'importance de la communication pour accroître la coopération doit maintenant vous être familière. Nous avons vu qu'avec une communication accrue il est possible de surmonter les effets négatifs de la menace et de miser davantage sur le développement de stratégies de coopération.

Joueur	Gains dans les diverses conditions de menace (en dollars)		
	Aucune	**Unilatérale**	**Bilatérale**
Express	1,22	− 1,19	− 4,07
Rapido	0,81	− 2,87	− 4,69
TOTAL	2,03	− 4,06	− 8,75

Source: Adapté de Deutsch et Krauss, 1960.

Tableau 10-1   L'échec de la menace

Ces résultats provenant du jeu de camionnage révèlent que la seule condition expérimentale où les joueurs peuvent gagner de l'argent est celle où aucun des joueurs ne peut menacer l'autre. Remarquez que c'est lorsqu'ils ont tous deux la possibilité de menacer que les joueurs subissent la plus grande perte.

partir du moment où les partenaires ont défini leur champ de compétence respectif, ils doivent chercher à s'influencer uniquement à partir de leur propre champ de compétence et n'accepter d'être influencé que si l'autre demeure à l'intérieur de son propre champ de compétence.

Ce modèle trouve de nombreuses applications dans la vie de tous les jours. Prenons un exemple que les étudiants (et les professeurs qui ont entendu plusieurs doléances à cet égard!) connaissent bien: le problème de la coopération dans un travail à produire en équipe pour un cours de psychologie. Peut-être pouvez-vous songer à une expérience heureuse ou malheureuse de travail en équipe à laquelle vous avez participé. Voyons les difficultés souvent rapportées par les étudiants sous l'angle des trois conditions décrites par Saint-Arnaud. Premièrement, il arrive que des étudiants aient de la difficulté à s'entendre sur l'objet même du travail; parfois, malgré des heures de discussion, on ne parvient pas à en venir à une *cible commune*. Malheureusement, les conditions de travail permettent rarement de modifier par la suite la composition de l'équipe parce que les autres compagnes et compagnons sont déjà intégrés dans des équipes. Généralement, les coéquipiers n'ont d'autre choix que de renégocier la cible qui fait l'objet du travail. La deuxième condition pour établir la coopération, la *complémentarité des compétences*, peut être très positive au plan des apprentissages. En effet, les travaux les plus intéressants sont souvent ceux où les membres de l'équipe conjuguent leurs forces intellectuelles. Telle étudiante a déjà suivi un cours d'élaboration de questionnaires, tel autre a l'expérience du travail avec les enfants,

Rappelez-vous aussi notre exposé sur les **préjugés** (*voir le chapitre 5*) où nous avons précisé qu'on pourrait réduire les querelles intergroupes en mettant en contact les différents groupes. De la même façon, au cours de notre exposé sur la **soumission destructive** (*voir le chapitre 9*), nous avons vu que les gens acceptaient moins de faire mal à une victime lorsqu'ils devaient lui faire face que lorsqu'ils ne se trouvaient pas directement en sa présence.

Les études sur le dilemme du prisonnier et sur des situations similaires montrent également que, lorsqu'on ne permet pas aux participants de communiquer entre eux, le degré d'exploitation augmente habituellement (Voissem et Sistrunk, 1971; Wichman, 1970). Selon une autre étude, le fait de voir quelqu'un sur un écran vidéo suffit à réduire le degré d'exploitation (Gardin et coll., 1973; Kleinke et Pohlen, 1971). De plus, même si la communication directe est impossible, plus les gens ont d'informations sur les récompenses et les coûts des uns et des autres, moins ils ont tendance à exploiter (Felsenthal, 1977; Komorita et Kravitz, 1979). En réalité, un vif échange peut être préférable à l'absence de communication. Les recherches sur les conflits conjugaux

Une stratégie inefficace. La menace permet parfois d'obtenir la coopération, mais cette réponse ne se produit que dans des conditions particulières. Si la cible de la menace répond par de la colère (comme semble le faire la jeune femme sur la photographie), les possibilités d'une coopération sont grandement réduites.

tandis qu'une dernière s'en tire très bien en analyse statistique. En associant les forces respectives, cette équipe peut produire un travail sur les liens d'amitié dans une classe d'écoliers qui soit supérieur à la simple addition des compétences de chacun. Dans d'autres cas, les équipes fonctionnent bien parce qu'effectivement les compétences des membres sont bien précisées et complémentaires, sans toutefois que la répartition des tâches favorise l'apprentissage chez tous les membres. Combien de fois avons-nous entendu «ça marche maintenant avec P... parce qu'on a décidé de lui confier la dactylographie du rapport, sans plus»? D'un point de vue pédagogique, ce n'est peut-être pas très formateur, mais l'équipe manifeste ainsi que les membres se sont reconnu des champs de compétence précis. Enfin, pour tirer profit des forces respectives de chacun, il faut que le pouvoir soit *équilibré*, c'est-à-dire qu'il soit exercé en fonction précisément de ces forces. Si l'étudiante qui se débrouille bien en statistique se fait contrecarrer dans ses interventions par un membre qui n'y connaît pas grand-chose, un déséquilibre et des problèmes risquent de survenir. Nous avons vu des équipes se chamailler parce qu'un membre qui ne s'y connaissait pas en statistique avait voulu imposer à l'«expert-statisticien» de l'équipe le point de vue très (et trop) sophistiqué d'un ami étudiant en mathématiques.

Que les étudiants se consolent, la production d'un travail intellectuel en équipe pose des problèmes tout à fait similaires à leurs professeurs qui s'associent pour effectuer des travaux de recherche. Et pour encourager professeurs et étudiants, rappelons qu'on peut s'entraîner à la coopération efficace.

montrent que les couples qui abordent directement leurs problèmes en arrivent souvent à des opinions qui concordent davantage. Les couples qui évitent les conflits demeurent souvent dans l'ignorance de leurs opinions réciproques (Knudson, Sommers et Golding, 1980).

Pourquoi la communication est-elle bénéfique? L'une des principales raisons est qu'elle peut susciter la confiance. Sans la confiance, il est peu probable que des échanges positifs surviennent (Deutsch, 1973). Pour se sentir chez soi dans une communauté, il faut absolument faire preuve d'une grande confiance. Un individu doit se sentir libre d'agir quotidiennement (qu'il s'agisse de marcher dans la rue ou de se mettre au lit le soir) sans craindre que les autres veuillent profiter de lui ou l'exploiter. À mesure que la confiance augmente, les gens deviennent, en général, plus coopératifs dans les échanges à motivations contradictoires (Deutsch, 1960; Wrightsman, 1966; Zand, 1972). La méfiance augmente l'exploitation (Rubin et Brown, 1975). Parce que la confiance se développe souvent lentement et qu'elle se brise facilement (Worchel, 1979), la communication est souvent un facteur critique de sa durabilité. La communication permet aux participants de discuter de leurs intentions et de leur vulnérabilité; ce sont là deux facteurs importants pour juger si l'autre est digne de confiance (Schlenker, Helm et Tedeschi, 1973; Swinth, 1967). Par la communication, les participants peuvent dissiper les mythes créés à leur sujet, ce qui contribue également à augmenter la confiance (Kelley et Stahelski, 1970).

En résumé, lorsque la coopération et l'intérêt personnel entrent en conflit, un échange à motivations contradictoires se produit. Dans les expériences où l'on utilise le jeu du dilemme du prisonnier (une situation à motivations contradictoires), la plupart des gens choisissent d'exploiter. Il est possible de réduire l'exploitation (1) si l'on accorde une plus grande récompense à la coopération qu'à l'exploitation et (2) si l'on utilise correctement les stratégies de pure coopération, du jeu dur et de l'appariement. Chaque stratégie a des avantages et des inconvénients. La menace est aussi un moyen d'assurer la coopération, mais elle peut se retourner contre son auteur s'il ne se montre pas coopératif et communicatif. Le moyen le plus prometteur d'accroître la coopération réside peut-être dans l'amélioration de la communication.

Résumé

1 La théorie de l'échange repose sur quatre affirmations: (1) le comportement humain est d'abord motivé par le désir d'obtenir du plaisir et d'éviter la douleur; (2) les actions d'autrui sont des sources primaires de plaisir et de douleur, (3) une personne peut, par ses propres actions, obtenir d'autrui des gestes procurant du plaisir; et (4) les gens tentent d'obtenir un plaisir maximal à un coût minimal. Lorsque des individus font des choix qui maximisent leur plaisir mutuel, on dit qu'ils sont engagés dans un processus d'accommodation.

2 Quand des patterns d'échanges procurent des récompenses, les gens essaient de maintenir l'échange agréable en établissant des règles. Celles-ci sont souvent incorporées dans des normes culturelles portant sur les actions jugées convenables. Les règles informelles qui régissent ces échanges font que les relations sociales demeurent ordonnées et stables dans le temps.

3 Uriel et Edna Foa ont proposé un modèle regroupant en six catégories les ressources qui peuvent être échangées: amour, services, biens, argent, information et statut. La façon dont ces ressources peuvent être échangées est fonction de deux dimensions: (1) la particularisation, qui indique jusqu'à quel point une ressource ne peut être échangée qu'avec un individu particulier, et (2) la matérialité, qui indique dans quelle mesure une ressource est physique ou symbolique. Les gens échangent des ressources de degrés similaires sous chacune de ces deux dimensions. Échanger de l'amour (degré de particularisation élevé) contre de l'argent (degré de particularisation nul) est une violation de la règle qui régit les échanges de ce genre. Plus deux actions sont similaires quant à leurs degrés de particularisation et de matérialité, plus l'échange entre ces actions est approprié.

4 Des règles gouvernent également la quantité appropriée des ressources échangées. La règle de l'équité spécifie que, pour chaque partenaire d'une relation, les récompenses et les coûts devraient être proportionnels. Les gens réagiront donc négativement tant à une sous-récompense qu'à une surrécompense et ils essaieront de rétablir l'équité. On rétablit parfois l'équité en modifiant ses propres perceptions de ce qui est juste.

5 La règle de l'équité peut être perçue comme injuste parce qu'elle est basée sur la productivité ou sur la contribution d'un individu. Elle ne tient pas compte du niveau d'habiletés ou des besoins d'un individu. Plusieurs théoriciens sociaux croient que la société pourrait s'améliorer si le principe de l'équité, qui prend en considération les intrants des gens, était remplacé par un principe d'égalité, qui tient compte des besoins des gens. La tendance à privilégier l'une ou l'autre de ces règles peut dépendre de la socialisation.

6 Souvent, le pattern de récompenses disponibles ne favorise pas l'accommodation. Les gens font plutôt face à des situations qui suscitent des motivations contradictoires. Cela signifie que le désir de coopérer pour obtenir un gain mutuel de valeur modérée entre en conflit avec le désir d'exploiter l'autre personne pour obtenir un gain supérieur. Dans le jeu du dilemme du prisonnier (une situation propice aux motivations contradictoires), les gens choisissent habituellement de s'exploiter les uns les autres. Parce que les situations à motivations contradictoires sont courantes dans la société, plusieurs psychologues sociaux ont cherché des façons de réduire l'exploitation. Des stratégies comme

la coopération constante, le fait de jouer dur et l'appariement du comportement peuvent réduire l'exploitation, tout comme la menace peut le faire. Cependant, en plus de ses avantages, chacune de ces stratégies présente aussi des dangers. Le développement de la communication est probablement la voie la plus prometteuse pour réduire l'exploitation.

Lectures suggérées

En anglais

Gergen K.J., Greenberg, M.S. et Willis, R.H. (dir.) (1980). *Social exchange: advances in theory and research.* New York: Plenum Press.

Pruitt, D.G. (1981). *Negotiation behavior.* New York: Academic Press.

Pruitt, D.G. et Rubin, J.Z. (1986). *Social conflict: escalation, stalemate, and settlement.* New York: Random House.

Walster, E., Walster, G.W. et Berscheid, E. (1978). *Equity. theory and research.* Boston: Allyn and Bacon.

11

L'interaction dans les groupes

Les médiocres sont les plus éloquents en face de la foule.

Euripide

Objectifs d'apprentissage

☐ Après l'étude du présent chapitre, vous devriez être capable

1. d'identifier les trois caractéristiques importantes qui permettent de définir ce qu'est un groupe;

2. d'expliquer comment les hiérarchies et la formation de sous-groupes peuvent entraver la cohésion de groupe;

3. d'identifier les facteurs qui sont susceptibles de favoriser la cohésion de groupe;

4. d'identifier les effets positifs de la cohésion de groupe sur les membres d'un groupe;

5. de définir ce qu'est la pensée de groupe et de dire en quoi elle peut avoir un effet négatif sur la prise de décision en groupe;

6. d'expliquer comment l'adhésion à un groupe diminue la liberté individuelle;

7. d'énoncer les facteurs qui, selon la théorie de l'impact social, diminuent la déviance dans une situation de groupe;

8. de définir les effets de la facilitation sociale et les trois principaux facteurs qui peuvent en réduire les effets de façon importante;

9. d'expliquer comment les biais personnels, la hâte d'en arriver à des solutions qui puissent convenir et la tendance à adopter des positions extrémistes sont responsables de piètres performances de groupe;

10. d'établir un rapport entre la performance de groupe et le type de tâche à remplir, la structure de communication, le style des membres qui le composent, ainsi que la stratégie de prise de décisions adoptée;

11. d'expliquer comment l'efficacité d'un style de leadership est associée à un type de situation.

☐ *L'association étudiante était très active cette année-là. Nous organisions des manifestations d'étudiants, des journées d'étude et des comités chargés d'étudier des questions qui nous préoccupaient. Nous avions également le temps de travailler à la coopérative, d'organiser des fêtes et de donner du temps aux groupes communautaires du quartier. Par-dessus tout cela, il fallait étudier! Le local des étudiants était notre refuge, et nous vivions un sentiment de solidarité et d'intimité qui semblait durable et indéfectible. Je crois que peu d'entre nous songeaient au fait que nous nous séparerions après l'obtention du diplôme. Cependant, Marie, la présidente de l'association, a déménagé à Québec et travaille maintenant au ministère de l'Éducation. Jean-Sébastien est rendu à Sept-Îles où il fait de l'animation syndicale. Maude est administratrice dans une compagnie d'assurances. Enfin, Julien, l'ancien secrétaire-trésorier, est sans emploi et prestataire de l'assistance sociale depuis quelque temps. J'ai de leurs nouvelles de temps en temps, mais je pense bien que ce serait désastreux si nous nous rencontrions tous encore. Nous sommes si différents maintenant. (Propos d'un ancien collégien de la région de Montréal.)*

Ce récit n'est pas inhabituel. Vous pouvez probablement vous souvenir de divers groupes auxquels vous avez déjà été profondément attaché, qui étaient très importants pour vous à un moment donné, mais auxquels vous ne reviendriez pas. Comme le suggère le récit de cet étudiant, l'adhésion à un groupe a probablement influé sur vos croyances, vos sentiments et vos activités. Une expérience comme celle qui est décrite ici fait partie de la vie de la plupart des gens. Comme membres d'un groupe, les étudiants adoptaient un certain mode de comportement. Celui-ci a changé radicalement dès que chacun s'est joint à un autre groupe. Ils ont déjà été étroitement liés; aujourd'hui, des obstacles infranchissables empêchent toute possibilité de relation satisfaisante.

Dans le présent chapitre, nous allons explorer le vécu des gens dans les groupes comme les familles, les groupes d'amis, les unités de travail, ainsi que dans d'autres organisations. Pour notre propos, nous définissons le **groupe** comme *constitué de deux ou de plusieurs personnes qui interagissent ou communiquent* (Shaw, 1976). Cette interaction se produit habituellement dans une *situation de face à face* (Homans, 1950). Les groupes sont composés de personnes qui se perçoivent comme *une entité qui persiste à travers le temps et l'espace* (Campbell, 1958). Habituellement, les membres d'un groupe *partagent au moins un but commun* (Hare, 1976). En fait, la plupart des groupes sont organisés de façon à accomplir quelque chose (gagner une élection, décider du sort d'un criminel, concevoir et vendre un nouveau produit, et ainsi de suite).

Dans les chapitres précédents, nous nous sommes surtout préoccupés des interactions de **dyades**. Il s'agissait des relations dans le groupe le plus restreint, soit deux personnes. Avec l'augmentation du nombre de personnes dans un groupe, apparaissent des processus et des problèmes nouveaux. Le théoricien social Georges Simmel (1903) a fait remarquer que le simple fait d'ajouter une personne crée des problèmes qui ne se présentent jamais dans une dyade. Par exemple, deux personnes peuvent former une coalition contre une troisième. Comme Simmel le soutenait, les groupes de trois personnes sont instables en soi. Les membres d'un trio peuvent se voir engagés dans une négociation continue, personne ne voulant se trouver en position minoritaire.

Dans ce chapitre, nous allons nous intéresser particulièrement à la qualité de la vie en groupes de trois personnes ou plus. Nous aborderons des questions majeures que les psychologues sociaux ont soulevées quant à la vie des groupes. La première question touche les facteurs qui favorisent la formation de la cohésion des groupes et ceux qui l'entravent. Nous nous intéresserons particulièrement aux effets de la *cohésion* du groupe sur les attitudes et les comportements de ses membres, de même que sur les capacités de prise de décisions du groupe comme entité. Ensuite, nous considérerons les effets de l'adhésion au groupe sur la liberté de penser et d'agir de chacun des membres. Nous considérerons en particulier les façons dont les groupes composent avec la déviance. Nous nous pencherons aussi sur la question de l'efficacité des groupes. Comme la plupart des groupes sont formés en vue d'atteindre un but, nous nous interrogerons sur les facteurs et !es processus qui peuvent réduire l'efficacité de leur performance. Nous examinerons par la suite les effets sur l'efficacité des groupes du type de tâche, de la structure de communication, du style des membres et de la stratégie de prise de décisions. Enfin, nous verrons comment l'efficacité du leadership est associée au type de situation.

L'attraction dans les groupes: la question de la cohésion

Souvent, les gens se joignent à des groupes parce qu'ils croient que leur adhésion va leur procurer de la chaleur et du soutien. Par exemple, une personne peut décider de se joindre à une association parce que les membres semblent s'apprécier les uns les autres. De la même façon, quelqu'un peut accepter un emploi parce que les autres employés semblent amicaux. Cependant, les groupes n'assurent pas toujours des expériences positives. Les relations qui existent entre les membres d'une famille ou d'un groupe de travail sont souvent teintées d'opposition et d'hostilité. Les groupes peuvent faire vivre à leurs membres des moments positifs comme des moments négatifs. La question clé est la suivante. Quels sont les facteurs qui contribuent à des sentiments positifs entre les membres d'un groupe et quels sont ceux qui produisent de l'opposition? En termes plus concrets, que peut-on faire afin que les membres d'une famille ou d'une unité de travail s'acceptent et s'entraident?

Les psychologues sociaux qui ont étudié ces questions ont développé un concept pour désigner l'**attraction** entre les membres d'un groupe. Il s'agit de la **cohésion** (Festinger, 1951), soit le degré d'attraction des membres entre eux ainsi qu'envers le groupe comme entité. Si l'attraction est intense et l'adhésion, valorisée, on dit du groupe qu'il est cohésif (Collins et Raven, 1968). La cohésion peut être mesurée de diverses façons. On peut, par exemple, demander à chaque membre d'un groupe d'évaluer ses sentiments envers chacun des autres membres, puis additionner ces évaluations. On peut également demander aux membres d'évaluer leur groupe comme un tout. Par exemple, on peut leur demander s'ils croient que leur groupe fait preuve d'une plus grande solidarité que les autres groupes (Mann et Baumgartel, 1952). Il est possible aussi de les interroger sur leur «sentiment d'appartenance» au groupe (Indik, 1965). Le concept de cohésion est utile pour examiner les facteurs susceptibles d'augmenter ou de diminuer l'attraction entre les membres d'un groupe, ainsi que les facteurs qui peuvent influer sur le fonctionnement des groupes. Examinons d'abord ce qui entrave la cohésion; nous verrons ensuite ce qui peut contribuer à l'accroître.

Les entraves à la cohésion: la hiérarchie et les sous-groupes

L'augmentation du nombre de personnes dans un groupe crée des obstacles à la cohésion. Un de ces obstacles découle de la nécessité de distribuer diverses fonctions parmi les membres du groupe. Inévitablement, quelques-uns se chargent des tâches de prise de décisions pour le groupe. Certains coordonnent, d'autres dirigent. Certains facilitent la tâche, alors que d'autres s'occupent de détails mineurs. Il peut même y en avoir qui n'ont aucune fonction. Lorsque les fonctions sont distribuées parmi les membres d'un groupe, le pouvoir l'est aussi. Il en résulte que les groupes tendent à devenir hiérarchisés et que les membres qui occupent un rang élevé sont en mesure d'exercer un contrôle sur le cours des événements.

À mesure que se développent les **hiérarchies**, les modes d'attraction entre les membres se modifient. Les démonstrations d'affection entre les anciens et les nouveaux membres d'une hiérarchie ne sont généralement pas permises. Les anciens membres d'un groupe craignent de devenir incapables d'effectuer leurs tâches s'ils deviennent engagés émotionnellement envers de nouveaux membres (Blau, 1964). De plus, les anciens membres se méfient des signaux d'attraction des nouveaux membres. Ils craignent que ces avances ne soient de la flatterie ou de la manipulation subtile. Enfin, l'utilisation du pouvoir de **coercition** par les anciens peut causer du ressentiment chez les membres plus récents (Zander, 1971).

Les différences dans les sympathies entre les gens constituent un deuxième obstacle à la cohésion. Les membres d'un groupe préfèrent inévitablement certains individus à d'autres. Ceux qui s'attirent mutuellement peuvent former des sous-groupes à l'intérieur du grand groupe. Les clans à l'intérieur des clubs sociaux sont un bon exemple de ces sous-groupes. Comme nous l'avons mentionné dans notre étude du préjugé (*voir le chapitre 5*), les membres d'un groupe ont tendance à se percevoir les uns les autres comme supérieurs à ceux qui n'appartiennent pas à ce groupe. Ils ont aussi tendance à faire de la discrimination envers eux. La présence de différences sur le plan du pouvoir peut également contribuer à la naissance de sous-groupes. Des gens de divers degrés hiérarchiques peuvent former des sous-groupes parce qu'ils partagent des expériences similaires ou parce qu'une coalition peut augmenter leur pouvoir (Caplow, 1956; Gamson, 1964; Vinacke et Arkoff, 1957). Plus le groupe est grand, plus il est probable que des sous-groupes se forment. Il est difficile d'être en relation avec plusieurs personnes, aussi les sous-groupes offrent-ils à leurs membres des relations rassurantes et intimes (Becker et coll., 1973; Castore, 1962). Par conséquent, plus un groupe est grand, plus il est probable que la cohésion sera réduite (Gerard et Hoyt, 1974; Kinney, 1953; Porter et Lawler, 1968).

Les sous-groupes sont souvent cachés et quelquefois, même les élèves d'une classe ne sont pas conscients de l'existence des clans qui exercent discrètement une influence sur leur vie sociale. Les psychologues sociaux ont bâti des instruments qui révèlent l'existence de ces groupes. L'outil de mesure le plus utilisé a été conçu par Moreno, en 1943. La **sociométrie**, terme créé par Moreno, est une méthode qui permet d'étudier la structure du groupe à partir des préférences individuelles des membres. Le chercheur qui utilise cette technique demande à chaque membre d'un groupe d'indiquer avec quel autre membre il aimerait être associé dans le cadre de diverses activités. Les indices sont alors représentés dans un graphique appelé **sociogramme**. La figure 11-1 présente les sociogrammes de deux groupes fictifs. Le graphique de gauche montre une attraction distribuée également parmi les membres du groupe. Chaque membre a nommé quelqu'un comme partenaire préféré et chaque membre est préféré par au moins un membre du groupe. Ce groupe devrait être assez cohésif. Dans le graphique de droite, par contre, l'attraction est distribuée inégalement. Le groupe se compose de deux sous-groupes distincts. Les membres d'un sous-groupe ne sont jamais préférés par un membre ou par des membres de l'autre sous-groupe. Dans un tel groupe, la cohésion générale devrait être faible.

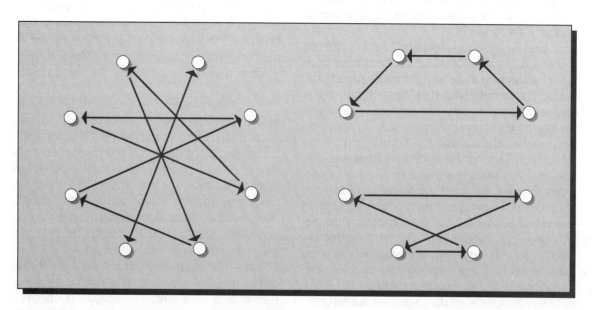

Figure 11-1   La structure sociométrique de deux groupes

Chaque flèche de ce diagramme montre une préférence en amitié. Notez le potentiel de cohésion du groupe de gauche. Le groupe de droite devrait avoir une cohésion basse. (Inspiré de Moreno, 1943.)

La formation de la cohésion de groupe

Le célèbre théoricien Leon Festinger (1951) a proposé que la cohésion peut être augmentée par *tout* facteur qui rehausse la valeur du groupe aux yeux d'un membre individuel. Le fait d'atteindre un but devrait donc rendre un groupe plus cohésif. Il semble que les membres se valorisent davantage mutuellement lorsqu'ils comprennent que le bénéfice de chacun dépend de l'investissement de tous (Blanchard, Adelman et Cook, 1975; Lott et Lott, 1965). Comme nous l'avons noté dans notre exposé sur le préjugé (*voir le chapitre 5*), les obstacles à l'amitié créés par le préjugé tendent à disparaître lorsqu'un groupe composé de membres de différentes ethnies atteint l'un de ses buts. De la même façon, la cohésion augmente lorsqu'une équipe sportive est près de la victoire (Lott et Lott, 1965). Cependant, un insuccès peut également augmenter l'attraction si les membres du groupe sont en mesure de rejeter la responsabilité de leur échec sur des conditions du milieu (Worchel et Norvell, 1980).

Des menaces extérieures peuvent augmenter la valeur des membres du groupe les uns pour les autres et améliorer la cohésion (Stein, 1976). Par exemple, des chercheurs ont observé que les commerçants d'une petite ville qui prévoient la concurrence d'une importante chaîne de magasins montrent une cohésion accrue (Mulder et Stemerding, 1963). La cohésion augmente également dans les communautés qui vivent des désastres naturels (Quarentelli et Dynes, 1972) et chez les populations civiles qui sont sujettes aux bombardements (Janis, 1951). Les dirigeants politiques utilisent fréquemment la menace d'une invasion extérieure pour provoquer une cohésion nationale.

La compétition qui provient de groupes de l'extérieur agit un peu comme une menace. Le groupe risque alors davantage de subir une perte ou d'être détruit. Par conséquent, la cohésion augmente dans les groupes qui sont en compétition (Sherif et Sherif, 1953). Rappelez-vous la description de l'étude de Sherif, au chapitre 5, sur la compétition de groupe dans les colonies de vacances pour garçons. Dans cette situation hautement compétitive, les groupes sont devenus entièrement et même dangereusement unis.

La compétition qui vient de l'extérieur peut augmenter la cohésion, mais la compétition à l'intérieur même du groupe produit souvent l'effet inverse. Dans l'une des premières tentatives pour démontrer les effets de la compétition intragroupe, on a fait varier la structure de récompense chez des groupes dont les membres travaillaient sur des problèmes de relations humaines (Deutsch, 1949). Certains groupes étaient récompensés sur une base *coopérative*: la performance du groupe déterminait son rang hebdomadaire. D'autres groupes étaient récompensés sur une base *compétitive*: leur rang hebdomadaire était alors calculé d'après la performance individuelle. Ainsi, lorsqu'une personne suggérait de bonnes idées dans le groupe coopératif, l'ensemble du groupe en profitait. Dans le groupe compétitif, l'individu était le seul à profiter de son apport. Le comportement des membres d'un groupe était fortement influencé par la structure de récompense en vigueur. Les membres des groupes coopératifs se montraient vivement intéressés par les idées des autres membres. Ils étaient désireux de travailler ensemble et de contribuer aux buts du groupe. Ils étaient amicaux, s'encourageaient mutuellement et critiquaient rarement les contributions des uns et des autres. Le scénario inverse était observé chez les groupes compétitifs. Les membres de ces groupes tentaient d'exceller et de l'emporter sur les autres. Ils ne semblaient pas se préoccuper des autres et étaient portés à se critiquer mutuellement. Il est intéressant de noter que les groupes coopératifs étaient plus productifs, en ce sens qu'ils résolvaient les problèmes de relations humaines plus rapidement que les groupes compétitifs.

En s'appuyant sur ces recherches ainsi que sur d'autres, plusieurs psychologues sociaux ont critiqué les structures de récompenses fondées sur la compétition (Blau, 1959; Haythorn, 1953; Shaw, 1958; Willis et Joseph, 1959; Zander et Wolfe, 1964). Certains chercheurs ont montré comment on peut former des groupes d'apprentissage coopératifs où chaque membre est responsable de l'enseignement d'une partie de la matière aux autres membres (Aronson et Geffner, 1978; Aronson et Osherow, 1980). La mise sur pied de ce genre d'éducation coopérative, très différente de l'approche compétitive habituelle, amène généralement la formation de groupes cohésifs et la rupture des barrières ethniques et raciales qui nuisent à l'amitié. Cette approche a été utilisée avec succès dans des écoles où se côtoyaient des enfants noirs et des enfants blancs. Il faut noter toutefois que la mise sur pied de tels programmes coopératifs n'est pas sans embûches, particulièrement lorsque le corps professoral

La victoire rapproche. Gagnants de la coupe Stanley, ces joueurs du Canadien de Montréal célèbrent leur victoire. La cohésion manifestée dans ce moment de triomphe reflète une expérience de groupe bien connue: la réussite dans l'accomplissement d'un but augmente fréquemment l'attraction entre les membres d'un groupe.

et la direction ne comportent pas de personnel noir en position d'autorité (Cohen, 1980).

Les effets positifs et les effets négatifs de la cohésion

Les membres d'un groupe cohésif en viennent à éprouver de l'affection les uns pour les autres. Cependant, les conséquences de ces sentiments ne sont pas toujours favorables à d'autres aspects de la vie de groupe. Étudions les effets positifs et les effets négatifs de la cohésion sur les attitudes et les comportements des membres du groupe et sur le fonctionnement du groupe lui-même.

La cohésion et la satisfaction

Au début du siècle, la plus grande partie des recherches en psychologie dans le milieu de travail visait l'amélioration de l'efficacité et de la discipline des travailleurs. Cette orientation fut appelée **gestion scientifique** des organisations (Taylor, 1911). D'autres l'appellent aussi *taylorisme.*

Cependant, vers la fin des années trente, les psychologues trouvaient qu'il était trop limité de se concentrer sur la productivité. Les travailleurs ne sont pas des machines. Ils ne peuvent pas être réglés pour fournir un rendement maximal. Le lieu de travail est un milieu social et si l'on veut augmenter l'efficacité, il faut tenir compte des relations interpersonnelles des travailleurs. La portée pratique des recherches sur la cohésion de groupe a augmenté à partir du moment où ces préoccupations ont été considérées.

La cohésion peut être très favorable dans les groupes de travail. Les chercheurs ont en effet constaté que les travailleurs qui proviennent de groupes cohésifs ont généralement un moral élevé et sont, dans l'ensemble, satisfaits par rapport à leur travail (Exline, 1957; Gross, 1954; Marquis, Guetzkow et Heyns, 1951). La cohésion dans les groupes de travail augmente également le sentiment de sécurité des membres et améliore leur opinion d'eux-mêmes, peut-être parce que les membres s'appuient mutuellement. Les travailleurs qui proviennent de groupes très cohésifs se sentent moins nerveux au travail (Seashore, 1954). Comparativement aux travailleurs de groupes moins cohésifs, ils ont tendance à avoir des résultats élevés sur des mesures d'estime de soi et ils se sentent plus libres de parler de situations délicates au reste du groupe (Julian, Bishop et Fiedler, 1966) et d'exprimer leurs émotions (French, 1941; Pepitone et Reichling, 1955). De plus, le taux d'absentéisme et de roulement de personnel serait plus faible dans les groupes cohésifs (Fox et Scott, 1943; Mayo et Lombard, 1944).

Une estime de soi et un moral élevés accompagnés de l'engagement au travail amènent-ils des niveaux de productivité supérieurs? Il semble bien que ce soit souvent le cas. La raison pour laquelle les gens font un meilleur travail dans l'atmosphère positive d'un groupe cohésif pourrait être qu'ils s'attendent à ce que leurs collègues témoignent qu'ils apprécient leurs efforts (Sacks, 1952). Des études sur la compétence au travail indiquent que les gens produisent un meilleur travail lorsqu'ils sont entourés de leurs amis plutôt que d'étrangers (Husband, 1940). Ainsi, les unités militaires sont plus efficaces dans des tâches de reconnaissance lorsqu'elles présentent une cohésion élevée (Goodacre, 1951). Cette performance élevée serait, du moins en partie, due à la coopération (Haythorn, 1953) et à la communication (Lott et Lott, 1961) présentes à des niveaux supérieurs dans les groupes cohésifs.

Cependant, les groupes cohésifs ne montrent pas toujours un niveau élevé de performance. On sait depuis longtemps que les membres de plusieurs groupes de travail établissent des normes quant au niveau de productivité ou de performance qu'ils jugent approprié (Homans, 1950; Mullin et Baumeister, 1987). Ces normes peuvent être basses, particulièrement si un groupe est hostile à la direction. Les membres du groupe qui transgressent les normes en produisant à des niveaux élevés peuvent être punis de façon informelle par le groupe. Les groupes cohésifs réussissent particulièrement bien à faire appliquer ces normes.

Les malédictions de la cohésion: la pensée de groupe

C'est samedi soir et vous vous êtes rendu à la brasserie en automobile pour prendre une bière avec des amis. Quelqu'un propose un jeu dans lequel le perdant de chaque partie devra vider d'un trait son verre de bière. La proposition est accueillie par des hourras. Vous vous rappelez cependant les effets dévastateurs de votre der-

nière participation à ce jeu et vous commencez à penser au danger que représente le retour à la maison en automobile. Vous faites peut-être une blague à ce propos, mais l'on vous ignore. Les acclamations se font entendre de nouveau. On commande une nouvelle tournée et le jeu va bientôt commencer. Comment pensez-vous que vous réagiriez dans cette situation? Suggéreriez-vous de faire quelque chose d'autre? Mentionneriez-vous de nouveau le danger de la conduite? Demanderiez-vous aux autres conducteurs de ne pas jouer? Il est probable que vous ne le feriez pas. En fait, vous ne feriez probablement rien du tout. Vous auriez été victime de ce que Irving Janis a appelé la **pensée de groupe**. Il s'agit d'une façon de penser, de voir les choses, dans laquelle le besoin qu'a un groupe cohésif d'obtenir l'unanimité l'emporte sur les évaluations réalistes que font individuellement les membres quant aux autres possibilités d'action ou quant à ce qu'il serait préférable de faire.

Janis (1968) affirme que la tendance qu'ont les membres à s'engager dans la pensée de groupe porte atteinte à la prise de décisions dans les groupes cohésifs. Les membres de groupes cohésifs sont souvent des amis et ils font pression les uns sur les autres pour obtenir le consensus (Dion, Miller et Magnan, 1971; Festinger, Pepitone et Newcomb, 1952; Wyer, 1966). Les membres d'un groupe ne veulent pas critiquer les idées de leurs amis, ni souligner leurs défauts, car cela nuirait à leur amitié. Les gens veulent s'intégrer: grâce au conformisme, ils maintiennent les bons sentiments dans le groupe (Brandstatter, 1978; Schuler et Pelzer, 1978). Comme Janis l'affirme, le désir d'un consensus dans un groupe très cohésif peut mener au désastre. L'analyse de Janis a porté sur des groupes gouvernementaux qui élaborent les politiques, incluant ceux qui ont été responsables de décisions malencontreuses prises durant la guerre de Corée et celle du Viêt-nam, et avant l'invasion de la baie des Cochons. Son analyse suggère que la pensée de groupe a mené à plusieurs fiascos (Tetlock, 1979).

La pensée de groupe altère la prise de décisions de plusieurs façons.

1. *Les discussions se limitent à un nombre minimal de possibilités.* De façon générale, les membres évitent de suggérer d'autres possibilités que celle qui est préférée initialement par le groupe.

2. *Le groupe ne parvient pas à confronter avec d'autres options possibles la ligne de*

conduite privilégiée au départ par la majorité. Les membres du groupe ne veulent pas émettre de commentaires négatifs qui porteraient atteinte à l'un ou à l'autre d'entre eux.

3. *Le groupe évite de demander conseil à un expert.* Si, malgré tout, l'avis d'un expert est demandé, le groupe appuie de façon sélective les opinions qui vont dans le sens de sa position initiale. De cette façon, le groupe demeure homogène et uni.

Cependant, Janis ne prétend pas que la cohésion *doive* nécessairement mener à des décisions inférieures. Il n'affirme pas non plus que les meilleures décisions proviennent de groupes où les membres sont hostiles les uns aux autres. Janis propose plutôt que les groupes cohésifs peuvent prendre des décisions constructives s'ils prennent les dispositions nécessaires pour réduire le danger de la pensée de groupe. Par exemple, on peut assigner à différentes personnes le rôle d'évaluateurs critiques, rendre prioritaire la communication aux autres membres des doutes et des incertitudes, et organiser l'ordre du jour de façon que les membres portent moins attention aux préférences initiales et davantage aux autres possibilités. Il est bon de faire valoir les désaccords dans le groupe en insistant sur le fait qu'ils augmentent la probabilité de rencontrer des arguments neufs et des solutions originales (Doise et Moscovici, 1984). Ainsi, si le leader du groupe accueille favorablement les idées nouvelles et favorise clairement le débat sur différentes options, il est possible de faire échec aux effets de la pensée de groupe (Flowers, 1977; McCauley, 1989).

Hall et Watson (1970) ont étudié les effets sur la performance du groupe de l'encouragement d'idées divergentes, susceptibles d'engendrer des conflits. Les chercheurs ont donné à des stagiaires en gestion une tâche complexe qui consistait à déterminer l'équipement nécessaire à la survie sur la Lune. Après avoir travaillé seuls à ce problème, les stagiaires devaient poursuivre en groupe, soit en situation cohésive, soit en situation potentiellement conflictuelle. On demanda aux groupes cohésifs d'arriver à une solution collective. Les groupes qui vivaient une situation potentiellement conflictuelle devaient (1) éviter de changer d'avis simplement pour créer l'harmonie, (2) s'abstenir de voter pour en arriver à une décision ou d'utiliser d'autres approches pour réduire les conflits et (3) voir les différences d'opinions

comme normales et utiles, et non comme le résultat d'une opposition.

Les chercheurs ont comparé les solutions obtenues avec celles qui ont été fournies par un groupe d'experts de la NASA. Ils ont constaté qu'en situation de conflit potentiel, les groupes produisaient des décisions de meilleure qualité et démontraient un niveau de créativité plus élevé qu'en situation de cohésion. De plus, en comparant les décisions de groupe et les décisions individuelles, ils ont observé qu'en situation potentiellement conflictuelle, même les membres les plus habiles ne parvenaient pas à des solutions aussi bonnes que celles qui avaient été trouvées collectivement. Dans les groupes où il y avait un potentiel de conflit, 75 % ont obtenu un résultat supérieur à celui de leur membre le plus compétent. Chez les groupes cohésifs, ce pourcentage n'était plus que de 25 %. La cohésion, parfois si valorisée chez les membres d'un groupe, peut donc être dangereuse pour le succès du groupe si l'on ne prend pas de précautions particulières.

En résumé, la cohésion peut être entravée par des différences hiérarchiques dans le groupe et par le développement de sous-groupes d'amis ou de clans. La cohésion entre les membres d'un groupe est d'autant plus grande que le groupe (1) réussit à atteindre ses buts, (2) est menacé de l'extérieur, (3) est en compétition avec d'autres groupes ou (4) fonctionne selon une structure de récompense coopérative plutôt que compétitive. La cohésion peut avoir des effets tant positifs que négatifs. Dans les groupes de travail, la cohésion augmente le moral et l'estime de soi, et améliore souvent la performance au travail. Cependant, lorsque les membres d'un groupe sont dans un processus de prise de décisions, la cohésion élevée peut entraîner la pensée de groupe, c'est-à-dire la tendance à laisser l'unanimité et la bonne entente prévaloir en évitant de considérer toute autre possibilité susceptible de rompre la cohésion du groupe. L'introduction de stratégies de conflit dans la discussion de groupe permet généralement d'éviter les effets déplorables de la pensée de groupe.

La liberté dans les groupes: la question de la déviance

Le jeune Luc vient de déménager dans un nouveau quartier. Luc est petit pour son âge. En raison de sa taille et parce qu'il est un nouveau venu, Luc se fait taquiner et même harceler. En particulier, un garçon plus âgé trouve plaisir à le

L'interdépendance totale. Ce cercle, apparemment formé pour un jeu coopératif, illustre un aspect important de la vie de groupe. Si les gens acceptent de dépendre les uns des autres, ils peuvent atteindre des buts qu'il est impossible d'atteindre seul. Cependant, pour y arriver, aucun comportement déviant n'est permis.

tourmenter. Il le bat et déchire ses vêtements; il a même brisé ses lunettes. Luc en vient à avoir peur de sortir et après l'école, il reste à la maison à regarder la télévision. Un jour cependant, un changement remarquable se produit. À l'école, grâce à un concours de circonstances, Luc devient le favori d'un groupe de garçons un peu plus âgés. Ces garçons l'intègrent à leurs activités et s'assurent qu'il ne sera plus intimidé. Luc est beaucoup plus heureux maintenant.

Cette histoire illustre un phénomène important de la vie sociale. Les groupes offrent sécurité et pouvoir. Les gens cherchent souvent à s'intégrer dans des groupes afin de se libérer de menaces diverses. Mais en fait, le sentiment de pouvoir accru que l'on peut vivre dans un groupe peut mener à surestimer le gain réel de pouvoir apporté par ce groupe (Janssens et Nuttin, 1976). Les peuples primitifs, les groupes d'adolescents, les clans à l'école, les organisations d'affaires, les syndicats et même les nations entières sont formés pour parer au danger. Cependant, la liberté que les groupes apportent à leurs membres peut être diminuée par les demandes d'obéissance au groupe lui-même. Alors que les groupes protègent certaines libertés, ils en éliminent d'autres. Ainsi, Luc est maintenant libre de se promener

dans son quartier à sa guise, mais il n'a plus le choix de ses activités après l'école. Il doit rester avec son groupe. De même, un syndicat peut assurer à un employé une protection contre l'arbitraire du patronat, mais le syndiqué n'est pas libre de décider de travailler ou non lorsqu'il y a une grève.

Mais pourquoi perd-on sa liberté individuelle dans un groupe et quels sont les facteurs qui augmentent le contrôle qu'exerce le groupe sur la conduite de ses membres? Étudions chacune de ces questions.

Le rejet du déviant

Leon Festinger (1950) a proposé une explication fondamentale du phénomène de diminution de la liberté dans les groupes. Selon lui, les membres recherchent le consensus *afin d'atteindre les objectifs du groupe.* Comme nous l'avons noté, plusieurs groupes sont formés afin d'atteindre un but: gagner de l'argent, remporter des victoires, protéger une nation, et ainsi de suite. Des règles précises de fonctionnement sont nécessaires pour atteindre ces buts. Une unité militaire serait rapidement détruite si un simple soldat décidait d'être commandant pendant une journée et distribuait les ordres aux officiers. En d'autres termes, les

Encadré 11-1

Les coûts et les avantages du leadership

Pour comprendre le leadership dans un groupe, il faut considérer le processus d'acquisition ou de perte de statut et de pouvoir au fil du temps. Selon plusieurs théoriciens, les transactions interpersonnelles sont la clé de ce processus. En d'autres termes, le leadership est basé sur une sorte de transaction d'affaires où chaque participant doit obtenir le plus possible au moindre coût (*voir le chapitre 10*). Les gains peuvent être de toutes sortes: de bonnes politiques pour un pays, des victoires pour une équipe, de meilleures perspectives pour sa communauté ou du bon temps avec ses amis. Le plus important pour comprendre le leadership est le fait que chaque membre d'un groupe diffère dans sa contribution aux gains du groupe. Par comparaison avec les autres membres d'un groupe donné, certains candidats à la présidence ont plus d'habiletés à résoudre les problèmes, certains joueurs dans une équipe sont de meilleurs athlètes, certains amis sont naturellement de meilleure humeur. Comme le soutiennent les théoriciens de la transaction, plus un membre rapporte de bénéfices à un groupe, plus le groupe peut, en retour, récompenser cette personne (Hollander, 1980; Homans, 1974).

Le statut, ou le leadership, est l'une des récompenses les plus importantes qu'un groupe puisse donner à un individu. Donc, si un membre d'une équipe sportive fait plus que n'importe quel autre pour promouvoir l'esprit d'équipe, il peut être élu capitaine en échange de sa contribution. Si un membre consacre plus d'énergie que quiconque aux projets du club, il deviendra un excellent candidat à la présidence. Plus un individu récompense le groupe en lui permettant d'atteindre ses buts, plus cet individu sera récompensé en retour par un meilleur statut, une meilleure position ou une plus grande influence, tout cela étant des marques de pouvoir.

Mais ironiquement, comme le soutiennent Edwin Hollander et ses collègues (Hollander, 1980; Hollander et Julian, 1978), le pouvoir du leader s'accompagne d'une restriction dans sa liberté. Cette position crée en effet des attentes. Les membres en viennent à se fier au leader pour se faire guider, diriger et appuyer. Si ces récompenses ne sont pas fournies, le groupe peut devenir insatisfait et hostile (Wahrman et Pugh, 1972, 1974). Aussi, en raison des attentes du groupe, le membre le plus puissant pourrait bien devenir le moins libre de faire ce qu'il veut. Mais, s'il en était ainsi, pourquoi les gens s'efforceraient-ils tant d'obtenir des positions de pouvoir? Les leaders ne voudraient-ils pas abandonner leurs positions lorsqu'ils prennent conscience de cette terrible vérité?

règles sont nécessaires afin de satisfaire les **besoins du système**, c'est-à-dire les besoins qui permettent au groupe de remplir ses fonctions en tant que système d'entités reliées. Ainsi, les besoins du système peuvent entrer en conflit avec les désirs individuels et avec l'action autonome.

Nous décrirons ces diverses pressions qui favorisent le comportement uniforme en groupe en relatant une étude classique sur le **conformisme** dans le groupe (Schachter, 1951). Les groupes étaient composés d'individus qui, ne se connaissant pas, ne devaient pas de prime abord avoir d'objections majeures quant à la déviance des autres. Les résultats en sont donc d'autant plus saisissants. Dans l'étude, des groupes de huit à dix étudiants (incluant trois **compères** du chercheur) avaient à décider du sort d'un jeune délinquant. L'opinion de chaque membre était communiquée au reste du groupe. Le premier compère présentait alors une opinion *déviante* par

Cherchant à résoudre ce paradoxe, Hollander (1958) suggère que le leader est moins limité qu'il n'y paraît à première vue. Il croit que les bénéfices qu'un leader procure à un groupe, avec le temps, ressemblent beaucoup à de l'argent placé à la banque. À mesure que les bénéfices s'accumulent, ils constituent un fonds de crédit dans lequel le leader peut puiser lorsqu'il le désire. Cette **marge de crédit personnel** permet au leader de s'écarter des attentes sans crainte de représailles. Toutefois, cette déviation réduit le crédit accumulé. Cette perte de crédit s'accompagne d'une diminution du pouvoir du leader sur le groupe. Ainsi, le leader est à la fois lié et libre. Il est lié, en ce sens que les autres continuent à attendre ses récompenses et à en dépendre. Il est libre parce que les récompenses lui procurent une liberté de dévier. Il peut utiliser cette liberté pour dévier; cependant il perd alors du pouvoir.

Dans une étude expérimentale sur ce processus, on a fait travailler des groupes de cinq hommes à une tâche difficile qui nécessitait plusieurs prises de décisions de groupe (Hollander, 1958). Le caractère approprié de ces décisions déterminait la somme d'argent que le groupe devait recevoir. Dans cette situation, chaque membre pouvait procurer aux autres deux types de récompenses: (1) des solutions qui aideraient le groupe à gagner de l'argent et (2) une obéissance à une série de règles de prises de décisions établies par le groupe avant le début de la tâche. Un compère de l'expérimentateur procurait continuellement au groupe le premier type de récompense, offrant des solutions qui étaient presque toujours plus adéquates que celles de quiconque. Il aidait le groupe à gagner de l'argent et devait donc obtenir du pouvoir. De fait, plus les solutions de ce compère se révélaient pertinentes, plus le groupe suivait ses recommandations. Mais le comportement de ce compère ne satisfaisait pas toujours ses confrères. Il déviait des règles préétablies en parlant quelquefois lorsque ce n'était pas son tour, en s'objectant à la règle de la majorité et en argumentant constamment. Cette déviation aux normes du groupe fit que la capacité du compère d'influencer le groupe diminua. Comparativement aux situations où le compère suivait les règles, le groupe était beaucoup moins enclin à accepter ses solutions lorsqu'il ne les présentait pas selon les règles établies. Les déviations à la norme du groupe semblent donc drainer la capacité de quelqu'un d'influencer un groupe, même lorsque cette influence peut être à l'avantage du groupe.

Bref, selon la perspective transactionniste de Hollander, les gens bâtissent leur pouvoir en contribuant à l'atteinte des objectifs du groupe. Selon ce point de vue, le leadership est un processus constant de transaction entre les membres d'un groupe et l'individu qui en est le leader.

rapport à celle de la majorité. Le deuxième amenait une opinion *modale*, c'est-à-dire correspondant à celle qui était partagée par le plus grand nombre d'individus. Le troisième compère *se convertissait*. Au départ, son opinion était extrémiste, mais il se laissait influencer durant la discussion de sorte qu'à la fin son opinion était modale. La discussion durait quarante-cinq minutes durant lesquelles les deux premiers **complices** maintenaient leurs opinions.

Le tableau 11-1 montre le nombre moyen de communications adressées pendant la discussion au compère déviant, au compère modal et au compère converti. Comme vous pouvez le constater, le nombre de communications adressées au déviant augmente et dépasse de beaucoup le nombre de celles qui étaient adressées aux autres. Les membres du groupe font un effort soutenu pour que l'opinion du déviant devienne conforme à la leur. Cependant, durant les dix dernières

minutes, le nombre de communications vers le déviant diminue sensiblement. Rendu à ce stade, le groupe semble le rejeter; il n'est plus considéré comme un membre du groupe. Des évaluations ultérieures montrent que les membres du groupe lui étaient hostiles. Malgré le petit nombre de communications adressées au compère modal, ce dernier fut le préféré.

Ce pattern d'augmentation de la pression et de l'hostilité envers les déviants a été démontré dans plusieurs recherches (Levine, 1980). Lorsque le groupe est cohésif, la pression sur le déviant risque d'être particulièrement forte. Il semble que le groupe ainsi que son succès signifient beaucoup pour les membres d'un groupe cohésif. Ces derniers sont donc moins tolérants envers les déviants que ne le sont les membres de groupes non cohésifs. La pression contre la déviance peut également être forte lorsque les membres du groupe dépendent les uns des autres pour atteindre leurs buts communs (Lauderdale, 1976; Wiggins, Dill et Schwartz, 1965). Lorsque le groupe est près de réussir, les membres peuvent trouver

une opinion déviante particulièrement irritante. L'importance de la pression mise sur le déviant augmente avec l'ampleur de sa déviance (Suchner et Jackson, 1976). Les membres du groupe peuvent tolérer de petits écarts à la norme du groupe, mais les différences importantes sont plus menaçantes. Aussi, comme dans l'étude de Schachter, si le déviant va trop loin, il sera considéré comme un étranger. En fait, lorsqu'un groupe peut aisément redéfinir ses limites, c'est-à-dire lorsqu'il peut sans difficulté exclure un membre, les déviants sont soumis à moins de pression pour se conformer aux normes du groupe (Festinger et Thibaut, 1951).

La théorie de l'impact social: la confrontation du groupe et de l'individu

Les groupes tentent de rendre leurs membres conformes à leurs exigences, mais leurs efforts ne réussissent pas toujours. La théorie de l'**impact**

Type de sujet	Nombre moyen de communications par intervalles de 10 min			
	de 5 à 15 min	de 15 à 25 min	de 25 à 35 min	de 35 à 45 min
Déviant	3,81	7,15	9,46	5,21
Converti	0,53	0,55	0,21	0,17
Modal	0,13	0,06	0,06	0,10

Source: Adapté de Schachter, 1951.

Tableau 11-1   Les gens portent attention au déviant

Notez l'écart entre le grand nombre de communications adressées au déviant et l'attention réduite accordée aux autres compères.

Sont-ils libres? Les punks désirent manifester leur rejet des contraintes qu'impose la société; ils doivent pourtant obéir aux nombreuses exigences de leur sous-groupe.

social nous éclaire sur les façons de conserver la liberté individuelle dans une situation de groupe. Cette théorie a été développée par Bibb Latané et ses collègues (Latané, 1978; Latané et Nida, 1980). Elle traite de l'influence qu'ont les gens les uns sur les autres dans une variété de situations.

Regardons comment cela s'applique au problème de l'influence du groupe sur le déviant.

Selon la théorie de l'impact social, trois facteurs déterminent l'impact ou l'influence d'un groupe.

1. *Le nombre de sources d'influence (les membres du groupe, dans ce cas).* Plus le groupe est grand, plus il a la capacité d'influencer le déviant. Cette affirmation est soutenue par des recherches en laboratoire. Lorsqu'il y a augmentation du nombre de personnes ayant des opinions différentes de celles d'un individu, la probabilité de ralliement de cet individu à l'opinion du groupe augmente (Shaw, 1976).

2. *La force des sources d'influence.* Plus le groupe est fort, plus il a la capacité d'influen-

cer le déviant. La notion de *force* se rapporte aux caractéristiques des membres du groupe qui sont susceptibles d'attirer le déviant. La force des membres est augmentée lorsqu'ils peuvent protéger, nourrir, aider, offrir un statut social ou procurer du plaisir. Plusieurs recherches en laboratoire tendent également à appuyer ce point de vue. Par exemple, les gens qui obtiennent leur plaisir à travers les autres, ou croient qu'ils l'obtiendront, ont tendance à modifier leurs opinions dans le but d'être aimables, et à accepter les buts du groupe (Festinger, Schachter et Back, 1950; Zander, 1971).

3. *L'immédiateté.* Plus une source est immédiate, plus elle a d'effet sur un déviant. La notion d'**immédiateté** se rapporte à la proximité spatiale ou temporelle de la source relativement au déviant. Ainsi, l'immédiateté est élevée si les membres d'un groupe se rassemblent dans une même pièce. L'immédiateté sera d'autant plus basse que la période pendant laquelle le déviant quitte le groupe

sera prolongée. Les expériences de Milgram sur la soumission (*voir le chapitre 9*) illustrent la notion d'immédiateté, bien qu'il s'agît alors de dyade et non de groupes. Les sujets étaient bien plus portés à obéir aux ordres de l'expérimentateur lorsqu'il était dans la pièce que lorsqu'il était absent et qu'il communiquait les ordres par téléphone.

Sur le plan pratique, la théorie de l'impact social suggère que les petits groupes sont ceux qui offrent les plus grandes possibilités de liberté. Dans les petits groupes, on trouve moins de sources d'influence, de sorte que le déviant est plus en mesure d'influencer les actions du groupe. De ce point de vue, un groupe de deux personnes offre la liberté maximale. La théorie suggère également que plus le déviant désire faire partie du groupe, ou plus il en a besoin, plus sa liberté s'en trouve limitée. C'est effectivement dans la possession de ressources dont le déviant a besoin que réside le pouvoir de contrôle du groupe. Comme les maîtres zen japonais le disent, la liberté totale est atteinte lorsqu'il n'y a plus de désir. La théorie suggère enfin que, dans un groupe, la distance physique ou sociale peut favoriser la liberté. Il en est ainsi dans un quartier où les maisons sont distancées et dans les groupes d'amis qui ne se rencontrent qu'à des moments précis. Cela explique pourquoi, par exemple, plusieurs homosexuels ont quitté leur village pour une grande ville. Dans un village, la liberté d'expression et la déviance sont certainement plus difficiles à manifester.

En résumé, nous voyons que les gens se joignent fréquemment à des groupes afin d'augmenter leur liberté. Par contre, le fait de devenir membre d'un groupe limite la liberté de façon importante. La plupart des groupes exigent que leurs membres se conforment aux règles établies dans le but de permettre au groupe d'atteindre ses objectifs. La pression mise sur les déviants pour qu'ils se conforment peut augmenter si le groupe est cohésif et s'il y a une probabilité élevée d'atteindre ses buts. La théorie de l'impact social suggère que la capacité du groupe d'influencer ses membres dépend de la dimension du groupe, du pouvoir ou de l'attrait de ses membres, ainsi que de la proximité géographique et temporelle des membres du groupe. Les groupes peuvent apporter de la liberté, mais seulement s'ils répondent à certaines caractéristiques.

L'influence du groupe sur les individus: les effets de la facilitation sociale

Si vous avez déjà fait partie d'une équipe sportive ou joué dans une pièce de théâtre ou encore participé à n'importe quelle sorte de représentation publique, vous connaissez la sensation particulière rattachée à ce genre d'activité. Vous avez peut-être senti que votre performance dans de

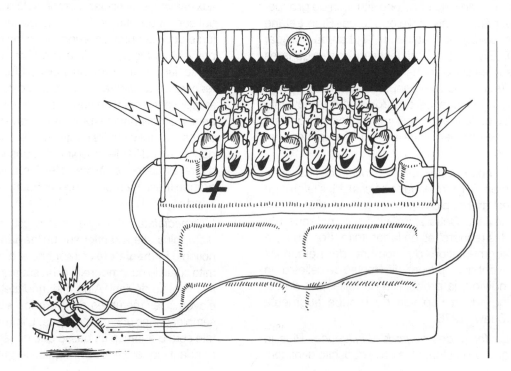

telles conditions dépassait tout ce que vous pouviez avoir fait seul. Cette expérience courante de performance accrue est à la base de l'expérience de Triplett dont il a été question au chapitre 1. Les premiers travaux de Triplett ont montré que les cyclistes qui couraient seuls étaient, de façon significative, moins rapides que ceux qui couraient contre d'autres cyclistes. Cette augmentation de la performance a été observée si souvent que, vers 1920, Floyd Allport a appelé l'effet de **facilitation sociale** cet accroissement de performance produit par la présence du groupe. Les chercheurs ont effectué des travaux sur le sujet pendant plusieurs années, autant avec des animaux qu'avec des êtres humains, en laboratoire, sur le terrain et dans des douzaines de situations. Il est apparu que la facilitation sociale est un phénomène social solide (Begum et Lehr, 1963; Connolly, 1968; Hunt et Hillery, 1973; Rosenquist, 1972; Zajonc, Heingartner et Herman, 1969; *voir aussi la revue de* Guerin, 1986). Les chercheurs ont accumulé des preuves de l'existence de la facilitation sociale, mais ces découvertes ont suscité de vives controverses. Deux questions intéressent particulièrement les psychologues sociaux. Pourquoi la facilitation sociale se produit-elle et quels sont les facteurs qui en empêchent l'apparition?

L'activation ou l'appréhension?

Robert Zajonc (1965, 1980b) a proposé une explication biologique de la facilitation sociale. D'après lui, une prédisposition génétique chez plusieurs espèces les amène à réagir aux autres membres de l'espèce avec une *activation physiologique généralisée*. Ainsi, en présence d'un auditoire, il y a augmentation de l'activation qui est alors canalisée dans l'accomplissement de la tâche, ce qui améliore la performance. Des études faites chez les animaux et chez les êtres humains appuient cette position. Les espèces inférieures comme les rats et les blattes réagissent fréquemment aux autres membres de leur espèce par un niveau d'activation élevé ou par une activité généralisée (Larsson, 1956; Latané et Cappell, 1972). De même, lorsque les êtres humains se produisent devant les autres, ils montrent des signes d'augmentation de l'activation, comme la sudation palmaire, et des changements dans le potentiel musculaire et dans le rythme respiratoire (Burtt, 1921; Chapman, 1974; Geen, 1977; Martens, 1969).

D'autres théoriciens se sont montrés insatisfaits de l'explication de la facilitation sociale donnée par Zajonc. Ils affirment que l'activation générée par la présence d'autrui exerce une influence sur l'individu selon la *signification* de cette présence pour l'individu. En présence d'autrui, l'individu peut ressentir l'**appréhension de l'évaluation**. Il est alors préoccupé quant à la possibilité de recevoir une réaction positive ou négative à la suite de sa performance (Cottrell, 1972; Henchy et Glass, 1968; Weiss et Miller, 1971). Or, l'évaluation des autres dépend de la capacité des observateurs ou des coparticipants à évaluer la performance de l'individu. Ainsi, un auditoire composé d'individus ayant les yeux bandés aurait en principe peu d'effet sur l'accomplissement de la tâche. Par contre, si les autres peuvent suivre le déroulement et se montrent intéressés, la performance sera probablement facilitée (Cottrell et coll., 1968). De plus, un auditoire perçu comme un évaluateur potentiel crée plus d'activation chez celui qui se produit que ne le fait un auditoire qui n'est que présent (Gore et Taylor, 1973; Paulus et Murdoch, 1971; Sasfy et Okun, 1974). Ces découvertes suggèrent que l'appréhension de l'évaluation joue peut-être un rôle important dans la facilitation sociale chez les êtres humains. Cependant, d'autres chercheurs ont observé que la performance d'un individu était améliorée du simple fait de la présence d'une personne assise dans la même pièce, les yeux bandés, ayant des écouteurs sur les oreilles (Schmitt, Gilovich, Goore et Joseph, 1986). L'effet de la présence d'autrui sur la performance d'un individu continue donc de susciter des interrogations.

Les situations où la facilitation sociale échoue

Ce que nous venons d'énoncer sur la facilitation sociale vous laisse peut-être sceptique. Vous vous souvenez probablement d'expériences où la présence des autres vous a stimulé et d'autres où elle a provoqué l'effet inverse. Le trou de mémoire que vous avez connu lorsque vous deviez réciter devant la classe un poème que vous connaissiez par cœur ou le service que vous avez raté au tennis lorsque les autres vous observaient sont des expériences familières à tous. En fait, depuis longtemps, la psychologie sociale a accumulé des données sur ces effets (Allport, 1924; Dashiell, 1935; Pessin, 1933). Comment les théories de la facilitation sociale peuvent-elles expliquer cela?

Les tenants de la théorie de l'activation et ceux de la théorie de l'appréhension offrent des réponses similaires à cette question. Ils affirment

Encadré 11-2

Le problème de la timidité

Vous êtes-vous déjà senti timide? Si vous êtes comme la plupart des étudiants, c'est fort probable. Dans une enquête menée auprès d'un grand groupe d'étudiants californiens, 99 % ont dit qu'ils ont déjà éprouvé de la timidité, et 42 % ont dit que la timidité était une composante fondamentale de leur personnalité (Zimbardo, Pilkonis et Norwood, 1974). De ceux qui se sont dits fondamentalement timides, 63 % ont signalé que leur timidité leur causait un véritable problème. De plus, des recherches effectuées sur l'ensemble de la population ont révélé que la timidité n'est pas seulement un problème de jeunes. Proportionnellement, autant d'adultes ont révélé vivre la même chose (Pilkonis et Zimbardo, 1979). On n'a noté aucune différence entre les hommes et les femmes quant à l'intensité du problème.

Dans quelles conditions les gens éprouvent-ils la timidité la plus intense? Être dans un grand groupe et être le centre d'attention semblent créer le malaise le plus intense chez les jeunes. En présence d'étrangers ou de membres du sexe opposé, des difficultés particulières se présentent (Zimbardo, Pilkonis et Norwood, 1974). La situation de groupe pose aux adultes des difficultés aussi importantes ou peut-être plus importantes. Dans un échantillon de trois mille adultes, on a constaté que «parler devant un groupe» constitue leur principale peur dans la vie (Wallace et coll., 1977). Cette peur déclassait l'anxiété relative à la maladie et à la mort.

La timité peut entraîner des conséquences à la fois physiques et émotionnelles. En situation difficile, la personne timide éprouve habituellement une accélération du rythme cardiaque et une sensation de nausée, et elle transpire (Zimbardo, 1977). De plus, la performance intellectuelle et la mémoire peuvent diminuer (Hatvany et Zimbardo 1977; Liebling et Shaver, 1973). Des études en laboratoire montrent que les personnes timides se comportent différemment de celles qui ne le sont pas. Durant des interactions hétérosexuelles, elles parlent moins fréquemment et moins longtemps. Elles permettent à un plus grand nombre de silences de se développer et brisent moins souvent les silences (Pilkonis, 1977a). De plus, comparativement aux autres, les personnes timides se sentent moins à l'aise

que l'activation, qu'elle soit générale ou spécifique à l'évaluation, stimule une **réponse dominante** de l'organisme, c'est-à-dire la réponse la plus parfaitement apprise et la mieux intégrée. Cependant, une telle réponse n'est pas nécessairement la meilleure. Ainsi, pour le joueur de tennis moyen dont les services sont généralement médiocres, mais occasionnellement excellents, la réaction dominante est un service médiocre. La présence des autres peut alors devenir une gêne pour le joueur moyen ou plus faible. Par contre, la présence des autres sera facilitante pour le joueur habile dont le service est habituellement excellent. Le bon service est alors la réponse dominante. Étudions les données consignées au tableau 11-2. Elles indiquent le nombre d'erreurs

commises par des sujets humains devant retrouver leur chemin à travers un labyrinthe suffisamment simple pour ne faire appel qu'à des habiletés de pensée normales (donc, dominantes). Comme vous pouvez le constater, la présence des autres réduit les erreurs faites au cours de la résolution du labyrinthe simple. Cependant, la présence des autres augmente le nombre d'erreurs lorsque le tracé est complexe au point de nécessiter l'utilisation d'habiletés de pensée de niveau supérieur.

Les explications de la diminution de la performance proposées par les théoriciens de l'activation biologique et par les théoriciens de l'appréhension de l'évaluation sont similaires. Aucune de ces deux théories ne semble supérieure à l'autre

quant aux rencontres hétérosexuelles. Les autres voient les personnes timides comme moins amicales, moins affirmatives et moins détendues.

Il se peut que la timidité soit le reflet du type d'appréhension de l'évaluation dont nous parlons dans ce chapitre. Un individu peut se sentir particulièrement timide lorsqu'il craint de perdre devant les autres (Pilkonis, 1977b). Les nouveaux venus dans un groupe peuvent être particulièrement vulnérables au moment où les autres membres décident s'ils seront acceptés ou non. Dans une avenue de recherche fascinante, on a étudié le comportement des nouveaux membres d'instances judiciaires supérieures comme la Cour suprême. Même si les juges récemment nommés ont plusieurs années d'expérience, ils ont siégé auparavant à des cours de statut inférieur. Ainsi, même un juge de la Cour suprême peut vivre l'appréhension de l'évaluation. On a étudié les votes des membres de la Cour suprême de l'État de Washington. Les chercheurs ont constaté que les nouveaux arrivants étaient, de façon significative, plus portés à voter du côté de la majorité et à éviter d'émettre une dissidence d'opinion que ceux qui étaient bien établis (Walker, 1973). De la même façon les nouveaux membres de la Cour suprême des États-Unis ont eu tendance à se joindre au clan ou au sous-groupe le plus fort. Ce n'est qu'après plusieurs années de service qu'ils se sont déplacés vers des groupes minoritaires ou qu'ils sont devenus indépendants (Snyder, 1958). Il semble donc que l'appréhension de l'évaluation, si commune chez la personne timide, pourrait également jouer chez les membres de l'autorité judiciaire la plus haute. Par leur conformisme, les juges ressemblent aux sujets timides des expériences en laboratoire (Maslach et Solomon, 1977; Souza et Silva, 1977).

Que peut-on faire pour aider les personnes tourmentées par la timidité? Plusieurs psychologues croient qu'un entraînement spécialisé aux habiletés sociales peut être utile (Argyle, Trower et Bryant, 1974; Pilkonis et Zimbardo, 1979). Un tel entraînement encourage souvent l'individu à essayer diverses techniques pour interagir plus efficacement avec les autres. Des techniques d'autodéveloppement ont également été proposées pour les timides chroniques (Zimbardo, 1977). Les gens peuvent se prendre en main. Une personne qui a pris des risques à plusieurs reprises et qui s'est exprimée verbalement constate habituellement que la timidité commence à disparaître. Souvent, le premier pas est le plus difficile.

Situation expérimentale	Sujets humains: nombre d'erreurs commises pour résoudre les problèmes	Blattes: temps nécessaire pour traverser le labyrinthe
Labyrinthe simple		
Seul	44,7	40,5
En présence d'autres	36,2	33,0
Labyrinthe complexe		
Seul	184,9	110,5
En présence d'autres	220,3	129,5

Source: Adapté de Zajonc, 1980b.

Tableau 11-2   La présence des autres: une aide ou une entrave?

Notez les différents effets de la présence des autres sur les êtres humains et sur les insectes. Lorsque la tâche est facile, un public facilite la performance. Lorsque la tâche est difficile, un public la rend encore plus ardue.

(Geen, 1980). Certains résultats soutiennent la théorie biologique, d'autres, la théorie de l'appréhension. Pour bien saisir cela, considérons le comportement des blattes rapporté au tableau 11-2: le type de performance des blattes est identique à celui des êtres humains. Dans le labyrinthe difficile, les insectes réussissent moins bien lorsqu'ils sont en présence d'autres blattes. Cette constatation est cohérente avec la théorie de l'activation biologique de Zajonc. Il est cependant difficile de relier ces données à la théorie de l'appréhension de l'évaluation, à moins de postuler que ces bestioles se préoccupent du jugement de leurs semblables.

Les défenseurs de l'appréhension de l'évaluation détiennent également des arguments en leur faveur. Plusieurs études sur les animaux indiquent que la présence d'un autre animal ne suscite pas d'activation, mais qu'elle est plutôt calmante (Davitz et Mason, 1955; Eckman, Meltzer et Latané, 1969; Morrison et Hill, 1967). Des études ont montré chez les êtres humains des variations de performance qui semblent dépendre de la signification de la présence d'une autre personne. Si la présence d'une autre personne signifie une possibilité d'évaluation négative, une réduction de performance se produit fréquemment. Il n'y a pas de diminution de performance si cette présence n'a pas de connotation négative. C'est le cas, par exemple, losque la personne est présente sans regarder, sans vouloir aider, ou lorsqu'elle s'attend à une bonne performance (Clark et Fouts, 1973; Geen, 1977; Good, 1973). Les recherches sur la timidité éprouvée en public et sur le trac ont abouti à des conclusions similaires (Borden, 1980). Dans une expérience, on a demandé à des gens de chanter devant un auditoire (Garland et Brown, 1972). Les mesures entreprises par les sujets pour sauver la face dépendaient de façon importante de leurs attentes par rapport aux réactions négatives de l'assistance.

Selon sa signification pour le sujet, la présence d'autrui peut altérer de façon importante la performance. La théorie de l'activation biologique n'explique pas facilement ces résultats. Chaque explication nous sensibilise à certaines possibilités et apporte des éclaircissements sur la façon dont la présence des autres influe sur la performance. De cette façon, chacune a son utilité.

La dispersion de la responsabilité dans les groupes

Les effets de facilitation sociale peuvent aussi être nivelés par la dispersion de la responsabilité qui a souvent lieu dans les groupes. Examinons à ce propos les conclusions d'une recherche fascinante effectuée à la fin du siècle dernier. Ringelmann demanda à de jeunes sujets masculins d'exercer le plus de force possible sur une corde (voir Dashiell, 1935). Il a constaté que l'individu moyen pouvait exercer une force moyenne de 63 kg. Deux personnes tirant ensemble devraient donc exercer une pression de 126 kg, soit le double. Huit personnes devraient ainsi produire une force combinée de 504 kg. En principe, les processus de facilitation sociale devraient même entraîner une force combinée dépassant la simple somme des forces produites par les individus seuls.

Cependant, un examen des données présentées dans la deuxième colonne du tableau 11-3 montre que deux personnes n'exercent pas le double de la force qu'elles avaient exercée seules. Leur rendement était légèrement *inférieur* à celui auquel on s'attendait (118 kg). Le rendement individuel diminuait également avec l'augmentation du groupe. Huit personnes n'exerçaient qu'une force de 248 kg, soit à peu près la moitié du total attendu. La quantité de travail produite par chacun diminuait donc avec l'augmentation du nombre de personnes dans le groupe. Le terme *paresse sociale* a été utilisé pour expliquer ce phénomène observé dans plusieurs autres contextes (Jackson et Williams, 1985). Il semble que les gens ne fournissent pas autant d'efforts dans une tâche lorsque leur contribution est engloutie dans le rendement total du groupe (Latané, Williams et Harkins, 1979).

Dimension du groupe	Productivité potentielle (kg)	Productivité réelle (kg)	Perte associée au processus (kg)
1	63	63	
2	126	118	8
3	189	160	29
8	504	248	256

Source: Adapté de Dashiell, 1935.

Tableau 11-3   La productivité potentielle et la productivité réelle

Notez que lorsque le groupe grossit, il en est de même pour l'écart entre ce qui est produit et ce qui pourrait l'être. Plus il y a d'individus dans un groupe, moins chacun y met d'effort personnel.

Les résultats de Ringelmann signifient que la dispersion de la responsabilité peut limiter les effets de facilitation sociale. Il a été question des

Une dimension sociale de la religion. L'appui et la sécurité qu'offre l'adhésion à des sectes ou à des groupes religieux attirent un nombre croissant d'individus. Les critiques sociaux considèrent l'intérêt croissant pour ces groupes comme une manifestation d'une insatisfaction quant aux possibilités sociales actuellement offertes.

effets du groupe sur les sentiments individuels de responsabilité lorsque nous avons traité des études sur l'intervention des passants (*voir le chapitre 7*). Lorsque les gens sont témoins d'une situation d'urgence, leur sentiment de responsabilité peut diminuer à mesure qu'augmente le nombre de personnes qui peuvent aider. Par exemple, dans une étude sur la courtoisie dans les ascenseurs, une femme, complice des chercheurs, échappait «accidentellement» une poignée de crayons ou de pièces de monnaie dans des ascenseurs de trois grandes villes; cela, à mille cinq cents occasions (Latané et Dabbs, 1975). Le nombre de personnes présentes dans l'ascenseur variait de un à six. Environ 40 % des personnes qui étaient seules avec la complice l'ont aidée. Le résultat est tombé à 15 % lorsque six personnes étaient présentes. De même, dans une étude sur les pourboires laissés au restaurant, on a constaté que les gens qui mangeaient seuls laissaient un pourboire moyen de 19 %. En groupe de cinq ou six, les gens ne laissaient en moyenne que 13 % par personne (Freeman et coll., 1975). Cependant, dans certaines circonstances, la paresse sociale ne survient pas parce qu'il n'y a pas de diffusion de responsabilité. Ainsi, Harkins (1987) a demandé à des sujets de trouver le plus grand nombre d'utilisations possibles pour un objet. Il a constaté que les sujets réussissaient mieux lorsqu'ils croyaient que chaque membre

du groupe exécutait la même tâche, mais pour un objet différent. Lorsque la performance individuelle n'est pas noyée dans celle du groupe, la paresse sociale aurait moins tendance à s'exercer. Voilà une conclusion qui porte à réfléchir.

Le groupe au travail: produire ou périr

Le sort de la société repose sur des groupes. Des décisions clés dont dépend la vie des gens sont prises par des comités, des associations, des partis, des ministères. Les biens que les gens achètent, les aliments qu'ils consomment et les spectacles qu'ils aiment sont tous produits par des groupes. Préoccupés par le pouvoir inhérent aux groupes, plusieurs psychologues sociaux ont étudié le fonctionnement des groupes et le processus de prise de décisions. Dans cette section, il sera question des facteurs et des processus qui réduisent l'efficacité de la performance de groupe. Divers moyens d'améliorer la performance de groupe seront ensuite présentés.

Les biais dans la prise de décisions en groupe

La qualité de la performance d'un groupe est fréquemment diminuée par diverses **sources de**

Encadré 11-3

La psychologie sociale au tribunal

Les psychologues sociaux se sont beaucoup intéressés au procès avec jury en tant que lieu privilégié de prise de décision de groupe. On a particulièrement étudié l'effet de la sélection des jurés sur le verdict. Des psychologues sociaux ont participé au processus du choix de jurés dans des causes réelles. Cela a été possible puisque, aux États-Unis comme au Canada, les jurés potentiels sont souvent interrogés à la fois par les procureurs de la poursuite et par ceux de la défense. On suppose que cette procédure de récusation, en prévenant la sélection de personnes biaisées au départ, assure à l'accusé un procès juste. Les avocats tentent de découvrir des préjugés particuliers, mais négligent en général la possibilité qu'un juré entretienne certaines dispositions psychologiques qui vont influer sur sa réaction au cours du témoignage. En détectant de tels facteurs psychologiques, on peut éliminer les jurés qui ont des prédispositions défavorables. Les psychologues sociaux qui étudient les prédispositions psychologiques des jurés peuvent donc offrir aux avocats une information susceptible de les aider à gagner leur cause.

La première application de la méthode scientifique de sélection des jurés dans une cour de justice a eu lieu à Harrisburg, en Pennsylvanie, au début des années soixante-dix. Le gouvernement américain cherchait à faire déclarer coupables un groupe d'activistes qui s'opposaient à la guerre du Viêt-nam; ils étaient accusés de crimes contre l'État — y compris le vol de documents gouvernementaux — de conspiration et de sabotage. Un certain nombre de psychologues sociaux, également activistes, ont aidé la défense (Schulman et coll., 1973). Ils voulaient utiliser leurs habiletés professionnelles pour augmenter la probabilité d'un acquittement. Pour ce faire, ils ont cherché à identifier les groupes de la communauté de Harrisburg qui avaient l'attitude la plus positive envers la position politique libérale représentée par les accusés. À l'aide d'un sondage d'opinion publique, ils sont parvenus à identifier les caractéristiques sociodémographiques (âge, classe socio-économique, religion, race et sexe) des individus sympathiques à la cause des accusés. On utilisa ensuite ces critères pour former un jury. Ce jury vota à dix contre deux pour l'acquittement.

Cela signifie-t-il que ces psychologues ont réussi à influencer le verdict? Il est impossible de répondre directement à cette question, puisque nous ne pouvons pas savoir comment aurait voté un jury formé selon une autre méthode. Pourtant, d'autres informations suggèrent fortement que les méthodes de filtrage furent efficaces. Considérez, par exemple, les deux jurés qui ne votèrent pas pour l'acquittement. Un des deux était un homme d'affaires républicain de cinquante-cinq ans. D'après l'analyse des psychologues, il ne fallait pas l'accepter. Les avocats de la défense avaient tout de même décidé de l'inclure. L'autre juré était une femme fortement influencée par les convictions religieuses de l'homme d'affaires. Le jury aurait peut-être voté unanimement pour l'acquittement si l'on avait récusé l'homme d'affaires, comme les psychologues l'avaient suggéré. De plus,

---

biais. Il s'agit de facteurs ou de processus qui réduisent chez les individus la capacité de traiter l'information de façon rationnelle. Considérons trois de ces biais.

Les positions initiales des individus

Dans tout groupe, les gens apportent avec eux diverses attitudes et diverses opinions qui influent sur les décisions de groupe. Dans un groupe idéal

les chercheurs montrèrent que 54 % des habitants de Harrisburg sondés au moment du procès étaient d'avis que les accusés étaient coupables.

Encouragés par de tels résultats, les psychologues sociaux ont tenté d'identifier ces facteurs d'ordre général qui pourraient prédire les décisions des jurés. On a identifié les facteurs suivants. Les jurés de moins de trente ans sont plus cléments que ceux qui sont plus âgés (Sealy et Cornish, 1973). Les jurés qui manifestent une attitude fortement **autoritariste** (*voir le chapitre 5*) châtient beaucoup plus que ceux qui obtiennent des scores moins élevés sur cette échelle (Vidmar et Crinkla, 1973). Les gens qui croient que le crime est d'abord le fait de «mauvaises personnes» sont plus enclins à exprimer un vote de culpabilité que ne le font ceux qui voient le crime comme le résultat des conditions sociales (Saks, 1976). Enfin, les gens plus instruits on tendance à être plus cléments que ceux qui ont moins de scolarité (Simon, 1967). D'autres psychologues ont étudié l'effet de la composition du jury sur le verdict. Il arrive, par exemple, qu'un juré socialement indésirable amène les autres jurés à prendre la position opposée à la sienne (Fischoff, 1979). Ainsi, si vous étiez avocat, il pourrait être profitable de choisir un juré de mauvaise réputation qui voterait avec toute certitude contre votre client. Vous auriez ainsi gagné l'appui des autres jurés.

Cela signifie-t-il que les psychologues sociaux peuvent influencer le verdict de tous les procès avec jury? Absolument pas. Dans la majorité des causes entendues par un jury, la preuve est si tranchante que les valeurs personnelles peuvent difficilement influer sur le verdict (Saks et Hastie, 1978; Saks, Werner et Ostrom, 1975). Une étude portant sur plusieurs milliers de cas a révélé que les juges et les jurys partagent le même verdict dans 78 % des cas (Kalven et Zeisel, 1966). De plus, la plupart des jurés tentent de mettre de côté leurs préjugés et de prendre des décisions impartiales. Comme Michael Saks (1978) le soutient, «par ce qu'ils apprennent hors de la cour, par l'atmosphère de la cour, par les recommandations du juge et par les règles du jeu, les jurés adoptent un rôle d'"impartialité" et d'"objectivité" à un degré si extrême qu'ils n'en ont jamais connu ou n'en connaîtront peut-être jamais de tel dans leur vie».

Cependant, lorsque la cause est ambiguë, la participation d'un psychologue social dans la sélection du jury semble compter. L'activité du psychologue est-elle une forme de corruption de la justice? Cette question a été largement discutée. Pour se défendre, les psychologues sociaux soutiennent que tous les jurés ont des biais quelconques et qu'un jugement impartial est en principe impossible. Les avocats ajoutent qu'on exige d'eux qu'ils mettent tout en œuvre pour parvenir à l'issue la plus favorable pour leur commettant. Aussi, chaque partie peut et doit utiliser toutes les ressources disponibles à cet effet. Par contre, comme le rappelle Horowitz (1991), l'application de la méthode scientifique de sélection des jurés exige des fonds importants. Qui dispose de ces sommes? Les personnes très bien nanties ou alors très pauvres qui, grâce à leur célébrité, peuvent faire faire une collecte de fonds pour engager des psychologues et des avocats de renom. Les autres n'ont qu'à se fier à leur bonne étoile au moment de la sélection des jurés. Qu'en pensez-vous? La sélection du jury est-elle une activité appropriée pour les psychologues sociaux?

de prise de décisions, les positions initiales des individus seraient discutées et évaluées ouvertement. Les membres essaieraient de comprendre les opinions des autres et tenteraient de parvenir à un résultat équilibré. Cependant, ce processus d'échange d'opinions n'a pas souvent lieu. Les individus se cramponnent à leurs idées initiales, ce qui fausse la décision finale du groupe.

James Davis et ses collègues ont effectué des recherches approfondies sur la prise de décisions dans les jurys (Davis, 1980; Davis, Bray et Holt, 1977). Ces travaux permettront d'illustrer la question. Dans une étude, on demanda à plus de huit cents étudiants leur opinion générale sur la culpabilité ou l'innocence de prévenus dans des causes d'agression sexuelle (Davis et coll., 1978). D'après leurs réponses, on détermina trois types différents de prédispositions: en faveur de la partie plaignante, en faveur de la défense et sans position tranchée. Puis, des groupes composés d'étudiants présentant les diverses positions regardèrent une bande vidéo où un prévenu était accusé d'agression sexuelle. Ce dernier admettait qu'il y avait eu relation sexuelle, mais il ajoutait que la femme était consentante et qu'elle avait pris l'initiative. La femme soutenait que l'homme s'était présenté en prétextant être policier, puis qu'il l'avait agressée sexuellement. Les témoins des deux parties faisaient leur déposition, les avocats résumaient leur plaidoyer et le juge faisait ses recommandations aux jurés. On demanda ensuite aux étudiants leur opinion sur la culpabilité de l'accusé.

Les positions initiales des étudiants ont eu un effet marqué sur leur évaluation du cas. Les sujets qui étaient pour la partie plaignante étaient plus portés à rendre un verdict de culpabilité que ceux qui dès le départ favorisaient la défense. Les étudiants étaient ensuite réunis en jurys hétérogènes de six personnes présentant les trois positions de départ. La discussion du cas ne changea pas beaucoup les positions personnelles, même si elle dura trente minutes. Les jurés qui prenaient pour la partie plaignante ont continué à avoir davantage tendance à rendre un verdict de culpabilité que les jurés qui prenaient pour la défense. De plus, lorsqu'ils firent par la suite un test de suivi, les chercheurs ont constaté que les opinions des étudiants à propos du cas n'avaient pas changé: les positions initiales persistaient. Des biais similaires découlant des dispositions initiales des jurés ont été rapportés par d'autres chercheurs (Berg et Vidmar, 1975; Bray et Noble, 1978; Mitchell et Byrne, 1973).

Des solutions qui peuvent convenir et l'affaire est classée

Il n'y a pas que les biais personnels qui exercent des effets nuisibles sur les décisions de groupe. Le caractère d'une discussion peut également influer sur les résultats finals. Selon Richard Hoffman et ses collègues (Hoffman, 1979), les membres d'un groupe peuvent favoriser une solution lorsqu'ils arrivent à une conclusion qui est un tant soit peu acceptable. Ils se ferment alors à la critique et ne considèrent plus des idées nouvelles.

Ce type de biais fut découvert dans une recherche portant sur la façon dont les petits groupes travaillent à la solution de problèmes de gestion industrielle. Des groupes d'étudiants devaient répondre à des questions comme celle-ci. Quelle est la meilleure façon pour un groupe de sept personnes d'assembler un carburateur? Pendant que les groupes travaillaient, des observateurs notaient les solutions proposées, les justifications, les expressions d'accord, les questions et les critiques. En se basant sur ces observations, Hoffman et ses collègues suggèrent que les groupes suivent un schéma type lorsqu'ils résolvent des problèmes complexes. On énonce des idées jusqu'à ce qu'une solution donnée trouve un écho positif minimal chez les membres les plus volubiles du groupe. Lorsque cet accord minimal est atteint, un changement se produit dans la qualité de la discussion. Les membres commencent à chercher une justification de la solution qui pourrait convenir, plutôt que de la critiquer ou de chercher d'autres possibilités. Si de nouvelles solutions sont proposées, les membres s'attachent à en trouver les défauts. Ainsi, lorsqu'une solution un tant soit peu acceptable est présentée au début de la discussion, on aura peu tendance à la contester par la suite (Hoffman et Maier, 1979). Lorsqu'une solution franchit un seuil minimal pour être adoptée, les autres solutions sont négligées (Hoffman, Friend et Bond, 1979). Fait intéressant, les membres qui sont les plus satisfaits du processus du groupe et qui défendent le plus les solutions un tant soit peu acceptables sont précisément ceux qui exercent le plus d'influence dans les discussions. En affichant ainsi leur pouvoir dans le groupe, ces membres semblent devenir satisfaits d'eux-mêmes et convaincus qu'ils ont raison.

Le déplacement dans le choix: audace ou prudence

Les membres d'un groupe s'attachent donc souvent à une solution et se ferment aux autres possibilités. Cependant, cela n'explique pas pourquoi une solution est choisie plutôt qu'une autre. Plusieurs recherches ont été faites sur cette question. Les résultats donnent une idée des processus qui

conduisent aux décisions de groupe. Les chercheurs étudient ces phénomènes en partant de situations comme celle-ci: «Un homme ayant d'importants problèmes cardiaques doit restreindre de façon majeure son mode de vie, à moins de subir une opération délicate qui peut soit le guérir complètement, soit lui être fatale.» (Stoner, 1961) Étant donné les problèmes associés à une qualité de vie réduite et les risques de mort, que conseilleriez-vous? L'homme devrait-il subir l'opération si les risques de mort sont de un sur dix? Si les risques sont de trois sur dix? de cinq sur dix? de sept sur dix? de neuf sur dix? Comme vous pouvez le noter, plus le risque de mort est élevé, plus l'entreprise est hasardeuse. Votre recommandation porte essentiellement sur le niveau de risque acceptable.

Dans une recherche, les sujets devaient d'abord répondre individuellement à douze dilemmes semblables à celui-ci, puis ils devaient en discuter en groupe pour parvenir à une solution (Stoner, 1961). Les décisions de groupe avaient tendance à être beaucoup plus hasardeuses que les décisions individuelles. Après la discussion de groupe, ils devenaient moins prudents et plus audacieux que lorsqu'ils travaillaient seuls. Ce phénomène, appelé **déplacement vers l'audace**, provoqua un intérêt immédiat. Ces résultats signifient-ils que, partout dans le monde, les groupes de prise de décisions prennent des décisions plus risquées que chacun des membres en prendrait seul? Est-ce les processus de groupe qui ont mené à l'utilisation de la bombe atomique à Hiroshima, en 1945, à l'invasion ratée de la baie des Cochons, en 1961, à l'invasion soviétique de l'Afghanistan, en 1979, ou au choix de construire l'extravagant stade olympique à Montréal, en 1976?

D'autres recherches montrent que, après que la décision risquée a été prise par le groupe, les membres, individuellement, *persistent dans leur conviction* de sa valeur (Wallach, Kogan et Bem, 1962). En outre, la participation réelle à un groupe ne constitue pas un préalable pour qu'apparaisse un déplacement vers l'audace. Il suffit souvent de soumettre une personne aux *arguments* d'un groupe pour que les recommandations de la personne deviennent plus risquées (Lamm, 1967).

Pourquoi ce déplacement se produit-il? Plusieurs explications sont possibles.

1. *Certaines valeurs culturelles favorisent le risque.* Parce que les jeunes veulent paraître sans peur, ils ont tendance à se déplacer vers la direction audacieuse lorsqu'ils interagissent avec leurs pairs (Brown, 1965). Les recherches suggèrent que ce processus peut se produire dans plusieurs types de situations (Wallach et Wing, 1968) et que les gens

aiment souvent ceux qui prennent des positions risquées (Jellison et Riskind, 1970).

2. *Les groupes diffusent la responsabilité.* Comme nous l'avons noté précédemment, dans les situations de groupe, les gens sentent peu de responsabilité personnelle devant les conséquences. Ils peuvent se sentir libres de recommander des décisions plus risquées s'ils ont l'impression qu'ils ne peuvent être blâmés pour un échec (Wallach, Kogan et Bem, 1964).

3. *Les groupes libèrent les inhibitions de leurs membres.* La prudence est souvent vue comme une bonne chose, mais cela n'empêche pas les gens d'avoir le goût du risque. Ainsi, lorsqu'un membre soutient une position hasardeuse, cela peut libérer les inhibitions des autres relativement au risque (Higbee, 1971; Pruitt, 1971).

D'autres recherches sur le sujet ont montré que les décisions de groupe ne sont pas toujours plus risquées que les décisions individuelles. Il peut arriver que les décisions de groupe soient plus prudentes que celles qui sont prises par un individu seul. Le degré de risque peut dépendre, par exemple, des dilemmes considérés. Même si des gens font preuve de déplacement vers l'audace dans certains cas, ils deviennent plus prudents dans d'autres (Fraser, Gouge et Billig, 1971; Lambert, 1978; Rabow et coll., 1966). Des chercheurs ont également montré que les groupes prennent moins de risques que les individus lorsqu'ils parient à des courses de chevaux (Knox et Safford, 1976).

Nous voyons donc que la discussion de groupe peut mener des individus à prendre une décision collective qu'aucun d'entre eux n'aurait endossée avant la discussion. Le mouvement peut aller vers l'audace comme vers la prudence. La discussion de groupe polarise donc le groupe (Myers et Lamm, 1976), mais dans quelle direction? Plusieurs chercheurs croient que la direction sera celle qui était favorisée par la majorité des membres au moment où ils se sont joints au groupe (Doise, 1969; Macaulay, 1970; Zaleska, 1978). Si, au départ, la majorité favorise légèrement une décision risquée, le groupe va entreprendre un déplacement vers l'audace. Si la majorité tend à être prudente au début de la discussion, elle va le devenir encore plus au cours de la discussion. Ces effets se produisent parce que les membres du groupe commencent à penser à divers arguments qui appuient leur position.

Les arguments favorables augmentent d'un côté, tandis que les critiques s'accumulent de l'autre; aussi le déplacement vers un extrême semble être la seule solution «rationnelle» (Burnstein et Vinokur, 1977). Dans une étude qui appuie cette position, il est apparu que la direction du déplacement peut être prédite par le *nombre* d'arguments. Si plus d'arguments en faveur de la prudence sont amenés dans la discussion, le **déplacement** se fera **vers la prudence**. La même chose se produit dans le cas des positions audacieuses (Burnstein, Vinokur et Trope, 1973).

En résumé, le résultat de discussions de groupe peut être influencé par plusieurs types de biais. Premièrement, les gens apportent dans les groupes leurs positions individuelles. Non seulement ils ne considèrent pas d'autres possibilités, mais ils poussent le groupe dans le sens de leurs propres positions. Deuxièmement, les membres de groupes sautent souvent sur la première décision qui peut convenir. Par la suite, ils ne considèrent pas sérieusement les autres possibilités. Troisièmement, la discussion peut mener un groupe à adopter une position plus extrême (plus audacieuse ou plus prudente) que celle qui est favorisée individuellement par chaque membre avant la discussion.

L'amélioration des décisions de groupe

Les groupes ne prennent pas toujours des décisions plus mauvaises que celles qui sont prises individuellement. Dans l'une des premières recherches sur la prise de décisions en groupe, des sujets regardaient la première partie du film *Douze hommes en colère*. Ce classique du cinéma présente un jury tentant de parvenir à un verdict dans une cause de meurtre (Hall, Mouton et Blake, 1963). Dans la première partie du film, le jury se trouve dans une impasse. Chaque sujet devait d'abord prédire indépendamment la conclusion du film. Ensuite, les membres du groupe se rencontraient afin d'échanger leurs points de vue et de prédire de nouveau le dénouement. La comparaison des deux ensembles de prédictions fit ressortir que la discussion de groupe avait conduit à de meilleures prédictions. Il semble qu'en comparant leurs points de vue, les membres du groupe aient pu rejeter les moins bonnes prédictions et garder les meilleures. À l'intérieur du groupe, les membres peuvent aussi apprendre les uns des autres ou se faire rappeler des faits qu'ils ont oubliés (Doise, 1976; Laughlin et

Adamopoulos, 1980). De tels processus peuvent caractériser les réunions de jurés véritables. Comme il a déjà été montré, les jurés comparent leurs points de vue et en arrivent à un consensus. Habituellement, ils parviennent ainsi à se faire une idée beaucoup plus précise de l'événement que ne le ferait un juré seul (Dashiell, 1935). Il semble aussi que les discussions entre jurés puissent parfois réduire leurs biais personnels (Izzett et Leginski, 1974).

Il y a donc des cas où les décisions de groupe sont supérieures aux décisions individuelles. La question principale, alors, est d'identifier les diverses conditions qui favorisent la réussite de la prise de décisions en groupe. Nous allons considérer quatre facteurs clés: le type de tâche, la structure de communication, le style des membres et le type de stratégie.

Le type de tâche

Le succès ou l'échec d'une décision de groupe peut être relié au type de tâche ou de problème à résoudre. Les groupes peuvent se révéler supérieurs pour effectuer certains types de tâches, alors que les individus peuvent l'être pour d'autres. Selon Ivan Steiner (1972), le succès ou la productivité d'un groupe dépend de la façon dont les contributions individuelles se combinent pour former un «produit» final. Il distingue quatre types de tâches, chacune ayant ses exigences.

1. *Les tâches additives*. Pour les **tâches additives**, le résultat de chaque membre peut être additionné pour donner le résultat total du groupe. Les collectes de fonds et le pelletage de la neige sont des exemples de tâches additives. La quantité de fonds recueillis ou de neige pelletée représente la somme des contributions individuelles. Pour la plupart des tâches additives, plus il y a de gens qui travaillent, plus la productivité est grande. Toutefois, les groupes de prise de décisions n'ont généralement pas à remplir des tâches de nature additive.

2. *Les tâches conjointes*. Dans les **tâches conjointes**, chaque membre du groupe remplit à peu près la même fonction, mais chaque membre dépend des autres. Un groupe de piqueteurs ou une équipe d'alpinistes effectuent une tâche conjointe. Tous les membres accomplissent des activités similaires et dépendent les uns des autres pour que le groupe réussisse. Le fait d'ajouter le rende-ment d'un individu n'augmente générale-ment pas la productivité du groupe. En fait, un groupe engagé dans une tâche conjointe peut seulement être aussi productif que son membre le *moins* compétent (Steiner et Rajaratnam, 1961). Par exemple, une équipe d'alpinistes ne peut pas se déplacer plus rapidement que son membre le plus lent. Les tâches de prise de décisions peuvent être conjointes lorsque chaque membre du groupe doit fournir de l'information aux autres et que la production dépend de toute l'information soumise. Dans ces conditions, la réussite du groupe est fonction de sa source d'information la moins sûre.

3. *Les tâches disjointes*. Il n'y a pas de division du travail dans les **tâches disjointes**. De plus, la production du groupe ne dépend pas des efforts réunis des individus. La résolution d'un problème complexe est un exemple d'une tâche disjointe. Chacun des membres travaille à la solution, mais le succès du groupe ne dépend pas de la simple addition du travail des individus. La productivité d'un groupe qui travaille à une tâche disjointe dépend de la compétence du membre le *plus* compétent (Marquart, 1955). Par exemple, si un groupe tente de résoudre un problème mathématique complexe, la présence d'un seul membre très compétent en mathématiques permet au groupe de réussir. Bien sûr, la présence de deux membres très habiles peut augmenter l'efficacité du groupe (Laughlin et coll., 1975; Laughlin et Adamopoulos, 1982).

4. *Les tâches discrétionnaires*. Dans les **tâches discrétionnaires**, les membres peuvent combiner leurs efforts de n'importe quelle façon. La façon dont les efforts sont coordonnés influe fortement sur le résultat du groupe. Les comités, les groupes qui conçoivent les politiques, de même que les familles font fréquemment face à des tâches discrétionnaires. Les apports de n'importe quel individu peuvent être acceptés ou rejetés, et les habiletés de différents membres peuvent être combinées de diverses façons afin d'arriver à un résultat. Le succès du groupe ne dépend pas nécessairement de la présence d'un expert dans le groupe, mais plutôt de la façon dont les efforts sont répartis et coordonnés. Ajouter ou retirer des membres n'influe pas nécessairement sur le résultat du

groupe. Si le groupe développe des procédés d'opération efficaces, le succès demeurera constant même s'il y a une fluctuation dans le nombre de membres.

Steiner (1972) affirme que, pour chaque type de tâche, la productivité dépend également des **gains** et des **pertes associés au processus**. Rassembler des gens engendre certains gains comme certains coûts. Les gains ajoutent à la productivité, alors que les coûts causent une perte de productivité. Par exemple, un gain associé au processus est réalisé si des effets de facilitation sociale se produisent et que les gens sont plus stimulés. Cependant, si l'appréhension de l'évaluation se développe, le groupe souffre d'une perte associée au processus. Ce genre de perte pose un problème particulièrement dans le cas de tâches discrétionnaires. Si les gens doivent décider comment le groupe doit fonctionner, l'effort apporté à cette décision est en soi une perte associée au processus. Les longues heures que les membres du corps professoral passent en réunions de comités représentent une forme de perte associée au processus. Ce travail doit être effectué afin que l'enseignement puisse être dispensé, mais les comités eux-mêmes ne font pas d'éducation. Steiner affirme qu'en général la *productivité du groupe* est égale à la *productivité individuelle* additionnée des *gains associés au processus* moins les *pertes* qui y sont reliées.

La structure de communication

L'efficacité d'un groupe dépend non seulement de la tâche, mais aussi de la **structure de communication**, c'est-à-dire le pattern type de communication adopté par le groupe en vue d'accomplir la tâche. Étudions les stratégies de communication de deux entraîneurs d'équipes de hockey. Les entraîneurs en chef ont souvent plusieurs assistants. Imaginons que l'entraîneur en chef de l'équipe des «Chats sauvages» est très indépendant. Il recueille de l'information de chacun de ses assistants et l'utilise ensuite pour prendre seul les décisions importantes. Quant à l'instructeur en chef de l'équipe des «Caribous», il croit à la valeur des réunions d'équipe. Les décisions importantes sont prises au cours de discussions entre tous les entraîneurs. Les deux entraîneurs en chef n'utilisent pas la même structure de communication. Dans l'équipe des «Chats sauvages», la communication est un processus à sens unique, dirigé principalement vers l'entraîneur en chef. Il y a peu de communication significative entre les assistants. Au contraire, la communication chez les «Caribous» peut circuler d'un assistant à l'autre et vers l'entraîneur en chef. Quelle structure a le plus de chances de réussir?

Les recherches sur les structures de communication ont débuté il y a plus de quarante ans. Dans une expérience classique, les sujets furent placés au hasard dans de petites pièces individuelles d'où ils pouvaient communiquer uniquement par écrit (Leavitt, 1951). Des restrictions étaient également imposées quant aux destinataires des messages. Dans certains groupes, un des membres pouvait communiquer avec tous les autres, mais ceux-ci ne pouvaient communiquer qu'avec lui (*voir le pattern en rayons de la figure 11-2*). L'équipe d'entraîneurs des «Chats sauvages» présente ce type de structure. D'autres patterns sont présentés à la figure 11-2. La structure de communication tous circuits ressemble à celle qui est utilisée par l'équipe des «Caribous». Ces deux structures diffèrent par leur *degré de centralisation*. La structure en rayons est hautement centralisée, alors que la structure tous circuits et le cercle sont décentralisés. Les deux autres structures (la chaîne et le Y) ont un degré de décentralisation modéré.

Comment les groupes qui se distinguent quant à leur structure de communication se comparent-ils sur le plan de la productivité? Les groupes aux structures de communication centralisées réussissent mieux que les autres dans plusieurs tâches simples (Leavitt, 1951; Morrissette, 1966; Mulder, 1963). L'individu central est dans une position qui permet de rassembler l'information fournie par les membres qui sont en périphérie. Ainsi, une décision correcte peut être prise rapidement. La structure centralisée est particulièrement utile lorsqu'elle comprend un grand nombre de personnes puisque, dans ce cas, les problèmes du partage de l'information sont susceptibles de devenir énormes (Mulder, 1963). Toutefois, lorsque les tâches augmentent en complexité, la structure centralisée peut devenir moins appropriée. Si la tâche est très complexe, un individu seul peut être écrasé par l'information et les responsabilités du poste. Des détails qui pourraient être réglés aux échelons inférieurs peuvent ne jamais recevoir d'attention. Donc, quand il s'agit de tâches complexes, le groupe décentralisé réussit souvent mieux que les groupes qui présentent d'autres structures (Shaw et Blum, 1965).

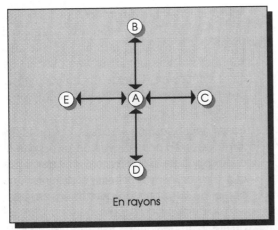

En rayons

Chaîne

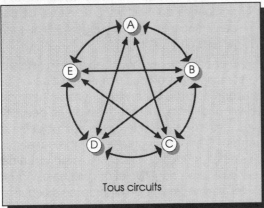

Y

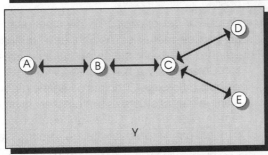

Tous circuits

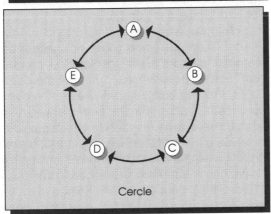

Cercle

Figure 11-2   Les types de structures de communication

Notez que le pattern en rayons est le plus centralisé, alors que la structure tous circuits et le cercle sont les moins centralisés. Une structure plus centralisée permet souvent de résoudre efficacement les problèmes, mais au détriment du moral des membres. (Adapté de Leavitt, 1951.)

En plus d'influer sur la productivité, la structure de communication exerce une action sur la satisfaction personnelle des membres du groupe. Les membres de structures centralisées vivent généralement un degré de satisfaction plus faible que celui des membres de structures décentralisées (Shaw, 1955; Collins et Raven, 1968; Harshberger, 1971). Plusieurs personnes montrent en effet plus de signes d'intérêt, de motivation au travail et de satisfaction globale lorsqu'elles peuvent discuter des politiques du groupe avec les autres. Il est désagréable de faire partie d'un groupe lorsqu'un seul individu possède tout le pouvoir de prise de décisions. Dans ce dernier cas, une perte est associée au processus dans la mesure où la centralisation de la prise de décisions réduit la satisfaction. Cette perte devrait en fin de compte diminuer l'efficacité d'un groupe. Par exemple, dans le cas de l'équipe d'entraîneurs des «Chats sauvages», la centralisation peut permettre à l'équipe de vaincre temporairement. Cependant, si les assistants de l'entraîneur deviennent de plus en plus mécontents de leur travail, ils peuvent se sentir moins motivés et, finalement, quitter leur poste.

En dernière analyse, la souplesse dans la structure de communication semble la solution la plus avantageuse. Les groupes font face à une variété de tâches différentes et leur efficacité peut dépendre de leur capacité d'adaptation (Glanzer et Glaser, 1961). Pour des entraîneurs, une structure décentralisée peut être utile pour décider d'une stratégie générale avant la partie. La complexité de la tâche et le temps disponible incitent à ce type de communication. Néanmoins, une structure centralisée est probablement supérieure pendant la partie, lorsque les décisions doivent être prises rapidement. Des décisions de groupe n'amèneraient à ce moment que de la confusion. Un groupe efficace doit donc demeurer souple dans sa structure de communication et la changer selon les exigences de la situation (Faucheux et Moscovici, 1967; Roby, 1968).

Le style des membres

L'efficacité d'un groupe dépend également du choix des membres. Les gens sont choisis en fonction de leur contribution au succès du groupe, que ce soit au gouvernement, dans les entreprises ou encore dans les équipes sportives. Plusieurs chercheurs croient que la sélection des membres est le levier le plus puissant pour assurer l'efficacité du groupe (Hackman et Morris, 1975). En effet, quiconque travaille avec des groupes se rend rapidement compte que la performance du groupe dépend souvent de la personnalité de chacun de ses membres. Une bonne équipe sportive peut échouer lamentablement si son étoile est très individualiste et s'en prend à ses coéquipiers parce que leur jeu est moins fort. Un groupe de prise de décisions peut mettre un nombre incalculable d'heures si un seul de ses membres est agressif. De telles personnes contribuent de façon importante aux pertes associées au processus. D'après Bales (1950, 1970; Bales et Cohen, 1979), les gens peuvent être classés selon le style d'interaction qu'ils ont avec les autres. D'après ce chercheur, la connaissance du style de chaque membre d'un groupe permet d'en dire long sur le résultat de leur interaction.

Le système de classification de Bales est issu d'une longue expérience auprès des groupes de discussion. Il repose sur le principe suivant: certaines actions surviennent relativement fréquemment dans les groupes de discussion, et ces actions peuvent être enregistrées par des observateurs entraînés (Couch, 1960). Selon le nombre de fois où une personne s'engage dans chaque type d'action, on pourra caractériser son style de relation aux autres. Ces types d'actions sont les suivants:

1. Semble amical
2. Dramatise
3. Montre son accord
4. Propose des suggestions
5. Donne son opinion
6. Donne de l'information
7. Demande de l'information
8. Demande des opinions
9. Demande des suggestions
10. Montre son désaccord
11. Montre de la tension
12. Semble hostile, inamical

(Bales et Cohen, 1979)

Bales suggère que les styles de personnalité des gens varient sur trois dimensions centrales.

1. *Actif par opposition à passif.* Les gens n'ont pas tous le même niveau d'activité dans un groupe. Certains sont actifs et donnent leurs opinions, alors que d'autres sont timides ou retirés. Un membre du groupe qui donne fréquemment de l'information aux autres, qui dramatise la situation ou qui présente des suggestions se situerait vers le pôle actif de cette dimension. Quelqu'un qui demande des opinions et de l'information serait près du pôle passif.

2. *Positif par opposition à négatif.* Les gens diffèrent aussi au point de vue de l'amabilité et de la sociabilité. Certains sont amicaux, alors que d'autres semblent froids et distants. Une personne qui montre fréquemment de l'hostilité ou du désaccord, ou encore qui demande de l'opinion des autres sur une proposition, se rapprocherait du pôle négatif de cette dimension. Quelqu'un qui montre son accord et qui semble amical se situerait au pôle positif.

3. *Progressif par opposition à piétinant.* Dans un groupe, certaines personnes semblent prendre leur participation au sérieux. Elles sont intéressées à travailler pour atteindre les buts du groupe. D'autres personnes semblent rejeter ces buts et s'intéresser davantage à elles-mêmes. Celles qui sont préoccupées par la productivité du groupe se situent au pôle où l'on va de l'avant. De telles personnes donnent leurs opinions, demandent fréquemment des suggestions ou manifestent de la tension.

Bales affirme que pour bien apprécier le style personnel, il faut procéder à une évaluation sur chacune des trois dimensions. Ainsi, la personne active, positive et qui progresse prend des initiatives, est amicale et intéressée aux objectifs du groupe. C'est sans doute le membre idéal pour plusieurs groupes de prise de décisions. La personne passive, négative et qui piétine est, quant à elle, inactive, inamicale et opposée aux buts du groupe. Une telle personne crée habituellement des problèmes dans un groupe.

Un groupe qui désire une productivité élevée doit-il nécessairement choisir uniquement des membres qui sont actifs, positifs et qui progressent? Pas nécessairement. Comme le mentionne Bales, il est important de prendre en considération la tâche à accomplir. Par exemple, il peut être souhaitable d'avoir un effectif composé uniquement de gens actifs, positifs et qui progressent pour faire face à une tâche additive, où l'activité de chaque membre aide à la réussite du groupe. Cependant, il peut être avantageux d'avoir des gens moins actifs dans les tâches discrétionnaires où le groupe doit arriver à des décisions complexes sur son fonctionnement. Des membres actifs entrent souvent en désaccord (Bales et Cohen, 1979). Tous ne peuvent pas parler en même temps. De plus, pour éviter le phénomène de la pensée de groupe, il est nécessaire d'avoir quelqu'un de moins positif, quelqu'un qui va défier le groupe. Ainsi le style de membres dont un groupe a besoin pour réussir dépend de la tâche à effectuer.

Le type de stratégie

L'efficacité d'un groupe dépend non seulement de sa composition, mais également des façons de prendre les décisions. Des chercheurs ont constaté que la plupart des groupes partagent une norme qui inhibe toute discussion à propos du processus de prise de décisions lui-même (Hackman et Morris, 1975; Shure et coll., 1962; Weick, 1969). Cette disposition explique peut-être pourquoi un chercheur a observé qu'une argumentation logique, dans les cent vingt-quatre groupes de discussion étudiés, ne durait en moyenne que cinquante-huit secondes (Berg, 1967). En dehors de ces moments, les membres du groupe lancent des commentaires vaguement pertinents sur le sujet traité. Les discussions sur les stratégies de prise de décisions peuvent-elles aider un groupe? Hackman et Morris (1975) se sont penchés sur le sujet. Ils ont analysé les transcriptions de cent groupes de discussion différents travaillant sur une grande variété de tâches. Ils se sont particulièrement intéressés à la relation entre l'attention portée aux stratégies de prise de décisions et la créativité dans la production du groupe, telle que mesurée par des juges indépendants. La figure 11-3 montre les résultats de la corrélation obtenue. Comme vous pouvez le constater, plus les commentaires émis sur la stratégie sont nombreux, plus la créativité du groupe est élevée.

Certaines stratégies semblent plus efficaces que d'autres. Se basant sur leurs recherches approfondies sur la résolution de problèmes en groupe, Irving Janis et Leon Mann (1977) recommandent les stratégies suivantes.

1. *Remettre en question les décisions éculées.* Si un groupe existe depuis longtemps, il devrait s'interroger sur ses habitudes de prise de décisions et sur le type de décisions qu'il prend habituellement.

2. *Produire un bilan.* Lorsqu'une décision complexe est en jeu, un groupe devrait produire une liste des facteurs positifs et négatifs avant de prendre une décision finale. Cette tâche doit être exécutée de façon impartiale. La liste ne doit pas être faite dans le but de prouver qu'une décision est bonne ou mauvaise. Le groupe doit simplement tenter d'énoncer le plus grand nombre possible d'arguments favorables et défavorables.

3. *Tester les conséquences de la décision dans un jeu de rôle.* Lorsqu'une décision semble valable, le groupe devrait en examiner en détail les conséquences. Les membres du groupe devraient s'imaginer dans l'action, une fois la décision prise.

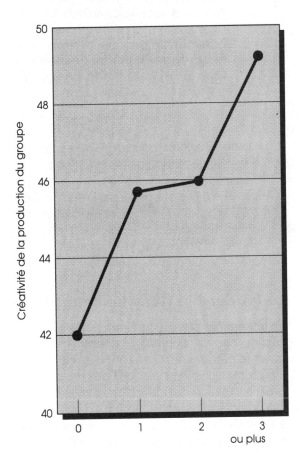

Nombre de commentaires sur la stratégie émis durant le premier tiers de la période de travail

Figure 11-3 La planification peut améliorer l'efficacité d'un groupe

La performance du groupe s'améliore lorsque les membres planifient leur stratégie, c'est-à-dire quand ils discutent expressément des façons dont ils vont aborder une tâche. Notez que la créativité augmente avec le nombre de commentaires. (Adapté de Hackman et Morris, 1975.)

Encadré 11-4

Pour être un leader, soyez à la hauteur

Si vous n'êtes pas très grand, vous avez peut-être remarqué que, dans la société nord-américaine, on valorise le fait d'être de bonne taille. Déjà en 1915, des chercheurs qui étudiaient la relation entre la position sociale et la taille ont constaté que les administrateurs masculins des compagnies d'assurances étaient en moyenne plus grands que les assurés, que les recteurs d'université étaient en général plus grands que les directeurs de petits collèges, que les directeurs des ventes étaient beaucoup plus grands que les vendeurs et que les présidents des chemins de fer étaient habituellement plus grands que les agents de gares (*voir* Gibb, 1969). Le tableau qui suit présente les salaires moyens, à deux époques, d'un échantillon de dix-sept mille hommes qui étaient cadets de l'air en 1943. Ces hommes avaient alors un salaire annuel sensiblement identique, mais vingt-six ans plus tard, leur salaire était fortement corrélé avec leur taille. Chaque 2,5 cm au-dessus de 1,60 m valait approximativement 370 $ par année. Au fil des ans, les hommes de grande taille avaient donc pu prendre de l'ascendant. Les personnes grandes inspirent peut-être plus de respect que les personnes petites. Après tout, les autres sont forcés de regarder vers le haut pour les voir, de la même

4. *Obtenir une consultation de l'extérieur*. Il peut être utile de faire appel à un consultant de l'extérieur. C'est le cas lorsque le groupe trouve le processus difficile ou lorsqu'il a vécu dans le passé de mauvaises expériences de prises de décisions. Ce spécialiste peut observer le groupe de façon impartiale et lui présenter un nouvel éclairage.

Le leadership dans les groupes

Le **leadership** dans un groupe est une question capitale, car il peut dans une large mesure déterminer le succès visé. On s'est donc intéressé à identifier le type de leadership le plus efficace. Les premiers travaux sur ce sujet reposaient sur la valeur indéfectible de la démocratie par rapport à l'autoritarisme. Comme nous le verrons, on a par la suite relativisé quelque peu cette position.

La démocratie a bien meilleur goût

Devant la montée du nazisme, Kurt Lewin (qui s'était enfui de l'Allemagne nazie comme nous l'avons mentionné au chapitre premier) a cherché, avec ses collègues Lippitt et White, à montrer que, par opposition au style de leadership démocratique, l'**autoritarisme** a des effets négatifs sur les

individus. Dans l'une de ces recherches, Lippitt et White (1972) ont étudié l'effet des styles de leadership dans des groupes de loisirs auxquels participaient des enfants de dix ans. Ces groupes étaient sous la responsabilité d'un adulte qui devait adopter un style particulier de leadership, soit autoritaire, soit démocratique, soit laissez-faire. Le leader autoritaire prenait seul les décisions. Le leader démocratique faisait des propositions, mais faisait en sorte que les décisions soient prises avec les enfants. Enfin, le leader affichant un style laissez-faire n'intervenait pas de lui-même, ne faisait pas de proposition et ne faisait que répondre aux demandes d'informations pour faciliter aux enfants l'exécution de leurs projets. Les chercheurs ont observé que sous un leadership autoritaire, survenaient de l'apathie ou une forte agressivité. Avec un leader de type laissez-faire, l'agressivité était la plus élevée; tandis que sous un leadership démocratique, l'agressivité pouvait se décharger au fur et à mesure. Sous quel type de leadership croyez-vous que les enfants furent le plus satisfaits? L'hypothèse de Lewin et ses chercheurs se trouva bien sûr vérifiée: non seulement les enfants furent le plus satisfaits sous la condition de leadership démocratique, mais ils montrèrent plus d'intérêt pour la tâche et sa réussite.

façon que les enfants regardent leurs parents. Cette hypothèse devient encore plus plausible à la lumière d'une recherche montrant que, lorsqu'on demande aux gens d'estimer la taille des autres, ils tendent à surestimer la taille des gens qui occupent des postes importants (Keyes, 1980). Par exemple, la taille des présidents des États-Unis est surestimée par une moyenne de 7,60 cm. Par opposition, les estimations de la taille de ceux qui ont un statut moins élevé sont beaucoup plus exactes. Au fait, si vous aviez su, peut-être l'auriez-vous terminée cette soupe, lorsque vous étiez... petits!

Taille (en mètres)	Salaire moyen en 1943 (en dollars)	Salaire moyen en 1968 (en dollars)
1,61-1,65	3500	14 750
1,66-1,70	3750	16 500
1,71-1,75	3900	17 000
1,76-1,80	3900	17 500
1,81-1,85	4100	19 000
1,86-1,90	4000	18 500
1,91-1,95	3700	19 500

Source: Adapté de Keyes, 1980.

À la suite des premiers travaux démontrant les effets négatifs du leadership autoritariste sur la satisfaction des membres, d'autres chercheurs ont voulu savoir si l'un ou l'autre type de leadership est plus efficace du point de vue de la productivité du groupe. C'est alors que des résultats contradictoires furent obtenus: parfois le leadership démocratique semblait plus efficace (Kahn et Katz, 1953), parfois l'autoritarisme entraînait une plus grande productivité, particulièrement dans des situations stressantes (Rosenbaum et Rosenbaum, 1971). La situation pourrait donc être un facteur qui détermine le type de leadership le plus souhaitable dans un contexte donné. C'est à partir de cette idée que nous examinerons maintenant les travaux de Fiedler.

La bonne personne au bon moment: l'approche de Fiedler

Une amie travaille dans une école où un programme vise à aider des enfants de quartiers défavorisés à progresser dans le système scolaire. Or, elle nous a raconté les difficultés rencontrées en cherchant quelqu'un pour diriger ce programme. Le premier leader était une personne stricte en matière de discipline. Les enfants apprenaient bien, mais ils en sont venus à tellement haïr le leader qu'il a dû être renvoyé. La femme qui l'a remplacé était merveilleusement proche des enfants, mais elle n'a pas réussi à les motiver au travail scolaire. Selon le théoricien des groupes Fred Fiedler (1978), ces contrastes dans les styles de leadership sont courants dans le monde des affaires et au gouvernement. Fiedler affirme qu'il existe deux types de leaders. Les leaders qui sont *orientés vers la tâche*, comme notre partisan de la discipline, se consacrent à l'atteinte des objectifs du groupe. Au contraire, les leaders qui sont *orientés vers les relations*, comme le deuxième leader de notre programme, se préoccupent de maintenir des relations positives entre les personnes. Comme le soutient Fiedler, très peu de gens combinent les deux styles de leadership. Les leaders orientés vers la tâche ne se mettront pas facilement à se préoccuper des relations; ceux qui sont préoccupés par les relations chaleureuses ne se concentreront pas soudainement sur l'accomplissement de la tâche.

Les deux styles de leadership sont-ils insatisfaisants? Les simples membres de groupes se plaindront-ils toujours de ce que les leaders ne peuvent accomplir? Fiedler soutient que les deux styles de leadership peuvent très bien réussir. Cependant, le succès dépend des caractéristiques de la situation. Selon Fiedler, les situations de groupe varient en fonction de leur *contrôle situationnel*, c'est-à-dire selon le degré auquel la situation permet à l'individu d'exercer facilement une influence sur le groupe. Les situations qui sont hautement contrôlables possèdent trois composantes: (1) la relation entre le leader et le groupe est positive et empreinte de confiance, (2) la tâche est structurée de telle façon que les membres savent ce qu'ils doivent faire et (3) le leader occupe une position où il peut récompenser et punir les membres. Par exemple, si les membres d'un groupe qui participent à une course de voiliers venaient tout juste d'élire un capitaine à l'unanimité, si, de plus, une tâche avait été assignée à chaque membre et enfin si le capitaine avait un pouvoir absolu, ces conditions fourniraient au leader un contrôle situationnel élevé. Cependant, si le capitaine était impopulaire, si les membres de l'équipage ne savaient pas ce qu'ils ont à faire et si le capitaine n'avait pas le dernier mot, les conditions de contrôle situationnel seraient faibles.

Nous avons vu que les leaders sont orientés soit vers la tâche, soit vers les relations, et que les situations varient en fonction du degré faible ou élevé de contrôle situationnel. Dans ce contexte, comment le style de leadership et la situation interagissent-ils? Quel style est efficace dans quelle situation? La réponse de Fiedler à ces questions est illustrée à la figure 11-4. Comme le montrent les courbes de la figure, le leader orienté vers la tâche a plus de succès lorsque les conditions fournissent *le plus* ou *le moins* de contrôle situationnel. Au contraire, le leader orienté vers les relations remporte les plus grands succès lorsque les conditions fournissent un niveau intermédiaire de contrôle situationnel.

Examinons comment Fiedler explique l'interaction de la situation et du style de leadership en considérant chacun des trois niveaux de contrôle situationnel.

1. *Situation faiblement contrôlable.* Dans cette situation, le leader orienté vers la tâche, qui met tout de côté, sauf le succès du groupe, peut produire de meilleurs résultats que le leader orienté vers les relations. Il peut prendre en charge une situation qui, autrement, serait désastreuse, et mener le groupe à quelques réussites au moins.

2. *Situation hautement contrôlable.* Dans des circonstances où les membres d'un groupe semblent déjà bien réussir et où la tâche est clairement structurée, on peut percevoir que le leader orienté vers la tâche fait un travail

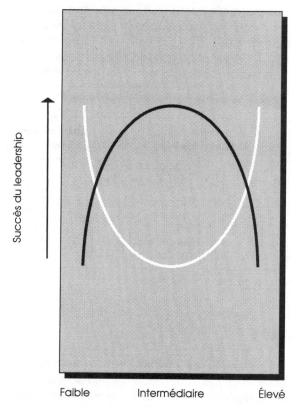

■ Leader orienté vers les relations
□ Leader orienté vers la tâche

Succès du leadership (axe vertical)

Faible Intermédiaire Élevé

Caractère favorable de la situation

Figure 11-4 Qu'est-ce qui fait un bon leader?

Selon Fiedler, c'est la situation et le style du leader. Les leaders qui sont préoccupés par les relations positives entre les personnes réussissent bien lorsqu'une situation ne favorise pas clairement le succès. Les leaders orientés vers la tâche réussissent bien lorsqu'une situation favorise clairement le succès ou semble conduire à un échec. (Adapté de Fiedler, 1978.)

particulièrement bon, et il peut conduire le groupe à de grands succès.

3. *Situation modérément contrôlable.* Quand les bonnes relations sont remises en question et que les membres doivent résoudre les questions difficiles quant à savoir qui doit faire quoi et avec quelle autorité, c'est l'influence douce et unificatrice du leader orienté vers les relations qui peut répondre le mieux à ces besoins; une telle personne peut conduire ce genre de groupe au succès.

Plusieurs études ont appuyé cette proposition; elles ont été menées auprès de groupes du secondaire et du collégial, d'organisations industrielles et d'organisations militaires et civiles (Chemers, 1983; Chemers et Skrzypek, 1972; Fiedler,

O'Brien et Ilgen, 1969; Schneider, 1977; Shiflett et Nealy, 1972; Tumes, 1972). Fiedler et ses collègues ont mis au point des programmes dans le but de former des gens qui occupent des rangs élevés dans la hiérarchie de diverses organisations à reconnaître les appariements appropriés entre les personnalités des leaders et les types de situations (Fiedler, Chemers et Mahan, 1976). Une telle formation a souvent des effets positifs sur l'efficacité des leaders (Leister, Borden et Fiedler, 1977).

Selon Fiedler, un style de leadership n'est pas forcément meilleur qu'un autre. Le leader orienté vers la tâche ne réussit pas nécessairement mieux que le leader orienté vers les relations. Le degré d'efficacité d'un style de leadership dépend plutôt des circonstances. Chacun a la capacité d'exercer du leadership *s'il est placé dans la bonne situation*. Alexandre le Grand avait seulement seize ans lorsqu'il mena la cavalerie macédonienne à de grandes victoires; William Pitt fut premier ministre de l'Angleterre à l'âge de vingt-quatre ans.

Résumé

1   On peut définir le groupe comme un ensemble d'au moins deux personnes qui interagissent ou communiquent, habituellement dans une situation de face à face. Ces personnes se perçoivent comme une unité qui résiste au temps et à l'espace. Enfin, elles partagent au moins un but commun.

2   La cohésion correspond au degré d'attraction des membres d'un groupe les uns par rapport aux autres, et par rapport au groupe comme entité. La tendance des membres d'un groupe à former des hiérarchies et des sous-groupes ou des clans, peut nuire à la cohésion du groupe. On peut dépister les sous-groupes grâce à la technique du sociogramme. Les succès du groupe, des menaces venant de l'extérieur et la compétition avec les autres groupes peuvent en augmenter la cohésion. Les groupes cohésifs montrent des niveaux plus élevés de moral, de satisfaction et d'intérêt au travail, ainsi que de confiance en soi.

3   Les groupes fortement cohésifs peuvent être sujets à la pensée de groupe, c'est-à-dire avoir tendance à rechercher un niveau d'accord élevé pendant qu'une appréciation réaliste des autres possibilités est sacrifiée. La pensée de groupe peut avoir des effets négatifs importants sur la qualité des prises de décisions dans les groupes si ceux-ci ne prévoient pas l'utilisation de stratégies pour accueillir favorablement les différences d'opinions.

4   Adhérer à un groupe limite fréquemment la liberté individuelle. En effet, les groupes peuvent exiger de leurs membres qu'ils obéissent à des règles pour permettre au groupe de satisfaire ses besoins et d'atteindre ses objectifs. Les groupes très cohésifs peuvent être particulièrement punitifs envers le déviant surtout s'ils sont sur le point d'atteindre leurs objectifs. D'après la théorie de l'impact social, les facteurs qui permettent au groupe de réduire la déviance sont le nombre de membres dans le groupe, la force d'attraction des membres du groupe, et la proximité géographique et temporelle de ses membres.

5   On appelle facilitation sociale l'augmentation du niveau de performance d'un individu provoquée par la présence d'un groupe. La facilitation sociale aurait des origines biologiques et sociales. L'effet peut ne pas se produire en raison de la connotation

évaluative de la présence des autres personnes pour l'individu, de la difficulté de la tâche ou de la dispersion de la responsabilité.

6   Plusieurs facteurs peuvent influer sur la performance d'un groupe. Les décisions de groupe peuvent être biaisées par les prédispositions personnelles des membres, par la tendance du groupe à s'attacher à la première solution qui puisse convenir et par une tendance à se diriger vers des solutions plus polarisées. Pour améliorer la qualité de la performance, il faut choisir des tâches qui conviennent au groupe. Les systèmes de communication doivent être appropriés aux besoins. Il importe également de sélectionner les membres en fonction de la tâche à effectuer. Enfin, il est important de porter attention au choix de stratégies de prise de décisions qui favorisent l'efficacité du groupe.

7   Aucun style de leadership n'est inconditionnellement préférable à un autre. Dans une situation stressante, un leadership de type autoritaire peut même se révéler plus efficace. Fiedler soutient que les leaders diffèrent selon qu'ils sont orientés vers la tâche ou vers les relations. Le leader orienté vers la tâche peut être particulièrement efficace lorsqu'une situation favorise clairement le succès ou semble conduire à un échec. Lorsqu'une situation ne favorise pas clairement le succès, le leader orienté vers les relations peut être plus efficace.

Lectures suggérées

En français

Aebischer, V. et Oberlé, D. (1990). *Le groupe en psychologie sociale.* Paris: Dunod.

Moscovici, S. (dir.) (1984). *Psychologie sociale.* [Deuxième partie: Individus et groupes.] Paris: Presses universitaires de France.

Riel, M. (1990). Pratiques de changement collectif et individuel de 1960 à nos jours. *In* R. Tessier et Y. Tellier (dir.) *Changement planifié et développement des organisations.* Tome 1. *Historique et prospective du changement planifié.* Sillery: Presses de l'Université du Québec.

Saint-Arnaud, Y. (1978). *Les petits groupes, participation et communication.* Montréal: Presses de l'Université de Montréal et Éditions du CIM.

Tessier, R. et Tellier, Y. (dir.) (1990). *Changement planifié et développement des organisations.* Tome 3. *Théories de l'organisation. Personnes, groupes, systèmes et environnements.* Sillery: Presses de l'Université du Québec.

En anglais

Hendrick, C. (dir.) (1987). *Group processes: review of personality and social psychology* (vol. 8 et 9). Beverly Hills, CA: Sage.

Janis, I. (1983). *Groupthink: psychological studies of policy decisions and fiascoes* (3e édition). Boston: Houghton-Mifflin.

Paulus, P.B. (dir.) (1989). *Psychology of group influence* (2e édition). Hillsdale, NJ: Erlbaum.

Shaw, M. E. (1975). *Group dynamics: The psychology of small group behavior* (2e éd.). New York: McGraw-Hill.

12

La psychologie sociale et la santé

C'est une ennuyeuse maladie que de conserver sa santé par un trop grand régime.

François de La Rochefoucauld

Objectifs d'apprentissage

☐ Après l'étude du présent chapitre, vous devriez être capable

1. d'expliquer en quoi l'environnement physique et nos préoccupations peuvent influer sur l'attention portée aux messages corporels relatifs à la santé;

2. d'identifier ce qui influe sur notre interprétation des messages corporels relatifs à notre santé;

3. d'identifier les principaux obstacles qui peuvent empêcher quelqu'un qui a un problème de santé de consulter un professionnel;

4. de définir le stress et ses manifestations, d'identifier quelques façons de le mesurer et d'expliquer quelle est son influence sur l'état de santé;

5. d'expliquer quel effet le deuil peut avoir sur la santé;

6. de comparer les principales caractéristiques des personnalités de types A et B, et d'expliquer la relation entre la personnalité de type A et le risque de problèmes cardio-vasculaires;

7. d'identifier les effets négatifs de l'impuissance apprise ou de la résignation acquise et les façons de les amenuiser;

8. d'expliquer comment la théorie du lieu de contrôle a évolué et de fournir des exemples qui montrent comment il est associé à des comportements efficaces en matière de santé;

9. de définir le sentiment d'efficacité personnelle, d'identifier ce qui l'influence et d'expliquer comment il est associé à diverses variables reliées à la santé;

10. d'identifier comment des moyens de type psychologique peuvent être utilisés dans le traitement de problèmes de santé;

11. d'expliquer quelle est l'action positive des réseaux de soutien social et des groupes d'entraide sur la santé, et d'identifier des différences entre ces deux sources d'aide;

12. de définir les trois attitudes reliées à la robustesse ou à l'invulnérabilité en matière de santé;

13. d'expliquer les avantages et les limites des programmes d'information pour favoriser la prévention en matière de santé.

☐ *Gabriel est garde forestier. Il passe la plupart de son temps, seul, dans le parc des Laurentides. Il aime ce qu'il fait et il apprécie tout particulièrement le fait de vivre dans la nature. À la fin de la journée, il a le temps de réfléchir et de parler de son travail avec ses collègues. Félix, son plus jeune frère, est avocat à Ottawa. Il se lève à six heures et sa journée est une suite ininterrompue de contraintes et de pressions de toutes sortes. Félix est bien payé pour son travail; à cinquante ans, il gagnera trois fois le salaire de Gabriel. Par contre, Félix ne vivra que jusqu'à 59 ans, tandis que Gabriel aura presque atteint les 80 ans quand il mourra. Les exigences du travail peuvent-elles abréger notre existence?*

☐ *Marlène a dû être hospitalisée en raison d'une dépression chronique. Comme son mari l'expliquait, chaque jour elle semblait vivre un cauchemar. Elle n'avait aucune envie de se lever le matin. Dans sa journée, alternaient des moments de léthargie, d'abattement et de crises de larmes. Elle semblait près du suicide. Après deux semaines à l'hôpital, son état dépressif s'étant de beaucoup amélioré, elle revint à la maison. Cependant, ces progrès impressionnants furent de courte durée. Une semaine plus tard, elle dut retourner à l'hôpital. Y avait-il quelque chose dans sa situation à la maison qui causait cette dépression?*

☐ *L'an dernier, madame Ledoux a «placé» sa mère en appartement pour personnes âgées afin qu'elle reçoive de bons soins. Pourtant, la santé de sa mère s'est détériorée. Elle souffre continuellement de rhumes, d'asthme et de crampes d'estomac. Son état de santé était bien meilleur lorsqu'elle vivait seule dans sa propre maison. Est-il possible que la vie de son ancien quartier ait contribué de façon significative à son bien-être?*

Chacun de ces cas soulève une question importante quant à la relation entre la réalité sociale et la santé. En quoi et comment nos relations avec les autres affectent-elles la durée de notre vie, notre état émotionnel et notre capacité à demeurer en santé? Jusqu'à tout récemment, on se posait rarement de telles questions, principalement parce que la plupart des gens, y compris les professionnels de la santé, avaient une conception étroite de la santé et de la maladie. Selon cette conception, la santé et la maladie relèvent exclusivement du domaine de la biologie, de la physique et de la chimie. Cette conception cède peu à peu la place à une vision plus globale de la santé. Dans ce chapitre, nous mettrons plus spécifiquement l'accent sur la perspective de l'**écologie sociale** pour aborder les questions de santé. Le terme «écologie» renvoie à l'étude des personnes à l'intérieur de leur environnement ou de leur cadre de vie. En écologie sociale, on s'intéresse plus particulièrement aux relations interpersonnelles dans un milieu donné. Aussi, l'écologie sociale, dans sa façon d'aborder les questions de santé, s'intéresse-t-elle à la relation entre la santé d'une personne et son contexte social. Dans cette perspective, la santé et la maladie sont intimement liées aux relations avec les autres.

Le point de vue de l'écologie sociale a soulevé une série de questions intéressantes. L'objectif de ce chapitre est de présenter quelques-unes des idées les plus importantes et les plus fascinantes de ce nouveau domaine. Le chapitre est divisé en cinq sections. Dans la première, nous mettons l'accent sur le processus où l'individu est amené à reconnaître les symptômes d'un problème de santé. Cela paraît simple, mais en réalité, l'auto-identification d'une maladie pose un problème très intéressant. Ce que l'on considère comme une maladie et ce que l'on doit faire à son sujet dépendent en effet en grande partie du contexte social. Nous verrons ensuite que des causes psychosociales sont parfois à l'origine de la maladie. L'environnement social et des caractéristiques individuelles peuvent-ils, en certaines circonstances, influer sur le degré de vulnérabilité à différentes formes de maladie? Dans la troisième section, nous accorderons une attention particulière aux effets sur la santé du sentiment d'absence de pouvoir et d'incapacité que des individus peuvent acquérir au fil de leurs expériences. Nous aborderons ensuite le sujet du traitement. Nous verrons qu'en plus des prescriptions médicales, il existe divers moyens de type comportemental de traiter les gens. Les processus sociaux qui ont un rôle à jouer dans le recouvrement de la santé seront aussi identifiés. Finalement, nous aborderons la question de la prévention. Nos connaissances en écologie sociale de la santé nous permettent-elles d'améliorer l'état de santé de la population et, subséquemment, son espérance de vie?

En somme, comme nous le verrons dans ce chapitre, pour demeurer en santé, on a avantage à se préoccuper de ses relations avec les autres.

La voie du traitement: reconnaître un problème et consulter

À quel moment les gens consultent-ils un médecin? La réponse semble assez simple: lorsqu'ils ressentent un malaise physique. Si une personne se casse un bras, soudainement ne voit plus rien ou est mordue par un serpent venimeux, elle se précipitera probablement chez le médecin. Cependant, la plupart des problèmes de santé ne s'apparentent pas à un membre cassé, à une cécité soudaine ou à une morsure de serpent. La plupart des problèmes de santé se présentent de façon ambiguë et il est souvent très difficile de décider si on a ou non besoin de voir un médecin. La majorité des gens ne veulent pas ressembler à l'hypocondriaque qui consulte le médecin pour chaque petit bobo. Par contre, ils ne veulent pas attendre qu'il soit trop tard, que l'absence de traitement mette en danger leur vie ou leur intégrité physique. C'est entre ces deux extrêmes que les facteurs sociaux jouent un rôle majeur en déterminant comment les gens s'aperçoivent qu'ils ont un problème de santé et à quel moment ils vont voir un médecin. Examinons trois étapes où des processus psychosociaux peuvent faire en sorte que la personne consultera ou non un professionnel de la santé et suivra ou non ses recommandations.

Reconnaître les symptômes

Jusqu'à quel point êtes-vous conscient de votre corps? Cessez de lire et prenez deux minutes pour vous concentrer sur votre corps, exercez quelques pressions sur vos muscles, votre estomac, votre dos et étirez-vous dans tous les sens. Vous serez peut-être très étonné. Il est fort probable que vous trouviez des zones endolories; vous aviez oublié, par exemple, que telle articulation vous faisait souffrir ou que telle ecchymose n'était pas guérie. Vous redécouvrirez peut-être une excroissance que vous cherchez habituelle-

ment à oublier, et ainsi de suite. Il a été montré que la plupart d'entre nous recevons constamment des indices corporels qui pourraient nous amener à nous demander «suis-je malade?» (Krantz et coll., 1980). Pourtant, la plupart du temps, nous portons très peu attention à notre corps et nous négligeons d'écouter ses importants messages. C'est pourquoi les chercheurs ont porté leur attention sur l'identification des conditions qui réduisent les sensibilités corporelles. Lorsque des gens sont activement engagés avec d'autres personnes, dans leur travail ou dans une activité stimulante, ils portent souvent peu attention aux messages de leur corps. Par ailleurs, l'environnement nous livre des **messages rivaux**, c'est-à-dire des messages qui entrent en concurrence avec ceux du corps pour attirer notre attention. Ainsi, vous serez probablement plus épuisé si vous faites du jogging sur une piste intérieure plutôt que sur une route de campagne, par un beau matin de printemps. Les écouteurs de votre baladeur sur les oreilles, vous vous sentirez probablement moins essoufflé. Plus l'environnement est stimulant, plus le nombre de messages rivaux augmente et moins l'on porte attention à son état corporel. En certaines circonstances, une vie intéressante peut être périlleuse.

Interpréter les symptômes

C'est une chose d'être conscient de diverses sensations physiques et une tout autre d'en interpréter la signification. Vous pouvez ressentir une douleur au talon de votre pied gauche, mais que signifie cette douleur? Est-elle le signe d'une minuscule fissure de l'os, d'une légère ecchymose, ou s'agit-il simplement d'un signe de stress passager? Pour passer à l'action, il vous faut faire appel à une catégorie quelconque pour pouvoir interpréter le symptôme. Le fait que vous décidiez de consulter un médecin ou de simplement accorder du repos à votre pied dépendra de la catégorie que vous utiliserez. Ces catégories que nous utilisons sont grandement influencées par l'histoire et la culture. Notre culture modifie continuellement ses définitions de ce qui doit être considéré comme une maladie. Par exemple, la conception médicale de l'asthme a considérablement évolué au cours des années. L'asthme a déjà été vu comme une maladie de l'abdomen, puis comme une allergie, ou encore, à d'autres moments, comme un symptôme de nature psychologique (Gabbay, 1982). Les concepts de santé et de maladie diffèrent aussi d'une culture à l'autre. Par exemple, dans la culture française, la *crise de foie* est courante et il existe plusieurs remèdes dans ce cas. Les Américains ne partagent pas cette conception; dans la culture américaine, une crise de foie n'a pas de sens. À l'encontre des Français, ils ne souffrent donc pas de cette indisposition!

Ainsi, la culture (particulièrement à notre époque où un accent important est mis sur la santé) nous procure une série de catégories ou de théories implicites que nous utilisons pour interpréter les signaux de notre corps. Quand nous recevons un signal, nous formulons une hypothèse sur sa signification. Souvent, nous cherchons des informations additionnelles qui nous aideront à trouver la meilleure catégorie. En prenant une décision, nous posons une action, par exemple, prendre un sirop ou aller voir un médecin. Ce processus a été appelé **théorie de l'information et de l'autorégulation** (Leventhal, Nerenz et Straus, 1980).

Cependant, cette théorie a ses limites. Rappelez-vous ce que nous avons dit au chapitre 2 au sujet des processus de traitement dirigé par les données ou par les concepts. Lorsque nos catégories mentales ou nos schémas sont élaborés à partir de stimuli ou d'événements, nous parlons d'un processus de traitement dirigé par les données. Quand ce sont nos cognitions qui déterminent notre façon de percevoir le monde, nous parlons d'un processus de traitement dirigé par les concepts. La théorie de l'information et de l'autorégulation renvoie assurément à un processus de traitement dirigé par les données. Les symptômes physiques incitent notre système conceptuel à faire quelque chose. Cependant, selon le processus de traitement dirigé par les concepts, des processus mentaux déterminent largement ce que nous considérons comme des symptômes physiques. Une fois que nous possédons une certaine théorie d'une affection ou d'une maladie, il se peut que notre recherche de messages corporels se fasse d'une façon particulière et biaisée. Parce que nous avons une théorie, il se peut que nous détections certains signaux de notre corps,

mais que nous soyons incapables d'en discerner certains autres. À la lumière de ce qui précède, examinons la recherche suivante. À des étudiants qui participaient à une recherche en laboratoire, on a fourni différents types d'informations sur la façon d'interpréter leurs états corporels (Pennebaker, 1982). Aux étudiants d'un premier groupe, on a dit que l'exposition à certains sons avait pour effet d'élever la température de la peau; on a dit aux étudiants d'un deuxième groupe que l'exposition à ces mêmes sons réduisait souvent la température de la peau; enfin, le **groupe de contrôle** ne recevait, pour sa part, aucune information. On a ensuite exposé les étudiants à ces sons et mesuré la température de leur peau. Puis, on leur a demandé d'évaluer si leurs doigts s'étaient de fait réchauffés ou refroidis au cours de l'expérience. Comme le montre la figure 12-1, les étudiants qui croyaient que les sons élèveraient la température de leur peau ont rapporté une

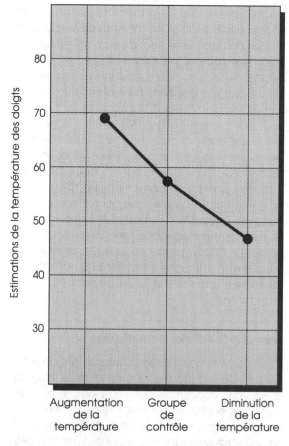

Figure 12-1   Perception des changements de température

Les sujets à qui on avait dit que les ultrasons feraient augmenter la température de leur peau ont rapporté que leurs doigts s'étaient réchauffés. L'inverse fut observé lorsqu'ils croyaient que les sons auraient pour effet d'abaisser la température.

augmentation de la température de leurs doigts. De façon analogue, ceux qui s'attendaient à une diminution ont eu tendance à percevoir leurs doigts comme plus froids. Les étudiants du groupe de contrôle, qui n'avaient pas d'attentes à cet égard, ont rapporté des températures variant entre plus chaude et plus froide qu'avant l'exposition. Ces perceptions correspondaient-elles aux changements réels de température tels que mesurés objectivement? Chez les trois groupes d'étudiants, aucun changement de la température des doigts n'a été observé. Des recherches semblables portant sur le rythme cardiaque, la congestion nasale et la douleur ont produit des résultats similaires, c'est-à-dire que les perceptions des sujets étaient influencées par les cognitions ou les schémas mentaux. Dans chaque cas, l'information donnée aux étudiants sur la façon d'interpréter leur état corporel a modifié de façon significative leur perception de ce qui leur arrivait. Dans ces cas, il y avait peu de relations entre les perceptions des étudiants et leur état corporel mesuré de façon objective. Bref, nos croyances au sujet de la maladie, de notre corps et de ses problèmes peuvent influer significativement sur la façon dont nous interprétons notre état corporel. Et cet état peut être fort différent des interprétations que nous en faisons.

Les symptômes, et puis après

En général, les gens qui consultent un professionnel de la santé semblent le faire sur une base rationnelle, c'est-à-dire qu'ils évaluent leur état de santé au meilleur de leurs connaissances. S'ils sont inquiets ou souffrants, s'ils croient que leur problème est sérieux et qu'un professionnel de la santé peut les aider, ils vont en consulter un (Becker et coll., 1979). Cela semble évident. Si, sans savoir pourquoi, vous souffrez soudainement d'importantes douleurs à l'estomac et que ces douleurs persistent pendant plusieurs heures, il est probable que vous consulterez un médecin. Cependant, devant un indice corporel, les gens ne réagissent pas toujours aussi raisonnablement. Plusieurs facteurs viennent fréquemment entraver la raison.

Premièrement, les recherches montrent que l'optimisme des gens par rapport à leur avenir est excessif (Weinstein, 1983). De façon générale, nous ne croyons pas à l'éventualité de contracter une maladie sérieuse, de subir des pertes graves ou de mourir prématurément. Nous avons aussi tendance à sous-estimer les conséquences

éventuellement sérieuses de nos symptômes. Si nous souffrons de douleurs à l'estomac, nous serons plus portés à penser à un aliment qui ne nous conviendrait pas qu'à la présence d'ulcères ou d'un cancer. Nous sommes en fait si optimistes que nos estimés de la probabilité d'avoir à faire face à un problème sérieux sont de beaucoup inférieurs à la probabilité réelle. Il est possible de s'entraîner à faire des évaluations plus réalistes (Weinstein, 1983). Cependant, le simple fait de connaître les facteurs de risques réels par rapport à divers problèmes de santé ne semble pas suffire à entamer notre optimisme. De fait, lorsqu'on présente aux gens des données statistiques sur la prévalence de certaines maladies, leur optimisme semble s'accroître. Des évaluations réalistes semblent ne pouvoir être faites que si l'on est placé devant les statistiques réelles *et* les estimés irréalistes des autres. Exposés à la sottise d'autrui, nous devenons plus réalistes.

Après que l'on a reçu l'avis d'un médecin, d'autres obstacles s'opposent à une action rationnelle. En particulier, plusieurs personnes négligent de se conformer au traitement recommandé. En fait, c'est le cas du tiers des patients, cette moyenne variant selon l'action prescrite et selon la maladie (Taylor, 1986). Les gens négligent de prendre les médicaments prescrits, de consommer les aliments recommandés, de pratiquer les exercices qui leur sont nécessaires, et ainsi de suite. Pourquoi négligent-ils de se conformer aux avis médicaux? On a dressé une liste de plus de 250 facteurs associés à l'observance des prescriptions médicales (Haynes, 1982). L'une des raisons les plus simples, et pourtant fondamentale, est probablement l'ignorance. Dans diverses études, on a observé chez les patients une grande ignorance de leurs problèmes et du rationnel sous-jacent aux recommandations de leur médecin. Ce que disait le grand vulgarisateur scientifique Fernand Seguin a été constaté à maintes reprises: très nombreux sont les gens ignorants de leur anatomie et de leur physiologie. Ainsi, on a observé que les gens ne savent pas tous où se situent leur estomac, leurs poumons ou leur cœur. Plusieurs personnes qui souffrent d'ulcères ne comprennent pas que leur estomac sécrète de l'acide; ils croient que cet acide est produit dans le cerveau ou dans la bouche. Pour leur part, les médecins négligent souvent de donner à leurs patients les explications nécessaires. Le patient non instruit est particulièrement susceptible de souffrir des conséquences d'une communication inadéquate avec le médecin. Par contre, les

Encadré 12-1

La santé des jeunes Québécois à travers la loupe de Santé Québec

Quel est l'état de santé de la population? Quels sont les facteurs qui influent sur notre état de santé? Et quelles sont les conséquences de l'état de santé sur la consommation de services professionnels, sur l'usage de médicaments, sur le fonctionnement quotidien? Il est fondamental de pouvoir répondre à ces questions pour améliorer l'état de santé d'une population. Cela permet d'identifier les problèmes qui méritent des solutions à court ou à moyen terme et de cibler les groupes qui doivent retenir l'attention. C'est dans cet esprit qu'a été réalisée l'enquête Santé Québec qui a rejoint 32 000 personnes sur l'ensemble du territoire québécois en 1987. En plus d'avoir fait l'objet d'un rapport d'ensemble (Émond et coll.,1988), les données de l'enquête Santé Québec font l'objet d'analyses plus fines. Les chercheurs tentent ainsi de mettre au jour des problématiques particulières qui interpellent la société tout comme les professionnels de la santé. En ce sens, l'analyse qu'a faite Louise Guyon (1990) des données relatives aux jeunes est fort révélatrice, particulièrement sur le plan des différences entre les hommes et les femmes. Nous présentons, dans les paragraphes suivants, les faits saillants de son analyse.

Regardez autour de vous. Parmi les jeunes qui vous côtoient, y a-t-il plus de fumeurs ou plus de fumeuses? Si votre échantillon est suffisamment grand, vous répondrez sans doute qu'il y a plus de fumeuses. Les données de Santé Québec confirment d'autres données selon lesquelles les jeunes femmes de 15 à 24 ans sont plus nombreuses à fumer régulièrement la cigarette. Voici le pourcentage de femmes et d'hommes fumeurs selon trois groupes d'âge: chez les 15-17 ans: 26 % des femmes, 20 % des hommes; chez les 18-19 ans: 29 % des femmes, 25 % des hommes; chez les 20-24 ans: 41 % des femmes, 34 % des hommes.

conseils du médecin sont souvent vagues, même pour les patients instruits. Dans une étude, on a observé qu'environ 60 % des patients avaient mal compris la manière dont ils devaient prendre le médicament qui leur avait été prescrit. Moins ils comprenaient les consignes de leur médecin, moins ils s'y soumettaient (Ley, 1977).

Ces problèmes ont encouragé la recherche de moyens d'améliorer les connaissances des patients. Peut-être croyez-vous qu'il suffit pour cela que le médecin présente clairement au patient davantage d'informations. Cela ne semble pas être le cas. Dans une étude (Taylor et coll., 1978), on a présenté à des patients dont la tension artérielle était élevée une série de diapositives se rapportant à leurs problèmes et on leur a donné un livret d'informations où l'on mettait l'accent sur les avantages d'un traitement et d'une médication régulière. Des patients d'un groupe de contrôle n'ont pas reçu ce programme éducatif. Six mois plus tard, un suivi de ces patients a révélé que ceux qui avaient reçu de l'information étaient effectivement mieux informés sur leur problème et sur ce qu'ils devaient faire quant à ce problème. Cependant, on n'a pas constaté de différences significatives entre les groupes de patients quant au respect des conseils médicaux ou quant à leur niveau objectif de tension artérielle.

D'autres recherches ont montré que l'observance des recommandations du médecin peut grandement dépendre de sa façon d'interagir et de se comporter avec ses malades (Di Matteo, Hays et Prince, 1986). Les chercheurs croient que deux facteurs sont d'une importance primordiale chez le médecin: il doit faire preuve d'une attitude positive envers son patient et lui montrer qu'il s'en préoccupe réellement, et il doit arriver à ce que

En 1987, près de 171 000 jeunes femmes fumaient régulièrement la cigarette; 62 % d'entre elles fumaient entre 11 et 25 cigarettes par jour. En milieu défavorisé, la consommation était particulièrement importante. Or, souligne Guyon, les deux tiers des jeunes fumeuses âgées de 15 à 24 ans prennent des contraceptifs oraux, une combinaison qui risque d'être explosive sur le plan des problèmes cardio-vasculaires. Comme d'autres chercheurs, Guyon associe la pratique du tabagisme chez les femmes à l'image de soi, en particulier au désir de maintenir son poids. Certaines ne veulent pas arrêter de fumer de peur de prendre des kilos, d'autres même commencent à le faire en espérant que cela les aidera à se garder sveltes ou à maigrir.

Et l'alcool? Ici, en apparence, les jeunes hommes «l'emportent»: 45 % des jeunes hommes et 31 % des jeunes femmes de 15 à 24 ans boivent de l'alcool au moins une fois par mois. Les jeunes femmes sont aussi moins nombreuses à boire tous les jours, mais chez les 15-19 ans, on remarque autant de gros buveurs (14 consommations et plus par semaine) chez les deux sexes. Il s'agit là d'une tendance nouvelle, inquiétante. Guyon a comparé les buveurs à risque (c'est-à-dire qui ont des problèmes liés à leur consommation) selon leur niveau de *détresse psychologique*, un indice qui mesure les états dépressifs, les états anxieux et certains symptômes d'agressivité et de troubles cognitifs. D'une part, elle a constaté chez les femmes un lien élevé entre une forte consommation et la détresse psychologique. D'autre part, les buveuses à risque de 14 à 24 ans avaient un niveau de détresse psychologique deux fois plus élevé que les buveurs à risque du même âge. Chez les jeunes femmes, la consommation excessive d'alcool semble donc associée à des problèmes psychologiques. Évidemment, comme vous le savez, une telle association ne permet pas de conclure quelle est la variable qui déclenche l'autre: la consommation élevée entraîne-t-elle les problèmes, ou les jeunes femmes boivent-elles pour «noyer» leur désespoir? Comme le soutient Guyon, peu importe, c'est un phénomène troublant.

D'autres données intéressantes de l'enquête Santé Québec sont relatives au poids, celui que l'on a... et celui que l'on voudrait avoir. À partir de la taille et

son patient se sente responsable de son propre bien-être (Rodin et Janis, 1979). Bref, si les patients en viennent à se voir positivement et à croire qu'ils sont responsables de leur avenir, ils semblent s'occuper mieux d'eux-mêmes.

Des causes psychosociales à la maladie

Pendant longtemps, on a considéré que la maladie physique était d'origine purement biologique. Les recherches sur des variables psychosociales associées à la maladie et au bien-être ont fortement remis en question ce point de vue. Ces recherches sont très fouillées et elles ne peuvent être présentées de façon exhaustive dans un manuel d'introduction comme celui-ci. Aussi, nous concentrerons-nous sur trois aspects qui ont été

particulièrement bien étudiés: le stress, l'effet du deuil et la personnalité de type A ou B.

Le stress: l'étrangleur pernicieux

Dans notre société, on s'attend à ce que les femmes et les hommes ambitieux travaillent sous pression de dix à douze heures par jour, et cela pendant plusieurs années. Dans cette folle ruée, ceux qui désirent avoir une vie équilibrée, ceux qui renoncent à cet effort surhumain, sont souvent mis sur des voies d'évitement. Par contre, ceux qui y participent font souvent l'expérience de malaises reliés au stress. Le stress est probablement le facteur psychosocial qui a été le plus mis en relation avec l'apparition de diverses maladies.

Dans les années quarante, Adolf Meyer, un médecin, s'est intéressé à la relation entre l'état de santé d'un individu et sa vie sociale. Meyer ne

du poids mentionnés par le répondant, il est possible d'établir si son poids est normal. On a par ailleurs demandé au répondant quel serait son poids désiré. Or, Guyon rapporte que chez les jeunes qui ont un poids insuffisant, près de trois hommes sur quatre désirent augmenter leur poids, alors que 36 % des adolescentes s'en montrent satisfaites et 24 % voudraient même le diminuer. Guyon rapporte que presque le quart des jeunes femmes de 15 à 24 ans peuvent être vues comme des personnes qui ont des tendances anorexiques si l'on considère que, tout en ayant un poids insuffisant, elles veulent maigrir. L'attitude des femmes par rapport à leur image corporelle contraste donc nettement avec celle des hommes dans la même situation. Être mince est un gage de bonheur. Tous les fabricants de produits amincissants le rabâchent chaque jour à qui mieux mieux. Si l'on examine le taux de satisfaction par rapport à la vie sociale des femmes de 15-19 ans que l'on peut qualifier d'anorexiques, il semble que le message atteigne son objectif. Chez ces anorexiques, 45 % se montrent satisfaites de leur vie sociale, par rapport à 39 % seulement chez les autres. Guyon rapporte aussi que seulement 1 % des anorexiques se déclarent insatisfaites de leur vie sociale, par rapport à 9 % d'insatisfaites chez les autres. Comme quoi le bonheur appartient aux minces.

Nous avons vu précédemment (*voir l'encadré 5-2*) que, comme groupe, les femmes déclarent plus de problèmes de santé mentale que les hommes. Chez les jeunes de 15 à 19 ans, cette situation est particulièrement contrastée. On a classé les sujets selon le niveau de détresse psychologique déclaré. Selon ce classement, on trouve un niveau élevé de détresse psychologique chez 36 % des femmes de 15-19 ans, mais seulement chez 16 % des hommes du même âge. Chez les 20-24 ans, ces chiffres sont respectivement de 23 % et de 19 %. Il existe un débat autour du fait que les femmes manifestent plus de problèmes de santé mentale. On peut penser, entre autres choses, que la façon d'interpréter la pathologie et d'intervenir serait différente selon le sexe du patient (Guyon, Simard et Nadeau,

voyait pas le système physique comme isolé et autonome; il croyait plutôt que le fonctionnement physique d'un individu est intimement lié à ses relations avec les autres et avec l'environnement. Influencés par les travaux de Meyer, d'autres chercheurs se sont mis à explorer la nature du stress, son mode de production et ses effets sur l'individu. Le **stress** peut être défini comme un processus où il y a (1) évaluation des événements comme dangereux, menaçants ou exigeants, (2) évaluation des réponses possibles et (3) réactions physiologiques, émotionnelles, cognitives ou comportementales à ces événements (Taylor, 1986). Lorsque la personne estime qu'elle n'a pas les ressources nécessaires pour faire face aux exigences d'une situation, elle éprouvera du stress (Lazarus et Folkman, 1984). Une réaction de stress se manifeste souvent par une attitude de défense et une accélération des fonctions

contrôlées par le système nerveux autonome telles que le rythme cardiaque, la respiration et la sécrétion d'adrénaline (Selye, 1956).

Dans l'une des premières — et des plus célèbres — recherches sur les réactions physiques au stress, Holmes, Rahe et leurs collègues (Holmes et Rahe, 1967) ont étudié la relation entre le stress vécu et l'état de santé d'individus de diverses professions. Pour avoir une meilleure idée de la recherche, examinez les quarante-trois événements de la vie présentés au tableau 12-1. Tout d'abord, demandez-vous à quel point il vous faudrait vous adapter si vous faisiez face à l'un ou l'autre de ces événements. En fait, Holmes et Rahe ont utilisé un procédé semblable pour mettre au point leurs indices de stress. Ils se sont dit que plus le degré d'adaptation anticipée serait élevé, plus le stress serait important. Ils ont demandé à des gens de divers groupes d'âge

1981). Comme le souligne Guyon, les parents ont tendance à recourir plus rapidement aux services professionnels pour les jeunes garçons que pour les jeunes filles qui ont des problèmes d'ordre psychologique. Cela pourrait expliquer partiellement pourquoi les taux de détresse psychologique sont plus élevés chez les jeunes femmes que chez les jeunes hommes. Enfin, notons que la détresse psychologique est associée à la pauvreté et à la consommation de drogue.

Santé Québec (1991) a publié récemment les résultats d'une enquête conduite spécifiquement sur les facteurs de risques associés au sida et aux autres MTS auprès de la population des 15-29 ans. Des données révélatrices en ressortent. L'enquête a montré que les jeunes parlent beaucoup avec leur partenaire de la sexualité en général et de la contraception, mais moins de la prévention du sida et des autres MTS, et de l'utilisation du condom. L'enquête révèle que 60 % des jeunes de 15-19 ans ont déjà fait l'amour. Ce pourcentage est de 90 % chez les 20-24 ans et de 97 % chez les 25-29 ans. Plus de huit jeunes sur dix ont déjà utilisé le condom à une occasion au moins. Toutefois, plus de 40 % des jeunes qui ont mentionné avoir déjà utilisé le condom disent en avoir abandonné l'utilisation (*voir l'encadré 12-3 sur ce sujet*). Pourtant, chez les jeunes qui disent que leurs risques de contracter le sida ou une MTS sont élevés, près de 59 % n'ont jamais utilisé le condom ou en ont abandonné l'utilisation. On entend souvent parler des partenaires «à risque», il s'agit des partenaires que l'on connaît peu ou bien sans en être l'amie ou l'ami régulier, qui s'injectent des drogues ou qui pratiquent la relation anale. De nombreux jeunes ont des relations sexuelles «à risque», c'est le cas de 18 % des jeunes femmes et de 28 % des jeunes hommes. Cependant, le condom est loin d'être systématiquement utilisé par les jeunes lors de ces relations sexuelles «à risque». De telles statistiques renseignent les éducateurs du domaine de la santé sur les problèmes à prioriser et sur le sens des interventions à planifier.

et de divers groupes culturels d'évaluer l'adaptation que nécessiterait chaque événement. À partir de l'analyse des scores obtenus, ils ont établi les valeurs sur l'échelle des changements de la vie présentées au tableau 12-1. La majorité des répondants de l'échantillon ont jugé que le décès du conjoint ou de la conjointe est l'événement qui exige le plus d'adaptation. Les chercheurs lui ont attribué une valeur de 100 unités de **changements de la vie**. Le divorce est généralement le deuxième événement à générer le plus de stress, mais il exige beaucoup moins d'adaptation que la mort du conjoint ou de la conjointe. Quant à la séparation, elle provoque à peine moins de stress que le divorce. Il en est ainsi, par ordre décroissant, jusqu'aux violations mineures de la loi, l'événement de la liste à exiger le moins d'adaptation.

Ces valeurs permettent d'évaluer le degré de stress auquel une personne a été exposée, au cours d'une période donnée. Par exemple, si l'un de vos parents était décédé dernièrement, si l'autre était tombé malade, si le statut financier de votre famille s'était rapidement détérioré, si vous aviez des difficultés sexuelles, si vous veniez de commencer des études et de changer de résidence, si vos activités sociales étaient perturbées, si la fréquence de vos réunions familiales avait diminué et si vous aviez reçu une contravention pour excès de vitesse (ouf!), vous obtiendriez un score élevé sur l'échelle de changements de la vie. En fait, votre score serait de 275, nombre obtenu par l'addition des *stresseurs* ou des unités de changements de la vie pour chacun des divers événements. Selon cette mesure, vous seriez dans un état de stress élevé. Par contre, si votre vie avait continué de la même façon qu'à l'habitude et que le seul événement de la liste à survenir dans votre vie avait été votre entrée à

Événement	Valeur sur l'échelle d'effet	Événement	Valeur sur l'échelle d'effet
Mort de l'époux ou de l'épouse	100	Départ du foyer d'un fils ou d'une fille	29
Divorce	73	Difficultés avec les beaux-parents	29
Séparation	65	Succès personnel extraordinaire	28
Période d'emprisonnement	63	Époux ou épouse commence à travailler ou cesse de travailler	26
Mort d'un membre de la famille immédiate	63	Commencement ou fin de la fréquentation de l'école	26
Blessure personnelle ou maladie	53	Changement dans les conditions de vie	25
Mariage	50	Révision des habitudes personnelles	24
Congédiement	47	Difficultés avec le patron	23
Réconciliation conjugale	45	Changement dans l'horaire ou les conditions de travail	20
Début de la retraite	45	Changement de résidence	20
Changement dans la santé d'un membre de la famille	44	Changement d'école	20
Grossesse	40	Changement dans les loisirs	19
Difficultés sexuelles	39	Changement dans les activités paroissiales	19
Arrivée d'un nouveau membre dans la famille	39	Changement dans les activités sociales	19
Réajustement sur le plan des affaires	39	Hypothèque ou prêt de moins de 10 000 $	17
Changement de la situation financière	38	Changement dans les habitudes de sommeil	16
Mort d'un ami ou d'une amie intime	37	Changement dans le nombre de réunions familiales	15
Changement du type de travail	36	Changement dans les habitudes alimentaires	15
Changement dans la fréquence des disputes avec l'époux ou l'épouse	35	Vacances	13
Hypothèque élevée	31	Noël	12
Saisie d'une hypothèque ou d'un prêt	30	Violations mineures de la loi	11
Changement dans les responsabilités au travail	29		

Source: Holmes et Rahe, 1967.

Tableau 2-1   L'effet des changements de la vie

L'échelle des changements de la vie fournit une mesure du stress relatif que provoquent divers événements. Les unités de changements sont additives. Ainsi, une personne congédiée au moment même où elle divorce devrait vivre plus de stress qu'une personne dont le conjoint ou la conjointe viendrait de mourir.

l'école, vous auriez reçu le faible score de 26. Vous éprouveriez un état de stress mineur.

Les chercheurs se sont demandé si la personne exposée à un niveau de stress élevé est plus susceptible que la personne qui vit peu de stress de souffrir de problèmes de santé physique. Aussi, ont-ils conduit diverses études, comparant des individus ayant des scores élevés et des individus ayant des scores faibles sur l'échelle de stress. Dans l'une des premières études, quelque deux cents médecins ont évalué leur exposition au stress au cours d'une période de dix ans

et ils ont fourni un rapport de leurs maladies pendant cette période (Holmes, 1970). En divisant le groupe en trois, selon que les individus avaient éprouvé des niveaux faible, modéré ou élevé de stress, on a trouvé des différences importantes sur le plan de la santé. Seulement 37 % des personnes du groupe qui avaient peu vécu d'événements critiques dans leur vie avaient eu des problèmes de santé importants. Ce nombre grimpe à 51 % dans le groupe intermédiaire et à 79 % dans celui qui était composé d'individus qui avaient éprouvé le degré de stress le plus important.

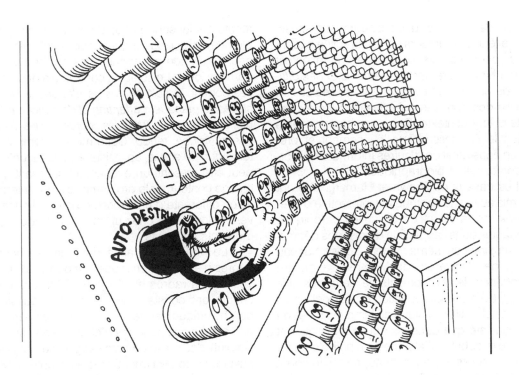

Dans une autre recherche, on a comparé les niveaux de stress auxquels 2500 marins avaient été exposés avant de s'embarquer pour un long périple à bord de trois croiseurs. Le groupe qui avait été exposé à un niveau de stress élevé a rapporté presque 90 % plus de maladies que le groupe qui n'avait été exposé qu'à un faible niveau de stress. L'échelle de stress prédit même des difficultés mineures telles que des coupures, des ecchymoses, des maux de tête, d'estomac ou de dos, et des rhumes. De surcroît, dans un groupe de joueurs de football ayant des scores de stress élevés, plus de 50 % furent blessés au cours de la saison de football. Environ 25 % des joueurs du groupe soumis à un stress moyen subirent des blessures, alors que seulement 9 % de ceux qui appartenaient au groupe éprouvant un faible stress en souffrirent (Holmes, 1970).

Les premiers résultats obtenus avec l'échelle de Holmes et Rahe furent saisissants. À la suite d'autres recherches, on a toutefois conclu à une faible corrélation entre la maladie et les changements de la vie (Rodin, 1985; Taylor, 1986). On a soulevé le fait que tous les individus n'ont pas les mêmes réactions devant un changement critique. Les individus peuvent aussi avoir des réactions différentes selon différents moments de leur vie et en particulier selon le soutien qu'ils reçoivent alors de leur entourage. On a aussi critiqué le fait que les énoncés recouvrent des événe-

ments qui peuvent être aussi bien positifs que négatifs pour l'individu, un déménagement ou un changement de situation financière (en mieux ou en pire), par exemple. Il est aussi difficile d'établir dans le temps la relation entre un changement et l'apparition d'une maladie. La maladie peut en effet être à l'origine de plusieurs des changements contenus dans la liste du tableau 12-1. En effet, on se trouve parfois devant un problème de circularité; devant un divorce et une dépression, lequel a causé l'autre? Enfin, si l'on demande à des sujets de se remémorer des événements, il est possible que la présence d'une maladie biaise le rappel (Contrada et Krantz, 1987).

Abordant la question différemment, les chercheurs britanniques Brown et Harris (1989) affirment qu'il faut absolument tenir compte des conséquences des événements de la vie pour en évaluer l'effet sur la santé. Comme le souligne Louise Lemyre (1989) de l'Université Laval, un divorce non prévu et marqué par la violence pour une femme sans emploi ayant trois enfants en bas âge, et un divorce avec consentement mutuel de deux conjoints professionnels financièrement autonomes n'ont pas le même effet.

Dans le modèle de l'étiologie sociale de la santé mentale proposé par Brown et Harris, on évalue le stress en étudiant les conditions de vie (présentes et antérieures) de la personne, pour laquelle les agents stresseurs peuvent ou non devenir des agents déclencheurs de stress, compte tenu des facteurs de vulnérabilité expérimentés par cette personne. Cette évaluation est faite par l'*Inventaire des événements et des difficultés de vie*, une entrevue semi-structurée où l'on recueille des données objectives sur les événements et leur contexte. Des juges indépendants étudient le récit descriptif de l'événement, en prenant en considération d'autres informations d'ordre contextuel et biographique.

Les travaux de Brown et Harris (1989) ont ainsi mis au jour la contribution interactive d'événements de la vie et de difficultés chroniques importantes dans l'apparition d'épisodes dépressifs. S'inspirant du même modèle, Louise Nadeau (1990), de l'Université de Montréal, a montré l'importance des événements de vie et des difficultés graves dans l'apparition de l'alcoolisation chez un échantillon clinique de femmes. Elle a en effet constaté que dans les douze mois qui ont précédé le début de l'alcoolisation pathologique, 90 % des sujets avaient subi au moins un agent déclencheur, et que 75 % avaient éprouvé des difficultés graves.

Mais qu'en est-il du stress dans la vie de tous les jours? Kanner et ses collègues (1981) se sont précisément intéressés aux joies et aux irritants de la vie quotidienne. Dans l'échelle conçue par les chercheurs, on mesure la fréquence d'apparition de tracas de la vie quotidienne qui peuvent nous empoisonner l'existence et être source de stress, par exemple la perte d'un objet, des préoccupations liées à des dettes, un manque d'argent pour s'habiller. Par contre, les petits bonheurs de la vie quotidienne qui font contrepoids (heureusement!) sont pris en considération: avoir épargné de l'argent, se sentir en forme, retrouver quelque chose que l'on croyait perdu, et ainsi de suite. On a montré que la mesure des irritants et des petits bonheurs quotidiens est reliée à la santé physique et psychologique (DeLongis et coll., 1982).

Une autre façon d'aborder le stress est de considérer non pas les événements stresseurs en soi, mais plutôt le stress *ressenti* par la personne. C'est ce que proposent Louise Lemyre et Réjean Tessier (1988) de l'Université Laval. Les chercheurs ont conçu une mesure du stress psychologique (le MSP) qui repose sur l'*expérience subjective de se sentir stressé*. L'instrument se compose de 53 descripteurs qui couvrent les dimensions affective, cognitive, comportementale et physique de l'état ressenti en période de stress. Le sujet n'a pas à cocher la présence d'événe-

ments qui lui sont arrivés dans la vie, mais doit plutôt évaluer jusqu'à quel point chaque énoncé décrit bien son expérience des quatre ou cinq derniers jours. Le sujet est confronté à des énoncés comme *je suis confus, je n'ai pas les idées claires, je manque d'attention et de concentration* ou *j'ai le visage (le front, les sourcils ou les lèvres) crispé, froncé, tendu*. Cette mesure symptomatologique du stress, en insistant sur la façon dont peut être ressenti un événement stressant, permet de contourner le problème lié à une interprétation différente d'un stresseur potentiel chez divers individus ou chez un même individu à des moments différents.

Le MSP a été validé dans une recherche auprès d'étudiants en médecine dentaire (Fillion, Tessier, Tawadros et Mouton, 1989). Les chercheurs ont constaté que la mesure du stress psychologique permet de distinguer les périodes d'examens des périodes d'absence d'examens. De plus, des prélèvements sanguins et salivaires ont permis de confirmer une relation entre le MSP et des paramètres immunitaires (taux d'immunoglobulines) servant d'indice de stress physiologique. Il semble aussi que le MSP puisse prédire des variations de l'état de santé physique (Tessier, Fillion, Muckle et Gendron, 1990).

De nombreuses indications suggèrent que le stress a une grande influence sur notre état de santé. D'autres travaux, qu'il serait trop long de passer en revue ici, indiquent la présence de liens entre le stress et plusieurs maladies, par exemple le cancer, les ulcères d'estomac, la prédisposition aux maladies d'origine virale. Le stress peut non seulement conduire à la maladie, mais également à une plus grande probabilité d'accidents. Sous l'effet du stress, les gens peuvent être moins attentifs ou ils peuvent se préoccuper moins de l'avenir. Certains résultats appuient ce point de vue; on a constaté que le stress élevé était associé à une plus grande probabilité de fractures osseuses, de grossesse et d'emprisonnement (*voir la revue de* Holmes et Masuda, 1974). La performance scolaire peut également être influencée par le stress. Il existe une forte corrélation entre les notes des étudiants et les expériences stressantes; plus le stress est élevé, plus les notes sont faibles (Harris, 1972). La recherche dans les grandes organisations indique aussi que les gens qui vivent du stress souffrent souvent de ce qui a été appelé un état de *burnout* (Maslach et Jackson, 1984). Comme le rappelle Cathébras (1991), le **burnout** qui désigne le *syndrome d'épuisement professionnel* est un terme d'usage courant au Québec, comme partout en Amérique du Nord. Selon cet auteur, il aurait pour origine «un terme de l'industrie aérospatiale désignant l'épuisement du carburant d'une fusée avec comme conséquences le surchauffage et l'explosion du réacteur». Le burnout est un état d'épuisement physique, mental et émotif dans lequel une personne se sent démotivée, indifférente, voire hostile aux autres et à son travail. Habituellement, le burnout au travail est associé aux conditions de travail elles-mêmes, en particulier de grandes exigences du point de vue émotionnel (comme c'est le cas pour les infirmières, les enseignants, les travailleurs sociaux). Lorsqu'on met continuellement de la pression sur des travailleurs pour maximiser la productivité et la performance ou lorsqu'ils sont soumis à de trop grandes exigences émotionnelles, tout est en place pour un burnout.

On ne sait pas exactement pourquoi et comment le stress affecte notre système physique. Quelques réponses ont été proposées et nous les examinerons brièvement en étudiant de plus près le plus stressant des événements de la vie, soit la perte d'un époux ou d'une épouse.

L'effet du deuil: survivre au décès de l'être cher

Nous vivons tous des pertes et parfois celles-ci sont très profondes. Le décès d'un être aimé, que ce soit un amoureux, une épouse, un parent ou un ami intime, peut entraîner un sentiment permanent de perte. Et ce décès peut menacer la santé de ceux qui demeurent en vie. Examinez les données du tableau 12-2. Ce sont des indices qui permettent de comparer le taux des décès survenus en un an chez des veufs et des veuves, et chez d'autres personnes dont le conjoint est toujours vivant. Un indice de 1,00 signifierait que la probabilité de décès est égale pour les personnes veuves et pour les autres. Un indice de 2,00 signifie que la proportion de décès chez les veufs ou les veuves est deux fois plus élevée pendant l'année que pour les personnes dont la conjointe ou le conjoint est vivant. Vous remarquerez que tous les indices sont supérieurs à 1,00. Indépendamment du pays où les statistiques ont été recueillies et indépendamment du sexe des personnes formant l'échantillon, les probabilités de décès, pendant une année, sont beaucoup plus élevées pour les veufs et les veuves que pour les autres. Remarquez aussi que cet effet n'est pas limité à un groupe d'âge: l'indice de décès est supérieur à 1,00 autant chez les plus jeunes que chez les plus âgés. De fait, en Allemagne et au Japon, les probabilités qu'un veuf âgé de 35 à 44 ans décède sont quatre fois plus élevées que chez un homme dont la femme est vivante. Cette probabilité accrue de décès chez ceux et celles qui ont vécu la perte du conjoint a été appelée l'**effet du deuil** (Strœbe et coll., 1982).

Comment pouvons-nous expliquer cet effet du deuil? Jusqu'à un certain point, les statistiques

| Pays | Sexe | Indices de décès par catégorie d'âge | | |
		35-44	45-54	55-64
États-Unis	Hommes	2,9	2,0	1,5
	Femmes	1,8	1,4	1,2
Angleterre	Hommes	2,8	1,9	1,6
	Femmes	2,3	1,5	1,4
Allemage	Hommes	4,2	2,5	1,8
	Femmes	2,2	1,6	1,3
Japon	Hommes	4,5	2,9	2,0
	Femmes	1,6	1,4	1,3

Source: Adapté de Strœbe et coll., 1982.

Tableau 12-2   Indices de décès chez les femmes et les hommes selon qu'ils sont veufs ou non

Un indice au-dessus de 1,00 signifie que le nombre de décès chez des personnes veuves est plus élevé que chez celles dont le conjoint est vivant.

du tableau 12-2 peuvent refléter le fait que la maladie (une maladie infectieuse, par exemple) ou l'accident qui a causé la mort d'une personne peut aussi emporter le conjoint. Il se peut également que le taux de suicide soit plus élevé chez les veufs et les veuves que dans la population mariée. Cependant, ces facteurs ne peuvent que partiellement expliquer les résultats, il existe bel et bien un effet du deuil. Cet effet semble relié à du stress, comme l'a montré une étude longitudinale auprès de veuves et de veufs allemands (Strœbe, Strœbe et Dormittner, 1985). Regardez de nouveau l'ordre des événements de vie (tableau 12-1); le décès du conjoint est l'événement générant le plus de stress, dépassant de loin le deuxième plus important événement générateur de stress. Les sources spécifiques de stress reliées au décès du conjoint sont nombreuses. En plus de la présence physique de l'autre, le survivant perd un **soutien social** et émotionnel, peut-être la stabilité financière, l'aide pour effectuer les travaux domestiques et pour prendre les bonnes décisions (*voir au chapitre 9 notre exposé sur la comparaison sociale*). Un lourd fardeau incombe donc au conjoint survivant, ce qui entraînerait souvent une détérioration de sa santé.

Fait à remarquer, l'homme semble plus sujet à une telle détérioration. Les indices de décès présentés au tableau 12-2 sont toujours plus élevés pour les hommes que pour les femmes. Quel que soit leur âge, la mortalité chez les veufs est beaucoup plus élevée que chez les hommes dont la femme est vivante. Cependant, la mortalité chez les veuves n'est que légèrement plus élevée que chez les femmes dont le mari est vivant (Strœbe, Strœbe et Domittner, 1985; Strœbe et Strœbe, 1987). Chez les femmes, il se peut que le deuil du conjoint perturbe moins leur écologie sociale parce qu'elles maintiennent de plus grands cercles d'amis (un réseau de soutien social, comme nous le verrons plus loin). Est-il possible que les hommes soient, du point de vue émotionnel, plus dépendants de leur femme que ne le sont les femmes de leur mari? Bien sûr, d'autres raisons peuvent être invoquées: le fait par exemple que les hommes des générations étudiées dans ces travaux étaient moins capables de cuisiner et de s'alimenter correctement, une fois seul.

Dans une étude longitudinale conduite aux États-Unis, des chercheurs ont comparé trois échantillons: des veufs et des veuves, des individus qui avaient perdu un parent ou un enfant et des personnes qui n'avaient vécu aucun deuil (Norris et Murrell, 1990). Ils ont constaté que l'effet du deuil était peu marqué sur la santé physique, mais que les veufs et les veuves étaient beaucoup plus déprimés que les sujets des deux autres échantillons. Norris et Murrel ont observé aussi que plus de 60 % des veufs et des veuves évaluaient leur vie comme *extrêmement stressante, très stressante* ou *beaucoup plus stressante qu'à l'ordinaire,* une proportion plus de deux fois supérieure à celle qui a été trouvée dans les deux autres échantillons. Les chercheurs ont conclu que la perte du lien conjugal est parmi les événements les plus perturbateurs de la vie, en particulier parce qu'elle provoque des changements profonds quant à l'identité personnelle et au style de vie. Ils ont par contre constaté que le fait d'être bien intégré dans un réseau social, et la présence de nouveaux intérêts contribuaient fortement à modérer l'effet du deuil sur la santé mentale. Nous reviendrons plus loin sur l'importance du soutien apporté par le réseau social pour faire échec aux effets du stress.

Mais pourquoi le stress devrait-il engendrer la maladie et la mort? C'est une question difficile, en partie parce que le stress est un concept psychologique et qu'il est difficile de démontrer que des états psychologiques puissent être la *cause* d'états physiques. Si l'on pouvait le faire, on aurait résolu le problème de la relation corps / esprit. Certains doutent de l'existence d'un tel lien causal direct (Schrœder et Costa, 1984). Néanmoins, les chercheurs tentent d'en identifier un. Jusqu'à maintenant, l'élément de preuve le plus solide à cet égard est, qu'en situation de stress, l'activité du système immunitaire diminue (Maier et Laudenslager, 1985). Le système immunitaire reconnaît et détruit les éléments étrangers comme des bactéries, des virus et des tumeurs. Ce sont principalement les globules blancs qui s'acquittent de cette tâche en circulant dans le système sanguin. Or, en situation de stress élevé, la fabrication et la circulation de ces cellules semblent diminuer, rendant la personne vulnérable à la maladie physique.

Les maladies cardio-vasculaires et la personnalité de type A

Au Québec, chez les individus qui ont moins de 85 ans, la probabilité de mourir à la suite de problèmes cardio-vasculaires, c'est-à-dire de maladies du cœur ou des vaisseaux sanguins, est d'environ trente pour cent (Robitaille, Choinière et Camirand, 1991). Peut-on faire quelque chose à ce sujet? On peut réduire le risque de maladies cardio-vasculaires en mangeant moins gras, en maintenant un poids normal, en faisant de l'exercice et en s'abstenant de fumer. Tous ces comportements réduisent les risques de maladies cardio-vasculaires (Gatchel, Baum et Lang, 1982). Mais ce n'est pas tout. Les recherches sur le stress indiquent de plus en plus clairement qu'il contribue aussi de façon majeure aux problèmes cardio-vasculaires.

Le lien entre le stress et les problèmes cardio-vasculaires a d'abord été observé dans des études faites avec des animaux. On a montré que diverses formes de stimuli stressants produisaient une augmentation chronique de la tension artérielle (Henry et Stephens, 1977). Par exemple, on a observé une augmentation dangereusement élevée de la tension artérielle chez des rats élevés seuls et placés, par la suite, dans une cage avec d'autres animaux. Cette augmentation ne survenait pas chez des rats élevés normalement et pour lesquels un tel contact social était habituel. Chez les êtres humains, des chercheurs ont comparé l'incidence de maladies cardio-vasculaires chez des résidents de Detroit vivant dans un quartier à stress soit faible, soit élevé (Harburg et coll., 1973). Dans les communautés à stress élevé (caractérisées par la densité de la circulation, la rareté des arbres et des parcs, etc.), on a observé une incidence de maladies cardio-vasculaires plus grande que dans les communautés à faible stress. On a aussi constaté que les gens dont le travail est très stressant ont plus de maladies cardio-vasculaires que ceux dont le travail est peu stressant (Rose, Jenkins et Hurst, 1978; Lacroix et Haynes, 1987). Ainsi, un contrôleur aérien ou un avocat plaideur pourraient courir un plus grand risque de problèmes cardio-vasculaires qu'un pharmacien ou le conservateur d'un musée.

Est-ce à dire qu'en choisissant une carrière stressante, on risque nécessairement de mourir de problèmes cardio-vasculaires? En fait, ce n'est pas tant la profession ou le métier qui serait en cause, mais plutôt la façon particulière dont le travail est réalisé. Pour certaines personnes, le moindre défi engendre une tension importante, alors que d'autres semblent calmes, même dans les circonstances les plus éprouvantes pour les nerfs. Cette dernière observation a poussé les chercheurs à explorer l'hypothèse selon laquelle le style personnel pourrait avoir un effet sur les problèmes cardio-vasculaires. Y a-t-il des gens dont la façon d'être et d'agir les rend plus vulnérables

aux problèmes cardio-vasculaires? Y a-t-il un type de personnalité prédisposée au stress?

Les recherches les plus approfondies sur cette question portent sur la distinction entre la personnalité de **type A** et celle de **type B**. L'individu caractérisé par une personnalité de type A «s'engage dans une lutte relativement chronique pour obtenir de l'environnement un nombre illimité de choses mal définies, dans la période la plus brève et, si nécessaire, malgré l'opposition d'autrui ou des circonstances» (Friedman, 1969). Cette lutte présente trois caractéristiques: (1) une lutte compétitive pour réussir, (2) un sentiment d'urgence exagéré, et (3) de l'agressivité et de l'hostilité. On ne retrouve pas ces caractéristiques chez la personnalité de type B. La principale façon de déterminer le type d'une personne est de lui poser diverses questions en entrevue. Lui a-t-on déjà dit qu'elle mange trop vite? Son conjoint ou sa conjointe, ou un ami intime la qualifieraient-ils de compétitive et d'implacable envers elle-même, ou diraient-ils d'elle qu'elle est trop active et qu'elle devrait ralentir? Des réponses positives à de telles questions indiqueraient que le sujet appréhende la vie quotidienne comme le font les individus de type A.

Mais les interviewers portent particulièrement attention aux expressions non verbales du sujet (Musante et coll., 1983). Certaines questions ou la façon de les poser permettent précisément de détecter des patterns d'élocution de type A, par exemple l'intervieweur fait semblant d'hésiter. Comparativement à la personne de type B, celle de type A parle vite et fort, et elle s'exprime par des phrases courtes, précises. Elle a tendance à être compétitive dans sa façon de parler, c'est-à-dire qu'elle interrompt l'intervieweur, parle en même temps que lui ou accélère le débit lorsqu'elle est interrompue. Notons que certains questionnaires, comme celui qui a été conçu par Jenkins, Zyanski et Rosenman (1971), existent pour mesurer le type A, mais la concordance de diagnostic avec la méthode par entrevue est modérée (Matthews et coll., 1982).

On ne sait pas exactement d'où vient que l'on adopte des comportements de type A ou de type B. Cependant, dès le secondaire et le collégial, on a pu distinguer les élèves de type A de ceux de type B (Glass, 1977). Contrairement aux élèves de type A, les élèves du secondaire de type B participent à un plus grand nombre d'activités sociales et sportives. Par ailleurs, les collégiens de type A participent à plus d'activités parascolaires non sportives et remportent davantage de succès scolaires. Ces résultats suggèrent que la personne de type A s'évertue à réaliser de grandes performances, alors que celle de type B semble être plus intéressée aux relations et aux activités sociales.

Afin de mieux comprendre les personnalités de type A et de type B, les chercheurs ont examiné les réactions d'individus dans diverses situations expérimentales. Par exemple, lorsque des sujets doivent accomplir diverses tâches qui demandent des degrés différents d'efforts, ceux de type A ont tendance à travailler à vitesse maximale, peu importe la consigne reçue. Ceux de type B ont tendance à travailler exactement à la vitesse précisée dans la consigne. Lorsque leur performance se trouve menacée de diverses façons, les sujets de type A continuent à s'efforcer sans porter attention aux intrants environnementaux, alors que ceux de type B modulent leurs activités selon l'importance de la menace. S'ils sont interrompus au cours d'une tâche de prise de décisions, les sujets de type A montrent une plus grande irritation que ceux de type B. Placées dans une situation stressante, les personnes de type A sont plus susceptibles d'évaluer leurs progrès en se comparant aux autres. Un chercheur a placé des sujets dans une situation épuisante pendant plusieurs heures; il a trouvé que ceux de type A admettaient moins volontiers leur fatigue que ceux de type B. La présence des autres stimule les personnes de type A à augmenter leurs efforts, alors qu'elle agit moins sur celles de type B. Lorsque leur liberté est réduite, les personnes de type A se battent pour reprendre le contrôle, alors que celles de type B ne le font pas; les personnes de type A sont aussi moins susceptibles d'abandonner le contrôle à un supérieur (*voir* Glass, 1977; Rhodewalt et Davison, 1983; Strube et Werner, 1984).

Quels sont les effets physiques de ces différences dans le style de comportement? Les recherches en laboratoire montrent que dans plusieurs tâches, comparativement à ceux de type B, les sujets de type A répondent par une plus grande augmentation de la tension artérielle et du rythme cardiaque. Cet effet est particulièrement perceptible lorsque les défis sont importants (Pittner, Houston et Spiridigliozzi, 1983). De plus, les réactions du système nerveux sympathique qui portent atteinte au système cardio-vasculaire sont plus fréquentes chez les personnes de type A que chez celles de type B (Herd, 1978). On croit que ce sont ces effets, à savoir la tension artérielle et les réactions du système nerveux sympathique,

qui expliquent la relation entre le style de personnalité et les maladies cardio-vasculaires.

Les personnes de type A sont-elles réellement plus sujettes à la maladie? Plusieurs recherches tendent à montrer que oui. Dans l'une des premières études, on a rencontré en entrevue plus de 3000 hommes de 39 à 59 ans qui n'avaient pas de problème cardiaque au début de la recherche (Rosenman et coll., 1964). Huit ans plus tard, on a observé presque deux fois plus de problèmes coronariens chez les hommes de type A que chez ceux de type B, et ce en contrôlant les facteurs de risque comme l'hérédité familiale, le poids ou la profession. D'autres recherches effectuées par la suite dans différents pays, ont produit des résultats similaires (Haynes, Feinleib et Kannel, 1978). De plus, le sujet de type A risque davantage les récidives d'infarctus. Toutefois, des travaux récents suggèrent que ce ne serait pas en soi le fait d'appartenir au type A, mais bien la composante d'hostilité dans le comportement de type A qui serait la grande responsable des problèmes coronariens (Dembroski et Costa, 1987; Matthews et coll., 1977).

Des programmes ont été mis au point pour identifier des traitements et les mettre à l'essai auprès de sujets dont le style de comportement s'apparente au type A. Une telle étude a été conduite à Montréal, notamment par Ethel Roskies de l'Université de Montréal (Roskies et coll., 1986). Des gestionnaires, qui ne souffraient pas de maladie coronarienne, furent entraînés à reconnaître les situations qui sont sources de stress et à pratiquer des habiletés d'adaptation pour composer avec ces situations. L'intervention a permis de réduire les comportements de type A. Toutefois, les habiletés développées n'ont pas réussi à faire diminuer les réactions physiologiques des sujets soumis expérimentalement à des situations stressantes. Dans une autre recherche (Friedman et coll., 1986), les sujets du **groupe expérimental**, qui souffraient déjà de problèmes coronariens, étaient entraînés sur une période de quatre ans à modifier leurs comportements de type A. Les sujets du groupe de contrôle ne recevaient que des conseils reliés à l'alimentation et à l'exercice. L'intervention expérimentale fut bénéfique: chez les sujets expérimentaux, non seulement les comportements de type A diminuèrent de façon plus considérable, mais on observa aussi une réduction plus importante de la prévalence de crises cardiaques et du taux de décès.

Ce genre d'interventions montrent qu'il est possible de modifier le style de comportement de type A, mais ce n'est pas facile, surtout en dehors de tels programmes. Pourquoi? Parce que, dans notre univers moderne de travail, ce style de comportement rapporte souvent des «dividendes». Les recherches montrent en effet que les personnes de type A ont tendance à obtenir plus de succès dans leur travail et qu'elles sont plus susceptibles de mériter des distinctions académiques, d'atteindre un statut professionnel plus élevé et d'avoir de meilleurs revenus que ne le sont les personnes de type B (Waldon et coll., 1977). Pour plusieurs, renoncer à la lutte frénétique signifie donc renoncer au succès. Cette menace à leur style de vie peut même accroître leur stress. Bien sûr, elles peuvent décider qu'il est préférable d'adopter un style de vie modéré et de vivre plus longtemps que d'avoir une vie courte en appuyant à fond sur l'accélérateur. Mais à plus long terme, il faut se préoccuper de la structure même du travail. En effet, est-il nécessaire que l'organisation du monde du travail comporte absolument une compétition féroce pour que l'on arrive au succès? Il nous faudrait de nouvelles formes d'organisation où le succès serait relié à la croissance personnelle et à la coopération sociale.

N'allez pas conclure de cet exposé que les longues heures de travail et toutes les tentatives pour réussir dans la vie et pour maximiser l'utilisation efficace de son temps menacent la santé. Lorsque l'on catégorise les styles de comportement en types A et B, ceux-ci représentent des extrêmes. Il se peut que vous vous reconnaissiez dans l'un de ces deux styles; cependant, il est probable que vous vous situiez plutôt quelque part entre ces deux extrêmes, parfois dans la course, parfois plus en retrait. Quelques théoriciens sont d'avis, par ailleurs, qu'un certain degré de stress peut être positif. Ce fut la thèse du Montréalais Hans Selye qui a soutenu que le stress est nécessaire à la vie et qu'il peut y avoir du *stress sans détresse* (Selye, 1974). Lorsque vous êtes pleinement engagé dans un processus, que vous sentez que vous vous développez et que vous êtes en train de satisfaire votre curiosité, il se peut que vous viviez du stress. Toutefois, cette forme de stress peut être essentielle à votre bien-être.

En résumé, dans cette section, nous nous sommes intéressés aux effets du stress sur la santé. Nous avons d'abord vu que le stress est associé à des indicateurs de santé et à divers accidents. Les causes de stress les plus importantes ont généralement une connotation sociale, par exemple lorsqu'un individu perd un être cher. Les hommes sont particulièrement vulnérables à l'effet du deuil, c'est-à-dire la maladie ou le décès liés à la perte d'un être aimé. Nous avons aussi vu que certains individus ont une personnalité sujette au stress. La personnalité de type A, qui se caractérise par une attitude compétitive, de l'hostilité et un niveau d'activités intense, est reliée à l'apparition de problèmes cardio-vasculaires.

Le stress est certes un domaine d'études important en psychologie de la santé, mais le suivant est tout aussi fascinant.

Quand le pouvoir nous échappe

Les chercheurs se sont beaucoup intéressés au lien entre la santé et la perception qu'a l'individu d'avoir un certain pouvoir dans sa vie, d'exercer un contrôle sur ce qui lui arrive. Si nous avons le sentiment que le pouvoir nous échappe, ne risquons-nous pas d'être défaitistes, de nous laisser aller devant les difficultés et de ne pas adopter des comportements qui pourraient nous aider à combattre les revers? Dans cette section, nous porterons notre attention sur trois approches qui mettent l'accent sur diverses facettes du sentiment d'avoir ou non du pouvoir dans sa vie: l'impuissance ou la résignation apprise, le lieu de contrôle et le sentiment d'efficacité personnelle.

L'impuissance acquise: faut-il me résigner?

L'auteur a été témoin, dans un hôpital psychiatrique, d'un cas de décès causé par la perte de la volonté de vivre. Une patiente, qui était demeurée dans un état de mutisme pendant presque dix ans, fut déplacée avec ses compagnons d'étage sur un autre étage de l'édifice pendant que son unité était redécorée. L'unité psychiatrique où la patiente en question vivait était connue parmi les patients comme l'étage des «sans-espoir chroniques». Au contraire, le premier étage où la patiente fut transférée était habituellement occupé par des patients ayant des privilèges, dont la liberté d'aller et venir sur les terrains de l'hôpital et dans les rues environnantes. Les patients temporairement déplacés du troisième étage subirent des examens médicaux avant leur transfert. La patiente en question fut jugée en excellente santé physique, même si elle demeurait muette et renfermée. Peu de temps après son transfert au premier étage, la patiente surprit le personnel du pavillon en se mettant à réagir socialement et, en moins de deux semaines, elle mit fin à son mutisme, et devint bel et bien sociable. Mais la redécoration de l'unité du troisième étage terminée, tous les anciens patients y retournèrent.

Moins d'une semaine après son retour à l'unité des «sans-espoir», la patiente, comme la légendaire Blanche-Neige qui avait été réveillée de sa torpeur, s'effondra et mourut. L'autopsie ne révéla aucune pathologie particulière et l'on émit alors l'hypothèse que la patiente était morte de désespoir (Phares, 1976).

L'absence de contrôle et la dépression. La perte de contrôle sur l'environnement pourrait être une cause de la dépression. Toutefois, il y a lieu de se demander si notre culture occidentale ne mettrait pas trop l'accent sur la valeur du contrôle individuel.

Ce cas suggère que la perte du pouvoir de contrôler l'environnement, qu'il soit physique ou social, peut déranger profondément, et même être fatale. Les gens peuvent avoir besoin d'un sentiment de pouvoir sur leur environnement pour éprouver un sentiment de bien-être. Martin Seligman et ses collègues ont approfondi cette question (Seligman, 1975). Ils se sont d'abord demandé ce qui arrive lorsqu'un comportement n'entraîne ni récompense ni punition. Comme nous l'avons vu, de nombreuses recherches ont porté sur les effets des récompenses et des punitions sur les actions des gens. Cependant, on connaissait peu les réactions des gens aux situations où les actions *ne sont pas reliées* aux récompenses ni aux punitions reçues. Comment réagiriez-vous si vos résultats scolaires n'avaient rien à voir avec votre performance, si vous receviez quelquefois un A et quelquefois un D, que vous ayez beaucoup ou peu étudié? Comment réagiriez-vous si votre amoureux vous enlaçait à certains moments et vous injuriait à d'autres, indépendamment de ce que vous auriez dit ou fait?

Pour explorer ce type de réactions dans des circonstances extrêmes, Seligman étudia d'abord des chiens. On immobilisa des chiens dans un harnais et on leur administra des chocs électriques douloureux selon une séquence aléatoire. Les chocs ne pouvaient pas être évités; les animaux subissaient simplement cette torture incontrôlable et imprévisible. Plus tard, chaque chien fut placé dans une boîte contenant deux compartiments séparés par une barrière. Le plancher du compartiment où était placé le chien était électrifié; l'autre ne l'était pas. La barrière entre les deux compartiments était assez basse pour permettre au chien de sauter par-dessus afin d'échapper aux chocs. Les chiens qui avaient reçu les chocs administrés de façon aléatoire n'ont fait preuve de presque aucun apprentissage de la réponse vitale qui consistait à sauter par-dessus la barrière. Au lieu de sauter, ils se tortillaient, se tordaient de douleur, geignaient ou se recroquevillaient à mesure que les chocs continuaient. Ils semblaient avoir appris qu'ils ne pouvaient pas contrôler leur destin. Au contraire, les chiens qui n'avaient pas été exposés aux chocs administrés de façon aléatoire ont en général eu peu de difficulté à apprendre à sauter la barrière pour éviter les chocs. Seligman et ses collègues ont appelé **impuissance apprise** cette incapacité d'acquérir la réponse consistant à sauter. (L'expression **résignation acquise** est tout autant trouvée dans les écrits en français; nous utiliserons donc les termes de façon interchangeable). Comme leurs recherches ultérieures l'ont montré, les animaux qui apprennent qu'ils n'ont aucun contrôle sur ce qui leur arrive font souvent preuve d'un niveau réduit d'activité et d'une capacité décroissante d'apprendre.

De nombreuses expériences ont montré que, tout comme les animaux, les êtres humains peuvent répondre par de l'impuissance apprise à des situations de perte de contrôle (Abramson, Seligman et Teasdale, 1978). De surcroît, les effets de l'impuissance sont quelquefois ressentis par ceux qui ne font qu'observer d'autres individus qui sont impuissants. Dans la plupart de ces recherches, on a étudié les réactions humaines à des situations incontrôlables. Les gens ont été placés dans diverses situations: ils subissaient des chocs électriques sans pouvoir y faire quoi que ce soit, on leur faisait entendre des bruits nocifs à des intervalles imprévisibles ou encore on leur faisait faire des casse-tête insolubles. La résignation acquise au cours de ces expériences modifiait les performances ultérieures des sujets. Lorsqu'on les soumettait par la suite à une situation où ils pouvaient apprendre à éviter les chocs, à faire cesser le bruit infernal ou à contrôler leur succès dans la résolution de casse-tête, ils faisaient preuve d'une faible performance et étaient souvent d'humeur négative. Les sujets qui n'avaient pas été exposés précédemment à un environnement incontrôlable ne montraient généralement pas de baisse de performance dans ces tâches, ni de signe de dépression. D'autres recherches, appuyant la position de Seligman, montrent que le fait de percevoir qu'on a du contrôle en situation scolaire est positivement relié aux notes obtenues, à l'efficacité de l'apprentissage, à la rapidité de résolution de problèmes et à la performance obtenue à des tests mesurant des habiletés fondamentales (*voir* Metalsky et coll.,1982).

Selon Seligman, la résignation acquise engendre souvent des sentiments de dépression. Les gens qui sont léthargiques et qui restent assis tristement pendant de longues heures au lieu de s'efforcer de maîtriser leur environnement ressemblent aux chiens qui gémissaient et se recroquevillaient au lieu d'apprendre à sauter la barrière qui les séparait de la liberté. De ce point de vue, plusieurs personnes déprimées ne souffrent peut-être pas d'une anomalie fondamentale; peut-être ne font-elles que répondre à une prise de conscience de leur manque de contrôle (Alloy et Abramson, 1979). Cette réflexion suggère des pistes dans le traitement de la dépression. Plusieurs personnes déprimées n'ont peut-être pas besoin d'une thérapie de soutien; elles bénéficieraient plutôt de changements dans leur vie, qui feraient en sorte que leur sentiment de contrôle sur l'environnement serait accru. Prenez, par exemple, les personnes âgées qui souvent semblent déprimées et inactives. En vieillissant, plusieurs individus éprouvent un sentiment de contrôle décroissant sur l'environnement. En réalité, la société récompense peut-être les personnes âgées d'être dépendantes. Puisque le moral est souvent particulièrement bas chez les personnes qui se perçoivent comme dépendantes de leur environnement, la mélancolie et l'inactivité de plusieurs

personnes âgées ne sont peut-être pas la conséquence normale du vieillissement, mais plutôt le résultat d'une perception de perte de contrôle.

La dépression n'est pas la seule conséquence de l'impuissance. On a montré que le fait de s'enfermer dans une attitude de résignation peut être fatal (Goleman, 1985). Trois mois après leur opération, on a rencontré en entrevue des patients atteints de cancer. Certains ont montré une acceptation résignée de leur état; ils souhaitaient simplement pouvoir supporter leur malheur et abandonner la lutte. Certains autres ont manifesté un esprit combatif; ils refusaient de se percevoir comme impuissants et avaient le sentiment soit que leur cancer n'était pas aussi sérieux qu'on le disait, soit qu'ils réussiraient à le vaincre. Dix ans plus tard, une étude de suivi fut effectuée pour vérifier si ces attitudes initiales étaient liées à la longévité des patients. Les résultats furent saisissants. Parmi ceux qui ne se percevaient pas comme impuissants, quelque 60 % vivaient toujours. Cependant, seulement 20 % de ceux qui avaient adopté une attitude d'impuissance par rapport au cancer vivaient encore.

Faire échec aux sentiments d'impuissance

Peut-on faire contrepoids aux effets négatifs de l'impuissance? C'est une question à laquelle les chercheurs ont accordé beaucoup d'attention, et plusieurs réponses prometteuses ont vu le jour. En augmentant le sentiment de contrôle chez une personne, peut-on produire les réactions opposées à celles qui étaient causées par la perte de contrôle? En particulier, on s'est demandé s'il est possible d'améliorer l'état de santé par une augmentation du sentiment de contrôle des gens. Pour répondre à cette question, Richard Schulz (1976) a mis au point un programme dans lequel, sur une période de deux mois, des étudiants visitaient des personnes âgées vivant en institution. On a réparti les sujets au hasard dans quatre groupes expérimentaux. On a dit aux personnes âgées du premier groupe qu'elles auraient le contrôle complet sur la durée et sur la fréquence des visites. À n'importe quel moment, lorsqu'elles se sentaient seules, elles pouvaient demander aux étudiants de les visiter. Dans un deuxième groupe, les étudiants ont visité les personnes qui étaient informées de ces visites, mais qui n'avaient pas de contrôle sur leur fréquence ou leur durée. Les sujets du troisième groupe recevaient des visites sur une base aléatoire et sans être prévenus.

Enfin, les personnes du quatrième groupe ne recevaient aucune visite.

Le programme a eu, à court terme, un effet impressionnant sur la santé des personnes âgées. Comparativement à ce qui fut observé dans les deux derniers groupes qui n'exerçaient aucun contrôle sur les visites, on nota une amélioration de l'état de santé physique et du bien-être psychologique dans les deux premiers groupes. Mais ce contrôle accru n'eut des effets positifs que le temps du programme (Schulz et Hanusa, 1978). Les chercheurs ont conclu que les personnes âgées avaient probablement attribué l'amélioration de leur santé à un facteur extérieur: la visite des étudiants. Une fois cette visite interrompue, les bienfaits du programme ont cessé parce que les sujets n'avaient rien changé dans leur perception de leur contrôle personnel sur la situation.

Cependant, on a pu provoquer des changements positifs à long terme en modifiant l'attribution que des personnes âgées faisaient des améliorations de leur santé, à la suite d'une perception accrue de contrôle. Ainsi, dans une étude, on a donné à des personnes âgées institutionnalisées plus de contrôle et de responsabilités quant à une série de décisions (Langer et Rodin, 1976). Par exemple, les sujets du groupe expérimental étaient responsables du soin des plantes. On disait aux sujets du groupe témoin que le personnel s'occuperait bien d'eux et de leurs besoins; par exemple, le personnel s'occuperait des plantes. Les chercheurs ont constaté que, à la suite de l'intervention, les résidants du groupe expérimental sont devenus plus actifs, plus heureux. Dix-huit mois plus tard, les effets bénéfiques persistaient: on constata une amélioration de l'état de santé et, fait encore plus saisissant, un taux de mortalité inférieur chez les sujets du groupe expérimental (Rodin et Langer, 1977).

Parallèlement à l'étude des effets d'une augmentation du sentiment de contrôle, les chercheurs ont voulu savoir si le développement d'habiletés de fuite ou de contrôle pourrait réduire les effets de l'impuissance. Dans l'un des premiers essais pour vérifier cette hypothèse, on a dressé des chiens à échapper à des chocs et, plus tard, on les a soumis à des chocs, mais sans qu'ils puissent y échapper (Seligman et Maier, 1967). Les chiens ainsi dressés ont été relativement peu touchés par l'expérience d'impuissance et ils ont appris à échapper aux chocs de façon tout aussi efficace que les animaux du groupe de contrôle. Il se peut que les êtres humains qui peuvent résister à la dépression dans des situations

incontrôlables aient, par le passé, contrôlé avec succès leur environnement ou qu'ils aient acquis un sentiment de contrôle en observant les autres qui faisaient face à leur environnement.

Les effets négatifs de la résignation peuvent aussi être contrebalancés par des **stratégies d'adaptation***. L'adaptation est le processus par lequel l'individu tente de composer avec une situation difficile qui présente des exigences dont il croit qu'elles dépassent ses propres ressources. On peut enseigner aux gens à faire échec à l'impuissance en s'efforçant davantage de réussir, par exemple. Comme les recherches l'indiquent, certaines personnes répondent à l'impuissance par une motivation accrue à rétablir leur contrôle sur les événements. Par ailleurs, assumer le blâme d'un échec incontrôlable produit de la résignation (Koller et Kaplan, 1978), apprendre à blâmer l'environnement pour un échec pourrait aussi être une stratégie d'adaptation utile. Les gens qui font des plans en prévision de situations où ils pourraient se retrouver en état d'impuissance font aussi preuve d'une meilleure adaptation (Hendrick, Wells et Faletti, 1982). Finalement, les effets de la résignation peuvent être surmontés par des effets de révélation (*voir le chapitre 1*). Des recherches montrent que les gens qui connaissent les théories de l'impuissance apprise peuvent être immunisés contre ses effets. Si l'on prévient les gens des effets des événements incontrôlables, une situation qui normalement donnerait lieu à de la résignation acquise peut n'avoir aucun effet (Koller et Kaplan, 1978). Le fait d'être conscient de ce qui peut arriver suffit à motiver une personne à chercher d'autres façons de réagir. De telles stratégies d'adaptation semblent avoir des effets importants. Des patientes atteintes du cancer du sein ont fait preuve d'une adaptation de beaucoup supérieure lorsqu'elles croyaient avoir du contrôle sur leur cancer (Taylor, Lichtman et Wood, 1984).

Le lieu de contrôle: suis-je responsable?

Jusqu'à maintenant, nous nous sommes concentrés sur les effets négatifs de pertes de pouvoir au cours d'une période donnée. Mais qu'arrive-t-il si l'absence de pouvoir se prolonge? Selon le théoricien de la personnalité Julian Rotter (1966),

---

* Les notions de *coping* et de *coping strategy* sont respectivement traduites par *adaptation* et *stratégie d'adaptation*.

de longues périodes d'exposition à un renforcement incontrôlable peuvent créer des attentes généralisées qui modifient les façons de voir dans plusieurs situations. En d'autres termes, les gens peuvent en venir à croire qu'ils sont impuissants de façon générale. Par contre, s'ils croient qu'ils ont le contrôle, ils peuvent ne se sentir que très rarement sans pouvoir. Par sa théorie du **lieu de contrôle**, Rotter (1966) explique ces différences par la distinction suivante: certaines personnes croient que ce qui leur arrive est en grande partie le résultat de circonstances externes (c'est-à-dire d'événements hors de leur contrôle), tandis que d'autres croient que ce qui leur arrive est en grande partie le résultat de circonstances internes (c'est-à-dire leurs propres décisions).

Pour établir ces dispositions différentes, Rotter et ses collègues ont conçu une échelle (l'échelle I-E) de vingt-trois paires d'énoncés qui mesurent les dispositions générales de contrôle interne par rapport au contrôle externe (Rotter, Liverant et Crowne, 1961). Pour chaque énoncé, le sujet choisit celui qui reflète le mieux ses croyances. Ainsi, dans la paire d'énoncés suivants, choisir le premier correspond à une perception externe du contrôle, tandis que le second couvre la perception interne: (1) *on ne peut pas être un leader efficace sans avoir la chance de son côté* ou (2) *les personnes compétentes qui ne réussissent pas à devenir des leaders n'ont pas su exploiter les chances qu'elles avaient.* C'est par l'ensemble des choix arrêtés que l'on détermine le lieu de contrôle de la personne: interne ou externe.

Il y a eu profusion de travaux conduits sur le lieu de contrôle. On a d'abord dégagé un portrait négatif à maints égards des individus qui croient que les événements de la vie sont contrôlés de façon externe (*voir les revues de* Phares, 1976 *et* Strickland, 1977). On a notamment constaté que, comparativement aux internes, les externes sont défavorisés par rapport à plusieurs caractéristiques liées à la santé. On a noté chez les externes plus d'anxiété débilitante, moins de satisfaction de vivre, plus de dépression et d'idéations suicidaires. Les externes seraient aussi plus malades, souffriraient davantage de maladies coronariennes et d'hypertension. Le bien-être des internes s'expliquerait, au moins en partie, par le fait qu'ils adopteraient davantage de conduites préventives: en matière d'usage du tabac, d'exercices physiques, du port de la ceinture de sécurité et d'hygiène dentaire. On a aussi constaté moins de grossesses chez les adolescentes du secondaire qui avaient des scores internes élevés que chez celles dont les scores externes étaient élevés (*voir la revue de* Lefcourt, 1976).

Par la suite, on n'a pas réussi à montrer une supériorité de l'individu interne par rapport à l'individu externe en matière de santé (Taylor, 1986; Wallston et Wallston, 1982). Il y a diverses raisons à cela. Tout d'abord, des changements ont eu lieu dans les sociétés occidentales, et particulièrement nord-américaines, depuis qu'a été proposée la théorie du lieu de contrôle. Les contraintes politiques et économiques ont graduellement amené les gens à remettre en question le principe de l'éthique protestante: *si tu veux, tu peux.* Par exemple, au cours des années soixante et soixante-dix, les femmes sont devenues de plus en plus externes (Doherty et Baldwin, 1985), probablement parce qu'elles sont alors devenues davantage conscientes des contraintes externes qui s'opposaient à la poursuite de leurs objectifs professionnels. Aussi, comme l'ont souligné différents auteurs, prétendre que la «bonne» personne est celle qui croit avoir du contrôle sur ce qui se passe dans sa vie et qu'au contraire l'externalité doit être évitée ne refléterait essentiellement qu'une valorisation normative du poids de l'acteur dans la causalité (Dubois et Reuchlin, 1991; Stam, 1987). Dans d'autres cultures, notamment dans plusieurs sociétés asiatiques, on croit qu'il est malsain et exagérément stressant de chercher à tout contrôler. Leur point de vue est que les gens devraient plutôt coopérer avec leur environnement, participer aux réalités physiques et sociales, plutôt que vouloir les contrôler.

Cela rejoint une deuxième explication du fait que les associations ne sont pas *systématiquement* élevées entre le lieu de contrôle *interne* et divers comportements de santé ou autres. Il se peut qu'on ait mal compris l'idée de base de Rotter, selon laquelle le monde *n'est pas* divisé en internes (les bons) et en externes (les méchants) (Jutras, 1987). Il importe de souligner que Rotter lui-même réprouvait l'adéquation faite entre l'internalité et l'adaptation psychologique. C'est ainsi que «se reconnaître du contrôle sur les événements permet d'aller de l'avant; mais croire que tout ce qui nous arrive est dû directement à notre propre comportement n'apparaît certainement pas comme une conception saine et réaliste» (Jutras, 1987). Avoir du contrôle est souvent source de stress et d'anxiété. Dans plusieurs cas, les gens sont très satisfaits de *ne pas* avoir le contrôle. Il peut être menaçant et même déprimant de se faire dire qu'on a le contrôle (Folkman, 1984).

Par exemple, imaginez que l'on vous dise que vous êtes responsable de tous vos échecs et de toutes vos maladies. Par ailleurs, n'est-il pas débilitant de croire qu'on a le contrôle, lorsque de fait on ne l'a pas (Brownell, 1982).

Une troisième explication pourrait être qu'on a jusqu'à présent approché le lieu de contrôle de façon trop grossière. Dans cet esprit, Wallston et Wallston (1982) ont proposé une approche plus fine du lieu de contrôle en matière de santé. Inspiré du modèle de Levenson (1981) qui distingue l'internalité, l'externalité associée au pouvoir d'autrui et l'externalité associée au hasard, leur instrument mesure la perception du sujet quant au contrôle qu'il exerce *lui-même*, de même que *les autres* et *le hasard*, sur sa propre santé. Il en résulte huit types de lieu de contrôle en matière de santé selon cette typologie. En abordant le lieu de contrôle, on reconnaît par exemple que l'internalité peut être inadaptée pour des gens atteints de cancer qui ne peuvent plus rien pour améliorer leur état. L'individu malade fortement interne peut par ailleurs s'aliéner des aidants possibles, parfois soulagés de laisser le patient assumer seul les responsabilités. Cette voie semble prometteuse pour mieux comprendre la relation entre la santé et les façons subtiles de percevoir le contrôle dans sa vie car, ces dernières années, les conclusions de plusieurs recherches convergent pour montrer une association entre divers comportements liés à la santé et le lieu de contrôle en matière de santé. Nous en donnons quelques exemples dans les paragraphes qui suivent.

En matière de prévention, on a montré chez un groupe de veuves âgées que le lieu de contrôle interne était associé à de saines habitudes de vie, telles une consommation d'alcool nulle ou modérée et la pratique régulière d'activités physiques (Rauckhorst, 1987). De leur côté, Havik et Maeland (1988) ont observé que parmi des patients qui avaient souffert d'un infarctus, ceux qui avaient maintenu plus longtemps leur abstinence quant au tabac étaient plus internes que ceux qui s'étaient remis à fumer plus rapidement. Lewallen (1989) a constaté une relation positive entre les comportements préventifs adoptés par des femmes enceintes et le lieu de contrôle interne, de même qu'une relation négative entre ces comportements et le lieu de contrôle associé au hasard.

D'autres travaux concluent à une relation entre le lieu de contrôle et des comportements associés au traitement. Des chercheurs ont observé que le lieu de contrôle interne était associé à l'observance d'un régime à base de fibres chez un échantillon présentant des risques de cancer (Berenson et coll., 1989) et à l'observance de prescriptions de médicaments chez des patients souffrant d'hypertension (Stanton, 1987). Le lieu de contrôle interne serait également relié à la présence de bonnes stratégies d'adaptation pour diminuer la douleur (Flor et Turk, 1988).

On s'est aussi intéressé à la relation entre le lieu de contrôle et l'autodépistage. On a constaté que l'externalité associée au pouvoir d'autrui et l'externalité associée au hasard étaient toutes deux négativement reliées à une pratique compétente de l'auto-examen des seins et qu'en retour cette compétence était associée à la fréquence de la pratique de l'auto-examen des seins (Alagna et Reddy, 1984). Dans une autre recherche, on a lu à des femmes de 35 à 65 ans l'histoire d'une femme qui se trouvait une bosse dans un sein et on leur a demandé de s'imaginer dans cette situation. Iraient-elles consulter le médecin immédiatement ou attendraient-elles de voir si la bosse partirait d'elle-même (Timko, 1987). Les résultats ont montré que plus les femmes avaient un score élevé sur l'échelle mesurant l'externalité associée au pouvoir d'autrui, plus elles déclaraient qu'elles auraient tendance à consulter immédiatement un médecin dans cette situation. Cela illustre bien ce que nous avons dit précédemment: ce n'est pas l'internalité qui entraîne systématiquement le comportement le plus efficace dans une situation donnée.

Les travaux récents sur le lieu de contrôle en matière de santé font valoir l'intérêt de modèles plus sophistiqués qui vont au-delà de la stricte dichotomie interne-externe. De plus, comme le proposent Rosolack et Hampson (1991), il importe de prendre en considération la nature du comportement étudié, c'est-à-dire de voir s'il s'agit de comportements préventifs ou de comportements liés au traitement ou encore au dépistage. De cette façon, et en continuant de réfléchir au sens que notre culture donne au contrôle individuel, on arrivera peut-être à raffiner la théorie du lieu de contrôle pour prédire les comportements en matière de santé et proposer des interventions visant à aider les gens à se maintenir en santé ou à composer avec leurs difficultés.

Le sentiment d'efficacité personnelle: suis-je capable?

Une autre façon d'aborder le contrôle est proposée par Albert Bandura (1986) dans sa théorie sociale cognitive. Selon Bandura, ce qui fait qu'un individu adoptera ou non un comportement dépend essentiellement de deux croyances. La première est la croyance en l'efficacité d'un comportement par rapport aux résultats que l'on veut atteindre. La seconde touche au sentiment d'**efficacité personnelle**, c'est-à-dire au sentiment ou à la conviction que l'on peut réussir à adopter le comportement approprié pour atteindre les résultats visés (Bandura, 1977). L'efficacité personnelle serait déterminante; une personne qui a confiance en ses capacités manifestera plus d'initiative, sera plus énergique et fera preuve de plus de persistance devant les obstacles. Le sentiment d'efficacité personnelle s'autoperpétue: plus l'individu a confiance, plus il essaie et plus il réussit, ce qui augmente son sentiment de confiance. La sagesse populaire le dit: si vous avez confiance en vos capacités, vous ferez ce qu'il faut faire et vous réussirez. En termes plus scientifiques, la personne qui se sent efficace aura tendance à amorcer un comportement qu'elle juge efficace (par exemple, se mettre au régime), fera des efforts pour persister malgré les difficultés rencontrées (par exemple, elle ne se découragera pas après une incartade alimentaire) et finalement elle réussira à atteindre son objectif (par exemple, perdre du poids).

Notre sentiment d'efficacité personnelle proviendrait de quatre principales sources (Strecher et coll., 1986). Nos performances antérieures nous poussent à croire que nous sommes ou non capables. Le fait de réussir quelque chose de difficile nous encourage à penser que nous serons capables d'en entreprendre et d'en réussir d'autres. Le sentiment d'efficacité personnelle se développe aussi par l'observation de modèles. Nous avons vu au chapitre 8 que Bandura, dans sa théorie de l'apprentissage social, insiste sur l'importance des modèles dans l'apprentissage des comportements agressifs. Cet accent mis sur les modèles comme source d'apprentissage se retrouve ici. En voyant quelqu'un de votre entourage qui réussit à perdre du poids en se mettant au régime, vous serez peut-être encouragé à vous y mettre aussi, croyant que vous êtes tout aussi capable que cette personne. Si par contre, votre sœur qui vous ressemble échoue, vous aurez peut-être l'impression que vous non plus vous ne

serez pas capable. La persuasion verbale influe aussi sur le sentiment d'efficacité personnelle. Si vous faites partie d'un groupe dont l'objectif est d'aider les membres à perdre du poids, la monitrice renforcera votre sentiment d'efficacité personnelle en vous encourageant à persévérer. Enfin, l'état physiologique contribue au sentiment d'efficacité personnelle. Si en perdant du poids vous vous sentez déjà mieux, peut-être moins essoufflé, vous serez encouragé. Si, par contre, la tête vous tourne et que vous avez des crampes d'estomac, peut-être conclurez-vous que vous êtes incapable de poursuivre votre régime.

On a observé à maintes reprises la relation entre le sentiment d'efficacité personnelle et diverses variables reliées à la santé dans des interventions qui avaient pour objectif de modifier le sentiment d'efficacité personnelle de sorte que les participants réussissent à adopter certains comportements (O'Leary, 1985). Ce type d'interventions a été expérimenté dans le traitement de l'anxiété (Bandura, 1988), des problèmes d'alcool (Rollnick et Heather, 1982) ou de tabagisme (Barrios et Niehaus, 1985), ou dans des interventions visant à modifier la tolérance à la douleur par le recours à des techniques psychologiques (Kores et coll., 1990; O'Leary et coll., 1988). Examinons quelques-uns des résultats obtenus dans différents domaines.

Il a été montré que le sentiment d'efficacité personnelle influe sur la perception de la douleur. Ainsi, plus des femmes enceintes se percevaient comme capables de composer avec la douleur de l'accouchement, moins elles avaient tendance à demander une médication pendant le travail, et elles toléraient la douleur plus longtemps avant d'en demander (Manning et Wright, 1983). Des patients souffrant d'arthrite et qui se sentent capables de contrôler la douleur semblent aussi souffrir moins et être moins handicapés lors de crises d'arthrite (Shoor et Holman, 1984).

Après une intervention de cinq mois visant à faire cesser l'usage de la cigarette, DiClemente (1981) a constaté que ceux qui n'avaient pas recommencé à fumer avaient un sentiment d'efficacité personnelle plus élevé. Plus le sentiment d'efficacité personnelle était élevé, plus longtemps les sujets avaient persisté à ne pas fumer et moins ils avaient trouvé cela difficile.

On a aussi étudié l'effet du sentiment d'efficacité personnelle dans le traitement de l'obésité. Weinberg et ses collègues (1984) ont divisé leurs sujets selon leur sentiment d'efficacité personnelle à être capable de perdre du poids. À partir de résultats à des tests physiologiques et psychologiques, ils ont par ailleurs donné un faux *feedback* aux sujets quant à leur capacité à pratiquer l'autocontrôle: certains croyaient qu'ils étaient très efficaces, les autres pensaient qu'ils ne l'étaient pas du tout. Les chercheurs ont constaté que ceux qui au départ avaient un sentiment d'efficacité personnelle élevé ont perdu plus de poids que ceux qui avaient initialement un sentiment d'efficacité faible. De plus, les sujets qui avaient reçu un faux feedback d'efficacité élevée ont perdu davantage de poids que ceux à qui on avait donné un faux feedback de faible efficacité.

Une équipe de chercheurs de l'Université Laval a montré que le sentiment initial d'être capable de poursuivre jusqu'au bout un programme d'activités physiques était fortement relié à la fidélité au programme (Desharnais, Bouillon et Godin, 1986). En accord avec l'affirmation de Bandura, les chercheurs ont constaté que le sentiment d'efficacité personnelle était plus important que la croyance en l'efficacité du comportement, ce qui milite en faveur de l'amélioration du sentiment d'efficacité personnelle des participants dès le départ.

Dans une recherche récente, on a vérifié l'effet sur le fonctionnement du système immunitaire de la manipulation du sentiment d'efficacité personnelle à composer avec un stresseur psychologique (Wiedenfeld et coll., 1990). Les chercheurs sont parvenus à produire des changements durables dans la réponse immunitaire par l'acquisition d'un sentiment accru d'efficacité personnelle. De tels résultats soulèvent de grands espoirs quant à la compréhension des relations entre les influences psychosociales et la fonction immunitaire, et l'apparition de maladies.

L'écologie sociale du traitement

Le tableau que nous avons brossé jusqu'à maintenant dans ce chapitre n'est pas très reluisant. Nous avons vu que les gens peuvent être induits en erreur par leurs croyances quand ils tentent de comprendre leurs problèmes de santé. De plus, le stress quotidien pourrait à notre insu nous causer des problèmes de santé. La vie devenant de plus en plus complexe, et de toute évidence plus difficile à contrôler, notre santé pourrait être sérieusement menacée. Toutefois, la majorité des psychologues ne sont pas pessimistes pour autant. Plusieurs croient en effet qu'il est possible de traiter de façon efficace des problèmes d'ordre physique, et cela sans intervention médicale importante. Si l'écologie sociale nous permet de mieux comprendre les causes des problèmes de santé, il devrait être possible d'accroître le bienêtre de la même façon. En améliorant notre environnement social, nous pourrions en arriver à être moins dépendants des médicaments, des traitements médicaux et des interventions chirurgica-

les. Examinons sommairement trois façons dont le problème du traitement a été abordé.

La rétroaction biologique

Les méthodes de rétroaction biologique, parfois désignées par leur appellation anglaise *biofeedback*, figurent parmi les premières contributions des psychologues en matière de traitement de problèmes de santé. Ces méthodes ont généralement deux composantes. En premier lieu, un appareil transmet à la personne des informations spécifiques sur son état biologique. Par exemple, quelqu'un qui présente un haut risque d'infarctus serait en mesure de vérifier sa tension artérielle; une personne sujette aux crises d'épilepsie recevrait pour sa part des informations sur ses ondes cérébrales. En second lieu, la personne s'entraîne à contrôler elle-même son état corporel. Par exemple, s'il a été établi que vous avez une personnalité de type A et que vous êtes à risque quant aux problèmes cardio-vasculaires, vous pourriez avoir un petit appareil portatif mesurant votre réponse psychogalvanique, une mesure indirecte du rythme cardiaque et de la tension artérielle. Que ce soit à votre bureau, dans votre automobile ou à la maison, vous prendriez un moment pour mesurer votre réponse psychogalvanique. Pendant ce temps, vous chercheriez aussi des façons d'en réduire l'intensité. Par exemple, vous pourriez découvrir que vous arrivez systématiquement à réduire l'intensité de votre réponse psychogalvanique en chassant de votre esprit vos préoccupations de travail, en imaginant une scène paisible ou en vous concentrant sur votre respiration. En répétant cette technique plusieurs fois par jour, vous pourriez parvenir à être plus détendu et à adopter ainsi un style de vie plus approprié. On a montré que les techniques de rétroaction biologique sont utiles dans le traitement d'une grande variété de problèmes, incluant l'asthme, les migraines et l'épilepsie. L'expérimentation de techniques de rétroaction biologique se poursuit de façon très productive.

Les stratégies d'adaptation

La rétroaction biologique a cependant ses limites. Elle est en effet inefficace ou inappropriée pour le traitement de nombreux problèmes. Dans leur recherche d'autres façons d'aider les gens, les psychologues se sont intéressés aux moyens, souvent très efficaces, que les gens prennent eux-mêmes intuitivement pour composer avec le stress et la maladie (Shinn et coll., 1984; Stone et Neale, 1984). Les psychologues se sont donc attachés à définir la nature de ces stratégies d'adaptation, à déterminer lesquelles sont vraiment efficaces et à rendre cette information disponible (Gatchel, Baum et Lang, 1982). Voyons maintenant quatre façons importantes de composer avec une situation difficile.

La maîtrise de la situation

Quand leur santé est menacée, plusieurs personnes réagissent en tentant de changer la situation. Si elles présentent des symptômes, elles en font part à leur médecin; si ce dernier leur fait des recommandations, elles les observent, et ainsi de suite. Ces personnes font donc des gestes concrets pour vaincre ce qui les menace. Dans plusieurs cas, cette façon de composer avec la situation est efficace (Leventhal, Nerenz et Steele, 1984). D'une part, cette attitude mène à des comportements jugés appropriés par les professionnels de la santé. D'autre part, elle aide la personne à sentir qu'elle contrôle ce qui lui arrive. Comme nous l'avons vu, cette attitude est souvent associée à la santé.

La recherche d'information

Dans plusieurs cas, les gens réagissent à une menace en augmentant la connaissance qu'ils ont de la situation. Une pleine connaissance est souvent suffisante pour réduire le niveau de stress. Il a été montré que le recours à cette stratégie est particulièrement efficace pour les soins dentaires et dans les cas de chirurgie. Lorsque les gens savent ce qui va leur arriver, ils composent souvent plus efficacement avec la situation et se rétablissent plus rapidement que ceux qui n'ont pas accès à cette information (Suls et Fletcher, 1985). Par exemple, on a donné à des patients qui devaient être opérés de l'information sur l'intervention chirurgicale qu'ils allaient subir, sur ce qu'on leur ferait et sur ce à quoi ils pouvaient s'attendre (Peterson et Ridley-Johnson, 1986). Les résultats ont indiqué que le fait d'avoir accès à cette information avait diminué les sentiments négatifs associés à l'opération et avait réduit de façon significative la durée de la période d'hospitalisation postopératoire. Quand les personnes ne comprennent pas ce qui leur arrive, il semble qu'elles projettent leurs plus grandes peurs dans la situation. Leur niveau de stress s'accroît alors de façon importante.

L'adaptation passive: la réaction de relaxation

Rappelez-vous ce que nous avons dit précédemment, la recherche du contrôle n'est peut-être pas toujours la meilleure réaction devant une menace. Si l'on considère certaines stratégies d'adaptation adoptées par les gens, on voit bien que la recherche de contrôle a ses limites. Plutôt que de se préparer une défense pour faire échec à chaque situation stressante, plusieurs personnes trouvent utile de se détendre, d'adopter une attitude plus philosophe et de cesser de se concentrer sur le problème. Cette façon de réagir a été identifiée comme la **réponse de relaxation** (Benson, 1975). Par exemple, dans une situation expérimentale, des étudiants devaient recevoir des chocs électriques (Obrist et coll., 1978). Dans le premier groupe, les sujets étaient informés qu'il était pratiquement impossible d'éviter le choc et qu'ils devaient apprendre à se détendre. Dans le second groupe, les sujets pouvaient réagir au choc très rapidement et réduire ainsi la douleur qui en résultait. Le stress cardiaque, mesuré dans les deux conditions, fut moins important chez les sujets du groupe qui avait appris à accepter passivement le choc que chez ceux qui cherchaient activement à maîtriser la situation.

La reconstruction cognitive

En plus de chercher à maîtriser la situation, de s'informer ou de se détendre, une personne peut aussi composer avec la situation problématique en la redéfinissant. Comme nous l'avons vu, la réalité sociale est extrêmement ambiguë et elle peut être interprétée de multiples façons (*voir le chapitre 2*). Certaines de ces interprétations peuvent être source de stress, alors que d'autres n'en comportent pratiquement pas. Ainsi, si vous trouvez que votre façon d'interpréter la réalité produit chez vous un niveau élevé de stress, vous auriez avantage à trouver un moyen de voir les choses sous un autre angle. Songez à la perte d'un être cher, par exemple la mort d'un conjoint. Malgré qu'il s'agisse là de l'un des événements les plus stressants qui puissent survenir dans la vie, il n'est pas essentiel pour la personne qui survit de se centrer sur la perte. Pendant la période de deuil, les survivants trouvent souvent bénéfique de considérer les nouvelles possibilités qui s'offrent maintenant à eux. Il leur est en effet possible de reconstruire leurs pensées au sujet de la mort et d'y trouver le moyen d'affronter de nouveaux défis

intéressants, dans une optique de croissance personnelle. Cette forme de restructuration cognitive s'est aussi révélée particulièrement efficace dans le traitement des personnes dépressives (Beck, 1982, 1987).

Comme vous vous en rendrez rapidement compte en considérant votre propre vie, il existe encore plusieurs autres stratégies pour composer avec des situations difficiles; certaines sont utiles, alors que d'autres ne le sont probablement pas. Par exemple, la recherche démontre qu'un bon sens de l'humour peut protéger des effets du stress (Martin et Lefcourt, 1983). Se préparer à la perte ou à l'échec en envisageant tout ce que cela implique et en s'imaginant vivre ces événements peut aussi être utile (Krantz, 1983). Par contre, jouer à l'autruche en niant tout simplement le problème ou laisser sortir la vapeur dans une décharge d'émotion constituent les stratégies d'adaptation les moins efficaces (Billings et Moos, 1984). Toutefois, aucune stratégie ne peut être considérée comme la meilleure dans toutes les situations. Faire des blagues à propos d'un léger accident d'automobile peut être utile pour dédramatiser la situation, mais pas devant quelqu'un qui a perdu un membre de sa famille dans un accident de la route. De façon générale, les gens trouvent utile d'opter pour des stratégies différentes selon les divers défis qu'ils ont à relever (McCrae, 1984).

Les réseaux de soutien social

Nous avons vu précédemment que la perte d'un être cher peut mettre en péril la santé et même la vie d'une personne. Mais ne croyez-vous pas que l'inverse pourrait être vrai, c'est-à-dire que de bonnes relations interpersonnelles pourraient mettre une personne à l'abri de problèmes de santé? C'est en tout cas ce que plusieurs psychologues soutiennent. Les réseaux de soutien social, constitués d'amis et de parents, produiraient un **effet tampon**, c'est-à-dire que ces réseaux réduiraient, ou au moins préviendraient, les effets néfastes de diverses maladies, le stress lié à certaines pertes, de même que le risque de problèmes de santé.

Pourquoi croit-on que les réseaux de soutien social exercent un effet tampon? Parce que plusieurs recherches ont montré l'existence d'effets positifs d'ordre physique et psychologique produits par des proches qui témoignent de l'attention, qui sont compréhensifs, et qui donnent de leur temps et de leur énergie. Sur le plan biologique, le taux de rétablissement des patients ayant

Un repas entre collègues de travail. Les recherches semblent indiquer que les réseaux de soutien social permettent d'atténuer les effets de la maladie. Cependant, la simple présence d'autrui ne suffit pas. Il faut *percevoir* que les autres nous sont un appui.

subi un infarctus est significativement supérieur lorsque leur famille est empathique ou compréhensive par rapport aux cas où elle ne l'est pas. De plus, la présence de soutien social augmente l'espérance de vie chez les gens atteints de cancer qui sont en phase terminale. D'autres recherches ont montré que le soutien social peut aider à soulager des effets du diabète, des maladies coronariennes, de l'asthme et d'autres problèmes d'ordre physique. Les femmes enceintes qui reçoivent du soutien social présentent moins de complications au cours de leur grossesse et, au moment de l'accouchement, elles passent moins de temps en travail que celles qui n'en ont pas (*voir* Cohen et Syme, 1985; DiMatteo et Hays, 1981).

Sur le plan psychologique, des recherches ont permis de conclure que les enfants qui jouissent d'un soutien social fort présentent moins de problèmes d'adaptation, et qu'ils risquent moins, à l'âge adulte, d'avoir besoin d'une aide psychiatrique. Comparativement à ceux qui n'en ont pas, on a jugé que les adolescents qui bénéficient de soutien social avaient plus de leadership dans leur école. Une équipe de l'Université de Montréal a

par ailleurs constaté que, comparativement aux étudiants suicidaires, les étudiants qui n'avaient pas sérieusement pensé à se suicider ou qui n'avaient pas tenté de mettre fin à leurs jours au cours des douze derniers mois, voyaient leur réseau social comme plus supportant (V.G. Morval et Bouchard, 1987). Les adultes qui bénéficient de soutien social ont moins tendance à se laisser abattre devant une tâche frustrante. Les recherches montrent aussi que la douleur d'un patient peut être diminuée par la présence d'amis et de parents qui l'appuient. Les patients qui profitent d'un soutien social solide éprouvent souvent moins de douleur et d'anxiété, et ils font preuve d'un meilleur moral que ceux qui doivent affronter seuls leurs souffrances. Les gens atteints de cancer qui sont en phase terminale font souvent preuve d'une plus grande adaptation quand ils peuvent compter sur des personnes qui les soutiennent (*voir* Cohen et McKay, 1984; Cohen et Syme, 1985; Sarason et coll., 1983).

Mais pourquoi le soutien social est-il relié à la santé? Trois raisons principales sont avancées pour expliquer pourquoi le soutien exerce un effet tampon. (1) Les membres du réseau de soutien

Encadré 12-2

Lorsque les proches s'occupent des personnes âgées en perte d'autonomie

Le nombre de personnes âgées ne cesse de croître. Il est prévu qu'entre 2011 et 2031, la proportion de personnes âgées de 65 ans ou plus représentera plus de 20 % de la population québécoise (Groupe d'experts sur les personnes âgées, 1991). Si plusieurs personnes âgées sont en pleine forme, de nombreuses autres ont besoin de soins plus ou moins constants. La longévité humaine s'est accrue, mais cela n'est pas allé de pair avec la possibilité de vivre en bonne santé ces années additionnelles. Aussi, de nombreuses personnes âgées éprouvent une perte d'autonomie fonctionnelle ou cognitive qui les oblige à compter sur l'assistance d'autrui dans le quotidien. Ces personnes en perte d'autonomie ne vivent pas toutes en institution; loin de là: à peine 6 % de l'ensemble des Québécois âgés sont hébergés dans des centres d'accueil ou des centres hospitaliers généraux ou spécialisés (Groupe d'experts sur les personnes âgées, 1991). Un bon nombre de personnes âgées en perte d'autonomie reçoivent des services de maintien à domicile de leur Centre local de services communautaires (CLSC), mais pour des raisons économiques ces services n'atteignent pas toutes celles qui en auraient besoin et ne couvrent pas toute la gamme de leurs besoins. C'est dire que plusieurs personnes qui vivent dans la communauté dépendent de l'assistance de leur entourage, principalement de leur conjointe ou conjoint et de leurs enfants.

Contrairement à certains mythes voulant que les familles abandonneraient leur parents âgés, il a été montré à maintes reprises et dans différents pays que les familles s'occupent intensivement de leurs personnes âgées (*voir la revue de Jutras, 1990*). L'aide fournie est variée: travaux ménagers, préparation des repas,

peuvent réduire le stress. En prodiguant affection et conseils à une personne terrifiée par son état ou par son avenir, des personnes compréhensives peuvent diminuer le stress éprouvé. (2) Les personnes qui soutiennent fortement un patient peuvent l'aider à respecter les traitements prescrits. Plusieurs convalescents ne s'administrent pas eux-mêmes des traitements douloureux, négligent de faire les exercices appropriés, continuent à fumer ou à manger des aliments proscrits, et ainsi de suite, ce qui retarde leur rétablissement. (3) Les personnes soutiens peuvent tout simplement aider le patient en accomplissant pour lui des tâches difficiles qui pourraient interférer avec son rétablissement. Pour la personne qui se remet d'un accident cardio-vasculaire, le fait d'avoir de l'aide pour effectuer les corvées peut contribuer à la maintenir en vie.

Toutefois, la présence d'un réseau de soutien social n'a pas toujours des effets positifs. Comme plusieurs le suggèrent, il ne suffit pas

pour le patient d'être entouré de personnes, comme c'est le cas dans une grande famille où l'on se fréquente régulièrement. Le patient doit *percevoir* que l'environnement le soutient. Si tel n'est pas le cas, un entourage nombreux peut même constituer un fardeau supplémentaire. La personne qui fait face à la mort peut devenir encore plus stressée quand elle songe à tous ceux dont le bien-être dépend d'elle. De plus, certains types de problèmes peuvent être intensifiés par les réseaux sociaux. Par exemple, les recherches sur les ruptures d'union indiquent que le fait d'être entouré d'une grande famille peut rendre la perte particulièrement difficile à surmonter (Wilcox, 1981). Son entourage peut amener la personne à se sentir coupable ou encore peut constamment lui rappeler ce qu'elle a perdu. À ce sujet, rappelez-vous ce que nous avons dit au sujet des réactions à l'aide (*voir le chapitre* 7): les gens doivent soigneusement choisir qui peut les aider et à quel moment. Dans d'autres cas, le

aide pour s'alimenter, se laver, se déplacer dans la maison ou à l'extérieur, soutien financier, et ainsi de suite. L'assistance est souvent progressive; d'abord une aide légère peut être requise, puis graduellement la personne âgée devient très dépendante de cette assistance. Le cas se présente souvent ainsi lorsqu'on prend soin d'un proche atteint de démence de type Alzheimer.

Les difficultés éprouvées par ceux que l'on nomme les *aidants* ou les *soignants naturels* sont souvent énormes. Le terme de *fardeau* est utilisé pour faire référence à l'ensemble des difficultés ou conséquences pénibles associées à la situation d'aidant. Il peut s'agir de difficultés sur le plan physique, psychologique, professionnel ou financier, de l'impression de manquer de temps pour s'occuper des autres membres de la famille, de querelles qui peuvent surgir dans le réseau familial, et ainsi de suite. Depuis plusieurs années, les chercheurs ont tenté de mieux comprendre les facteurs qui contribuent au fardeau des aidants pour éventuellement tenter d'exercer une influence sur des politiques d'aide aux personnes âgées en perte d'autonomie et aux proches qui leur viennent en aide.

Dans une recherche effectuée auprès d'environ 300 Québécois qui prennent soin d'un parent âgé, Jutras et Veilleux (1991) du *Groupe de recherche sur les aspects sociaux de la prévention* ont cherché à identifier les facteurs qui influent sur le fardeau ressenti. Les chercheuses ont constaté que le fardeau était plus important chez les aidants qui assumaient une assistance et des responsabilités plus grandes, qui aidaient une personne âgée très peu autonome ou en mauvaise santé, qui cohabitaient avec la personne aidée et qui étaient relativement seuls à s'occuper de cette personne. Ces conclusions, qui confirment les résultats d'autres travaux semblables, incitent à soutenir les aidants lorsque les conditions sont en place pour créer un fardeau important. Elles suggèrent d'une part la nécessité d'interventions professionnelles plus intensives, par exemple des soins ou des services à domicile plus fréquents et plus considérables. D'autre part, les conclusions de telles études font voir l'importance du réseau social pour faire échec au

réseau social de la personne peut malheureusement contribuer à renforcer les comportements néfastes de l'individu, par exemple, la suralimentation, la consommation d'alcool ou de drogues. Des personnes âgées dont la famille prend soin à la maison peuvent aussi être victimes d'un réseau social surprotecteur qui l'empêche involontairement de regagner son autonomie fonctionnelle (*voir la revue de* Rodin, 1985).

Les groupes d'entraide

Les groupes d'entraide sont un lieu privilégié de manifestation du soutien social. Ce soutien n'émane pas des individus qui composent le réseau social ou l'entourage habituel de l'individu, mais bien d'individus qui se regroupent pour s'entraider lorsqu'il faut composer avec une difficulté. Le groupe d'entraide le plus connu est probablement les *Alcooliques anonymes.* La description suivante du groupe d'entraide s'inspire

de la définition qu'en donne Jean-Marie Romeder (1989). Un groupe d'entraide est un petit groupe autonome qui se réunit de façon régulière. Il rassemble des membres qui sont victimes d'une crise ou d'un même bouleversement dans leur existence. Les membres sont tous perçus comme égaux et s'entraident en se manifestant du soutien moral, en partageant des expériences et de l'information, et en discutant ensemble. Il arrive que les membres se donnent pour objectif des changements sociaux. La participation des membres à ces groupes est évidemment libre et bénévole.

Une particularité fondamentale des groupes d'entraide est de rassembler des gens qui partagent tous le même problème. Cela étant, les membres y trouvent une aide qu'ils ne peuvent trouver auprès des spécialistes ou de leur entourage. Différents types de groupes d'entraide existent en fonction des diverses situations qui peuvent inciter les gens à rechercher l'aide de personnes qui

sentiment de fardeau. Le principal aidant à assumer la responsabilité de l'assistance trouvera la tâche plus facile s'il peut recevoir de son réseau du soutien tangible (par exemple, des repas préparés à l'avance, des heures de gardiennage) et du soutien émotif (par exemple, la possibilité d'échanger sur les difficultés éprouvées). Comme nous le voyons dans ce chapitre, le réseau de soutien social a un rôle important à jouer lorsque les problèmes de santé apparaissent.

Tous ceux qui s'intéressent à l'assistance fournie par les familles à leurs proches sont préoccupés par une question. Quel est l'effet de l'assistance sur la santé des aidants naturels? On a suggéré qu'en fournissant une assistance massive, les aidants s'épuisent, deviennent malades et viennent ainsi augmenter la demande en services de santé professionnels. Si l'État économise en confiant aux familles le soin de s'occuper des leurs, il ne faut pas que les coûts de santé augmentent en raison de l'accroissement des problèmes de santé chez les aidants. Pourtant, peu de recherches systématiques ont porté sur cette question.

Les travaux de Sylvie Jutras de l'Université de Sherbrooke et de Jean-Pierre Lavoie du Département de santé communautaire du Centre hospitalier de Verdun ont contribué à éclairer ce problème (Jutras et Lavoie, 1991). Les chercheurs ont identifié dans la banque des données de Santé Québec (*voir l'encadré 12-1*) les ménages qui comportaient au moins une personne âgée de 55 ans et plus souffrant d'une perte d'autonomie importante. Selon un ordre de priorité, ils ont sélectionné dans le ménage une personne susceptible d'apporter de l'aide à cette personne âgée. Les chercheurs ont ensuite apparié chaque sujet de leur groupe cible avec (1) un répondant qui lui ressemblait (sur les plans notamment de l'âge et du sexe) et qui vivait avec une personne de 55 ans et plus, et avec (2) un répondant qui lui ressemblait, mais qui ne vivait pas avec une personne de cet âge. Ils ont ensuite comparé l'état de santé de leur groupe cible à celui des deux groupes témoins. Les chercheurs ont constaté peu de différences nettement significatives sur le plan de la santé physique entre les groupes. Cependant,

sont aux prises avec le même problème qu'eux. En fonction de ces problèmes, Francine Lavoie (1989) de l'Université Laval identifie six types de groupes d'entraide. Il s'agit de groupes où l'on fait face à (1) des problèmes de dépendance et de toxicomanie, tels que l'alcoolisme, (2) des problèmes psychosociaux à long terme (violence, phobie, dépression, etc.), (3) des situations de crise, comme un décès ou la naissance d'un enfant handicapé, (4) des maladies physiques chroniques comme le cancer, le sida, l'ataxie de Friedreich, (5) des situations où les proches éprouvent des difficultés, comme dans le cas de la conjointe d'un alcoolique et (6) des problèmes d'identité ou de rejet social que peuvent vivre certains groupes, par exemple, les gais ou les femmes.

Les membres des groupes d'entraide poursuivent des objectifs qui peuvent être classés en trois grandes catégories: se changer soi-même (comme dans le cas de la dépression ou de

l'obésité), s'adapter à la situation, à la suite d'un décès par exemple, ou changer les réactions de la société, comme dans le cas de l'intégration des personnes handicapées (Lavoie, 1983). Les groupes d'entraide sont-ils efficaces? C'est là une question fondamentale, mais comme très peu d'études évaluatives systématiques ont pu être réalisées sur la question, la réponse n'est pas définitive. De son analyse des travaux effectués à ce jour, Lavoie (1989) en conclut tout de même que les groupes d'entraide jouent un rôle utile dans notre société. Les groupes d'entraide appartiennent en propre aux membres qui en constituent la base; cependant il est possible pour les intervenants professionnels et pour les planificateurs en promotion de la santé de contribuer à leur développement en contribuant à leur évaluation et à leur évolution, ou encore en les soutenant sur le plan financier. Les groupes d'entraide reçoivent d'ailleurs l'attention des professionnels de la santé

des différences majeures sont apparues sur le plan de la santé psychologique. Par rapport aux deux groupes témoins, les personnes qui cohabitaient avec une personne âgée en perte d'autonomie étaient beaucoup plus nombreuses à se situer parmi les individus se percevant comme très stressés et à afficher un indice de bien-être psychologique faible. De plus, les chercheurs ont observé une présence plus importante de troubles mentaux dans le groupe cible et un niveau de détresse psychologique plus élevée, comparativement à la situation qui prévalait chez les personnes vivant avec une personne de 55 ans et plus non en perte d'autonomie. Bref, les corésidants affichaient nettement des indices qui démontraient davantage de problèmes de santé mentale, et davantage de stress. Cet écart existait même avec le deuxième groupe témoin composé à 60 % de personnes âgées seules. Or, nous avons vu dans ce chapitre à quel point les personnes veuves (ce qui était le cas de plusieurs répondants de ce troisième groupe) sont susceptibles d'avoir des problèmes de santé. Vivre avec une personne âgée qui a besoin d'attention et de soins fréquents, sinon réguliers, est assurément une expérience difficile qui peut avoir des répercussions sérieuses sur le plan de la santé.

Les chercheurs suggèrent de débattre de la responsabilité collective dans les soins à assurer aux personnes âgées en perte d'autonomie, afin d'éviter l'épuisement des aidants qui serait grave de conséquences pour eux, pour les aidés et pour le système de santé et des services sociaux. Toutefois, Jutras et Lavoie soulignent que tout n'est pas nécessairement négatif pour l'aidant. Le fait de devoir s'engager auprès d'une personne que l'on aime peut contribuer à améliorer l'estime de soi, et fournir à l'individu un sentiment de dépassement et de cohérence avec ses valeurs spirituelles. De plus, le fait de devoir se maintenir en forme pour s'occuper de l'autre est aussi un gain possible. Cependant, pour que ces aspects positifs puissent coexister avec les lourdes tâches et responsabilités, ces dernières doivent sûrement demeurer dans les limites du raisonnable.

et des décideurs en matière de santé (Statistique Canada, 1991; Stewart, 1989).

En résumé, nous avons vu que les psychologues ont cherché des moyens non médicaux de traiter des problèmes de santé. Une attention particulière a été accordée aux traitements qui tiennent compte des relations entre la personne et son environnement. La rétroaction biologique permet d'apprendre aux gens à contrôler leur propre système biologique. Des mécanismes d'adaptation sont enseignés dans le but de réduire les effets du stress et d'autres types de menaces. Les réseaux de soutien social exercent un rôle important pour accélérer le rétablissement à la suite d'une maladie. Les groupes d'entraide sont un lieu où s'exerce le soutien social entre membres qui sont aux prises avec un problème commun.

Mieux vaut prévenir que guérir

Il fut un temps où l'on se préoccupait de sa santé... une fois malade. Aujourd'hui, la population tout comme les professionnels de la santé se préoccupent de plus en plus de prévention. On peut faire soi-même quelque chose pour se protéger. Plusieurs personnes adoptent une alimentation particulière et font de l'exercice spécialement pour réduire les risques de maladie. Examinons maintenant quelques-unes des façons dont la psychologie sociale a commencé à aborder le problème de la prévention.

Identifier les moins robustes

Jour après jour, chacun d'entre nous est soumis au stress. Ce stress augmentera chez certains les risques de contracter une maladie; un rhume, de l'asthme, des ulcères ou tout autre malaise peuvent alors se développer. Pourtant, plusieurs d'entre nous ne tomberont pas malades. Si l'on pouvait mettre au point une mesure qui permettrait de prédire qui est sujet à divers malaises liés au stress, on pourrait peut-être prévenir l'apparition de ces problèmes. Les personnes identifiées comme vulnérables pourraient alors s'entraîner à diverses stratégies d'adaptation ou prendre d'autres précautions pour éviter les problèmes. Dans une optique de prévention, les psychologues ont donc tenté de concevoir des mesures qui permettraient d'identifier les gens qui présentent le plus de risques sur le plan de la santé. En étant avertis, ces gens pourraient éviter des problèmes. C'est une approche que l'on retrouve depuis longtemps dans le domaine de la santé mentale, par exemple on peut tenter d'identifier les personnes les plus susceptibles de développer la schizophrénie. Ce travail de recherche a maintenant cours dans le domaine de la santé physique.

Dans une recherche des plus intéressantes, on a cherché à mettre au point une mesure de la **robustesse**, c'est-à-dire de la capacité qu'a un individu de se maintenir en santé malgré un stress continu (Kobasa, 1979). Cette avenue est fascinante: le style de vie, et plus particulièrement la façon dont on aborde la vie, seraient d'une importance capitale pour la santé. Selon les chercheurs, il existerait un ensemble d'attitudes interreliées envers la vie qui, mises en action, aideraient la personne à résister aux événements stressants. Quelles sont ces attitudes? Les plus importantes sont les suivantes.

1. *Le contrôle.* La personne éprouve un sentiment de contrôle sur ce qui lui arrive dans la vie. À l'inverse, les nihilistes, qui croient que la vie n'a pas de sens, sont identifiés comme des personnes qui ont un faible degré de contrôle.

2. *L'engagement.* La personne a le sentiment d'avoir un but dans la vie et d'être engagée auprès d'individus significatifs. À l'inverse, les gens détachés, indifférents aux autres sont identifiés comme des personnes qui ont un faible degré d'engagement.

3. *Le défi.* La personne est ouverte au changement, aux nouvelles possibilités, à de nouvelles options, et son attitude est positive devant l'imprévu. À l'inverse, les inactifs, ceux qui mènent une vie végétative, sont identifiés comme des personnes qui ont un faible sens du défi.

La personne qui a le sentiment de pouvoir contrôler ce qui lui arrive dans la vie sera moins perturbée par les événements stressants. La personne qui s'engage pleinement sera moins ébranlée et moins inquiète en période de stress. Et la personne qui a le sens du défi trouvera un certain plaisir à affronter de nouveaux problèmes qui comportent des changements ou des difficultés.

Âgée mais robuste. Âgée de près de soixante-dix ans, cette femme continue à diriger son école d'équitation. D'après certaines études, son sens du contrôle, de l'engagement et du défi en font une personne robuste sur les plans physique et psychologique.

Afin de vérifier ces hypothèses, on a pris une série de mesures chez plus de 150 cadres supérieurs (Kobasa, 1979). Les sujets ont d'abord répondu au questionnaire de changements de la vie (que nous avons vu précédemment). Cela a permis au chercheur de sélectionner un sousgroupe de cadres soumis à un niveau de stress élevé. En second lieu, la santé physique a été évaluée: on a demandé aux sujets s'ils avaient eu récemment l'une ou l'autre des 118 maladies identifiées. De cette façon, deux sous-échantillons

Faire la lutte aux préjugés. Afin de sensibiliser la population étudiante au port du condom, Don Quichotte et Dulcinée se préparent à distribuer des «coucous». En associant l'humour à cette pratique, on entend faire la lutte aux préjugés et promouvoir l'utilisation du condom. (Photo: Service de l'audiovisuel, Université de Sherbrooke, par Roger Lafontaine).

ont été constitués chez les cadres qui ont subi un stress élevé: ceux qui avaient été très malades et ceux qui étaient restés en santé durant la période de stress. Enfin, dans chaque groupe, on a mesuré les trois composantes de la robustesse que nous venons de présenter: le contrôle, l'engagement et le sens du défi.

La principale question de recherche était la suivante. Parmi les cadres hautement stressés, ceux qui avaient été malades et ceux qui étaient restés en santé différaient-ils sur le plan de la robustesse? Comparativement aux sujets de l'autre groupe, les cadres qui croyaient avoir du contrôle sur les situations, qui s'engageaient pleinement et qui avaient le sens du défi avaient été moins malades. Leurs attitudes envers la vie étaient associées à une bonne santé.

Dans une recherche ultérieure, les chercheurs ont combiné les trois mesures pour créer une mesure unique de robustesse (Kobasa, Maddi et Kahn, 1982). On a fait passer le test à 250 gestionnaires. Le niveau de stress et l'état de santé de ces gestionnaires ont ensuite fait l'objet d'un suivi au cours des cinq années subséquentes. Les résultats ont montré que le stress était relié à la santé, tout comme dans les travaux que nous avons vus précédemment dans ce chapitre. Toutefois, les gestionnaires qui avaient obtenu un score élevé à l'échelle de robustesse présentaient moins d'effets liés au stress. Ceux qui avaient une attitude de robustesse se maintenaient donc en assez bonne santé malgré le stress. Comme la recherche le suggère, voir les choses avec une attitude robuste réduit les aspects et les sentiments négatifs liés au stress (Ganellen et Blaney, 1984).

Si, par la façon dont vous voyez la vie, vous ressemblez à ces personnes robustes, vous devriez vous en féliciter. Si ce n'est pas le cas, peut-être souhaiterez-vous modifier votre façon de voir la vie ou trouver d'autres moyens d'éviter les circonstances stressantes. Autrement, vous pourriez bien être en danger.

Encadré 12-3

Mais pourquoi ne les utilisent-ils pas ces condoms?

Devant la prévalence effarante des maladies transmises sexuellement (MTS) et particulièrement du sida, les professionnels et les éducateurs du domaine de la santé tentent de promouvoir l'utilisation du condom. Les messages éducatifs se multiplient, mais les statistiques montrent bien que les MTS continuent de se multiplier. Pourquoi les messages éducatifs ne sont-ils pas plus efficaces? Gaston Godin de l'Université Laval s'intéresse depuis de nombreuses années aux attitudes et aux comportements reliés à la santé. Godin (1991) soutient que pour modifier des comportements, l'approche éducative ne suffit pas toujours. Parfois, il importe autant de changer des composantes de l'environnement, par exemple, placer une distributrice de condoms dans un endroit accessible aux jeunes. Mais lorsqu'on veut véhiculer un message éducatif, il faut qu'il s'intègre dans les réalités sociales où surviennent les comportements visés.

L'analyse que fait Godin de différentes théories psychosociales nous éclaire de façon stimulante sur diverses raisons qui peuvent expliquer pourquoi l'utilisation du condom n'est pas plus répandue. Prenons la théorie sociale cognitive de Bandura (1986) que nous avons abordée dans ce chapitre. Selon cette théorie, le recours au condom dépendra en grande partie de la croyance en l'efficacité du comportement en question et de la croyance en l'efficacité personnelle reliée à son utilisation. Illustrons notre propos par le cas d'un jeune homme et d'une jeune femme qui ont envie de faire l'amour. La première question qu'ils se poseront individuellement, explicitement ou non, sera la suivante. L'utilisation du condom me permettra-t-elle d'éviter une MTS? En raison du battage publicitaire autour de l'efficacité de ce moyen pour faire échec aux MTS, il se peut que nos deux amoureux répondent oui à cette première question. La deuxième question que se posera l'homme, et vous la devinez peut-être, pourrait ressembler à la suivante: serai-je capable d'adopter le condom? Il peut être convaincu que le condom est le meilleur moyen de se protéger au cours d'une relation sexuelle, mais s'il pense que personnellement il sera incapable de l'utiliser de façon efficace et naturelle au cours de la relation, il n'aura pas tendance à le proposer à sa partenaire. Quant à la femme, elle se demandera peut-être: serai-je capable de lui faire adopter le condom? Si elle juge qu'elle risque de blesser ou d'importuner l'autre, elle se sentira incapable de demander à l'autre de porter le condom.

Une autre théorie psychosociale utile pour comprendre ce qui incite à l'utilisation du condom est la théorie de l'action raisonnée (Fishbein et Ajzen, 1975) que nous avons vue au chapitre 6. Rappelons que selon cette théorie l'intention d'adopter ou non un comportement dépend essentiellement de deux facteurs: l'attitude envers ce comportement et les *croyances normatives*, c'est-à-dire les croyances relatives à l'opinion des autres sur ce que nous devrions faire dans une circonstance donnée. Si les deux amoureux de notre histoire croient tous deux que dans leur milieu la norme est d'utiliser un condom, cette croyance devrait faciliter grandement le geste. Une enquête récente a d'ailleurs montré que, du point de vue des jeunes de 19 à 25 ans, le facteur qui favorise le plus l'utilisation du condom est la demande du partenaire (Santé Québec, 1991; *voir aussi l'encadré 12-1*). La situation sera différente si, au contraire, ils ne partagent pas la même norme ou s'ils croient tous deux que les gens qui les entourent ne favorisent pas l'utilisation du condom. En ce sens, le slogan *Sans condom, c'est non!* que l'on a vu récemment dans une campagne de promotion, permet de modifier la norme ou la culture du milieu quant à l'utilisation du condom. Quant aux attitudes envers l'utilisation du condom, la vente de divers objets a pu contribuer à la faire voir comme quelque chose d'agréable: en passant des condoms aux multiples saveurs de fruits, au *boxer short* aux pochettes contenant un condom pour tous les jours de la semaine. Mais ces initiatives ne viennent-elles pas des agences de marketing qui font la promotion du condom dans un but commercial? Bref, comme le souligne Godin, la théorie de l'action raisonnée nous fait voir l'importance d'insister sur les conséquences positives de l'adoption du condom, *tout en mettant l'accent* sur la motivation à se conformer à des normes qui en favorisent l'utilisation dans le milieu.

Une autre façon de voir la relation entre les attitudes et les comportements a été proposée par Triandis (1977) dans sa théorie des comportements interpersonnels. Comme nous l'avons vu dans le chapitre sur les attitudes, le chapitre 6, Triandis insiste sur les conditions qui facilitent ou qui empêchent la manifestation d'un comportement. Si aucun de nos deux partenaires n'a de condom sous la main, il est peu probable qu'ils en utilisent; mais reporteront-ils à plus tard la relation sexuelle envisagée? Peut-être se diront-ils, comme d'autres, *oh, juste pour une petite fois!* Faciliter l'accessibilité des condoms est donc un atout dans les campagnes qui en font la promotion. Pourtant, l'on se heurte parfois ici à des gens en position de pouvoir qui interdisent l'accessibilité du condom dans leur institution sous prétexte qu'elle encouragerait des comportements sexuels à l'origine des MTS, alors que selon eux l'abstinence serait à privilégier. Mais la morale des uns n'est pas nécessairement celle des autres. De fait, une autre particularité intéressante du modèle de Triandis est la composante de la norme morale personnelle. Il s'agit du sentiment qu'a une personne de devoir adopter ou non un comportement. Dans le cas du condom, une personne qui est à risques parce qu'elle a des partenaires multiples pourrait ressentir l'obligation d'utiliser ce moyen préventif parce qu'elle se sent responsable. Dans une campagne de promotion du condom, on pourrait donc insister sur cette norme morale personnelle en amenant les gens à prendre conscience de la responsabilité qu'ils ont à assumer envers autrui.

Comme l'affirme Godin, «il n'est pas nécessaire de faire peur avec des menaces pour obtenir les résultats escomptés». Les messages éducatifs en matière de prévention des MTS sont trop souvent basés sur l'ancien modèle des croyances en santé (Becker, 1974), qui insiste sur la menace et la peur associées à la pratique d'un comportement. La majorité des jeunes connaissent le danger de ne pas utiliser un condom, cela les fait-il automatiquement modifier leurs comportements en la matière? Selon Godin, les décideurs et intervenants qui font la promotion de la santé doivent se préoccuper de la dynamique psychosociale dans laquelle s'insère la modification d'une habitude de vie, comme c'est le cas de l'utilisation du condom. Sans quoi, les programmes de prévention pourraient bien n'être qu'un coup d'épée dans l'eau. À moins que l'on ne compte sur les compétences psychosociales des vendeurs de latex!

Encadré 12-4

Manger sainement au restaurant, intervenir au bon endroit!

Au Québec, les Départements de santé communautaire ont, entre autres missions, celle de promouvoir la santé dans la communauté. Leur action peut prendre diverses formes. Dans l'un des projets conduits récemment au Département de santé communautaire de l'Hôpital général de Montréal, on visait à encourager la population du centre-ville à manger plus sainement le midi (Renaud et Demers, 1990; Bouchard et Renaud, 1991). Les promoteurs de la campagne se sont alliés à des propriétaires de restaurant pour que soient inscrits à leur menu des plats-santé savoureux, mais faibles en matières grasses et en sel. Pour sensibiliser la population à l'existence de plats-santé dans les neuf restaurants participants, on a eu recours à un matériel promotionnel varié: 75 espaces *flash-média* répartis au centre-ville, durant trois périodes de deux semaines, échelonnées sur la durée du projet, 2500 affiches destinées aux restaurants, aux espaces flash-média et aux bureaux; 10 000 autocollants du logo à apposer sur les plats identifiés comme «sains», 1000 languettes explicatives s'insérant à l'intérieur du menu, 100 000 verres destinés aux travailleurs des tours à bureaux du centre-ville situées à proximité des restaurants, et une conférence de presse.

Après autant d'efforts, il fallait savoir si le programme avait atteint ses objectifs. Lise Renaud et Andrée Demers, initiatrices du programme, ont évalué la visibilité de la campagne en interviewant 983 personnes à la sortie des restaurants. Les chercheuses ont mesuré la reconnaissance du logo et la connaissance du projet, et elles ont demandé aux gens où ils avaient entendu parler des *menus pleins d'entrain* et s'ils avaient essayé un plat spécialement étiqueté du logo. Les chercheuses ont constaté que le projet avait bénéficié d'une certaine visibilité: 59 % connaissaient le logo, 41 % avaient entendu parler des *menus pleins d'entrain*, 28 % savaient qu'il s'agissait de menus réduits en matières grasses et 23 % avaient essayé ces menus.

Informer pour faire changer

Tout au long de ce chapitre, vous avez reçu de l'information ayant trait à votre santé. Vous en savez maintenant beaucoup au sujet des dangers du stress, du type de comportements qui peuvent accroître ou diminuer les risques de problèmes de santé, et ainsi de suite. À la suite de votre lecture, vous avez peut-être envisagé de changer certaines choses dans votre vie. Si tel est le cas, vous avez vécu, à une petite échelle, ce que plusieurs chercheurs et planificateurs en promotion de la santé tentent de faire dans la communauté. Pour plusieurs, l'une des meilleures façons de prévenir les problèmes consiste à informer les gens des dangers associés à certains comportements, et à leur expliquer les actions qui peuvent réduire

les risques d'apparition de certains problèmes de santé. L'information préventive peut être donnée de plusieurs façons: il peut s'agir de campagnes communautaires ou nationales, d'ateliers en milieu de travail, de matériel éducatif distribué à l'école ou à la garderie, ou encore de rencontres organisées par divers groupes communautaires. On souhaite ainsi que les gens utilisent cette information pour réduire les risques courus.

Avec ce que vous savez sur le changement d'attitude (*voir le chapitre 6*), vous pouvez comprendre que les programmes d'information ne réussissent pas toujours à changer le comportement des gens. Comme nous l'avons vu, dans plusieurs cas, soit que les gens évitent l'information qui leur conseille de modifier quelque chose dans leur vie, soit qu'ils l'interprètent de façon

De quelle façon les gens avaient-ils entendu parler du projet? Principalement par les moyens de promotion utilisés à l'intérieur des restaurants, notamment par le logo placé dans le menu. Par contre, seulement 0,4 % des personnes intervie-wées ont affirmé avoir pris connaissance du projet par le moyen des 100 000 ver-res à café distribués dans les bureaux. Puisque la publicité extérieure n'est pas parvenue à faire déplacer la clientèle, les résultats de l'évaluation suggèrent qu'il est plus pertinent d'axer la publicité de la campagne à l'intérieur des restaurants, au moment où le consommateur choisit son plat. Lise Renaud et Andrée Demers ont gagné deux premiers prix pour ce projet de promotion de la santé, tant en France qu'au Québec.

erronée, soit encore qu'ils y résistent. Toutefois, comme les campagnes d'information peuvent atteindre un grand nombre d'individus et qu'elles ont connu suffisamment de succès, il est utile de poursuivre des travaux en ce sens. Examinons le cas d'une campagne qui a eu des effets positifs. La recherche était fort ambitieuse. Les chercheurs avaient pour objectif de réduire les maladies cardio-vasculaires dans des communautés entiè-res, au cours d'une période de quatre ans (Maccoby, 1980). Trois villes de la Californie, Watsonville, Gilroy et Tracy, avaient été choisies pour cette étude. Dans deux de ces villes (choisies au hasard), une vaste campagne médiatique fut menée sur une période de trois ans afin de réduire les facteurs de risques associés aux maladies coronariennes. La campagne comprenait la télé-diffusion de cinquante messages différents et de trois heures d'émission, plus de cent messages publicitaires à la radio, des annonces et des chroniques hebdomadaires dans les journaux, des panneaux-réclames, des affiches et des envois postaux dans les foyers. La campagne donnait de l'information sur les effets de l'alimentation, de l'exercice et de la cigarette sur les maladies coronariennes. L'on prônait certains changements de style de vie et l'on montrait aux gens différents moyens de réaliser de tels changements (par exemple, changer des comportements alimentaires ou cesser de fumer). Les résidants de la première ville n'étaient soumis qu'à la campagne d'information. Dans la deuxième ville, à la campagne d'information s'ajoutaient des rencontres régulières de formation plus spécifique. Dans la troisième ville, aucune campagne d'information ne fut menée; cette ville servait donc de groupe de contrôle.

Chaque année, on prit des mesures auprès des habitants des trois villes afin d'évaluer un éventuel effet des campagnes d'information. Des échantillons aléatoires d'individus furent interrogés sur leur connaissance des facteurs de risques de maladies coronariennes, et sur leurs comportements en matière d'alimentation, de tabac et d'activité physique. De plus, on mesura la tension artérielle et le niveau de cholestérol. Les résultats furent encourageants. En effet, dans les villes soumises aux campagnes d'information, les gens montrèrent une augmentation de leurs connaissances des facteurs de risques associés aux habitudes alimentaires, augmentation non retrouvée dans la ville qui avait servi de groupe de contrôle. L'usage de la cigarette diminua dans l'une des deux villes expérimentales, mais non dans la ville de contrôle. Une diminution significative du taux de cholestérol sanguin fut associée à une augmentation des connaissances en matière d'ali-

mentation et à une diminution de l'usage du tabac. De plus, on a constaté une diminution de la tension artérielle moyenne des habitants des villes expérimentales, ce qui ne fut pas le cas dans la ville témoin. Ainsi, non seulement les connaissances et les comportements des gens semblaient-ils s'être modifiés à la suite de la campagne d'information, mais leur condition physique s'était, elle aussi, améliorée. Il faut noter toutefois que la combinaison de l'information et de la formation spécifique avait été responsable des changements les plus importants.

Nous en savons bien peu en regard de tout ce qui nous reste à apprendre en matière de campagnes d'information. Ainsi, dans l'étude précédente, quels types d'informations furent les plus efficaces, auprès de qui la campagne a-t-elle le mieux ou le moins bien réussi, et à long terme, les effets persisteront-ils? À l'heure actuelle, même si les recherches doivent se poursuivre en ce sens, il y a lieu de croire que les programmes d'information peuvent être utiles pour promouvoir la santé de la population.

Résumé

1 La maladie et la santé sont de moins en moins vues comme des manifestations d'ordre strictement biologique. Selon le point de vue de l'écologie sociale, la maladie et la santé sont reliées au contexte social général.

2 Le contexte social exerce une influence importante sur la façon dont on reconnaît et interprète des symptômes. Les gens ne sont pas toujours conscients de leur corps et les indices qui proviennent de l'environnement rivalisent avec ceux de leur corps. Il est aussi très difficile d'interpréter la signification de ces indices corporels. Selon la théorie de l'information et de l'autorégulation, les gens répondraient de façon rationnelle à leurs symptômes physiques en allant consulter un professionnel de la santé. Toutefois, leur propre théorie détermine souvent leur façon d'interpréter leurs indices corporels. Par un processus de traitement dirigé par les concepts, les gens tendent à chercher et à identifier des indices qui confirment leur propre théorie.

3 Après avoir interprété leurs indices corporels, les gens peuvent ne pas agir de façon adéquate. Par exemple, les gens ont tendance à être exagérément optimistes au sujet de leur santé. Quand elles doivent se soigner, plusieurs personnes ne comprennent pas les conseils du médecin; et même quand elles les comprennent, plusieurs ne les observent pas. L'une des raisons est la méconnaissance quant aux problèmes de santé et quant au rationnel sous-jacent aux recommandations médicales. Le médecin peut favoriser l'observance du traitement en portant attention à la façon dont il interagit avec son patient.

4   Les facteurs sociaux exercent une influence importante sur la santé. La recherche sur le stress indique que les expériences stressantes contribuent à faire augmenter les risques de maladies. La mort d'un être cher constitue un événement particulièrement stressant. L'effet du deuil fait référence à l'accroissement du risque de mortalité (ou de problèmes de santé) à la suite du décès d'un être cher.

5   Par leur style de vie, certaines personnes se placent en situation de stress élevé; c'est le cas des gens qui ont une personnalité de type A. Ces derniers sont davantage prédisposés aux problèmes cardio-vasculaires. Intervenir pour modifier la personnalité de type A est possible, mais difficile parce que dans notre société un style compétitif rapporte souvent des «dividendes» considérables.

6   Quand les gens éprouvent un sentiment d'impuissance, leur bien-être peut se détériorer. Ils peuvent devenir dépressifs, léthargiques et faire montre d'une capacité d'apprentissage diminuée. Dans certaines conditions, un état d'impuissance peut réduire la longévité. Les effets de l'impuissance peuvent être amenuisés si la perception de contrôle des gens est augmentée, si des habiletés de contrôle sont développées, si des stratégies d'adaptation sont adoptées, et si les gens deviennent conscients des effets de l'impuissance.

7   Les gens peuvent croire que ce qui leur arrive dépend de causes externes à eux-mêmes, le hasard ou le pouvoir d'autrui, ou de causes internes, leur propres décisions et actions. Divers comportements reliés à la santé sont associés au lieu de contrôle. Un sentiment d'efficacité personnelle élevée peut aussi favoriser l'adoption de comportements efficaces en matière de santé. Les performances antérieures, l'observation de modèles, la persuasion verbale et l'état physiologique contribuent au développement du sentiment d'efficacité personnelle.

8   Les psychologues ont cherché à développer différents moyens de type comportemental de traiter la maladie. Les techniques de rétroaction biologique aident les gens à gérer leur propre condition corporelle. L'apprentissage de stratégies d'adaptation peut rendre les gens capables de réduire l'intensité de stress qu'ils vivent. Les réseaux de soutien social contribuent à amortir l'effet de la maladie et peuvent aider à accélérer le rétablissement. Les groupes d'entraide, composés de personnes qui sont aux prises avec un même problème, sont également utiles et semblent répondre à certains besoins mieux que ne le feraient des spécialistes ou l'entourage immédiat.

9   Les psychologues s'intéressent au développement de moyens non médicaux de prévenir la maladie dans la population. On peut, par exemple, identifier les personnes les plus susceptibles de développer une maladie et les aider à modifier leur mode de vie ou la façon même dont elles voient la vie. Les personnes identifiées comme robustes, c'est-à-dire celles qui éprouvent un sentiment de contrôle sur ce qui leur arrive dans la vie, qui sont engagées et qui ont le sens du défi, sont plus résistantes à la maladie. Par ailleurs, les campagnes d'information centrées sur la santé sont un moyen pratique d'accroître les connaissances en matière de prévention et permettent d'améliorer l'état de santé de la population. Leur efficacité est cependant tributaire des difficultés à changer les attitudes de la population.

Lectures suggérées

En français

Dufresne, J., Dumont, F. et Martin, Y. (dir.) (1985). *Traité d'anthropologie médicale. L'institution de la santé et de la maladie.* Sillery: Presses de l'Université du Québec.

Herzlich, C. (1984). *Santé et maladie. Analyse d'une représentation sociale.* Paris: Mouton.

Selye, H. (1956). *Le stress de la vie: le problème de l'adaptation.* Montréal: Lacombe, 1975.

En anglais

Antonovsky, A. (1987). *Unraveling the mystery of health. How people manage stress and stay well.* San Francisco: Jossey-Bass.

Chesney, M.A. et Rosenman, R.H. (1985). *Anger and hostility in cardio-vascular and behavioral disorders.* Washington: Hemisphere.

Gatchel, R.J., Baum, A. et Krantz, D.S. (1988). *An introduction to health psychology.* New York: McGraw-Hill.

Taylor, S.E. (1986). *Health psychology.* New York: Random House.

La psychologie sociale et l'environnement

Rien ne va de soi. Rien n'est donné. Tout est construit.

Gaston Bachelard

Tous les espoirs sont permis, même celui de disparaître.

Jean Rostand

Objectifs d'apprentissage

☐ Après l'étude du présent chapitre, vous devriez être capable

1. de définir les notions d'espace personnel et de comportement territorial, et d'expliquer comment ils servent à communiquer avec autrui;

2. d'expliquer la différence entre la densité de la population et l'expérience d'entassement, d'identifier les quatre principales sources qui peuvent entraîner une expérience négative d'entassement, et de décrire quelques-unes de ses conséquences négatives;

3. de décrire le processus de régulation des frontières interpersonnelles (le privé) et d'en identifier les trois fonctions principales;

4. de fournir des exemples d'effets négatifs du bruit sur la performance et sur la vie sociale;

5. d'expliquer quel est l'objet de la psychologie écologique et de définir les concepts de cadre comportemental et de peuplement;

6. de décrire le processus de la cartographie cognitive et d'expliquer l'influence des caractéristiques individuelles, sociales et culturelles sur les représentations que l'on se fait d'un environnement;

7. d'expliquer quelle influence peut exercer l'aménagement résidentiel ou institutionnel sur le bien-être des usagers et sur la qualité des relations sociales;

8. d'expliquer comment l'approche communautaire peut être utilisée pour favoriser des transactions personne-environnement adéquates, de définir le concept de compétence environnementale et d'identifier les six fonctions qui sous-tendent le potentiel psycho-environnemental d'un lieu;

9. d'expliquer l'intérêt et les difficultés soulevés par les recherches sur les attitudes proécologiques et de montrer comment l'approche behavioriste peut être utilisée pour favoriser les comportements proécologiques.

☐ *Jusqu'à l'automne dernier, Corinne habitait Mont-Laurier. Elle s'est alors installée à Montréal pour y poursuivre ses études en psychologie. Corinne a éprouvé de la difficulté à s'adapter à son nouvel environnement. D'abord logée à la résidence des étudiantes, elle a déménagé parce qu'elle s'y sentait trop à l'étroit et parce que le bruit que faisaient ses voisines l'empêchait d'étudier. Elle a déménagé dans un immeuble moderne, bien éclairé et bien insonorisé, mais qu'elle qualifie de «cage à poules». Elle ne connaît pas ses voisins, qui d'ailleurs ne semblent pas se connaître mutuellemment non plus. Elle doit maintenant se rendre à ses cours en métro qu'elle trouve sale, bruyant et harassant aux heures de pointe. De plus, elle a encore un mal fou à s'orienter dans la ville. Corinne ne s'attendait pas à retrouver son coin de pays à Montréal, mais elle ne pensait jamais être transportée dans un univers aussi différent. Corinne se demande ce que les psychologues attendent pour dénoncer des conditions environnementales aussi décevantes.*

☐ *Nous sommes bombardés d'informations inquiétantes au sujet de la qualité de notre environnement. En parcourant votre journal cette semaine, vous rencontrerez plusieurs des thèmes suivants: contaminants chimiques dans les aliments, contamination par les dioxines et les furannes, développement durable, dangers chimiques autour de la maison, pluies acides, pollution industrielle de l'air, problèmes des déchets toxiques et biomédicaux, torts causés à la couche d'ozone par l'utilisation des chlorofluorocarbones (CFC), et ainsi de suite. Cela n'est guère rassurant et pourtant collectivement nous ne modifions que bien peu nos attitudes et nos comportements qui contribuent à la dégradation de l'environnement. Y a-t-il moyen d'inciter les gens à agir de façon plus responsable sur le plan écologique?*

Nous pouvons rassurer Corinne. Les psychologues se préoccupent des conditions environnementales inadéquates pour l'être humain, et ils peuvent apporter des solutions à certains problèmes ou du moins expliquer les raisons sous-jacentes à certaines difficultés. Mais nous ne pouvons la rassurer complètement; le champ d'étude de la psychologie de l'environnement est nouveau, nos connaissances sont encore à parfaire en ce qui touche aux relations entre la personne ou le groupe et l'environnement, et enfin, les modifications nécessaires pour apporter des solutions à ces problèmes supposent des changements à plusieurs échelons, qui dépassent souvent le champ d'action habituel du psychologue. Cela est vrai autant pour le type de problèmes vécus par Corinne — et qui nous préoccupent tous à différents degrés — qu'en ce qui touche à la conservation et à la gestion des ressources de l'environnement.

Comme c'était le cas dans le chapitre précédent, nous abordons ici un champ d'étude relativement nouveau qui pose au psychologue social des défis passionnants. La psychologie de l'environnement, qui en est à sa troisième décennie d'existence, a pour objet l'interrelation de l'environnement physique et social, et de l'expérience et du comportement humains (Holahan, 1986). Avant les années soixante, à part quelques rares exceptions, personne en psychologie ni dans les autres disciplines des sciences humaines ou sociales, ne s'intéressait véritablement aux relations entre la personne et l'environnement.

Les années soixante furent une époque de contestation et de remise en question; songez aux manifestations contre la guerre du Viêt-nam aux États-Unis, à Mai 68 en France, à la révolution tranquille au Québec. Comme le soutient Proshansky (1987), les remous sociaux et politiques d'alors ont provoqué la naissance de la psychologie de l'environnement. Des chercheurs et des étudiants en sciences humaines et sociales étaient insatisfaits des programmes insuffisamment centrés sur les problèmes concrets, dans le monde réel. Par ailleurs, la période qui a suivi la Deuxième Guerre mondiale a amené une demande importante en logements, en lieux et édifices publics, de même qu'en équipement technologique. De leur côté, des architectes, des planificateurs, des urbanistes se trouvaient confrontés dans leur pratique aux problèmes des valeurs, des comportements et des besoins humains. Le mouvement écologique, pour protéger et conserver les ressources naturelles, s'organisait (Sommer, 1987). Plusieurs facteurs ont donc concouru à renforcer l'idée de Kurt Lewin (1951) selon laquelle les psychologues devraient s'intéresser activement aux problèmes de la société et s'efforcer d'utiliser la discipline pour améliorer les conditions de vie. À cette époque, les sciences humaines et sociales avaient peu de solutions à offrir pour résoudre les problèmes concrets liés à l'utilisation de l'espace. En bonne partie, la collaboration entre diverses disciplines des sciences humaines et sociales et de l'aménagement a marqué le développement de la psychologie de l'environnement.

Nous présentons dans ce chapitre des recherches sur divers aspects des relations entre les êtres humains et leur environnement physique. Dans la première section, nous traitons du comportement sociospatial, c'est-à-dire la façon dont l'individu communique et transige avec les autres en relation avec ses besoins dans l'espace, et la façon dont il réagit lorsqu'il éprouve un sentiment d'entassement associé à une perception de densité de population trop élevée. Nous avons vu au chapitre 12 les dangers du stress. Nous abordons plus spécifiquement dans la deuxième section de ce chapitre les effets nocifs d'un stresseur environnemental puissant, le bruit. Puis, dans la troisième section, nous portons notre attention sur les travaux de la psychologie écologique qui a montré avant même les débuts formels de la psychologie de l'environnement, à quel point le comportement est lié au cadre physique et social dans lequel les activités de la vie quotidienne ont lieu. La quatrième section porte de façon plus spécifique sur les relations entre l'être humain et l'environnement bâti. Nous verrons que si la personne subit l'influence de caractéristiques environnementales, elle est par ailleurs très active en construisant sa propre perception de l'environnement et en agissant de façon importante pour le modifier selon ses propres souhaits ou ceux de son groupe. La gestion et la conservation des ressources environnementales fait l'objet de la dernière section. Nous examinons deux moyens proposés pour modifier les comportements de façon qu'ils soient cohérents avec la conservation des ressources: l'approche du changement des attitudes et celle des solutions behavioristes aux comportements inappropriés.

Le comportement sociospatial

Notre relation à l'environnement est toujours sociale, parce que dans une interaction humaine, on ne peut véritablement distinguer l'environnement social de l'environnement physique, les deux étant intimement imbriqués. Le fait même de reconnaître que nous sommes parfois seuls suppose qu'à d'autres moments nous partageons l'environnement avec les autres. Puisque la relation personne-environnement est sociale, elle suppose un processus de communication et de négociation avec autrui. Comme nous le verrons, par son *comportement sociospatial* l'individu qui évalue constamment la situation en fonction de ses objectifs, tente de transiger avec les différents éléments pour faire en sorte de pouvoir les atteindre.

L'espace personnel

Il vous est sans doute arrivé de vous sentir envahi par quelqu'un qui vous approchait de trop près. Peut-être avez-vous déjà remarqué que dans certaines cultures, les gens maintiennent entre eux une distance physique plus réduite ou au contraire plus grande que dans votre culture. Vous avez peut-être remarqué au téléjournal, qu'en des circonstances formelles, les personnalités politiques sont assises à une bonne distance l'une de l'autre. La distance physique que nous maintenons par rapport aux autres est un mode fondamental de communication interpersonnelle. Les chercheurs se sont beaucoup intéressés à la question des distances que les gens maintiennent entre eux, et différents termes ont été utilisés pour y faire référence. Le terme le plus connu est peut-être celui d'**espace personnel** qui correspond à une zone qui entoure le corps d'une personne et qui est limitée par une frontière invisible, mais variable selon les circonstances et selon les individus rencontrés. L'espace personnel exerce une fonction de communication extrêmement importante par la distance maintenue par rapport aux autres et par l'orientation corporelle des individus qui interagissent. Nous avons abordé ce sujet au chapitre 4, sous l'angle de la relation entre la distance physique entre deux personnes et l'attraction éprouvée. (*Peut-être aimerez-vous relire cette section.*)

Inspiré par les travaux en psychologie animale d'Henri Hediger, Edward Hall (1966) a décrit la façon dont les gens utilisent la distance interpersonnelle pour interagir comme ils le souhaitent avec les autres. Hall a distingué quatre distances principales qui correspondent aux principaux types d'interaction qui ont cours dans une société: il s'agit des distances intime, personnelle, sociale et publique. Des changements sensoriels surviennent dans la communication au fur et à mesure que la distance augmente entre les gens. En fait, la catégorisation de Hall renvoie plus à un continuum de communication qu'à des distances fixes. Ainsi, dans la distance intime, on peut par exemple détecter la chaleur et l'odeur de l'haleine de l'autre. Dans la distance personnelle, les intrants visuels sont très importants; la texture de la peau, les cheveux blancs, les imperfections des dents, les boutons et les rides sont bien visibles. Les intrants sensoriels sont moins prononcés dans la distance sociale; personne ne se touche et le ton de la voix est plus élevé. Enfin, dans la distance publique, le ton de la voix est élevé et notre perception du corps d'autrui est modifiée. On ne distingue pas la couleur des yeux, la tête semble plus petite et disproportionnée par rapport au reste du corps, le corps semble plutôt plat, sans volume. Cette distance interpersonnelle est grandement influencée par les normes de la culture ou de la sous-culture dans laquelle l'interaction a lieu.

Ainsi, en vieillissant, les enfants utilisent des distances de plus en plus grandes dans leurs interactions. Les femmes maintiendraient aussi une distance interpersonnelle plus réduite que ne le font les hommes. Hall a comparé l'utilisation des distances interpersonnelles dans différentes cultures et a conclu que certaines favorisent le contact, comme chez les Méditerranéens, les Latino-Américains, les Arabes. Par opposition, les Nord-Américains et les Européens du Nord sont de cultures où le contact est moins marqué dans les échanges interpersonnels.

Revenons à notre point de départ; il arrive parfois que nous nous sentions envahis parce que quelqu'un s'introduit dans notre espace personnel à une distance que nous jugeons inappropriée. Il y a alors intrusion ou invasion de notre espace personnel. Nous nous sentons alors mal à l'aise particulièrement si quelqu'un entre dans notre zone intime sans avoir une raison valable, lorsque nous devons attendre en ligne pour entrer au Forum voir une partie de hockey, par exemple. Lorsqu'une personne est envahie, elle éprouve une augmentation de l'activation physio-logique liée au stress; son cœur bat plus vite, sa réaction psychogalvanique est accrue (Aiello, 1987). Plus l'intrusion est importante, plus le malaise ressenti est intense.

On a étudié les réactions à l'intrusion dans des recherches sur le terrain où l'on approchait de l'autre d'une façon vraisemblablement inappropriée. Songez à votre réaction si par exemple quelqu'un s'approchait trop de vous à la biblio-thèque. Vous pourriez d'abord manifester un *re-trait* par rapport à l'envahisseur: vous tourner dans le sens opposé par exemple. La *fuite* est également une manifestation courante en cas d'invasion; vous prendriez vos affaires et vous partiriez à la recherche d'un autre coin pour vous y installer. Vous pourriez aussi manifester d'autres *mécanismes de compensation*, par exemple réorganiser votre territoire pour mieux le délimiter par vos effets personnels. Le comportement territo-rial abordé à la section suivante est un compor-tement qui interagit avec la régulation de l'espace personnel pour préserver le degré d'intimité que nous désirons maintenir. Nous reviendrons sur le sujet à la fin de cette section.

Pour conclure, mentionnons que les méca-nismes sous-jacents de l'espace personnel sont souvent doubles, ce qui donne à la régulation des distances interpersonnelles un caractère de re-cherche d'équilibre. Ainsi, si nous n'aimons pas être envahis, les autres non plus n'aiment pas se trouver dans la situation de devoir nous envahir et ils font dans la mesure du possible un détour pour ne pas pénétrer indûment dans notre espace personnel. Le malaise ressenti lorsque cette dis-tance est *trop grande* est une autre manifestation de la dualité des processus de régulation de la distance interpersonnelle. Aiello et Thompson (1980) ont en effet constaté que, dans ce cas, les femmes en particulier ressentent une augmenta-tion de l'activation liée au stress et parviennent difficilement à manifester des stratégies d'adap-tation appropriées. Bref, la régulation de la dis-tance interpersonnelle est un processus dyna-mique par lequel l'individu cherche à atteindre un certain équilibre à partir de tous les intrants de la communication.

Le comportement territorial

Tout comme c'était le cas pour l'espace person-nel, les recherches animales ont guidé les pre-miers travaux sur le comportement territorial. Plusieurs espèces animales défendent à leurs congénères l'accès à une surface qu'elles se réservent en propre. Cette défense individuelle ou collective se manifeste habituellement par le marquage du territoire, par exemple par les phéromones présentes dans l'urine chez certains mammifères ou par le chant chez les oiseaux. Des phénomènes analogues surviennent chez les êtres humains. Songez au garage où, lorsque vous étiez enfant, vous vous réfugiiez avec les membres de votre club et où personne d'autre n'avait le droit de pénétrer. Rappelez-vous la pancarte *Défense d'entrer sous peine de mort!* que vous aviez posée sur la porte. Réfléchissez aux moyens que vous prenez à la bibliothèque pour bien montrer que telle place est la vôtre lorsque vous vous absentez pour consulter un ouvrage sur les rayons. Tout comme les animaux, les êtres humains ont bel et bien des territoires. On appelle comportements territoriaux l'ensemble des comportements qui sont reliés à la création et au maintien de ce territoire.

Il existe plusieurs définitions du **comportement territorial**; nous adopterons celle d'Irwin Altman (1975). Le comportement territorial est un mécanisme de régulation de la frontière entre soi et les autres. Il suppose la personnalisation ou le marquage d'un endroit ou d'un objet, et le message de possession, d'appartenance émis par une personne ou par un groupe. La personnalisation et l'appropriation servent à assurer la régulation de l'interaction sociale et aident à satisfaire plusieurs motivations ou besoins sociaux et physiques. Lorsque les frontières territoriales sont violées, des réponses de défense explicites peuvent survenir. Nous reprendrons les principaux éléments de cette définition dans les paragraphes suivants.

Les types de territoire

On a distingué trois types de territoires, selon leur caractère plus ou moins central pour la personne; ce sont les territoires primaires, secondaires et publics (Altman, 1975). Le territoire primaire est possédé et utilisé exclusivement par un individu ou par un groupe; la chambre ou la maison familiale est un bon exemple de ce type de territoire. Si le territoire primaire est clairement identifié, son propriétaire y exerce un contrôle relativement total, et la durée de cette prérogative est plutôt longue. Ce territoire est central dans la vie quotidienne de l'individu.

Le territoire secondaire, un local réservé aux étudiants d'une discipline, par exemple, est moins central et moins exclusif que celui du premier type. L'individu y exerce un certain contrôle, mais pas autant qu'en territoire primaire. Différents types d'usagers y ont accès, les usagers principaux peuvent parfois varier dans le temps et la zone du territoire n'est pas toujours identifiée comme celle d'un groupe unique d'individus. Cette ambiguïté de propriété et de contrôle peut engendrer des conflits et des mésententes. De plus, en raison du caractère semi-public du territoire secondaire, les règles d'utilisation sont parfois imprécises, ce qui peut engendrer des conflits. La durée de la prérogative peut être relativement longue (toute la durée de vos études), mais elle n'est ni continue (en certains moments, vous ne pouvez y aller faute de place) ni permanente (vous ne pouvez y aller lorsque le collège est fermé ou lorsque l'administration décide d'y repeindre les murs).

Contrairement aux deux premiers, le territoire public est accessible à presque tout le monde. Il n'en est pas moins un territoire; songez à une cabine téléphonique, par exemple. La régulation de la frontière entre soi et les autres est plus difficile dans ce type de territoire dont l'utilisation est régie par des normes et des coutumes. Il s'agit d'un territoire temporaire où l'individu n'exerce que très peu de contrôle. Ainsi, vous pouvez utiliser la cabine téléphonique pour faire deux ou trois appels brefs; mais vous pourrez difficilement vous y installer avec sandwichs et café pour y manger en paix.

Il faut noter que ces distinctions entre les types de territoires sont parfois floues; en réalité, la catégorisation dépend du contexte. Par exemple, un pays sera un territoire primaire pour une nation, mais un territoire public pour un individu en particulier.

Les marqueurs territoriaux

Mais comment fait-on savoir aux autres qu'un endroit précis est notre territoire? Les **marqueurs territoriaux** servent précisément à transmettre cette information. Une première fonction est de *prévenir l'intrusion*. Le message *N'entrez pas!* placé sur la porte de la chambre de votre frère devrait normalement vous inciter à ne pas y entrer. Dans les territoires publics, un marqueur personnel, comme une veste ou un sac, permettent de montrer que la place est déjà prise et que vous comptez y revenir dans quelque temps (Sommer et Becker, 1969). Par contre, un marqueur impersonnel, comme un journal ou une tasse de café à moitié vide, sera moins efficace; votre place pourrait bien être prise à votre retour.

Une deuxième fonction des marqueurs est de *transmettre des messages sur notre identité*: par le logo d'une marque d'ordinateur apposée sur la porte d'un bureau, vous déduisez que son propriétaire s'intéresse à la micro-informatique. Comme le suggère Hayward (1977), le territoire primaire qu'est la maison est un symbole de la façon dont les gens se voient eux-mêmes et de la façon dont ils veulent que les autres les voient. Si vous fleurissez le parterre à l'avant de votre maison, vous montrez jusqu'à un certain point votre appréciation des jolies choses de la nature. *Faciliter l'interaction en donnant des informations sur notre désir d'entrer en contact avec autrui* constitue une troisième fonction. L'affiche *Pas de colporteurs* et l'horaire de disponibilité qu'un professeur a placé sur sa porte en sont des exemples.

Les réactions à l'intrusion

Que ce soit sur le plan national ou sur le plan privé, les menaces au territoire sont une affaire sérieuse. Les guerres sont souvent le fait d'interprétations opposées quant à l'appartenance d'un territoire, le problème israélo-arabe en est une illustration contemporaine. Une personne qui entre chez elle après un cambriolage ressent souvent plus amèrement le sentiment de violation du territoire que la perte des objets volés. En général, l'intrusion dans un territoire primaire entraîne des réactions beaucoup plus marquées que dans un territoire secondaire ou public (Aiello, 1987). Lorsque le territoire est envahi, le propriétaire pourra signifier verbalement à l'intrus qu'il empiète sur son territoire. L'expression **non verbale**, un regard hostile par exemple, permet également de signifier à l'intrus qu'il est indésirable. L'intrusion d'un territoire primaire peut aussi entraîner des représailles sur le plan physique; par exemple, des bandes rivales en viennent aux coups lorsqu'il y a intrusion dans ce qu'elles considèrent comme *leur* territoire, des propriétaires de dépanneurs se considèrent justifiés de défendre leur territoire à l'aide d'une arme. Lorsque tous les moyens sont épuisés, un réel combat de territoire peut s'engager. Des représailles de nature juridique surviennent également. Nous tolérons mal l'atteinte à la propriété privée; aussi, des lois et des sanctions garantissent l'inviolabilité du domicile. Il est plus difficile d'assurer la régulation de la frontière entre soi et les autres

dans les territoires secondaires et publics. Plus les *propriétaires* perçoivent qu'ils ont un droit sur tel territoire, plus leur réaction est importante.

Le sentiment d'entassement

Ici encore, les travaux sur la densité de population chez les animaux ont été à l'origine des premières recherches sur les effets de l'entassement en milieu urbain sur les êtres humains. La densité de population correspond au quotient du nombre d'animaux par unité d'espace disponible. Or, on a montré qu'une densité de population élevée engendre une série d'effets débilitants chez des colonies animales. Par exemple, si l'on permet à des rats de se reproduire naturellement dans un cadre physique fixe, en leur donnant suffisamment de nourriture et d'eau, il s'ensuit une grave perturbation des comportements sexuels et du maternage (Calhoun, 1962). Ces comportements ont été montrés dans le film *Ratopolis* produit par l'Office national du film du Canada. Chez plusieurs espèces animales, l'augmentation de la densité de population produit également des niveaux élevés d'activité agressive (Marsden, 1972) et des indications de détérioration physique, particulièrement des systèmes physiologiques les plus vulnérables au stress (Christian, Lloyd et Davis, 1965). La densité engendre aussi des bouleversements dans les hiérarchies de dominance ou dans l'ordre des coups de bec (Wynne-Edwards, 1962, 1965).

De nombreuses études épidémiologiques ont été réalisées dans le but d'examiner la relation entre la densité de population et divers indices d'effondrement social, physique et mental chez les êtres humains. Les chercheurs ont souvent constaté une association entre diverses mesures de densité (le nombre de personnes par acre ou dans un immeuble, par exemple) et certains indices de morbidité (le taux d'admissions en centre hospitalier, par exemple) ou de pathologie sociale (tel le nombre d'arrestations).

Toutefois, les conclusions des travaux auprès des animaux et des êtres humains ont laissé sceptiques plusieurs psychologues sociaux (Stokols, 1978). Premièrement, il est très hasardeux de faire, à partir des réactions animales à la densité, des généralisations à des populations humaines (Loo, 1975). En effet, les êtres humains peuvent s'adapter plus que les animaux et ils peuvent apprendre à répondre avec flexibilité à des circonstances complexes ou stressantes (Baron et Needel, 1980). Deuxièmement, les citadins peuvent différer de nombreuses façons des gens qui habitent des régions moins peuplées, par exemple, par leur groupe ethnique, par leur profession, par la composition de leur famille, par leurs buts et par leurs valeurs. En particulier, il faut noter que plusieurs personnes qui ont des problèmes de santé physique ou mentale ont tendance à habiter les grands centres urbains, pour des raisons d'ordre économique ou pratique. Plusieurs facteurs autres que la densité peuvent donc produire l'association positive entre la densité et la pathologie (Freedman, Klevansky et Ehrlich, 1971).

Troisièmement, on note une inconstance dans les conclusions des recherches de type épidémiologique: des corrélations nulles, tout comme des corrélations positives ont été rapportées. L'une des raisons invoquées pour expliquer cette inconstance est la variété des mesures de densité utilisée, soit le nombre de personnes par pièce, le nombre de familles par logement ou la grandeur de l'espace physique par personne (Day et Day, 1973; Webb, 1975). Les mesures sont si variées que si l'on utilise une mesure donnée dans une étude, il est possible de ne pas pouvoir confirmer, comme il est même possible de renverser les résultats d'autres études sur la densité (Booth et Cowell, 1974; Mitchell, 1971). Par ailleurs, d'autres facteurs, tel le bruit, pourraient intervenir dans la relation entre la densité et les pathologies en cause. Nous reviendrons plus loin sur ce sujet.

En raison de ces problèmes, les psychologues sociaux ont détourné leur attention des études sur la densité pour s'intéresser à l'*expérience d'entassement*. L'expérience d'**entassement** peut être influencée par le nombre de personnes présentes dans un espace donné, mais elle n'en dépend pas entièrement. On peut avoir l'impression d'être dans une foule même si l'on n'est que trois personnes, alors qu'en d'autres occasions il peut être agréable d'être parmi un groupe nombreux. Les chercheurs s'intéressent aux facteurs qui engendrent une expérience négative d'entassement et aux conséquences comportementales de cette expérience.

L'expérience négative d'entassement peut provenir de plusieurs sources.

1. *La perte de liberté.* À mesure que le nombre de personnes augmente, la liberté d'action tend à diminuer (Esser, 1971; Proshansky, Ittelson et Rivlin, 1970; Schopler et Stockdale, 1977; Zlutnick et Altman, 1972).

Par exemple, lorsqu'un groupe doit prendre une décision, plus le groupe est grand, moins un individu en particulier a de chances de réaliser ses propres désirs. Plus un wagon de métro est bondé, moins un individu sera capable de se déplacer à l'intérieur. Un sentiment d'entassement en résulte. Cependant, la présence même d'un seul individu peut produire un sentiment d'entassement. Lorsqu'une personne désire être seule pour penser, écrire ou étudier, même la présence d'une seule personne peut se révéler oppressive.

2. *L'augmentation de la stimulation.* À mesure que le nombre de personnes augmente, la quantité de stimulations tend aussi à augmenter. Diverses sources de stimulations peuvent devenir plus intenses, par exemple, le contact des yeux et le contact physique, le volume de la voix, l'intensité des odeurs, l'intimité de la conversation. De telles augmentations créent souvent chez les gens une activation ou un état de stress (Aiello, Epstein et Karlin, 1975; Desor, 1972; Nicosia et coll., 1979; Schaeffer et Patterson, 1980; Sundstrom, 1978). La surcharge de stimuli créée par la présence de grandes quantités de gens est particulièrement importante en milieu urbain et elle oblige les citadins à développer des stratégies pour composer avec la surcharge (Milgram, 1970). Au foyer, la surcharge de stimulations oblige tout autant à des stratégies d'adaptation. Ainsi, les parents s'isolent pour réduire la stimulation produite par leurs enfants. Les parents, qui peuvent tolérer les éclats de voix d'enfants qui jouent dans une autre pièce, peuvent les trouver intolérables si les enfants sont à côté d'eux.

3. *La perte de contrôle.* Une situation où un grand nombre d'individus se trouvent dans un espace relativement restreint peut engendrer une perception de perte de contrôle sur la situation, laquelle peut produire un sentiment d'entassement (Baron et Rodin, 1978). Lorsque l'individu ressent une perte de contrôle, il peut réagir de différentes façons pour corriger la situation. Dans l'exemple précédent, pour pouvoir se parler, les parents changent de pièce ou demandent aux enfants de jouer plus loin. Lorsque les stratégies échouent, par exemple si les parents sont constamment dérangés par les enfants qui reviennent auprès d'eux, l'individu

éprouve de l'entassement. Si, par contre, l'individu peut exercer un contrôle sur ce qu'il veut faire dans un milieu densément peuplé, il se sentira moins entassé (Rodin, Solomon et Metcalf, 1978). Si tous les matins vous effectuez un assez long trajet dans un autobus bondé, mais que vous avez la chance de monter à bord suffisamment tôt pour y avoir un siège, vous pouvez exercer un contrôle sur les activités que vous voulez faire à ce moment. Il vous est en effet plutôt difficile de lire, de méditer ou de somnoler si vous devez rester debout. Dans ces conditions, l'entassement ressenti par les passagers qui sont debout est certainement plus grand que le vôtre.

Un façon particulière de considérer la perte de contrôle dans les situations d'entassement a été proposée par Irwin Altman (1975) dans son modèle de régulation de la frontière entre soi et les autres. Lorsque l'individu ne peut pas exercer le contrôle qu'il souhaite dans cette régulation, un sentiment d'entassement apparaît. Dans ce modèle, qui fait l'objet de la section suivante, le sentiment d'entassement résulte d'un échec du processus de régulation caractérisé par un degré d'intimité obtenu qui est inférieur au degré d'intimité désiré.

4. *Les menaces environnementales.* À mesure qu'augmente le nombre de personnes dans un petit espace, les degrés de chaleur et de bruit risquent aussi d'augmenter, ce qui peut contribuer à un sentiment d'entassement (Freedman et coll., 1972; Griffitt et Veitch, 1971). De même, à mesure que le nombre de personnes augmente, les règles de l'espace personnel examinées plus haut peuvent être rompues et cela peut rendre les gens mal à l'aise (Ross et coll., 1973; Sundstrom, 1975; Worchel et Teddlie, 1976). L'accroissement des nombres menace aussi l'ordre et la prévisibilité que l'on trouve habituellement dans les petits groupes (Chandler, Koch et Paget, 1976; Evans et Eichelman, 1976; Schopler, McCallum et Rusbult, 1977).

Quels sont les effets de l'expérience d'entassement sur l'individu ou sur les relations sociales? Les recherches indiquent que le sentiment d'être entassé peut s'accompagner d'une augmentation des sentiments de colère, de tristesse, de malaise personnel, de crainte et de dépression (Baum et

Greenberg, 1975; Nogami, 1976; Paulus et coll., 1975). Lorsqu'ils se sentent entassés, les gens peuvent aussi attribuer aux autres leurs sentiments de nervosité et d'agressivité (Worchel et Teddlie, 1976). Parmi les autres réponses à l'entassement, on note la tentative de s'éloigner des autres, l'évitement du contact des yeux et le choix de sièges isolés dans une pièce. L'individu peut recourir à ces actions dans le but de retrouver l'état d'intimité qu'il désire (Altman, 1978).

Les recherches montrent que l'entassement diminue la performance des sujets, particulièrement lorsqu'ils doivent effectuer des tâches complexes (*voir la revue de* Baum et Paulus, 1987). On a aussi observé des *effets consécutifs* à la situation d'entassement, c'est-à-dire que les effets négatifs sur la performance peuvent ne pas être immédiats, mais se produire plus tard, par exemple après qu'une personne a été dans une foule (Dooley, 1974; Evans, 1975; Sherrod, 1974). De plus, les actions agressives peuvent augmenter lorsque les gens se sentent entassés, particulièrement si les ressources sont limitées. Par exemple, on a constaté qu'en augmentant le nombre d'enfants dans un espace donné, tout en limitant le nombre de jouets, l'activité agressive augmentait (Rohe et Patterson, 1974). Lorsqu'on augmente la densité de population, les hommes deviennent de plus en plus compétitifs et ils donnent des sentences plus sévères dans les délibérations de jury simulé (Freedman et coll., 1972). Enfin, la serviabilité tend à décliner à mesure que le nombre de personnes augmente. Ainsi, des chercheurs ont «échappé» des enveloppes affranchies et adressées dans des résidences d'étudiants à densité élevée, moyenne ou faible (Bickman et coll., 1973). Le comportement d'aide était mesuré par le nombre d'enveloppes ramassées et mises à la poste. Les taux de retour par le courrier fut de 58 % dans les résidences à densité élevée, de 79 % en résidence à densité moyenne, et de 88 % lorsque la densité était faible.

Selon Stokols (1976), les réactions à l'entassement sont plus importantes lorsqu'il se produit dans un cadre de vie primaire, soit un milieu important dans la vie de l'individu. Par opposition, dans les milieux secondaires, comme le métro ou un magasin bondé à la veille de Noël, les conséquences de l'entassement sont moins importantes, probablement parce que les conditions de l'environnement n'interfèrent pas de façon prolongée sur les buts de l'individu. Des études sur les familles ont montré que des conditions d'entassement entraînent des effets négatifs. En particulier, les enfants paient souvent les frais des conditions d'entassement. Les enfants, beaucoup plus que les adultes, peuvent devenir isolés dans des relations familiales, lorsqu'il y a entassement (Mitchell, 1971; Suttles, 1968). Les enfants peuvent blâmer d'autres membres de la famille pour des problèmes de la maisonnée (Clausen et Clausen, 1973), montrer une nervosité accrue (Gasparini, 1973) et faire preuve d'un développement physique et intellectuel inférieur (Booth et Johnson, 1975).

Dans une étude réalisée à New York, Susan Saegert (1982) s'est intéressée au phénomène de la densité résidentielle chez les enfants. Elle a comparé des enfants selon qu'ils vivaient dans un appartement à densité faible (moins de une personne par pièce) et à densité élevée (une personne ou plus par pièce) et selon qu'ils habitaient un immeuble à densité faible (trois étages) ou élevée (quatorze étages). Saegert a constaté que les enfants qui habitaient des appartements à densité élevée vivaient plus fréquemment des conflits à la maison et avaient tendance à y réagir fortement. De plus, les enfants de ce premier groupe rapportaient être plus fréquemment dérangés au moment de faire leur devoir, ce qui pourrait expliquer en partie que leur rendement scolaire était inférieur.

Certaines perceptions des enfants étaient également associées à la densité d'habitation dans leur immeuble. Ainsi, les enfants vivant dans un immeuble en hauteur percevaient moins d'amitié et d'entraide entre les locataires, et ils avaient moins tendance à penser que les enfants qui manifestent des comportements de vandalisme se sentaient coupables. Sur le plan comportemental, les enfants habitant les immeubles en hauteur passaient moins de temps à l'extérieur du logement les jours de semaine, vraisemblablement parce que les parents, ne pouvant pas aussi facilement les surveiller, leur permettaient moins de jouer dehors.

L'expérience d'entassement peut avoir diverses conséquences négatives. Cependant, ces réponses ne sont pas inévitables. L'apprentissage peut influer sur les réactions aux conditions d'entassement. C'est ainsi, par exemple, que les métros japonais sont si bondés aux heures de pointe que l'on embauche des préposés chargés de pousser le plus grand nombre possible de gens à l'intérieur des wagons. Les passagers ont appris à s'adapter à ces conditions qui ne les déconcertent pas et ils demeurent même joviaux.

Un tel apprentissage ne requiert pas nécessairement toute une vie (Baron et Rodin, 1978). Aller dans un marché public achalandé peut se révéler, par exemple, une aventure pleine de stimulations. On a pu réduire les conséquences négatives d'une situation d'entassement en donnant à des sujets de l'information sur ses effets possibles (Langer et Saegert, 1977; Paulus et Matthews, 1980).

En résumé, la densité de population, une mesure physique objective, n'entraîne pas toujours un sentiment d'entassement. Comme le résument Baum et Paulus (1987), la densité peut entraîner diverses conséquences, et selon l'évaluation que l'individu fait de la situation par rapport à ses intentions, il pourra éprouver un sentiment d'entassement. La perte de liberté, l'augmentation de la stimulation, la perte de contrôle et les menaces environnementales sont à la source de l'expérience d'entassement. L'entassement a des effets sur les relations sociales, de même que sur la performance.

La régulation de la frontière entre soi et les autres

D'après Altman, l'individu est constamment engagé dans un processus de recherche d'équilibre entre le besoin d'être seul et le besoin de contact avec les autres. Altman a conçu un modèle qui décrit le processus de régulation de l'interaction sociale en intégrant les trois aspects fondamentaux du comportement sociospatial que nous venons d'étudier: l'espace personnel, le comportement territorial et l'entassement. Ce processus correspond à ce que les Anglo-Saxons nomment le maintien du «privé» (privacy). Curieusement, comme c'est le cas justement en français, il n'y a pas dans toutes les langues un équivalent au mot qui correspond à cette notion de privacy. Le mot intimité (intimity) est utilisé par Altman et d'autres chercheurs pour désigner un aspect spécifique de la régulation du privé; nous utiliserons donc l'équivalent privé pour désigner le terme privacy. Le **privé** est un processus de régulation des frontières interpersonnelles par lequel un individu ou un groupe règle son interaction avec les autres. Il s'agit d'un processus dialectique d'ouverture ou de fermeture du soi aux autres, selon le désir du moment, c'est-à-dire selon les attentes ou les besoins individuels qui varient dans le temps. C'est un processus bidirectionnel de contrôle des intrants qui viennent d'individus ou de stimuli extérieurs et de contrôle des extrants du soi vers les autres. Le privé n'est donc pas un mécanisme qui se met en œuvre seulement pour sauvegarder l'intimité, il suppose au contraire des ajustements continuels pour permettre différents degrés de contact avec les autres. Ces ajustements se font par le biais des frontières interpersonnelles qui, tout comme la membrane cellulaire par rapport à l'environnement extérieur, peuvent devenir plus ou moins perméables et laisser entrer ou sortir plus ou moins d'informations.

Le modèle d'Altman est schématisé à la figure 13-1. Pour mieux comprendre son fonctionnement, prenons l'exemple suivant: vous désirez étudier dans votre chambre un soir. Vous désirez obtenir un niveau de contact social faible afin de pouvoir vous concentrer. Votre niveau de privé idéal vous amène donc à recourir à divers mécanismes de contrôle interpersonnel. Si quelqu'un entre dans votre chambre pour vous parler, vous manifesterez par votre espace personnel que vous ne désirez pas poursuivre la conversation. Vous aurez alors tendance à ne pas changer l'orientation de votre corps pour faire face à votre interlocuteur. Mais peut-être aurez-vous freiné l'entrée de cette personne par un comportement

territorial préalable, une pancarte *Ne pas déranger* bien en vue sur la porte de votre chambre, par exemple. Votre expression verbale peut signifier directement à la personne que vous devez travailler et qu'en conséquence vous lui demandez de vous laisser seul. Une expression non verbale, le ton de votre voix, un grognement ou un froncement de sourcils, par exemple, pourraient aussi servir dans ce cas. Si par l'un ou l'autre de ces mécanismes ou par une combinaison de quelques-uns vous réussissez à obtenir un niveau d'interaction sociale correspondant au niveau souhaité, la situation est optimale. Si, par contre, le niveau de privé obtenu est inférieur à celui que vous désirez, vous éprouverez un sentiment d'entassement.

Cependant, comme nous l'avons dit précédemment, le maintien de la frontière entre soi et les autres n'équivaut pas seulement au maintien d'un écart avec les autres. Nous voulons aussi, à certains moments, entrer en contact avec les autres et la régulation du privé sert tout autant cette fonction. Au contraire de l'exemple précédent, imaginez qu'il est samedi seize heures et que vous désirez passer une soirée stimulante.

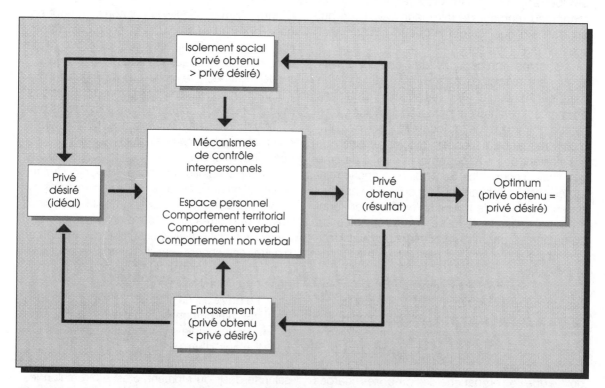

Figure 13-1 **Un modèle de la régulation de la frontière entre soi et les autres**

Selon Altman, la personne recherche constamment un équilibre entre le besoin d'être seul et le besoin de contact avec les autres. Ce modèle décrit le processus de régulation de l'interaction sociale en intégrant les trois aspects fondamentaux du comportement sociospatial: l'espace personnel, le comportement territorial et l'entassement. (Adapté de Altman, 1975.)

Vous décidez d'inviter cinq ou six amis à la maison, mais peine perdue, ils sont tous engagés déjà. Malgré les mécanismes de contrôle utilisés (appels téléphoniques, visites à la maison d'une copine, et ainsi de suite), vous ne parvenez pas à obtenir le degré d'interaction sociale désiré: vous vous retrouvez alors en situation d'*isolement social.* Comme vous pouvez le constater, il s'agit de la situation inverse à la situation d'entassement: le niveau de privé obtenu est supérieur au niveau de privé désiré.

Nous avons vu précédemment l'importance du soi pour l'individu (*voir le chapitre 3*). Les gens veulent savoir où leur soi commence et où il finit, et quelles sont leurs capacités et leurs limites. Selon Altman, en gérant le degré de contact qu'ils ont avec l'environnement extérieur, les gens maintiennent un sentiment du soi. C'est ainsi que le privé, en tant que processus de régulation de la frontière entre soi et les autres, a trois fonctions. Il permet d'abord de *contrôler et d'organiser les interactions avec autrui.* Il contribue aussi au *développement de rôles interpersonnels et de stratégies pour traiter avec l'autre.* Enfin, il contribue à *affirmer le sens de l'identité individuelle* en permettant le contrôle de la perméabilité de la frontière entre soi et les autres. La capacité de définir ses propres limites est essentielle au développement du sens de l'identité, et l'individu qui ne peut exercer de contrôle sur ses limites aura l'impression de ne pas avoir de pouvoir et son estime de soi sera diminuée, ce qui peut entraîner les conséquences négatives que nous avons examinées au chapitre 12.

Le processus de régulation du privé se retrouverait dans toutes les cultures, mais les mécanismes de contrôle interpersonnel varieraient considérablement de l'une à l'autre (Altman et Chemers, 1980). En effet, l'analyse de diverses cultures permet de retrouver des façons d'entrer en contact avec les autres en certaines occasions et d'être inaccessible à d'autres moments. Altman et Chemers rapportent par exemple qu'aux yeux des Occidentaux, il semble difficile de pouvoir se retirer des autres dans la tribu Mehinacu du Brésil. Les huttes en cercle, la disposition des champs et des sentiers qui conduisent au village permettent de voir tout le monde; les parois des murs n'amortissent pas très bien les bruits. Pourtant, diverses règles empêchent l'intrusion. Les gens ne peuvent entrer sans permission dans la hutte des autres et ceux qui partagent la même ne peuvent aller dans les parties qui appartiennent aux autres. Diverses périodes d'isolement sont prévues pour les hommes: à l'âge de neuf ans, au moment de la naissance du premier enfant, à la mort de leur conjointe. Au cours de leur socialisation, les gens sont éduqués à être discrets et à ne pas mettre les autres dans des situations embarrassantes.

En résumé, nous avons vu que par le processus de régulation du privé, l'individu contrôle sélectivement l'accès du soi aux autres. Ce processus est dialectique; parfois l'individu s'ouvre, parfois il se ferme aux autres. Si, par différents mécanismes de contrôle interpersonnel, comme les comportements liés à l'espace personnel et le comportement territorial, l'individu parvient à obtenir le degré d'interaction sociale qu'il désire, la situation est optimale. Lorsque ce degré est supérieur à ce qu'il désire, il y a sentiment d'entassement. Le sentiment d'isolement social survient lorsque le degré d'interaction obtenu est inférieur à celui qu'il désire avoir. Le processus de régulation du privé serait essentiel au développement et au maintien d'un sentiment du soi, de l'estime de soi et du pouvoir.

Le bruit: un stresseur environnemental puissant

Lorsqu'on visite une grande ville qui nous est étrangère, New York, Hong Kong ou Rome, par exemple, on prend étonnamment conscience du tintamarre urbain. Les bruits auxquels nous nous sommes habitués dans notre cadre de vie prennent soudain une ampleur particulière. On porte attention au bruit des voitures, des motocyclettes, des camions et des klaxons, à celui que fait un couple qui se querelle, aux éclats de voix des enfants, aux slogans des grévistes. Le visiteur peut accepter la situation et même la trouver intéressante ou stimulante. Mais quels sont les effets, chez les résidants, de l'exposition à de tels bruits? Le bruit perturbe-t-il le sommeil, diminue-t-il le rendement au travail ou affecte-t-il les relations interpersonnelles? Le bruit devrait-il être considéré comme un polluant? Est-il aussi dangereux que la criminalité urbaine? On s'intéresse aussi à la chaleur ou à la pollution comme sources de stress; mais c'est au sujet du bruit que nos connaissances sont le plus développées. À l'heure actuelle, il est clair que le bruit est une source de stress environnemental extrêmement puissante. Aussi, nous y accorderons une attention particulière.

Examinons d'abord ce qu'est le bruit et considérons les effets qu'il peut produire sur le plan

Encadré 13-1

Aires ouvertes, aires fermées: est-ce bon pour la santé?

De plus en plus d'aménagements intérieurs sont conçus selon un plan dit à aires ouvertes. Les bureaux paysagés et les *lofts* sont courants de nos jours. Même certaines garderies sont à aires ouvertes. Des chercheurs de l'Université de Montréal se sont demandé quels sont les effets du bruit sur le bien-être des éducateurs et des éducatrices de garderie qui travaillent dans un espace à aires ouvertes plutôt qu'à aires fermées. Claire Truchon-Gagnon et Raymond Hétu (1988) ont comparé les niveaux de bruit et les problèmes liés au bruit rapportés par les travailleurs dans des garderies à aires ouvertes et des garderies à pièces fermées. À l'exception de cette caractéristique d'aménagement, les chercheurs se sont assurés que les lieux étaient comparables sur plusieurs points. Ainsi, aucune des garderies n'était située près d'une autoroute, d'une voie ferrée ou d'un corridor aérien. Aucun bruit extérieur supérieur à 55 dB n'était entendu à l'intérieur de la garderie, une fois les fenêtres ouvertes. Les meubles, les surfaces des planchers et des murs étaient semblables d'un lieu à l'autre, de même que l'équipement domestique ou de jeu. Enfin, les enfants provenaient de milieux socio-économiques et culturels variés, comparables d'un lieu à l'autre. Plusieurs mesures du bruit ambiant ont été prises, en s'assurant que les périodes sélectionnées correspondaient bien à des journées types.

Truchon-Gagnon et Hétu ont constaté que dans toutes les garderies, le niveau de bruit est élevé: voix et pleurs d'enfants, portes qui se ferment violemment, objets de bois ou de métal qui tombent. Dans l'ensemble des garderies, les travailleurs, comme les enfants d'ailleurs, étaient exposés pendant plus de huit heures à un niveau sonore variant de 72 à 80 dB. Cependant, le niveau de bruit le moins élevé a été observé comme prévu dans les garderies avec pièces fermées. C'est également dans ces garderies que l'on a noté le plus grand nombre d'intervalles tranquilles, c'est-à-dire de périodes durant au minimum trois minutes pendant lesquelles le niveau de bruit était faible ou modéré. Dans l'une des garderies à aires ouvertes, on a observé pas moins de 121 périodes de pleurs ou de cris d'enfants dans une journée caractérisée comme tout à fait normale. Comme le

physique. La force d'un bruit est reliée à l'amplitude, ou volume, des ondes sonores. L'amplitude est représentée conventionnellement par l'échelle des décibels (dB). Des niveaux élevés de décibels peuvent engendrer un inconfort extrême et peuvent même causer la surdité permanente. Écouter, ne serait-ce que pendant deux heures, un groupe rock jouant à 110 dB peut produire une détérioration grave de l'acuité auditive (Lebo et Oliphant, 1968). Évidemment, la majorité des gens ne sont exposés que bien rarement à des sons littéralement assourdissants. Aussi, il importe de savoir si des bruits moins intenses peuvent avoir d'autres types d'effets préjudiciables. Nous examinerons à ce sujet les résultats de recherches corrélationnelles menées sur le terrain et de recherches expérimentales conduites en laboratoire.

Quelques échos provenant des études sur le terrain

Divers champs d'étude suggèrent que le bruit non désiré peut se révéler un intrus perfide. L'exposition fréquente au bruit est souvent corrélée avec l'incidence de maladies chroniques (Cameron, Robertson et Zaks, 1972), avec une augmentation de la nécessité de recourir à un médecin (Grandjean et coll., 1973) et avec un taux anormalement élevé de maladies cardiaques, d'allergies,

rappellent les chercheurs et comme nous l'avons vu dans ce chapitre, le caractère imprévisible de ces comportements d'enfants ajoute au stress vécu par les éducateurs et éducatrices de garderie qui doivent composer avec cette situation.

Même si le niveau sonore ambiant dans les garderies est en deçà des normes prescrites par la loi pour protéger la santé des travailleurs, une enquête auprès des travailleurs a révélé que les niveaux de bruits dans les garderies sont suffisants pour causer aux éducateurs et éducatrices de la gêne, de l'inconfort et des problèmes de santé. En ce qui a trait à la gêne ressentie et aux problèmes de santé déclarés, les travailleurs des garderies à aires ouvertes se sont nettement distingués de ceux des autres garderies. Ils étaient plus nombreux à rapporter des problèmes de santé ressentis *après leur journée de travail*: maux de têtes, fatigue intense, troubles de la voix. Ils étaient aussi plus nombreux à souhaiter prendre un congé de maladie et à changer de travail. Alors que 47 % des travailleurs en aires fermées ont dit ne jamais avoir de difficultés à entendre une conversation, ce fut le cas de seulement 24 % des travailleurs en aires ouvertes. En garderies à aires fermées, 35 % des travailleurs ont affirmé que le bruit à la garderie était difficilement tolérable, tandis que cela fut affirmé par 65 % des éducateurs de garderies à aires ouvertes. Enfin, en aires fermés, 29 % ont dit «souhaiter être ailleurs» pendant les périodes bruyantes; cela était le cas de 56 % des travailleurs en aires ouvertes.

La recherche ne permettait pas de vérifier l'effet du bruit sur la santé et sur le développement des enfants. Cependant, comme le soulignent les chercheurs, la perte de motivation, la difficulté pour les éducateurs et éducatrices de communiquer verbalement et d'être patients, de même que la fatigue intense, sont tous des facteurs qui peuvent avoir d'importants effets indirects sur les enfants.

Deux solutions importantes et complémentaires peuvent être appliquées. Il faut limiter la taille des groupes à une dizaine d'enfants dans les garderies à aires fermées. De plus, il faut s'assurer que des matériaux appropriés, généralement installés au plafond, absorbent les sons. Des solutions architecturales au problème du bruit dans les garderies ont été proposées par les chercheurs dans un guide distribué par Santé et Bien-être Canada (Melançon, Truchon-Gagnon, Hodgson, 1990). En raison des difficultés à apporter des solutions au problème du bruit dans les garderies à aires ouvertes, ce type d'aménagement semble donc inapproprié.

de maux de gorge et de problèmes digestifs (*voir la revue de* Cohen et Weinstein, 1982). Il y a chez les nourrissons nés de mères qui ont été exposées au bruit des avions un taux de mortalité supérieur par rapport aux enfants dont les mères n'ont pas été exposées à un tel bruit (Ando et Hattori, 1973). On a trouvé que le bruit industriel de forte intensité est associé à la présence de maux de tête, de nausées, d'instabilité, de tendance à la contradiction, d'anxiété et d'impuissance sexuelle (Cohen, Glass et Phillips, 1977; Miller, 1974). Des recherches effectuées dans la région de l'aéroport d'Heathrow, à Londres, montrent que les taux d'admission en hôpital psychiatrique sont plus élevés dans les zones très bruyantes que dans les zones qui le sont moins (Herridge, 1974; Herridge et Low-Beer, 1973). Les chercheurs ont visité les écoles et les foyers pour examiner les effets du bruit sur les études des enfants et sur leurs habiletés cognitives. On a observé que les enfants qui vivent dans les appartements situés aux étages inférieurs des immeubles (les étages à proximité de la circulation dense) souffrent davantage de problèmes auditifs et leur habileté à lire est moindre que celle des enfants qui vivent aux étages supérieurs du même immeuble (Cohen, Glass et Singer, 1973). De plus, on a comparé l'habileté à lire chez des enfants dont les classes étaient adjacentes à une voie ferrée surélevée et d'autres enfants dont les classes étaient situées du côté tranquille du même édifice. Les enfants du côté tranquille ont fait preuve d'une habileté supérieure (Crook et Langdon, 1974).

Annie Moch (Moch-Sibony, 1980, 1981) de l'Université de Paris VIII a aussi étudié l'effet du bruit chez des enfants habitant près de l'aéroport d'Orly. Elle a comparé les écoliers de deux établissements dont l'un avait été insonorisé. Plusieurs différences sont apparues entre les enfants de ces deux écoles, qui par ailleurs étaient comparables du point de vue socio-économique, et du point de vue des aptitudes initiales et des capacités auditives. Tout d'abord, après une exposition d'une année au bruit, les enfants de l'école non insonorisée avaient une capacité de discrimination auditive inférieure à celle des enfants de l'autre école. Dans l'école non insonorisée, le passage d'avions était à l'origine de plusieurs interruptions en classe; environ 10 % du temps était ainsi perdu et il était plus difficile de maintenir l'attention des enfants. Les résultats des divers tests effectués auprès des enfants ont révélé que les enfants de l'école non insonorisée réussissaient beaucoup moins bien que ceux de l'autre école. Moch a constaté qu'après une année d'exposition au bruit, les enfants du premier groupe échouaient davantage que les autres à une épreuve de résolution de problèmes, étaient moins capables d'attention soutenue et faisaient preuve de démobilisation lorsqu'ils étaient soumis à diverses tâches (ils bâillaient, soupiraient et étaient agités). De plus, les enfants exposés au bruit étaient moins tolérants à la frustration. Il semble donc que le bruit peut affecter le développement des facultés intellectuelles des enfants et l'épanouissement de leur personnalité.

Cohen, Evans, Krantz et Stokols (1980) rapportent également des différences entre des enfants fréquentant une école primaire située sous un corridor aérien achalandé et des enfants fréquentant des écoles plus tranquilles. Chez les enfants du premier groupe, les chercheurs ont constaté plus de résignation manifestée par un abandon dans les tâches cognitives, une moins bonne réussite dans une tâche de type casse-tête et une tension artérielle supérieure.

Tout cela est alarmant, le bruit semble véritablement une menace sérieuse. Mais toutes ces recherches sont de type corrélationnel et ne nous permettent pas d'éliminer d'autres facteurs possibles. Par exemple, les travailleurs de l'industrie qui doivent travailler dans des zones où le bruit est très intense présentent peut-être des caracté-

ristiques différentes de celles des travailleurs qui n'ont pas à vivre dans de tels environnements. Qui sait? La personne qui s'est orientée dans le domaine de la construction est peut-être déjà, pour une foule de raisons, plus vulnérable aux difficultés physiques et psychologiques que ne l'est la personne qui a choisi d'être commis à la bibliothèque. Les différences de niveaux de bruit auxquels elles seront exposées par la suite peuvent ne pas être la cause de leurs problèmes. De la même façon, les enfants qui habitent les appartements situés aux étages inférieurs des immeubles peuvent avoir des parents qui sont aux prises avec des difficultés financières ou qui valorisent moins l'instruction que ne le font les parents qui vivent dans les appartements plus chers des étages supérieurs. Nous avons vu au chapitre premier qu'il est difficile de conclure avec certitude à partir de résultats qui reposent sur des corrélations. Afin de s'assurer que les relations observées entre le bruit et divers effets ne soient pas causés par d'autres variables, des chercheurs ont mis au point des expériences en laboratoire. Examinons quelques-uns de ces travaux qui montrent également les répercussions négatives du bruit.

Quelques échos provenant des études en laboratoire

Les influences du bruit sur la performance au travail sont évidentes. Aussi, dans les recherches en laboratoire, on a beaucoup exploré les effets du bruit sur la capacité d'effectuer diverses tâches. Les premières recherches sur la question indiquaient que, si le bruit demeure en deçà de 110 dB, les gens parviennent à bien accomplir des tâches motrices ou mentales simples (Kryter, 1970). Cependant, l'intérêt quant à l'effet du bruit sur la performance s'est accru lorsque David Glass et Jerome Singer (1972) ont publié les résultats de leurs travaux sur les effets consécutifs du bruit. Ils se sont demandé s'il est possible que les effets préjudiciables du bruit ne surviennent pas au moment où le bruit est présent, mais qu'ils surviennent plutôt par la suite. Après tout, pendant la période où ils subissent le bruit, les gens peuvent se défendre contre les effets du bruit en se concentrant un peu mieux et en essayant d'être plus patients que d'habitude. Glass et Singer se sont dit que ces comportements exigent une dépense d'effort et que les coûts du stress apparaissent peut-être au cours de la période consécutive au bruit.

Pour mettre leur raisonnement à l'épreuve, Glass et Singer ont demandé à des sujets de travailler à diverses tâches cognitives, en les exposant à vingt-trois pointes de bruit élevé (100 dB) ou moins intense (56 dB). Après avoir été exposés à la condition bruyante, les sujets devaient accomplir une tâche de dessin dans une pièce tranquille. Certaines parties de la tâche étaient insolubles et les chercheurs voulaient savoir à quel rythme les sujets abandonneraient, ce qui fournirait un indice de leur *tolérance à la frustration*. Les sujets devaient également effectuer une tâche de lecture d'épreuves. Dans ce cas, plus le nombre d'erreurs repérées dans une copie serait élevé, plus serait grande la qualité de leur performance. Vous pouvez voir à la figure 13-2 que les sujets soumis aux bruits moins intenses dans la phase initiale ont été par la suite plus efficaces que ceux qui avaient été soumis aux bruits élevés. Ils ont abandonné moins facilement la tâche de dessin et ils ont trouvé davantage d'erreurs dans la tâche de lecture d'épreuves.

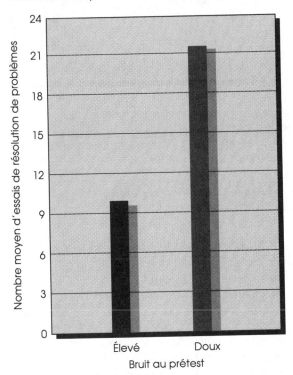

Figure 13-2 Les conséquences du bruit

Notez la différence dans l'effort entre les sujets exposés au bruit élevé avant qu'ils ne commencent la tâche de résolution de problèmes et les sujets exposés au bruit moins intense au même moment. (Adapté de Glass et Singer, 1972.)

D'autres recherches sur le bruit ont porté sur les effets de la prévisibilité. Glass et Singer (1972) se sont dit que le bruit imprévisible peut être particulièrement stressant parce que l'individu ne peut pas le contrôler. Comme nous l'avons mentionné en parlant du sentiment de contrôle en relation avec la santé (*voir le chapitre 12*), lorsque les gens se sentent impuissants devant leur condition, ils peuvent devenir déprimés et apathiques. Pour démontrer cet effet d'impuissance, les chercheurs ont exposé les sujets au bruit et ils ont fait varier le degré de pouvoir que les sujets *croyaient avoir* sur le commencement et la fin du bruit. Lorsqu'ils croyaient pouvoir contrôler le bruit, leur performance ultérieure ne diminuait que très peu. Lorsqu'ils ne croyaient pas qu'ils pouvaient contrôler le bruit, leur performance ultérieure déclinait (Sherrod et coll., 1977). La possibilité de produire un son encore plus bruyant peut même créer un sentiment de sécurité appréciable. Ainsi, dans une résidence d'étudiants bruyante, un étudiant peut avoir recours à son baladeur pour faciliter son étude plutôt que pour simplement se distraire.

Quel est l'effet du bruit sur les relations entre les gens? En plus de se répercuter sur la performance à la tâche, la gêne associée au bruit a-t-elle un effet négatif sur la vie sociale? Les recherches semblent le suggérer (*voir la revue de* Cohen et Spacapan, 1984). Le bruit, peut par exemple, influer sur l'agression. Dans une étude sur cette question, les chercheurs ont exposé des étudiants à des pointes de bruit de 55 dB ou de 95 dB pendant que les étudiants donnaient des chocs électriques à un **compère** des expérimentateurs (Donnerstein et Wilson, 1976). Les sujets exposés à des bruits d'une forte intensité ont donné plus de chocs au compère que les sujets exposés à des bruits de faible intensité. Les chercheurs ont étudié l'effet du bruit incontrôlable sur le comportement agressif. On a dit à la moitié des sujets qu'ils pouvaient contrôler le bruit de 95 dB et aux autres qu'ils ne pouvaient pas le contrôler. Les sujets qui pensaient avoir du contrôle sur le bruit ont donné au compère des chocs plus faibles que les sujets qui pensaient n'avoir aucun contrôle.

Diverses études ont montré que le bruit peut également réduire le comportement social positif (Cohen et Spacapan, 1984). L'attention étant gênée par le bruit environnemental, les gens peuvent ne pas s'apercevoir que quelqu'un a besoin d'aide ou ils peuvent n'avoir aucune ressource psychologique disponible (Cohen, 1978). Cela a été montré de façon fascinante dans une expérience sur le terrain. Les chercheurs ont fait varier le niveau de bruit au moment où un compère, chargé d'une grosse pile de livres, sortait d'une voiture garée le long d'un trottoir achalandé et échappait ses livres (Mathews et Canon, 1975). Pour faire varier le bruit, un deuxième compère, posté dans une cour voisine, mettait en marche une tondeuse sans silencieux. Dans la condition de bruit faible, la tondeuse ne fonctionnait pas; dans celle de bruit élevé, la tondeuse émettait un rugissement d'environ 87 dB. On faisait varier le besoin d'aide du compère en lui mettant parfois un plâtre au bras. Comme vous pouvez le constater à la figure 13-3, le bruit a fortement influé sur l'aide que les piétons ont apportée. Lorsque la victime ne portait pas de plâtre, deux fois plus de personnes l'ont aidée dans la condition tranquille que dans la condition bruyante. Lorsque la victime portait un plâtre et avait donc davantage besoin d'aide, 80 % des piétons ont offert leur aide dans la condition tranquille. Cependant, lorsque la tondeuse fonctionnait, seulement 15 % des passants ont offert leur aide.

L'effet négatif du bruit est-il le même chez tous? Il semble que non. Ainsi, comme le rappellent Bernard et Lévy-Leboyer (1987), à partir de nombreuses recherches sur le sujet, on peut conclure qu'il existe une corrélation globale entre le niveau de bruit et la gêne perçue, mais que des variations individuelles font que les uns sont plus perturbés que les autres. Nous avons vu au chapitre 12 la distinction entre les sujets qui appartiennent au **type A** et ceux qui appartiennent au **type B**. Rappelons que les sujets de type A sont toujours pressés et très compétitifs. Annie Moch

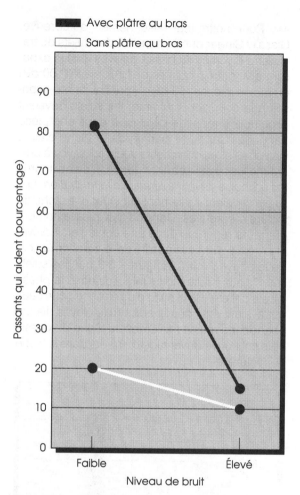

Figure 13-3   L'effet du bruit sur la serviabilité

Cette étude a montré que le tintamarre d'une tondeuse était suffisamment stressant pour réduire considérablement la serviabilité des gens lorsqu'un étudiant avait besoin d'aide. (Adapté de Mathews et Canon, 1975.)

(1985) s'est demandé si les sujets réagissent différemment au bruit dans l'exécution de tâches, selon qu'ils sont de type A ou de type B. L'une des tâches était simple: les sujets devaient barrer sur une feuille comportant une multitude de signes, tous ceux qui étaient identiques à un modèle. L'autre tâche était plus complexe: les sujets devaient retenir le plus de mots possible dans une liste de 20 mots sans signification. Les sujets recevaient à différents moments, au moyen d'écouteurs, un son pur variant de 68 à 110 dB. Ils devaient signaler le moment où le bruit les gênait dans l'exécution de la tâche. Pour la tâche simple, les sujets de type B toléraient aussi bien le bruit que les sujets de type A. Toutefois, lors de l'exécution de la tâche complexe, une différence est apparue; alors que les sujets de type A

toléraient de la même façon le bruit, les sujets de type B avaient un niveau plus faible de tolérance au bruit. Selon Moch, en tentant de s'adapter *envers et contre tout* aux conditions néfastes de leur environnement, les sujets de type A adoptent parfois un mode de réponse à l'environnement qui peut nuire à leur santé physique et mentale. D'autres variables de personnalité pourraient ainsi influer sur la façon dont le bruit est perçu.

En résumé, nous voyons qu'il est justifié de se préoccuper de cette nuisance environnementale qu'est le bruit. L'exposition prolongée au bruit peut être préjudiciable à la santé physique et mentale. Le bruit, particulièrement s'il est imprévisible et semble incontrôlable, peut avoir des conséquences négatives sur les sentiments, les pensées et les actions des gens. La performance à diverses tâches peut se dégrader. Le développement des facultés intellectuelles des enfants pourrait être perturbé par une exposition excessive au bruit ambiant. Surexposés au bruit, les gens peuvent s'irriter davantage envers les autres et être moins serviables à leur égard.

La psychologie écologique: l'analyse des activités de la vie quotidienne

Comme nous l'avons indiqué en introduction, c'est vers la fin des années soixante que les travaux en psychologie de l'environnement ont véritablement connu leurs débuts. Toutefois, avant même que les psychologues se préoccupent des problèmes liés à l'entassement urbain, au bruit, à la dégradation de l'environnement, et ainsi de suite, une équipe de précurseurs s'intéressaient à la relation entre l'individu ou le groupe et son cadre de vie (*voir* Darley et Gilbert, 1985). Adoptant une perspective interactionniste, ces chercheurs se sont éloignés de la vision selon laquelle l'individu est un récepteur passif des intrants environnementaux. Ils voient plutôt les gens comme des organismes actifs qui recherchent des relations harmonieuses avec l'environnement, et les uns avec les autres. La préoccupation centrale des tenants de l'approche écologique est l'atteinte de relations optimales avec l'environnement (Wicker, 1979).

Une question toute simple fut à l'origine des travaux en **psychologie écologique**, entrepris par Roger Barker dans les années cinquante (Wicker, 1979). Comment les expériences et les comportements humains sont-ils reliés aux différents milieux dans lesquels se déroule la vie quotidienne? Barker fut un étudiant de Kurt Lewin dont le nom et la pensée vous sont sans doute devenus familiers à la lecture des chapitres précédents. Lewin soutenait que pour comprendre le comportement des individus ou des groupes, il faut examiner les possibilités et les contraintes qu'ils rencontrent dans leur environnement. De plus, Lewin valorisait une compréhension globale du comportement, considéré comme le résultat d'une interaction entre la personne et l'environnement. Cette vision est inhérente à la façon dont la psychologie écologique conçoit les relations entre l'individu ou le groupe et l'environnement. S'éloignant d'une approche strictement centrée sur la personne, Barker a développé la psychologie écologique qui étudie les relations interdépendantes des actions motivées des gens et des cadres comportementaux dans lesquels ces actions ont lieu (Wicker, 1979). Comme vous pourrez le constater dans cette section, l'approche écologique en psychologie met l'accent sur une approche holistique, interactionnelle et molaire du comportement humain; pour Barker, le comportement humain prend son sens dans la **gestalt** de ses composantes qu'on ne peut isoler les unes des autres, comme on le fait notamment dans les recherches de type expérimental (Darley et Gilbert, 1985). Barker (1987) rappelle qu'au début de ses travaux, il ne disposait pas de procédés, de concepts ou de langage technique pour décrire les phénomènes survenant en contexte naturel, c'est-à-dire à l'extérieur des laboratoires, des cliniques ou des situations d'interview ou d'administration de tests. La psychologie écologique a en conséquence développé ses propres méthodes d'enquête sur le terrain et ses propres techniques d'analyse. Les théories et les concepts proposés par cette approche nous éclairent de façon intéressante sur certains aspects de la relation entre l'individu ou le groupe et l'environnement. Dans cette section, nous porterons notre attention sur deux aspects fondamentaux de la psychologie écologique: le cadre comportemental et la théorie du peuplement.

Le cadre comportemental: là où ça se passe

Reportez-vous à une époque où presque toutes les recherches étaient effectuées en laboratoire au cours de séances de courte durée. Dans ce contexte, la publication de l'ouvrage de Barker et Wright, en 1951, relatant en termes scientifiques une journée dans la vie d'un jeune garçon (*One Boy's Day*) apporta un souffle nouveau. Barker et Wright étaient curieux de savoir ce que les gens faisaient pendant une journée entière dans des milieux de vie réels. Ils ont observé les activités d'un jeune garçon à partir de son réveil le matin, jusqu'à ce qu'il se couche le soir. Le principal résultat de cette recherche a été de mettre en lumière l'immense influence des situations sociales sur le comportement de l'enfant. De fait, les auteurs ont conclu que l'on prédit plus précisément les comportements des enfants en connaissant les situations où ils se trouvent qu'en connaissant les caractéristiques individuelles des enfants (*voir* Wicker, 1979). Par exemple, à table avec sa famille, le garçon adoptait un mode de comportement social qui ne se retrouvait pratiquement pas lorsqu'il était avec ses amis au terrain de jeu ou dans la classe de mathématiques à l'école. Ses caractéristiques personnelles n'étaient donc pas prédominantes dans chaque milieu.

De ces différences impressionnantes a émergé le concept de **cadre comportemental** que l'on peut définir comme une séquence caractérisée par l'autorégulation des événements interpersonnels qui surviennent dans un environnement délimité. Afin d'illustrer un cadre comportemental, prenons le souper familial. L'événement a dans le temps et dans l'espace des frontières qui sont relativement stables en raison de processus d'autorégulation qui lient entre elles les composantes du cadre comportemental. En Amérique du Nord, le souper a habituellement lieu dans une pièce spécifique de la maison entre dix-sept et vingt heures. Il y a autorégulation de l'événement, en ce sens que les membres de la famille accomplissent habituellement des tâches sans avoir de programme formel, ni d'ordres spécifiques. Tous les membres de la famille savent ce que l'on attend d'eux et si l'un d'eux dévie, les autres membres vont habituellement réagir et le ramener à la conduite attendue. Si un membre de la famille arrive en retard pour souper, s'il se sert trop abondamment ou s'il arbore un air renfrogné, d'autres membres de la famille répondront généralement par des critiques ou des commentaires correctifs, afin de rétablir l'ordre habituel des événements.

Le cadre comportemental se caractérise donc par une tendance à l'équilibre, à l'homéostasie; si des événements menacent le déroulement harmonieux des activités, des ajustements viennent corriger la situation. Imaginez qu'un étudiant perturbe un cours en faisant jouer sa radio dans la classe. Le professeur ou les autres étudiants lui demanderont d'éteindre la radio ou de se retirer. De la sorte, le *programme* ou la séquence prescrite des interactions des gens et des objets dans le cadre comportemental pourra suivre son cours (Wicker, 1979).

Barker et son équipe ont mis au point une méthode qui permet de faire l'inventaire des cadres comportementaux dans un environnement donné, qu'il s'agisse d'une ville ou d'une école, par exemple. Le relevé met l'accent non pas sur les aspects physiques ou matériels du milieu, mais plutôt sur les attributs comportementaux du cadre étudié. Ces relevés ont permis de faire des constatations fascinantes, dont l'une sur l'importance du nombre d'individus dans un cadre comportemental donné.

Le peuplement: le nombre compte

Les résultats d'une étude des cadres comportementaux dans deux villes qui se distinguaient surtout par leur population ont attiré l'attention sur la relation entre cette variable et le nombre de cadres comportementaux disponibles (Barker et Schoggen, 1973). Comparativement aux habitants de la ville B, les habitants de la ville A, dont la population était plus faible, passaient en moyenne 46 minutes de plus par jour à participer à des activités se déroulant dans un cadre public. Les gens de la ville A étaient donc plus affairés sur la scène publique, parce que chacun était plus souvent sollicité pour participer aux cadres comportementaux de la communauté. Les chercheurs ont conceptualisé l'équilibre dans la relation population-cadre comportemental comme le reflet d'un **peuplement optimal**. Le peuplement optimal existe lorsque le nombre de personnes dans un cadre comportemental est égal au nombre de tâches essentielles à accomplir. Lorsque le nombre de personnes disponibles est inférieur au nombre de tâches essentielles, le cadre est **sous-peuplé**; lorsqu'il excède le nombre de tâches, il est **surpeuplé**. De façon générale, le peuplement optimal conduit à d'excellentes performances (Clark, 1978; Wicker, 1973).

D'après Barker et Schoggen, la différence d'exigences reliées au peuplement dans les deux communautés exerçait un effet important sur les gens. Ils se disaient que les gens feraient des ajustements afin de maintenir l'harmonie dans un cadre sous-peuplé. Puisque la communauté ne peut se permettre de perdre un membre, des

Les cadres comportementaux à l'école. Dans sa publicité, cette école secondaire fait valoir la possibilité pour ses élèves de participer à plusieurs cadres comportementaux. Les écoles de petite taille favorisent la participation des élèves à un grand nombre d'activités variées, ce qui enrichit leur expérience.

gens moins bien qualifiés peuvent être appelés à accomplir des tâches. De plus, des critères moins élevés peuvent être utilisés pour évaluer la performance. Les résidants des communautés sous-peuplées travailleront plus fort et participeront à une plus grande variété de cadres. C'est ainsi qu'une femme vivant dans l'environnement sous-peuplé de la ville A peut travailler au palais de justice, chanter dans la chorale, jouer dans un groupe de bridge, siéger au comité d'école et élever une famille. Il est possible de participer à toutes ces activités parce que l'environnement est sous-peuplé. Les chercheurs croyaient que la réponse au sous-peuplement pouvait modeler le caractère des gens de la communauté. Ils ont trouvé que, comparativement aux gens de la ville B, les habitants de la ville A «sont, en moyenne, des gens plus importants, qui assument de plus grandes responsabilités, qui ont des critères de performance adéquate moins élevés, qui valorisent davantage les réalisations concrètes et moins les qualités personnelles, qui ont des talents plus variés et qui travaillent plus fort» (Barker et Schoggen, 1973).

Le peuplement optimal peut signifier que les diverses tâches sont accomplies avec plus de compétence et d'efficacité. Pourtant, plusieurs psychologues croient que le sous-peuplement peut présenter des avantages importants pour certains groupes. Songez à ce qui se passe à l'école secondaire. Dans les grandes écoles, plusieurs élèves sont disponibles pour chaque activité parascolaire. Les écoles secondaires plus petites n'ont habituellement pas assez d'élèves à répartir dans les diverses activités. En conséquence, les grandes écoles secondaires peuvent produire de meilleures équipes sportives ou publier de meilleurs journaux. Cependant, seulement un léger pourcentage de la population scolaire peut participer à de telles activités. Il en résulte que les élèves des plus petites écoles peuvent avoir une vie plus riche d'expériences. Le tableau 13-1 montre l'effet positif du sous-peuplement. On a interrogé les élèves de grandes et de petites écoles sur leurs postes de responsabilités dans leur milieu scolaire. Les élèves des petits établissements occupaient davantage de postes dans presque toutes les catégories (Wicker, 1968). La même étude a montré que les élèves de petites écoles, comparativement aux élèves de grandes écoles, ont développé plus d'habiletés au cours de leur secondaire, avaient davantage confiance en eux, se sentaient plus nécessaires, travaillaient plus fort, se préoccupaient davantage de réussir dans leurs entreprises et étaient capables de travailler plus étroitement avec les autres. Une étude auprès d'un échantillon national d'élèves du niveau secondaire indique que les élèves des petites écoles, par opposition aux élèves des grandes écoles, démontrent de bien meilleures performances en rédaction, en musique, en art dramatique et en matière de leadership (Baird, 1969). Il est clair que le sous-peuplement peut présenter des avantages importants pour les élèves du secondaire.

Type de cadre	Proportion de la clientèle scolaire qui aide dans l'activité		
	Petites écoles	Grandes écoles	Différence
Partie de basket-ball intramurale	0,71	0,09	0,62
Réunion d'affaires de classe ou d'une organisation	0,37	0,21	0,16
Pièce de théâtre ou concert scolaires	0,77	0,15	0,62
Danse informelle le soir	0,32	0,18	0,14
Campagne de financement d'un projet de classe ou de club	0,99	0,80	0,19
Voyage à l'extérieur commandité par l'école	0,20	0,40	−0,20

Source: Adapté de Wicker, 1968.

Tableau 13-1   Le sous-peuplement: la relation entre la population et la participation

Les élèves des écoles secondaires plus petites étaient plus susceptibles d'aider dans diverses activités scolaires que ne l'étaient les élèves des écoles secondaires plus grandes. Notez, par exemple, que pour organiser une partie de basket-ball dans une petite école, la participation de 71 % des élèves est requise, alors qu'on n'a besoin que de 9 % des élèves dans une grande école.

Nous avons vu que dès ses débuts, la psychologie écologique a mis l'accent sur l'aspect interactif des relations entre l'environnement et l'individu ou le groupe. Barker (1987) a récemment insisté de nouveau sur cet aspect en rappelant que les cadres comportementaux ne dominent pas les individus qui conservent leur liberté d'action pour modifier, choisir et créer des cadres comportementaux qui correspondent davantage à leurs aspirations. Barker (1987) résume ainsi sa pensée à cet égard: *les gens sont les créatures des cadres comportementaux qu'ils créent, modifient et choisissent.* Cependant, il peut parfois être nécessaire de recourir à des experts en matière de cadres comportementaux, afin de les modifier. Selon l'exemple de Barker, une personne ne peut modifier une automobile alors qu'elle est au volant. Il serait ainsi difficile de faire partie activement d'un cadre comportemental tout en cherchant à le modifier profondément. C'est ici que peut intervenir le professionnel spécialisé en psychologie écologique qui procède d'abord à une évaluation du milieu en étudiant les fonctions et les dysfonctions du cadre comportemental, les satisfactions et les insatisfactions des usagers, et en participant au besoin comme un usager du cadre. Suivent des propositions de modifications étudiées et éventuellement mises à l'essai avec des représentants des usagers. De telles interventions ont été réalisées par exemple en milieu de travail, en rapport avec le peuplement optimal et le sens de l'initiative, en milieu scolaire pour favoriser la participation des jeunes, dans des voisinages afin de promouvoir la sécurité et la salubrité (*voir* Wicker, 1979, 1987).

En résumé, dans l'approche écologique des questions environnementales, on se préoccupe des relations interdépendantes des actions motivées des gens et des cadres comportementaux dans lesquels ces actions se font. Un cadre comportemental correspond à une séquence caractérisée par l'autorégulation des événements interpersonnels qui surviennent dans un environnement délimité. Comme les premières études l'ont indiqué, les gens s'engagent dans des modes de comportement nettement différents selon qu'ils se déplacent d'un cadre comportemental à un autre, chacun ayant son propre programme d'activités et de règles. Les cadres comportementaux ont un peuplement optimal lorsque le nombre de personnes dans le cadre est égal au nombre de tâches à accomplir. Dans des conditions de peuplement optimal, les tâches sont souvent accomplies avec compétence et efficacité. Cependant, dans les cadres sous-peuplés, telles une organisation communautaire ou une école, les gens sont souvent amenés à s'engager dans une grande variété d'activités, ce qui enrichit leur expérience.

L'environnement bâti et l'être humain: une relation qui se construit

De quelle façon l'individu appréhende-t-il l'environnement physique et social dans son ensemble? Comment fait-il pour s'y retrouver, mais aussi quelle image se fait-il d'un lieu, quelle signification tire-t-il de l'environnement dans lequel il transige? Pour répondre à ces questions, les chercheurs ont poursuivi des travaux sur la représentation de l'espace, que nous examinerons en abordant le thème de la cartographie cognitive. Ce courant correspond à une vision plutôt proactive de l'individu qui, par des processus cognitifs et émotifs, se construit une sorte d'image de l'environnement.

La relation entre l'environnement bâti et l'être humain soulève par ailleurs la question de l'influence de l'aménagement sur l'individu. La façon dont sont conçus les complexes résidentiels urbains peut-elle entraîner des comportements particuliers chez les résidants? Le fait de vivre à plusieurs dans une chambre favorise-t-il les échanges sociaux chez des patients d'hôpitaux psychiatriques? Les caractéristiques architecturales des résidences d'étudiants ont-elles un effet sur le comportement social des étudiants? Voilà un échantillon des questions soulevées quant à l'influence de l'environnement bâti sur l'être humain. Nous examinerons les conclusions des travaux sur ces questions. Dans ce courant de recherches, la perspective est plutôt réactive.

La distinction entre des visions proactive et réactive est surtout faite pour des fins de commodité, car en réalité la relation entre la personne et l'environnement est à la fois réactive et proactive. Cette affirmation caractérise les travaux conduits, notamment selon une approche communautaire, pour agir sur le milieu et le transformer afin qu'il favorise des relations plus adéquates entre ceux qui l'utilisent. Nous aborderons ce sujet dans la dernière partie de cette section.

La cartographie cognitive: l'environnement en tête

Songez à un cadre environnemental que vous connaissez bien, par exemple votre quartier ou l'établissement scolaire que vous fréquentez. Essayez de vous représenter mentalement ce milieu. Cela devrait être assez facile car, pour nous retrouver dans l'environnement spatial, nous avons besoin d'une représentation organisée des milieux que nous fréquentons régulièrement. La cartographie cognitive renvoie à l'ensemble des activités cognitives ou mentales qui nous permettent de nous rappeler et de manipuler les informations relatives à l'environnement spatial (Downs et Stea, 1977). Le produit de ce processus est la **carte cognitive**, c'est-à-dire la représentation du milieu en question. Cette carte cognitive n'est pas toujours exacte, elle l'est même rarement; nous n'avons pas une carte géographique dans la tête, mais bien une représentation, une image qui reflète nos préoccupations, nos besoins, nos intérêts. Nous pouvons connaître un raccourci pour nous rendre chez notre amie, savoir quelle rue il faut éviter le soir, avoir un petit coin bien tranquille pour pique-niquer dans un parc. Mais nous avons aussi une représentation mentale d'endroits que nous connaissons peu. Cette représentation peut être aussi imprécise qu'une notion de jeu, d'excitation, d'argent et de néons associée à Los Angeles, ou une image des bidonvilles qui entourent Calcutta. L'image peut être visuelle, olfactive, auditive, voire gustative ou tactile. La **cartographie cognitive** est donc un processus multisensoriel par lequel l'information que donne l'environnement, aussi diversifiée soit-elle, est acquise, amalgamée et emmagasinée (Downs et Stea, 1973). Nous reviendrons à la fin de cette section sur la nature fort diversifiée des représentations que nous nous faisons de l'environnement.

Les premiers travaux portant spécifiquement sur la cartographie cognitive remontent à Tolman (1948) qui a montré que l'apprentissage des rats dans un labyrinthe s'explique non pas par des connexions stimulus-réponse, mais plutôt par une organisation d'éléments dans le système nerveux, organisation comparable à une carte cognitive. Depuis Tolman, de nombreux travaux d'orientation cognitive ont été effectués sur les représentations mentales que les individus se font de leur environnement. La perspective adaptative des processus perceptuels (*voir par exemple* Brunswick, 1956) et cognitifs (*voir par exemple* Piaget et Inhelder, 1947) a marqué ce courant de recherches très fécond en psychologie de l'environnement. On s'est ainsi intéressé à la façon dont les enfants développent leur connaissance et leur compréhension de l'espace (*voir* Hart et Moore, 1973), aux représentations complexes de Paris chez des chauffeurs de taxi (Pailhous, 1970), à la façon dont les gens interprètent les cartes du type *Vous êtes ici* dans un centre commercial, un hôpital ou un édifice public (Levine, 1982; Levine,

Marchon et Hanley, 1984) et à la façon dont les aveugles s'orientent dans l'espace (Passini, Proulx et Rainville, 1990).

Une perspective davantage psychosociale se retrouve dans les travaux d'urbanistes et de psychologues qui ont étudié les divers facteurs qui influent sur la façon dont les gens acquièrent et utilisent l'information relative à leur environnement. Plusieurs recherches ont montré que la forme architecturale ou les caractéristiques du paysage naturel, les caractéristiques culturelles du groupe ou du sous-groupe considéré et des caractéristiques personnelles exercent toutes une influence sur la cartographie cognitive. Examinons d'abord l'influence de la forme architecturale sur la perception ou sur la représentation que l'on a d'un environnement, en l'occurrence une ville. Kevin Lynch (1960) réalisa les premiers travaux sur la cartographie cognitive en milieu urbain, publiés en français sous le titre *L'image de la cité*. Dans son étude sur Boston, Los Angeles et Jersey City (une ville portuaire de l'État du New Jersey), Lynch s'est intéressé à l'*imagibilité*, c'est-à-dire «la qualité grâce à laquelle (un objet physique) a de grandes chances de provoquer une image forte chez n'importe quel observateur» (Lynch, 1960). Lynch, comme une série d'autres chercheurs après lui, a demandé à ses sujets de dessiner leur ville telle qu'ils se la représentaient, sans s'inquiéter de la qualité esthétique de leur esquisse. À partir de ces cartes, Lynch a montré que l'imagibilité est fonction de cinq éléments qui permettent de structurer la perception de la ville: les voies, les limites, les quartiers, les nœuds et les points de repère.

Les *voies* sont les éléments de la ville qui permettent le déplacement. Il peut s'agir de rues, de voies de chemin de fer, de ruelles ou de sentiers pour piétons. Les *limites* sont des éléments linéaires qui agissent comme des frontières, mais qui ne sont pas considérés comme des voies. Il peut s'agir par exemple d'un rivage, d'un mur ou d'une étendue d'eau. Les *quartiers* sont des zones relativement étendues. Leur propriété est d'être facilement reconnaissables en raison d'un caractère général qui permet de les identifier. Ainsi, la façade des maisons et la décoration sont homogènes. Les *nœuds* sont des points stratégiques dans la ville. C'est là qu'ont lieu une grande part des transitions entre les activités. Ce sont des points de jonction tels les terminus de trains ou d'autobus, ou les intersections de rues importantes. Bien découpés dans le paysage, les *points de repère* sont des points de référence. Ils permettent à l'individu de s'orienter lui-même et d'indiquer aux autres un chemin à suivre.

Les nombreuses études sur l'influence des particularités physiques de l'environnement sur la cartographie cognitive ont fait ressortir le fait que ce ne sont pas les attributs physiques en soi qui influent sur l'imagibilité d'un environnement, mais plutôt l'interaction de ces attributs avec une pratique sociale qui les définit. Ainsi, qu'est-ce qui permet aux gens d'identifier des immeubles et de s'en souvenir? En réponse à cette question, Appleyard (1969) a dégagé cinq attributs majeurs qui s'inscrivent nettement au cœur des pratiques sociales et culturelles. Il s'agit du *mouvement* (le taux d'activité à l'entour d'un immeuble), de l'*imagibilité* (définie par les traits caractéristiques de taille, de conception), de la *visibilité* (définie en rapport avec l'utilisation dans les activités personnelles), de la *signification culturelle* et de la *singularité de la forme* (par une décoration ou une architecture inhabituelles).

Comme l'affirment Ittelson, Proshansky, Rivlin et Winkel (1974), il n'existe pas d'environnement physique construit qui ne soit enchâssé dans un système social et qui n'y soit inextricablement lié. Dans les paragraphes qui suivent, nous examinerons des travaux qui ont mis encore davantage l'accent sur l'influence de caractéristiques sociales ou culturelles sur les représentations que l'on se fait d'un environnement.

Stanley Milgram, dont nous avons relaté les célèbres travaux sur l'influence sociale (*voir le chapitre 9*), a montré à quel point des processus sociaux influent sur les représentations mentales que nous avons de divers milieux. Dans une recherche conduite avec Denise Jodelet, Milgram a étudié les représentations que les Parisiens se font de leur ville (Milgram et Jodelet, 1976). Les chercheurs ont demandé à des sujets de dessiner Paris, d'identifier les *icônes* ou les lieux les plus importants à leur avis, de reconnaître des lieux présentés sur diapositives et d'associer certaines caractéristiques à des quartiers. Certains lieux sont apparus nettement plus fréquemment que d'autres: la Seine, les limites de Paris, l'Étoile et l'Arc de Triomphe, Notre-Dame, la tour Eiffel, le Bois de Boulogne furent tous identifiés par au moins la moitié des répondants. De même, certains lieux ont été reconnus plus fréquemment: l'Étoile, Notre-Dame, la Place de la Concorde, le Palais de Chaillot, la Mosquée, le Louvre, la Place des Vosges, la Porte Saint-Martin, l'Unesco ont été identifiés correctement par au moins 50 % des répondants.

Milgram et Jodelet ont montré que les cartes individuelles sont le résultat de constructions sociales et non pas strictement le reflet de ce qui existe. Ce qui est jugé important collectivement se retrouve dans la carte cognitive que l'on a d'un environnement. À l'inverse, plusieurs lieux, pourtant d'une grande valeur architecturale, n'ont pas été reconnus par la majorité des répondants. En raison de leur caractère hautement esthétique, ces lieux nommés *les inconnus paradoxaux* pourraient constituer des images de marque d'une métropole, mais comme Paris regorge de beautés architecturales, l'usage et les normes sociales ont donc déterminé par un processus de sélection et de réitération quels aspects de la ville deviendraient prégnants chez ses habitants. De même, des choix collectifs peuvent autant faire refuser de voir un bidonville ou un quartier délabré (Rochefort, 1974).

Les cartes cognitives varient selon le niveau socio-économique des individus. Milgram et Jodelet (1976) ont observé des différences entre les cartes cognitives des professionnels et celles de la classe ouvrière. Certains lieux associés à une culture particulière n'ont pas été reconnus lorsque présentés sous forme de photographie. Par exemple, l'édifice des Nations Unies de Paris a été identifié par 67 % des professionnels et par seulement 24 % des travailleurs. À Rome et à Milan, Francescato et Mebane (1973) ont constaté que les sujets de la classe moyenne dessinaient un plus grand nombre d'éléments que les sujets défavorisés. Il est probable que la mobilité plus grande chez les sujets de la classe moyenne, de même que l'orientation plus centrée sur la maison chez les sujets défavorisés soient responsables de ce phénomène. Lamarche et ses collègues (1973) ont mesuré la connaissance que leurs sujets avaient de Montréal par l'identification d'un lieu photographié, la visite de ce lieu et l'habileté à le situer sur une carte. Les chercheurs ont montré que cette connaissance est directement proportionnelle au statut socio-économique. Les lieux montréalais présentés touchaient à différents secteurs d'activités: les activités culturelles, le travail, les services publics, les sports, les parcs, le transport, le magasinage. Or, les sujets de la classe favorisée ont obtenu le meilleur score de reconnaissance pour chacun des secteurs d'activités, ce qui suggère que, comparativement aux autres, ces sujets ont une connaissance plus vaste et plus variée de l'espace urbain.

L'*expérience du touriste* est une autre variable reliée à la classe sociale et qui exerce une influence sur la cartographie cognitive. Beck et Wood (1976) ont en effet observé que plus un individu visite d'autres villes que la sienne, plus il acquiert une connaissance générale sur la façon dont les villes sont organisées. En raison de son expérience antérieure, l'individu est plus apte à interpoler l'emplacement des éléments, même en l'absence d'une information directe sur la localisation. L'expérience semble une variable clé pour expliquer la richesse et la complexité de la carte cognitive.

Dans leur recherche à Montréal, Beck et ses collègues (1975: *voir* Beck et Wood, 1976) ont montré que les cartes produites par les automobilistes étaient les meilleures tandis que celles des piétons étaient les moins bonnes. Plusieurs recherches conduites au cours des années soixante-dix ont conclu que les femmes avaient une connaissance de la ville moins riche et moins complexe que celle des hommes (*voir la revue de Jutras, 1977*). À cette époque, le nombre de femmes conduisant régulièrement une automobile était certes moins important qu'aujourd'hui. Il serait intéressant de vérifier si les différences observées à cette époque se retrouvent aujourd'hui chez des femmes qui conduisent régulièrement. L'expérience n'influe pas que sur la complexité de la carte cognitive, mais également sur ce qui est prégnant pour le sujet. Ainsi, Porteous (1971) a observé un phénomène d'image résiduelle chez les citadins plus âgés. Les édifices démolis depuis longtemps faisaient encore partie de la carte cognitive de ces habitants. À l'inverse, les édifices nouvellement construits et bien démarqués dans le paysage dominaient les cartes des jeunes.

Nous avons examiné les conclusions de plusieurs travaux sur l'association entre diverses caractéristiques et la *performance* manifestée dans une tâche de dessin ou de reconnaissance des sites d'une ville. Mais il ne faut pas oublier que la carte cognitive résulte d'un processus multisensoriel, reflète un ensemble de préoccupations pour l'individu et regorge d'informations qui dépassent le niveau de la stricte performance ou de la compétence à naviguer dans un environnement ou à en reconnaître les principaux éléments.

Les chercheurs qui s'intéressent à la cartographie cognitive sont en effet souvent insatisfaits des termes qu'ils doivent utiliser pour désigner l'image, la carte ou la représentation mentales que l'on se fait d'un environnement donné. C'est que la carte (qui n'est certes pas une carte en deux dimensions) ne comprend pas uniquement des éléments géographiques, ponctuels ou objectifs, mais bien l'ensemble de tout ce qui s'est imprimé dans le milieu considéré au fil de l'expérience. Lorsque l'on demande à des gens de dessiner leur ville telle qu'ils se la représentent, de nombreux éléments subjectifs surgissent et ceux-là ont au moins autant, sinon plus d'importance dans la représentation que les éléments objectifs d'un paysage. Dans une recherche portant sur la carte cognitive de Montréal, Jutras (1977) a constaté que les gens évoquent des observations non seulement géographiques (parcs, services publics, voies, quartiers, édifices, et ainsi de suite), mais également descriptives, évaluatives ou relationnelles (*voir la figure 13-4*). Les répondants ont de fait intégré dans leur carte dessinée des éléments décrivant Montréal ou certains de ses aspects: la pollution, les animaux, le ciel, la hauteur des gratte-ciel, le *pays des riches*, l'*histoire* (en désignant le Vieux-Montréal). Les gens évaluent aussi leur environnement et c'est pourquoi les opinions et les émotions font partie de la carte cognitive. Les cartes dessinées de Montréal contenaient des opinions (par exemple, *laid* ou *cossu*) et des conseils ou des avis (par exemple, *il faudrait faire une piste cyclable ici*). Des sentiments étaient aussi exprimés: à côté des éléments dessinés, certains sujets ont inscrit des termes tels que *amitié, solitude, pouah!* Enfin, des observations faisant état de relations directement liées au sujet: *chez moi* ou *mes amis*, ou non: *Monsieur le maire, les Portugais, les Italiens, la foule*. Si la cartographie cognitive a une fonction utilitaire en ce qu'elle nous permet de prendre des décisions, d'élaborer des stratégies de comportement spatial, elle exerce aussi une fonction sociale et identitaire. Ce qui importe, en définitive, c'est probablement ce que l'écologiste québécois Pierre Dansereau (1973) a appelé le *paysage intérieur*, c'est-à-dire le paysage que l'on porte en soi.

L'influence de l'aménagement

Dans un état de grande détresse, un étudiant s'est présenté au service de consultation psychologique de son collège. Il avait l'impression d'être sur le point de s'effondrer émotionnellement. Avec angoisse, il avait vu à la fois son frère et sa sœur être admis dans des institutions psychiatriques et il craignait que son tour ne fût maintenant arrivé. Dans son effort pour comprendre son état émotionnel, il parlait souvent de la maison familiale, un joyau architectural qui avait été présenté dans

plusieurs magazines importants. L'étudiant attribuait à leur maison ses difficultés et celles de son frère et de sa sœur. À aires ouvertes, la conception de la maison faisait en sorte que les activités des enfants pouvaient être constamment surveillées. Les enfants n'avaient pas d'espaces privés; ils ne pouvaient jamais être à l'abri de la surveillance auditive ou visuelle des parents. Il est difficile dans ce cas précis de se prononcer sur l'influence qu'a exercée l'aménagement de leur maison sur les enfants. L'anecdote est toutefois cohérente avec ce que nous avons vu sur l'importance qu'a la possibilité de maintenir un niveau de privé désiré, particulièrement dans le territoire primaire qu'est le domicile.

La question de l'influence de l'architecture sur la vie des gens a attiré l'attention des psychologues sociaux, des architectes et des urbanistes. Les citadins ont commencé à se plaindre des problèmes créés par la «rénovation» de leurs quartiers. Les ensembles résidentiels conçus pour améliorer les conditions de vie sont devenus des champs de bataille pour adolescents. Les critiques parlent de la stérilité des ensembles résidentiels de banlieue. Il est clair que les architectes ne peuvent postuler que les questions économiques, d'ingénierie et d'esthétique sont les seules qu'il faut considérer dans la conception de nouveaux logements. En créant des espaces de vie pour l'être humain, l'architecte modèle aussi les relations humaines. Comme l'a dit Winston Churchill, «nous façonnons nos édifices et nos édifices nous façonnent».

Examinons l'une des premières études sur l'influence du logement sur les gens (Yancey, 1972). Le tristement célèbre complexe résidentiel de Pruitt-Igoe, construit en 1954, comprenait plus de quarante immeubles de onze étages et près de trois mille unités de logement. La photo de la page 446 vous donnera une idée de ce que cela représentait. La majorité des résidants étaient des Noirs; plusieurs vivaient de la sécurité sociale. À l'origine, l'*Architectural Forum* fit l'éloge du projet pour sa conception unique et l'absence d'espace perdu entre les appartements. Mais quel a été l'effet de ce complexe résidentiel sur la vie de ses résidants? Voici la description qu'en fait un visiteur.

En entrant sur le site, on est frappé par la mosaïque de verre qui couvre ce qui était des espaces verts et des terrains de jeu. La poussière, ou la boue lorsqu'il pleut, est constamment transportée dans les appartements. Les fenêtres, particulièrement celles des étages inférieurs, sont

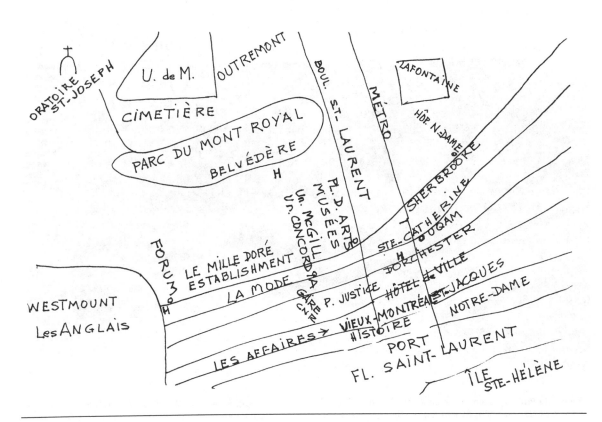

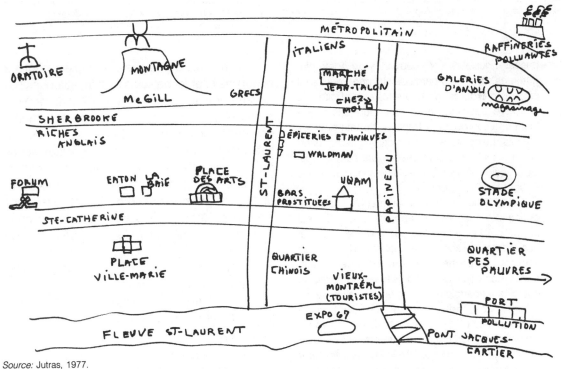

Source: Jutras, 1977.

Figure 13-4   La carte dessinée: un moyen de connaître la carte cognitive

Ces cartes de Montréal dessinées en cinq minutes représentent une approximation de la carte cognitive de deux Montréalais. À noter qu'en plus des observations géographiques, les cartes font état de descriptions, d'évaluations et de relations avec autrui. La représentation que nous nous faisons d'un environnement est issue d'un processus multisensoriel, et des informations de natures très diverses y sont contenues.

La mort de Pruitt-Igoe. En moins de vingt ans, ce complexe résidentiel a été si sérieusement endommagé par le vandalisme pratiqué par les locataires qu'il a fallu le détruire. S'interrogeant sur les raisons de ce phénomène, des chercheurs ont découvert des faits quant à l'importance du sens communautaire pour maintenir une qualité de vie dans les logements multifamiliaux. De telles conclusions ont conduit à des changements dans la planification et la conception de complexes résidentiels.

brisées. Plusieurs sont couvertes de contreplaqué. Les rues et les parcs de stationnement sont jonchés d'ordures, de bouteilles et de boîtes de conserve. Les automobiles abandonnées constituent une source de distraction attirante pour les enfants. Les clôtures autour des espaces réservés aux tout-petits sont brisées; les balançoires, les glissoires et les carrousels ne sont pas peints, ils sont rouillés et brisés.

À l'intérieur même des immeubles, la négligence est encore plus apparente [...] On est frappé par l'air vicié et la puanteur de l'urine et des ordures qui sont sur les planchers [...] On voit souvent des déchets par terre près de l'incinérateur. Les salles de lavage situées en retrait du couloir sont parfois utilisées comme salles de toilettes [...] Les résidants de Pruitt-Igoe se plaignent constamment d'être assaillis, battus ou agressés sexuellement. On nous a fréquemment avertis de ces dangers et l'on nous a dit de ne jamais entrer seul dans les immeubles et de ne pas utiliser les ascenseurs, surtout après la tombée de la nuit. On nous a raconté que des gens ont été coupés par des bouteilles lancées des immeubles et on nous a avertis de ne jamais nous tenir à proximité d'un immeuble (Yancey, 1972).

Comment se fait-il que ce complexe coûteux et qui a fait l'objet de soins bien intentionnés soit devenu pratiquement inhabitable? D'après Yancey (1972) et d'autres, l'architecture et l'aménagement du complexe sont les principaux responsables. Plusieurs des problèmes sociaux vécus par les résidants seraient reliés au manque d'espaces ou d'équipements semi-publics autour desquels des cercles informels d'amis ou de relations auraient pu se créer. L'absence de terrasses communes, de porches, de salles de récréation et de halls d'entrée rendait impossible la socialisation informelle. L'aménagement de l'espace a empêché la création d'un esprit communautaire qui aurait pu motiver les résidants à coopérer pour le bien commun. Une femme a décrit ses voisins de la façon suivante.

Ils sont égoïstes. Je n'ai pas d'amis ici. Il n'est pas question d'inviter les autres à prendre un café pour se faire des amis. Il n'y a rien de ce genre ici. Si vous êtes malade, vous allez directement à l'hôpital. Il n'y a pas d'amis pour vous aider. Je ne pense pas que mes voisins m'aideraient et, de toute façon, je ne le leur demanderais pas. Je n'ai

pas d'ennuis avec mes voisins parce que je ne les visite jamais. La règle du jeu, ici, c'est chacun pour soi (*cité dans* Yancey, 1972).

D'autres recherches concluent également à l'importance de l'esprit communautaire. Par exemple, des résidants d'une zone grise d'un secteur de Boston, le West End, étaient beaucoup plus positifs quant à leur voisinage s'ils avaient des amis ou des parents proches qui y résidaient aussi, plutôt que s'ils y étaient relativement isolés (Fried et Gleicher, 1972). Les mesures de satisfaction relative au voisinage sont également corrélées avec le nombre d'amis qui résident à proximité (Michelson, 1970; Zehner, 1972). Les caractéristiques architecturales de Pruitt-Igoe ne facilitaient absolument pas le développement de relations étroites. Une autre forme architecturale aurait-elle eu plus de succès? Une étude sur des complexes résidentiels de Baltimore indique que les espaces et les équipements communautaires peuvent amener une augmentation des relations, des visites et de l'entraide entre les résidants (Winer et coll., 1962). Dans une étude réalisée à Outremont, une ville située sur l'île de Montréal, des chercheurs ont comparé les désirs de socia-

liser entre voisins qu'avaient des résidants de trois quartiers qui se distinguent nettement, entre autres, selon le niveau socio-économique et selon la présence de lieux semi-publics (Larocque et Morval, 1987). Dans le quartier le plus favorisé, les résidants n'ont pas d'espaces semi-publics pour entretenir des contacts sociaux avec leurs voisins. Le quartier moins favorisé a une vocation commerciale et en conséquence, les résidants de ce quartier sont «noyés dans la masse»; les voisins sont perçus comme des étrangers en territoire public. Seuls les résidants du quartier moyennement favorisé bénéficient d'espaces communautaires où ils peuvent rencontrer leurs voisins de façon informelle et spontanée. Larocque et Morval ont constaté dans ce quartier des normes sociales qui favorisent les échanges sociaux, tel souhaiter la bienvenue à de nouveaux résidants. Dans le quartier le plus favorisé, la réserve et l'anonymat étaient de mise, tandis que dans le quartier le moins favorisé, en raison de la grande proximité, le *civisme* était la norme sociale par excellence pour ne pas déranger ses voisins.

Il est certain que nous avons besoin d'espaces communautaires qui encouragent les

Encadré 13-2

La cartographie du comportement dans un village cri de la baie James

Les pionniers de la psychologie de l'environnement ont mis au point des méthodes de collecte de données pour étudier les relations entre les individus et l'environnement. Nous voyons dans ce chapitre que la cartographie du comportement a d'abord servi à décrire le comportement de patients hospitalisés dans une aile psychiatrique (Ittelson, Proshansky et Rivlin, 1970). Cela s'est révélé particulièrement utile, puisque personne auparavant n'avait fourni une description exhaustive des comportements manifestés dans un tel milieu.

Marie Lessard de l'Université de Montréal et Sylvie Jutras ont été confrontées à un problème semblable lorsqu'elles ont voulu étudier la qualité de l'environnement perçue par les résidants de Chisasibi. Chisasibi est le nouveau village de la bande crie de Fort George, relogée en 1980 dans la foulée des négociations relatives à l'aménagement du complexe hydro-électrique de la baie James. Bien sûr, les chercheuses (Lessard et Jutras, 1984) ont interviewé des familles relogées, de même qu'elles ont rencontré des représentants de la bande qui connaissaient bien les problèmes liés au nouvel aménagement. Mais, comme le soutient Proshansky (1976), l'individu ne parvient pas toujours à verbaliser ce qu'il éprouve devant une situation. Aussi, Lessard et Jutras ont procédé à une cartographie du comportement afin de bien établir l'utilisation de l'espace, en précisant les types d'acteurs engagés et le moment des activités. Cette information objective venait donc compléter les rapports fournis par les utilisateurs. En particulier, la cartographie a permis aux chercheuses de s'initier rapidement au mode d'utilisation des différentes composantes du village.

La **cartographie du comportement** est une technique d'observation qui permet de décrire les activités des usagers d'un milieu en les situant précisément dans le temps et dans l'espace. On peut ainsi obtenir de l'information sur les activités des gens, la régularité de leur comportement (ce qui est ressorti clairement dans les travaux d'Ittelson et ses collègues dans l'aile psychiatrique), les utilisations qu'ils font d'un lieu et les opportunités et contraintes de l'environnement (Zeisel, 1981). Mais voyons à partir des travaux de Lessard et Jutras dans le village cri de Chisasibi comment l'on procède à cette cartographie, et quelques exemples d'informations qu'elle permet d'obtenir.

Tout d'abord, il faut déterminer par des observations préliminaires les principaux acteurs et les activités qui doivent être cartographiées. La grille présentée à la page suivante montre le plan d'un groupe de maisons et contient les diverses catégories d'activités que les chercheuses avaient préalablement identifiées comme intéressantes: la détente, l'exécution de tâches, la récréation, les déplacements et autres.

Une fois ce travail préliminaire effectué, la cartographie s'effectue selon un programme prédéterminé en fonction des objectifs de la recherche. Chaque groupe de maisons échantillonné a fait l'objet d'une observation par jour, à quinze reprises. Le calendrier d'observation était planifié de façon à échelonner tout au long de la journée et de la semaine les relevés relatifs à chaque espace étudié. À l'intérieur de chaque groupe de maisons, l'observation se faisait à partir d'un

CARTOGRAPHIE CODIFIÉE DU COMPORTEMENT

Lieu: _____

Date: _____ Heure: _____

Temps: _____ Observateur: _____

B-7

*	Identification				Détente						Tâches											Récréation						Déplacements						Autres	
	Nombre	Sexe	Âge	Ethnie	Assis	Debout	Observe	Converse	Casse-croûte	Taquine	Étend du linge	Soins des enfants	Jardine	Revient de l'épicerie	Rangement	Répare - entretient	Coupe du bois	Construit	Menuiserie	Cuisine		Balle	Base-ball	Frisbee	Badminton	Jouets	Jeux	Marche	Course	Vélo	Moto	Camion - auto	Camion lourd	Parle à l'observateur	Bris ± intentionnel
1																																			
2																																			
3																																			
4																																			
5																																			
6																																			
7																																			
8																																			
9																																			
10																																			
11																																			
12																																			
13																																			
14																																			
15																																			
16																																			
17																																			
18																																			
19																																			
20																																			
Total																																			
Total																																			

point déterminé au hasard parmi des postes d'observation adéquats. Une fois rendu à son poste, l'observateur notait l'heure et prenait une *photographie mentale* de tout ce qu'il voyait à l'intérieur de l'espace défini. C'est seulement ensuite qu'il inscrivait sur sa grille les différentes informations recueillies. Chaque observation était numérotée sur le plan et notée sur une ligne, en précisant certaines caractéristiques des usagers (nombre, sexe, âge, ethnie: Cri, Inuit, Blanc).

Bien sûr, la permission de procéder de la sorte aux observations avait été accordée aux chercheuses par les autorités de la bande, et les résidants savaient qu'une étude sur la qualité perçue était effectuée dans leur village, puisqu'ils participaient activement à certaines des activités de recherche. Cependant, les chercheuses préféraient observer discrètement les comportements pour ne pas risquer de bouleverser le caractère naturel des activités en cours.

Les informations recueillies dans les groupes de maisons ont permis de mieux comprendre l'utilisation de l'espace, d'identifier certains problèmes potentiels et de confronter ou de corroborer les perceptions rapportées par les usagers. Voici à titre d'exemple une liste de constatations tirées de la cartographie effectuée.
- À l'intérieur du groupe de maisons, la moitié des répondants partagent des objets utilitaires, un cabanon ou une corde à linge.
- Hiver comme été, les gens stationnent tout près de la maison.
- Parmi les individus observés, 70 % ont moins de 15 ans. (Les enfants représentent environ 50 % de la communauté.) Leur activité principale est la récréation, qui a surtout lieu entre la route et les maisons.
- Les jeux représentent 60 % des activités observées. Les acteurs sont surtout des

rencontres informelles. Cependant, il n'est pas nécessaire de chercher à maximiser les échanges sociaux dans tous les cadres de vie. Rappelez-vous l'étudiant perturbé émotivement dont la maison ne permettait aucune intimité. Ce jeune homme croyait que le manque d'intimité était la cause des problèmes psychologiques sérieux que lui, son frère et sa sœur éprouvaient. Comme le soutient Altman dans son modèle de la régulation du privé, il semble que les gens aient besoin de milieux qui à la fois encouragent les relations sociales et permettent l'intimité.

La recherche suivante montre l'importance qu'a la possibilité d'exercer un contrôle sur la frontière entre soi et les autres. On a étudié le comportement des patients vivant dans des unités de soins psychiatriques (Ittelson, Proshansky et Rivlin, 1970). Si vous conceviez un hôpital psychiatrique, combien de patients placeriez-vous dans une chambre? Il y a des arguments qui favorisent la chambre à plusieurs patients, comme il y en a d'autres qui plaident en faveur d'une plus grande intimité. L'occupation multiple peut aider les patients à apprendre à vivre avec les autres et peut contrecarrer leur tendance dépressive.

Pourtant, au contraire, les gens ont souvent besoin d'intimité, besoin de sentir qu'ils ne sont pas observés et d'avoir l'impression qu'ils exercent un contrôle sur leur environnement.

Pour connaître la dimension optimale d'une chambre, les chercheurs ont observé les activités des patients dans des chambres de différentes dimensions. Ils se sont attachés à la différence entre les chambres les plus petites (à trois lits ou moins) et les chambres les plus grandes (à quatre lits ou plus). Les observateurs se sont promenés dans l'unité de soins à trente-six intervalles préétablis et ils prenaient note de l'endroit où se trouvait chaque patient et de ce qu'il ou elle faisait. La technique d'observation ainsi développée est appelée *cartographie du comportement* et elle est décrite plus en détail dans l'encadré 13-2. Le comportement était-il social (conversation, jeu de cartes, et ainsi de suite), isolé mais actif (lecture, bricolage, hygiène personnelle, ou autres activités) ou isolé et passif (être étendu sur son lit, éveillé ou endormi, être assis seul, fixer un point dans l'espace, et ainsi de suite)? Une fois les observations comportementales recueillies, il devenait

enfants, et dans une faible proportion, des adolescents et des adultes qui jouent à la balle ou au baseball.

- Les activités des hommes adultes sont dans une proportion de 31 % des tâches de réparation, d'entretien, de construction, de menuiserie, de rangement et de chargement de camion.
- Les femmes adultes représentent 88 % des adultes observés. Dans 36 % des cas, elles s'occupent à des tâches domestiques (prendre soin des enfants, étendre le linge, cuisiner, revenir de l'épicerie). Environ 10 % des activités des adolescents se rapportent aux soins des enfants et elles sont effectuées par des jeunes filles.
- En plus de la cuisine dans les tipis, les principales tâches domestiques se font en arrière de la maison (étendre le linge et battre les tapis) et dans le sous-bois de ceinture (séchage de peaux).

Un peu comme Ittelson et son équipe qui étaient des étrangers dans l'aile psychiatrique étudiée, Lessard et Jutras avaient à bien se familiariser avec un mode d'utilisation de l'espace différent à plusieurs égards de ce que l'on retrouve dans une communauté urbaine ou dans un village «du Sud». Les données issues de la cartographie du comportement, jointes aux rapports verbaux des résidants de Chisasibi et à l'analyse d'autres données sur les caractéristiques physiques de l'aménagement, ont permis aux chercheuses de mieux comprendre les facteurs qui influaient sur l'évaluation que faisaient les résidants du village, et qui se reflétaient dans leur satisfaction et dans l'utilisation qu'ils en faisaient. L'étude s'est poursuivie par une collaboration avec la communauté de Chisasibi dans le développement de solutions à certains des problèmes identifiés.

possible d'établir la relation entre le nombre de patients par chambre et les activités qui avaient lieu dans une chambre. On voyait la socialisation comme le comportement le plus thérapeutique, et les activités où le patient était isolé et passif comme les moins favorables. Comme vous pouvez le voir au tableau 13-2, les patients des petites chambres avaient plus tendance à s'engager dans des activités d'échange social actif que ceux des chambres à plusieurs lits. Le pourcentage de patients isolés mais actifs était également supé-

rieur chez les patients occupant des petites chambres plutôt que des grandes chambres. Par opposition, dans les grandes chambres, il y en avait plus qui dormaient dans leur lit, qui fixaient un point dans l'espace, et ainsi de suite. L'étude suggère que, dans les hôpitaux psychiatriques, il est préférable que les chambres aient un nombre de lits limité.

Examinons maintenant le cadre de vie des étudiants. Comment une chambre de résidence type d'un établissement moderne modifie-t-elle la

Nombre de patients par chambre	Pourcentage de patients qui manifestent chaque type de comportement		
	Social	Actif	Isolé / passif
1-3	17	25	56
4-12	9	19	71

Source: Adapté de Ittelson, Proshansky et Rivlin, 1970.

Tableau 13-2   À trois, ça va; à quatre, rien ne va plus

Lorsqu'ils ont moins de compagnons de chambre, les patients traités en psychiatrie manifestent plus de comportements de type social. Partager l'espace avec plusieurs compagnons semble encourager le comportement passif et isolé.

qualité de vie d'un étudiant? Plusieurs étudiants habitent des résidences où les chambres ouvrent sur un long corridor. La figure 13-5 présente le plan d'un corridor à l'Université d'État de New York à Stony Brook. En gros, ce plan d'ensemble se retrouve dans plusieurs résidences d'étudiants en Amérique du Nord. Dans un autre plan type, la résidence est aménagée en suites où les chambres donnent sur un espace communautaire. D'autres étudiants, bien sûr, habitent des appartements ou des chambres, ou encore ils habitent avec leurs parents. Ces différents types de logement influent-ils sur le sentiment de bien-être de l'étudiant?

Les recherches conduites par Baum et Valins (1977) suggèrent que les caractéristiques architecturales peuvent avoir des conséquences considérables sur la vie d'un étudiant. Les chercheurs ont d'abord comparé les commentaires sur la qualité de vie, provenant d'étudiants qui habitaient une résidence aux longs corridors par rapport à ceux d'étudiants qui habitaient une autre résidence aménagée en suites ou avec des corridors restreints. Ils ont trouvé une vie sociale intense dans l'aménagement en longs corridors; cependant, cette sociabilité est souvent non désirée. Les étudiants se plaignaient de recevoir des visites à toute heure du jour et de la nuit, souvent de personnes qu'ils n'avaient pas particulièrement envie de rencontrer, et souvent lorsqu'ils étaient occupés. En conséquence, ils voyaient leurs milieux de vie comme surpeuplés, plus imprévisibles et plus incontrôlables, comparativement

aux étudiants qui vivaient dans les résidences aménagées en suites ou en petits corridors.

À la fin de leur première année, des étudiants qui avaient vécu dans les différents types d'environnements ont été comparés dans une étude en laboratoire portant sur leurs attitudes et leurs actions envers les gens. On cherchait à savoir si la présence ou l'absence de contrôle sur le degré d'interactions sociales influerait sur leur vie à l'extérieur de la résidence. Les chercheurs ont comparé trois groupes d'étudiants choisis au hasard. Les étudiants du premier groupe vivaient en résidence de type «longs corridors», ceux du deuxième, en «petits corridors», et ceux du troisième, «en suites». On a demandé à chacun de ces étudiants d'attendre, seul ou avec une deuxième personne (un compère des expérimentateurs), que débute l'expérience. Pendant qu'il attendait, chaque sujet était observé à travers un miroir sans tain. Lorsqu'ils attendaient seuls, les étudiants ne se comportaient pas différemment. Mais en présence du compère, les étudiants du groupe «longs corridors» étaient asociaux. Ils s'asseyaient plus loin du compère que les étudiants des groupes «petits corridors» et «suites». Ils ont également moins pris l'initiative d'échanges verbaux avec le compère et ils ont regardé dans sa direction moins longtemps. Plus tard, les étudiants des longs corridors ont rapporté avoir vécu, pendant qu'ils attendaient, beaucoup plus de stress et de sentiments négatifs envers le compère que ne l'ont fait les étudiants des petits corridors et des suites. La vie à l'intérieur de la

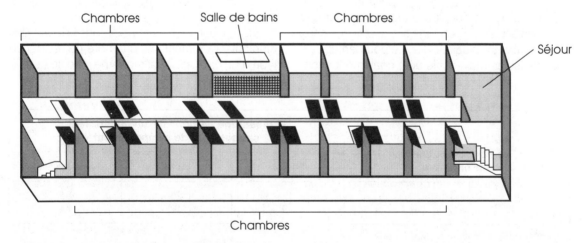

Figure 13-5   Le stress de la vie en résidence

Ce plan représente l'aile de la résidence étudiée par Baum et Valins qui ont constaté que les corridors produisent plus de relations sociales que les suites. Toutefois, une grande partie de ces contacts n'étaient pas désirés. Pour les étudiants, ce type de cadre de vie paraissait surpeuplé, imprévisible et incontrôlable. (Extrait de Baum et Valins, 1977.)

résidence semblait donc exercer une forte influence sur la vie à l'extérieur.

En résumé, les quelques exemples présentés ici montrent que l'aménagement du cadre de vie peut avoir des conséquences importantes sur les relations sociales. Dans les appartements des tours d'habitation, par exemple, les espaces qui invitent à l'interaction peuvent favoriser un esprit communautaire souhaitable. Cependant, l'espace privé semble également être essentiel au sentiment de bien-être optimal. Les études sur les institutions psychiatriques et les résidences d'étudiants indiquent que les espaces où les gens sont exposés à un taux élevé de contacts publics sans avoir la possibilité de se trouver seul peuvent créer des sentiments de malaise.

L'action sur le milieu: une approche communautaire aux relations personne-environnement

Nous venons de voir à quel point l'aménagement peut influer sur les conduites et être source de problèmes sociaux importants. Constatant les effets délétères de certaines conditions environnementales, les psychologues tentent d'agir pour les modifier et ainsi favoriser des relations plus adéquates entre les individus et l'environnement. Plusieurs associations sont nées du désir qu'avaient les psychologues, les architectes, les urbanistes, les sociologues, les géographes et d'autres, de s'unir pour tenter d'améliorer les conditions de vie des gens dans l'environnement construit, qu'il s'agisse de résidences privées, d'hôpitaux, d'écoles, de villes ou de quartiers. Parmi celles-là, mentionnons l'Association internationale pour l'étude de l'homme et de son environnement physique (IAPS) et l'Association pour la recherche et l'aménagement de l'environnement (EDRA) (*voir* Craik, 1987).

En psychologie, le courant qui s'intéresse probablement le plus à la résolution de problèmes sociaux liés à des relations inadéquates entre la personne ou le groupe et l'environnement est probablement celui de la psychologie communautaire (Holahan et Wandersman, 1987). Cette dernière vise à identifier et à changer les aspects de la structure sociale qui font du tort à l'être humain (Rappaport, 1977). Le but visé est l'adéquation entre la personne et l'environnement ou encore une congruence entre les besoins ou les comportements de la personne et les options environnementales. L'inadéquation ne vient pas des individus *ni* des environnements, mais plutôt d'une

incompatibilité entre les deux parties. Lorsqu'il y a inadéquation, c'est-à-dire quand les options possibles ne conviennent pas à la gamme de comportements souhaités, la personne est forcée de se comporter selon des modes objectivement nuisibles aux autres et à elle-même (Murrel, 1973).

Selon une approche qui met l'accent sur l'*interaction* entre la personne et l'environnement, l'on peut modifier *soit* la personne, *soit* l'environnement pour obtenir une meilleure adéquation entre eux. L'on peut ainsi viser à modifier le comportement en changeant certains aspects de l'environnement. Le psychiatre Humphrey Osmond (1957) a proposé la distinction des espaces selon qu'ils sont *sociopètes* ou *sociofuges*. Examinez la figure 13-6; le plan du haut montre un environnement sociofuge: la disposition des fauteuils dans la salle d'attente éloigne les gens les uns des autres. Par opposition, le plan du bas représente un aménagement sociopète: il rapproche les gens et favorise les contacts sociaux. Si c'est là le but visé, l'on peut en modifiant la disposition des fauteuils s'attendre à des changements positifs. Cela a été expérimenté avec succès à diverses reprises dans des salles de séjour ou dans des salles d'attente.

Cependant, on peut imaginer que les problèmes vécus dans un environnement donné ne viennent pas du facteur identifié par un psychologue ou par un aménageur (une disposition sociofuge, par exemple), mais d'autres facteurs qu'il devient possible d'identifier correctement et de modifier avec justesse *si l'on intègre les usagers dans un processus d'évaluation et de modification de l'environnement*. D'une démarche *réactive,* l'on passe à une démarche *proactive,* cohérente avec l'accent mis par la perspective communautaire sur la *transaction personne-environnement*: la personne et l'environnement font partie d'une même unité, dans laquelle l'une et l'autre sont en constante négociation (Ittelson, Proshansky, Rivlin et Winkel, 1974). Selon l'approche *transactionnelle*, les phénomènes psychologiques sont vus comme des événements globaux composés de processus psychologiques et d'environnements physiques et sociaux inséparables et se définissant mutuellement (Altman et Rogoff, 1987). L'approche transactionnelle pose des défis de taille aux chercheurs des sciences humaines plus habitués à étudier l'effet d'une ou de quelques variables sur une autre (*voir* Saegert et Winkel, 1990), même si dès Lewin on connaissait la nécessité de développer en psychologie des approches globales, dites *holistiques,* afin

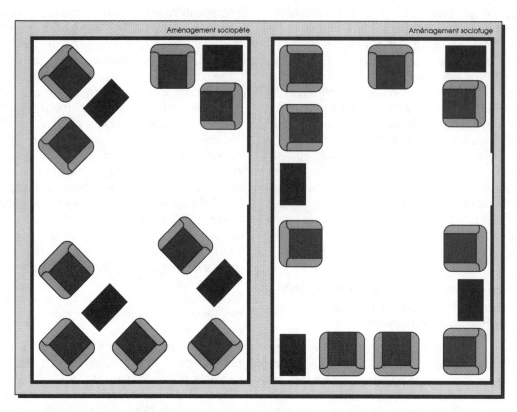

Figure 13-6   L'aménagement qui rapproche ou qui éloigne

La disposition sociofuge des sièges ne favorise par l'interaction spontanée des étrangers, dans une salle d'attente par exemple. Par contre, la disposition sociopète suscite des contacts entre les gens.

de pouvoir rendre compte de l'ensemble des variables, selon une approche véritablement écosystémique. Toutefois, certains chercheurs s'attaquent à cette difficulté de façon pragmatique, selon le paradigme de la recherche-action. C'est ainsi, par exemple, que Holahan (1980) a tenté d'améliorer la participation sociale des patients d'une unité de soins psychiatriques (*cette intervention psycho-environnementale est décrite au chapitre 1*). En agissant, les participants modifient un système personne-environnement et peuvent ainsi apporter des solutions aux problèmes constatés. Ce faisant, les chercheurs peuvent mieux comprendre les transactions personne-environnement qui sont en jeu. L'approche de l'action a souvent été privilégiée en psychologie communautaire pour apporter des solutions à des problèmes à différentes échelles environnementales, qu'il s'agisse de vandalisme dans des logements publics subventionnés, d'un manque d'espace de jeu pour les enfants dans un quartier, d'un manque d'intimité dans des institutions hospitalières (Holahan et Wandersman, 1987).

Lorsque l'action est privilégiée, les caractéristiques mêmes du milieu où se déroulent les transactions personne-environnement déterminent les priorités, tandis que les approches théoriques demeurent plus discrètes. Toutefois, même s'ils peuvent être désignés de diverses façons, deux concepts importants émergent: la compétence environnementale et le potentiel psycho-environnemental. Dans les paragraphes qui suivent, nous verrons en quoi ces concepts sont importants pour qui veut contribuer à améliorer les transactions personne-environnement.

La compétence environnementale

Nous avons vu, tout particulièrement au chapitre précédent, l'importance que revêt pour l'individu le sentiment d'avoir du contrôle sur sa vie. En matière de transaction personne-environnement, cette notion de contrôle, d'efficacité personnelle se traduit par la **compétence environnementale**, c'est-à-dire l'habileté à traiter avec son environnement de façon efficace et stimulante (*voir*

Jutras, 1983a, 1985; Lanterman, 1976; Lawton, 1982; Leff, 1978; Steele, 1973).

La personne qui manifeste de la compétence environnementale fait preuve d'une habileté à prendre conscience de ses besoins et de ses objectifs environnementaux, dans un cadre donné. Elle montre de plus une habileté à modifier ce milieu en fonction de ses besoins. La compétence environnementale est un processus rétroactif, caractérisé à la fois par une motivation à négocier de façon efficace avec l'environnement et par le résultat de cette négociation. Lorsque l'individu réussit à modifier l'environnement de la façon désirée, il fait l'expérience d'un sentiment d'efficacité, de contrôle ou de maîtrise. La compétence environnementale s'exprime à l'intérieur d'une démarche à plusieurs étapes. Imaginons une association étudiante dont les membres sont insatisfaits du local qui leur est attribué et dans lequel ils se retrouvent entre les cours. Leur compétence environnementale pourrait s'exprimer dans les étapes suivantes.

1. *Prise de conscience.* Les membres prennent d'abord conscience de leurs besoins et de leurs objectifs par rapport aux activités qu'ils veulent conduire dans ce local. En dehors des réunions, les étudiants ont-ils besoin d'utiliser ce local pour y manger, y faire leurs travaux, s'y reposer?

2. *Compréhension de la situation.* Les membres doivent comprendre, bien estimer l'ensemble des composantes de la situation qui sont pertinentes en fonction de leurs intentions. Le local est-il envahi par une bande? Le local est-il approprié pour y tenir un café étudiant? L'administration sera-t-elle d'accord avec un tel projet? Comment la convaincre du bien-fondé d'un tel projet?

3. *Planification.* Il faut ensuite planifier l'action à entreprendre pour rendre plus adéquates les transactions personne-environnment. Que faut-il faire en matière d'aménagement, de règlements, de négociation avec d'autres parties?

4. *Action.* Les membres passent ensuite à l'action en modifiant l'environnement physique (nouvelle peinture, redisposition du mobilier, demandes à l'administration scolaire, etc.) ou en modifiant les règles sociales (nouveaux règlements, établissement de nouvelles normes sociales régissant l'utilisation du local, etc.), l'un n'excluant pas l'autre.

5. *Évaluation.* Les étudiants évaluent enfin si les modifications apportées ont entraîné des transactions personne-environnement plus adéquates et si les objectifs ont été atteints.

La compétence environnementale n'est certes pas facile à exprimer en toutes circonstances. De nombreux obstacles peuvent y faire échec. Sur le plan individuel, le sentiment de résignation acquise (*voir le chapitre 12*) peut être responsable d'une inaction. De même, l'individu peut avoir l'impression que les éléments de l'environnement sont figés et qu'il est tout simplement impossible de les modifier. Plusieurs phénomènes de groupe peuvent faire échec aux tentatives de manifestation de compétence environnementale. Parmi ceux-là, notons des mésententes sur l'utilisation de l'espace, des normes territoriales qui gênent l'utilisation d'espaces appropriés par d'autres sous-groupes, des normes selon lesquelles les conditions environnementales sont un facteur négligeable dans le bien-être quotidien, l'absence de rétroaction venant des autres quant aux projets de modification environnementale (Steele, 1973). Dans les projets d'intervention environnementale entrepris par un groupe ou une communauté, de nombreuses difficultés peuvent surgir en relation avec différents processus psychosociaux, dont plusieurs ont été examinés au chapitre 11. L'intervenant en psychologie communautaire voulant faciliter le changement pourra aider le groupe dans son processus de prise de décision. Mais il est une difficulté plus spécifique, liée à la méconnaissance des fonctions que peut assumer un lieu. Ces fonctions doivent être reconnues des usagers afin qu'ils maximisent le potentiel qu'ils peuvent tirer d'un milieu.

Le potentiel psycho-environnemental

Une transaction personne-environnement adéquate dépend en grande partie de la capacité d'un lieu à remplir des fonctions essentielles pour l'individu ou le groupe. Le **potentiel psycho-environnemental** correspond à la capacité d'un lieu à produire une adéquation ou une inadéquation entre la personne ou le groupe et l'environnement. Ce potentiel sera d'autant plus riche que le milieu remplit amplement ces fonctions. Fritz Steele (1973) a décrit de façon simple et imagée les six fonctions qu'un milieu devrait assumer. Étudions-les tour à tour.

L'*abri et la sécurité* constituent la fonction la plus élémentaire. Le lieu doit protéger des intem-

Encadré 13-3

La chambre noire: au-delà de la lumière

Croiriez-vous que le fait de passer moins d'une heure dans un environnement particulier pourrait vous amener à changer des modes de comportement social que vous avez depuis plusieurs années? Avant de rejeter cette possibilité, mettez-vous à la place d'un sujet de l'étude suivante.

Une annonce demande des volontaires pour participer à un projet de recherche en psychologie de l'environnement. Cela vous intrigue et vous décidez de vous porter volontaire. Vous vous rendez dans une université des environs; on vous conduit dans une petite pièce et l'on vous demande de répondre à plusieurs questionnaires plutôt ennuyeux. On vous explique alors de la façon suivante ce qui va survenir et ce que l'on attend de vous. On va vous conduire dans une pièce complètement noire. On vous demande de rester dans cette pièce avec quelques autres personnes pendant environ une heure. Vous n'avez rien de spécial à faire; les chercheurs sont simplement intéressés aux réactions des gens dans différents environnements. Vous ne verrez *jamais* les autres participants de l'étude et vous n'aurez aucune chance de les rencontrer. Chacun de vous entrera et sortira seul de la pièce et vous retournerez à la maison à différents intervalles.

Après cette introduction, vous enlevez vos souliers, votre argent et vos papiers sont mis sous clé et l'on vous conduit dans la pièce qui est complètement noire. Vous entendez des voix et vous découvrez bientôt que plus d'une demi-douzaine d'hommes et de femmes sont présents. Comment vous comporterez-vous dans cet environnement inhabituel?

Environ cinquante personnes de dix-sept à ving-deux ans ont fait l'expérience de cette situation (Gergen, Gergen et Barton, 1973). L'objectif était de savoir si les normes d'intimité habituelles prévaudraient dans une situation où les gens ne pourraient être tenus responsables de leur comportement. Des enregistements, des descriptions de sujets et des questionnaires remis après la séance ont permis de découvrir ce qui s'était passé dans la chambre noire. Les résultats se sont révélés intéressants. Dans chaque groupe étudié, l'exploration de l'espace et une con-

---

péries et des menaces à la santé physique et psychologique. On reconnaît ce besoin facilement, mais il faut parfois se battre pour le défendre, par exemple par le biais d'un *comité de santé et de sécurité au travail*. L'environnement doit favoriser la souplesse du point de vue du *contact social*. Nous avons vu que l'individu a besoin de contrôler la frontière entre lui et les autres. Un aménagement optimal facilite cette régulation en offrant diverses options (par exemple, des écrans, des plantes dans un bureau à aires ouvertes). Nous avons vu également qu'en marquant nos territoires, nous transmettons aux autres des messages sur notre identité. En revanche, nous voulons savoir ce qui se passe dans un lieu que nous visitons, et connaître un peu mieux ceux qui

l'occupent. L'*identification symbolique* correspond à cette fonction. Précisons que les messages livrés ne sont pas toujours positifs. Au cours d'une étude sur les salles d'attente de cabinets de médecin (Jutras, 1983b), on a noté sur le mur d'une de ces salles des affiches représentant un «patient type observé dans la salle d'attente». Sur la première affiche, on lisait «inquiet», sur la seconde, «préoccupé» et sur la troisième, «impatient». L'intention était peut-être de divertir les patients, mais ne leur signalait-on pas ainsi que le personnel, tout en étant conscient de la situation désagréable où se trouvaient les patients, ne faisait rien pour y remédier? Des messages insidieux peuvent de la sorte concourir à provoquer une inadéquation personne-environnement.

versation animée dominaient pendant le premier quart d'heure. Mais rapidement la discussion s'acheminait sur des sujets que les membres des groupes qualifiaient d'«extrêmement importants» pour eux. Après environ quarante minutes, la conversation diminuait et les membres du groupe commençaient à avoir des interactions physiques. Quelque 90 % des participants ont indiqué qu'ils se sont délibérément touchés l'un l'autre. Presque 50 % ont dit avoir participé à des étreintes et seulement 20 % ont essayé de ne pas se faire toucher par les autres. Les touchers étaient beaucoup plus que des gestes fortuits. Quelque 80 % des sujets ont indiqué qu'ils étaient sexuellement excités. L'un des participants masculins a rédigé la description suivante.

J'étais assis, Beth est arrivée et nous avons commencé à jouer à nous chatouiller et à nous embrasser. Nous appelions ça nous montrer «de l'amour» l'un envers l'autre. Juste avant que je ne quitte la pièce, nous avions décidé de partager notre amour avec les autres. Nous nous sommes donc séparés et Laurie a pris sa place. Nous avions à peine commencé à jouer à nous chatouiller et nous nous étions embrassés quelques fois quand mon tour est venu de sortir.

Par comparaison, les sujets du **groupe témoin** qui ont participé à la même expérience, mais à la lumière, se sont conduits «normalement». Ils se sont assis calmement à quelques pieds les uns des autres et ils ont causé poliment pendant une heure entière.

Pourquoi l'intimité s'est-elle développée si rapidement dans la pièce noire? Il est difficile de se prononcer avec certitude, mais l'environnement, en assurant un degré d'intimité, a sans doute contribué fortement à ce que les formalités tombent. Paradoxalement, le fait d'être dégagés des responsabilités sociales a amené les sujets à vivre des expériences agréables de partage et d'attention aux autres. Les sujets de la pièce noire étaient beaucoup plus engagés les uns envers les autres que ceux qui pouvaient se voir. Il semble que l'expérience de **désindividuation** (présentée au chapitre 8) ne produise pas nécessairement de l'**agression**. Si l'on fait en sorte que les circonstances soient appropriées, la désindividuation peut être libératrice (Johnson et Downing, 1979). Il est intéressant de se demander si nos normes quotidiennes empêchent les gens de vivre des relations comme ils pourraient véritablement le souhaiter.

L'*instrumentalité reliée à la tâche* est élevée lorsque le cadre environnemental favorise la réalisation de diverses tâches par les usagers. Même s'il reste énormément à faire, de nombreux progrès ont été accomplis dans le domaine de l'ergonomie et les milieux de travail correspondent de mieux en mieux à la nature des tâches que l'on doit y effectuer, tout en réduisant les risques liés à la santé et à la sécurité. Dans notre vie quotidienne, nous avons aussi besoin d'un aménagement qui permette l'accomplissement d'une tâche: peindre, travailler en groupe à un projet de classe, langer un bébé, cuisiner. Le *plaisir* est une cinquième fonction que doit assurer un milieu, mais au travail ou dans les établissements publics il est souvent considéré comme une fonction secondaire. Un environnement agréable est stimulant. Même si tous ne partagent pas les mêmes goûts, il est possible de rendre un milieu agréable pour un grand nombre de gens. La *croissance* représente la dernière fonction. Certains milieux permettent à l'individu d'acquérir de nouvelles habiletés, d'approfondir ou de regagner l'estime de soi, de devenir plus conscient de ses forces et de comprendre davantage le fonctionnement du monde qui l'entoure. Un excellent exemple d'un milieu qui favorise la croissance est probablement l'École orthogénique de Chicago où Bruno Bettelheim s'occupait d'enfants souffrant de graves perturbations psychologiques (1975). Dans son ouvrage fascinant *Un lieu où renaître*, Bettelheim expose en détail la façon dont il a

utilisé l'environnement physique dans un but thérapeutique, en livrant aux enfants des messages sur leur potentiel de croissance, sur leurs capacités d'actualisation. De même, une ville bien pourvue en musées de la science, de la technologie et des arts favorise la croissance, tout comme c'est le cas d'une garderie qui incite les enfants à modifier certains aspects de l'environnement physique.

En résumé, l'approche communautaire est souvent utile pour agir sur un milieu. En modifiant certaines conditions environnementales, des relations plus adéquates entre les personnes et l'environnement physique et social peuvent s'établir. Très souvent, l'action porte sur de multiples composantes de la relation personne-environnement,

et c'est pourquoi le travail interdisciplinaire s'est souvent révélé un atout dans ce contexte. Les individus ou les groupes peuvent augmenter leur compétence environnementale pour modifier le milieu en fonction de leurs besoins. L'évaluation du potentiel psycho-environnemental d'un lieu permet d'établir jusqu'à quel point un milieu assume des fonctions qui favorisent des transactions personne-environnement adéquates.

Dans cette section sur l'environnement bâti, nous n'avons abordé que quelques clientèles, que certains lieux en particulier. Chaque type d'environnement pose des problèmes spécifiques, que les chercheurs ont tenté de mieux identifier pour favoriser des relations personne-environnement plus adéquates. Dans cet esprit,

Une même pièce, plusieurs interprétations. La compétence environnementale se manifeste dans la façon dont nous nous approprions un lieu. Afin d'étudier l'action des individus sur leur environnement, la photographe Barbara Pfeffer a visité plusieurs appartements présentant le même plan. Comme vous pouvez le constater, les locataires se sont créé des milieux très différents, manifestant ainsi leur propre identité et répondant à leurs propres besoins.

de nombreux travaux ont été réalisés sur le milieu résidentiel, le voisinage, l'école, les hôpitaux, les institutions carcérales, le milieu de travail, et ainsi de suite. Parallèlement, les chercheurs se sont préocccupés des capacités et des besoins particuliers de clientèles spécifiques, tels les enfants, les personnes âgées, les personnes handicapées. (*Le lecteur intéressé à ces questions, que nous ne pouvons développer dans le cadre de ce chapitre, consultera avec intérêt le* Handbook of environmental psychology.)

Les milieux évoluent avec nous. Par exemple, travailler sans sortir de chez soi est devenu une réalité pour plusieurs en raison du développement de la micro-informatique et des moyens de télécommunication. Cela comporte des avantages comme des inconvénients. Dans quelques décennies, on peut imaginer que l'installation de stations orbitales soulèvera de nouveaux problèmes. La rareté de certaines ressources naturelles nous enjoindra peut-être de composer fort différemment avec notre environnement. Tout cela illustre les nombreux défis qui attendent les chercheurs préoccupés par le développement de relations personne-environnement adéquates. Dans la section qui suit, nous abordons un problème actuel, qui pourrait prendre des proportions encore plus importantes dans les années à venir.

La gestion et la conservation des ressources environnementales

Nous sommes tous, semble-t-il, de plus en plus au courant des problèmes liés à la gestion et à

Encadré 13-4

Faire parler les sourds pour faire la lumière sur le paradoxe de la surdité professionnelle

En adoptant une perspective molaire, c'est-à-dire globale, pour étudier les relations entre la personne ou le groupe et l'environnement, nous sommes amenés à examiner les problèmes liés à l'environnement dans un cadre large où tout un ensemble de répercussions sont interreliées. C'est notamment la perspective de la psychologie communautaire dont nous traitons dans ce chapitre. Les résultats d'une étude sur la surdité professionnelle conduite par le *Groupe d'acoustique* de l'Université de Montréal illustrent avec éloquence la variété des phénomènes psychosociaux qui surviennent lorsqu'une caractéristique du milieu de travail, le bruit, cause un problème de santé, la surdité (Hétu et Getty, 1990; Hétu, Riverin, Getty, Lalande et St-Cyr, 1990). En prenant connaissance des conclusions de leurs travaux, d'une part, vous verrez à quel point plusieurs théories et concepts examinés au cours des chapitres précédents interviennent dans la description du phénomène psychosocial de la surdité professionnelle. D'autre part, vous constaterez qu'il ne suffit pas de savoir comment intervenir sur un environnement pour le rendre moins dangereux, il faut prendre en considération l'ensemble des répercussions psychosociales déclenchées par la surdité chez les travailleurs.

Selon Hétu et Getty, la majorité des travailleurs de l'industrie sont exposés à des niveaux de bruit potentiellement nocifs pour l'audition. Au Québec, les réclamations pour surdité professionnelle représentent plus de 40 % de l'ensemble des

la conservation des ressources environnementales. À propos des problèmes environnementaux, on ne peut plus dire *ça n'arrive qu'aux autres*. Des catastrophes écologiques surviennent malheureusement trop fréquemment; songeons par exemple à l'incendie de pneus à Saint-Amable, et de BPC à Saint-Basile-le-Grand au Québec, au déversement accidentel du pétrolier Exxon Valdès sur les côtes de l'Alaska, à l'émission de radiations nucléaires par suite du bris de la centrale de Chernobyl en Ukraine, qui ont récemment fait la une des journaux. Durant l'été, à Montréal, le bulletin de la météo inclut des indices de pollution de l'air. Nous entendons dire que les pluies acides font mourir nos lacs, que des espèces animales sont malades ou meurent en raison de la pollution, que l'effet de serre pourrait changer les zones climatiques de la terre, créant des déserts dans des régions fertiles et faisant fondre les calottes glaciaires. Lorsque Hydro-Québec veut construire des complexes hydro-électriques ou des lignes de haute tension, on s'inquiète des répercussions sur l'environnement et sur la santé des gens. Nous osons de moins en moins nous exposer au

soleil sans protection, par crainte du cancer de la peau lié à la destruction de la couche d'ozone. Plusieurs travailleurs souffrent du *syndrome de l'édifice clos* qui survient lorsque l'air vicié qui demeure dans les tours à bureaux cause différents malaises, dont des maux de têtes et de la fatigue. Dans nos maisons, nous hésitons à utiliser des humidificateurs l'hiver depuis que l'on sait que des bactéries s'y incrustent, ce qui peut nous rendre la vie encore plus pénible qu'un environnement trop sec.

Nous sommes donc tous touchés directement par les problèmes liés à la gestion et à la conservation des ressources environnementales; pourtant, nous ne sommes pas encore tous *préoccupés* par ces questions. Bien sûr, depuis quelques années, la préoccupation écologique s'est accrue. Ainsi, dans plusieurs localités, les gens participent à l'effort de recyclage du papier, du verre et du plastique. Dans les établissements scolaires et les bureaux, des boîtes pour ramasser le papier à recycler sont en place. Les gens achètent des pommes de douche dont le jet permet d'économiser l'eau chaude. Les choses ont

réclamations pour maladies professionnelles. Or, les chercheurs ont identifié le paradoxe suivant: les conditions nocives d'exposition sont bien connues et la technologie actuelle pour assourdir les machines et modifier l'environnement sonore permettrait de résoudre la majorité des cas d'exposition excessive; pourtant, ces solutions techniques, souvent fort simples, sont très peu utilisées. Pour tenter de comprendre les raisons sous-jacentes à ce paradoxe, les chercheurs ont interviewé des travailleurs souffrant de surdité professionnelle. Les résultats des interviews ont permis de faire la lumière sur la façon dont un ensemble de facteurs concourent à rendre *muets* les travailleurs qui souffrent de surdité professionnelle.

Les difficultés d'audition ont un effet très négatif sur l'*image de soi*. En fait, comme le rappellent Hétu et ses collègues, la personne chez qui apparaît une déficience auditive partage au départ les **préjugés** de la population générale. Les sourds sont associés à des malades mentaux, à des personnes prématurément vieillies, arrivées au terme de leur vie. Admettre sa surdité signifie se percevoir comme d'un groupe social inférieur. Certains de ces travailleurs avaient révélé leur problème au grand public en acceptant de parler de leur cas dans un grand quotidien du Québec. Ces personnes ont rapporté que cela avait entraîné pour elles diverses conséquences dont la peur de ne pas obtenir une promotion ou d'être ignorées dans une conversation de groupe, des taquineries à leur égard, de même qu'un retrait par rapport aux autres. Les autres travailleurs sont tout autant exposés au risque de surdité professionnelle, toutefois la règle implicite est de rendre la surdité imperceptible et peu probable. Il s'agit d'une **stratégie d'adaptation**; afin d'éviter la **discrimination**, c'est-à-dire d'être stigmatisé comme sourd, les travailleurs atteints préfèrent ne pas révéler leur incapacité.

bien changé depuis quelques années; mais probablement encore trop peu en regard de tout ce que supposerait une gestion saine et efficace des ressources environnementales.

Les problèmes liés à l'écologie interpellent les ingénieurs, les biologistes, les physiciens, les politiciens, les urbanistes. Mais, le psychologue y peut-il quelque chose? Plusieurs croient que oui parce que les comportements humains font partie intégrante des solutions aux problèmes liés à la gestion de l'environnement. Si l'on sait qui contribue à augmenter les problèmes écologiques et qui peut contribuer à les prévenir ou à améliorer la situation, il devient possible d'agir sur ces sources (Stern et Oskamp, 1987). Parfois la cible se situe sur le plan individuel, notamment le consommateur de ressources. En d'autres occasions, la cible doit être politique ou organisationnelle, les manufacturiers ou les politiciens, par exemple. Dans les paragraphes qui suivent, nous examinerons quelques efforts réalisés dans le but d'inciter les gens à avoir individuellement des comportements compatibles avec une gestion efficace des ressources environnementales. Nous verrons

d'abord comment on s'est intéressé à la question des attitudes envers l'environnement, puis nous porterons notre attention sur une approche behavioriste pour faire échec à certains comportements qui sont à la source de problèmes écologiques.

Des attitudes écologiques responsables

Les études sur les attitudes proécologiques furent les premières manifestations des psychologues soucieux de contribuer au mouvement environnemental des années soixante et soixante-dix (Stern et Oskamp, 1987). On s'est d'abord demandé qui étaient les personnes les plus préoccupées par les questions écologiques. Les indicateurs habituellement utilisés pour cerner les attitudes proécologiques se retrouvent dans l'instrument de Maloney, Ward et Braucht (1975) qui permet de mesurer la préoccupation écologique (*voir l'encadré 6-4 qui traite de ce sujet*). On peut mesurer la *disposition affective* envers les problèmes environnementaux (par exemple, *cela me met en colère lorsque je songe à tout le mal qui*

Dans une autre recherche, l'équipe du *Groupe d'acoustique* de l'Université de Montréal s'est intéressée aux individus qui ne reconnaissent pas, qui nient leur incapacité alors que des mesures précises les identifient comme victimes d'une perte auditive sévère. Les chercheurs ont constaté que dans ce cas les travailleurs manifestaient du déni. Ils percevaient leur problème comme sans conséquence. Ils n'étaient pas d'accord avec les perceptions de leur conjointe quant aux difficultés éprouvées. La conjointe rapporte, par exemple, que la personne ne peut suivre une conversation si elle ne voit pas les lèvres de son interlocuteur, ce qui est nié par le travailleur. La personne atteinte explique autrement que par la perte auditive les problèmes rencontrés: elle se concentre sur autre chose, l'interlocuteur marmonne, on n'a pas laissé suffisamment sonner le téléphone ou on a mal appuyé sur la sonnette. Le travailleur peut aussi minimiser le problème: il parvient très bien à s'adapter aux inconvénients (il n'a qu'à augmenter le volume du téléviseur). La personne atteinte est réticente à parler du problème et de ses conséquences, se montre impatiente lorsqu'on en parle. Enfin, elle tente de normaliser la situation, en soutenant que c'est le résultat inévitable des conditions de travail. Le travailleur atteint d'une perte auditive fait donc tout son possible pour éviter d'être stigmatisé comme sourd.

Dans l'ensemble, les problèmes de surdité professionnelle ont peu de répercussions sur le milieu de travail; les personnes atteintes n'en parlent pas à leurs collègues. Hétu et Getty (1990) rapportent avoir rencontré deux travailleurs atteints de surdité qui habitaient la même rue, qui voyageaient ensemble au même lieu de travail depuis plus de dix ans et qui ne s'étaient jamais révélé leur problème d'audition, pour lequel il y avait pourtant indemnisation par la *Commission de la santé et de la sécurité au travail*. Leur incapacité est invisible et elle n'entrave

est causé aux plantes et aux animaux par la pollution), des *connaissances* en matière d'écologie (par exemple, *des métaux suivants [...], lequel met habituellement le plus de temps à se décomposer?*), un *engagement éventuel* (par exemple, *je serais prêt(e) à écrire à mon député au sujet des problèmes écologiques*) et des *comportements factuels* reliés à la gestion des ressources (par exemple, *j'ai déjà assisté à une réunion où l'on traitait d'écologie*). On s'est principalement intéressé aux variables démographiques (en particulier le sexe, l'âge, la scolarité, le niveau socio-économique) et psychologiques (par exemple, le lieu de contrôle et le degré d'actualisation de soi) associées à l'un ou l'autre des indicateurs de la préoccupation écologique. Les conclusions de ces études ne sont pas toujours convergentes; la scolarité est l'une des rares variables systématiquement associées à la préoccupation écologique dans plus d'une vingtaine d'études et de sondages américains (Jutras, 1982; Lipsey, 1977).

Étudier les attitudes proécologiques soulève plusieurs difficultés. Tout d'abord, les problèmes environnementaux sont relativement nouveaux, comparativement au racisme, par exemple. Les attitudes sur le sujet sont donc plus instables et elles ont fluctué au cours des trois dernières décennies (Dunlap et Van Liere, 1977; Heberlein, 1977; Stern et Oskamp, 1987; Van Liere et Dunlap, 1981). L'importance des problèmes écologiques pourrait avoir accru la préoccupation vers la fin des années quatre-vingt. De plus, les attitudes envers l'environnement relèvent partiellement de problématiques locales. Ainsi, certaines études ont montré que les citadins étaient plus préoccupés de l'environnement que ne le sont les habitants des zones rurales (*voir la revue de* Jutras, 1982). On peut dans certains cas s'interroger sur la valeur des instruments utilisés, parfois plus axés sur les problèmes qui préoccupent les citadins, au détriment de problèmes écologiques qui inquiètent les gens qui habitent la campagne. Il est par ailleurs difficile de se fier aux résultats d'études qui proviennent de contextes culturels différents pour inférer qui sont les individus les plus préoccupés écologiquement dans un autre groupe culturel. Comme nous l'avons vu,

pas la poursuite de leurs activités de travail. Les effets se produisent plutôt dans le milieu familial. Les membres de la famille doivent tolérer la voix trop forte du travailleur, écouter la télévision à volume élevé, répéter fréquemment, et ils ne peuvent pas compter sur lui pour répondre au téléphone ou prendre les messages. Par conséquent, des mésententes, des reproches, de l'impatience se manifestent. La conjointe doit agir comme interprète auprès de l'entourage, perçoit qu'elle ne peut plus compter sur l'autre en situation de danger, doit se priver de sorties ou abréger les rencontres de groupes. De façon globale, la surdité nuit à la communication et crée des tensions dans le couple.

Cette difficulté de reconnaître l'incapacité est un obstacle majeur dans l'apport de solutions correctrices, tant sur le plan individuel que sur le plan collectif. Refusant de reconnaître son incapacité afin de protéger son **concept de soi**, l'individu fait en sorte de ne pas consulter un professionnel qui l'aiderait à trouver diverses solutions. Selon Hétu et ses collègues, pour faire échec à la menace à l'image de soi et trouver des *stratégies d'adaptation* appropriées, il faut que l'entourage manifeste fortement du **soutien social** au travailleur atteint. En particulier, le rôle du soutien mutuel entre les travailleurs qui souffrent de surdité professionnelle dans un milieu de travail semble capital pour déstigmatiser les individus atteints. Par ailleurs, il faut travailler à modifier les préjugés que ceux qui entendent bien entretiennent à l'égard des personnes atteintes de problèmes auditifs.

Sur le plan collectif, la reconnaissance du problème et les changements d'**attitudes** envers les personnes atteintes de surdité professionnelle devraient susciter la mise en œuvre des solutions connues et efficaces au problème du bruit industriel.

les groupes culturels n'ont pas tous les mêmes façons de voir les problèmes sociaux (*voir l'encadré 2-3 sur les différences entre les Québécois et les Américains en ce qui concerne les causes de la pauvreté*). Enfin, il se pourrait que les attitudes proécologiques ne soient pas homogènes, c'est-à-dire qu'un individu pourrait avoir une attitude proécologique en matière de recyclage du papier, mais une attitude inverse en matière d'arrosage aux pesticides pour protéger les récoltes. Il serait donc possible de connaître les attitudes spécifiques d'une population donnée relativement à une question particulière reliée à l'environnement, mais plus difficile d'estimer une attitude proécologique générale touchant à plusieurs problématiques chez différents groupes de gens.

Les chercheurs qui s'intéressent aux attitudes proécologiques sont aussi confrontés au problème de la relation entre les attitudes et les comportements, que nous avons abordé au chapitre 6. Nous avons vu que certains chercheurs soutiennent que les attitudes peuvent prédire les comportements, tandis que d'autres, également avec preuves à l'appui, prétendent le contraire.

Ce débat existe tout autant en matière d'attitudes et de comportements écologiques; mais dans l'ensemble on peut conclure des résultats obtenus dans diverses recherches que l'étude des attitudes en matière d'environnement peut contribuer à mieux comprendre les comportements écologiques et, éventuellement, à les modifier (Stern et Oskamp, 1987; Weigel et Newman, 1976). Ici encore, il semble qu'il faille mesurer les attitudes de la façon la plus spécifiquement reliée au comportement qu'on veut prédire. Par exemple, il faut mesurer non pas des attitudes générales, mais plutôt des attitudes reliées à l'économie d'énergie électrique pour prédire l'utilisation d'appareils qui font diminuer la consommation d'électricité.

Peu importe l'objet étudié, les psychologues qui s'intéressent aux attitudes ne se limitent pas à les étudier uniquement pour faire des prédictions. Ils veulent intervenir pour changer les attitudes, ce qui devrait entraîner une modification des comportements. Toutefois, comme nous l'avons aussi vu au chapitre 6, on n'a pas toujours obtenu de grands succès dans la *modification des comportements* en tentant de changer les attitudes. Cela est aussi le cas dans le domaine des comportements proécologiques. Selon Stern et Oskamp (1987), en matière d'attitudes et de comportements proécologiques, il faut particulièrement porter attention au fait que les techniques de changement des attitudes sont souvent inadéquates, et que les attitudes et les croyances sont liées à des valeurs personnelles et à des contextes qu'il est difficile de changer. En somme, plusieurs des difficultés liées aux travaux sur les attitudes et les comportements proécologiques ressemblent à celles qui sont identifiées dans d'autres contextes.

Examinons maintenant une autre avenue de recherches et d'applications, celle de l'approche behavioriste, préférée par certains psychologues, pour contribuer à apporter des solutions aux problèmes environnementaux.

Des solutions behavioristes aux problèmes environnementaux

Nous avons vu au chapitre premier que l'orientation **behavioriste** met d'abord l'accent sur l'influence qu'exercent les conditions extérieures sur le comportement et sur les interactions humaines. Les behavioristes soutiennent qu'en connaissant la relation entre certains événements extérieurs et certaines actions humaines, on peut exercer un contrôle sur les événements, de sorte que les gens se comportent d'une façon plutôt que d'une autre. C'est à partir de ce principe que des psychologues ont développé une technique behavioriste pour contrôler les comportements qui rotègent l'environnement ou qui lui nuisent (*voir* Cone et Hayes, 1980). Les comportements qui peuvent être la cible d'intervention behavioriste sont extrêmement nombreux et ils peuvent toucher au bruit, à l'utilisation de l'énergie, au recyclage, aux déchets, à l'utilisation de moyens de transport, et ainsi de suite. La technique behavioriste repose sur l'analyse expérimentale du comportement, qui permet ensuite de modifier le comportement par l'utilisation de récompenses ou de punitions.

Prenons, par exemple, les déchets laissés au sol dans les salles de cinéma, les centres commerciaux, les cafétérias ou les établissements scolaires. Cela semble trivial, mais c'est un problème réel et important pour ceux qui doivent tenir l'environnement propre. L'approche behavioriste peut être utile pour prévenir ou pour encourager les gens à nettoyer les environnements malpropres (Cone et Hayes, 1980). Offrir une récompense

(comme un bon donnant droit à des friandises au restaurant d'un cinéma) aux enfants qui rapportent un sac de déchets s'est révélé une bonne tactique pour maintenir la propreté des lieux. De brefs messages rappelant l'importance de jeter les déchets dans une poubelle, un nombre suffisant de poubelles, ou des poubelles attrayantes ou qui émettent un *merci* sonore lorsqu'on ouvre le couvercle sont autant de solutions intéressantes pour prévenir l'accumulation de déchets au sol.

La récompense et la punition interviennent également dans le choix des moyens de transport utilisés (Everett et Watson, 1987). Lorsqu'un automobiliste de la rive sud de Montréal se rend à son travail au centre-ville, il profite de l'avantage de la flexibilité de ses heures de départ et d'arrivée, de l'intimité de sa voiture personnelle, mais il doit assumer des frais plus élevés. S'il fait du covoiturage, il a les inconvénients et les avantages inverses. En offrant des récompenses, les autorités favorisent les comportements écologiques responsables, comme l'utilisation des transports en commun ou la pratique du covoiturage. Les autorités peuvent en effet, aux heures de pointe, réserver une voie aux autobus et aux automobiles qui transportent trois passagers et plus. Par ailleurs, lorsqu'elles augmentent le coût des transports en commun, les autorités contribuent à décourager les comportements proécologiques. Les choix individuels en matière de transport ont des répercussions capitales sur l'environnement; pourtant certaines décisions politiques vont à l'encontre de comportements écologiquement responsables. Il n'est donc pas toujours facile de planifier des interventions pour favoriser les comportements proécologiques lorsque le contexte socio-économique ne le facilite pas. De façon générale, il semble que le renforcement positif soit la technique la plus efficace pour promouvoir des comportements proécologiques tels que ceux que nous avons mentionnés (Cones et Hayes, 1980). Par ailleurs, les punitions posent des problèmes sur les plans éthique et politique (Everett et Watson, 1987). Évidemment, de telles approches sont coûteuses et malheureusement, rien n'indique qu'à long terme les effets persistent lorsque les renforcements sont retirés (*voir* Stern et Oskamp, 1987).

L'espace manque ici pour faire état d'autres problèmes environnementaux qui font l'objet des préoccupations des chercheurs. Mentionnons simplement les réactions psychologiques aux catastrophes technologiques, tel l'accident à la centrale nucléaire de Three Mile Island aux États-Unis, la gestion des déchets toxiques, la conservation de l'eau et de l'énergie, la déforestation, l'utilisation d'engrais chimiques, la pollution croissante dans les pays en développement, qui est causée par les pays riches (*voir* Sommer, 1987).

Les problèmes environnementaux sont de nature interdisciplinaire, ils font appel à des solutions mécaniques, chimiques, politiques, sociales et économiques. Aussi la perspective psychologique est-elle plus efficace si elle se déploie dans une équipe interdisciplinaire (Stern et Oskamp,

1987). Qu'il s'agisse des problèmes liés à la gestion et à la conservation des ressources naturelles ou des problèmes liés au milieu bâti, la mise en pratique de l'interdisciplinarité n'est pas encore vraiment intégrée parmi les chercheurs et les praticiens qui s'intéressent aux relations personne-environnement. Cependant, plusieurs y voient la meilleure façon de procéder pour parvenir à des solutions réalistes et efficaces, qui prennent en considération l'ensemble des variables en cause (Jodelet, 1987; Moore, 1987; Proshanky, 1987; Stern et Oskamp, 1987).

Résumé

1   L'espace personnel est une zone qui entoure le corps et qui est limitée par une frontière invisible, mais variable selon les circonstances et les individus rencontrés. Il exerce une importante fonction de communication. On distingue quatre types de distances: intime, personnelle, sociale et publique. Le comportement territorial est un autre mécanisme de régulation des frontières interpersonnelles. Les marqueurs territoriaux ont trois fonctions: prévenir l'intrusion de son territoire, transmettre des messages sur son identité et faciliter l'interaction. Les menaces ou l'intrusion d'un territoire peuvent entraîner diverses réactions importantes, surtout s'il s'agit d'un territoire primaire.

2   La densité de population peut être associée à une expérience d'entassement, mais elle ne l'est pas toujours. La perte de liberté, l'augmentation des stimulations, la perte de contrôle et les menaces environnementales peuvent toutes être à la source d'une expérience d'entassement. L'entassement peut influer sur les relations sociales d'un individu et sur ses performances, même lorsque la situation d'entassement n'a plus cours.

3   Le privé est un processus de régulation des interactions sociales qui intègre trois aspects fondamentaux du comportement sociospatial: l'espace personnel, le comportement territorial et l'entassement. Ce processus permet d'exercer un contrôle sur les relations interpersonnelles, il contribue au développement de stratégies et de rôles sociaux, et il contribue à affirmer le sens de l'identité individuelle.

4   Le bruit non désiré, particulièrement s'il est imprévisible et incontrôlable, constitue une nuisance environnementale. Il influe négativement sur la performance à diverses tâches et il diminue la tolérance à la frustration. Les répercussions négatives du bruit se manifestent aussi sur la vie sociale par une augmentation des comportements agressifs et une réduction des comportements sociaux positifs.

5   La psychologie écologique développée par Roger Barker insiste sur l'interdépendance des actions humaines et du milieu. Cela est mis en évidence dans le concept de cadre comportemental, défini comme une séquence caractérisée par l'autorégulation des événements interpersonnels qui surviennent dans un environnement délimité. Les cadres comportementaux ont un peuplement optimal lorsque le nombre de personnes dans le cadre est égal au nombre de tâches à accomplir. Toutefois, le sous-peuplement favorise l'engagement des gens et une expérience plus riche.

6   La cartographie cognitive est un processus multisensoriel par lequel l'information que donne l'environnement, aussi diversifiée soit-elle, est acquise, amalgamée et emmagasinée. Le produit de ce processus, la carte cognitive, reflète des caractéristiques individuelles, sociales ou culturelles des résidants.

7   L'aménagement du cadre de vie peut influer sur le bien-être individuel et sur les relations sociales. La présence d'espaces qui favorisent les interactions informelles est particulièrement importante. Par contre, l'individu doit avoir la possibilité de se retirer et ainsi d'exercer un contrôle sur les intrants sociaux.

8   La psychologie communautaire s'intéresse à la résolution de problèmes sociaux liés à des relations inadéquates entre la personne ou le groupe et l'environnement. L'engagement des usagers dans un processus de modification environnementale est alors capital. On peut développer la compétence environnementale, c'est-à-dire l'habileté à modifier l'environnement en fonction de ses besoins. Cette compétence suppose, entre autres choses, de bien évaluer le potentiel psycho-environnemental d'un lieu ou sa capacité à remplir des fonctions essentielles pour favoriser des interactions personne-environnement adéquates.

9   Même si elles soulèvent des difficultés, les recherches sur les attitudes proécologiques permettent de mieux identifier les cibles d'action pour promouvoir les comportements responsables. L'utilisation de techniques behavioristes comme le renforcement positif semble, du moins à court terme, être efficace pour promouvoir des comportements proécologiques, tels que le maintien d'environnements propres et l'utilisation des transports en commun.

Lectures suggérées

En français

Fischer, G.-N. (1981). *La psychosociologie de l'espace*. Paris: Presses universitaires de France, collection «Que sais-je?».

Hall, E.T. (1966). *La dimension cachée*. Paris: Seuil, 1971.

Lévy-Leboyer, C. (1980). *Psychologie et environnement*. Paris: Presses universitaires de France.

Lévy-Leboyer, C. et Bernard, Y. (1987). La psychologie de l'environnement en France. *Psychologie française, 32* (1/2, numéro entier).

Moch, A. (1984). *Les stress de l'environnement*. Paris: Presses universitaires de Vincennes, collection «Culture et société».

Morval, J. (1981). *Introduction à la psychologie de l'environnement*. Bruxelles: Pierre Mardaga.

En anglais

Bell, P.A., Fisher, J.D., Baum, A. et Greene, T.E. (1990). *Environmental psychology* (3e édition). Fort Worth, Texas: Holt, Rinehart and Winston.

Stokols, D. et Altman, I. (dir.) (1987). *Handbook of environmental psychology*. New York: John Wiley & Sons.

Glossaire

A

accommodation (dans l'échange social)   Tendance à s'engager dans des relations sociales de façon à obtenir un plaisir maximal et une douleur minimale.

acquiescement   Tendance à céder à la pression du groupe afin d'éviter une punition pour manque de conformisme. Le changement extérieur ne s'accompagne pas nécessairement d'un changement intérieur. (Syn.: *suivisme*. Voir aussi *identification* et *intériorisation*.)

action sociale positive   Action qui fait du bien à quelqu'un. (Syn.: *comportement prosocial*. Voir aussi *comportement antisocial*.)

activation   État d'excitation physiologique généralisé qui produit des changements d'ordre corporel (par exemple, accélération du rythme cardiaque, sudation palmaire).

activation préalable   Effet causé par la présence de stimuli de l'environnement qui rend plus prégnant un schéma parmi d'autres.

affiliation (besoin d')   Besoin social fondamental d'être avec d'autres personnes.

agression   Comportement qui vise la production de résultats négatifs chez autrui, comme de la douleur, de la peine ou la mort.

air de famille   Ensemble des caractéristiques qu'ont en commun des objets ou des événements et qui permettent de les placer dans une même catégorie.

altruisme   Comportement dont autrui bénéficie et pour lequel on n'attend pas de récompense externe.

androgyne (caractère)   Fait de posséder à la fois des traits traditionnellement vus comme masculins et des traits traditionnellement vus comme féminins.

anticonformisme   Comportement dans lequel le fait de braver un groupe ou l'autorité est recherché à dessein. (Voir aussi *indépendance*.)

antisémitisme   Préjugé ou discrimination contre les Juifs.

anxiété   Appréhension, ou malaise, liée à une préoccupation au sujet de ce qui peut se produire dans l'avenir.

appareillage bidon (méthode de l')   Technique de mesure des attitudes. On fait croire aux sujets que leurs réactions véritables seront révélées par un appareil qui mesure leurs réponses physiologiques. (Syn.: *détecteur de mensonges simulé*.)

appariement dans l'attraction sociale (hypothèse de l')   Proposition selon laquelle les gens choisissent comme partenaire amoureux une personne qui leur est approximativement équivalente sur le plan de l'attraction physique.

appréhension de l'évaluation   Préoccupation d'une personne quant à l'éventualité que les autres réagissent de façon positive ou négative à la valeur de sa performance.

apprentissage par association   Processus de traitement de l'information dans lequel on apprend qu'un événement va probablement se produire en présence d'un autre événement. (Voir aussi *association apprise*.)

apprentissage social (théorie de l')   Théorie selon laquelle le développement social s'opère par l'observation du comportement des autres et par le modelage de soi sur ce comportement.

archives   (Voir *étude d'archives*.)

assimilation   Dans les recherches de Sherif et Hovland sur les attitudes, distorsion du jugement par laquelle l'individu croit que les messages appuient sa position plus qu'ils ne le font en réalité. (Voir aussi *contraste*.)

association apprise   Lien mental, idée ou souvenir provoqués par quelque chose qui est habituellement en relation temporelle étroite avec une autre (par exemple, dans le langage quotidien, le mot «mère» peut provoquer la réponse «père»).

attention biaisée   Proposition selon laquelle l'individu accorde une attention particulière à l'information qui permet de maintenir la conception de soi qu'il privilégie.

attitude   Prédisposition à réagir de façon positive ou négative à un objet particulier ou encore à un ensemble d'objets (personnes ou choses). Les attitudes portent sur un sujet (l'objet), elles sont de nature évaluative et sont relativement persistantes. (Voir aussi *composante affective, composante cognitive* et *composante comportementale*.)

attitude naturelle   Ensemble des postulats courants sur ce qui constitue la réalité, dans une culture donnée.

attraction   Sentiment émotionnel positif envers autrui.

attribution (théorie de l')   Théorie sur la façon dont les gens interprètent les causes des événements ou des actions. (Voir aussi *critère de la constance, critère du caractère distinctif, critère du consensus* et *source causale*.)

automaintien du soi   Ensemble de processus inconscients qui permettent subtilement de stabiliser ou de maintenir nos propres perceptions de nous-même.

autoritarisme   Type de personnalité caractérisé par l'identification et la soumission à l'autorité, par la négation des sentiments et par le cynisme. Dans un groupe, type de leadership basé sur l'autorité.

autovérification   Processus qui conduisent une personne à interpréter l'information et à se comporter de façon à maintenir la perception qu'elle a d'elle-même.

B

balayage sélectif (de ses souvenirs)   Processus de révision de ses souvenirs dans lequel on sélectionne seulement ceux qui appuient ses arguments. Ce processus engendre souvent un changement d'attitude. (Syn.: *balayage biaisé*.)

behaviorisme radical   Orientation behavioriste selon laquelle il est possible de comprendre entièrement le comportement humain en fonction du milieu, sans qu'il soit nécessaire de tenir compte des processus internes. (Voir aussi *néo-behaviorisme* et *orientation behavioriste*.)

behavioriste   (Voir *orientation behavioriste*.)

besoins du système   Besoins particuliers que doit combler un groupe pour pouvoir remplir ses fonctions. Ces besoins du système peuvent entrer en conflit avec les besoins qu'ont les individus d'agir de façon libre et autonome.

biais conceptuel   Fait de négliger des différences en raison d'une trop grande simplification au moment du processus de catégorisation; restriction expérientielle générale causée par un usage inadéquat de la catégorisation.

biais de complaisance (dans l'attribution de la causalité)   Tendance à se percevoir comme la cause de ses succès, mais à attribuer la cause de ses échecs à des sources externes.

biais de l'expérimentateur   Distorsions dans les résultats d'une étude, qui surviennent lorsque l'expérimentateur, subtilement et sans s'en apercevoir, communique au sujet ce que l'on attend de lui. (Voir aussi *contraintes liées à la situation*.)

biais positif (dans le changement d'attitude)   Tendance à être d'accord avec n'importe quel message persuasif.

bouc émissaire (processus du)   Processus qui survient lorsque la source de frustration n'est pas disponible ou ne peut être attaquée. Le blâme est alors jeté sans raison sur des cibles moins puissantes et plus facilement critiquables.

burnout   État d'épuisement physique, mental et émotif dans lequel une personne se sent démotivée, indifférente, voire hostile aux autres et à son travail.

C

cadre comportemental   Séquence caractérisée par l'autorégulation des événements interpersonnels qui surviennent dans un milieu délimité. D'après Barker, le cadre comportemental est une entité qui se définit à la fois par les activités humaines et par le milieu où elles se passent.

carte cognitive   Produit de la cartographie cognitive, la carte correspond pour un individu à sa représentation organisée d'un milieu. (Voir aussi *cartographie cognitive*.)

cartographie cognitive   Processus multisensoriel par lequel l'information de l'environnement, aussi diversifiée soit-elle, est acquise, amalgamée et emmagasinée.

cartographie du comportement   Technique d'observation qui permet de décrire les activités des usagers d'un milieu en les situant précisément dans le temps et dans l'espace.

catégories naturelles   Concepts de base issus de l'effet naturel de la réalité physique sur les récepteurs sensoriels. (Voir aussi *concept.*)

catharsis   Réduction d'une émotion par son expression. (Voir aussi *hypothèse de la frustration-agression.*)

champ (théorie du)   Théorie de Lewin selon laquelle la représentation psychologique du monde est le déterminant primaire des actions, et le comportement social est fonction de facteurs à la fois intrapersonnels et environnementaux. (Voir aussi *espace de vie.*)

changements de la vie (échelle de)   Questionnaire mis au point par Holmes et Rahe pour mesurer le stress à partir de changements vécus par le répondant.

coercition   Type de pouvoir caractérisé par la contrainte, qui ne produit que de l'acquiescement, sans changement psychologique.

cognition   Connaissance au sens large, incluant les pensées, le jugement, le savoir, la perception et la mémoire.

cognitive   (Voir *orientation cognitive.*)

cohérence cognitive   Tendance à organiser ses perceptions de façon que tous les éléments s'imbriquent selon un pattern cohérent et logique. C'est un principe fondamental à la base de l'organisation cognitive.

cohérence cognitive (théorie de la)   Proposition selon laquelle la majorité des gens veulent que leurs idées soient liées les unes aux autres de façon logique. (Voir aussi *dissonance cognitive* et *équilibre* [*théorie de l'*].)

cohésion (degré de)   Degré d'attraction des membres entre eux et vers le groupe comme entité.

comparaison sociale   Processus par lequel les gens se comparent aux autres et découvrent ainsi les étiquettes «appropriées» à leur égard.

compère   Individu qui, sans que le sujet le sache, est de connivence avec l'expérimentateur. Ses agissements sont prédéterminés dans le plan expérimental. (Syn.: *complice.*)

compétence environnementale   Habileté à traiter avec son environnement de façon efficace et stimulante, qui confère à l'individu un sentiment de contrôle, d'efficacité personnelle dans ses transactions avec l'environnement.

complémentarité (dans l'attraction)   Hypothèse selon laquelle les individus ont tendance à être attirés vers ceux et celles dont les traits et les aptitudes complètent les leurs, maximisant ainsi les récompenses obtenues. (Voir aussi *similitude* [*dans l'attraction*].)

complice   (Voir *compère.*)

comportement antisocial   Comportement qui fait du tort à autrui (par exemple, agression, destruction, égoïsme). (Voir aussi *action sociale positive.*)

comportement prosocial   (Voir *action sociale positive.*)

comportement territorial   Mécanisme de régulation de la frontière entre soi et les autres, qui suppose la personnalisation ou le marquage d'un endroit afin de communiquer la possession.

composante affective des attitudes   Sentiments d'une personne envers un objet ou une classe d'objets. Ces sentiments peuvent aller du positif au négatif.

composante cognitive des attitudes   Concepts et perceptions d'une personne à propos d'un objet ou d'une classe d'objets.

composante comportementale des attitudes   Orientation d'une personne quant à son action devant un objet ou une classe d'objets.

concept   Unité cognitive qui regroupe une classe d'objets ou d'idées qui ont des propriétés communes. Dans le processus de conceptualisation, les stimuli sont regroupés en fonction de leurs propriétés communes. (Voir aussi *catégories naturelles* et *vérification d'hypothèse*.)

concept de soi   Impression globale qu'une personne se fait d'elle-même. Le concept de soi comprend des idées, des attitudes et des croyances. Il est souvent influencé par la comparaison faite entre soi et les autres.

conformisme   Forme de similarité en matière de croyances ou de comportements, qui résulte d'une pression sociale réelle ou supposée selon laquelle il faut être comme les autres.

connaissance explicite   Compréhension des univers social et physique fondée sur des concepts plutôt que sur des intuitions basées sur l'expérience vécue. (Voir aussi *connaissance implicite*.)

connaissance implicite   Compréhension des univers social et physique qui repose sur l'expérience vécue plutôt que sur des concepts. (Voir aussi *connaissance explicite*.)

conscience de soi   Prise de conscience de soi-même par laquelle l'individu se rend compte qu'il est distinct d'autrui.

conscience de soi personnelle   Orientation relativement stable de la conscience de soi, marquée par une attention soutenue à ses sentiments et à ses motivations.

conscience de soi publique   Orientation relativement stable de la conscience de soi, marquée par une attention soutenue aux opinions et aux comportements d'autrui.

consonance cognitive   État de satisfaction psychologique éprouvé par une personne lorsque deux ou plusieurs de ses cognitions sont cohérentes entre elles.

constance (dans l'attribution causale)   (Voir *critère de la constance* [*dans l'attribution causale*].)

constructivisme social (dans la compréhension des émotions)   Point de vue selon lequel les émotions sont des performances sociales complexes, qui varient selon le contexte historique et culturel. (Syn.: *théorie constructiviste des émotions*.)

contagion   Propagation d'un pattern de comportement chez un grand nombre de personnes. La contagion est un effet du modelage.

contraintes liées à la situation   Indices subtils qui laissent entendre au sujet ce que l'expérimentateur recherche. Cela l'incite à se comporter de façon à confirmer les hypothèses de l'expérimentateur. (Syn.: *caractères d'exigence*, en angl.: *demand characteristics*. Voir aussi *biais de l'expérimentateur*.)

contraste   Dans les recherches de Sherif et Hovland sur les attitudes, distorsion du jugement par laquelle l'individu croit que les messages donnent moins d'appui à sa position qu'ils ne le font en réalité. (Voir aussi *assimilation*.)

corrélation (cœfficient de)   Indicateur numérique du degré de relation entre deux variables. Ce cœfficient varie de -1 (corrélation négative) à +1 (corrélation positive). Une corrélation de zéro signifie qu'il n'y a pas de relation entre les variables.

covariance (dans la théorie de l'attribution)   Principe de Kelley selon lequel un effet est attribué à une condition spécifique lorsqu'une condition spécifique et un effet sont simultanément présents ou simultanément absents. (Voir aussi *critère de la constance*, *critère du caractère distinctif* et *critère du consensus*.)

crédibilité du communicateur Le communicateur est dit crédible s'il est digne de confiance, s'il est bien renseigné et s'il constitue une source objective d'informations. (Syn.: *crédibilité de la source*.)

crédit personnel (Voir *marge de crédit personnel*.)

critère de la constance (dans l'attribution causale) Proposition de Kelley selon laquelle plus un stimulus produit constamment la même réponse dans diverses situations, plus l'attribution de la causalité à ce stimulus augmente.

critère du caractère distinctif (dans l'attribution causale) Proposition de Kelley selon laquelle l'attribution de la causalité à un stimulus augmente avec le caractère distinctif de la réaction à ce stimulus.

critère du consensus (dans l'attribution causale) Proposition de Kelley selon laquelle plus il y a consensus dans la réponse des gens à un stimulus donné, plus l'attribution de la causalité à ce stimulus augmente.

D

dé-individuation Processus de réduction des indices ou des marques de l'identité individuelle.

demande exagérée (technique de la) Technique d'influence sociale. On demande d'abord une faveur extrême dans le but d'obtenir l'acceptation d'une demande moindre. (Syn.: *technique de la porte-en-pleine-face*.)

déplacement dans le choix Dans un groupe, tendance à résoudre un dilemme de façon beaucoup plus audacieuse ou beaucoup plus prudente que ne le ferait individuellement chacun des membres. Cette tendance est due à l'influence de la situation de groupe. (Voir aussi *déplacement vers l'audace* et *déplacement vers la prudence*.)

déplacement vers la prudence Dans un groupe, tendance à prendre des décisions plus prudentes que celles qui sont prises individuellement par les membres avant la discussion. (Voir aussi *déplacement vers l'audace*.)

déplacement vers l'audace Dans un groupe, tendance à prendre des décisions beaucoup plus audacieuses, plus risquées, que celles qui sont prises individuellement par les membres avant la discussion. (Voir aussi *déplacement vers la prudence*.)

désensibilisation Réduction de l'activation produite par une exposition fréquente ou continue.

dilemme du prisonnier Situation de laboratoire conçue pour étudier l'échange social, particulièrement l'échange dans lequel les motivations de coopération et d'exploitation sont à la fois stimulées.

discours de motif Pratique de justification sociale qui consiste à présenter ses motivations sous-jacentes à une action non conventionnelle, de façon à ce qu'elle paraisse plus acceptable aux yeux d'autrui.

discrimination Composante comportementale du préjugé. La discrimination est une action qui reflète une attitude défavorable envers une personne et qui est uniquement fondée sur son appartenance à une classe ou à une catégorie d'individus. (Voir aussi *préjugé*.)

dissonance cognitive Malaise psychologique, état d'activation déplaisant qui se produit lorsque l'individu prend conscience du conflit ou de l'incohérence qui existe entre deux ou plusieurs de ses idées simultanées.

distinctif (dans l'attribution causale) (Voir *critère du caractère distinctif [dans l'attribution causale]*.)

distinction sociale Processus de développement de concepts de soi par la personne qui met l'accent sur les façons dont elle diffère des autres.

dyade Groupe de deux personnes.

E

échange (théorie de l') Théorie du comportement interpersonnel fondée sur quatre postulats principaux: le comportement humain a pour motivation primaire l'atteinte du plaisir et l'évitement de la douleur; les actions d'autrui sont des sources de plaisir et de douleur; par ses actions, une personne peut obtenir d'autrui des gestes qui lui procurent du plaisir; les gens tentent d'obtenir un plaisir maximal à un coût minimal.

échelle F   Instrument de mesure de la personnalité qui permet d'évaluer, par un questionnaire, la tendance à être asservi à l'autorité. La lettre F vient de *fasciste*. (Voir aussi *autoritarisme*.)

écologie sociale   Étude des relations entre des personnes dans leur cadre de vie; en matière de santé, étude des relations entre la santé d'une personne et son milieu social.

effet autocinétique   Illusion d'optique produite par un point lumineux immobile qui semble bouger lorsqu'on l'observe dans une pièce obscure.

effet d'assoupissement (dans le changement d'attitude)   Une source peu crédible a souvent plus de pouvoir auprès d'un auditoire à un moment qui est ultérieur à celui où le message a été communiqué. Cette augmentation de l'influence serait due à l'effet d'assoupissement.

effet de boomerang   Chez un auditoire, réaction contraire à ce qui était soutenu dans le message proposé.

effet de halo   Tendance à adopter un jugement global (positif ou négatif) sur la base d'un trait particulier. L'effet de halo mène souvent à des jugements incorrects.

effet de primauté   Dans le changement d'attitude ou la formation d'une impression, l'effet de primauté se produit lorsque la première information reçue tend à déterminer le jugement global ou l'impression quant à des objets, à des problèmes ou à d'autres personnes. (Voir aussi *effet de récence*.)

effet de proximité   Augmentation de la probabilité que deux personnes s'attirent l'une l'autre à mesure que la distance géographique diminue entre elles.

effet de récence   Dans le changement d'attitude ou la formation d'une impression, l'effet de récence se produit lorsque la dernière information reçue tend à déterminer le jugement global ou l'impression quant à des objets, à des problèmes ou à d'autres personnes. (Voir aussi *effet de primauté*.)

effet de révélation   Changement dans les activités d'une personne, qui est dû à une connaissance de prédictions théoriques sur son comportement. De tels effets peuvent entraver la prédiction correcte du comportement.

effet de satisfaction de soi   Tendance à agir de façon plus généreuse, plus altruiste, lorsqu'une personne se sent satisfaite d'elle-même.

effet du deuil   Probabilité accrue de mortalité (ou éventuellement de morbidité) chez les personnes dont la conjointe ou le conjoint est décédé.

effet des armes   Augmentation des comportements agressifs par la simple présence d'armes.

effet du témoin   Dans une situation d'urgence, réduction de la tendance à intervenir à mesure que le nombre de témoins augmente dans le groupe.

effet Pygmalion   Tendance à communiquer ou à agir (délibérément ou pas) de façon à créer chez les autres ce que l'on attend d'eux.

effet tampon   Effet de protection sur le plan de la santé, lié à la présence d'un facteur (particulièrement le soutien social); il se manifeste par une réduction des effets néfastes de la maladie et du stress, et du risque de problèmes de santé.

efficacité personnelle   Sentiment ou conviction qu'a une personne de pouvoir adopter un comportement approprié pour obtenir les résultats visés.

égalité (règle de l')   Principe d'échange social selon lequel les récompenses sont distribuées suivant une base égalitaire, souvent en tenant compte des habiletés ou des besoins de chaque participant. (Voir aussi *équité* [*règle de l'*].)

émotions (théorie bifactorielle des)   D'après Schachter, l'expérience émotionnelle d'une personne procède d'abord d'une activation physique généralisée, suivie d'un étiquetage cognitif de l'activation.

empathie   Capacité de s'imaginer à la place d'une autre personne; aptitude à éprouver les sentiments d'autrui.

entassement État psychologique désagréable, souvent lié au stress, qui peut être produit par la perception qu'une densité de population est trop élevée.

équilibre (théorie de l') Théorie cognitive des attitudes selon laquelle les gens préfèrent que leurs croyances soient cohérentes entre elles plutôt qu'incohérentes. Lorsque l'équilibre est rompu, ils procèdent à des choix pour le rétablir.

équité (règle de l') Principe d'échange social selon lequel chaque participant perçoit que les récompenses et les coûts de chacun sont équivalents. La productivité ou la contribution de chaque participant est prise en considération, mais non ses besoins ou ses capacités. (Voir aussi *égalité* [*règle de l'*].)

équité (théorie de l') Théorie relative à la répartition équitable, du point de vue de la quantité, des coûts et des récompenses dans la société.

éros Selon Freud, motivation ou pulsion fondamentale dirigée vers le plaisir. (Voir aussi *thanatos*.)

erreur fondamentale d'attribution Tendance à négliger les effets des situations sur la conduite des gens pour ne considérer que leurs dispositions personnelles.

espace de vie Dans la théorie du champ de Lewin, l'espace de vie correspond à la personne, à l'environnement psychologique et à tout le réseau des influences environnementales qui affectent un comportement donné.

espace personnel Zone qui entoure le corps d'une personne et qui est limitée par une frontière invisible, mais variable selon les circonstances et selon les individus rencontrés.

estime de soi (3) Évaluation qu'une personne fait de l'ensemble de ses capacités, de ses compétences et de ses qualités. Un schéma de soi qui se compose de concepts de soi positifs engendre une estime de soi élevée et vice versa. (Voir aussi *schéma de soi*.)

ethnocentrisme Croyance selon laquelle son propre groupe est supérieur à tous les autres. L'ethnocentrisme aboutit au rejet de tous les groupes extérieurs.

ethnométhode Processus sociaux de construction de la réalité, auxquels les gens ont recours pour en arriver à des consensus et à des décisions au sujet de la réalité.

éthologie Étude des patterns de comportements caractéristiques et communs à une espèce animale dans un milieu naturel particulier.

étude d'archives Stratégie de recherche dans laquelle les données reposent sur des documents et sur des rapports historiques. Cette méthode est particulièrement utile pour étudier le développement des patterns sociaux durant une certaine période ou pour étudier les effets de conditions historiques particulières.

étude de cas Étude d'un cas réel, limitée à l'examen exhaustif d'un seul individu, d'un seul groupe ou d'un seul événement.

étude sur le terrain En psychologie, stratégie de recherche qui nécessite l'enregistrement précis et systématique des activités des gens dans leur milieu naturel.

évaluation de l'action sociale positive Processus par lequel une personne évalue les gains et les pertes qui découlent de l'aide à apporter à autrui.

évitement défensif Tendance à devenir de plus en plus résistant à une communication persuasive à mesure qu'augmentent les messages qui induisent la peur.

exposition sélective Façon sélective d'obtenir de l'information sur un objet. La personne porte attention aux données qui appuient son choix et néglige celles qui le contredisent.

F

facilitation sociale Processus qui entraîne une amélioration de la performance d'une personne en raison de la présence d'autrui.

faveur déguisée (technique de la) Technique d'influence sociale. On commence par se faire accorder une petite faveur et l'on informe ensuite la cible que cette faveur sera en réalité plus exigeante.

C'est une variation de la technique du pied-dans-l'entrebâillement-de-la-porte. (Voir aussi *pied-dans-l'entrebâillement-de-la-porte* [*technique du*].)

fiabilité   La fiabilité existe lorsque les résultats statistiques d'une opération peuvent être répétés. Un procédé de mesure est considéré comme fiable si l'on retrouve une valeur semblable chaque fois qu'une caractéristique est mesurée dans des conditions équivalentes.

frustration-agression   (Voir *hypothèse de la frustration-agression*.)

G

gains et pertes associés au processus   Dans une situation de groupe, avantages et coûts qui font augmenter ou diminuer la productivité du groupe.

gestalt   Mot allemand qui signifie «forme». En psychologie de la gestalt, une gestalt est une unité perceptuelle intégrée.

gestion scientifique   Principe proposé au début du siècle, selon lequel on peut maximiser la productivité en considérant les travailleurs presque comme des machines et en insistant sur l'efficacité et la discipline. (Syn.: *taylorisme,* du nom de Taylor, son promoteur.)

groupe   Ensemble de deux personnes ou plus qui interagissent ou qui communiquent entre elles, qui se perçoivent comme une entité et qui partagent habituellement au moins un but commun.

groupe de contrôle   (Voir *groupe témoin*.)

groupe expérimental   Dans une expérience, sujets exposés au stimulus dont l'effet est à l'étude. (Voir aussi *groupe témoin*.)

groupe témoin   Dans une expérience, sujets qui ne sont pas exposés au stimulus dont l'effet est à l'étude. (Syn.: *groupe de contrôle.* Voir aussi *groupe expérimental*.)

H

handicap intentionnel   Processus par lequel des individus qui craignent l'échec entreprennent des tâches encore plus difficiles de manière à avoir une excuse pour expliquer leur échec.

hédonisme   En psychologie, théorie selon laquelle les conduites humaines sont dirigées par la recherche du plaisir et l'évitement de la douleur.

hiérarchie   Classification des membres d'un groupe par rang, selon leur statut ou leur aptitude à influer sur les événements. De façon plus générale, groupe de personnes ou d'objets organisés, par exemple selon leur rang ou leur échelon.

hostilité autistique   Antipathie marquée d'un groupe envers un autre. L'absence de communication et de contact favorise le développement de ce sentiment.

hypothèse   Proposition relative à l'explication d'une relation ou à la supposition de l'existence d'une relation. En vérifiant l'hypothèse dans une étude empirique, on peut la confirmer ou l'infirmer.

hypothèse de la frustration-agression   Hypothèse proposée dans la première moitié du siècle, selon laquelle la frustration mène toujours à une forme d'agression, et l'agression est toujours le résultat d'une frustration.

hypothèse de la rétroaction faciale   Hypothèse selon laquelle en ressentant l'expression d'une émotion sur son visage, une personne est informée sur la nature même de ses propres sentiments.

hypothèse du monde juste   Croyance selon laquelle, dans la vie, les gens obtiennent ce qu'ils méritent ou méritent ce qu'ils obtiennent.

I

identification   En matière d'influence sociale, tendance à céder aux pressions du groupe en raison de ses qualités attirantes. Le changement extérieur s'accompagne d'un changement intérieur. De façon plus générale, processus par lequel les gens se modèlent sur les autres et ainsi apprennent les rôles sociaux. (Voir aussi *acquiescement* et *intériorisation*.)

imitation   Selon la proposition de Tarde, la tendance innée à imiter autrui est la clé de la compréhension de la vie sociale. De façon plus générale, copie du comportement d'autrui. (Voir aussi *contagion* et *modelage*.)

immédiateté   Dans la théorie de l'impact social de Latané, proximité dans le temps ou dans l'espace des sources d'influence par rapport à la cible. (Voir aussi *impact social [théorie de l']*.)

impact social (théorie de l')   Proposition de Latané selon laquelle l'influence, ou l'impact, que les gens ont les uns sur les autres est déterminée dans une variété de situations par trois facteurs principaux: le nombre de sources d'influence, la force de ces sources et la proximité des sources par rapport à la cible.

impuissance apprise   Condition d'apathie qui survient chez l'animal ou chez l'être humain lorsqu'il apprend qu'il n'a aucun contrôle sur ce qui lui arrive. (Syn.: *résignation acquise*.)

indépendance   Résistance à la pression du groupe ou aux ordres qui proviennent de l'autorité. (Voir aussi *anticonformisme, conformisme* et *soumission*.)

influence sociale   Pression qui modifie le comportement ou les attitudes dans la direction des patterns dominants dans une culture ou une sous-culture. (Voir aussi *acquiescement, conformisme* et *soumission*.)

information et de l'autorégulation (théorie de l')   Théorie qui explique le comportement de l'individu en présence d'un symptôme corporel: après avoir catégorisé le symptôme grâce à une théorie implicite et à une recherche d'informations, l'individu prend une décision et agit en conséquence.

instinct   Prédisposition comportementale innée.

intériorisation   Tendance à se plier aux attentes du groupe parce que l'on croit que le groupe a raison. Le changement extérieur s'accompagne d'un changement intérieur: il y a incorporation des opinions d'autrui dans son propre système de valeurs. (Voir aussi *acquiescement* et *identification*.)

interprétation biaisée   Interprétation de l'information, en particulier les actions d'autrui, de façon à pouvoir maintenir la conception de soi qu'une personne privilégie.

interview   Technique de recherche utilisée en psychologie comme dans d'autres sciences humaines et sociales. Le chercheur pose à un échantillon de personnes des questions sur leurs comportements, leurs intentions, leurs idées, leurs préférences, et ainsi de suite.

intimité (degrés d')   Dans le modèle de Levinger, les degrés d'intimité décrivent le développement progressif des relations sur un continuum de profondeur.

J

jeu de rôle   Technique de recherche, de croissance personnelle ou de thérapie dans laquelle les participants doivent jouer un rôle. Elle peut parfois être employée dans les expériences pour éviter l'utilisation de la duperie.

jouer un rôle   Se dit d'une personne qui prend en public une position différente de celle qu'elle a en privé.

justification sociale   Ensemble de pratiques verbales ou non verbales utilisées par une personne dans le but de convaincre les autres qu'elle est raisonnable et normale, en dépit d'un comportement non conventionnel antérieur. (Voir aussi *travail facial* et *discours de motif*.)

L

leadership   Influence exercée par le ou les membres qui ont du pouvoir dans un groupe.

lieu de contrôle   Sentiment caractéristique d'une personne relativement au contrôle de sa vie. Selon ce à quoi l'individu attribue la cause de ce qui lui arrive, le lieu de contrôle peut être interne ou externe.

M

marge de crédit personnel   Selon le modèle de Hollander, accumulation des avantages qu'un leader procure à son groupe. Ce crédit personnel donne au leader une certaine liberté pour dévier des attentes du groupe sans crainte de représailles.

marqueur territorial   Objet ou signe qui permet au propriétaire d'un territoire de prévenir l'intrusion, de transmettre des messages sur son identité et de faciliter l'interaction en communiquant son désir d'entrer en contact avec autrui ou pas.

matérialité (dans la théorie des ressources)   Dimension du modèle de Foa et Foa quant au degré auquel une ressource est physique, matérielle. (Voir aussi *particularisation* et *ressources* [*théorie des*].)

matrice de rendement   Dans la théorie de l'échange social, tableau qui résume les rendements possibles en plaisir et en douleur, selon les diverses combinaisons possibles.

mécanisme de maintien du préjugé   Influence qui soutient et maintient les préjugés chez les membres d'un groupe (par exemple, des valeurs partagées et la conscience de l'appartenance au groupe).

messages rivaux   Messages qui proviennent de l'environnement et qui entrent en concurrence avec ceux du corps pour attirer l'attention.

mesure discrète   Méthode de collecte d'informations sur le comportement d'un individu, sans que ce dernier s'aperçoive qu'il est sujet d'une étude. Les mesures discrètes ne modifient pas le comportement étudié.

méta-analyse   Ensemble de techniques statistiques qui permettent de porter un jugement éclairé et fiable sur l'ensemble des conclusions de recherches antérieures sur une question donnée.

méthode expérimentale   Méthode de recherche dans laquelle on manipule une ou plusieurs variables indépendantes, on contrôle les variables étrangères et l'on observe une ou plusieurs variables dépendantes. Cette méthode est fréquemment, mais pas nécessairement, effectuée en laboratoire.

miroir (moi en)   Notion théorique selon laquelle le concept de soi d'un individu repose essentiellement sur le reflet des opinions qui lui sont communiquées par des personnes qui sont importantes pour lui. (Syn.: *miroir social.*)

mise au point   Action d'informer les sujets sur la vraie nature du devis et du but d'une expérience après qu'ils y ont participé, peut-être après avoir reçu auparavant une information partielle ou trompeuse. (En angl.: *debriefing.*)

modelage   Processus par lequel une personne acquiert des comportements sociaux en copiant ou en imitant les actions, les attitudes et les réponses émotives des autres. (Syn.: *apprentissage par observation.* Voir aussi *apprentissage social* [*théorie de l'*].)

modèle   Personne dont on copie ou imite les actions, les attitudes ou les réponses émotives.

monde juste   (Voir *hypothèse du monde juste.*)

monitorage de soi   Habileté à conduire efficacement ses relations interpersonnelles par la lecture des indices qui proviennent d'autrui par le contrôle exercé sur sa propre présentation d'indices et par l'ajustement de ses propres actions à la situation sociale.

motivation   Terme général qui désigne les forces (besoins, tendances, etc.) qui poussent un organisme à agir.

motivations contradictoires (dans l'échange social)   Type d'interaction dans lequel le désir de coopérer entre en conflit avec le désir d'exploiter, et dans lequel, par ailleurs, le résultat le plus avantageux pour chaque partenaire se trouve être le plus risqué.

N

néo-behaviorisme   Orientation behavioriste qui met l'accent sur la relation entre les événements environnementaux et le comportement social. Elle considère cependant que la récompense et la punition influent sur les attitudes ou sur les sentiments qui, à leur tour, influent sur les actions. (Voir aussi *orientation behavioriste.*)

niveau de base   Probabilité générale d'apparition d'un événement à l'intérieur d'une période préalable à une manipulation expérimentale. De façon plus large, fréquence d'apparition d'un événement dans la population générale.

non verbal   Se dit d'une expression, d'un comportement ou, en général, d'une communication qui transmet de l'information sur soi au moyen de gestes ou de signaux corporels conscients et inconscients.

norme   Opinion largement partagée au sujet du caractère approprié ou non d'un comportement donné, dans une situation donnée. La norme renvoie aussi à un pattern comportemental observé chez un grand nombre de personnes.

O

orientation behavioriste   Un des trois principaux courants théoriques en psychologie sociale. L'orientation behavioriste met l'accent sur l'exploration de relations fiables entre le milieu et le comportement social. (Voir aussi *orientation cognitive* et *orientation des règles et des rôles*.)

orientation cognitive   Un des trois principaux courants théoriques en psychologie sociale. L'orientation cognitive met l'accent sur les processus de pensée qui organisent et interprètent les propriétés du milieu. (Voir aussi *orientation behavioriste* et *orientation des règles et des rôles*.)

orientation des règles et des rôles   Un des trois principaux courants théoriques en psychologie sociale. L'orientation des règles et des rôles met l'accent sur la façon dont les règles partagées ou les rôles prescrits influent sur les patterns de conduite à travers le temps. (Voir aussi *orientation behavioriste* et *orientation cognitive*.)

P

particularisation (dans la théorie des ressources)   Dimension du modèle de Foa et Foa selon laquelle certaines ressources ne peuvent être données ou reçues que par des individus particuliers, tandis que d'autres ressources peuvent être échangées avec n'importe quel membre de la société. (Voir aussi *ressources* [*théorie des*] et *matérialité*.)

patelinerie   Stratégie qui consiste à manipuler une autre personne dans le but de paraître aimable à ses yeux, en lui procurant des avantages ou en la flattant.

pensée de groupe   Phénomène qui entrave une prise de décision logique et efficace par les membres d'un groupe cohésif qui, pour maintenir l'unanimité, font fi des évaluations individuelles quant aux autres possibilités d'action. La pensée de groupe est caractérisée par la restriction du nombre d'options considérées, la réduction de l'examen critique et l'évitement ou le rejet de l'opinion d'un expert.

perception   Processus par lequel une personne, par l'intermédiaire de ses sens, devient consciente des objets, des situations, et ainsi de suite. La perception est un processus cognitif actif.

perception motivée   Modification que fait la personne de ses perceptions, pour faire place à un jugement autogratifiant.

personnalité   Ensemble des caractéristiques individuelles distinctives qui constituent chez un individu sa façon de réagir aux situations.

pertes associées au processus   (Voir *gains et pertes associés au processus*.)

peuplement optimal   Condition qui existe lorsque le nombre d'individus dans un cadre comportemental est égal au nombre de tâches essentielles à remplir. (Voir aussi *sous-peuplement* et *surpeuplement*.)

pied-dans-l'entrebâillement-de-la-porte (technique du)   Technique d'influence sociale. On demande d'abord une petite faveur afin que la personne sollicitée accède ultérieurement à une demande plus importante.

placebo   Dans la méthode expérimentale, technique qui consiste à donner à des sujets un traitement simulé (médical ou non).

polarisation (dans le changement d'attitude) Processus par lequel les attitudes et les sentiments deviennent plus extrêmes. Ainsi, une attitude positive devient encore plus favorable, alors qu'une attitude négative devient encore moins favorable.

population Désigne, dans la recherche en sciences humaines et sociales, tous les individus d'une catégorie particulière (par exemple, les nourrissons, les collégiens ou les individus inscrits sur la liste électorale) utilisée comme base dans des opérations statistiques.

potentiel psycho-environnemental Capacité d'un lieu à produire une adéquation ou une inadéquation entre la personne ou le groupe et l'environnement; le potentiel varie selon que le milieu remplit un ensemble de fonctions essentielles.

pouvoir Capacité d'exercer une influence sur les actions des autres.

prédiction créatrice Attente ou croyance qui est puissante au point d'influer une attitude ou sur un comportement, de sorte que la croyance devient réalité. (En angl.: *self-fulfilling prophecy*.)

prégnance (d'une attitude) Visibilité et conscience d'une de ses propres attitudes. En attirant l'attention sur une attitude, on la rend plus apparente ou plus prégnante, ce qui contribue à la maintenir.

préjugé Prédisposition à réagir défavorablement, ou éventuellement favorablement, à une personne simplement parce qu'elle appartient à une classe ou à une catégorie d'individus donnée. Le préjugé est une attitude. (Voir aussi *discrimination*.)

présentation de soi Adoption de comportements ou d'attitudes par une personne dans le but d'encourager les autres à la percevoir comme elle le souhaite.

pression informationnelle Forme d'influence sociale par laquelle un groupe provoque le conformisme en procurant à la personne cible l'information désirée. (Voir aussi *pression normative*.)

pression normative Forme d'influence sociale par laquelle un groupe provoque le conformisme en donnant à la personne cible l'amitié recherchée. (Voir aussi *pression informationnelle*.)

principe d'élimination Dans l'attribution de la causalité, tendance à éliminer toutes les autres causes possibles, si une cause quelconque trouve un appui suffisant et plausible.

prise de conscience (techniques de) Approches visant à sensibiliser les membres d'un groupe aux influences oppressives sur leur vie, ainsi qu'à développer un esprit de solidarité et de pouvoir collectif, et un moyen de défense collective. (Syn.: *techniques de conscientisation*.)

privation relative Sentiment d'insatisfaction éprouvé lorsqu'une personne se perçoit comme désavantagée par rapport à une autre personne auquelle elle se compare.

privé Processus de régulation des frontières interpersonnelles par lequel un individu ou un groupe règle son interaction avec les autres, selon les attentes ou les besoins individuels qui varient dans le temps.

prototype Organisation hiérarchisée de caractéristiques distinctives partagées par diverses personnes, et qui sert à catégoriser les gens dans la vie de tous les jours.

proxémie (règles de) Règles culturelles implicites qui précisent le comportement spatial et la distance physique appropriée dans les relations interpersonnelles, selon divers types de situations.

psychologie écologique Étude des relations interdépendantes des actions motivées des gens et des cadres comportementaux dans lesquels ces actions ont lieu.

psychologie sociale Discipline dans laquelle on étudie de façon systématique les interactions humaines et leurs fondements psychologiques.

R

réactance État émotionnel négatif qui peut survenir lorsqu'un individu sent que sa liberté de choix est réduite. La réactance peut être une source psychologique d'indépendance.

réattribution des états émotionnels Modification de l'état émotionnel d'une personne, par la transmission d'informations qui visent à changer son interprétation de la cause de ses émotions.

recherche-action Recherche sur le terrain, dans laquelle l'expérimentation s'effectue au cœur d'une action concertée dans une organisation ou dans un système social réel.

recherche interculturelle Recherche dans laquelle on compare les comportements ou les réponses d'individus qui appartiennent à des sociétés différentes.

recherche longitudinale Se dit d'une étude dans laquelle on examine, à diverses reprises, les réponses ou les caractéristiques d'une population, au cours d'une période relativement prolongée (généralement un certain nombre d'années). (Voir aussi *recherche transversale.*)

recherche transversale Recherche dans laquelle on mesure à un moment précis les patterns d'attitudes ou de comportements d'une population.

réciprocité (norme de) Attente selon laquelle du bien, et non du mal, sera retourné à ceux qui apportent de l'aide ou rendent service.

réducteur de pulsion Condition, ou ensemble de conditions, qui a pour effet de réduire l'activation physiologique ou un état de besoin.

reflet dans les préjugés intergroupes (phénomène de) Processus d'accroissement des préjugés intergroupes. Chacun des groupes se perçoit comme bien intentionné et bien pensant, et il voit l'ennemi comme dans l'erreur et menaçant.

règles et rôles (Voir *orientation des règles et des rôles.*)

rendement mutuel maximal Résultat optimal du processus d'accommodation dans l'échange social. Les choix effectués par chaque partenaire donnent alors à chacun un plaisir maximal. (Voir aussi *accommodation [dans l'échange social].*)

réponse Tout comportement qui résulte d'une stimulation. (Voir aussi *stimulus.*)

réponse de relaxation Stratégie d'adaptation passive devant une situation stressante, qui consiste à se détendre et à cesser de se concentrer sur le problème.

réponse dominante Chez un organisme, réponse la mieux apprise et la plus intégrée.

reproduction Répétition d'une expérience, souvent auprès de populations fort diversifiées, dans le but de mesurer de nouveau la fiabilité ou la validité des résultats obtenus à l'origine.

résignation acquise (Voir *impuissance apprise.*)

responsabilité sociale (norme de) Norme selon laquelle les individus qui ont besoin d'aide doivent être aidés, indépendamment des avantages passés ou futurs retirés par les aidants potentiels.

ressources (théorie des) Modèle de l'échange social de Foa et Foa selon lequel le nombre de catégories des ressources qui servent à faire plaisir à autrui est limité à six. Un ensemble de règles fondamentales régissent l'échange des ressources dans les diverses catégories. (Voir aussi *matérialité* et *particularisation.*)

robustesse Capacité qu'a un individu de se maintenir en santé malgré un stress continu, liée à un sentiment de contrôle sur sa vie à un sentiment d'engagement et au sens du défi.

rôles sexuels (stéréotype relatif aux) Stéréotype ou ensemble de croyances sociales relatives aux caractéristiques présumées et au comportement «approprié» pour chaque sexe.

S

scénario D'après la théorie des règles et des rôles, enchaînements de comportements jugés appropriés dans une situation, par les membres d'un groupe culturel donné. (Syn.: *scénario psychologique.*)

schéma de soi Ensemble organisé des différents concepts de soi que possède la personne. (Syn.: *image de soi, sens de l'identité personnelle*.)

schéma ou schéma cognitif Organisation de la connaissance relative à une personne, à un objet ou à un stimulus.

similarité (dans les comportements des gens)   Ressemblance dans les comportements des gens, qui résulte des influences sociales qui modifient les comportements ou les attitudes dans la direction des patterns qui prévalent dans une culture ou une sous-culture donnée. Trois principales formes d'influence produisent la similarité: l'uniformité, le conformisme et la soumission.

similitude (dans l'attraction)   Hypothèse selon laquelle les individus ont tendance à être attirés par ceux et celles dont les traits et les aptitudes sont semblables aux leurs. (Voir aussi *complémentarité* [*dans l'attraction*].)

simple exposition (effet de la)   Augmentation de l'attraction envers un objet ou une personne, qui résulte de la fréquence ou du temps d'exposition.

situationnisme   Point de vue selon lequel les circonstances déterminent les actions ou du moins y exercent une forte influence.

socialisation   Processus par lequel le comportement des membres d'une société donnée est façonné par les autres membres de cette société. De façon plus spécifique, façon dont les enfants acquièrent la connaissance des normes et des règles à suivre dans la société.

sociogramme   Représentation graphique des préférences sociales individuelles des membres d'un groupe.

sociométrie   Méthode conçue pour étudier la structure du groupe en mesurant les préférences sociales individuelles des membres.

solitude   État émotionnel qui peut exister lorsque le réseau des relations sociales d'une personne est plus petit ou moins satisfaisant que ce qu'elle souhaiterait. (Syn.: dans le modèle du privé, *isolement social.*)

sondage d'opinion publique   Stratégie de recherche dans laquelle on interviewe de grands échantillons représentatifs de la population. C'est la stratégie la plus efficace pour décrire les caractéristiques générales d'une culture à des moments donnés.

soumission   Changement d'une croyance ou d'un comportement en réponse à une pression qui vient d'une figure d'autorité.

soumission destructive   Comportement de soumission qui vise à punir ou à exterminer les personnes ou à détruire la propriété. (Voir aussi *soumission.*)

source causale   Personne ou événement perçu comme instigateur d'une action ou d'une série d'actions. L'attribution interne situe chez l'acteur la source causale; l'attribution externe la place dans la situation.

source de biais   Facteur ou processus qui réduit la capacité d'une personne de traiter l'information de façon rationnelle.

sous-peuplement   Condition qui existe lorsque le nombre d'individus disponibles est inférieur au nombre de tâches essentielles à remplir dans un cadre comportemental donné. (Voir aussi *peuplement optimal* et *surpeuplement.*)

soutien social   Aide ou assistance tangible (par exemple, biens, argent, services) ou intangible (par exemple, écoute, conseils, considération positive) fournie par un membre de l'entourage d'un individu. La présence de soutien social a des effets importants sur le plan de la santé.

stéréotype   Catégorie socialement établie dans laquelle les gens sont casés du seul fait de leur identification à un groupe.

stimulus   Situation ou événement susceptible de provoquer des changements dans un organisme. (Voir aussi *réponse.*)

stratégie d'adaptation   Façon de penser et de se comporter développée pour composer avec une situation difficile (comme le stress, la dépression ou l'impuissance apprise).

stratégie des échanges gradués   Proposition de Osgood selon laquelle l'amorce de gestes de coopération, même minimaux, favorise la désescalade des patterns d'exploitation mutuelle dans l'échange social.

stratégie minimax (dans l'échange social)   Stratégie dans laquelle les gens tentent de réduire les coûts nécessaires pour atteindre leurs buts. Ils minimisent par conséquent leur douleur tout en maximisant leur plaisir.

stress   Processus caractérisé par une évaluation des événements comme dangeureux, menaçants ou exigeants, parallèle à une évaluation des réponses possibles, avec manifestations de réactions physiologiques, émotionnelles, cognitives ou comportementales.

structure de communication   Pattern des réseaux de communication entre les membres d'un groupe. Les structures types sont centralisées quand elles sont axées sur le coordonnateur ou décentralisées quand elles vont dans plusieurs directions.

surpeuplement   Condition qui existe lorsque le nombre d'individus disponibles excède le nombre de tâches essentielles à remplir dans un cadre comportemental donné. (Voir aussi *peuplement optimal* et *sous-peuplement*.)

système nerveux autonome   Division du système nerveux qui contrôle le fonctionnement des organes internes, des muscles lisses et des glandes.

T

tâche additive   Tâche dans laquelle ce que chaque membre produit peut être additionné pour donner le résultat total du groupe. (Voir aussi *tâche conjointe, tâche discrétionnaire* et *tâche disjointe*.)

tâche conjointe   Tâche dans laquelle chaque membre du groupe remplit à peu près la même fonction, mais dépend des autres membres pour obtenir un bon résultat. (Voir aussi *tâche additive, tâche discrétionnaire* et *tâche disjointe*.)

tâche discrétionnaire   Tâche dans laquelle les membres du groupe peuvent combiner leurs efforts comme ils le désirent. Le résultat dépend de la coordination des efforts. (Voir aussi *tâche additive, tâche conjointe* et *tâche disjointe*.)

tâche disjointe   Tâche dans laquelle le travail n'est pas divisé. La production du groupe ne dépend pas de la somme des efforts des membres. (Voir aussi *tâche additive, tâche conjointe* et *tâche discrétionnaire*.)

tension de l'obligation   État psychologique désagréable qui survient lorsqu'une personne a reçu un bienfait d'une autre personne et qu'elle ressent envers elle une dette ou l'obligation de faire quelque chose en retour.

test de confirmation d'hypothèse   Tendance qu'a une personne à rechercher de l'information qui confirme ce qu'elle croit déjà.

thanatos   Selon Freud, motivation ou pulsion fondamentale dirigée vers la mort et la destruction. (Voir aussi *éros*.)

théorie   Ensemble de propositions reliées de façon logique qui décrivent et expliquent un domaine d'observation. En psychologie sociale, la théorie permet de mieux comprendre la vie sociale et de communiquer plus aisément à ce sujet. Elle permet d'être plus conscient des divers processus qui influent sur les gens et elle peut donner la possibilité de considérer d'autres formes d'actions pertinentes.

théorie générative   Théorie qui défie les croyances et les postulats partagés par les membres d'une culture. Ce faisant, une telle théorie propose d'autres options que le *statu quo* et elle permet de choisir de nouvelles solutions plutôt que de continuer à conserver une croyance dogmatique.

théorie implicite de la personnalité   Suppositions d'une personne quant à la façon dont les traits de personnalité se regroupent (par exemple, présumer que l'honnêteté et la sincérité vont de pair).

théories simples et souveraines   Formulations théoriques élaborées principalement au XIXe siècle. De telles théories tentaient d'expliquer le comportement social complexe, souvent en s'appuyant sur un principe directeur unique.

trait   Caractéristique de personnalité.

traits d'organisation centraux Traits de personnalité (par exemple, chaleureux par opposition à froid) qui revêtent une importance majeure lorsqu'une personne organise ses impressions quant à une autre personne. (Voir aussi *trait*.)

transfert d'excitation Processus dans lequel l'activation produite par un stimulus intensifie un comportement dans une toute autre situation.

travail facial Pratique de justification sociale qui consiste à utiliser divers signaux du visage pour signifier aux autres sa propre normalité.

truisme culturel Par le processus de socialisation, les individus d'un groupe culturel en viennent à accepter certaines croyances, sans les remettre en question. Ces truismes culturels fournissent des terrains d'entente, permettent aux gens de se comprendre les uns les autres et constituent une base commune qui permet le développement des relations.

type A et type B Catégories utilisées pour décrire des patterns de personnalité. Contrairement aux individus de type B, ceux de type A font preuve d'une extrême compétitivité, ont un besoin de réalisation très fort et sont presque toujours pressés. Ils sont plus sujets aux maladies coronariennes.

U

uniformité Forme de similarité qui repose sur le fait qu'un individu accepte le postulat tacite selon lequel il est souhaitable d'être comme les autres.

V

variable Ce que l'on fait varier systématiquement ou ce que l'on mesure dans une expérience ou dans une étude de type corrélationnel. (Voir aussi *variable dépendante* et *variable indépendante*.)

variable dépendante Dans la recherche expérimentale, réponse susceptible de changer par suite de modifications apportées à une variable indépendante. La variable dépendante est la réponse mesurée. (Voir aussi *variable indépendante*.)

variable indépendante Facteur qu'un chercheur fait systématiquement varier afin de déterminer son influence sur le comportement. (Voir aussi *variable dépendante*.)

vérification d'hypothèse (dans l'apprentissage des concepts) Apprentissage par lequel des concepts provisoires sont formés, et puis vérifiés par l'expérience. (Voir aussi *concept*.)

Références

ABEL, E.L. (1977). The relationship between cannabis and violence: A Review. *Psychological Bulletin, 84,* 193-211.

ABELSON, R.P., ARONSON, E., McGUIRE, W.J., NEWCOMB, T.M., ROSENBERG, M.J. et TANNENBAUM, P.H. (dir.) (1968). *Theories of cognitive consistency: A source-book.* Skokie, IL: Rand McNally.

ABRAMSON, L.Y., SELIGMAN, M.E.P. et TEASDALE, J.D. (1978). Learned helplessness in humans: Critique and reformulation. *Journal of Abnormal Psychology, 87,* 49-74.

ADAMS, G.R. (1977). Physical attractiveness research: Toward a developmental social psychology of beauty. *Human Development, 20,* 217-239.

ADAMS, J.S. (1965). Inequality in social exchange. *In* L. Berkowitz (dir.), *Advances in experimental social psychology* (vol. 2). New York: Academic Press.

ADAMS, J.S. et JACOBSABEL, E.L. (1977). The relationship between cannabis and violence: A Review. *Psychological Bulletin, 84,* 193-211.

ADAMS, J.S. et JACOBSON, P.R. (1964). Effects of wage inequities on work quality. *Journal of Abnormal and Social Psychology, 69,* 19-25.

ADORNO, T.W., FRENKEL-BRUNSWICK, E., LEVINSON, D.J. et SANFORD, R.N. (1950). *The authoritarian personality.* New York: Harper & Row.

AEBISCHER, V. (1979). *Les femmes et le bavardage: Observations en psychologie sociale.* Thèse de doctorat inédite. École des Hautes Études en Sciences Sociales, Paris.

AIELLO, J.R. (1987). Human spatial behavior. *In* D. Stokols et I. Altman (dir.), *Handbook of environmental psychology* (vol. 1). New York: John Wiley & Sons.

AIELLO, J.R., EPSTEIN, Y.M. et KARLIN, R.A. (1975). Effects of crowding on electro dermal activity. *Sociological Symposium, 14,* 42-57.

AIELLO, J.R. et THOMPSON, D.E. (1980). When compensation fails: Mediating effects on sex and locus of control at extended interaction distances. *Basic and Applied Social Psychology, 1* (1), 65-82.

AJZEN, I. (1977). Intuitive theories of events and the effects of baserate information on prediction. *Journal of*

Personality and Social Psychology, 35, 303-314.

AJZEN, I. et FISHBEIN, M. (1977). Attitude-behavior relations: A theoretical analysis and review of empirical research. *Psychological Bulletin, 84,* 888-918.

ALAGNA, S.W. et REDDY, D.M. (1984). Predictors of proficient technique and successful lesion detection in breast self-examination. *Health Psychology, 3,* 113-127.

ALAIN, M. (1987). A French version of the Bem sex-role inventory. *Psychological Reports, 61,* 673-674.

ALAIN, M. et LUSSIER, Y. (1988). Sex-role attitudes and divorce experience. *Journal of Social Psychology, 128,* 143-152.

ALBERT, S. et KESSLER, S. (1978). Ending social encounters. *Journal of Experimental Social Psychology, 14,* 541-553.

ALLEN, V.L. (1964). Uncertainty of outcome and post-decision dissonance. *In* L. Festinger et coll. *Conflict, decision and dissonance.* Stanford, CA: Stanford University Press.

ALLEN, V.L. (1965). Situational factors in conformity. *In* L. Berkowitz (dir.), *Advances in experimental social psychology* (vol. 2). New York: Academic Press.

ALLEN, V.L. (1975). Social support for nonconformity. *In* L. Berkowitz (dir.), *Advances in experimental social psychology* (vol. 8). New York: Academic Press.

ALLEN, V.L. et BRAGG, B.W.E. (1965). *The generalization of nonconformity within a homogeneous content dimension.* Manuscrit inédit. University of Wisconsin, Madison.

ALLEN, V.L. et WILDER, D.A. (1978). Perceived persuasiveness as a function of response style: multi-issue consistency over time. *European Journal of Social Psychology, 8,* 289-296.

ALLGEIER, E.R., BYRNE, D., BROOKS, B. et REVNES, D. (1979). The waffle phenomenon: Negative evaluations of those who shift attitudinally. *Journal of Applied Social Psychology, 9,* 170-182.

ALLINSMITH, W. (1960). The learning of moral standards. *In* D.R. Miller et G.E. Swanson (dir.), *Inner conflict and defense.* New York: Holt, Rinehart & Winston.

ALLOY, L.B. et ABRAMSON, L.Y. (1979). Judgment of contingency in depressed and nondepressed college students: A nondepressive distortion. *Journal of Experimental Psychology: General, 108,* 441-485.

ALLPORT, F.H. (1920). The influence of the group upon association and thought. *Journal of Experimental Psychology, 3,* 159-182.

ALLPORT, F.H. (1924). *Social psychology.* Boston: Houghton Mifflin.

ALLPORT, G.W. (1945). Psychology of participation. *Psychological Review, 52,* 117-132.

ALLPORT, G.W. (1935). Attitudes. *In* C. Murchison (dir.), *Handbook of social psychology.* Worcester, MA: Clark University Press.

ALLPORT, G.W. (1954). *The Nature of Prejudice.* Reading, MA: Addison-Wesley.

ALLPORT, G.W. (1985). The historical background of modern social psychology. In G. Lindzey et E. Aronson (dir.), The handbook of social psychology (vol. 1). Reading, MA: Addison-Wesley.

ALLYN, J. et FESTINGER, M. (1961). The effectiveness of unanticipated persuasive communication. *Journal of Abnormal and Social Psychology, 62,* 35-40.

ALMOND, G.A. et VERBA, S. (1963). *The civic culture.* Princeton, NJ: Princeton University Press.

ALPER, T.P. et KORCHIN, S.S. (1952). Memory for socially relevant material. *Journal of Abnormal and Social Psychology, 47,* 25-38.

ALPERT, R. (1978). *Power tactics used in intimate relations.* Manuscrit inédit. Temple University, Philadelphia.

ALTMAN, I. (1975). *Environment and social behavior: Privacy, personal space, territory, and crowding.* Monterey, CA: Brooks/Cole.

ALTMAN, I. (1978). Crowding: Historical and contemporary trends in crowding research. *In* A. Baum et Y.M. Epstein (dir.), *Human response to crowding.* Hillsdale, NJ: Lawrence Erlbaum.

ALTMAN, I. et CHEMERS, M.M. (1980). *Culture and environment.* New York: Cambridge University Press.

ALTMAN, I. et HAYTHORN, W.W. (1967). The ecology of isolated groups. *Behavioral Science, 12,* 169-182.

ALTMAN, I. et ROGOFF, B. (1987). World Views in Psychology: Trait, Interactional, Organismic, and Transactional Perspectives. *In* D. Stokols et I. Altman (dir.), *Handbook of environmental psychology* (vol. 1). New York: John Wiley & Sons.

ALTMAN, I. et TAYLOR, D.A. (1973). *Social penetration: The development of interpersonal relationships.* New York: Holt, Rinehart & Winston.

ALTMAN, I., TAYLOR, D.A. et WHEELER, L. (1971). Ecological aspects of group behavior in social isolation. *Journal of Applied Social Psychology, 1,* 76-100.

ALTUS, W.D. (1966). Birth order and its sequelae. *Science, 151,* 44-49.

AMELANG, M., TEPE, K., VAGT, G. et WENDT, W. (1977). A note on the development of an ecology scale. *Diagnostica, 23,* 86-88.

AMERICAN PSYCHOLOGICAL ASSOCIATION (1983). *Publication manual of the American Psychological Association* (3e éd.). Washington, D.C.: American Psychological Association.

AMIR, Y. (1976). The role of intergroup contact in change of prejudice and ethnic relations. *In* P.A. Katz (dir.), *Toward the elimination of racism.* Elmsford, NY: Pergamon Press.

AMIR, Y. (1976). The role of intergroup contact in change of prejudice and intergroup relations. *In* P. Katz (dir.),*Toward the elimination of racism.* New York: Pergamon Press.

ANDERSEN, S. et WILLIAMS, M. (1985). Cognitive/affective reactions in the improvement of self-esteem: When thoughts and feelings make a difference. *Journal of Personality and Social Psychology, 48,* 1086-1097.

ANDERSON, C.A., HOROWITZ, L.M. et deSALES FRENCH, R. (1983). Attributional style of lonely and depressed people. *Journal of Personality and Social Psychology, 45,* 127-136.

ANDERSON, E.A. et BURGESS, R.L. (décembre 1977). *Interaction patterns between same-and-opposite gender parents and children in abusive and non-abusive families.* Communication présentée à la 11e assemblée annuelle de l'Association for the Advancement of Behavior Therapy, Atlanta.

ANDO, Y. et HATTORI, H. (1973). Statistical studies on the effects of intense noise during human fetal life. *Journal of Sound and Vibration, 27,* 101-110.

ANDREAS, C.R. (1969). To receive from kings: An examination of government-to-government aid and its unintended consequences. *Journal of Social Issues, 25,* 167-180.

APFELBAUM, E. (1978). Prolegomena for a history of social psychology: *Some hypotheses concerning its emergence in the 20th century and its raison d'être.* Communication présentée à la Cheiron Society.

APPLEYARD, D. (1969). Why buildings are known: a predictive tool for architects and planners. *Environment and Behavior, 1,* 131-156.

APSLER, R. (1975). Effects of embarrassment on behavior toward others. *Journal of Personality and Social Psychology, 32,* 145-153.

ARCHER, R.L. et BURLESON, J.A. (1980). The effects of timing of self-disclosure on attraction and reciprocity. *Journal of Personality and Social Psychology, 38,* 120-130.

ARGYLE, M. et McHENRY, R. (1971). Do spectacles really affect judgments of intelligence? *British Journal of Social and Clinical Psychology, 10,* 27-29.

ARGYLE, M., TROWER, P.E. et BRYANT, B.M. (1974). Explorations in the treatment of personality disorders and neuroses by social skills training. *British Journal of Medical Psychology, 47,* 63-72.

ARMOR, D.J. (1972). The evidence on busing. *Public Interest, 28,* 90-126.

ARMOR, D.J. (1976). *Measuring the effects of television on aggressive behavior.* Santa Monica, CA: Rand Corporation.

ARONFREED, J.M. (1968). *Conduct and conscience: The socialization of internalized control over behavior.* New York: Academic Press.

ARONSON, E. et GEFFNER, R. (1978). The effects of a cooperative classroom structure on students' behavior and attitudes. *In* D. Bar-Tal et L. Saxe (dir.), *Social psychology of education: Theory and research.* Washington, DC: Hemisphere.

ARONSON, E. et GOLDEN, B. (1962). The effect of relevant and irrelevant aspects of communicator credibility on opinion change. *Journal of Personality, 30,* 135-146.

ARONSON, E. et OSHEROW, N. (1980). Cooperation, prosocial behavior and academic performance: Experiments in the desegregated classroom. *In* L. Bickman (dir.), *Applied social psychology annual* (vol. 1). Beverly Hills, CA: Sage.

ARONSON, E. et WORCHEL, P. (1966). Similarity vs. liking as determinants of interpersonal attractiveness. *Psychonomic Science, 5,* 157-158.

ARROWOOD, J. et SHORT, J.A. (1973). Agreement, attraction and self-esteem. *Canadian Journal of Behavioral Science, 5,* 242-252.

ASCH, S.E. (1946). Forming impressions of personality. *Journal of Abnormal and Social Psychology, 41,* 258-290.

ASCH, S.E. (1952). *Social psychology.* Englewood Cliffs. NJ: Prentice-Hall.

ASHMORE, R.D. et BUTSCH, R.J. (avril 1972). *Perceived threat and the perception of violence in biracial settings: Toward an experimental paradigm.* Communication présentée à l'Eastern Psychological Association, Boston.

ASHMORE, R.D., RAMCHANDRA, V. et JONES, R.A. (avril 1971). *Censorship as an attitude change induction.* Communication présentée à l'Eastern Psychological Association, New York.

AUGER, L. (1991). Le rôle de la presse écrite dans le dossier de la violence conjugale. *Psychologie Québec, 8,* 8-9.

AUGER, L. et GAGNÉ, C. (1991). *L'effet du drame Hélène Lizotte sur le traitement de la violence conjugale par la presse écrite montréalaise.* Manuscrit inédit. Université de Montréal.

AUSTIN, W. (1979). Sex differences in bystander intervention in a theft. *Journal of Personality and Social Psychology, 37,* 2110-2120.

AUSTIN, W., WALSTER, E. et UTNE, M.K. (1976). Equity and the law: The effect of a harm-dœr's ''suffering in the act'' on liking and assigned punishment. *In* L. Berkowitz et E. Walster (dir.), *Advances in experimental social psychology* (vol. 9). New York: Academic Press.

AVERILL, J.R. (1982). *Anger and aggression: An essay on emotion.* New York: Springer-Verlag.

AX, A.F. (1953). The physiological differentiation between fear and anger in humans. *Psychosomatic Medicine, 15,* 433-442.

AZAR, S.T. et RHORBECK, C.A. (1986). Child abuse and unrealistic expectations: further validation of the Parent opinion questionnaire. *Journal of Consulting and Clinical Psychology, 54,* 867-868.

BACK, K.W. (1951). Influence through social communications. *Journal of Abnormal and Social Psychology, 46,* 9-23.

BACK, K.W. (1958). Influence through social communication. *In* E. Maccoby, T. Newcomb et E. Hartley (dir.), *Read-*

ings in social psychology. New York: Holt, Rinehart & Winston.

BACKMAN, C.W. et SECORD, P.F. (1959). The effect of perceived liking on interpersonal attraction. *Human Relations, 12,* 379-384.

BACKMAN, C.W. et SECORD, P.F. (1962). Liking, selective interaction and misperception in congruent interpersonal relations. *Sociometry, 25,* 321-335.

BAGEHOT, W. (1875). *Physics and Politics.* New York: D. Appleton.

BAIRD, L.L. (1969). Big school, small school: A critical examination of the hypothesis. *Journal of Educational Psychology, 60,* 253-260.

BAKAN, D. (1966). *The duality of human existence.* Skokie, IL: Rand McNally.

BAKER, J.W. et SCHAIE, K.W. (1969). Effects of aggressing ''alone'' or ''with another'' on physiological and psychological arousal. *Journal of Personality and Social Psychology, 12,* 80-86.

BALDWIN, J.M. (1895). *Mental development in the child and in the race.* New York: Macmillan.

BALES, R.F. (1950). *Interaction process analysis: A method for the study of small groups.* Reading, MA: Addison-Wesley.

BALES, R.F. (1970). *Personality and interpretation behavior.* New York: Holt, Rinehart & Winston.

BALES, R.F. et COHEN, S.P. (1979). SYMLOG: *A system for the multiple level observation of groups.* New York: Free Press.

BALTHAZAR, J.H. (1991). Le mouvement d'entraide au Canada. *In* Statistique Canada, Division des soutiens familiaux et sociaux, *Entraide collective. Actes du Symposium sur les soutiens sociaux.* Ottawa: Statistique Canada, (cat. no 89-514F).

BANDURA, A. (1960). Relationship of family patterns to child behavior disorders. Stanford University, Stanford, CA.

BANDURA, A. (1973). *Aggression: A social learning analysis.* Englewood Cliffs, NJ: Prentice-Hall.

BANDURA, A. (1977). *L'apprentissage social.* Bruxelles: Pierre Mardaga.

BANDURA, A. (1986). *Social foundations of thought and action: a social cognitive theory.* Englewood Cliffs, NJ: Prentice-Hall.

BANDURA, A. (1988). Self-efficacy conception of anxiety. *Anxiety Research, 1,* 77-98.

BANDURA, A., ROSS, O. et ROSS, S.A. (1961). Transmission of aggression through imitation of aggressive

models. *Journal of Abnormal and Social Psychology, 63,* 575-582.

BANDURA, A. et WALTERS, R.H. (1963). *Social learning and personality development.* New York: Holt, Rinehart & Winston.

BARITZ, L. (1980). *The servants of power: A history of the use of social science in American industry.* Middletown, CT: Wesleyan University Press.

BARKER, R.G. (1987). Prospecting in environmental psychology: Oskaloosa revisited. *In* D. Stokols et I. Altman (dir.), *Handbook of environmental psychology* (vol. 2). New York: John Wiley & Sons.

BARKER, R.G. et SCHOGGEN, P. (1973). *Qualities of community life.* San Franscisco: Jossey-Bass.

BARKER, R.G. et WRIGHT, H.F. (1951). *One boy's day.* New York: Harper & Row.

BARON, R.A. (1977). *Human aggression.* New York: Plenum Press.

BARON, R.A. (1978). The aggression-inhibiting influence of sexual humor. *Journal of Personality and Social Psychology, 36,* 189-197.

BARON, R.A. et LAWTON, S.F. (1972). Environmental influences on aggression: The facilitation of modeling effects by high ambient temperatures. *Psychonomic Science, 26,* 80-83.

BARON, R.A. et RANSBERGER, V.M. (1978). Ambient temperature and the occurrence of collective violence: The ''long, hot summer'' revisited. *Journal of Personality and Social Psychology, 36,* 351-360.

BARON, R.M. et NEEDEL, S.P. (1980). Toward an understanding of the differences in the responses of humans and other animals to density. *Psychological Review, 87,* 320-328.

BARON, R.M. et RODIN, J. (1978). Personal control as a mediator of crowding. *In* A. Baum, J.E. Singer et S. Valins (dir.), *Advances in experimental psychology* (vol. 1). Hillsdale, NJ: Lawrence Erlbaum.

BARON, R.S., BARON, P. et MILLER, N. (1973). The relation between distraction and persuasion. *Psychological Bulletin, 80,* 310-323.

BARRIOS, F.X. et NIEHAUS, J.M. (1985). The influence of smoker status, smoking history, sex, and situational variables on smokers' self-efficacy. *Addictive behaviors, 10,* 425-429.

BAR-TAL, D. (1976). *Prosocial behavior: Theory and research.* Washington, DC: Hemisphere.

BAR-TAL, D. et FRIEZE, I.H. (1977). Achievement motivation for males and females as a determinant for attributions for success and failure. *Sex Roles, 3,* 301-313.

BAR-TAL, D. et SAXE, L. (1976). Perceptions of similarly and dissimilarly attractive couples. *Journal of Personality and Social Psychology, 33,* 772-781.

BAUER, R.A. (1964). The obstinate audience: The influence process from the point of view of social communication. *American Psychologist, 19,* 319-328.

BAUM, A. et GREENBERG, C.I. (1975). Waiting for a crowd: The behavioral and perceptual effects of anticipated crowding. *Journal of Personality and Social Psychology, 32,* 671-679.

BAUM, A. et PAULUS, P. (1987). Crowding. *In* D. Stokols et I. Altman (dir.), *Handbook of environmental psychology* (vol. 1). New York: John Wiley & Sons.

BAUM, A. et VALINS, S. (1977). *Architecture and social behavior: Psychological studies of social density.* Hillsdale, NJ: Lawrence Erlbaum.

BAUMRIND, D. (1964). Some thoughts on the ethics of research: After reading Milgram's ''Behavior study of obedience''. *American Psychologist, 19,* 421-423.

BAUMRIND, D. (1979). IRB's and social science research: The costs of deception. *IRB: A review of Human Subjects Research, 1,* 1-4.

B.-DANDURAND, R. et MORIN, D. (1990). *L'impact de certains changements familiaux sur les enfants de l'école primaire.* Québec: Institut québécois de recherche sur la culture et Ministère de l'Éducation du Québec.

BECK, A.T. (1982). *Depression: Clinical, experimental and theoretical aspects.* New York: Harper & Row.

BECK, A.T. (1987). Cognitive models of depression. *Journal of Cognitive Psychotherapy, 1,* 5-37.

BECK, R.J. et WOOD, D. (1976). Cognitive transformation of information from urban geographic fields to mental maps. *Environment and Behavior, 8,* 199-238.

BECKER, E. (1968). *The structure of evil.* New York: George Braziller.

BECKER, F.D., SOMMER, R., BEE, J. et OXLEY, B. (1973). College classroom ecology. *Sociometry, 36,* 514-525.

BECKER, M.H. (dir.) (1974). *The health belief model and personal health behavior.* Thorofare, NJ: Charles B. Slack.

BECKER, M.H., MAIMAN, L.A., KIRSCHT, J.P., HAEFNER, D.P., DRACHMAN, R.H. et TAYLOR, D.W. (1979). Patient perceptions and compliance: Recent studies of the health belief model. In R.B. Haynes, D.W. Taylor et D.L. Sackett (dir.), Compliance in health care. Baltimore: Johns Hopkins University Press.

BÉGIN, G. et BOUCHARD, L. (1982). Validité de trois techniques de cueillette d'une information délicate: le questionnaire direct, la réponse aléatoire et le détecteur de mensonge. Revue québécoise de Psychologie, 3, 17-29.

BEGUM, et LEHR, D.J. (1963). Effects of authoritarianism on vigilance performance. Journal of Applied Psychology, 47, 75-77.

BEM, D.J. (1972). Self-perception theory. In L. Berkowitz (dir.), Advances in experimental social psychology (vol. 6). New York: Academic Press.

BEM, D.J. et ALLEN, A. (1974). On predicting some of the people some of the time: The search for cross-situational consistencies in behavior. Psychological Review, 81, 506-520.

BEM, S.L. (1974). The measurement of psychological androgyny. Journal of Consulting and Clinical Psychology, 42, 115-162.

BEM, S.L. (1975). Sex role adaptability: One consequence of psychological androgyny. Journal of Personality and Social Psychology, 31, 634-643.

BEM, S.L. (1977). On the utility of alternative procedures for assessing psychological androgyny. Journal of Consulting and Clinical Psychology, 45, 196-205.

BEM, S.L. (1979). Theory and measurement of androgyny: A reply to the Pedhazur-Tetenbaum and Locksley-Colten critiques. Journal of Personality and Social Psychology, 37, 1047-1054.

BEM, S.L. et LENNEY, E. (1976). Sex typing and the avoidance of cross-sex behavior. Journal of Personality and Social Psychology, 33, 48-54.

BEM, S.L., MARTYNA, W. et WATSON, C. (1976). Sex typing and androgyny: Further explorations of the expressive domain. Journal of Personality and Social Psychology, 34, 1016-1023.

BENEDICT, R. (1946). The chrysanthemum and the sword. Boston: Houghton Mifflin.

BENNETT, R.M., BUSS, A.H. et CARPENTER, J.A. (1969). Alcohol and human physical aggression. Quarterly Journal of Studies on Alcohol, 30, 870-877.

BENSON, H. (1975). The relaxation response. New York: William Morrow.

BENTON, A.A. (1971). Productivity, distributive justice and bargaining among children. Journal of Personality and Social Psychology, 18, 68-78.

BERELSON, B., LAZARSFELD, P.F. et McPHEE, W.N. (1954). Voting. Chicago: University of Chicago Press.

BERENSON, M., GROSHEN, S., MILLER, H. et De COSSE, J. (1989). Subject-reported compliance in a chemoprevention trial for familial adenomatous polyposis. Journal of Behavioral Medicine, 12, 233-247.

BERG, D. (1967). A descriptive analysis of the distribution and duration of themes discussed by task-oriented small groups. Speech Monographs, 34, 172-175.

BERG, K.S. et VIDMAR, N. (1975). Authoritarianism and recall of evidence about criminal behavior. Journal of Research in Personality, 9, 147-157.

BERGER, S.M. (1962). Conditioning through vicarious instigation. Psychological Review, 69, 450-466.

BERGIN, A.E. (1962). The effects of dissonant persuasive communications upon changes in self referring attitudes. Journal of Personality, 30, 423-438.

BERGLAS, S. et JONES, E.E. (1978). Drug choice as a self-handicapping strategy in response to noncontingent success. Journal of Personality and Social Psychology, 36, 410-417.

BERKOWITZ, L. (1957). Effects to perceived dependency relationships upon conformity to group expectations. Journal of Abnormal and Social Psychology, 55, 350-354.

BERKOWITZ, L. (1969). Roots of aggression: A re-examination of the frustration-aggression hypothesis. New York: Atherton Press.

BERKOWITZ, L. (1970). The self, selfishness and altruism. In J.R. Macaulay et L. Berkowitz (dir.), Altruism and helping behavior. New York: Academic Press.

BERKOWITZ, L. (1972). Social norms, feelings and other factors affecting helping and altruism. In L. Berkowitz (dir.), Advances in experimental social psychology (vol. 6). New York: Academic Press.

BERKOWITZ, L. (1973). Reactance and the unwillingness to help others. Psychological Bulletin, 79, 310-317.

BERKOWITZ, L. (1978). Decreased helpfulness with increased group size through lessening the effects of the needy individuals' dependency. Journal of Personality, 46, 299-310.

BERKOWITZ, L. (1988). Frustrations, appraisals, and aversively stimulated aggression. Aggressive Behavior, 14, 3-12.

BERKOWITZ, L. et ALIOTO, J.T. (1973). The meaning of an observed event as a determinant of its aggressive consequences. Journal of Personality and Social Psychology, 28, 206-217.

BERKOWITZ, L. et GEEN, R. G. (1967). Stimulus qualities of the target of aggression: A further study. Journal of Personality and Social Psychology, 5, 364-368.

BERKOWITZ, L., GREEN, J.A. et MACAULAY, J.R. (1962). Hostility catharsis as the reduction of emotional tension. Psychiatry, 25, 23-31.

BERKOWITZ. L. et LEPAGE, A. (1967). Weapons as aggression-eliciting stimuli. Journal of Personality and Social Psychology, 7, 202-207.

BERLE, A. (1967). Power. New York: Harcourt Brace Jovanovich.

BERNARD, J. (1972). The future of marriage. New York: World.

BERNARD, L.L. (1926). Instinct: A study in social psychology. New York: Holt, Rinehart & Winston.

BERNARD, Y. ET LÉVY-LEBOYER, C. (1987). La psychologie de l'environnement en France. Psychologie française, 32 (1/2), 5-16.

BERNSTEIN, A.M., STEPHAN, W.G. et DAVIS, M.H. (1979). Explaining attribution for achievement: A path analytic approach. Journal of Personality and Social Psychology, 37, 1810-1821.

BERRILL, K.T. (1990). Anti-gay violence and victimization in the United States, an overview. Journal of Interpersonal Violence, 5 (3), 274-294.

BERSCHEID, E. et GRAZIANO, W. (1979). The initiation of social relationships and interpersonal attraction. Extrait de R.L. Burgess et T.L. Huston (dir.). Social exchange in developing relationships. New York: Academic Press.

BERSCHEID, E. et WALSTER, E. (1969). Interpersonal attraction. Reading, MA: Addison-Wesley.

BERSCHEID, E. et WALSTER, E. (1974). A little bit about love. In T.L. Huston (dir.), Foundations of interpersonal attraction. New York: Academic Press.

BERSCHEID, E., WALSTER, E. et BOHRNSTEDT, G. (1973). The body image report. *Psychology Today, 7,* 119-131.

BETTELHEIM, B. (1975). *Un lieu où renaître.* Paris: Laffont.

BICKMAN, L. (1972). Social influence and diffusion of responsibility in an emergency. *Journal of Experimental Social Psychology, 8,* 438-445.

BICKMAN, L., TEGER, A., GABRIELE, T., McLAUGHLIN, C., BERGER, M. et SUNADAY, E. (1973). Dormitory density and helping behavior. *Environment and behavior, 5,* 465-490.

BILLIG, M. et TAJFEL, H. (1973). Social categorization and similarity in intergroup behavior. *European Journal of Social Psychology, 3,* 27-52.

BILLINGS, A.G. et MOOS, R.H. (1984). Coping, stress, and social resources among adults with unipolar depression. *Journal of Personality and Social Psychology, 46,* 877-891.

BIRNBAUM, M.H. et STEGNER, S.E. (1979). Source credibility in social judgment: Bias, expertise and the judge's point of view. *Journal of Personality and Social psychology, 37,* 48-74.

BIRNBAUM, M.H. et MELLERS, B.A. (1979). Stimulus recognition may mediate exposure effects. *Journal of Personality and Social Psychology, 37,* 391-394.

BLAIS, M.R., SABOURIN, S., BOUCHER, C. et VALLERAND, R.J. (1990). Toward a motivational model of couple happiness. *Journal of Personality and Social Psychology, 59,* 1021-1031.

BLANCHARD, F.A., ADELMAN, L. et COOK, S.W. (1975). Effect of group success and failure upon interpersonal attraction in cooperating interracial groups. *Journal of Personality and Social Psychology, 31,* 1020-1030.

BLAU, P.M. (1959). Social integration, social rank and the process of interaction. *Human Relations, 18,* 152-157.

BLAU, P.M. (1964). *Exchange and power in social life.* New York: John Wiley & Sons.

BLEDA, P. (1974). Toward a clarification of the role of cognitive and affective processes in the similarity-attraction relationship. *Journal of Personality and Social Psychology, 29,* 368-373.

BLOOD, R.O. (dir.) (1967). *Love match and arranged marriage.* New York: Free Press.

BLOOD, R.O., Jr. et WOLFE, D.M. (1960). *Husbands and wives: The dynamics of married living.* New York: Free Press.

BLUMENTHAL, A.L. (1975). A reappraisal of Wilhelm Wundt. *American Psychologist, 30,* 1081-1086.

BLUMENTHAL, A.L. (1977). Wilhelm Wundt and early American psychology: A clash of two cultures. *Annals of the New York Academy of Sciences, 291,* 13-20.

BLUMENTHAL, M.D., CHADIHA, L.B., COLE, G.A. et JAYARATNE, T.E. (1975). *More about justifying violence: Methodological studies of attitudes and behavior.* Ann Arbor: University of Michigan Press.

BLUMENTHAL, M.D., KAHAN, R.L., ANDREWS, F.M. et HEAD, D.B. (1972). Justifying violence: Attitudes of American men. Ann Arbor: Institute for Social Research.

BOHMER, C. et BLUMBERG, A. (1975). Twice traumatized: The rape victim and the court. *Judicature, 58,* 390-399.

BONOMA, T.D. et TEDESCHI, J.T. (1973). Some effects of source behavior on targets' compliance to threats. *Behavioral Science, 18,* 34-41.

BOOTH, A. et COWELL, J. (1974). *The effects of crowding upon health.* Communication présentée à l'American Population Association, New York.

BOOTH, A. et JOHNSON, D.R. (1975). The effects of crowding on child health and development. *American Behavioral Scientist, 18,* 736-749.

BORDEN, R.J. (1980). Audience influence. In P.B. Paulus (dir.), *Psychology of social influence.* Hillsdale, NJ: Lawrence Erlbaum.

BORDEN, R.J. et FRANCIS, J.L. (1978). Who cares about ecology? Personality sex differences in environmental concern. *Journal of personality, 46,* 190-203.

BORDEN, R.J. et SCHETTINO, A.P. (1979). Determinants of environmentally responsible behavior. *Journal of environmental education, 10* (4), 35-39.

BOUCHARD, A.E. et RENAUD, L. (1991). *L'écologie de la santé par les médias.* Montréal: Éditions Agence d'Arc.

BOURHIS, R.Y. (1984). Cross-cultural communication in Montréal: two field studies since Bill 101. *International Journal of the Sociology of Language, 46,* 33-47.

BOURNE, L.E., DOMINOWSKI, R.L. et LOFTUS, E.F. (1979). *Cognitive processes.* Englewood Cliffs, NJ: Prentice-Hall.

BOUTILIER, R.G., RŒD, J.C. et SVENDSEN, A.C. (1980). Crisis in the two social psychologies: A critical comparison. *Social Psychology Quarterly, 43,* 5-17.

BOWERS, K.S. (1973). Situationism in psychology: An analysis and a critique. *Psychological Review, 80,* 307-336.

BOWMAN, C.H. et FISHBEIN, M. (1978). Understanding public reaction to energy proposals: An application of the Fishbein model. *Journal of Applied Social Psychology, 8,* 319-340.

BOYANOWSKY, E.O. et TRUEMAN, M. (1972). *Generalization of independence mediated by self-role congruence.* Manuscrit inédit.

BRADBURN, N. (1969). *The structure of psychological well-being.* Chicago: Aldine.

BRAGG, B.W.E. (1972). *The effect of variable social support on within-content generalization of nonconformity.* Manuscrit inédit.

BRAGINSKY, B.M., BRAGINSKY, D.D. et RING, K. (1969). *Methods of madness: The mental hospital as a last resort.* New York: Holt, Rinehart & Winston.

BRAIKER, H.B. et KELLEY, H.H. (1979). Conflict in the development of close relationships. In R.L. Burgess et T.L. Huston (dir.), *Social exchange in developing relationships.* New York: Academic Press.

BRAIN, R. (1976). *Friends and lovers.* New York: Basic Books.

BRANDSTÄTTER, H. (1978). Social emotions in discussion groups. In H. Brandstätter, J.H. Davis et H. Schuler (dir.), *Dynamics of group decisions.* Beverly Hills, CA: Sage.

BRANNON, R., CYPHERS, G., HESSE, S., HESSELBART, S., KEANE, R., SCHUMAN, H., VICARRO, T. et WRIGHT, D. (1973). Attitude action: A field experiment joined to a general population survey. *American Sociological Review, 38,* 625-636.

BRAY, R.M. et NOBLE, A.M. (1978). Authoritarianism and decisions of mock juries: Evidence of jury bias and group polarization. *Journal of Personality and Social Psychology, 36,* 1424-1430.

BREHM, J.W. (1956). Post-decision changes in the desirability of alternatives. *Journal of Abnormal and Social Psychology, 52,* 384-389.

BREHM, J.W. (1960). Attitudinal consequences of commitment to unpleasant behavior. *Journal of*

Abnormal and Social Psychology, 60, 379-383.

BREHM, J.W. (1966). *A theory of psychological reactance.* New York: Academic Press.

BREHM, J.W. et COLE, A. (1966). Effect of a favor which reduces freedom. *Journal of Personality and Social Psychology, 3,* 420-426.

BREHM, J.W. et CROCKER, J.C. (1962). An experiment on hunger. *In* J.W. Brehm et A.R. Cohen (dir.), *Explorations in cognitive dissonance.* New York: John Wiley & Sons.

BREHM, J.W., GATZ. G., GOETHALS, G., McCROMMON, J. et WARD, L. (1970). Psychological arousal and interpersonal attraction. Manuscrit inédit.

BREHM, J.W. et MANN, M. (1975). Effect of importance of freedom and attraction to group members on influence produced by group pressure. *Journal of Personality and Social Psychology, 31,* 816-828.

BRELAND, H.M. (1973). Birth order effects: A reply to Schooler. *Psychological Bulletin, 80 ,* 210-212.

BREWER, M.B. (1974). *Cognitive differentiation and intergroup bias: Cross-cultural studies.* Communication présentée au congrès annuel de l'American Psychological Association, New Orleans.

BREWER, M.B. (1979). In-group bias in the minimal group situation: A cognitive motivation analysis. *Psychological Bulletin, 86,* 307-324.

BRICKMAN, P., RABINOWITZ, V.C., CO-ATES, D., COHN, E., KIDDER, L. et KARUZA, J. (1979).*Helping.* Manuscrit inédit. University of Michigan, Ann Arbor.

BRICKMAN, P., RYAN, K. et WORTMAN, C. (1975). Causal chains: Attribution of responsibility as a function of immediate and prior causes. *Journal of Personality and Social Psychology, 32,* 1060-1067.

BRIGHMAN, J.C. (1971). *Views of white and black schoolchildren concerning racial differences.* Communication présentée à la Midwestern Psychological Association, Détroit.

BRINBERG, D. (1979). An examination of the determinants of intention and behavior: A comparison of two models. *Journal of Applied Social Psychology, 9,* 560-575.

BRINK, J.R. (1977). Effect of interpersonal communication on attraction. *Journal of Personality and Social Psychology, 35,* 783-790.

BROCK, T. (1965). Communicator-recipient similarity and decision change. *Journal of Personality and Social Psychology, 1,* 650-654.

BROLL, L., GROSS, A. et PILIAVIN, I. (1974). Effects of offered and requested help on help seeking and reactions to being helped. *Journal of Applied Social Psychology, 4,* 244-258.

BRONFENBRENNER, U. (1960). Freudian theories of identification and their derivatives. *Child Development, 31,* 15-40.

BROVERMAN, I.K., BROVERMAN, D.M., CLARKSON, F.E., ROSENKRANTZ, P.S. et VOGEL, S.R. (1970). Sex-role stereotypes and clinical judgments of mental health. *Journal of Consulting and Clinical Psychology, 34,* 1-7.

BROVERMAN, I.K., VOGEL, S.R., BROVERMAN, D.M., CLARKSON, F.E. et ROSENKRANTZ, P.S. (1972). Sex-role stereotypes: A current appraisal. *Journal of Social Psychology, 28,* 59-78.

BROWN, D.G. (1958). Sex role development in a changing culture. *Psychological Bulletin, 55,* 232-242.

BROWN, G. et HARRIS, T. (1989). *Life events and illness.* New York: Guilford.

BROWN, H. (1976). *Brain and behavior.* New York: Oxford University Press.

BROWN, M. et AMOROSO, D.M. (1975) Attitudes towards homosexuality among West Indian male and female college students. *Journal of Social Psychology, 97,* 163-168.

BROWN, P. et ELLIOTT, R. (1965). Control of aggression in a nursery school class. *Journal of Experimental Child Psychology, 2,* 103-107.

BROWN, R.W. (1965). *Social psychology.* New York: Free Press.

BROWNELL, P. (1982). The effects of personality-situation congruence in a managerial context: Locus of control and budgetary participation. *Journal of Personality and Social Psychology, 42,* 753-763.

BROWNMILLER, S. (1975). *Against our will: Men, women and rape.* New York: Bantam Books.

BROXTON, J.A. (1963). A test of interpersonal attraction from balance theory. *Journal of Abnormal and Social Psychology, 66,* 394-397.

BRUNER, J.S. (1957). On perceptual readiness. *Psychological Review, 64,* 132-152.

BRUNSWICK, E. (1956). *Perception and the representative design of psycho-logical experiments.* Berkeley: University of California Press.

BRUYNE, P. de, HERMAN, J. et SCHOUTHEETE, M. de (1974). *Dynamique de la recherche en sciences sociales.* Paris: P.U.F.

BRYAN, J.H. (1971). Model affect and children's imitative behavior. *Child Development, 42,* 2061-2065.

BRYAN, J.H. et TEST, M. (1967). Models and helping: Naturalistic studies in aiding behavior. *Journal of Personality and Social Psychology, 6,* 400-407.

BRYAN, J.H. et WALBEK, N. (1970). Preaching and practicing generosity: Children's actions and reactions. *Child Development, 41,* 329-353.

BUCK, R. (1981). The evolution and development of emotion expression and communication. *In* S. Brehm, S. Kassin et F. Gibbons (dir.), *Developmental social psychology.* Oxford: Oxford University Press.

BUCK, R.W. et PARKE, R.D. (1972). Behavioral and physiological response to the presence of a friendly or neutral person in two types of stressful situations. *Journal of Personality and Social Psychology, 24,* 143-153.

BURGESS, E.W. et WALLIN, P. (1953). *Engagement and marriage.* Chicago: J.B. Lippincott.

BURGESS, T.O.G., II et SALES, S.M. (1971). Attitudinal effects of ''mere exposure'': A re-evaluation. *Journal of Experimental Social Psychology, 7,* 461-462.

BURNSTEIN, E. (1967). Sources of cognitive bias in the representation of simple social structures: Balance, minimal change, reciprocity and the respondent's own attitude. *Journal of Personality and Social Psychology, 7,* 36-48.

BURNSTEIN, E. et VINOKUR, A. (1977). Persuasive argumentation and social comparison as determinants of attitude polarization. *Journal of Experimental Social Psychology, 13,* 315-330.

BURNSTEIN, E., VINOKUR, A. et TROPE, Y. (1973). Interpersonal comparison versus persuasive argumentation: A more direct test of alternative explanations for group-induced shifts in individual choice. *Journal of Experimental Social Psychology, 9,* 236-245.

BURTON, R.V. (1963). Generality of honesty reconsidered. *Psychological Review, 70,* 481-499.

BURTT, H.E. (1921). The inspiration-expiration ratio during truth and falsehood. *Journal of Experimental Psychology, 4,* 1-23.

BUSS, A.H., BOOKER, A. et BUSS, E. (1972). Firing a weapon and aggression. *Journal of Personality and Social Psychology, 22,* 196-302.

BYRNE, D. (1965). Parental antecedents of authoritarianism. *Journal of Personality and Social Psychology, 1,* 369-373.

BYRNE, D., CHERRY, F., LAMBERTH, J. et MITCHELL, H.E. (1973). Husband-wife similarity in response to erotic stimuli. *Journal of Personality, 41,* 384-394.

BYRNE, D. et CLORE, G.L. (1970). A reinforcement model of evaluative responses. *Personality: An International Journal, 2,* 103-128.

BYRNE, D. et GRIFFITT, W. (1973). Interpersonal attraction. *Annual Review of Psychology, 24,* 317-336.

BYRNE, D. et LAMBERTH, J. (1971). Reinforcement theories and cognitive theories as complementary approaches to the study of attraction. *In* B.I. Murstein (dir.), *Theories of love and attraction.* New York: Springer.

BYRNE, D. et WONG, T.J. (1962). Racial prejudice, interpersonal attraction and assumed dissimilarity of attitudes. *Journal of Abnormal and Social Psychology, 65,* 246-253.

CACIOPPO, J.T. (1979). Effects of exogenous changes in heart rate on facilitation of thought and resistance to persuasion. *Journal of Personality and Social Psychology, 37,* 489-498.

CACIOPPO, J.T. et PETTY, E.R. (1979). Attitudes and cognitive response: An electrophysiological approach. *Journal of Personality and Social Psychology, 37,* 2181-2199.

CADRIN, H. (1991). *Les conséquences de la violence conjugale sur l'état de santé des femmes et des enfants.* Montréal: Bulletin de l'Association québécoise Plaidoyer victimes, printemps, 31-34.

CALDER, B.J., INSKO, C.A. et YANDELL, B. (1974). The relation of cognitive and memorial processes to persuasion in simulated jury trial. *Journal of Applied Social Psychology, 4,* 62-93.

CALDER, B.J. et ROSS, M. (1973). *Attitudes and behavior.* Morristown, NJ: General Learning Press.

CALHOUN, J.B. (1962). A behavioral sink. *In* E.L. Bliss (dir.), *Roots of behavior.* New York: Harper & Row.

CALLAHAN-LEVY, C.M. et MESSÉ, L.A. (1979). Sex differences in the alloca-

tion of pay. *Journal of Personality and Social Psychology, 37,* 433-446.

CAMERON, P., ROBERTSON, D. et ZAKS, J. (1972). Sound pollution, noise pollution, and health: Community parameters. *Journal of Applied Psychology, 56,* 67-74.

CAMPBELL, A.A. (1947). Factors associated with attitudes toward Jews. *In* T. Newcomb et E. Hartley (dir.), *Readings in social psychology.* New York: Holt, Rinehart & Winston.

CAMPBELL, A.A. (1971). *White attitudes toward black people.* Ann Arbor, MI: Institute for Social Research.

CAMPBELL, A., CONVERSE, P.E. et RODGERS, W.L. (1976). *The quality of American life: Perceptions, evaluations and satisfactions.* New York: Russell Sage Foundation.

CAMPBELL, A., GURIN, G. et MILLER, W.E. (1954). *The voter decides.* New York: Harper & Row.

CAMPBELL, D.T. (1958). Common fate, similarity and other indices of the status of aggregates of persons as social entities. *Behavioral Science, 3,* 14-25.

CAMPBELL, D.T. (1967). Stereotypes and the perception of group differences. *American Psychologist, 22,* 812-829.

CAMPBELL, D.T. (1978). On the genetics of altruism and the counterhedonic components in human culture. *In* L. Wispé (dir.), *Altruism, sympathy and helping.* New York: Academy Press.

CANN, A.A., SHERMAN, S.J. et ELKES, R. (1975). Effects of initial request size and timing of second request on compliance. The foot in the door and the foot in the face. *Journal of Personality and Social Psychology, 32,* 774-882.

CANON, L.K. (1964). Self-confidence and selective exposure to information. *In* L. Festinger et coll. (dir.), *Conflict, decision and dissonance.* Stanford, CA: Stanford University Press.

CANTOR, N. et MISCHEL, W. (1979). Prototypes in person perception. *In* L. Berkowitz (dir.), *Advances in experimental social psychology* (vol. 12). New York: Academic Press.

CAPLOW, T. (1956). A theory of coalitions in the triad. *American Sociological Review, 21,* 489-493.

CARDUCCI, B.J., COZBY, P.C. et WARD, C.D. (1978). Sexual arousal and interpersonal evaluations. *Journal of Experimental Social Psychology, 14,* 449-457.

CARLSMITH, J.M. et ANDERSON, C.A. (1979). Ambient temperature and the

occurrence of collective violence: A new analysis. *Journal of Personality and Social Psychology, 37,* 337-344.

CARLSMITH, J.M. et GROSS, A.E. (1969). Some effects of guilt on compliance. *Journal of Personality and Social Psychology, 11,* 240-244.

CARTWRIGHT, D. et HARARY, F. (1956). Structural balance: A generalization of Heider's theory. *Psychological Review, 63,* 277-293.

CARTWRIGHT, D. et ZANDER, A. (dir.) (1968). *Group dynamics* (3e édition). New York: Harper & Row.

CARVER, C.S. et SCHEIER, M.F. (1981). *Attention and self-regulation: A control-theory approach to human behavior.* New York: Springer-Verlag.

CASTORE, C.H. et DININNO, J. (août 1972). *Role of relevance in the selection of comparison to others.* Communication présentée à l'American Psychological Association, Honolulu.

CASTORE, G.F. (1962). Number of verbal inter-relationships as a determinant of group size. *Journal of Abnormal and Social Psychology, 64,* 456-458.

CASTRO, M.A. (1974). Reactions to receiving aid as a function of cost to donor and opportunity to aid. *Journal of Applied Social Psychology, 4,* 194-209.

CATHÉBRAS, P. (1991). Du «burn out» au «syndrome des yuppies»: deux avatars modernes de la fatigue. *Sciences sociales et santé, 9 (3),* 65-94.

CATTELL, R.B. et NESSELROADE, J. (1967). Likeness and completeness theories examined by sixteen personality factor measures on stably and unstably married couples. *Journal of Personality and Social Psychology, 7,* 351-361.

CAUCHON, P. (1991, 1er novembre). Des services communautaires pour contrer le décrochage? *Le Devoir,* vol. xxxii (253), p. a1, a4.

CAVAN, S. (1966). *Liquor license: An ethnography of bar behavior.* Chicago: Aldine.

CAVIOR, N. (1970). *Physical attractiveness, perceived attitudes similarity and interpersonal attraction among fifth and eleventh grade boys and girls.* Thèse de doctorat inédite. University of Houston, Texas.

CENTERS, R. (1975). *Sexual attraction and love.* Springfield, IL: Charles C. Thomas.

CERTNER, B. (1973). Exchange of self-disclosures in same sexed groups of strangers. *Journal of Consulting and Clinical Psychology, 40,* 292-297.

CHAIKEN, S. (1979). Communicator physical attractiveness and persuasion. *Journal of Personality and Social Psychology, 37,* 1387-1397.

CHAIKEN, S. et EAGLY, A.H. (1976). Communication modality as a determinant of message persuasiveness and message comprehensibility. *Journal of Personality and Social Psychology, 34,* 605-614.

CHAIKIN, A.L., SIGLER, E. et DERLEGA, V.J. (1974). Nonverbal mediators of teacher expectancy effects. *Journal of Personality and Social Psychology, 30,* 144-149.

CHAMBERLAND, C. (1988). Les filles connaîtront-elles un jour l'expérience du pouvoir? *Revue canadienne de service social, 5,* 177-193.

CHAMBERLAND, C. et BOUCHARD, C. (1990). Communautés à risques faibles et élevés de mauvais traitements. Points de vue d'informateurs-clés. *Service social, 39* (2), 76-101.

CHAMBERLAND, C., BOUCHARD, C. et BEAUDRY, J. (1986). Conduites abusives et négligentes envers les enfants: réalités canadienne et américaine. *Revue canadienne des sciences du comportement, 18,* 391-412.

CHANDLER, M.J., KOCH, D. et PAGET, K.F. (1976). Developmental changes in the response of children to conditions of crowding and congestion. *In* H. McGurk (dir.), *Ecological factors in human development.* Amsterdam: North Holland.

CHAPMAN, A.J. (1974). An electromyographic study of social facilitation: A test of the "mere presence" hypothesis. *British Journal of Psychology, 65,* 123-128.

CHARTERS, W.W. et NEWCOMB, T.M. (1958). Some attitudinal effects of experimentally increased salience of a membership group. *In* E. Maccoby, T. Newcomb et E. Hartley (dir.), *Readings in social psychology* (3ᵉ édition). New York: Holt, Rinehart & Winston. Chemers, M.M. (1983). Leadership theory and research: A systems-process integration. *In* P. Paulus (dir.), *Basic group processes.* New York: Springer-Verlag.

CHEMERS, M.M. et SKRZYPEK, G.J. (1972). An experimental test of the contingency model of leadership effectiveness. *Journal of Personality and Social Psychology, 24,* 172-177.

CHÉNARD, L., CADRIN, H. et LOISELLE, J. (1990). *État de santé*

des femmes et des enfants victimes de violence conjugale. Rimouski: Département de santé communautaire, Centre hospitalier régional de Rimouski.

CHERLIN, A. (1979). Work life and marital dissolution. *In* G. Levinger et O.C. Moles (dir.), *Divorce and separation.* New York: Basic Books.

CHERNISS, C. (1972). Personality and ideology: A personalogical study of women's liberation. *Psychiatry, 35,* 113-114.

CHERRY, F. et BYRNE, D. (1977). Authoritarianism. *In* T. Blass (dir.), *Personality variables in social behavior.* Hillsdale, NJ: Lawrence Erlbaum.

CHERRY, F. et DEAUX, K. (1978). Fear of success versus fear of gender-inappropriate behavior. *Sex Roles, 4,* 97-102.

CHERTKOFF, J.M. et BAIRD, S.L. (1971). Applicability of the big lie technique and the last clear chance doctrine to bargaining. *Journal of Personality and Social Psychology, 20,* 298-303.

CHRISTIAN, J.J., LLOYD, J.A. et DAVIS, D.E. (1965). The role of endocrines in the self-regulation of mammalian populations. *Recent Progress in Hormone Research, 21,* 501-578.

CHRISTIE, R., GERGEN, K.J. et MARLOWE, D. (1970). The penny-dollar caper. *In* R. Christie et F.L. Geis (dir.), *Studies in Machiavellianism.* New York: Academic Press.

CHRISTY, P.R., GELFAND, D.M. et HARTMANN, D.P. (1971). Effects of competition-induced frustration in two classes of modeled behavior. *Developmental Psychology, 5,* 104-111.

CHURCHILL, W. (1967). *Homosexual behavior among males.* New York: Hawthorn Books.

CIALDINI, R.B. (1984). *Influence: How and why people agree to things.* New York: Morrow.

CIALDINI, R.B., LEVY, A., HERMAN, C.P., KOZKOWSKI, L.T. et PETTY, R.E. (1976). Elastic shifts of opinion: Determinants of direction and durability. *Journal of Personality and Social Psychology, 34,* 633-672.

CIALDINI, R.B., VINCENT, J.E., LEWIS, S.K., CATALAN, J., WHEELER, D. et DARBY, B.L. (1975). Reciprocal concessions procedure for inducing compliance: The door-in-the-face technique. *Journal of Personality and Social Psychology, 31,* 206-215.

CLARK, J.V. (1958). *A preliminary investigation of some unconscious assumptions affecting labor efficiency in*

eight supermarkets. Thèse de doctorat inédite. Graduate School of Business Administration, Harvard University, Cambridge, MA.

CLARK, K.B. (1965). *Dark ghetto: Dilemmas of social power.* New York: Harper & Row.

CLARK, K.B. et CLARK, M.P. (1947). Racial identification and preference in Negro children. *In* T.M. Newcomb et E.L. Hartley (dir.), *Readings in social psychology.* New York: Holt, Rinehart & Winston.

CLARK, L.P. (1978). *Effects of social density and manning on group performance.* Communication présentée à l'assemblée annuelle de l'American Psychological Association, Toronto.

CLARK, M.S., GOTAY, C.C. et WILLS, J. (1974). Acceptance of help as a function of similarity of the potential helper and opportunity to repay. *Journal of Applied Social Psychology, 4,* 224-229.

CLARK, M.S. et MILLS, J. (1979). Interpersonal attraction in exchange and communal relationships. *Journal of Personality and Social Psychology, 37,* 12-24.

CLARK, N. et FOUTS, G.T. (1973). Effects of positive, neutral and negative experiences with an audience on social facilitation in children. *Perceptual and Motor Skills, 37,* 1008-1010.

CLARK, R.D. et WORD, L.E. (1974). Where is the apathetic bystander? Situational characteristics of the emergency. *Journal of Personality and Social Psychology, 29,* 279-287.

CLAUSEN, J.A. et CLAUSEN, S. (1973). The effects of family size on parents and children. *In* J. Fawcett (dir.), *Psychological Perspectives on population.* New York: Basic Books.

CLINE, V.B., CROFT, R.G. et COURRIER, S. (1973). Desensitization of children to television violence. *Journal of Personality and Social Psychology, 27,* 360-365.

CLORE, G. L., BRAY, R.M., ITKIN, S.M. et MURPHY, P. (1978). Interracial attitudes and behavior at a summer camp. *Journal of Personality and Social Psychology, 36,* 107-116.

COHEN, A.R. (1959). Communication discrepancy and attitude change: A dissonance theory approach. *Journal of Personality , 27,* 386-396.

COHEN, A.R. (1962). A "forced-compliance" experiment on repeated dissonances. *In* J. W. Brehm et A. R. Cohen (dir.), *Explorations in cognitive dissonance.* New York: John Wiley & Sons.

COHEN, E.G. et SAMPSON, E.E. (avril 1975). *Distributive justice: A preliminary study of children's equal and equitable allocations of rewards using the doll play technique.* Communication présentée à l'Eastern Psychological Association, New York.

COHEN, E.G. (1980). Design and redesign of the desegregated school. In W.G. Stephan et J.R. Feagin (dir.), *School desegregation: Past, present and future.* New York: Plenum Press.

COHEN, R. (1978). Altruism: Human, cultural, or what? *In* L. Wispé (dir.), *Altruism, sympathy and helping.* New York: Academic Press.

COHEN, S. (1980). Aftereffects of stress on human performance and social behavior: A review of research and theory. *Psychological Bulletin, 88,* 82-108.

COHEN, S., EVANS, G.W., KRANTZ, D.S. et STOKOLS, D. (1980). Psychological, motivational and cognitive effects of aircraft noise on children: Moving from the laboratory to the field. *American Psychologist, 35,* 231-243.

COHEN, S., GLASS, D.C. et PHILLIPS, S. (1977). Environment and health. In H.E. Freeman, S. Levine et L.G. Reeder (dir.), *Handbook of medical sociology.* Englewood Cliffs, NJ: Prentice-Hall.

COHEN, S., GLASS, D. et SINGER, J. (1973). Apartment noise, auditory discrimination and reading ability in children. *Journal of Experimental Social Psychology, 4,* 407-422.

COHEN, S. et McKAY, G. (1984). Social support, stress and the buffering hypothesis: A theoretical analysis. *In* A. Baum, J.E. Singer et S.E. Taylor (dir.), *Handbook of psychology and health* (vol. 4). Hillsdale, NJ: Lawrence Erlbaum.

COHEN, S. et SPACAPAN, S. (1984). The social psychology of noise. *In* D.M. Jones et A.J. Chapman (dir.), *Noise and Society.* New York: John Wiley & Sons.

COHEN, S. et SYME, S.L. (1985). *Social support and health.* Orlando, FL: Academic Press.

COHEN, S. et WEINSTEIN, N. (1982). Nonauditory effects of noise on behavior and health. *In* G. Evans (dir.), *Environmental stress.* New York: Cambridge University Press.

COKE, J.S., BATSON, C.D. ET McDAVIS, K. (1978). Empathic mediation of helping: A two-stage model. *Journal of Personality and Social Psychology, 36,* 752-766.

COLLINS, B.E. et RAVEN, B.H. (1968). Group structure: Attractions, coalitions, communication and power. *In* G. Lindzey et E. Aronson (dir.), *Handbook of social psychology* (vol. 4). Reading, MA: Addison-Welsey.

COMMISSION D'ENQUÊTE SUR LES SERVICES DE SANTÉ ET LES SERVICES SOCIAUX (1986). *Programme de consultation d'experts. Dossier «Enfants 0-11 ans».* Québec: Commission d'enquête sur les services de santé et les services sociaux.

COMMISSION D'ENQUÊTE SUR LES SERVICES DE SANTÉ ET LES SERVICES SOCIAUX. (1987). *Programme de consultation d'experts. Dossier «Femmes».* Québec: Commission d'enquête sur les services de santé et les services sociaux.

COMSTOCK, G., CHAFFEE, S., KATZMAN, N., McCOMBS, M. et ROBERTS, D. (1978). *Television and human behavior.* New York: Columbia University Press.

CONDRY, J. et DYER, S. (1976). Fear of success: Attribution of cause to the victim. *Journal of Social Issues, 32,* 63-71.

CONE, J.D. et HAYES, S.C. (1980). *Environmental problems/behavioral solutions.* Monterly, CA: Brooks/Cole.

CONNER, R.L. (1972). Hormones, biogenic amines and aggression. *In* S. Levine (dir.), *Hormones and behavior.* New York: Academic Press.

CONNOLLY, K. (1968). The social facilitation of preening behavior in Drosophila Melanogaster. *Animal Behavior, 16,* 385-391.

CONOT, R. (1967). *Rivers of blood, years of darkness.* New York: Bantam Books.

CONTRADA, R.J. et KRANTZ, D.S. (1987). Measurement bias in health psychology research designs. *In* S.V. Kasl et C.L. Cooper (dir.), *Stress and health: issues in research methodology.* London: Wiley.

CONWAY, M., GIANNOPOULOS, C. et STIEFENHOFER, K. (1990). Response styles to sadness are related to sex and sex-role orientation. *Sex Roles, 22* (9/10), 579-587.

COOK, S.W. (1971). *The effect of unintended interracial contact upon racial interaction and attitude change.* Manuscrit inédit. University of Colorado, Boulder.

COOK, T.D. et FLAY, B.R. (1978). The persistence of experimentally induced attitude change. *In* L. Berkowitz (dir.), *Advances in experimental social psychology* (vol. 11). New York: Academic Press.

COOK, T.D., GRUDER, C. L., HENNIGAN, K.M. et FLAY, B.R. (1979). History of the sleeper effect: Some logical pitfalls in accepting the null hypothesis. *Psychological Bulletin, 86,* 662-679.

COOPER, E. et DINERMAN, H. (1951). Analysis of the film "Don't Be a Sucker": A study of communication. *Public Opinion Quarterly, 15,* 243-264.

COOPER, J. (1971). Personal responsibility and dissonance: The role of foreseen consequences. *Journal of Personality and Social Psychology, 18,* 354-363.

COOPER, J. et FAZIO, R.H. (1979). The formation and persistence of attitudes that support intergroup conflict. *In* W. G. Austin et S. Worchel (dir.), *The social psychology of intergroup relations.* Monterey, CA: Brooks/Cole.

COOPER, J., ZANNA, M. et GŒTHALS, G. (1974). Mistreatment of an esteemed other as a consequence affecting dissonance reduction. *Journal of Experimental Social Psychology 10,* 224-233.

COSTA, P.T., McCRAE, R.R. et AVENBERG, D. (1980). Enduring dispositions in adult males. *Journal of Personality and Social Psychology, 38,* 793-800.

COTTRELL, N.B. (1972). Social facilitation. *In* C.G. McClintock (dir.), *Experimental social psychology.* New York: Holt, Rinehart & Winston.

COTTRELL, N.B., WACK, D.L., SEKERAK, G.J. et RITTLE, R.H. (1968). Social facilitation of dominant responses by the presence of an audience and the mere presence of others. *Journal of Personality and Social Psychology, 9,* 254-250.

COUCH, A.S. (1960). *Psychological determinants of interpersonal behavior.* Thèse de doctorat inédite. Harvard University, Cambridge, MA.

CRAIG, G. et DUCK, S.W. (1977). Similarity, interpersonal attitudes and attraction: The evaluative-descriptive distinction. *British Journal of Social and Clinical Psychology, 16,* 15-21.

CRAIK, K. (1987). Aspects internationaux de la psychologie de l'environnement. *Psychologie française, 32* (1/2), 17-21.

CRAWFORD, T. (1972). In defense of obedience research: An extension of the Kelman ethic. *In* A.G. Miller (dir.), *The social psychology of psychological research.* New York: Free Press.

CRONBACH, L. (1975). Beyond the two disciplines of scientific psychology. *American Psychologist, 30,* 116-127.

CROOK, M. et LANGDON, F. (1974). The effects of aircraft noise in schools around London airport. *Journal of Sound and Vibration, 34,* 221-232.

CROSBY, F. (1982). *Relative deprivation and working women.* New York: Oxford University Press.

CROSS, H.A., HALCOMB, C.G. et MATTER, W.W. (1967). Imprinting or exposure learning in rats given early auditory stimulation. *Psychonomic Science, 10,* 223- 234.

CROWNE, D.P. et LIVERANT, S. (1963). Conformity under varying conditions of personal commitment. *Journal of Abnormal and Social Psychology, 66,* 547-555.

CRUTCHFIELD, R.S. (1955). Conformity and character. *American Psychologist, 10,* 191-198.

CSIKSZENTMIHALYI, M. et ROCHBERG-HALTON, E. (1981). *The meaning of things: A study of household symbols.* New York: Cambridge University Press.

CULBERTSON, F. (1957). The modification of an emotionally held attitude through role playing. *Journal of Abnormal and Social Psychology, 54,* 230-233.

CUNNINGHAM, M.R. (1979). Weather, mood, and helping behavior. Quasi experiments with the sunshine Samaritan. *Journal of Personality and Social Psychology, 37,* 1947-1956.

CUNNINGHAM, M.R., STEINBERG, J. et GREU, R. (1980). Wanting to and having to help: Seperate motivations for positive mood and guilt-induced helping. *Journal of Personality and Social Psychology, 38,* 181-192.

DABBS, J.M., Jr. (1964). Self-esteem, communicator, characteristics, and attitude change. *Journal of Abnormal and Social Psychology, 69,* 173-181.

DABBS, J.M., Jr. et LEVENTHAL, H. (1966). Effects of varying the recommendations in fear of arousing communication. *Journal of Personality and Social Psychology, 4,* 525-531.

DAHER, D. et BANIKIOTES, P. (1976). Impersonal attraction and rewarding aspects of disclosure content and level. *Journal of Personality and Social Psychology, 33,* 492-496.

DALTROY, L.H. et GODIN, G. (1989). Spouse intention to encourage cardiac patient participation in exercise. *American Journal of Health Promotion, 4* (1), 12-17.

DANIELS, L.R. et BERKOWITZ, L. (1963). Liking and response to dependency relationships, *Human Relations, 16,* 141-148.

DANSEREAU, P. (1973). *La terre des hommes et le paysage intérieur.* Montréal: Leméac.

DARBY et SCHLENKER, B. R. (1982). Empirical studies of motive talk. *In* G. Semin et A. Manstead (dir.), *The accountability of conduct.* New York: Academic Press.

DARLEY, J. M. et BATSON, C.D. (1973). "From Jerusalem to Jericho": A study of situational and dispositional variables in helping behavior. *Journal of Personality and Social Psychology, 27,* 100-108.

DARLEY, J.M. et GILBERT, D.T. (1985). Social psychological aspects of environmental psychology. *In* G. Lindzey et E. Aronson (dir.), *Handbook of Social Psychology.* New York: Random House.

DARLEY, J.M. et GILBERT, D.T. (1985). Social psychological aspects of environmental psychology. *In* G. Lindzey et E. Aronson (dir.), *The handbook of social psychology* (vol. 2). New York: Random House.

DARWIN, C. (1872). *The expression of the emotions in man and animals.* London: Murray.

DASHIELL, J.F. (1935). Experimental studies of the influence of social situations on the behavior of individual human adults. *In* C. Murchison (dir.), *Handbook of social psychology.* Worchester, MA: Clark University Press.

D'AUGELLI, J.F. et D'AUGELLI, A.R. (1979). Sexual involvement and relationship development. *In* R.L. Burgess et T.L. Huston (dir.), *Social exchange in developing relationships.* New York: Academic Press.

DAVIDSON, A.R. et JACCARD, J.J. (1979). Variables that moderate the attitude-behavior relation: Results of a longitudinal survey. *Journal of Personality and Social Psychology, 37,* 1364-1376.

DAVIDSON, J. et KIESLER, S. (1964). Cognitive behavior before and after decisions. *In* L. Festinger, *Conflict, decision, and dissonance.* Stanford, CA: Stanford University Press.

DAVIS, D. et MARTIN, H.J. (1978). When pleasure begets pleasure: Recipient responsiveness as a determinant of physical pleasuring between heterosexual dating couples and strangers. *Journal of Personality and Social Psychology, 36,* 767-777.

DAVIS, D. et PERKOWITZ, W.T. (1979). Consequences of responsiveness in dyadic interaction: Effects of probability of response and proportion of content-related responses on interpersonal attraction. *Journal of Personality and Social Psychology, 37,* 534-550.

DAVIS, D., RAINEY, H.G. et BROCK, T.C. (1976). Interpersonal physical pleasuring: Effects of sex combinations recipient attributes, and anticipated future interaction. *Journal of Personality and Social Psychology, 33,* 89-106.

DAVIS, J.H. (1980). Group decision and procedural justice. *In* M. Fishbein (dir.), Progress in social psychology (vol. 1). Hillsdale, NJ: Lawrence Erlbaum.

DAVIS, J.H., BRAY, R.H. et HOLT, R.W. (1977). The empirical study of decision processes in juries: A critical review. *In* J. Tapp et F. Levine (dir.), *Law, justice, and the individual in society: Psychological and legal issues.* New York: Holt, Rinehart & Winston.

DAVIS, J.H., SPITZER, C.E., NAGAO, D.H . et STASSER, G. (1978) Bias in social decisions by individuals and groups: An example from mock juries. *In* H. Brandstätter, J.H. Davis et H. Schuler (dir.), *Dynamics of group decisions.* Beverly Hills, CA: Sage.

DAVITZ, J.R. et MASON, D.J. (1955). Socially facilitated reduction of fear response in rats. *Journal of Comparative and Physiological Psychology, 48,* 149-151.

DAY, A. et DAY, L.H. (1973). Cross-national comparison of population density. *Science, 181,* 1016-1023.

De AJURIAGUERRA, J.M.D. (dir.) (1980). *Handbook of child psychiatry and psychology.* New York: Masson.

DEAUX, K. et TAYNOR, J. (1973). Evaluation of male and female ability: Bias works two ways. *Psychological Reports, 32,* 261-262.

De CHARMS, R. et ROSENBAUM, M. E. (1957).The problem of vicarious experience. *In* D. Willner (dir.), *Decisions, values, and groups.* Elmsford, NY: Pergamon Press.

DECI, E.L. et RYAN, R.M. (1985). *Intrinsic motivation and self-determination in human behavior.* New York: Plenum Press.

DeGREE, C.E. et SNYDER, C.R. (1985). Adler's psychology (of use) today: Personal history of traumatic life events as self-handicapping strategy. *Journal of Personality and Social Psychology, 48,* 1512-1519.

DEJONG, W. (1979). An examination of self-perception mediation of the foot-in-the-door effect. *Journal of Personal-*

ity and Social Psychology, 37, 2221-2239.

DeLONGIS, A., COYNE, J.C., DAKOF, G., FOLKMAN, S. et LAZARUS, R.S. (1982). Relationship of daily hassles, uplifts, and major life events to health status. Health Psychology, 1, 119-136.

DEMBROSKI, T.M. et COSTA, P.T. (1987). Coronary prone behavior: Components of the Type A pattern and hostility. Journal of Personality, 55, 211-235.

DENGERINK, H.A., SCHNEDLER, R.W. et COVEY, M.K. (1978). Role of avoidance in aggressive responses to attack and no attack. Journal of Personality and Social Psychology, 36, 1044-1053.

DENTAN, R.K. (1968). The Semai: a nonviolent people of Malaya. New York: Holt, Rinehart & Winston.

De PAULO, B.M. et FISHER, J.D. (1980). The cost of asking for help. Basic and Applied Social Psychology, 1, 23-35.

DERLEGA, V.J. et CHAIKIN, A.L. (1977). Privacy and self-disclosure in social relationships. Journal of Social Issues, 33, 102-115.

DERLEGA, V.J. et GRZELAK, J. (1979). Appropriateness of self-disclosure. In G. J. Cheleene (dir.), Self-disclosure. San Francisco: Jossey-Bass.

DERMER, M. et THIEL, D.J. (1975). When beauty may fail. Journal of Personality and Social Psychology, 31, 1168-1176.

DESHARNAIS, R., BOUILLON, J. et GODIN, G. (1986). Self-efficacy and outcome expectations as determinants of exercise adherence. Psychological Reports, 59, 1155-1159.

DESOR, J.A. (1972). Toward a psychological theory of crowding. Journal of Personality and Social Psychology, 21, 79-83.

DEUR, J.D. et PARKE, R.P. (1970). Effects of inconsistent punishment on aggression in children. Developmental Psychology, 2, 403-411.

DEUTSCH, M. (1949). An experimental study of the effects of cooperation and competition among group processes. Human Relations, 2, 199-232.

DEUTSCH, M. (1960). The effect of motivational orientation upon trust and suspicion. Human Relations, 13, 123-139.

DEUTSCH, M. (1973). The resolution of conflict. New Haven, CT: Yale University Press.

DEUTSCH, M. (1975). Equity, equality, and need: What determines which value will be used as the basis for distributive justice. Journal of Social Issues, 31, 137-149.

DEUTSCH, M. et COLLINS, M. (1951). Interracial housing. Minneapolis: University of Minnesota Press.

DEUTSCH, M. et GERARD, H.B. (1955). Étude des influences normatives et informationnelles sur le jugement individuel. In C. Faucheux, (dir.), Psychologie sociale théorique et expérimentale. Paris: Maloine, 1971.

DEUTSCH, M. et KRAUSS, R.M. (1960). The effect of threat on interpersonal bargaining. Journal of Abnormal and Social Psychology, 16, 181-189.

DEUTSCH, M., KRAUSS, R.M. et ROSENEAU, N. (1962). Dissonance or defensiveness? Journal of Personality, 30, 28-37.

DEUTSCH, M. et SOLOMON, L. (1959). Reaction to evaluations by others as influenced by self evaluation. Sociometry, 22, 93-112.

DEUTSCHER, I. (1973). Why do they say one thing, do another? Morristown, NJ: Silver Burdett/General Learning Press.

DEWAELE, J. et HARRÉ, R. (1976). The personality of individuals. In R. Harré (dir.), Personality. Totowa, NJ: Littlefield, Adams/Rowman & Littlefield.

DEWAELE, M., MORVAL, J. et SHEITOYAN, R. (1986). Survivre ou s'épanouir dans les organisations. Chicoutimi, Québec: Gaëtan Morin.

DICLEMENTE, C.C. (1981). Self-efficacy and smoking cessation maintenance: A preliminary report. Cognitive Therapy and Research, 5, 175-187.

DIENER, E. et DEFOUR, D. (1978). Does television violence enhance program popularity? Journal of Personality and Social Psychology, 36, 333-342.

DIENER, E., FRASER, S.C., BEAMAN, A.L. et KELEM, R.T. (1976). Effects of deindividuation variables on stealing among Halloween trick-or-treaters. Journal of Personality and Social Psychology, 33, 178-183.

DIGGORY, J.C. (1966). Self-evaluation concepts and studies. New York: John Wiley & Sons.

DILLEHAY, R.C. (1973). On the irrelevance of the classical negative evidence concerning the effect of atttitudes on behavior. American Psychologist, 28, 887-891.

DILLON, W.S. (1968). Gifts and nations. Paris: Éditions Mouton et École Pratique des Hautes Études.

DiMATTEO, M.R. et HAYS, R. (1981). Social support and serious illness. In B.H. Gottlieb (dir.), Social networks and social support. Beverly Hills, CA: Sage.

DiMATTEO, M.R., HAYS, R. et PRINCE, L.M. (1986). Relationship of physicians' nonverbal communication skill to patient satisfaction, appointment noncompliance, and patient workload. Health Psychology, 6, 581-594.

DION, K.K. (1973). Young children's stereotyping of facial attractiveness. Developmental Psychology, 9, 183-188.

DION, K.K. (1977). The incentive value of physical attractiveness. Personality and Social Psychology Bulletin, 3, 67-70.

DION, K.K. et BERSCHEID, E. (1974). Physical attractiveness and peer perception among children. Sociometry, 37, 1-12.

DION, K.K., BERSCHEID, E. et WALSTER, E. (1972). What's beautiful is good. Journal of Personality and Social Psychology, 24, 285-290.

DION, K.K. et STEIN, S. (1978). Physical attractiveness and interpersonal influence. Journal of Experimental Social Psychology, 14, 97-108.

DION, K.L., MILLER, N. et MAGNAN, M.A. (1971). Cohesiveness and social responsibility as determinants of group risk taking. Journal of Personality and Social Psychology, 20, 400-406.

DISPOTO, R.G. (1977a). Interrelationships among measures of environmental activity, emotionality, and knowledge. Educational and psychological measurement, 37, 451-459.

DISPOTO, R.G. (1977b). Moral valuing and environmental variables. Journal of research in science teaching, 14, 273-280.

DOHERTY, W.J. et BALDWIN, C. (1985). Shifts and stability in locus of control during the 1970's: Divergence of the sexes. Journal of Personality and Social Psychology, 48, 1048-1053.

DOISE, W. (1969). Intergroup relations and polarization of individual and collective judgments. Journal of Personality and Social Psychology, 12, 136-143.

DOISE, W. (1976). L'articulation psychologique et les relations entre groupes. Bruxelles: A. de Bœck.

DOISE, W. et MOSCOVICI, S. (1984). Les décisions en groupe. In S. Moscovici (dir.), Psychologie sociale. Paris: Presses universitaires de France.

DOLLARD, J., DOOB, L.W., MILLER, N.E., MOWRER, O.H. et SEARS, R.R. (1939). Frustration and aggression.

New Haven, CT: Yale University Press.

DONNENWERTH, G.V. et FOA, U.G. (1974). Effect of resource class on retaliation to injustice in interpersonal exchange. *Journal of Personality and Social Psychology, 29,* 785-793.

DONNERSTEIN, E. et DONNERSTEIN, M. (1975). The effect of attitudinal similarity on interracial aggression. *Journal of Personality, 43,* 485-502.

DONNERSTEIN, E. et DONNERSTEIN, M. (1975). The effect of attitudinal similarity on interracial aggression. *Journal of Personality and Social Psychology, 34,* 774-781.

DONNERSTEIN, E., LINZ, D. et PENROD, S. (1987). *The question of pornography: Research findings and policy implications.* New York: Free Press.

DONNERSTEIN, E. et WILSON, D.W. (1976). Effects of noise and perceived control on ongoing and subsequent aggressive behavior. *Journal of Personality and Social Psychology, 34,* 774-781.

DOOB, A.N. et MacDONALD, G.E. (1979). Television viewing and fear of victimization: Is the relationship causal? *Journal of Personality and Social Psychology, 37,* 170-179.

DOOB, A.N. et WOOD, L.E. (1972). Catharsis and aggression: Effects of annoyance and retaliation on aggressive behavior. *Journal of Personality and Social Psychology, 22,* 156-162.

DOOB, A.N. et ZABRACK, M. (1971). The effects of freedom-threatening instructions and monetary inducements on compliance. *Canadian Journal of Behavioral Science, 3,* 408-412.

DOOLEY, B.B. (1974). *Crowding stress: The effects of social density on men with "close" or "far" personal space.* Thèse de doctorat inédite. University of California.

DORRIS, J.W. (1976). *Persuasion as a function of distraction and counterarguing.* Manuscrit inédit. University of California, Los Angeles.

DOWNS, R.M. et STEA, B.D. (1977). Essai sur la cartographie mentale: des cartes plein la tête (traduction de Jean Rondal). St-Hyacinthe: Edisem, 1981.

DOWNS, R.M. et STEA, B.D. (1973). Cognitive maps and spatial behavior: process and products. *In* R.M. Downs et D. Stea (dir.), *Image and environment.* Chicago: Aldine.

DOYLE, A.-B., ABOUD, F. et SUFRATEGUI, M. (1992). Le développement des préjugés ethniques durant l'enfance. *Revue québécoise de psychologie, 13* (1), 5-15.

DRABMAN, R.S. et THOMAS, M.H. (1974). Does media violence increase children's tolerance of real-life aggression? *Developmental Psychology, 10,* 418-421.

DRABMAN, R.S. et THOMAS, M.H. (1976). Does watching violence on television cause apathy? *Pediatrics, 57,* 329-331.

DRACHMAN, D., DECARUFEL, A. et INSKO, C. A. (1978). The extra credit effect in interpersonal attraction. *Journal of Experimental Social Psychology, 14,* 458-465.

DRUCKMAN, D., SOLOMON, D. et ZECHMEISTER, K. (1972). Effects of representational role obligations on the process of children's distribution of resources. *Sociometry, 35,* 387-410.

DUBOIS, N. et REUCHLIN, M. (1991). Contrôle interne vs externe. *In* H. Bloch et coll. (dir.), *Grand dictionnaire de la psychologie.* Paris: Larousse.

DUDYCHA, G.J. (1936). An objective study of punctuality in relation to personality and achievement. *Archives of Psychology, 204,* 1-319.

DUMAS, J.E. (1989). Primary prevention: Toward an experimental paradigm sensitive to contextual variables. *Journal of Primary Prevention, 10* (1), 27-40.

DUNBAR, J., BROWN, M. et AMOROSO, D.M. (1973). Some correlates of attitudes toward homosexuality. *Journal of Social Psychology, 89,* 271-279.

DUNLAP, R.E. et VAN LIERE, K.D. (1977). Further evidence of declining public concern with environmental problems: a research note. *Western Sociological Review, 8,* 108-112.

DUNNIGAN, L. (1975). *Analyse des stéréotypes masculins et féminins dans les manuels scolaires au Québec.* Québec: Conseil du statut de la femme, Éditeur officiel du Québec.

DUPRAS, A., LEVY, J., SAMSON, J.M. et TESSIER, D. (1989). Homophobia and attitudes about Aids. *Psychological Reports, 64,* 236-238.

DURKHEIM, E. (1949). *De la division du travail social.* Paris: Presses universitaires de France, 1973.

DUSEK, J., HALL, V. et MEYER, W. (1985). *Teacher expectations.* Beverley Hills, CA: Sage.

DUTTON, D. et ARON, A. (1974). Some evidence for heightened sexual attraction under conditions of high anxiety. *Journal of Personality and Social Psychology, 30,* 510-517.

DUVAL, S. (1972). *Conformity as a function of perceived level of personal uniqueness and being reminded of the object status of self.* Thèse de doctorat inédite. University of Texas.

DUVAL, S., DUVAL, V.H. et NEELY, R. (1979). Self-focus, felt responsibility, and helping behavior. *Journal of Personality and Social Psychology, 37,* 1769-1778.

DUVAL, S. et WICKLUND, R.A. (1972). *A theory of objective self-awareness.* New York: Academic Press.

EAGLY, A.H. (1974). The comprehensibility of persuasive arguments as a determinant of opinion change. *Journal of Personality and Social Psychology, 29,* 758-773.

EAGLY, A.H. (1978). Sex differences in influenceability. *Psychological Bulletin, 85,* 86-116.

EAGLY, A.H. et CHAIKEN, S. (1975). An attribution analysis of the effect of communicator characteristics on opinion change: The case of communicator attractiveness. *Journal of Personality and Social Psychology, 32,* 136-144.

EAGLY, A.H., WOOD, W. et CHAIKEN, S. (1978). Causal inferences about communicators and their effect on opinion change. *Journal of Personality and Social Psychology, 36,* 424-435.

EASTMAN, P. (1973). Consciousness-raising as a resocialization process for women. *Smith College Studies in Social Work, 43,* 180-181.

EATON, W.O. et CLORE, G.L. (1975). Interracial imitation at a summer camp. *Journal of Personality and Social Psychology, 32,* 1099-1105.

ECKMAN, J., MELTZER, J.D. et LATANÉ, B. (1969). Gregariousness in rats as a function of familiarity of environment. *Journal of Personality and Social Psychology, 11,* 107-114.

EDMONDS, V. (1964). Logical error as a function of group consensus: An experimental study of the effect of erroneous group consensus upon the logical judgements of graduate students. *Social Forces, 43,* 33-38.

EHRENKRANZ, J., BLISS, E. et SHEARD, M. (1974). Plasma testosterone: Correlation with aggressive behavior and social dominance in man. *Psychosomatic Medicine, 36,* 469-475.

EISEN, S.V. (1979). Actor-observer differences in information inference and causal attribution. *Journal of Personality and Social Psychology, 37,* 261-272.

EISER, J.R. (1980). *Cognitive social psychology: A guidebook to theory and research.* New York: McGraw-Hill.

EISER, J.R. et STROEBE, W. (1972). *Categorization and social judgment.* London: Academic Press.

EKMAN, P. (1982). *Emotion in the human face.* Cambridge: Cambridge University Press.

EKSTEIN, R. (1978). Psychoanalysis, sympathy, and altruism. In L. Wispé (dir.), *Altruism, sympathy, and helping.* New York: Academic Press.

ELMAN, J.B., PRESS, A. et ROSENKRANTZ, P.S. (août 1970). *Sex roles and self concepts: Real and ideal.* Communication présentée à l'American Psychological Association, Miami, FL.

ELMS, A.C. (1972). *Social psychology and social relevance.* Boston: Little, Brown.

ELMS, A.C. et JANIS, I.L. (1965). Counter-norm attitudes induced by consonant versus dissonant conditions of role playing. *Journal of Experimental Research in Personality, 1,* 50-60.

ELMS, A.C. et MILGRAM, S. (1966). Personality characteristics associated with obedience and defiance toward authoritative command. *Journal of Experimental Research in Personality, 1,* 282-289.

ÉMOND, A. et coll. (1988). *Et la santé, ça va? Tome 1: Rapport de l'enquête Santé Québec 1987.* Québec: Ministère de la santé et des services sociaux.

EPLEY, S.W. (1974). Reduction of the behavioral effects of aversive stimulation by the presence of companions. *Psychological Bulletin, 81,* 271-283.

EPPS, E.G. (1975). The impact of school desegregation on aspirations, self-concepts and other aspects of personality. *Law and Contemporary Problems, 39,* 300-313.

EPSTEIN, S. (1980). The self-concept: A review and the proposal of an integrated theory of personality. In E. Staub (dir.), *Personality: Basic issues and current research.* Englewood Cliffs, NJ: Prentice-Hall.

ERICKSON, E.H. (1958). *Luther avant Luther.* Paris: Flammarion, 1968.

ERICKSON, E.H. (1969). *La vérité de Gândhi.* Paris: Flammarion, 1974.

ERNULF, K.E. et INNALA, S.M. (1989). Biological explanation, psychological explanation, and tolerance of homosexuals: a cross-national analysis of beliefs and attitudes. *Psychological Reports, 65,* 1003-1010.

ERON, L.D. (1980). Prescription for reduction of aggression. *American psychologist, 35,* 244-252.

ESSER, A. (1971). *Behavior and environment: The use of space by animals and men.* New York: Plenum Press.

ETTINGER, R., MARINO, C., ENDLER, N., GELLER, S. et NATZIUK, T. (1971). Effects of agreement and correctness on relative competence and conformity. *Journal of Personality and Social Psychology, 19,* 204-212.

EVANS, G.W. (1975). *Behavioral and physiological consequences of crowding in humans.* Thèse de doctorat inédite. University of Massachusetts, Amherst.

EVANS, G.W. et EICHELMAN, W. (1976). Preliminary models of conceptual linkages among proxemic variables. *Environment and Behavior, 8,* 87-116.

EVANS, R.I. (1980). Behavioral Medicine: A new applied challenge to social psychologists. In L. Bickman (dir.), *Applied social psychology annual* (vol. 1). Beverly Hills, CA: Sage.

EVERETT, P.B. et WATSON, B.G. (1987). Psychological contributions to transportation. In D. Stokols et I. Altman (dir.), *Handbook of environmental psychology* (vol. 2). New York: John Wiley & Sons.

EXLINE, R.V. (1975). Group climate as a factor in the relevance and accuracy of social perception. *Journal of Abnormal and Social Psychology, 55,* 382-388.

EYSENCK, H.J. (1950). Criterion analysis: An application of the hypothetico-deductive method of actor analysis. *Psychological Review, 57,* 38-53.

FARB, P. (1968). *Man's rise to civilization as shown by the Indians of North America from primeval times to the coming of the industrial state.* New York: E. P. Dutton.

FARRINGTON, D.P. (1991). Childhood aggression and adult violence: early precursors and lator outcomes. In D. Pepler et K. Rubin (dir.), *The development and treatment of childhood aggression.* Hillsdale, NJ: Lawrence Erlbaum.

FAUCHEUX, C. et MOSCOVICI, S. (1967). Le style de comportement d'une minorité et son influence sur les réponses d'une majorité. *Bulletin du C.E.R.P., 16,* 337-360.

FAVREAU, O.E. (1977). Sex bias in psychological research. *Canadian Psychological Review, 18* (1), 56-65.

FAZIO, R.H. et ZANNA, M.P. (1981). Direct experience and attitude-behavior consistency. In L. Berkowitz (dir.), *Advances in experimental social psychology* (vol. 4). New York: Academic Press.

FEAGIN, J.R. (1972). God helps those who help themselves. *Psychology Today, 6,* 110-129.

FEATHER, N.T. (1974). Explanation of poverty in Australian and American samples: The person, society, or fate. *Australian Journal of Psychology, 26,* 199-216.

FELLNER, C.H. et MARSHALL, J.R. (1970). Kidney donors. In J. R. Macauley et L. Berkowitz (dir.), *Altruism and helping behavior.* New York: Academic Press.

FELSENTHAL, D.S. (1977). Bargaining behavior when profits are unequal and losses are equal. *Behavioral Science, 22,* 334-340.

FELSON, R.B. (1981). Self and reflected appraisal among football players. *Psychology Quarterly, 44,* 116-126.

FELSON, R.P. et BOHRNSTEDT, G.W. (1979). "Are the good beautiful or the beautiful good?" The relationship between children's perception of ability and perceptions of physical attractiveness. *Social Psychology Quarterly, 42,* 386-392.

FENIGSTEIN, A. (1979). Does aggression cause a preference for viewing media violence? *Journal of Personality and Social Psychology, 37,* 2307-2317.

FENIGSTEIN, A., SCHEIER, M. F. et BUSS, A.H. (1975). Public and private self-consciousness: Assessment and theory. *Journal of Consulting and Clinical Psychology, 43,* 522-527.

FERENCE, T.P. (1971). Feedback and conflict as determinants of influence. *Journal of Experimental Social Psychology, 7,* 1-16.

FERGUSON, C.K. et KELLEY, H.H. (1964). Significant factors in overevaluation of own-group's product. *Journal of Abnormal and Social Psychology, 69,* 223-228.

FERNBERGER, S.W. (1948). Persistence of stereotypes concerning sex differences. *Journal of Abnormal and Social Psychology, 43,* 97-101.

FESHBACH, S. (1976). The role of fantasy in the response to television. *Journal of Social Issues, 32,* 71-80.

FESHBACH, S. et SINGER, R.D. (1971). *Television and aggression: An experimental field study.* San Francisco: Jossey-Bass.

FESTINGER, L. (1950). Communication sociale informelle. *In* C. Faucheux (dir.), *Psychologie sociale théorique et expérimentale.* Paris: Maloine, 1971.

FESTINGER, L. (1951). Informal communications in small groups. *In* H. Guetzkow (dir.), *Groups, leadership and men: Research in human relations.* Pittsburgh, Carnegie Press.

FESTINGER, L. (1954). A theory of social comparison processes. *Human Relations, 7,* 117-140.

FESTINGER, L. (1954). Théorie des processus de comparaison sociale. In C. Faucheux (dir.), *Psychologie sociale théorique et expériementale.* Paris: Maloine, 1971.

FESTINGER, L. (1957). *A theory of cognitive dissonance.* Standford, CA: Stanford University Press.

FESTINGER, L. et CARLSMITH, J.M. (1959). L'accord forcé: ses conséquences au niveau cognitif. *In* C. Faucheux (dir.), *Psychologie sociale théorique et expérimentale.* Paris: Maloine, 1971.

FESTINGER, L. et MACCOBY, N. (1964). On resistance to persuasive communications. *Journal of Abnormal and Social Psychology, 68,* 359-366.

FESTINGER, L., PEPITONE, A. et NEWCOMB, T. (1952). Some consequences of deindividuation in a group. *Journal of Abnormal and Social Psychology, 47,* 382-389.

FESTINGER, L., SCHACHTER, S. et BACK, K. (1950). *Social pressures in informal groups: A study of human factors in housing.* New York: Harper & Row.

FESTINGER, L. et THIBAUT, J. (1951). Interpersonal communication in small groups. *Journal of Abnormal and Social Psychology, 46,* 92-99.

FEYERABEND, P.K. (1976). *Against method.* New York: Humanities Press.

FIELDLER, F.E. (1978). Leadership effectiveness. *American Behavioral Scientist, 24,* 619-632.

FIEDLER, F.E., CHEMERS, M.M. et MAHAN, L. (1976). *Improving leadership effectiveness: The leader match concept.* New York: John Wiley & Sons.

FIELDER, F.E., O'BRIEN, G.E. et ILGEN, D.R. (1969). The effect of leadership style upon the performance and adjustment of volunteer teams operating in a stressful foreign environment. *Human Relations, 22,* 503-514.

FILLION, L., TESSIER, R., TAWADROS, É. et MOUTON, G. (1989). Stress et immunité: étude de validité d'une mesure de stress psychologique (MSP). *Psychologie canadienne, 30,* 30-38.

FISCHOFF, S. (1979). ''Recipe for a jury'' revisited: A balance theory prediction. *Journal of Applied Social Psychology, 9,* 335-349.

FISHBEIN, M. (1966). The relationships between beliefs, attitudes, and behavior. *In* S. Feldman (dir.), *Cognitive consistency: Motivational antecedents and behavioral consequents.* New York: Academic Press.

FISHBEIN, M. (dir.) (1967). *Readings in attitude theory and measurement.* New York: John Wiley & Sons.

FISHBEIN, M. (1972). Toward an understanding of family planning behaviors. *Journal of Applied Social Psychology, 2,* 214-227.

FISHBEIN, M. et AJZEN, I. (1974). Attitudes toward objects as predictors of single and multiple behavioral criteria. *Psychological Review, 81,* 59-74.

FISHBEIN, M. et AJZEN, I. (1975). *Belief, attitude, intention and behavior: An introduction to theory and research.* Reading, MA: Addison-Wesley.

FISHER, J.D. et NADLER, A. (1976). Effect of donor resources on recipient self-esteem and self-help. *Journal of Experimental Social Psychology, 12,* 139-150.

FISHER, J.D., NADLER, A. et WHITCHER, S.J. (1980). *Recipient reactions to aid: A conceptual review and a new theoretical framework.* Manuscrit inédit. University of Connecticut, Storrs.

FLEISHMAN, J.A. (1980). Collective action as helping behavior: Effects of responsibility diffusion on contributions to a public good. *Journal of Personality and Social Psychology, 38,* 629-640.

FLOR, H. et TURK, D.C. (1988). Chronic back pain and rheumatoid arthritis: Predicting pain and disability from cognitive variables. *Journal of Behavioral Medicine, 11,* 251-265.

FLOWERS, M.L. (1977). A laboratory test of some implications of Janis' groupthink hypothesis. *Journal of Personality and Social Psychology, 35,* 888-896.

FOA, E.B. et FOA, U.G. (1974). Societal structures of the mind. Springfield, IL: Charles C. Thomas.

FOA, E.B. et FOA, U.G. (1980). Resource theory: Interpersonal behavior as exchange. *In* K.J. Gergen, M.S. Greenberg et R.H. Willis (dir.), *Social exchange: Advances in theory and research.* New York: Plenum Press.

FODOR, E.M. et FARROW, D.L. (1979). The power motive as an influence on use of power. *Journal of Personality and Social Psychology, 37,* 2091-2097.

FOLEY, L.A. (1976). Personality and situational influences on changes in prejudice: A replication of Cook's railroad game in a prison setting. *Journal of Pesonality and Social Psychology, 34,* 848-856.

FOLKMAN, S. (1984). Personal control and stress and coping processes: A theoretical analysis. *Journal of Personality and Social Psychology, 46,* 839-852.

FORD, C.S. et BEACH, F.A. (1951). *Patterns of sexual behavior.* New York: Harper, & Row.

FOSS, R.D. et DEMPSEY, C.B. (1979). Blood donation and the foot-in-the-door technique: A limiting case. *Journal of Personality and Social Psychology, 37,* 580-590.

FOX, J.B. et SCOTT, J.F. (1943). *Absenteeism: Management's problem.* Boston: Harvard University Division of Research.

FRANCESCATO, D. et MEBANE, W. (1973). How citizens view two great cities: Milan and Rome. *In* R.M. Downs et D.C. Stea (dir.), *Image and environment.* Chicago: Aldine.

FRANDSEN, K.D. (1963). Effects of threat appeals and media of transmission. *Speech Monographs, 30,* 101-104.

FRASER, S., GOUGE, C. et BILLIG, M. (1971). Risky shifts, cautions shifts and group polarization. *European Journal of Social Psychology, 1,* 7-29.

FREEDMAN, J.L. (1963). Attitudinal effects of inadequate justification. *Journal of Personality, 31,* 371-385.

FREEDMAN, J.L., et FRASER, S. (1966). Compliance without pressure: The foot-in-the-door technique. *Journal of Personality and Social Psychology, 4,* 195-202.

FREEDMAN, J.L., KLEVANSKY, S. et EHRLICH, P.R. (1971). The effect of crowding on human task performance. *Journal of Experimental Social Psychology, 8,* 528-548.

FREEDMAN, J.L., LEVY, A.S., BUCHANAN, R.W. et PRICE, J. (1972). Crowding and human aggressiveness. *Journal of Experimental Social Psychology, 8,* 528-548.

FREEDMAN, S. et SEARS, D.O. (1965). Warning, distraction, and resistance to influence. *Journal of Personality and Social Psychology, 1,* 262-266.

FREEDMAN, S., WALKER, M. BORDEN, R. et LATANÉ, B. (1975). Diffusion of responsibility and restaurant tipping: Cheaper by the bunch. *Personality and Social Psychology Bulletin, 1,* 584-587.

FRENCH, J.R.P., Jr. (1941). The disruption and cohesion of groups. *Journal of Abnormal and Social Psychology, 36,* 361-377.

FREUD, S. (1964). Why war? *In* L. Bramson et G. Gœthals (dir.), *War: Studies from psychology, sociology, anthropology.* New York: Basic Books.

FRIED, M. et GLEICHER, P. (1972). Some sources of residential satisfaction in an urban slum. *In* J. F. Wohlwill et D. H. Carson (dir.), *Environment and the social sciences: Perspectives and applications.* Washington, DC: American Psychological Association.

FRIED, R. et BERKOWITZ, L. (1979). Music hath charms... and can influence helpfulness. *Journal of Applied Social psychology, 9,* 199-209.

FRIEDMAN, H.S. (1976). Effects of self-esteem and expected duration of interaction on liking for a highly rewarding partner. *Journal of Personality and Social Psychology, 33,* 686-690.

FRIEDMAN, M. (1969). *Pathogenesis of coronary artery disease.* New York: McGraw-Hill.

FRIEDMAN, M., THORENSEN, C.E., GILL, J.J., ULMER, D., POWELL, L.H., PRICE, V. A., BROWN, B., THOMPSON, L., RABBIN, D.D., BREALL, W.S., BOURG, E., LEVY, R. et IXON, T. (1986). Alteration of Type A behavior and its effect on cardiac recurrence in post-myocardial infarction patients: Summary results of the Recurrent Coronary Prevention Project. *American Heart Journal, 112,* 653-665.

FRIEZE, I.H. (1976). The role of information processing in making causal attributions for success and failure. *In* J. Carroll et J. Payne (dir.), *Cognition and social behavior.* New York: John Wiley & Sons.

FRODI, A. (1975). The effect of exposure to weapons on aggressive behavior from a cross-cultural perspective. *International Journal of Psychology, 10,* 283-292.

FRODI, A. (1977). Sexual arousal, situational restrictiveness and aggressive behavior from a cross-cultural perspective. *Journal of Research in Personality, 11,* 48-58.

FRODI, A., MACAULEY, J. et THOME, P.R. (1977). Are women always less aggressive than men? A review of the experimental literature. *Psychological Bulletin, 84,* 634-660.

GADLIN, H. (1978). *Child discipline and the pursuit of the self: An historical interpretation. Advances in child development and behavior* (vol. 12). New York: Academic press.

GAEBELEIN, J.W. (1977). Sex differences in instigative aggression. *Journal of Research in Personality, 11,* 466-474.

GAERTNER, S.L. et DOVIDIO, J. F. (1977). The subtlety of white racism, arousal and helping behavior. *Journal of Personality and Social Psychology, 35,* 691-707.

GAGNON, C. et LAVOIE, F. (1990). L'attitude des intervenants des services sociaux envers les femmes violentées par leur conjoint et leur sentiment de compétence. *Revue canadienne de service social, 7* (2), 197-214.

GAGNON, J.H. (1973). Scripts and the coordination of sexual conduct. *In* J.K. Cole et R. Dienstbier (dir.), *Nebraska Symposium on Motivation* (vol. 21). Lincoln: University of Nebraska Press.

GALLO, P.S. (1966). Effects of increased incentives upon the use of threat in bargaining. *Journal of Personality and Social Psychology, 4,* 14-20.

GALLUP, G. (1977). *Gallup poll.* Princeton, NJ: Audience Research.

GALTON, E. (1976). Police processing of rape complaints: A case study. *Journal of Criminal law, 4,* 15-30.

GAMSON, W.A. (1964). Experimental studies of coalition formation. *In* L. Berkowitz (dir.), *Advances in experimental social psychology* (vol. 1). New York: Academic Press.

GANELLEN, R. et BLANEY, P. (1984). Hardiness and social support as moderators of the effects of life stress. *Journal of Personality and Social Psychology, 47,* 156-163.

GANSTER, D., McCUDDY, M. et FROMKIN, H.L. (1977). *Similarity and undistinctiveness as determinants of favorable and unfavorable changes in self esteem.* Communication présentée à la Midwestern Psychological Association, Chicago.

GARBARINO, J.A. (1976). A preliminary study of some ecological correlates of child abuse: The impact of socioeconomic stress on mothers. *Child Development, 47,* 178-185.

GARDIN, H., KAPLAN, K.J., FIRESTONE, I.J. et COWAN, G.A. (1973). Proxemic effects on cooperation, attitude, and approach-avoidance in a prisoner's dilemma game. *Journal of Personality and Social Psychology, 27,* 13-18.

GARFINKEL, H. (1967). *Studies in ethnomethodology.* Englewood Cliffs. NJ: Prentice-Hall.

GARLAND, H. et BROWN, B.R. (1972). Face saving as affected by subject's sex, audience's sex and audience expertise. *Sociometry, 35,* 280-289.

GASKELL, G. et PEARTON, R. (1979). Aggression and sport. *In* J.H. Goldstein (dir.), *Sports, games, and play: Social and psychological viewpoints.* Hillsdale. NJ: Lawrence Erlbaum.

GASPARINI, A. (1973). Influence of the dwelling on family. *Ekistics, 216,* 344-348.

GATCHEL, R., BAUM, A. et LANG, P. (1982). Psychosomatic disorders: Basic issues and future research directions. *In* R. Gachtel et coll. (dir.), *Handbook of psychology and health* (vol. 1). Hillsdale, NJ: Lawrence Erlbaum.

GEEN, R.G. (1968). Effects of frustration attack and prior training in aggressiveness upon aggressive behavior. *Journal of Personality and Social psychology, 9,* 316-321.

GEEN, R.G. (1977). The effects of anticipation of positive and negative outcomes on audience anxiety. *Journal of Consulting and Clinical Psychology, 45,* 715-716.

GEEN, R.G. (1978). Some effects of observing violence upon the behavior of the observer. *In* B.A. Maher (dir.), *Progress in experimental personality research.* New York: Academic Press.

GEEN, R.G. (1980). The effects of being observed on performance. *In* P.B. Paulus (dir.), *Psychology of group influence.* Hillsdale, NJ: Lawrence Erlbaum.

GEEN, R.G. et QUANTY, M.B. (1977). The catharsis of aggression: An evaluation of a hypothesis. *In* L. Berkowitz (dir.), *Advances in experimental social psychology* (vol. 10). New York: Academic Press.

GEER, J. et JAMECKY, L. (1973). The effect of being responsible for reducing another's pain on subjects' response and arousal. *Journal of Personality and Social Psychology, 26,* 232.

GELFAND, D.M., HARTMAN, D.P., WALDER, P. et PAGE, B. (1973). Who reports shoplifters? A field-experimental study. *Journal of Personality and Social Psychology, 25,* 276-285.

GELLER, D.M., GOODSTEIN, L., SILVER, M. et STERNBERG, W.C. (1974). On being ignored: The effects of the violation of implicit rules of social interaction. *Sociometry, 37,* 541-556.

GELLES, R.J. (1974). *The violent home: A study of physical aggression between husbands and wives.* Beverly Hills, CA: Sage.

GELLES, R.J. et STRAUS, M.A. (1979). Determinants of violence in the family: Toward a theoretical integration. *In* W. Burr, R. Hill, F.I. Nye et I. Reiss (dir.), *Contemporary theories about the family.* New York: Free Press.

GELLES, R.J. et STRAUS, M.A. (1988). *Intimate violence.* New York: Simon & Schuster.

GERARD, H.B., CONOLLEY, E.S. et WILHELMY, R.A. (1974). Compliance, justification, and cognitive change. *In* L. Berkowitz (dir.), *Advances in experimental social psychology* (vol. 7). New York: Academic Press.

GERARD, H.B. et HOYT, M.F. (1974). Distinctiveness of social categorization and attitude toward ingroup members. *Journal of Personality and Social Psychology, 29,* 836-842.

GERARD, H.B. et RABBIE, J.M. (1961). Fear and social comparison. *Journal of Abnormal and Social Psychology, 62,* 586-592.

GERBNER, G. et GROSS, L. (1976). The scary world of TV's heavy viewer. *Psychology Today, 89,* 41-45.

GERGEN, K.J. (1965). The effects of interaction goals and personalistic feedback on presentation of self. *Journal of Personality and Social Psychology, 1,* 413-425.

GERGEN, K.J. (1973). Social psychology as history. *Journal of Personality and Social Psychology, 26,* 309-320.

GERGEN, K.J. (1977). The decline of character: Socialization and self-consistency. *In* G. Di Renzo (dir.), *We, the people: American character and social change.* Westport, CT: Greenwood Press.

GERGEN, K.J. (1978). Toward generative theory. *Journal of Personality and Social psychology, 36,* 1344-1360.

GERGEN, K.J. (1979). *Social psychology and the phœnix of unreality.* Communication présentée à l'American Psychological Association, New York.

GERGEN, K.J. (1981). The function and foibles of negotiating self-conception. *In* M. Lynch, A. Norem-Hebeisen et K.J. Gergen (dir.), *Self concept: Advances in theory and research.* Cambridge, MA: Ballinger.

GERGEN, K.J. (1982). *Toward transformation in social knowledge.* New York: Springer-Verlag.

GERGEN, K.J., ELLSWORTH, P., MAS-LACH, C. et SIEPEL, M. (1975). Obligation, donor resources and reactions to aid in three-nation study. *Journal of Personality and Social Psychology, 31,* 390-400.

GERGEN, K.J. et GERGEN, M.M. (1972). International assistance from a psychological perspective. *In Yearbook of world affairs, 1971* (vol. 25). London: Institute of World Affairs.

GERGEN, K.J. et GERGEN, M. M. (1982). Form and function in the explanation of human conduct. *In* P. Second (dir.), *Explaining social behavior.* Beverly Hills, CA: Sage.

GERGEN, K.J. et GERGEN, M.M. (dir.) (1984). *Historical social psychology.* Hillsdale, NJ: Lawrence Erlbaum.

GERGEN, K.J., GERGEN, M.M. et BARTON, W. (1973). Deviance in the dark. *Psychology Today, 7,* 129-130.

GERGEN, K.J., GERGEN, M.M. et METER, K. (1972). Individual orientations to prosocial behavior. *Journal of Social Issues, 28,* 105-130.

GERGEN, K.J., MORSE, S.J. et BODE, K.A. (1974). Overpaid or overworked? Cognitive and behavioral reactions to inequitable rewards. *Journal of Applied Social Psychology, 4,* 259-274.

GERGEN, K.J. et TAYLOR, M.G. (1969). *Role playing and modifying the self-concept.* Communication présentée à l'Eastern Psychological Association.

GIBB, C.A. (1969). Leadership. *In* G. Lindzey et E. Aronson (dir.), *The handbook of social psychology* (vol. 4). Reading, MA: Addison-Wesley.

GIBBINS, K. (1969). Communication aspects of women's clothes and their relation to fashion ability. *British Journal of Social and Clinical Psychology, 8,* 301-312.

GIL, D.G. (1970). *Violence against children: Physical child abuse in the U.S.* Cambridge, MA: Harvard University Press.

GIL, D.G. (1971). A socio-cultural perspective on physical child abuse. *Child Welfare, 50,* 389-395.

GIL, D.G. (1975). Unraveling child abuse. *American Journal of Orthopsychiatry, 45,* 346-356.

GILLIG, P.M. et GREENWALD, A.D. (1974). Is it time to lay the sleeper effect to rest? *Journal of Personality and Social Psychology, 29,* 132-139.

GILOVICH, T., JENNINGS, D.L. et JENNINGS, S. (1983). Causal forms & estimates of consensus: An examination of the false consensus effect. *Journal of Personality and Social Psychology, 45,* 550-559.

GINSBURG, G.P. (dir.) (1979). *Emerging strategies in social psychological research.* New York: John Wiley & Sons.

GLANZER, M. et GLASER, R. (1961). Techniques for the study of group structure and behavior: II. Empirical studies of the effects of structure in small groups. *Psychological Bulletin, 58,* 1-27.

GLASS, D.C. (1977). *Behavior patterns, stress and coronary disease.* Hillsdale, NJ: Lawrence Erlbaum.

GLASS, D.C. et SINGER, J.E. (1972). *Urban stress.* New York: Academic Press.

GODIN, G. et SHEPARD, R.J. (1986). Importance of type of attitude to the study of exercise-behavior. *Psychological Reports, 58,* 991-1000.

GŒTHALS, G.R., COOPER, J. et NAFICY, A. (1979). Role of foreseen, foreseeable and unforseeable behavioral consequences in the arousal of cognitive dissonance. *Journal of Personality and Social Psychology, 37,* 1179-1185.

GŒTHALS, G.R. et NELSON, R.E. (1973). Similarity in the influence process: The belief-value distinction. *Journal of Personality and Social Psychology, 25,* 117-122.

GOFFMAN, E. (1959). *The presentation of self in everyday life.* Garden city, NY: Doubleday.

GOFFMAN, E. (1961). *Asylums.* New York: Doubleday/Anchor.

GOLDSCHMIDT, J., GERGEN, M.M., QUIGLEY, K. et GERGEN, K.J. (1974). The women's liberation movement: Attitudes and action. *Journal of Personality, 42,* 601-617.

GOLDSTEIN, A.P. et MICHAELS, G.Y. (1985). *Empathy.* Hillsdale, NJ: Lawrence Erlbaum.

GOLDSTEIN, J.H. et ARMS, R.L. (1971). Effects of observing athletic contests on hostility. *Sociometry, 34,* 83-90.

GOLDSTEIN, M.J. et DAVIS, E.E. (1972). Race and belief: A further analysis of the social determinants of behavioral intentions. *Journal of Personality and Social Psychology, 22,* 346-355.

GOLLOB, H.F. (1974). The subject-verb-object approach to social cognition. *Psychological Review, 81,* 286-321.

GOOD, K.J. (1973). Social facilitation: Effects of performance anticipation, evaluation and response competition on free associations. *Journal of Personality and Social Psychology, 28,* 270-275.

GOODACRE, D.M. (1951). The use of a sociometric test as a predictor of combat unit effectiveness. *Sociometry, 14,* 148-152.

GORANSON, R. et BERKOWITZ, L. (1966). Reciprocity and responsibility reactions to prior help. *Journal of Personality and Social Psychology, 3,* 227-232.

GORDON, S. (1976). *Lonely in America.* New York: Simon & Schuster.

GORE, W.V. et TAYLOR, D.M. (1973). The nature of the audience as it affects social inhibition. *Representative Research in Social Psychology, 4,* 18-27.

GORMLY, J. (1974). A comparison of predictions from consistency and affect theories for arousal during interpersonal agreement. *Journal of Personality and Social Psychology, 30,* 658-663.

GOTTMAN, T.M. (1979). *Experimental investigation of marital interaction.* New York: Academic Press.

GOULDNER, A.W. (1960). A norm of reciprocity: A preliminary statement. *American Sociological Review, 25,* 161-178.

GOYETTE, G. et LESSARD-HÉBERT, M. (1987). *La recherche-action. Ses fonctions, ses fondements et son instrumentation.* Sillery: Presses de l'Université du Québec.

GRAHAM, B. (1969). Loneliness: How it can be cured. *Reader's Digest,* octobre, 135-138.

GRANDJEAN, E., GRAF, P., LAUBER, A., MEIER, H.P. et MULLER, R. (1973). A survey on aircraft noise in Switzerland. *In* W.D. Ward (dir.), Proceedings of the *International Congress on Noise as a Public Health Problem.* Washington, DC: U.S. Government Printing Office.

GREEN, A.H., GAINES, R.W. et SANDGRUND, A. (1974). Child abuse: Pathological syndrome of family interaction. *American Journal of Psychiatry, 131,* 882-886.

GREENBERG, J. (1983). Equity and equality as clues to the relationship between exchange participants. *European Journal of Social Psychology, 13,* 195-196.

GREENBERG, M.S. (1980). A theory of indebtedness. *In* K.J. Gergen, M.S. Greenberg et R.H. Willis (dir.), *Social exchange: Advances in theory and research .* New York: Plenum Press.

GREENBERG, M.S. et SHAPIRO, S. (1971). Indebtedness: An adverse aspect of asking for or receiving help. *Sociometry, 34,* 290-301.

GREENBERG, M.S., WILSON, C.E. et MILLS, M.K. (1983). An experimental approach to victim decision making. *In* V.J. Konecni et E.B. Ebbeson (dir.), *Social psychological analysis of legal processes.* San Francisco: W.H. Freeman.

GREENBERG, M.S., WILSON, C.E., RUBACK, R.B. et MILLS, M.K. (1979). Social and emotional determinants of victim crime reporting. *Social Psychology Quarterly, 42,* 364-372.

GREENGLASS, E. (1982). *A world of difference, gender roles in perspective.* New York: Wiley.

GREENWALD, A. (1980). The totalitarian ego: Fabrication and revision of personal history. *American Psychologist, 35,* 603-618.

GREENWALD, A.G. (1970). When does role playing produce attitude change? Toward an answer. *Journal of Personality and Social Psychology, 16,* 214-219.

GREYDANUS, A. (1976, 3 avril). Matters of the heart. *Saturday Review.*

GRIFFITT, W. (1970). Environmental effects on interpersonal affective behavior: Ambient effective temperature and attraction. *Journal of Personality and Social Psychology, 15,* 240-244.

GRIFFITT, W. (1973). Response to erotica and the projection of response to erotica to the opposite sex. *Journal of Experimental Research in Personality, 6,* 330-338.

GRIFFITT, W. et GARCIA, L. (1979). Reversing authoritarian punitiveness: The impact of verbal conditioning. *Social Psychological Quarterly, 42,* 55-61.

GRIFFITT, W. et VEITCH, R. (1971). Influences of population density on interpersonal affective behavior. *Journal of Personality and Social Psychology, 17,* 92-98.

GRIFFITT, W. et VEITCH, R. (1974). Preacquaintance attitude similarity and attraction revisited: Ten days in a fallout shelter. *Sociometry, 37,* 163-173.

GROSS, A.E. et CROFTON, C. (1977). What is good is beautiful. *Sociometry, 40,* 85-90.

GROSS, A.E. et LATANÉ, J.C. (1973). Receiving help, reciprocation and interpersonal attraction. *Journal of Applied Social Psychology, 4,* 210-223.

GROSS, A.E. et LATANÉ, J.C. (1973). *Some effects of receiving and giving help.* Manuscrit inédit. University of Maryland, College Park.

GROSS, E. (1954). Primary functions of the small group. *American Journal of Sociology, 60,* 24-30.

GRUDER, C.L. (1971). Determinants of social comparison choices. *Journal of Experimental Social Psychology, 7,* 473-489.

GRUDER, C.L. et DUSLAK, R.J. (1973). Elicitation of cooperation by retaliatory and nonretaliatory strategies in a mixed motive game. *Journal of Conflict Resolution, 17,* 162-174.

GRUDER, C.L., ROMER, D. et KORTH, B. (1978). Dependency and fault as determinants of helping. *Journal of Experimental Social Psychology, 14,* 227-235.

GRUSH, J.E. (1980). Impact of candidate expenditures, regionality, and prior outcomes on the 1976 Democratic presidential primaries. *Journal of personality and Social Psychology, 38,* 337-347.

GRUSH, J.E., CLORE, G. et COSTIN, F. (1975). Dissimilarity and attraction: When difference makes a difference. *Journal of Personality and Social Psychology, 32,* 783-789.

GRUSH, J.E., McKEOUGH, K.L. et AHLERING, R.F. (1978). Extrapolating laboratory exposure research to actual political elections. *Journal of Personality and Social Psychology, 36,* 257-270.

GRUSH, J.E. et YEHL, J.G. (1979). Marital roles, sex differences, and interpersonal attraction. *Journal of Personality and Social Psychology, 37,* 116-123.

GUÉRIN, B. (1986). Mere presence effects in human: a review. *Journal of Experimental Social Psychology, 22,* 38-77.

GUIMOND, S. (juin 1990). *Formation universitaire et style d'explication des inégalités.* Communication présentée au congrès annuel de la Société canadienne de psychologie, Ottawa.

GUIMOND, S., BÉGIN, G. et PALMER, D.L. (1989). Education and causal attributions: The development of "person-blame" and "system-blame" ideology. *Social Psychology Quarterly, 52* (2), 126-140.

GUIMOND, S. et DUBÉ, L. (1989). La représentation des causes de l'infériorité économique des Québécois francophones. *Revue canadienne des sciences du comportement, 21,* 28-39.

GUIMOND, S., PALMER, D.L. et BÉGIN, G. (1989). Education, academic program and intergroup attitudes. *Canadian Review of Sociology and Anthropology, 26* (2), 193-216.

GURR, T.R. (1970). *Why men rebel.* Princeton, NJ: Princeton University Press.

GURWITZ, S.B. et DODGE, K.A. (1977). Effects of confirmations and disconfirmations on stereotype-based attributions. *Journal of Personality and Social Psychology, 35*, 495-500.

GUTTENTAG, M. (1973). Special characteristics of social intervention programs: Evaluation of social intervention programs. *Annals of the New York Academy of Sciences, 218*, 6.

GUYON, L. (1990). *Quand les femmes parlent de leur santé.* Québec: Les Publications du Québec.

GUYON, L., SIMARD, R. et NADEAU, L. (1981). *Va te faire soigner, t'es malade!* Montréal: Éditions internationales Alain Stanké.

HACKMAN, J.R. et MORRIS, C.G. (1975). Group tasks, group interaction process, and group performance effectiveness: A review and proposed integration. *In* L. Berkowitz (dir.), *Advances in experimental social psychology* (vol. 8). New York: Academic Press.

HALFNER, D.P. (1965). Arousing fear in dental health education. *Journal of Public Health Dentistry, 25*, 140-146.

HALL, E.J., MOUTON, J.S. et BLAKE, R.R. (1963). Group problem solving effectiveness under conditions of pooling versus interaction. *Journal of Social Psychology, 59*, 147-157.

HALL, E.T. (1959). Le langage silencieux. Paris: Mame, 1973; Montréal: HMH, 1973.

HALL, E.T. (1966). *La dimension cachée.* Paris: Seuil, 1971.

HALL, J. et WATSON, W.H. (1970). The effects of normative intervention on group decision making performance. *Human Relations, 23*, 299-317.

HAMILTON, D.L. et BISHOP, G.D. (1976). Attitudinal and behavioral effects of initial integration of white suburban neighborhoods. *Journal of Social Issues, 32*, 46-56.

HAMNER, W.C. (1974). Effects of bargaining strategy and pressure to reach agreement in a stalemated negotiation. *Journal of Personality and Social Psychology, 30*, 458-467.

HAMNER, W.C. et YUKL, G.A. (1977). The effectiveness of different offer strategies in bargaining. *In* D. Druckman (dir.), *Negociations: Social-psychological perspectives.* London: Sage.

HANEY, C., BANKS, C. et ZIMBARDO, P.G. (1973). Interpersonal dynamics in a simulated prison. *International Journal of Criminology and Penology, 1*, 69-97.

HARBURG, E., ERFRUT, J.C., CHAPERL, E., NAUENSTEIN, L.F., SCHULL, W.F. et SCHORK, M.A. (1973). Socioecological stressor areas and black-white blood pressure: Detroit. *Journal of Chronic Diseases, 26*, 595-611.

HARDIN, G. (1968). The tragedy of the commons. *Science, 162*, 1243-1248.

HARDING, J. et HOGREFE, R. (1952). Attitudes of white department store employees toward Negro co-workers. *Journal of Social Issues, 8*, 18-28.

HARDY, K.K. (1957). Determinants of conformity and attitude change. *Journal of Abnormal and Social Psychology, 54*, 289-294.

HARDYCK, J.A. et BRADEN, M. (1962). When prophecy fails again: A report of failure to replicate. *Journal of Abnormal and Social Psychology, 65*, 136-141.

HARE, A.P. (1976). *Handbook of small group research.* New York: Free Press.

HARKINS, S.G., (1987). Social loafing and social facilitation. *Journal of Experimental Social Psychology, 23*, 1-18.

HARNETT, D.L., CUMMINGS, L.L. et HAMNER, W.C. (1973). Personality, bargaining style, and payoff in bilateral monopoly bargaining among European managers. *Sociometry 36*, 325-345.

HARRÉ, R. et SECORD, P.F. (1972). *The explanation of social behavior.* Totowa, NJ: Littlefield, Adams/Rowman & Littlefield, 1973.

HARRIS, L.M., LANNAMANN, J. et GERGEN, K.J. (1986). Aggression rituals. *Communication Monographs, 53*, 252-265.

HARRIS, M.B. (1974). Mediators between frustration and aggression in a field experiment. *Journal of Experimental Social Psychology, 10*, 561-571.

HARRIS, M. et MEYER, F. (1973). Dependency, threat, and helping, *Journal of Social Psychology, 90*, 239-242.

HARRISON, A.A. et SAEED, L. (1977). Let's make a deal: An analysis of revelations and stipulations in lonely hearts advertisements. *Journal of Personality and Social Psychology, 35*, 257-264.

HARRIS, P.W. (1972). *The relationship of life change to academic performance among selected college freshmen at varying levels of college readiness.* Thèse de doctorat inédite. East Texas State University.

HARRIS, R.J. et JOYCE, M.A. (1980). What's fair? It depends on how you phrase the question. *Journal of Personality and Social psychology, 38*, 165-179.

HARSHBERGER, D. (1971). An investigation of a structural model of small group problem solving. *Human Relations, 24*, 43-63.

HART, R.A. et MOORE, G.T. (1973). The development of spatial cognition: review. *In* R.M. Downs et D.C. Stea (dir.), *Image and environment.* Chicago: Aldine.

HARTLEY, E.L. (1946). *Problems in prejudice.* New York: Columbia University Press/King's Crown Press.

HARTSHORNE, H. et MAY, M.A. (1928). *Studies in the nature of character.* (vol. 1). New York: Macmillan.

HARTUP, W.W. et COATES, B. (1967). Imitation of a peer as a function of reinforcement from the peer group and rewardingness of the model. *Child Development, 38*, 1003-1016.

HARVEY, J.H., YARKIN, K.L., LIGHTNER, J.M. et TOLIN, J.P. (1980). Unsolicited interpretation and recall of interpersonal events. *Journal of Personality and Social Psychology, 38*, 551-568.

HASS, R.G. (1975). Persuasion or moderation? Two experiments on anticipatory belief change. *Journal of Personality and Social Psychology, 31*, 1155-1162.

HASS, R.G. et LINDER, D.E. (1972). Counterargument availability and the effects of message structure on persuasion. *Journal of Personality and Social Psychology, 23*, 319-333.

HASS, R.G. et MANN, R.W. (1976). Anticipatory belief change: Persuasion or impression management? *Journal of Personality and Social Psychology, 34*, 105-111.

HASTORF, A.H. et CANTRIL, H. (1954). They saw a game: A case of study. *Journal of Abnormal and Social Psychology, 49*, 129-134.

HATFIELD, E. et TRAUPMAN, J. (1981). Intimate relationships: A perspective from equity theory. *In* S. Duck et R. Gilmore (dir.), *Personal relationships.* London: Academic Press.

HATFIELD, E., UTNE, M.K. et TRAUPMAN, J. (1979). Equity theory and intimate relationships. In R.L. Burgess et T.L. Huston (dir.), *Social exchange in developing relationships.* New York: Academic Press.

HATFIELD, E., WALSTER, G.W. et PILIAVIN, J.A. (1978). Equity theory and helping relationships. *In* L. Wispé (dir.), *Altruism, sympathy, and helping*. New York: Academic Press.

HATVANY, N. et ZIMBARDO, P.G. (1977). *Shyness, arousal, and memory: The path from discomfort to distraction to recall deficits.* Manuscrit inédit. Stanford University, Stanford, CA.

HAVIK, O.E. et MAELAND, J.G. (1988). Changes in smoking behavior after a myocardial infarction. *Health Psychology, 7,* 403-420.

HAYTHORN, W.W. (1953). The influence of individual members on the characteristics of small groups. *Journal of Abnormal and Social Psychology, 48,* 276-284.

HAYWARD, D.G. (1977). An overview of psychological concepts of "home". *Proceedings of the Meeting of the Environmental Design Research Association, 8,* 418-419.

HEBERLEIN, T.A. (1977). Norm activation and environmental action. *Journal of Social Issues, 3* (3), 207-211.

HEIDER, F. (1946). Attitudes et organisation cognitive. *In* C. Faucheux (dir.), *Psychologie sociale théorique et expérimentale.* Paris: Maloine, 1971.

HEIDER, F. (1958).*The psychology of interpersonal relations.* New York: John Wiley & Sons.

HEILMAN, M.E. (1974). Threats and promises: Reputational consequences and transfer of credibility. *Journal of Experimental Social Psychology, 10,* 310-324.

HEINGARTNER, A. et HALL, J.V. (1974). Affective consequences in adults and children of repeated exposure to auditory stimuli. *Journal of Personality and Social Psychology, 29,* 719-723.

HELFER, R.E. et KEMPE, C.H. (1972). *Helping the battered child and his family.* Philadelphia: J.B. Lippincott.

HENCHY, T. et GLASS, D.C. (1968). Evaluation apprehension and social facilitation of dominant and subordinate responses. *Journal of Personality and Social Psychology, 10,* 446-454.

HENDRICK, C. et BUKOFF, A. (1976). Assessing the reassessment of the validity of laboratory-produced attitude change. *Journal of Personality and Social Psychology, 34,* 1068-1077.

HENDRICK, C., WELLS, K. et FALETTI, M. (1982). Social and emotional effects of geographical relocation on elderly retirees. *Journal of Personality and Social Psychology, 42,* 951-962.

HENRY, J.P. et STEPHENS, P.M. (1977). The social environment and essential hypertension in mice: Possible role of the innervation of the adrenal cortex. *Programmed Brain Research, 47,* 263-276.

HENSLEY, V. et DUVAL, S. (1976). Some perceptual determinants of perceived similarity, liking, and correctness. *Journal of Personality and Social Psychology, 34,* 159-168.

HERD, J.A. (1978). Psychological correlates of coronary-prone behavior. *In* T.M. Dembroski, S. Weiss, J. Shields, S.G. Haynes et F. Feinleib (dir.), *Coronary-prone behavior.* New York: Springer-Verlag.

HEREK, G.M. (1984). Beyond "Homophobia": A social psychological perspective on attitudes toward Lesbians and Gayman. *Journal of Homosexuality, 10* (1-2), 1-21.

HERRIDGE, C.F. (1974). Aircraft noise and mental health. *Journal of Psychosomatic Research, 18,* 239-243.

HERRIDGE, C.F et LOW-BEER, L. (1973). Observations of the effects of aircraft noise near Heathrow Airport on mental health. *In* W.D.Ward (dir.), *Proceedings of the International Congress on Noise as a Public Health Problem.* Washington, DC: U.S. Government Printing office.

HÉTU, R. et GETTY, L. (1990). Le handicap associé à la surdité professionnelle: un obstacle majeur à la prévention. *Travail et santé, 6,* 18-25.

HÉTU, R., RIVERIN, L., GETTY, L., LALANDE, N.M. et ST-CYR, C. (1990). The reluctance to acknowledge hearing difficulties among hearing-impaired workers. *British Journal of Audiology, 24,* 265-276.

HIGBEE, K.L. (1971). Expression of "Walter-Mittyness" in actual behavior. *Journal of Personality and Social Psychology, 20,* 416-422.

HIGGINS, E.T., RHOLES, W.S. et JONES, C.R. (1977). Category accessibility and impression formation. *Journal of Experimental Social Psychology, 13,* 141-154.

HILL, C.T., RUBIN, Z. et PEPLAU, L.A. (1976). Breakups before marriage: The end of 103 affairs. *Journal of Social Issues, 32,* 147-167.

HINKLE, S. et SCHOPLER, J. (1979). Ethnocentrism in the evaluation of group products. *In* W.G. Austin et S. Worchel, (dir.), *The social psychology of intergroup relations.* Monterey, CA: Brooks/Cole.

HOBBES, T. (1651). *Leviathan.* New York: Bobbs-Merrill, 1958.

HOFFMAN, L.R. (dir.) (1979). *The group problem solving process: Studies of a valence model.* New York: Praeger.

HOFFMAN, L.R. et MAIER, N.R.F. (1979). Valence in the adoption of solutions by problem-solving groups: Concept, method, and results. *In* L.R. Hoffman (dir.), *The group problem-solving process: Studies of valence model.* New York: Praeger.

HOFFMAN, M.L. (1975). Altruistic behavior and the parent-child relationship. *Journal of Personality and Social Psychology, 31,* 937-943.

HOKANSON, J.E. et BURGESS, M. (1962). The effects of status, type of frustration, and aggression on vascular processes. *Journal of Abnormal and Social psychology, 65,* 232-237.

HOKANSON, J.E. et SHETLER, S. (1961). The effect of overt aggression on physiological arousal. *Journal of Abnormal and Social psychology, 63,* 446-448.

HOLAHAN, C.J. (1980). Action research in the built environment. *In* R.H. Price et P.E. Politser (dir.), *Evaluation and action in the social environment.* New York: Academic Press.

HOLAHAN, C.J. (1986). Environmental psychology. *Annual Review of Psychology, 37,* 381-407.

HOLAHAN, C.J. et WANDERSMAN, A. (1987). The community psychology perspective in environmental psychology. *In* D. Stokols et I. Altman (dir.), *Handbook of environmental psychology* (vol. 1). New York: John Wiley & Sons.

HOLLANDER, E.P. (1958). Competence, status, and idiosyncrasy credit. *Psychological Review, 65,* 117-127.

HOLLANDER, E.P. (1980). Leadership and social exchange processes. *In* K.J. Gergen, M. Greenberg et R. Willis (dir.), *Social exchange: Advances in theory and research.* New York: Plenum Press.

HOLLANDER, E.P. et JULIAN, J.W. (1978). A further look at leader legitimacy, influence, and innovation. *In* L. Berkowitz (dir.), *Group Processes.* New York: Academic Press.

HOLLANDER, E.P. et WILLIS, R. (1967). Some current issues in the psychology of conformity and nonconformity. *Psychological Bulletin, 68,* 62-76.

HOLLENBERG, E. et SPERRY, M. (1951). Some antecedents of aggression and effects of frustration in doll play. *Personality: Topical Symposia, 1,* 32-43.

HOLMES J.G., THROOP, W. et STRICKLAND, L.H. (1971). The effects of prenegociation expectations on the distributive bargaining process.

Journal of Experimental Social Psychology, 7, 582-589.

HOLMES, T.H. (1970). Psychologic screening. In Football injuries: Papers presented at a workshop. Washington, DC: National Academy of Sciences.

HOLMES, T.H. et MASUDA, M. (1974). Life change and illness susceptibility. In B.S. Dohrenwend et B.P. Dohrenwend (dir.), Stressful life events: Their nature and effects. New York: John Wiley & Sons.

HOLMES, T.H. et RAHE, R.H. (1967). The social readjustment rating scale. Journal of Psychosomatic Research, 11, 213-218.

HOMANS, G.C. (1950). The human group. New York: Harcourt Brace Jovanovich.

HOMANS, G.C. (1974). Social behavior in its elementary forms (édition révisée). New York: Harcourt Brace Jovanovich.

HORAL, J., NACCARI, N. et FATOULLAH, E. (1974). The effects of expertise and physical attractiveness upon opinion agreement and liking Sociometry, 37, 601-606.

HORNBERGER, R.H. (1959). The differential reduction of aggressive responses as a function of interpolated activities. American Psychologist, 14, 354.

HORNER, M.S. (1970). Feminity and successful achievement: A basic inconsistency. In J. Bardwick, E. Douvan, M.S. Horner et D. Gutmann (dir.), Feminine personality and conflict. Monterey, CA: Brooks/Coles.

HORNER, M.S. (1972). Toward an understanding of achievement related conflicts in women. Journal of Social Issues, 28, 157-176.

HORNER, M.S. et RHŒM, W. (1968). The motive to avoid success as a function of age, occupation and progress in school. Manuscrit inédit. University of Michigan, Ann Arbor.

HORNSTEIN, H.A., FISCH, E. et HOLMES, M. (1968). Influence of a model's feeling about his behavior and his relevance as a comparison of other observers' helping behavior. Journal of Personality and Social Psychology, 10, 222-226.

HORNSTEIN, H.A., LAKIND, E., FRANKEL, G. et MANNE, S. (1976). Effects of knowledge about remote social events on pro-social behavior, social conception, and mood. Journal of Personality and Social Psychology, 32, 1038-1046.

HOROWITZ, D. (1985). Ethnic groups in conflict. Berkeley, CA: University of California Press.

HOROWITZ, I.A. (1991). Social psychology and the law. In R.M. Baron et W.G. Graziano (dir.), Social psychology. Fort Worth: Holt, Rinehart and Winston.

HOVLAND, C.I., HARVEY, O.J. et SHERIF, H. (1957). Assimilation of contrast effects in reactions to communication and attitude change. Journal of Abnormal and Social Psychology, 55, 244-252.

HOVLAND, C.I. et JANIS, I.L. (dir.) (1959). Personality and persuasibility. New Haven, CT: Yale University Press.

HOVLAND, C.I. et JANIS, I.L. et KELLEY, H. (1953). Communication and persuasion. New Haven, CT: Yale University Press.

HOVLAND, C.I., LUMSDAINE, A.A. et SHEFFIELD, F.D., (1949). Experiments on mass communication. Princeton, NJ: Princeton University Press.

HOVLAND, C.I. et MANDELL, W. (1952). An experimental comparison of conclusion-drawing by the communicator and by the audience. Journal of Abnormal and Social Psychology, 47, 581-588.

HOVLAND, C.I. et SEARS, R.R. (1940). Minor studies in aggression: VI. Correlation of lynching with economic indices. Journal of Psychology, 9, 301-310.

HOVLAND, C.I. et WEISS, W. (1951). The influence of source credibility on communication effectiveness. Public Opinion Quarterly, 15, 635-650.

HOWARD, J.W. et ROTHBART, M. (1980). Social categorization and memory for in-group and out-group behavior. Journal of Personality and Social Psychology, 38, 301-310.

HOWARD, W. et CRANO, W.D. (1974). Effects of sex, conversation, location, and size of observer group on bystander intervention in a high risk situation. Sociometry, 37, 491-507.

HOWELL, A. et CONWAY, M. (1990). Perceived intimacy of expressed emotion. Journal of Social Psychology, 130, 467-476.

HOYT, M.F. et RAVEN, B.H. (1973). Birth order and the 1971 Los Angeles earthquake. Journal of Personality and Social Psychology, 28, 123-130.

HOYT, M.F., HENLEY, M. et COLLINS, B. (1972). Studies in forced compliance: Confluence of choice and consequence on attitude change. Journal of Personality and Social Psychology, 23, 205-210.

HUESMANN, L.R., ERON, L.D., LEFKOWITZ, M.M. et WALDER, L.O. (1984). Stability of aggression over time and generations. Developmental Psychology, 20, 1120-1134.

HUNT, M. (1959). The natural history of love. New York: Alfred A. Knopf.

HUNT, P.J. et HILLEREY, J.M. (1973). Social facilitation in a coaction setting: An examination of the effects of overlearning trials. Journal of Experimental Social Psychology, 9, 563-571.

HUSBAND, R.W. (1940). Cooperative versus solitary problem solution. Journal of Social Psychology, 11, 405-409.

HUSTON, T.L. (1973). Ambiguity of acceptance, social desirability, and dating choice. Journal of Experimental Social Psychology, 9, 32-42.

HUSTON, T.L. et BURGESS, R.L. (1979). Social exchange in developing relationship: An overview. In R.L. Burgess et T.L. Huston (dir.), Social exchange in developing relationships. New York: Academic Press.

HUSTON, T.L. et LEVINGER, G. (1978). Interpersonal attraction and relationships. Annual Review of Psychology, 29, 115-156.

ICKES, W.J. et BARNES, R.D. (1977). The role of sex and self-monitoring in unstructured dyadic interactions. Journal of Personality and Social Psychology, 35, 315-330.

ICKES, W.J. et BARNES, R.D. (1978). Boys and girls together — and alienated: On enacting stereotyped sex roles in mixed-sex dyads. Journal of Personality and Social Psychology, 36, 669-683.

INDIK, B. (1965). Organization size and member participation: Some empirical tests of alternative explanations. Human Relations, 18, 339-350.

INN, A., WHEELER, A.C. et SPARLING, C.L. (1977). Interaction between jurors as a function of majority vs. unanimity decision rule. Journal of Applied Social Psychology, 7, 27-37.

INSKO, C.A., ARKOFF, A. et INSKO, V.M. (1965). Effects of high and low fear-arousing communications upon opinions toward smoking. Journal of Experimental Social Psychology, 1, 256-266.

INSKO, C.A., TURNBULL, W. et YANDELL, B. (1975). Facilitating and inhibiting effects of distraction on attitude change. Sociometry, 4, 508-528.

INSKO, C.A., WORCHEL, S., FOLGER, R. et KUTKUS, A. (1975). A balance theory interpretation of dissonance. *Psychological Review, 82*, 169-183.

ISEN, A.M., CLARK, M. et SCHWARTZ, M. (1976). Duration of the effect of good mood on helping: "Footprints in the sands off time." *Journal of Personality and Social Psychology, 34*, 385-393.

ISEN, A.M. et LEVIN, P.F. (1972). Effects of feeling good on helping: Cookies and kindness. *Journal of Personality and Social Psychology, 21*, 384-388.

ISEN, A.M. et SIMMONDS, S.F. (1978). The effect of feeling good on a helping task that is incompatible with good mood. *Social Psychology, 41*, 346-349.

ISEN, A.M., HORN, N. et ROSENHAN, D.L. (1973). Effects of success and failure on children's generosity. *Journal of Personality and Social Psychology, 27*, 239-248.

ISEN, A.M., SHALKER, T.E., CLARK, M. et KARP, L. (1978). Affect, accessibility of material in memory, and behavior: A cognitive loop? *Journal of Personality and Social Psychology, 36*, 1-12.

ISEN, A.M. (1970). Success, failure, attention and reaction to others. The warm glow of success. *Journal of Personality and Social Psychology, 15*, 294-301.

ITTELSON, W.H., PROSHANSKY, H.M. et RIVLIN, L.G. (1970). The environmental psychology of the psychiatric ward. *In* H. M. Proshansky, W.H. Ittelson et L.G. Rivlin (dir.), *Environmental Psychology: Man and his physical setting*. New York: Holt, Rinehart & Winston.

ITTELSON, W.H., PROSHANSKY, H.M., RIVLIN, L.G. et WINKEL, G.H. (1974). *An introduction to environmental psychology*. New York: Holt, Rinehart and Winston.

IZZETT, R.R. et LEGINSKI, W. (1974). Group discussion and the influence of defendant characteristics in a simulated jury setting. *Journal of Social Psychology, 93*, 271-279.

JACKSON, J. et WILLIAMS, K. (1985). Social loafing on difficult tasks: Working collectively can improve performance. *Journal of Personality and Social Psychology, 49*, 937-942.

JACOBS, R.C. et CAMPBELL, D.T. (1961). The perpetuation of an arbitrary tradition through several generations of a laboratory microculture. *Journal of Abnormal and Social Psychology, 62*, 649-658.

JAFFE, Y., MALAMUTH, N. FEINGOLD, J. et FESHBACH, S. (1974). Sexual arousal and behavioral aggression. *Journal of Personality and Social Psychology, 30*, 759-764.

JANIS, I.L. (1951). *Air war and emotional stress: Psychological studies of bombing and civilian defense*. New York: McGraw-Hill.

JANIS, I.L. (1968). Group identification under conditions of external danger. *In* D. Cartwright et A. Zander (dir.), *Group dynamics: Research and theory*. New York: Harper & Row.

JANIS, I.L. et FESHBACH, S. (1953). Effects of fear-arousing communications. *Journal of Abnormal Psychology, 48*, 78-92

JANIS, I.L. et FIELD, P.B. (1959). Sex differences and personality factors related to persuasibility. *In* I.L. Janis et coll. (dir.), *Personality and persuasibility*. New Haven, CT: Yale University Press.

JANIS, I.L. et GILMORE, I. (1965). The influence of incentive conditions on the success of role-playing and modifying attitudes. *Journal of Personality and Social Psychology, 1*, 17-27.

JANIS, I.L., KAYE, D. et KIRSCHNER, P. (1965). Facilitating effects of "eating while reading" on responsiveness to persuasive communications. *Journal of Personality and Social Psychology, 1*, 181-186.

JANIS, I.L. et KING, B. (1954). The influence of role-playing on opinion change. *Journal of Abnormal and Social Psychology, 49*, 211-218.

JANIS, I.L. et MANN, L. (1965). Effectiveness of emotional role-playing in modifying smoking habits and attitudes. *Journal of Experimental Research in Personality, 1*, 84-90.

JANIS, I.L. et MANN, L. (1977). *Decision making: A psychological analysis of conflict, choice and commitment*. New York: Free Press.

JANOV, A. (1970). *Le cri primal, traitement pour la guérison de la névrose*. Paris: Flammarion, 1975.

JANSSENS, L. et NUTTIN, J.R. (1976). Frequency perception of individual and group success as a function of competition, coaction and isolation. *Journal of Personality and Social Psychology, 34*, 830-836.

JAY, M. (1973). *The dialectal imagination*. London: William Heinemann.

JELLISON, J.M., RISKIND, J. (1970). A social comparison of abilities interpretation of risk-taking behavior. *Journal of Personality and Social Psychology, 15*, 375-390.

JENKINS, C.D., ZYANSKI, S.J. et ROSENMAN, R.H. (1971). Progress toward validation of a computer-scored test for the Type A coronary-prone behavior pattern. *Psychosomatic Medicine, 33*, 193-202.

JENNINGS (WALSTEDT), J., GEIS, F.L. et BROWN, V. (1980). Difference of television commercials on women's self-confidence and independent judgment. *Journal of Personality and Social Psychology, 38*, 203-210.

JENNINGS, M.K. et ZEIGLER, L.H. (1968). *Political expressionism among high school teachers: The intersection of community and occupational values*. Manuscrit inédit.

JOHNSON, R.D. et DOWNING, L.L. (1979). Deindividuation and valence of cues: Effects in prosocial and antisocial behavior. *Journal of Personality and Social Psychology, 37*, 1532-1538.

JOHNSON, T.D., FEIGENBAUM, R. et WEIBY, M. (1964). Some determinants and consequences of the teacher's perception of causality. *Journal of Educational Psychology, 55*, 237-246.

JONES, E.E. et DAVIS, K.E. (1965). From acts to dispositions. *In* L. Berkowitz (dir.), *Advances in experimental social psychology* (vol. 2). New York: Academic Press.

JONES, E.E., GERGEN, K.J. et DAVIS, K.F. (1962). Some determinants of reactions to being approved or disapproved as a person. *Psychological Monographs, 76*, (2, n° 521 entier).

JONES, E.E., GERGEN, K.J., GUMPERT, P. et THIBAUT, J. (1965). Some conditions affecting the use of ingratiation to influence performance evaluation. *Journal of Personality and Social Psychology, 1*, 613-625.

JONES, E.E., JONES, R.G. et GERGEN, K.J. (1963). Tactics of ingratiation among leaders and subordinates in a status hierarchy. *Psychological Monographs, 77*, (3, n° 566 entier).

JONES, E.E. et NISBETT, R.E. (1971). *The actor and the observer: Divergent perceptions of the cause of behavior*. Morristown, NJ: Silver Burdett/General Learning Press.

JONES, E.E. et PITTMAN, T.S. (1982). Toward a general theory of strategic self presentation. *In* J. Suls (dir.), *Psychological perspectives on the self*. Hillsdale, NJ: Lawrence Erlbaum.

JONES, E.E. et SIGALL, H. (1971). The bogus pipeline: A new paradigm for measuring affect and attitude. *Psychological Bulletin, 76,* 349-364.

JONES, R. et BREHM, J.W. (1970). Persuasiveness of one -and two-sided communications as a function of awareness there are two sides. *Journal of Experimental Social Psychology, 6 ,* 47-56.

JONES, R., LINDER, D., KIESLER, C. ZANNA, M. et BREHM, J. (1968). Internal states or external stimuli: Observer's attitude judgments and the dissonance theory-self-persuasion controversy. *Journal of Experimental Social Psychology, 4,* 247-269.

JONES, S.C. (1973). Self and interpersonal evaluations: Esteem theories versus consistency theories. *Psychological Bulletin, 79,* 185-199.

JONES, S.C. et PANITCH, D. (1971). The self-fulfilling prophecy and interpersonal attraction. *Journal of Experimental Social Psychology, 7,* 356-366.

JONES, S.C. et REGAN, D.T. (1971). Ability evaluation through social comparison. *Journal of Experimental Social Psychology, 10,* 133-146.

JORDAN, N. (1953). Behavioral forces that are a function of attitudes and of cognitive organization. *Human Relations, 6,* 273-288.

JORGENSON, D.O. (1978). Measurement of desire for control of the physical environment. *Psychological reports, 42,* 321-322.

JOSHI, P. et de GRÂCE, G.-R. (1985). Estime de soi, dépression, solitude et communication émotive selon la durée du chômage. *Revue québécoise de psychologie, 6* (3), 3-21.

JOSHI, P., de GRÂCE, G.-R. et BEAUPRÉ, C. (1989). Nature des contacts avec les amis et solitude chez les personnes âgées vivant dans la communauté. *Cahiers internationaux de psychologie sociale, 4,* 11-25.

JOURARD, S.M. (1971). *La transparence de soi.* Québec: Éditions Saint-Yves. 1974.

JUDD, C.M. et HARACKIEWICZ, J.M. (1980). Contrast effects in attitude judgment: An examination of the accentuation hypothesis. *Journal of Personality and Social Psychology, 38,* 390-398.

JULIAN, J.W., BISHOP, D.W. et FIEDLER, F.E. (1966). Quasi-therapeutic effects of intergroup competition. *Journal of Personality and Social Psychology, 3,* 321-327.

JUSTICE, B. et DUNCAN, D. (1976). Life crises as precursors to child abuse. *Public Health Reports, 91,* 110-115.

JUTRAS, S. (1977). *L'influence de variables individuelles sur la carte psychologique d'un groupe de Montréalais.* Mémoire inédit. Université de Montréal, Montréal.

JUTRAS, S. (1982). *La préoccupation écologique. Définition et prédiction du construit.* Thèse de doctorat inédite. Université de Montréal.

JUTRAS, S. (1983a). L'intervention environnementale: une affaire de compétence. *Psychologie canadienne, 24,* 37-45.

JUTRAS, S. (1983b). La salle d'attente: un mal inévitable? *Le médecin du Québec, 18* (1), 47-55.

JUTRAS, S. (1985). Acquérir la compétence pour agir sur l'environnement physique. *Revue canadienne de santé mentale communautaire, 4,* 125-137.

JUTRAS, S. (1987). L'IPAH, version canadienne-française de l'échelle de Levenson mesurant le lieu de contrôle tridimensionnel. *Revue canadienne des sciences du comportement, 19,* 74-85.

JUTRAS, S. (1990). Caregiving for the elderly: the partnership issue. *Social Science & Medicine, 31* (7), 763-771.

JUTRAS, S. et VEILLEUX, F. (1991). Informal caregiving: correlates of perceived burden. *Canadian Journal on Aging, 10* (1), 40-55.

KAGAN, J. et MOSS, H.A. (1962). *Birth to maturity.* New York: John Wiley & Sons

KAHLE, L.R. et BERMAN, J.J. (1979). Attitudes cause behaviors: A cross-lagged panel analysis. *Journal of Personality and Social Psychology, 37,* 315-321.

KAHNEMAN, D. et TVERSKY, A. (1973). On the psychology of prediction. *Psychological Review, 80,* 237-251.

KAHN, G.R. et KATZ, D. (1953). Leadership practices in relation to productivity and morale. *In* D. Cartwright et A. Zander (dir.), *Group dynamics: Research and theory.* Evanston, IL: Row, Peterson.

KALVEN, H., Jr. et ZEISEL, H. (1966). *The American jury.* Chicago: University of Chicago Press.

KANDEL, D.B. (1978). Similarity in real-life adolescent friendship pairs. *Journal of Personality and Social Psychology, 36,* 306-312.

KANE, T.R., JOSEPH, J.M. et TEDESCHI, J.T. (1976). Person perception and the Berkowitz paradigm for the study of aggression. *Journal of Personality and Social Psychology, 33,* 663-673.

KANNER, A.D., COYNE, J.C., SCHAEFFER, C. et LAZARUS, R.S. (1981). Comparison of two modes of stress measurement: daily hassles and uplifts versus major life events. *Journal of Behavioral Medicine, 4,* 1-39.

KANTER, R.M. (1977). *Men and women of the corporation.* New York: Basic.

KAPLAN, R.M. et SINGER, R.D. (1976). TV violence and viewer aggression. *Journal of Social Issues, 32,* 35-70.

KAPLOWITZ, S.A. (1978). Toward a systematic theory of power attribution. *Social Psychology, 41,* 131-148.

KARDINER, A. et OVESEY, L. (1951). *The mark of oppression.* New York: W.W. Norton.

KARR, R.G. (1975). *Homesexual labeling: An experimental analysis.* Thèse de doctorat inédite. University of Washington, Seattle.

KARR, R.G. (1978). Homosexual labeling and the male role. *Journal of Social Issues, 34,* 73-83.

KARYLOWSKI, J. (1976). Self-esteem, similarity liking and helping. *Personality and Social Psychology Bulletin, 2,* 71-74.

KATZ, A.M. et HILL, R. (1958). Residential propinquity and marital selection: A review of theory, method, and fact. *Marriage and Family Living, 20,* 27-35.

KATZ, D. et STOTLAND, E. (1959). A preliminary statement of a theory of attitude structure and change. *In* S. Koch (dir.), Psychology: A study of science (vol. 3). New York: McGraw-Hill.

KATZ, I., COHEN, S. et GLASS, D.C. (1975). Some determinants of cross-racial helping behavior. *Journal of Personality and Social Psychology, 32,* 964-970.

KATZ, I. et GLASS, D.C. (1979). An ambivalence-amplification theory of behavior toward the stigmatized . *In* W.G. Austin et S. Worchel (dir.), *The social psychology of intergroup relations.* Monterey, CA: Brooks/Coles.

KEASEY, C.B. et TOMLINSON-KEASEY, C. (1973). Petition signing in a naturalistic setting. *Journal of Social Psychology, 89,* 313-314.

KEEFE, M. et O'REILLY, H. (1976). Changing perspectives in sex crimes investigation. *In* M. Walker et S. Brodsky (dir.), *Sexual assault.* Lexington, MA: Lexington Books.

KELLEY, H.H. (1952). *Causal schemata and the attribution process.*

Morristown, NJ: Silver Burdett/General Learning Press.

KELLEY, H.H. (1967). Attribution theory in social psychology. In D. Levine (dir.), Nebraska Symposium on Motivation (vol. 15). Lincoln: University of Nebraska Press.

KELLEY, H.H. (1972). Deux fonctions de groupes de référence. In A. Lévy (dir.), Psychologie sociale, textes fondamentaux anglais et américains. Paris: Dunod, 1965.

KELLEY, H.H., (1973). The processes of causal attribution. American Psychologist, 28, 107-128.

KELLEY, H.H. et STAHELSKI, A.J. (1970). Social interaction basis of cooperators' competitors' beliefs about others. Journal of Personality and Social Psychology, 16, 66-91.

KELMAN, H.C. (1958). Compliance, identification and internalization: Three processes of opinion change. Journal of Conflict Resolution, 2, 51-60.

KELMAN, H.C. (1961). Processes of opinion change. Public Opinion Quarterly, 25, 57-78.

KELMAN, H.C. (1968). A time to speak: On human values and social research. San Francisco: Jossey-Bass.

KELMAN, H.C. (1974). Attitudes are alive and well and gainfully employed in the sphere of action. American Psychologist, 29, 310-335.

KELMAN, H.C. (1977). Privacy and research with human beings. Journal of Social Issues 33, 169-195.

KELMAN, H.C. et COHEN, S.P. (1979). Reduction of international conflict: An international approach. In W.G. Austin et S. Worchel (dir.), The social psychology of intergroup relations. Monterey, CA: Brooks/Cole.

KELMAN, H.C. et HOVLAND, C.I. (1953). "Reinstatement" of the communicator in delayed measurement of opinion change. Journal of Abnormal Psychology and Social Psychology, 48, 327-335.

KENDRICK, D.T., BAUMAN, D.J. et CIALDINI, R.B. (1979). A step in the socialization of altruism as hedonism: Effects of negative mood on children's generosity under public and private conditions. Journal of Personality and Social Psychology, 37, 747-755.

KENDRICK, D.T. et GUTIERRES, S.E. (1980). Contrast effects and judgments of physical attractiveness: When beauty becomes a social problem. Journal of Personality and Social Psychology, 38, 131-140.

KERCKHOFF, A.C. (1974). The social context of interpersonal attraction. In T. Huston (dir.), Foundations of interpersonal attraction. New York: Academic Press.

KERCKHOFF, A.C. et BACK, K.W. (1968).The June bug: A study of hysterical contagion. New York: Appleton-Century-Crofts.

KERCKHOFF, A.C. et DAVIS, K. (1962). Values consensus and need complimentarity in mate selection. American Sociological Review, 27, 295-303.

KEROUAC, A.,TAGGART, M.E. et LESCOP, J. (1986). Portrait de la santé de femmes violentées. Montréal: Faculté des sciences infirmières, Université de Montréal.

KESSLER, S. et McKENNA, W. (1979). Gender. New York: John Wiley & Sons.

KETTERER, R.F., PRICE, R.H. et POLITSER, P.E. (1980). The action research paradigm. In R.H. Price et P.E. Politser (dir.), Evaluation and action in the social environment. New York: Academic Press.

KEYES, R. (1980). The height of your life. Boston: Little Brown.

KIDD, R.F. et BERKOWITZ, L. (1976). Effect of dissonance arousal on helpfulness. Journal of Personality and Social Psychology, 33, 613-622.

KIDDER, L.H. et COHN, E.S. (1979). Public views of crime and crime prevention. In I. Frieze, D. Bar-Tal et J. Carroll (dir.), New approaches to social problems. San Francisco: Jossey-Bass.

KIESLER, C.A. (1971). The psychology of commitment. New York: Academic Press.

KIESLER, S. et BARAL, R. (1970). The search for a romantic partner: The effects of self-esteem and physical attractiveness on romantic behavior. In K.J. Gergen et D. Marlowe (dir.), Personality and social bahavior. Reading, MA: Addison-Wesley.

KILTER, T.A. et GROSS, A.E. (1975). Effects of public and private deviancy on compliance with a request. Journal of Experimental Social Psychology, 11, 553-559.

KING, B. et JANIS, I.L. (1956). Comparison of the effectiveness of improvised vs. nonimprovised role-playing in producing opinion changes. Human Relations, 9, 177-186.

KING, M.L. (1968). The role behavioral scientist in the civil rights movement. American Psychologist, 23, 180-186.

KINNEY, E.E. (1953). Study of peer group social acceptability at the fifth-grade level at a public school. Journal of Educational Research, 47, 57-64.

KIPNIS, D. (1972). Does power corrupt? Journal of Personality and Social Psychology, 24, 33-41.

KIPNIS, D., CASTELL, P., GERGEN, M.M. et MAUCH, D. (1976). Metamorphic effects of power. Journal of Applied Psychology, 61, 127-135.

KIPNIS, D. et COSENTINO, J. (1969). Use of leadership powers in industry. Journal of Applied Psychology, 53, 460-466.

KISSEL, S. (1965). Stress reducing properties of social stimuli. Journal of Personality and Social Psychology, 2, 378-384.

KLEINKE, C.L. (1979). Effects of personal evaluations. In G.J. Chelune (dir.), Self-disclosure. San Francisco: Jossey-Bass.

KLEINKE, C.L. et POHLEN, P.D. (1971). Affective and emotional responses as a function of other person's gaze and cooperativeness in a two-person game. Journal of Personality and Social Psychology, 17, 308-313.

KNIVETON, B.H. (1973). The effect of rehearsal delay on long-term imitation of filmed aggression. British Journal of Psychology, 64, 259-265.

KNOX, R.E. et SAFFORD, R.K. (1976). Group caution at the racetrack. Journal of Experimental Social Psychology, 12, 317-324.

KNUDSON, R.M., SOMMERS, A.A. et GOLDING, S.L. (1980). Interpersonal perception and mode of resolution in marital conflict. Journal of Personality and Social Psychology, 38, 751-763.

KOBASA, S.C. (1979). Stressful life events, personality and health: An inquiry into hardiness. Journal of Personality and Social Psychology, 37, 1-11.

KOBASA, S.C., MADDI, S.R. et KAHN, S. (1982). Hardiness and health: A prospective study. Journal of Personality and Social Psychology, 42, 168-177.

KOESKE, G.F. et CRANO, W.D. (1968). The effects of congruous and incongruous source statement combinations upon the judged credibility of a communication. Journal of Experimental Social Psychology, 4, 384-399.

KOFFKA, K. (1935). Principles of Gestalt psychology. New York: Harcourt Brace Jovanovich.

KOHLBERG, L. (1965). Relationship between the development of moral judgment and moral conduct. Communication présentée au Symposium for Research in Child Development, Minneapolis.

KOHLER, W. (1947). Psychologie de la forme: introduction à de nouveaux concepts en psychologie. Paris: Gallimard, 1964.

KOLLER, P.S. et KAPLAN, R.M. (1978). A two-process theory of learned helplessness. Journal of Personality and Social Psychology, 36, 1177-1183.

KOMORITA, S.S. et KRAVITZ, D.A. (1979). The effects of alternatives in bargaining. Journal of Experimental Social Psychology, 15, 147-157.

KOMORITA, S.S., SWEENEY, J. et KRAVITZ, D.A. (1980). Cooperative choice in the N-person dilemma situation. Journal of Personality and Social Psychology, 38, 504-516.

KONEČNI, V.J. (1972). Some effects of guilt on compliance: A field replication. Journal of Personality and Social Psychology, 23, 30-32

KONEČNI, V.J. (1975). The mediation of aggressive behavior: Arousal level versus anger and cognitive labelling. Journal of Personality and Social Psychology, 32, 706-712.

KONEČNI, V.J. (1979). The role of adversive events in the development of intergroup conflict. In W.G. Austin et S. Worchel (dir.), The social psychology of intergroup relations. Monterey, CA: Brooks/Cole.

KORES, R.M., MURPHY, W.D., ROSENTHAL, T.L., ELIAS, D.B. et NORTH, W.M. (1990). Predicting outcome of chronic pain treatment via a modified self-efficacy scale. Behaviour Research and Therapy, 28, 165-169.

KORETZKY, M.B., KOHN, M. et JEGER, A.M. (1978). Cross-situational consistency among problem adolescent: An application of the two-factor model. Journal of Personality and Social Psychology, 36, 1054-1059.

KOSLIN, S., AMAREL, M. et AMES, N. (1969). A distance measure of racial attitudes in primary grade children: An explanatory study. Psychology in the Schools, 6, 382-385.

KOTHANDAPANI, V. (1971). Validation of feeling, belief and intention to act as three components of attitude and their contribution to prediction of contraceptive behavior. Journal of Personality and Social Psychology, 19, 321-333.

KRAMER, B.M. (1950). Residential contact as a determinant of attitude towards Negroes. Thèse de doctorat inédite. Harvard University, Cambridge, MA.

KRANTZ, D., BAUM, A. et WIDEMAN, M.V. (1980). Assessment of preferences for self-treatment and information in health care. Journal of Personality and Social Psychology, 39, 977-990.

KRANTZ, S. (1983). Cognitive appraisals and problem-directed coping: A prospective study of stress. Journal of Personality and Social Psychology, 44, 638-643.

KRAUSS, R.M. et DEUTSCH, M. (1966). Communication in interpersonal bargaining. Journal of Personality and Social Psychology, 4, 572-577.

KRAVETZ, D. et SARGENT, A.G. (1977). Consciousness raising groups: A resocialization process for personal and social change. In A.G. Sargent (dir.), Beyond sex roles. Saint-Paul: West.

KREBS, D. (1975). Empathy and altruism. Journal of Personality and Social Psychology, 32, 1134-1146.

KREBS, D. et ADINOLFI, A. (1975). Physical attractiveness, social relations, and personality style. Journal of Personality and Social Psychology, 31, 245-253.

KRISS, M., INDENBAUM, E. et TESCH, F. (1974). Message type and status of interactants as determinants of telephone helping behavior. Journal of Personality and Social Psychology, 30, 856-859.

KRULEWITZ, J.E. et NASH, J.E. (1980). Effects of sex role attitudes and similarity on men's rejection of male homosexuals. Journal of Personality and Social Psychology, 38, 67-74.

KRYTER, K. (1970). The effects of noise on man. New York: Academic Press.

KUHN, T.S. (1970).The structure of scientific revolution (édition révisée). Chicago, IL: University of Chicago Press.

KULKA, R.A. et WEINGARTEN, H. (août 1979). The long-term effects of parental divorce in childhood on adult adjustment: A twenty year perspective. Communication présentée à l'assemblée annuelle de l'American Sociological Association, Boston.

KURDEK, L. (1978). Perspective taking as the cognitive basis of children's moral development: A review of the literature. Merrill-Palmer Quarterly, 24, 3-28.

LACROIX, A.Z. et HAYNES, S.G. (1987). Gender differences in the stressfulness of workplace roles: a focus on work and health. In R. Barnett, G. Baruch et L. Biener (dir.), Gender and stress. New York: Free Press.

LAFRANCE, M. et CARMEN, B. (1980). The nonverbal display of psychological androgyny. Journal of Personality and Social Psychology, 38, 36-49.

LAMARCHE, J., RIOUX, M. et SÉVIGNY, R. (1973). Aliénation et idéologie dans la vie quotidienne des Montréalais francophones. Montréal: Presses de l'Université de Montréal.

LAMARCHE, L. et TOUGAS, F. (1979). Perception des raisons de la pauvreté par des Montréalais canadiens-français. Revue canadienne des sciences du comportement, 11, 72-78.

LAMBERT, R. (1978). Situations of uncertainty: Social influence and decision processes. In H. Brandstätter, J.H. Davis et H. Schuler (dir.), Dynamics of group decisions. Beverly Hills, CA: Sage.

LAMBERT, W.E., MERMIGIS, L. et TAYLOR, D.M. (1986). Greek Canadians' attitudes towards own group and other Canadian ethnic groups: a test of the multicultural hypothesis. Canadian Journal of Behavioural Science, 18, 35-51.

LAMBERT, W.E. et TAYLOR, D.M. (1990). Coping with cultural and racial diversity in urban America. New York: Praeger.

LAMM, H. (1967). Will an observer advise higher risk taking after hearing a discussion of the decision problem? Journal of Personality and Social Psychology, 6, 467-471.

LANDRY, S. (1990). De l'insertion des femmes dans les hautes sphères des organisations. In R. Tessier et Y. Tellier (dir.), Priorités actuelles et futures. Sillery, Québec: Presses de l'Université du Québec.

LANDY, D. et SIGALL, H. (1974). Beauty is talent: Task evaluation as a function of the performer's physical attractiveness. Journal of Personality and Social Psychology, 29, 299-304.

LANE, R. (1965). The need to be liked and the anxious college liberal. Annals, 361, 71-80.

LANE, R. (1976). Criminal violence in America: The first hundred years. Annals of the American Academy of Political and Social Science, 423, 1-13.

LANGER, E. et ABELSON, R.P. (1972). The semantics of asking for a favor: How to succeed in getting help without really dying. Journal of Personality and Social Psychology, 24, 26-32.

LANGER, E. et SAEGERT, S. (1977). Crowding and cognitive control. *Journal of Personality and Social Psychology, 35,* 175-182.

LANGER, E.J. et RODIN, J. (1976). The effects of choice and enhanced personal responsibility for the aged: A field study in an institutional setting. *Journal of Personality and Social Psychology, 34,* 191-198.

LANTERMAN, E.D. (1976). A theory of environmental competence: architectural and social implications for elderly. *Zeitschrift für Gerontologie, 9,* 433-443.

LANZETTA, J.T., CARTWRIGHT-SMITH, J. et KLECK, R.E. (1976). Effects of nonverbal dissimulation in emotional experience and autonomic arousal. *Journal of Personality and Social Psychology, 33,* 354-370.

L'ARMAND, K. et PEPITONE, A. (1975). Helping to reward another person: A cross-cultural analysis. *Journal of Personality and Social Psychology, 31,* 189-198.

LAROCQUE, S. et MORVAL J. (1987). La régulation de l'intimité. Une enquête dans un contexte urbain. *Revue de psychologie appliquée, 37* (1), 27-47.

LAROUCHE, G. (1985). *Guide d'intervention auprès des femmes violentées.* Montréal: Corporation des travailleurs sociaux du Québec.

LARRANCE, D.T. et TWENTYMAN, C.T. (1983). Maternal attributions and child abuse. *Journal of Abnormal Psychology, 92,* 449-457.

LARSEN, K.S. (1968). Authoritarianism and attitudes toward police. *Psychological Reports, 23,* 349-350.

LARSSON, K. (1956). *Conditioning and sexual behavior in the male albino rat.* Stockholm: Almqvist & Wiksell.

LATANÉ, B. (1970). Field studies of altruistic compliance. *Representative Research in Social Psychology, 1,* 49-62.

LATANÉ, B. (1978). *The psychology of social impact.* Allocution du Président (Society for Personality and Social Psychology) à l'assemblée annuelle de l'American Psychological Association, Toronto.

LATANÉ, B. et CAPPELL, H. (1972). The effects of togetherness on heart rate in rats. *Psychonomic Science, 29,* 177-179.

LATANÉ, B. et DABBS, J. (1975). Sex, group size and helping in three cities. *Sociometry, 38,* 180-194.

LATANÉ, B. et DARLEY, J.M. (1968). Group inhibition of bystander intervention in emergencies. *Journal of Personality and Social Psychology, 10,* 215-221.

LATANÉ, B. et DARLEY, J.M. (1970). *The unresponsive bystander: Why doesn't he help?* New York: Appleton-Century-Crofts.

LATANÉ, B. et NIDA, S. (1980). Social impact theory and group influence: A social engineering perspective. *In* P.B. Paulus (dir.), *Psychology of group influence.* Hillsdale, NJ: Lawrence Erlbaum.

LATANÉ, B. et RODIN, J. (1980). A lady in distress: Inhibiting effects of friends and strangers on bystander intervention. *Journal of Experimental Social Psychology, 5,* 189-202.

LATANÉ, B. et WILLIAMS, K. et HARKINS, S. (1979). Many hands make light the work: The causes and consequences of social loafing. *Journal of Personality and Social Psychology, 37,* 822-832.

LATOUR, B. et WOOLGAR, S. (1979). *Laboratory life: The social construction of scientific facts, 80.* Beverley Hills, CA: Sage.

LAUDERDALE, P. (1976). Deviance and moral boundaries. *American Sociological Review, 41,* 660-676.

LAUGHLIN, P.R. et ADAMOPOULOS, J. (1980). Social combination process and individual learning for six-person cooperative groups on an intellective task. *Journal of Personality and Social Psychology, 38,* 941-947.

LAUGHLIN, P.R. et ADAMOPOULOS, J. (1980). Social decision schemes on intellective tasks. *In* H. Brandstätter, J.H. Davis et G. Stocker-Kreichgauer (dir.), *Contemporary problems in group decision making.* New York: Academic Press.

LAUGHLIN, P.R., KERR, N.L., DAVIS, J.H., HAFF, H.M. et MARCINIAK, K.A. (1975). Group size, member ability, and social decision schemes on an intellective task. *Journal of Personality and Social Psychology, 31,* 522-535.

LAVOIE, F. (1983). Les groupes d'entraide. *In* J. Arseneau (dir.), *Psychothérapies Attention!.* Sillery: Québec Science Éditeur/Presses de l'Université du Québec.

LAVOIE, F. (1989). L'évaluation des groupes d'entraide. *In* J.-M. Romeder: Les *groupes d'entraide et la santé: Nouvelles solidarités.* Ottawa: Conseil canadien de Développement social.

LAVOIE, F., JACOB, M., HARDY, M. et MARTIN, G. (1989). Police attitudes in assigning responsibility for wife abuse. *Journal of Family Violence, 4,* 369-388.

LAVOIE, F., MARTIN, G. et VALIQUETTE, C. (1988). Le développement d'une échelle d'attitude envers les femmes violentées par leurs conjoints. *Revue canadienne de santé mentale communautaire, 7* (1), 17-29.

LAWLER, E.E. (1968). Effects of hourly overpayment on productivity and work quality. *Journal of Personality and Social Psychology, 10,* 306-314.

LAWTON, M.P. (1982). Competence, environmental press and adaptation. *In* M.P. Lawton, P.G. Windley et T.O. Byerts (dir.), *Aging and the environment.* New York: Springer.

LAZARUS, R.S. et FOLKMAN, S. (1984). *Stress, appraisal, and coping.* New York: Springer-Verlag.

LAZARUS, R.S., KANNER, A.D. et FOLKMAN, S. (1980). Emotions: A cognitive-phenomenological analysis. *In* R. Plutchik et H. Kellerman (dir.), *Emotion: Theory, research, and experience.* New York: Academic Press.

LEAVITT, H.J. (1951). Quelques effets de divers réseaux de communication sur la performance en groupe. *In* A. Lévy (dir.), *Psychologie sociale, textes fondamentaux anglais et américains.* Paris: Dunod, 1965.

LEBO, C. et OLIPHANT, K. (1968). Music as a source of acoustic trauma. *Laryngoscope, 78,* 1211-1218.

L'ÉCUYER, R. (1978). *Le concept de soi.* Paris: Presses universitaires de France.

L'ÉCUYER, R. (1988). L'évolution de l'estime de soi chez les personnes âgées de 60 à 100 ans. *Revue québécoise de psychologie, 9* (2), 108-127.

L'ÉCUYER, R. (1990 a). Le développement du concept de soi de 0 à 100 ans, cent ans après William James. *Revue québécoise de psychologie, 11* (1-2), 126-167.

L'ÉCUYER, R. (1990 b). *Méthodologie de l'analyse développementale de contenu: Méthode GPS et concept de soi.* Sillery, Québec: Presses de l'Université du Québec.

LEFCOURT, H.M. (1976). *Locus of control: Current trends in theory and research.* Hillsdale, NJ: Lawrence Erlbaum.

LEFF, H.L. (1978). *Experience environment and human potentials.* New York: Oxford University Press.

LEHNE, G.K. (1976). Homophobia among men. *In* D. David et R. Brannon (dir.), *The forty-nine percent* majority: *The male sex role*. Reading, MA: Addison-Wesley.

LEISTER, A.F., BORDEN, D. et FIEDLER, F.E. (1977). The effect of contingency model leadership training on the performance of navy leaders. *Academy of Management Journal, 20*, 464-470.

LEMYRE, L. (1989). Stresseurs et santé mentale: analyse contextuelle de la pauvreté. *Santé mentale au Québec, 14* (2), 120-127.

LEMYRE, L. et SMITH P.M. (1985). Intergroup discrimination and self-esteem in the minimal group paradigm. *Journal of Personnality and Social Psychology, 49* (3), 660-670.

LEMYRE, L. et TESSIER, R. (1988). Mesure de stress psychologique (MSP): se sentir stressé. *Revue canadienne des sciences du comportement, 20*, 302-321.

LENROW, P.B. (1965). Studies in sympathy. *In* S.S. Tomkins et C.E. Izard (dir.), *Affect, cognition, and personality*. New York: Springer.

LENROW, P.B. (1978). Dilemmas of professional helping: Continuities and discontinuities with folk helping roles. *In* L. Wispé (dir.), *Altruism, sympathy and helping*. New York: Academic Press.

LERNER, M.J. (1970). The desire for justice and reactions to victims. *In* J.R. Macaulay et L. Berkowitz (dir.), *Altruism and helping behavior*. New York: Academic Press.

LERNER, M.J. et AGAR, E. (1972). The consequences of perceived similarity: Attraction and rejection, approach and avoidance. *Journal of Experimental Research in Personality, 6*, 69-75.

LESHNER, A.I. (1978). *An introduction to behavioral endocrinology*. New York: Oxford University Press.

LESSARD, M. et JUTRAS, S. (1984). *La qualité de l'environnement perçue par les résidents de Chisasibi. Résultats*. Montréal: Faculté de l'Aménagement, Université de Montréal.

LESSER, G.S. et ABELSON, R.P. (1959). Personality correlates of persuasibility in children. *In* I.L. Janis et C.I. Hovland (dir.), *Personality and persuasibility*. New Haven, CT: Yale University Press.

LEVENSON, H. (1981). Differentiating among internality, powerful others, and chance. *In* H.M. Lefcourt (dir.), *Research with the locus of control construct* (vol. 1). New York: Academic Press.

LEVENTHAL, G.W. (1980). What should be done with equity theory? New approaches to the study of fairness in social relationships. *In* K.J. Gergen, M.S. Greenberg et R.H. Willis (dir.), *Social exchange: Advances in theory and research*. New York: Plenum Press.

LEVENTHAL, G.W. et LANE, D.W. (1970). Sex, age, and equity behavior. *Journal of Personality and Social Psychology, 15*, 312-316.

LEVENTHAL, H. (1970). Findings and theory in the study of fear communications. *In* L. Berkowitz (dir.), *Advances in experimental social psychology* (vol. 5). New York: Academic Press.

LEVENTHAL, H. NERENZ, D. et STEELE, D. (1984). Illness representations and coping with health threats. *In* A. Baum, S. Taylor et J. Singer (dir.), *Handbook of psychology and health*. Hillsdale, NJ: Lawrence Erlbaum.

LEVENTHAL, H., NERENZ, D. et STRAUSS, A. (1980). Self-regulation and mechanisms for symptom appraisal. *In* D. Mechanic (dir.), *Psychosocial epidemiology*. New York: Neal Watson.

LEVENTHAL, H. et NILES, P. (1965). Persistence of influence for varying durations of exposure to threat stimuli. *Psychological Reports, 16*, 223-233.

LEVENTHAL, H. et PERLOE, S. (1962). A relationship between self-esteem and persuasibility. *Journal of Abnormal and Social Psychology, 64*, 385-388.

LEVENTHAL, H. et SINGER, R.P. (1966). Affect arousal and positioning of recommendations in persuasive communications. *Journal of Personality and Social Psychology, 6*, 313-321.

LEVENTHAL, H., WATTS, J.C. et PAGANO, F. (1967). Effects of fear and instructions on how to cope with danger. *Journal of Personality and Social Psychology, 6*, 313-321.

LEVINE, A. et CRUMRINE, J. (1975). Women and the fear of success: A problem in replication. *American Journal of Sociology, 80*, 964-974.

LEVINE, J.M. (1980). Reaction to opinion deviance in small groups. *In* P.B. Paulus (dir.), *Psychology of group influence*. Hillsdale, NJ: Lawrence Erlbaum.

LEVINE, M. (1982). You-are-here maps: Psychological considerations. *Environment and Behavior, 14*, 221-237.

LEVINE, M., MARCHON, I. et HANLEY, G. (1984). The placement and misplacement of you-are-here maps. *Environment and Behavior, 14*, 333-351.

LEVINGER, G. (1974). A three-level approach to attraction: Toward an understanding of pair relatedness. *In* T.L. Huston (dir.), *Foundations of interpersonal attraction*. New York: Academic Press.

LEVINGER, G. (1976). A social psychological perspective on marital dissolution. *Journal of Social Issues, 32*, 21-47.

LEVINGER, G. et HUESMANN, L.R. (1980). An "incremental exchange" perspective on the pair relationship. *In* K.J. Gergen, M. Greenberg et R.H. Willis (dir.), Social exchange: *Advances in theory and research*. New York: Plenum Press.

LEVINGER, G. et SNOEK, J.D. (1972). *Attraction in relationships: A new look at interpersonal attraction*. Morristown, NJ: Silver Burdett/General Learning Press.

LEVINSON, D.J. et HUFFMAN, P.E. (1955). Traditional family ideology and its relation to personality. *Journal of Personality, 23*, 251-273.

LEVITT, E.E. et KLASSEN, A.D. (1974). Public attitudes toward homosexuality. *Journal of Homosexuality, 1*, 29-43.

LEVY, P., LUNDGREN, D., ANSEL, M., FELL, D., FINK, B. et McGRATH, J.E. (1972). Bystander effect in a demand-without-threat situation. *Journal of Personality and Social Psychology, 24*, 166-171.

LEWALLEN, L. P. (1989). Health beliefs and health practices of pregnant women. *Journal of Obstetric, Gynecologic, and Neonatal Nursing*, mai-juin, 245-246.

LEWIN, K. (1941). Self hatred among Jews. *Contemporary Jewish Record, 4*, 219-232.

LEWIN, K. (1951). *Field theory in social sciences*. New York: Harper & Row.

LEWIS, M. et BROOKS-GUNN, J. (1979). *Social cognition & the acquisition of self*. New York: Plenum Press.

LEWIS, W.H. (1961). Feuding and social change in Morocco. *Journal of Conflict Resolution, 5*, 43-54.

LEY, P. (1977). Psychological studies of doctor-patient communication. *In* S. Rachman (dir.), *Contributions to medical psychology*. New York: Pergamon.

LEYENS, J.P. et PARKE, R.E. (1975). Aggressive slides can induce a weapons effect. *European Journal of Social Psychology, 5*, 229-236.

LIEBLING, B.A. et SHAVER, P. (1973). Evaluation, self-awareness and task performance. *Journal of Experimental Social Psychology, 9*, 297-306.

LINDSKOLD, S. (1979). Managing conflict through announced conciliatory initiatives backed with retaliatory capability. *In* W. Austin et S. Worchel. *The social psychology of intergroup relations*. Monterey, CA: Brooks/Coles.

LINSENMEIER, J.A.W. et WORTMAN, C. (1979). Attitudes toward workers and toward their work: More evidence that sex makes a difference. *Journal of Applied Social Psychology, 9*, 326-334.

LINVILLE, P.W. et JONES, E.E. (1980). Polarized appraisals of outgroup members. *Journal of Personality and Social Psychology, 38*, 689-703.

LIPETZ, M.E., COHEN, I.H., DWORKIN, J. et ROGERS, L.S. (1970). Need complementarity, marital stability and mental satisfaction. *In* K.J. Gergen et D. Marlowe (dir.), *Personality and social behavior*. Reading, MA: Addison-Wesley.

LIPPITT, R. et WHITE, R.R. (1972). Une étude expérimentale du commandement et de la vie de groupe. *In* A. Lévy (dir.), *Psychologie sociale. Textes fondamentaux*. Paris: Dunod.

LIPPMANN, W. (1922). *Public opinion*. New York: Harcourt Brace Jovanovich.

LIPSEY, M.W. (1977). Attitudes toward the environment and pollution. *In* S. Oskamp (dir.), *Attitudes and opinions*. Englewood Cliffs, NJ: Prentice-Hall.

LOCKSLEY, A. et COLTEN, M.E. (1979). Psychological androgyny: A case of mistaken identity. *Journal of Personality and Social Psychology, 37*, 1017-1031.

LOMBARDO, J.P., WEISS, R.F. et STICH, M.H. (1973). Effectance reduction through speaking in reply and its relation to attraction. *Journal of Personality and Social Psychology, 28*, 325-332.

LONDON, H., McSEVENEY, D. et TROPPER, R. (1971). Confidence, overconfidence, and persuasion. *Human Relations, 24*, 359-369.

LONDON, H., MELDMAN, P. et LANCKTON, A.V. (1971). The jury method: How the persuader persuades. *Public Opinion Quarterly, 34*, 171-183.

LONDON, P. (1970). The rescuers: Motivational hypothesis about Christians who saved Jews from the Nazis. *In* J.R. Macauley et L. Berkowitz (dir.), *Altruism and helping behavior*. New York: Academic Press.

LOO, C. (1975). The psychological study of crowding. *American Behavioral Scientist, 18*, 826-842.

LORD, C.G., ROSS, L. et LEPPER, M.R. (1979). Biased assimilation and attitude polarization: The effects of prior theories on subsequently considered evidence. *Journal of Personality and Social Psychology, 37*, 2098-2109.

LORENZ, K. (1966). *L'agression. Une histoire naturelle du mal*. Paris: Flammarion, 1969.

LORENZ, K. (1970). *Essai sur le comportement animal et humain: les leçons de l'évolution de la théorie du comportement*. Paris: Seuil.

LORTIE-LUSSIER, M. (1991). Nouveau regard sur les rêves des femmes. *Journal of Psychiatry and Neuroscience, 16* (3), 154-159.

LORTIE-LUSSIER, M. et CRAMPONT-COURSEAU, B. (1991). De quelques enjeux psychologiques de la féminisation des titres professionnels. *Revue québécoise de psychologie, 12* (1), 59-70.

LORTIE-LUSSIER, M. et DELORME, M.A. (1990). Les représentations de soi dans les rêves des femmes, de l'adolescence à la vieillesse. *Cahiers internationaux de psychologie sociale, 7-8*, 57-71.

LORTIE-LUSSIER, M., GAGNÉ, D. et ROBERGE, S. (1984). Le comportement des témoins d'un vol à l'étalage: des apparences trompeuses. *Revue canadienne des sciences du comportement, 16*, 181-190.

LORTIE-LUSSIER, M., LEMIEUX, S. et GODBOUT, L. (1989). Reports of a public manifestation: Their impact according to minority influence theory. *Journal of Social Psychology, 129*, 285-295.

LOTT, A.J. et LOTT, B.E. (1961). Group cohesiveness, communication level, and conformity. *Journal of Abnormal and Social Psychology, 62*, 408-412.

LOTT, A.J. et LOTT, B.E. (1965). Group cohesiveness as interpersonal attraction: A review of relationships with antecedent and consequent variables. *Psychological Bulletin, 64*, 259-309.

LUBEK, I. (1979). Aggression. *In* A.R. Buss (dir.), *Psychology in social context*. New York: Irvington.

LUCE, R.D. et RAIFFA, H. (1957). *Games and decisions*. New York: John Wiley & Sons.

LUSSIER, Y. et ALAIN, M. (1986). Attribution et vécu émotionnel post-divorce. *Revue canadienne des sciences du comportement, 18*, 248-256.

LYNCH, J.G. et COHEN, J.L. (1978). The use of subjective expected utility theory as an aid to understanding variables that influence helping behavior. *Journal of Personality and Social Psychology, 36*, 1138-1151.

LYNCH, K. (1960). *L'image de la cité*. Paris: Dunod, 1971.

LYNN, D.B. (1959). A note on sex differences in the development of masculine and feminine identification. *Psychological Review, 66*, 126-135.

LYTTON, H. et ROMNEY, D.M. (1991). Parents' differential socialization of boys and girls: A meta-analysis. *Psychological Bulletin, 109* (2), 267-296.

MAASS, A. et CLARK, R.D. (1984). Hidden impact of minorities: fifteen years of minority influence research. *Psychological Bulletin, 95*, 428-450.

MAASS, A., CLARK, R.D. et HABERKORN, G. (1982). The effects of differential ascribed category membership and norms on minority influence. European *Journal of Social Psychology, 12*, 89-104.

MACAULAY, J.R. (1970). A shill for charity. *In* J.R. Macaulay et L. Berkowitz (dir.), *Altruism and helping behavior*. New York: Academic Press.

MACCOBY, E. (1980). Social development: *Psychological growth and the parent-child relationship*. New York: Harcourt Brace Jovanovich.

MACCOBY, E.E. et JACKLIN, C.N. (1974). *The psychology of sex differences*. Stanford: Stanford University Press.

MacDONALD, A.P. (1970). Anxiety, affiliation, and social isolation. *Developmental Psychology, 3*, 242-254.

MacDONALD, A.P. (1976). Homophobia: Its roots and meaning. *Homosexual Counseling Journal, 3*, 23-33.

MacLEOD, L. (1980). *La femme battue au Canada: un cercle vicieux*. Ottawa: Conseil consultatif canadien sur la situation de la femme.

MacLEOD, L. (1987). *Battered but not beaten: Preventing wife battering in Canada*. Otttawa: Canadian Advisory Council on the Status of Women

MAGNUSSON, D. et ENDLER, N.S. (dir.) (1977). *Personality at the crossroads: Current issues in interactional psychology*. Hillsdale, NJ: Lawrence Erlbaum.

MAIER, S. et LAUDENSLAGER, M. (1985). Stress and health: Exploring the links. *Psychology Today, 19*, 44-50.

MAISEL, R. (1969). *Report of the continuing audit of public attitudes and concerns*. Manuscrit inédit. Harvard Medical Laboratory of Community Psychiatry, Cambridge, MA.

MAJOR, B. et ADAMS, J.B. (1983). Role of gender, interpersonal orientation, and self-presentation in distributive justice behavior. *Journal of Personality and Social Psychology, 45,* 598-608.

MALINOWSKI, B. (1922). *Les Argonautes du Pacifique occidental.* Paris: Gallimard, 1963.

MALONEY, M.P., WARD, M.P. et BRAUCHT, G.N. (1975). A revised scale for the measurement of ecological attitudes and knowledge. *American psychologist, 30,* 787-790.

MANN, F. et BAUMGARTEL, H. (1952). *Absence and employee attitudes in an electric power company.* Ann Arbor, MI: Institute for Social Research.

MANNING, M.M. et WRIGHT, T.L. (1983). Self-efficacy expentancies, outcome expentancies, and the persistence of pain control in childbirth. *Journal of Personality and Social Psychology, 45,* 421-431.

MARGOLIN, L. et WHITE, L. (1987). The continuing role of physical attractiveness in mariage. *Journal of Marriage and the Family, 49,* 21-27.

MARKUS, H. (1977). Self-schemata and processing information about the self. *Journal of Personality and Social Psychology, 35,* 63-78.

MARKUS, H. et SENTIS, K.P. (1982). The self in social information processing. *In* J. Suls (dir.), *Psychologic perspectives on the self* (vol. 1). Hillsdale, NJ: Lawrence Erlbaum.

MARLOWE, D., GERGEN, K.J. et DOOB, A.N. (1966). Opponent's personality, expectation of social interaction, and interpersonal bargaining. *Journal of Personality and Social Psychology, 3,* 206-213.

MARQUART, D.I. (1955). Group problem solving. *Journal of Social Psychology, 41,* 103-113.

MARQUIS, D.G., GUETZKOW, H. et HEYNS, R.W. (1951). A social psychological study of the decision-making conference. *In* H. Guetzkow (dir.), Groups, leadership, and men: *Research in human relations.* Pittsburg: Carnegie Press.

MARROW, A.J. (1969). *The practical theorist: The life and work of Kurt Lewin.* New York: Basic Books.

MARSDEN, H.M. (1972). Crowding and animal behavior. *In* J.F. Wohlwill et D.H. Carson (dir.), *Environment and the social sciences: Perspectives and applications.* Washington, DC: American Psychological Association.

MARSH, H.W. et PARKER, J.W. (1984). Determinants of student self concept: Is it better to be a relatively large fish in a small pond even if you don't learn to swim as well? *Journal of Personality and Social Psychology, 47,* 213-221.

MARSH, P., ROSSER, E. et HARRÉ, R. (1978). *The rules of disorder.* London: Routledge & Kegan Paul.

MARTENS, R. (1969). Palmar sweating and the presence of an audience. *Journal of Experimental Social Psychology, 5,* 371-374.

MARTIN, R. et LEFCOURT, H. (1983). Sense of humor as a moderator of the relation between stressors and moods. *Journal of Personality and Social Psychology, 45,* 1313-1324.

MARTINDALE, C. (1975). *The romantic progression: Psychology of literary history.* New York: Halsted Press.

MARWELL, G. et HAGE, J. (1970). The organization of role relationships: A systematic description. American Sociological Review, 35, 884-900.

MARWELL, G., RATCLIFF, K. et SCHMITT, D.R. (1969). MInimizing differences in a maximizing difference game. *Journal of Personality and Social Psychology, 12,* 158-163.

MARX, T. (1969). *Protest and prejudice: A study of belief in a black community.* New York: Harper & Row.

MASLACH, C. (1979). Negative emotional biasing of unexplained arousal. *Journal of Personality and Social Psychology, 37,* 953-969.

MASLACH, C. et JACKSON, S. (1984). Burnout in organizational settings. *Applied Social Psychology, 5,* 133-153.

MASLACH, C. et SOLOMON, T. (1977). *Pressures toward dehumanization from within and without.* Manuscrit inédit. University of California, Berkeley.

MATTHEWS, K.E. et CANON, L.K. (1975). Environmental noise level as a determinant of helping behavior. *Journal of Personality and Social Psychology, 32,* 571-577.

MATTHEWS, K.A., GLASS, D.C., ROSENMAN, R.H. et BORTNER, R. (1977). Competitive drive, pattern A, and coronary heart disease: A further analysis of some data from the Western Collaborative Group Study. *Journal of Chronic Diseases, 30,* 489-498.

MAYER, R. et OUELLET, F. (1991). *Méthodologie de recherche pour les intervenants sociaux.* Boucherville: Gaëtan Morin.

MAYER-RENAUD, M. et BERTHIAUME, M. (1985). *Les enfants du silence. Revue de la littérature sur les négligences à l'égard des enfants.* Montréal: Centre de services sociaux du Montréal métropolitain.

MAYKOVICH, M.K. (1975). Correlates of racial prejudice. *Journal of Personality and Social Psychology, 32,* 1014-1020.

MAYO, E. et LOMBARD, G.F.F. (1944). *Teamwork and labor turnover in the aircraft industry in southern California.* Boston: Harvard University Division of Research.

MAZEN, R. et LEVENTHAL, H. (1972). The influence of communicator-recipient similarity upon the beliefs and behavior of pregnant women. *Journal of Experimental Social Psychology, 8,* 289-302.

McARTHUR, L.Z. (1972). The how and what of why: Some determinants and consequences of causal attribution. *Journal of Personality and Social Psychology, 22,* 171-193.

McCALL, C. (1980, 18 août). A psychology professor gives evidence that bad Samaritans are a thief's best friends. *People Weekly,* 70-71.

McCAULEY, C. (1989). The nature of social influence in groupthink: Compliance and internalization. *Journal of Personality and Social Psychology, 57,* 250-260.

McCLELLAND, D.C. et WINTER, D.G. (1969). *Motivating economic achievement.* New York: Free Press.

McCLINTOCK, C.G. (1988). Evolution, systems of interdependence, and social values. *Behavioral Science, 33,* 59-76.

McCLINTOCK, C.G. et McNEEL, S.P. (1966). Reward and score feedback as determinants of cooperative and competitive game bahavior. *Journal of Personality and Social Psychology,14,* 606-613.

McCONAGHY, N. (1970). Penile response conditioning and its relationship to aversion training in homosexuals. *Behavior Therapy, 1,* 213-222.

McCOOL, R. (1975). *The effect of group pressure and social support on educably mentally retarded children.* Thèse de doctorat inédite. University of Wisconsin, Madison.

McDOUGALL, W. (1908). *Introduction to social psychology.* London: Methuen.

McGINNIES, E. et WARD,C. (1974). Persuasibility and locus of control: Five cross-cultural experiments. *Journal of Personality , 42,* 360-371.

McGOVERN, L. (1976). Dispositional social anxiety and helping behavior under three conditions of threat. *Journal of Personality, 44,* 84-97.

McGUIRE, W. (1985). Attitudes and attitude change. *In* G. Lindzey et E. Aronson (dir.), *The handbook of social psychology* (vol. 2). New York: Random House.

McGUIRE, W. et McGUIRE, C. (1982). Significant others in self-space: Sex differences and developmental trends in the social self. *In* J. Suls (dir.), *Psychological perspectives on the self* (vol. 1). Hillsdale, NJ: Lawrence Erlbaum.

McGUIRE, W.J. (1961). The effectiveness of supportive and refutational defenses in immunizing and restoring beliefs against persuasion. *Sociometry*, 24, 184-197.

McGUIRE, W.J. (1968). The nature of attitudes and attitude change. *In* G. Lindzey et E. Aronson (dir.), *The handbook of social psychology* (vol. 3). Reading, MA: Addison-Wesley.

McGUIRE, W.J. et PAPAGEORGIS, D. (1961). The relative efficacy of various types of prior belief-defense in producing immunity against persuasion. *Journal of Abnormal and Social Psychology*, 62, 327-337.

McRAE R. (1984). Situational determinants of coping response: Loss, threat, and challenge. *Journal of Personality and Social Psychology*, 46, 919-928.

MEAD, G.H. (1934). *Mind, self, and society.* Chicago: University of Chicago Press.

MEAD, M. (1940). *Warfare is only an invention — not a biological necessity. Asia,* 40, 402-405.

MEDNICK, M. (1975). Social change and sex-role inertia: The case of the kibbutz. *In* M. Mednick, S. Tangri et L. Hoffman (dir.), *Women and achievement: Social and motivational analyses.* New York: John Wiley & Sons.

MEHRABIAN, A. et KSIONSKY, S. (1971). Anticipated compatibility as a function of attitude or status similarity. *Journal of Personality*, 39, 225-241.

MELANÇON, L., TRUCHON-GAGNON, C. et HODGSON, M. (1990). *Stratégies architecturales pour éviter le problème de bruit dans les locaux des services de garde à l'enfance.* Ottawa: Santé et Bien-être social Canada.

METALSKY, G., ABRAMSON, L., SELIGMAN, M., SEMMEL, A. et PETERSON, C. (1982). Attributional styles and life events in the classroom: Vulnerability and invulnerability to depressive mood reactions. *Journal of Personality and Social Psychology*, 43, 612-617.

METTEE, D.R. et SMITH, G. (1977). Social comparison and interpersonal attraction: The case for dissimilarity. *In* J.M. Suls et R.L. Miller (dir.), *Social comparison processes: Theoretical and empirical perspectives.* Washington, DC: Hemisphere.

MEYER, T.P. (1972). The effects of sexually arousing and violent films on aggressive behavior. *Journal of Sex Research*, 8, 324-333.

MICHELINI, R.L. et MESSÉ, L.A. (1974). Reactions to threat as a function of equity. *Sociometry*, 37, 432-439.

MICHELSON, W. (1970). *Man and his urban environment: A sociological approach.* Reading, MA: Addison-Wesley.

MIDLARSKY, E., BRYAN, J.H. et BRICKMAN, P. (1973). Aversive approval: Interactive effects of modeling and reinforcement on altruistic behavior. *Child Development*, 44, 321-328.

MIDLARSKY, M. et MIDLARSKY, E. 1976). Status, inconsistency, aggressive attitude and helping behavior. *Journal of Personality*, 44, 379-391.

MILGRAM, S. (1964). Issues in the study of obedience: A reply to Baumrind. *American Psychologist*, 19, 848-852.

MILGRAM, S. (1965). Some conditions of obedience and disobedience. *Human Relations*, 18, 57-76.

MILGRAM, S. (1970). The experience of living in cities. *Science*, 167, 1461-1468.

MILGRAM, S. (1977). *The individual in a social world.* Reading, MA: Addison-Wesley.

MILGRAM, S. et JODELET, D. (1976). Psychological maps of Paris. *In* H.M. Proshansky, W.H. Ittelson et L. Rivlin (dir.), *Environmental psychology: people and their physical settings.* New York: Holt, Rinehart et Winston.

MILGRAM, S. et SHOTLAND, R.L. (1973). *Television and antisocial behavior: Field experiments.* New York: Academic Press.

MILLER, J. (1974). Effects of noise on people. *Journal of the Acoustical Society of America*, 56, 729-764.

MILLER, N., MARUYAMA, G., BEABER, R.J. et VALONE, K. (1976). Speed of speech and persuasion. *Journal of Personality and Social Psychology*, 34, 615-624.

MILLER, N.E. (1941). The frustration-aggression hypothesis. *Psychological Review*, 48, 337-342.

MILLER, R., BRICKMAN, P. et BOLEN, D. (1975). Attribution versus persuasion as a means for modifying behavior. *Journal of Personality and Social Psychology*, 31, 430-441.

MILLS, J. et ARONSON, E. (1965). Opinion change as a function of communicator's attractiveness and desire to influence. *Journal of Personality and Social Psychology*, 1, 173-177.

MILLS, J. et JELLISON, J.M. (1967). Effect on opinion change of similarity between communicator and the audience he addressed. *Journal of Personality and Social Psychology*, 6, 98-101.

MILTON, G.A. (1957). The effects of sex-role identification upon problem solving skills. *Journal of Abnormal and Social Psychology*, 55, 208-212.

MINARD, R.D. (1952). Race relationships in the Pocahontas coal field. *Journal of Social Issues*, 8, 29-44.

MINAS, J.S., SCODEL, A., MARLOWE, D. et RAWSON, H. (1960). Some descriptive aspects two-person non-zero-sum games. *Journal of Conflict Resolution*, 4, 193-197.

MISCHEL, W. (1968). *Personality and assessment.* New York: John Wiley & Sons.

MITCHELL, H.E. (mai 1973). *Authoritarian punitiveness in simulated jury decision-making: The good guys don't always wear white hats.* Communication présentée à la Midwestern Psychological Association, Chicago.

MITCHELL, H.E. et BYRNE, D. (1973). The defendant's dilemma: Effects of jurors' attitudes and authoritarianism on judicial decisions. *Journal of Personality and Social Psychology*, 25, 123-129.

MITCHELL, R.E. (1971). Some social implications of high-density housing. *American Sociological Review*, 36, 18-29.

MIXON, D. (1972). Instead of deception. *Journal of the Theory of Social Behavior*, 2, 146-177.

MOCH, A (1985). Sensibilité différentielle au bruit selon le pattern comportemental et selon le type de tâche. *Le travail humain*, 48, 19-26.

MOCH-SIBONY, A. (1980). Le bruit à l'école primaire: son effet sur l'apprentissage de la lecture. *Psychologie et éducation*, 4, 19-28.

MOCH-SIBONY, A. (1981). Étude des effets du bruit à la suite d'une exposition prolongée sur certains aspects psychomoteurs, intellectuels et de personnalité des enfants; comparaison entre école insonorisée et non insonorisée. *Le travail humain*, 44, 169-178.

MOGHADDAM, F.M. (1992). Assimilation et multiculturalisme: le cas des minorités au Québec. *Revue québécoise de psychologie, 13* (1), 82-99.

MOGHADDAM, F.M. (1988). Individualistic and collective integration strategies among immigrants: Toward a mobility model of cultural integration. *In* J.W. Berry et R.C. Annis (dir.), *Ethnic psychology.* Lisse, Hollande: Swets et Zeitlinger.

MOGHADDAM, F.M. et TAYLOR, D.M. (1987). The meaning of multiculturalism for visible minority immigrant women. *Canadian Journal of Behavioural Science, 19,* 121-136.

MOÏSE, L.C. et BOURHIS, R.Y. (novembre 1991). *Communication interculturelle à Montréal: étude de terrain longitudinale, 1977-1991.* Communication présentée au XIVᵉ congrès de la Société québécoise de recherches en psychologie, Trois-Rivières.

MONTMOLLIN, G. de, (1977). *L'influence sociale.* Paris: Presses universitaires de France.

MOORE, H.T. (1921). The comparative influence of majority and expert opinion. *American Journal of Psychology, 32,* 16-20.

MOORE, T.E. et CADEAU, M. (1985). The representation of women, the elderly and minorities in Canadian television commercials. *Canadian Journal of Behavioural Science, 17,* 213-225.

MORAWSKI, J.G. (1979). The structure of social psychological communities: A framework for examining the sociology of social psychology. *In* L. Strickland (dir.), *Soviet and Western perspectives in social psychology.* Elmsford, NY: Pergamon Press.

MORELOCK, J.C. (1980). Sex differences in susceptibility to social influence. *Sex Roles, 6,* 537-548.

MORENO, J.L. (1943). Sociometry and the cultural order. *Sociometry, 6,* 299-344.

MORGAN, C.J. (1978). Bystander intervention: Experimental test of a formal model. *Journal of Personality and Social Psychology, 36,* 43-55.

MORIARTY, T. (1975). Crime, commitment and the responsive bystander: Two field experiments. *Journal of Personality and Social Psychology, 31,* 370-376.

MORIN, S.F. (1974). Educational programs as a means of changing attitudes toward gay people. *Homo-sexual Counseling Journal, 1,* 160-165.

MORIN, S.F. et GARFINKEL, E.M. (1978). Male homophobia. *Journal of Social Issues, 34,* 29-47.

MORRIS, D., COLLETT, P., MARSH, P. et O'SHAUGHNESSY, M. (1979). *Gestures.* Briarcliff Manor, NY: Stein & Day.

MORRIS, W.N., WORCHEL, S., BOIS, J.L., PEARSON, J.A., ROUNTREE, C.A., SAMAHA, G.M., WACHTLER, J. et WRIGHT, S.L. (1976). Collective coping with stress: Group reactions to fear, anxiety and ambiguity. *Journal of Personality and Social Psychology, 33,* 674-679.

MORRISON, B. J. et HILL, W.F. (1967). Socially facilitated reduction of the fear response in rats raised in groups or in isolation. *Journal of Comparative and Physiological Psychology, 63,* 71-76.

MORRISSETTE, J.O. (1966). Group performance as a function of task difficulty and size and structure of group: II. *Journal of Personality and Social Psychology, 3,* 357-359.

MORSE, S.J. (1972). Help, likeability and social influence. *Journal of Applied Social Psychology, 2,* 34-46.

MORSE, S.J. et GERGEN, K.J. (1970). Social comparison, self-consistency and the concept of self. *Journal of Personality and Social Psychology, 16,* 149-156.

MOSCOVICI, S. (1985). Social influence and conformity. *In* G. Lindzey et E. Aronson (dir.), *The handbook of social psychology* (vol. 2). New York: Random House.

MOSCOVICI, S. et FAUCHEUX, C. (1972). Social influence, conformity bias and the study of active minorities. *In* L. Berkowitz (dir.), *Advances in experimental social psychology* (vol. 6). New York: Academic Press.

MOSCOVICI, S., LAGE, E. et NAFFRECHOUX, M. (1969). Influence of a consistent minority on the responses of a majority in a color perception task. *Sociometry, 32,* 365-379.

MOSCOVICI, S. et PERSONNAZ, B. (1980). Studies in social influence. V. Minority influence and conversion behavior in a perceptual task. *Journal of Experimental Social Psychology, 16,* 270-282.

MOYER, K.E. (1971). *The physiology of hostility.* Skokie, IL: Rand McNally/Markham.

MUIR, D. et WEINSTEIN, E. (1962). The social debt: An investigation of lower-class and middle-class norms of social obligation. *American Sociological Review, 27,* 532-539.

MULDER, M. (1963). *Group structure, motivation and group perfomance.* La Haye et Paris: Mouton.

MULDER, M. et STEMERDING, A.D. (1963). Threat, attraction to group, and need for strong leadership. *Human Relations, 16,* 317-334.

MULLEN, B. et BAUMEISTER, R.F. (1987). Group effects on self-attention and performance: social loafing, social facilitation, and social impairment. *In* C. Hendrick (dir.), Group processes: *review of personality and social psychology* (vol. 9). Beverly Hills, CA: Sage.

MURPHY-BERMAN, V., BERMAN, J.J., SINGH, P., PACHAURI, A. et KUMAR, P. (1984). Factors affecting allocation to needy and meritorious recipients: A Cross-cultural comparison. *Journal of Personality and Social Psychology, 46,* 1267-1272.

MURREL, S.A. (1973). *Community psychology and social systems.* New York: Behavioral Publications.

MUSANTE, L., MacDOUGALL, J.M., DEMBROSKI, T.M. et VAN HORN, A.E. (1983). Component analysis of the Type A coronary-prone behavior pattern in male and female college students. *Journal of Personality and Psychology, 45,* 1104-1114.

MYERS, D.G. (1978). Polarizing effects of social comparison. *Journal of Experimental Social Psychology, 14,* 554-563.

MYERS, D.G. et LAMM, H. (1976). The group polarization phenomenon. *Psychological Bulletin, 83,* 602-627.

MYERS, D.G., WOJCICKI, S.G. et AARDEMA, B. (1977). Attitude comparison: Is there ever a band-wagon effect? *Journal of Applied Social Psychology, 7,* 341-347.

NADEAU, L. (1990). Les problèmes liés à l'alcool chez les femmes: l'examen de l'hypothèse d'une interaction entre des facteurs de vulnérabilité et des agents déclencheurs. *Revue canadienne des sciences du comportement, 22,* 433-444.

NADLER, A., ALTMAN, A. et FISHER, J.D. (1979). Helping is not enough: Recipient's reactions to aid as a function of positive and negative information about the self. *Journal of Personality, 47,* 615-628.

NADLER, E.B. (1959). Yielding, authoritarianism, and authoritarian ideology regarding groups. *Journal of*

Abnormal and Social Psychology, 58, 408-410.

NELSON, E.A., GRINDER, R.E. et MUTTERER, M.L. (1969). Sources of variance in behavioral measures of honesty in temptation situations: Methodological analysis. *Developmental Psychology, 1,* 265-279.

NEMETH, C. (1986). Differential contributions of majority and minority influence. *Psychological Review, 93,* 23-32.

NEMETH, C., SWEDLUNG, M. et KANKI, B. (1974). Patterning of the minority's responses and their influence on the majority. *European Journal of Social Psychology, 4,* 53-64.

NEWCOMB, T.M. (1929). *Consistency of certain extrovert-introvert behavior patterns in 51 problem boys.* New York: Teachers College, Columbia University, Bureau of Publications.

NEWCOMB, T.M. (1947). Autistic hostility and social reality. *Human Relations, 1,* 69-86.

NEWCOMB, T.M. (1953). An approach to the study of communicative acts. *Psychological Review, 60,* 393-404.

NEWCOMB, T.M. (1961). *The acquaintance process.* New York: Holt, Rinehart & Winston.

NEWCOMB, T.M. (1979). Reciprocity of interpersonal attraction: A nonconfirmation of a plausible hypothesis. *Social Psychology Quarterly, 42,* 299-306.

NEWTSON, D., ENQUIST, G. et BORIS, J. (1977). The objective basis of behavior units. *Journal of Personality and Social Psychology, 35,* 847-862.

NICHOLS, C.R. (1980). Public perception of needs, attitudes toward, and knowledge of ecological and environmental concerns. *Dissertation abstracts international, 40* (no 8-A), 4512. (Résumé).

NICOSIA, G.J., HYMAN, D., KAVLIN, R.A., EPSTEIN, Y.M. et AIELLO, J.R. (1979). Effects of body contact on reactions to crowding. *Journal of Applied Social Psychology, 9,* 508-523.

NISBETT, R.E., BORGIDA, E., CRANDALL, R. et REED, H. (1976). Popular introduction: Information is not necessarily informative. *In* J.S. Carroll et J.W. Payne (dir.), *Cognition and social behavior.* Hillsdale, NJ: Lawrence Erlbaum.

NISBETT, R.E. et ROSS, L. (1980). *Human inference.* Englewood Cliffs, NJ: Prentice-Hall.

NISBETT, R.E. et SCHACHTER, S. (1966). Cognitive manipulation of pain. *Journal of Experimental Social Psychology, 2,* 227-236.

NISBETT, R.E. et WILSON, T.D. (1977). Telling more than we can know: Verbal reports on mental processes. *Psychological Review, 84,* 231-259.

NOBLE, W.W. (1973). Psychological research and Black self-concept: A critical review. *Journal of Social Issues, 29,* 11-31.

NOGAMI, G.Y. (1976). Crowding: Effects of group size, room size, or density? *Journal of Applied Social Psychology, 6,* 105-125.

NORD, W.R. (1969). Social exchange theory: An integrative approach to social conformity. *Psychological Bulletin, 71,* 173-208.

NORRIS, F.H. et MURRELL, S.A. (1990). Social support, life events, and stress as modifiers of adjustment to bereavement by older adults. *Psychology and Aging, 5,* 429-436.

NORTON, A.J. et GLICK, P.C. (1976). Marital instability: Past, present and future. *Journal of Social Issues, 32,* 5-20.

NOVAK, D.E. et LERNER, M.J. (1968). Rejection as a consequence of perceived similarity. *Journal of Personality and Social Psychology, 9,* 147-152.

NUNNALLY, J.C. et HUSSEK, T.R. (1958). The phony language examination: An approach to the measurement of response bias. *Educational and Psychological Measurement, 18,* 275-282.

OAKLEY, A. (1974). *The sociology of house-work.* New York: Pantheon Books.

OBRIST, P., GAEBELEIN, C., TELLER, E., LANGER, A., GRIGNOLO, A., LIGHT, K. et McCUBLIN, J. (1978). The relationship among heart rate, carotid dp/dt, and blood pressure in humans as a function of the type of the stress. *Psychophysiology, 15,* 102-115.

O'LEARY, A. (1985). Self-efficacy and health. *Behavioural Research and Therapy, 23,* 437-451.

O'LEARY, A., SHOOR, S., LORIG, K. et HOLMAN, H.R. (1988). A cognitive-behavioral treatment for rheumatoid arthritis. *Health Psychology, 7,* 527-544.

O'NEIL, E.C. et KAUFMAN, L. (1972). The influence of attack, arousal, and information about one's arousal upon interpersonal aggression. *Psychonomic Science, 26,* 211-214.

O'RIORDAN, T. (1976). *Environmentalism.* London: Pion.

ORNE, M.T. (1962). Psychologie sociale de l'expérimentation en psychologie: les consignes implicites et leurs conséquences. *In* G. Lemaine et J.M. Lemaine (dir.), *Psychologie sociale et expérimentation.* Paris: Monton/Bordas, 1969.

OSGOOD, C.E. et TANNENBAUM, P.H. (1955). The principle of congruence in the prediction of attitude change. *Psychological Review, 62,* 44-45.

OSKAMP, S. (1971). Effects of programmed strategies on cooperation in the prisoner's dilemma and other mixed motive games. *Journal of Conflict Resolution, 15,* 225-259.

OSKAMP, S. (1977). *Attitudes and opinions.* Englewood Cliffs, NJ: Prentice-Hall.

OSMOND, H. (1957). Function as the basis of psychiatric ward design. *Mental Hospitals, 8,* 23-30.

OSTROM, T.M. (1977). Between-theory and within-theory conflict in explaining context effects on impression formation. *Journal of Experimental Social Psychology, 13,* 492-503.

OUELLET, R. et JOSHI, P. (1987). Le sentiment de solitude en relation avec la dépression et l'estime de soi. *Revue québécoise de psychologie, 8* (3), 40-48.

PAICHELER, G. (1974). *Normes et changement d'attitudes: De la modification des attitudes envers les femmes.* Thèse de 3ᵉ cycle inédite. Université de Paris.

PAICHELER, G. (1985). *Psychologie des influences sociales.* Neuchâtel: Delachaux et Niestlé.

PAICHELER, G. et DARMON, G. (1977-78). Représentations majoritaires et minoritaires et relations intergroupes. *Bulletin de psychologie, 31,* 170-180.

PAICHELER, G. et FLATH, E. (1988). Changement d'attitude, influence minoritaire et courants sociaux. *Revue internationale de psychologie sociale, 1,* 27-40.

PAILHOUS, J. (1970). *La représentation de l'espace urbain, l'exemple du chauffeur de taxi.* Paris: Presses universitaires de France.

PANCER, S.M., McMULLEN, L.M., KABATOFF, R.A., JOHNSON, K.G. et POND, C.A. (1979). Conflict and avoidance in the helping situation. *Journal of Personality and Social Psychology, 37,* 1406-1411.

PASSINI, R., PROULX, G. et RAINVILLE, C. (1990). The spatial cognitive abilities of the visually impaired population. *Environment and Behavior, 22,* 91-118.

PATTERSON, A.H. (1974). *Hostility catharsis: A naturalistic quasi-experiment.* Communication présentée à l'assemblée annuelle de l'American Psychological Association, New Orleans.

PATTISON, E.M. (1974). Confusing concepts about the concept of homosexuality. *Psychiatry, 47,* 340-349.

PAULUS, P.B., COX, V., McCAIN, G. et CHANDLER, J. (1975). Some effects of crowding in a prison environment. *Journal of Applied Social Psychology, 5,* 86-91.

PAULUS, P.B. et MATTHEWS, R. (1980). Crowding attribution, and task performance. *Basic and Applied Social Psychology, 1,* 3-14.

PAULUS, P.B. et MURDOCK, P. (1971). Anticipated evaluation and audience presence in the enhancement of dominant responses. *Journal of Experimental Social Psychology, 7,* 280-291.

PAVLOV, I.P. (1927). *Conditioned reflexes* (traduit par G.V. Anrep). London: Oxford University Press.

PAYETTE, L. (1982). *Le pouvoir? Connais pas.* Montréal: Québec/Amérique.

PAYETTE, M. (1983). La participation communautaire comme réponse à des besoins psychologiques. *Revue canadienne de santé mentale communautaire, 2* (1), 21-30.

PEABODY, D. (1968). Group judgment in the Philippines: Evaluative and descriptive aspects. *Journal of Personality and Social Psychology, 10,* 290-300.

PEABODY, D. (1985). *National characteristics.* Cambridge: Cambridge University Press.

PENHAZUR, E.J. et TETENBAUM, T.J. (1979). Bern Sex Role Inventory: A theoretical and methodological critique. *Journal of Personality and Social Psychology, 37,* 996-1016.

PENNEBAKER, J.W. (1982). *The psychology of physical symptoms.* New York: Springer-Verlag.

PENNER, L.A., SUMMERS, L.S., BROOKMIRE, D.A. et DERTKE, M.C. (1976). The lost dollar: Situational and personality determinants of a pro and antisocial behavior. *Journal of Personality, 44,* 280-293.

PÉPIN, J., TAGGART, E., KÉROUAC, S. et FORTIN, F. (1985). *Étude systé-mique de la violence familiale.* Montréal: Faculté des sciences infirmières, Université de Montréal.

PEPITONE, A. (1949). Motivation effects in social perception. *Human Relations, 3,* 57-76.

PEPITONE, A. et REICHLING, G. (1955). Group cohesiveness and the expression of hostility. *Human Relations, 8,* 327-337.

PERLMAN, D. et JOSHI, P. (1987). The revelation of loneliness. *Journal of Social Behavior and Personality, 2* (2), 63-76.

PERLMAN, D. et PEPLAU, L.A. (1981). Toward a social psychology of loneliness. *In* S. Duck et R. Gilmore (dir.), *Personal relationships.* Toronto: Academic Press.

PERVIN, L.A. et RUBIN, D.B. (1967). Student dissatisfaction with college and the college drop-out: a transactional approach. *Theory of Social Psychology, 72,* 285-295.

PESSIN, J. (1933). The comparative effects of social and mechanical stimulation on memorizing. *American Journal of Psychology, 45,* 263-270.

PETERSON, L.H. et RIDLEY-JOHNSON, R. (1986). Pediatric hospital response to survey on prehospital preparation for children. *Journal of Pediatric Psychology, 5,* 1-7.

PETERSON, P.D. et THURSTONE, L.L. (1933). *Motion pictures and the social attitudes of children.* New York: Macmillan.

PETTIGREW, T.F. (1969). Racially separate or together? *Journal of Social Issues, 25,* 43-69.

PETTY, R.E. et CACIOPPO, J.T. (1979). Issue involvement can increase or decrease persuasion by enhancing message-relevant cognitive responses. *Journal of Personality and Social Psychology, 37,* 1915-1926.

PETTY, R.E. et CACIOPPO, J.T. (1981). *Attitudes and persuasion: Classic and contemporary approaches.* Dubuque, IA: Brown.

PETTY, R.E. et CACIOPPO, J.T. (1986). The elaboration likelihood model of persuasion. *In* L. Berkowitz (dir.), *Advances in experimental social psychology* (vol. 19). New York: Academic Press.

PETTY, R.E., HARKINS, S.G. et WILLIAMS, K.D. (1980). The effects of group diffusion of cognitive effort on attitudes: An information processing view. *Journal of Personality and Social Psychology, 8,* 81-92.

PETTY, R.E., WELLS, G.L. et BROCK, T.C. (1976). Distraction can enhance or reduce yielding to propaganda: Thought disruption versus effort justification. *Journal of Personality and Social Psychology, 34,* 874-884.

PHARES, E.J. (1976). *Locus of control in personality.* Morristown, NJ: Silver Burdett/General Learning Press.

PIAGET, J. et INHELDER, B. (1981). *La représentation de l'espace chez l'enfant* (4e édition). Paris: Presses universitaires de France, 1947.

PILIAVIN, I.M., HARDYCK, J.A. et VADOM, A. (août 1967). *Reactions to the victim in a just or non-just world.* Communication présentée à la Society of Experimental Social Psychology, Bethesda, MD.

PILIAVIN, I.M., PILIAVIN, J.A. et RODIN, J. (1975). Costs diffusion and the stigmatized victim. *Journal of Personality and Social Psychology, 32,* 429-438.

PILIAVIN, I.M., RODIN, J. et PILIAVIN, J.A. (1969). Good Samaritanism: An underground phenomenon? *Journal of Personality and Social Psychology, 14,* 289-299.

PILIAVIN, J.A. et PILIAVIN, I.M. (1972). Effect of blood on reactions to a victim. *Journal of Personality and social Psychology, 23,* 353-362.

PILISUK, M. et SKOLNICK, P. (1968). Inducing trust: A test of the Osgood proposal. *Journal of Personality and Social Psychology, 8,* 121-133.

PILKONIS, P.A. (1977a). The behavioral consequences of shyness. *Journal of Personality, 45,* 596-611.

PILKONIS, P.A. (1977b). Shyness, public and private, and its relationship to other measures of social behavior. *Journal of Personality, 45,* 585-595.

PILKONIS, P.A. et ZIMBARDO, P.G. (1979). The personal and social dynamics of shyness. *In* C.E. Izard (dir.), *Emotion in personality and psychopathology.* New York: Plenum Press.

PINEO, P.C. (1961). Disenchantment in the later years of marriage. *Marriage and Family Living, 23,* 3-11.

PITTNER, M., HOUSTON, B. K. et SPRIRIDIGLIOZZI, G. (1983). Control over stress, type A behavior pattern, and response to stress. *Journal of personality and Social Psychology, 44,* 627-637.

PLECK, J.H. (1975). Man to man: Is brotherhood possible? *In* N. Glazer-Malbin (dir.), *Old family/new family: Interpersonal relationships.* New York: Van Nostrand Reinhold.

PLECK, J.H. et SAWYER, J. (dir.) (1974). *Men and masculinity.* Englewood Cliffs, NJ: Prentice-Hall.

PLINER, P., HART, H., KOHL, J. et SAARI, D. (1974). Compliance without pressure: Some further data on the foot-in-the-door technique. *Journal of Experimental Social Psychology, 10,* 17-22.

PLUTCHIK, R. (1980). A general psychoevolutionary theory of emotion. *In* R. PLUTCHIK et H. KELLERMAN (dir.), *Emotion, Theory, Research and Experience.* New York: Academic Press.

POLANYI, M. (1967). *The tacit dimension.* London: Routlege & Kegan Paul.

POMAZAL, R.J. (1974). *Attitudes, normative beliefs, and altruism: Helping for helping behavior.* Thèse de doctorat inédite. University of Illinois, Urbana.

POMAZAL, R.J. et JACCARD, J.J. (1976). An informational approach to altruistic behavior. *Journal of Personality and Social Psychology, 33,* 317-326.

PORTEOUS, J.D. (1971). Design with people: The quality of the urban environment. *Environment and behavior, 3,* 155-178.

PORTER, L.W. et LAWLER, E.E. (1968). *Managerial attitudes and perfomance.* Homewood, IL: Richard D. Irwin.

PRESIDENT'S COMMISSION ON LAW ENFORCEMENT AND THE ADMINISTRATION OF JUSTICE. (1967). *Task force report: Narcotics and Drug abuse.* Washington, DC: U.S. Government Printing Office.

PROSHANSKY, H.M. (1976). Environmental psychology: a methodological orientation. *In* H.M. Proshansky, W.H. Ittelson et L.G. Rivilin (dir.), *Environmental psychology: People and their physical setting.* New York: Holt, Rinehart and Winston.

PROSHANSKY, H.M. (1987). The field of environmental psychology. *In* D. Stokols et I. Altman (dir.), *Handbook of environmental psychology.* New York: John Wiley & Sons.

PROSHANSKY, H.M., ITTLESON, W.H. et RIVLIN, L.G. (1970). Freedom of choice and behavior in a physical setting. *In* H.M. Proshansky, W. H. Ittleson et L.G. Rivlin (dir.), *Environmental psychology: Man and his physical setting.* New York: Holt, Rinehart & Winston.

PRUITT, D.G. (1968). Reciprocity and credit building in a laboratory dyad. *Journal of Personality and Social Psychology, 8,* 143-147.

PRUITT, D.G. (1971). Conclusions: Toward an understanding of choice shifts in group discussions. *Journal of Personality and Social Psychology, 20,* 495-510.

PRUITT, D.G. et LEWIS, S.A. (1975). Development of integrative solutions in bilateral negotiations. *Journal of Personality and Social Psychology, 31,* 621-633.

PRYOR, F.L. et GRABURN, N.H. (1980). The myth of reciprocity. *In* K.J. Gergen, M. Greenberg et R. Willis (dir.), *Behavior exchange: Advances in theory and research.* New York: John Wiley & Sons.

QUARANTELLI, E.L. et DYNES, R.R. (1972). When disaster strikes. *Psychology Today, 5,* 66-70.

QUATTRONE, G.A. et JONES, E.E. (1980). The perception of variability with in-groups and out-groups: Implications for the law of small numbers. *Journal of Personality and Social Psychology, 38,* 141-152.

QUAY, H.C. (dir.) (1965). *Juvenile delinquency: Research and theory.* New York: Van Nostrand Reinhold.

QUIGLEY- FERNANDEZ, B. et TEDESCHI, J.T. (1978). The bogus pipeline as a lie detector: Two validity studies. *Journal of Personality and Social Psychology, 36,* 247-256.

RABBIE, J.M., BREHM, J.W. et COHEN, A. (1959). Verbalisation et réactions à la dissonance cognitive. *In* C. Faucheux (dir.), *Psychologie sociale théorique et expérimentale.* Paris: Maloine, 1971.

RABOW, J., FOWLER, F.J., Jr., BRADFORD, D.L., HOFELLER, M.A. et SHIBUYA, Y. (1966). The role of norms and leadership in risk-taking. *Sociometry, 29,* 16-27.

RADA, J.B. et ROGERS, R.W. (avril 1973). *Obedience to authority: Presence of authority and command strength.* Communication présentée à la Southeastern Psychological Association, New Orleans.

RADLOFF, R. (1961). Opinion evaluation and affiliation. *Journal of Abnormal and Social Psychology, 62,* 578-585.

RAJECKI, D.W., NERENZ, D.R., FREEDENBERG, T.G. et McCARTHY, P.J. (1979). Components of aggression in chickens and conceptualizations of aggression in general. *Journal of Personality and Social Psychology, 37,* 1902-1914.

RANDS, M. et LEVINGER, G. (1979). Implicit theories of relationship: An intergenerational study. *Journal of Personality and Social Psychology, 37,* 645-661.

RANSFORD, H.E. (1968). Isolation, powerlessness and violence: A study of attitudes and participation in the Watts riots. *American Journal of Sociology, 73,* 581-591.

RAPOPORT, A. (dir.) (1974). *Game theory as a theory of conflict resolution.* Dordrecht, Les Pays-Bas: D. Reidel.

RAPPAPORT, J. (1977). *Community psychology. Values research, and action.* New York: Holt, Rinehart and Winston.

RAUCKHORST, L.M. (1987). Health habits of elderly widows. *Journal of Gerontological Nursing, 13,* 19-22.

RAWLINGS, E.J. (1970). Reactive guilt and anticipatory guilt in altruistic behavior. *In* J.R. Macaulay et L. Berkowitz (dir.), *Altruism and helping behavior.* New York: Academic Press.

Recherche-action, enjeux et pratiques (La) (1981). *Revue internationale d'action communautaire, 45* (5).

REGAN, D.T. (1971). Effects of a favor and liking on compliance. *Journal of Experimental and Social Psychology, 7,* 627-639.

REGAN, D.T. et TOTTEN, J. (1975). Empathy and attribution: Turning observers into actors. *Journal of Personality and Social Psychology, 32,* 850-856.

REGAN, D.T., STRAUS, E. et FAZIO, R. (1974). Liking and the attribution process. *Journal of Experimental Social Psychology, 10,* 385-397.

REIS, H.T., NEZLEK, J. et WHEELER, L. (1980). Physical attractiveness in social interaction. *Journal of Personality and Social Psychology, 38,* 604-617.

REISENZEIN, R. (1983). The Schachter theory of emotion: Two decades later. *Psychological Bulletin, 94,* 239-264.

RENAUD, L. et DEMER, A. (1990). *Rapport d'évaluation: projet Menus plein d'entrain.* Montréal: Département de santé communautaire, Hôpital général de Montréal.

RENAUD, M., JUTRAS, S., BOUCHARD, P. avec la coll. de GUYON, L. et B.-DANDURAND, R. (1987). *Les solutions qu'apportent les Québécois à leurs problèmes sociaux et sanitaires. Trois cas types: s'occuper d'un parent âgé, soulager son mal de dos, être chef de famille monoparentale.* Québec: Les Publications du Québec.

RESICK, P.A. et SWEET, J.J. (1979). Child maltreatment intervention: Directions and issues. *Journal of Social Issues, 35,* 140-160.

RETTIG, S. (1956). An exploratory study of altruism. *Dissertation Abstracts, 16,* 2229-2230.

RHÉAUME, J. (1982). La recherche-action: un nouveau mode de savoir? *Sociologie et sociétés, 14* (1), 43-51.

RHODEWALT, F. et DAVISON, J., Jr. (1983). Reactance and the coronary-prone pattern: The role of self-attribution in responses to reduced behavior freedom. *Journal of Personality and Social Psychology, 44,* 220-228.

RICHARDSON, DC et CAMPBELL, J.L. (1980). Alcohol and wife abuse: The effect of alcohol on attributions of blame for wife abuse. *Personality and Social Psychology Bulletin, 6,* 51-56.

RICHER, J. (1991). Les femmes au pouvoir? *Châtelaine, 32* (11), 51-53.

RINFRET, N. et LORTIE-LUSSIER, M. (sous presse). L'impact de la force numérique des femmes cadres: illusion ou réalité? *Revue canadienne des sciences du comportement.*

RING, K., LIPINSKI, C.E. et BRAGINSKY, D.D. (1965). The relationship of birth order to self-evaluation, anxiety reduction and susceptibility to emotional contagion. *Psychological Monographs, 79,* (10, no 603 entier).

ROBBINS, L. et ROBBINS, E. (1973). Comment on: Toward an understanding of achievement-related conflicts in women. *Journal of Social Issues, 29,* 133-137.

ROBERTS, D.F. et MACCOBY, N. (1985). Effects of mass communication. *In* G. Lindzey et E. Aronson (dir.), *The handbook of social psychology* (vol. 2). New York: Random House.

ROBINSON, D. et RHODE, S. (1946). Two experiments with an anti-Semitism poll. *Journal of Abnormal and Social Psychology, 41,* 136-144.

ROBINSON, J. et McARTHUR, L.Z. (1982). Impact of salient vocal qualities in causal attribution for a speaker's behavior. *Journal of Personality and Social Psychology, 43,* 236-247.

ROBITAILLE, Y., CHOINIÈRE, R. et CAMIRAND, F. (1991). Les traumatismes au Québec: leur importance sur le plan de la mortalité, de l'hospitalisation et de l'incapacité. *In* G. Beaulne (dir.), *Les traumatismes au Québec: comprendre pour agir.* Québec: Ministère de la santé et des services sociaux.

ROBY, T.B. (1968). *Small group performance.* Chicago: Rand McNally.

ROCHEFORT, R. (1974). La perception des paysages. *L'espace géographique, 3,* 205-209.

RODIN, J. (1985). The application of social psychology. *In* G. Lindzey et E. Aronson (dir.), *The handbook of so-cial psychology* (vol. 2). New York: Random House.

RODIN, J. et JANIS, I. (1979). The social power of health-care practitioners as agents of change. *Journal of Social Issues, 35,* 60-81.

RODIN, J. et LANGER, E. (1977). Long-term effects of a control-relevant intervention with the institutionalized aged. *Journal of Personality and Social Psychology, 35,* 897-902.

RODIN, J., SOLOMON, S. et METCALF, F. (1978). Role of control in mediating perceptions of density. *Journal of Personality and Social Psychology, 36,* 988-999.

RODRIGUES, A. (1968). The biasing effect of agreement in balanced and unbalanced triads. *Journal of Personality, 36,* 138-153.

ROGERS, C.R. (1961). *Le développement de la personne.* Montréal: Dunod, 1976.

ROGERS, R.W. (1980). Expressions of aggression: Aggression-inhibiting effects of anonymity to authority and threatened retaliation. *Personality and Social Psychology Bulletin, 6,* 315-320.

ROGERS, R.W. et MEWBORN, C.R. (1976). Fear appeals and attitude change: Effects of a threat's noxiousness, probability of occurence, and the efficacy of coping responses. *Journal of Personality and Social Psychology, 34,* 54-61.

ROHE, W. et PATTERSON, A.H. (1974). The effects of varied levels of resources and density on behavior in a day care center. *In* D.H. Carson (dir.), EDRA:5: *Man-environment interactions.* Milwaukee: Environmental Design Research Association.

ROHRER, J.H., BARON, S.H., HOFFMAN, E.L. et SWANDER, D.V. (1954). The stability of autokinetic judgments. *Journal of Abnormal and Social Psychology, 49,* 595-597.

ROKEACH, M. (1948). Generalized mental rigidity as a factor in ethnocentrism. *Journal of Abnormal and Social Psychology, 43,* 259-278.

ROKEACH, M. et MEZEI, L. (1966). Race and shared belief as factors in social choice. *Science, 151,* 167-172.

ROLLNICKS, S. et HEATHER, N. (1982). The application of Bandura's self-efficacy theory to abstinence-oriented alcoholism treatment. *Addictive behaviors, 7,* 243-250.

ROMEDER, J.-M. (1989). *Les groupes d'entraide et la santé: nouvelles solidarités.* Ottawa: Conseil canadien de Développement social.

ROMER, D. (1979). Internalization versus identification in the laboratory: A causal analysis of attitude change. *Journal of Personality and Social Psychology, 37,* 2171-2180.

ROMMETVEIT, R. (1976). On the architecture of intersubjectivity. *In* L.H. Strickland, F.E. Aboud et K.J. Gergen (dir.), *Social psychology in transition.* New York: Plenum Press.

ROSALDO, M.Z. (1980). *Knowledge and passion: Ilongot notions of self and social life.* New York: Cambridge University Press.

ROSCH, E. (1978). Principles of categorization. *In* E. Rosch et B.B. Lloyd (dir.), *Cognition and categorization.* Hillsdale, NJ: Lawrence Erlbaum.

ROSE, R.M., JENKINS, C.D. et HURST, M.W. (1978). Health change in air traffic controllers: A prospective Study. *Psychosomatic Medicine, 40,* 63-71.

ROSENBAUM, L.L. et ROSENBAUM, W. B. (1971). Morale and productivity consequences of group leadership style, stress and type of task. *Journal of Applied psychology, 55,* 343-348.

ROSENBERG, M. (1979). *Conceiving the self.* New York: Basic Books.

ROSENBERG, M. et SIMMONS, R.G. (1971). *Black and white self-esteem: The urban school child.* Washington, DC: American Sociological Association.

ROSENBERG, M.J. et ABELSON, R.P. (1960). An analysis of cognitive balancing. *In* M.J. Rosenberg, C.I. Hovland, W.J. McGuire, R.P. Abelson et J.W. Brehm. *Attitude organization and change.* New Haven, CT: Yale University Press.

ROSENHAN, D.L. (1970). The natural socialization of altruistic autonomy. *In* J.R. Macaulay et L. Berkowitz (dir.), *Altruism and helping behavior.* New York: Academic Press.

ROSENHAN, D.L. (1978). Toward resolving the altruism paradox: Affect, self-reinforcement, and cognition. *In* L. Wispé (dir.), *Altruism, sympathy, and helping.* New York: Academic Press.

ROSENHAN, D.L., UNDERWOOD, B. et MOORE, B. (1974). Affect moderates self-gratification and altruism. *Journal of Personality and Social Psychology, 30,* 546-552.

ROSENKRANTZ, P.S., VOGEL, S.R., BEE, H., BROVERMAN, I.K. et BROVERMAN, D.M. (1968). Sex-role stereotypes and self-concepts in college students. *Journal of Consulting and Clinical Psychology, 32,* 287-295.

ROSENMAN, R.H., BRAND, R.J., JENKINS, C.D., FRIEDMAN, R., STRAUSS, R. et WARM, M. (1975). Coronary-heart disease in the Western collaborative group study: Final follow-up experience of 8 1/2 years. *Journal of the American Medical Association, 233,* 872-877.

ROSENMAN, R.H., FRIEDMAN, M., STRAUSS, R., WURM, M., KOSITCHECK, R.., HAHN, W. et WERTHESSEN, N.T. (1964). A predictive study of coronary heart disease. *Journal of the American Medical Association, 89,* 103-110.

ROSENQUIST, H.S. (mai 1972). *Social facilitation in rotary pursuit tracking.* Communication présentée à la Midwestern Psychological Association, Cleveland.

ROSENTHAL, R. (1976). *Experimenter effects in behavioral research* (2e édition). New York: Wiley.

ROSENTHAL, R. et De PAULO, B.M. (1979). Sex differences in eavesdropping on nonverbal cues. *Journal of Personality and Social Psychology, 37,* 273-285.

ROSENTHAL, R. et JACOBSON, L.F. (1968). Teacher expectations for the disadvantaged. *Scientific American, 4,* 19-23.

ROSENTHAL, R. et ROSNOW, R.L. (1969). The volunteer subject. *In* R. Rosenthal et R.L. Rosnow (dir.), *Artifact in behavioral research.* New York: Academic Press.

ROSKIES, E. (1980). Considerations in developing a treatment program for the coronary-prone (Type A) behavior pattern. *In* P.O. Davidson et S.M. Davidson (dir.), *Behavior medicine: changing health lifestyles.* New York: Brunner/Mazel.

ROSKIES, E., SERAGANIAN, P., OSEASOHN, R., HANLEY, J.A., COLLU, R., MARTIN, N. et SMILGA, C. (1986). The Montreal Type A intervention project: Major findings. *Health Psychology, 5,* 45-70.

ROSNOW, R.L. (1978). The prophetic vision of Grambattista Vico: Implications for the state of social psychological theory. *Journal of Personality and Social Psychology, 36,* 1322-1331.

ROSNOW, R.L., GITLER, A.C. et HOLZ, R.F. (1969). Some determinants of post decisional information preferences. *Journal of Social Psychology, 79,* 235-245.

ROSOLACK, T.K. et HAMPSON, S.E. (1991). A new type of health behaviours for personality-health predictions: the case of locus of control.

European Journal of Personality, 5 (2), 151-168.

ROSS, A.S. (1970). The effect of observing a helpful model on helping behavior. *Journal of Social Psychology, 81,* 131-132.

ROSS, L. (1977). The intuitive psychologist and his shortcomings: Distortions in the attribution process. *In* L. Berkowitz (dir.), Advances in experimental social psychology (vol. 10). New York: Academic Press.

ROSS, L. (1978). Afterthoughts on the intuitive psychologist. *In* L. Berkowitz (dir.), *Cognitive theories in social psychology.* New York: Academic Press.

ROSS, L., GREENE, S. et HOUSE, P. (1977). The "false consensus effect": An egocentric bias in social perception and attribution processes. *Journal of Experimental Social Psychology, 13,* 279-301.

ROSS, M., LAYTON, B., ERICKSON, B. et SCHOPLER, J. (1973). Affect, facial regard, and reactions to crowding. *Journal of Personality and Social Psychology, 28,* 69-76.

ROSSMAN, B.B. et GOLLOB, H.F. (1976). Social influence and pleasantness judgments involving people and issues. *Journal of Experimental Social Psychology, 12,* 374-391.

ROTHBART, M., EVANS, M. et FULERO, S. (1979). Recall for confirming events: Memory processes and the maintenance of social stereotypes. *Journal of Experimental Social Psychology, 15,* 343-355.

ROTTER, J.B. (1966). Generalized expectancies for internal versus external control of reinforcement. *Psychological Monographs, 80* (1, no 609 entier).

ROTTER, J.B., LIVERANT, S. et CROWNE, D.P. (1961). The growth and extinction of expectancies in chance controlled and skilled tasks. *Journal of Psychology, 52,* 161-177.

RUBENSTEIN, E.A. (1976). Warning: The Surgeon General's research program may be dangerous to preconceived notions. *Journal of Social Issues,32,* 18-34.

RUBIN, J.Z. et BROWN, B.R. (1975). *The social psychology of bargaining and negotiation.* New York: Academic Press.

RUBIN, J.Z., LEWICKI, R.J. et DUNN, L. (1973). Perception of promisors and threateners. *Proceedings of the 81st Annual Convention of the American Psychological Association, 8,* 141-142.

RUBIN, Z. (1970). Measurement of romantic love. *Journal of Personality and Social Psychology, 16,* 265-273.

RUBIN, Z. (1973). *Liking and loving.* New York: Holt, Rinehart & Winston.

RUBINSTEIN, C.M. et SHAVER, P. (1980). Loneliness in two northeastern cities. *In* T. Hartog et R. Audy (dir.), *The anatomy of loneliness.* New York: International Universities Press.

RUBINSTEIN, C.M., SHAVER, P. et PEPLAU, L.A. (1979). Loneliness. *Human Nature, 2,* 59-65.

RUDDICK, S. et DANIELS, P. (1977). *Working it out.* New York: Pantheon Books.

RULE, B.G. et NESDALE, A.R. (1976). Moral judgment of aggressive behavior. *In* R.G. Geen et E.C. O'Neal (dir.), *Perspectives on aggression.* New York: Academic press.

RUNYON, W.M. (1980). A stage-state analysis of the life course. *Journal of Personality and Social Psychology, 38,* 951-962.

RUSHTON, J.P. (1975). Generosity in children: Immediate and long-term effects of modeling, preaching and moral judgment. *Journal of Personality and Social Psychology, 31,* 459-466.

RUSS, R.C., GOLD, J.A. et STONE, W.F. (1979). Attraction to a dissimilar stranger as a function of level of effectance arousal. *Journal of Experimental Social Psychology, 15,* 481-492.

RUTKOWSKI, G.K. GRUDER, C.L. et ROMER, D. (1983). Group cohesiveness, social norms, and bystander intervention. *Journal of Personality and Social Psychology, 44,* 445-552.

RYAN, E.D. (1970). The cathartic effect of vigorous motor activity on aggressive behavior. *Research Quarterly, 41,* 542-551.

RYAN, W. (1971). *Blaming the victim.* New York: Pantheon Books.

SABINI, J. et SILVER, M. (1982). *The moralities of everyday life.* New York: Oxford University Press.

SACHDEV, I. et BOURHIS, R.Y. (1991). Power and status differentials in minority and majority group relations. *European Journal of Social Psychology, 21,* 1-24.

SACKS, E.L. (1952). Intelligence scores as a function of experimentally established social relationships between child and examiner. *Journal of Abnormal and Social Psychology, 47,* 354-358.

SAEGERT, S.C. (1982). Environment and children's mental health: Residential density and low income children. *In* A. Baum et J.E. Singer (dir.), *Handbook of psychology and health* (vol. 2). Hillsdale, NJ: Lawrence Erlbaum.

SAEGERT, S.C., SWARP, W. et ZAJONC, R.B. (1973). Exposure context and interpersonal attraction. *Journal of Personality and Social Psychology, 25*, 234-242.

SAEGERT, S.C. et WINKEL, G.H. (1990). Environmental psychology. *Annual Review of Psychology, 41*, 441-477.

SAINT-ARNAUD, Y. (1970). *J'aime. Essai sur l'expérience d'aimer.* Montréal: Éditions du Centre interdisciplinaire de Montréal et Éditions du Jour.

SAINT-ARNAUD, Y. (1974). *La personne humaine.* Montréal: Éditions de l'Homme et Éditions du CIM.

SAINT-ARNAUD, Y. (1983). *Devenir autonome.* Montréal: Le Jour.

SAINT-ARNAUD, Y. (1990). *Efficacité et coopération.* Manuscrit inédit. Sherbrooke, Québec.

SAKS, M.J. (1976). The limits of scientific jury selection: Ethical and empirical. *Jurimetrics journal, 17*, 3-22.

SAKS, M.J. et HASTIE, R. (1978). *Social psychology in court.* New York: Van Nostrand Reinhold.

SAKS, M.J., WERNER, C.M. et OSTROM, T.M. (1975). The presumption of innocence and the American juror. *Journal of Contemporary Law, 2*, 46-54.

SAMELSON, F. (1974). History, origin, myth, and ideology: Comte's "discovery" of social psychology. *Journal for the Theory of Social Behavior, 4*, 217-231.

SAMPSON, E.E. (1975). On justice as equality. *Journal of Social Issues, 31*, 45-64.

SAMPSON, E.E. (1977). Psychology and the American Ideal. *Journal of Personality and Social Psychology, 35*, 767-780.

SAMPSON, E.E. (1978). Scientific paradigms and social values: wanted — a scientific revolution. *Journal of Personality and Social Psychology, 36*, 1332-1343.

SAMPSON, E.E. (1980). *Cognitive psychology as ideology.* Manuscrit inédit. Clark University, Worcester, MA.

SANMIGUEL, C.L. et MILLHAM, J. (1976). The role of cognitive and situational variables in aggression toward homosexuals. *Journal of Homosexuality, 2*, 11-27.

SANTÉ QUÉBEC (1991). *Faits saillants de l'enquête québécoise sur les facteurs de risque associés au sida et aux autres MTS: la population des 15-29 ans.* Québec: Ministère de la Santé et des Services sociaux.

SARASON, I., LEVINE, H., BASHAM, R. et SARASON, B. (1983). Assessing social support: The social support questionnaire. *Journal of Personality and Social Psychology, 44*, 127-139.

SASFY, J. et OKUN, M. (1974). Form of evaluation and audience expertness as joint determinants of audience effects. *Journal of Experimental Social Psychology, 10*, 461-467.

SATTIN, D.B. et MILLER, J.K. (1971). The ecology of child abuse within a military community. *American Journal of Orthopsychiatry, 41*, 675-678.

SCANZONI, J. (1979). Social exchange and behavioral interdependence. *In* R.L. Burgess et T.L. Huston (dir.), *Social exchange in developing relationships.* New York: Academic Press.

SCHACHTER, S. (1951). Déviation, rejet et communication. *In* A. Lévy (dir.), *Psychologie sociale, textes fondamentaux anglais et américains.* Paris: Dunod, 1965.

SCHACHTER, S. (1959). *The psychology of affiliation.* Stanford, CA: Stanford University Press.

SCHACHTER, S. (1964). The interaction of cognitive and physiological determinants of emotional state. *In* L. Berkowitz (dir.), *Advances in experimental social psychology* (vol. 1). New York: Academic Press.

SCHACHTER, S. et SINGER, J.L. (1962). Cognitive, social and physiological determinants of emotional state. Psychological determinants of emotional state. *Psychological Review, 65*, 121-128.

SCHAEFFER, G.H. et PATTERSON, M.L. (1980). Intimacy, arousal, and small group crowding. *Journal of Personality and Social Psychology, 38*, 283-290.

SCHAFFER, D.R. (1975). Some effects of consonant and dissonant attitudinal advocacy on initial attitude salience and attitude change. *Journal of Personality and Social Psychology, 32*, 160-168.

SCHANK, R.C. et ABELSON, R.P. (1977). *Scripts, plan, and understanding: An inquiry into human knowledge structures.* Hillsdale, NJ: Lawrence Erlbaum.

SCHEIBE, K.E. (1979). *Minors, masks, lies and secrets: The limits of human predictability.* New York: Praeger.

SCHEIER, M.F., FENINGSTEIN, A. et BUSS, A.H. (1974). Self-awareness and physical aggression. *Journal of Experimental Social Psychology, 10*, 264-273.

SCHERER, K.R. (1984). Emotion as a multicomponent process: A model and some cross-cultural data. *In* P. Shaver (dir.), *Review of Personality and Social Psychology* (vol. 5). Beverly Hills: Sage.

SCHILL, T.R. (1972). Aggression and blood pressure responses of high and low-guilt subjects following frustration. *Journal of Consulting and Clinical Psychology, 38*, 461.

SCHILTZ, M.E. (1970). *Public attitudes toward social security, 1935-1956.* Washington, DC: U.S. Government Printing Office.

SCHLENKER, B.R., BONOMA, T., TEDESCHI, J.T. et PIVNICK, W.P. (1970). Compliance to threats as a function of the wording of the threat and the exploitativeness of the threatener. *Sociometry, 33*, 394-408.

SCHLENKER, B.R., HELM, B. et TEDESCHI, J.T. (1973). The effects of personality and situational variables on behavioral trust. *Journal of Personality and Social Psychology, 25*, 419-427.

SCHMITT, B.H., GILOVICH, T., GOORE, N. et JOSEPH, L. (1986). Mere presence and social facilitation: One more time. *Journal of Experimental Social Psychology, 22*, 242-248.

SCHMITT, D.R. et MARWELL, G. (1977). Cooperation and the human group. *In* R. Hamblin et Kunkel (dir.), *Behavior theory in sociology.* New Brunswick, NJ: Transaction Books.

SCHNEIDER, K.S. (1977). Personality correlates of altruistic behavior under four experimental conditions. *Journal of Social Psychology, 102*, 113-116.

SCHOPLER, J., McCALLUM, R. et RUSBULT, C.E. (1977). *Behavioral interference and internality-externality as determinants of subject crowding.* Manuscrit inédit. University of North Carolina, Chapel Hill.

SCHOPLER, J. et STOCKDALE, J.E. (1977). An interference analysis of crowding. *Environmental Psychology and Non-Verbal Behavior, 1*, 81-88.

SCHOPLER, J. et THOMPSON, V. (1968). The role of attribution processes in mediating amount of reciprocity for a favor. *Journal of Personality and Social Psychology, 10*, 243-250.

SCHROEDER, D. et COSTA, P., Jr. (1984). Influence of life event stress on physical illness; Substantive effects or methodological flaws? *Journal of*

Personality and Social Psychology, 46, 853-863.

SCHULER, H. et PELTZER, U. (1978). Friendly versus unfriendly non-verbal behavior: The effects on partners' decision-making preferences. *In* H. Brandstätter, J.H. Davis et H. Schuler (dir.), *Dynamics of group decisions*. Beverly Hills, CA: Sage.

SCHULMAN, J., SHAVER, P., COLMAN, R., EMRICH, B. et CHRISTIE, R. (1973). Recipe for a jury. *Psychology Today, 7*, 77-84.

SCHULZ, R. (1976). Control, predictability and the institutionalized aged. *Journal of Personality and Social Psychology, 33*, 563-573.

SCHULZ., R. et HANUSA, B.H. (1978). Long term effects of control and predictability enhancing interventions: Findings and ethical issues. *Journal of Personality and Social Psychology, 36*, 1194-1201.

SCHUTZ, A. (1932). The dimensions of the social world. *In* A. Brodersen (dir.), *Alfred Schutz: Collected papers II, Studies in social theory* (traduction de Thomas Luckmann). La Haye: Nijhoff, 1964.

SCHUTZ, A. (1962). *Collected papers: I. The problem of social reality*. La Haye: Martinus Nijhoff.

SCHWANBERG, S.L. (1990). Attitudes toward homosexuality. *In* American health care literature, 1983-1987. *Journal of Homosexuality, 19* (3), 117-136.

SCHWARTZ, B., LACEY, H. et SCHULDENFREI, R. (1978). Operant psychology as factory psychology. *Behaviorism, 6*, 229-254.

SCHWARTZ, D.C. (1968). On the ecology of political violence: "The long hot summer" as a hypothesis. *American Behavioral Scientist,* juillet-août, 24-28.

SCHWARTZ, G. et MERTEN, D. (1980). *Love and commitment*. Beverly Hills, CA: Sage.

SCHWARTZ, S.H. (1970). Moral decision making and behavior. *In* J.R. Macaulay et L. Berkowitz (dir.), *Altruism and helping behavior*. New York: Academic Press.

SCHWARTZ, S.H. (1974). Awareness of interpersonal consequences, responsibility denial and volunteering. *Journal of Personality and Social Psychology, 30*, 57-63.

SCHWARTZ, S.H. (1977). Normative infliences on altruism. *In* L. Berkowitz (dir.), *Advances in experimental social psychology* (vol. 10). New York: Academic Press.

SCHWARTZ, S.H. (1978). Temporal instability as a moderator of the attitude-behavior relationship. *Journal of Personality and Social Psychology, 36*, 715-724.

SCHWARTZ, S.H. et FLEISHMAN, J.A. (1978). Personal norms and the mediation of legitimacy effects on helping. *Social Psychology, 41*, 306-315.

SCHWARTZ, S.H. et TESSLER, R. (1972). A test of a model for reducing measured attitude-behavior discrepancies. *Journal of Personality and Social Psychology, 24*, 225-236.

SCHWARZWALD, J., BIZMAN, A. et RAZ, M. (1983). The foot-in-the-door paradigm: Effects of second request size on donation probability and donor generosity. *Personality and Social Psychology Bulletin, 9*, 443-450.

SCHWENDINGER, J. et SCHWENDINGER, H. (1974). Rape myths: In legal, theoretical, and everyday practice. *Crime and Social Justice, 1*, 18-26.

SCROGGS, J. (1976). Penalties for rape as a function of victim provocativeness, damage, and resistance. *Journal of Applied Social Psychology, 6*, 360-368.

SEALY, A.P. et CORNISH, W.R. (1973). Jurors and their verdicts. *Modern Law Review, 36*, 496-508.

SEARS, D.O. (1965). Selective exposure. *In* R.P. Abelson, E. Aronson, W.J. McGuire, T.M. Newcomb, M.J. Rosenberg et P.H. Tannenbaum (dir.), *Theories of cognitive consistency: A sourcebook*. Chicago: Rand McNally.

SEARS, D.O., FREEDMAN, J.L. et O'CONNOR, E.F. (1964). The effects of anticipated debate and commitment on the polarization of audience opinion. *Public Opinion Quarterly, 28*, 615-627.

SEARS, R.R., MACCOBY, E.E. et LEVIN, H. (1957). *Patterns of child rearing*. Evanston, IL: Row Peterson.

SEARS, D.O. et McCONAHAY, J.B. (1972). Racial socialization, comparison levels and the Watts riot. *Journal of Social Issues, 26*, 121-140.

SEARS, D.O. et RILEY, R.J. (1969). *Positivity biases in evaluations of political candidates*. Manuscrit inédit. University of California, Los Angeles.

SEARS, D.O. et WHITNEY, R.R (1973). *Political persuasion*. Morristown, NJ: Silver Burdett/General Learning Press.

SEASHORE, S.E. (1954). *Group cohesiveness in the industrial work group*.

Ann Arbor, MI: Institute for Social Research.

SECORD, P.F. et BACKMAN, C.W. (1964). *Social psychology*. New York: McGraw-Hill.

SECORD, P.F., BEVAN, W. et KATZ, B. (1956). The Negro stereotype and perceptual accentuation. *Journal of Abnormal and Social Psychology, 53*, 78-83.

SEEMAN, M. (1971). The urban alienations: Some dubious theses from Marx to Marcuse. *Journal of Personality and Social Psychology, 19*, 135-143.

SELIGMAN, C., KRISS, M., DARLEY, J.M., FAZIO, R.H., BECKER, L.G. et PRYOR, J.B. (1979). Predicting summer energy consumption from homeowners attitudes. *Journal of Applied Social Psychology, 9*, 70-90.

SELIGMAN, M.E.P. (1975). *Helplessness*. San Francisco: W.H. Freeman.

SELIGMAN, M.E.P. et MAIER, S.F. (1967). Failure to escape traumatic shock. *Journal of Experimental Psychology, 74*, 1-9.

SELLTIZ, C., WRIGHTSMAN, L.S. et COOK, S.W. (1976). *Les méthodes de recherche en sciences sociales*. Montréal: Les Éditions HRW, 1977.

SELYE, H. (1956). *Le stress de la vie: le problème de l'adaptation*. Montréal: Lacombe, 1975.

SELYE, H. (1956). *The stress of life*. New York: McGraw-Hill.

SELYE, H. (1974). *Stress sans détresse*. Montréal: La Presse.

SELZNICK, G.J. et STEINBERG, S. (1969). *The tenacity of prejudice*. New York: Harper & Row.

SEMIN, G. et MANSTEAD, A. (1983). *The accountability of conduct*. New York: Academic Press.

SENN, D.J. (1971). Attraction as a function of similarity-dissimilarity in task performance. *Journal of Personality and Social Psychology, 18*, 120-123.

SENTIS, K. et MARKUS, H. (1979). *Self-schemas and recognition memory*. Manuscrit inédit. Bell Laboratories.

SERMAT, V. (1974). *Some situational and personality correlates of loneliness*. Manuscrit inédit. York University, Toronto.

SHAFFER, D.R., ROGEL, M. et HENDRICK, C. (1975). Intervention in the library: The effect of increased responsibility on bystander willingness to prevent a theft. *Journal of Applied Social Psychology, 5*, 309-319.

SHANTEAU, J. et NAGY, F. (1979). Probability of acceptance in dating choice.

Journal of Personality and Social Psychology, 37, 522-533.

SHARABANY, R. (1974). *Intimate friendships among kibbutz and city children and its measurement.* Thèse de doctorat inédite. Cornell University, Ithaca, NY (Microfilms de l'université, n° 74-17, 682).

SHARABANY, R. (août 1973). *The development of intimacy among children in the kibbutz.* Communication présentée à l'assemblée biennale de l'International Society for the Study of Behavioral Development. Ann Arbor, MI.

SHAVER, K.G. (1977). *Principles of social psychology.* Cambridge, MA: Winthrop.

SHAVER, P. (1976). Questions concerning fear of success and its conceptual relatives. *Sex Roles, 2*, 305-320.

SHAVER, P. et RUBINSTEIN, C.M. (1980). Childhood attachment experience and adult loneliness. *In* L. Wheeler (dir.), *The review of personality and social psychology.* Beverly Hills, CA: Sage.

SHAVER, P. et RUBINSTEIN, C.M. (1980). Childhood attachment experience and adult loneliness. *In* L. Wheeler (dir.). *The review of personality and social psychology.* Beverly Hills, CA: Sage.

SHAVER, P. et RUBINSTEIN, C.M. (septembre 1979). *Living alone, loneliness and health.* Communication présentée au 87e congrès de l'American Psychological Association, New York.

SHAW, M.E. (1955). A comparison of two types of leadership in various communication nets. *Journal of Abnormal and Social Psychology, 50*, 127-134.

SHAW, M.E. (1958). Some effects of irrelevant information upon problem solving by small groups. *Journal of Social Psychology, 47*, 33-37.

SHAW, M.E. (1976). *Group dynamics: The psychology of small group behavior* (2e édition). New York: McGraw-Hill.

SHAW, M.E. et BLUM, J.M. (1965). Group performance as a function of task difficulty and the group's awareness of member satisfaction. *Journal of Applied Psychology, 49*, 151-154.

SHERIF, C.W., SHERIF, M. et NEBERGALL, R.E. (1965). *Attitude and attitude change: The social judgment-involvement approach.* Philadelphia: W.B. Saunders.

SHERIF, M. (1935). A study of some social factors in perception. *Archives of Psychology, 27*, no 187.

SHERIF, M. (1979). Superordinate goals in the reduction of intergroup conflict: An experimental evaluation. *In* W.G. Austin et S. Worchel (dir.), *The social psychology of intergroup relations.* Monterey, CA: Brooks/Cole.

SHERIF, M., HARVEY, O.J., WHITE, B.J., HOOD, W.R. et SHERIF, C.W. (1961). *Intergroup cooperation and competition: the Robbers Cave experiment.* Norman, OK: University Book Exchange.

SHERIF, M. et HOVLAND, C.I (1961). *Social judgment: Assimilation and contrast effects in communication and attitude change.* New Haven, CT: Yale University Press.

SHERIF, M. et SHERIF, C.W. (1953). *Groups in harmony and tension.* New York: Harper & Row.

SHERIF, M. et SHERIF, C.W. (1979). Research on intergroup relations. *In* W.G. Austin et S. Worchel (dir.), *The social psychology of intergroup relations.* Monterey, CA: Brooks/Cole.

SHERIF, M., WHITE, B.J. et HARVEY, O.J. (1955). Status experimentally produced groups. *American Journal of Sociology, 60*, 370-379.

SHERMAN, S.J., AHLM, K., BERMAN, L. et LYNN, S. (1978). Contrast effects and their relationship to subsequent behavior. *Journal of Experimental Social Psychology, 14*, 340-350.

SHERROD, D.R. (1974). Crowding, perceived control, and behavioral aftereffects. *Journal of Applied Social Psychology, 4*, 171-186.

SHERROD, D.R., HAGE, J., HALPERN, P. et MOOONE, B. (1977). Effects of personal causation and perceived control on responses to an aversive environment: The more control, the better. *Journal of Experimental Social Psychology, 13*, 14-27.

SHIFLETT, S.C. et NEALEY, S.M. (1972). The effects of changing leader power: A test of situational engineering. *Organizational Behavior and Human Performance, 7*, 371-382.

SHINN, M., ROSARIO, M., MORCH, H. et CHESTNUT, D. (1984). Coping with job stress and burnout in the human services. *Journal of Personality and Social Psychology, 46*, 864-876.

SHOOR, S.M. et HOLMAN, H.R. (1984). Development of an instrument to explore psychological mediators of outcome in chronic arthritis. *Transactions of the Association of American Physicians, 97*, 325-331.

SHOTTER, J. (1977). *Images of man in psychological research.* London: Methuen.

SHOTTER, J. (1984). *Social accountability and selfhood.* Oxford: Blackwell.

SHOWERS, C. et CANTOR, N. (1985). Social cognition: A look at motivated strategies. *Annual Review of Psychology, 36*, 275-305.

SHRAUGER, J.S. et JONES, S.C. (1968). Social validation and interpersonal evaluations. *Journal of Experimental Social Psychology, 4*, 315-323.

SHRAUGER, J.S. et LUND, A. (1975). Self-evaluations and reactions to evaluations by others. *Journal of Personality, 43*, 94-109.

SHURE, G.H., ROGERS, M.S., LARSEN, I.M. et TASSONE, J. (1962). Group planning and task effectiveness. *Sociometry, 25*, 263-282.

SIDOWSKI, J.B., WYCKOFF, L.B et TABORY, L. (1959). The influence of reinforcement and punishment in a minimal social situation. *Journal of Abnormal and Social Psychology, 52*, 115-119.

SIEGEL, S. et FOURAKER, L.E. (1960). *Bargaining and group decision making.* New York: McGraw-Hill.

SIGALL, H. et LANDY, D. (1973). Radiating beauty: Effects of having a physically attractive partner on person perception. *Journal of Personality and Social Psychology, 28*, 218-224.

SIGALL, H. et OSTROVE, N. (1975). Beautiful but dangerous: Effects of offender attractiveness and nature of the crime on juridic judgment. *Journal of Personality and Social Psychology, 31*, 410-414.

SILVER, L.B., DUBLIN, C.C. et LOURIE, R.S. (1969). Does violence breed violence? Contributions from a study of the child abuse syndrome. *American Journal of Psychiatry, 126*, 404-407.

SILVERMAN, I. et SHAW, M.E. (1973). Effects of sudden mass school desegregation on interracial interaction and attitudes in one Southern city. *Journal of Social Issues, 29*, 133-142.

SIMARD, L.M. (1981). Intergroup Communication. *In* R.C. Gardner et R. Kalin (dir.), *A Canadian social psychology of ethnic relations.* Toronto: Methuen.

SIMMEL, G. (1903). The number of members as determining the sociological form of the group. *American Journal of Sociology, 8*, 1-46; 158-196.

SIMON, R.J. (1967). *The jury and the defense of insanity.* Boston: Little Brown.

SIMONS, C. et Piliavin, J. (1972). The effect of deception on reactions to a victim. *Journal of Personality and Social Psychology, 21*, 56-60.

SIMONTON, D.K. (1984). Generational time-series analysis: A paradigm for studying sociocultural influences. *In* K.J. Gergen et M.M. Gergen (dir.), *Historical social psychology*. Hillsdale, NJ: Lawrence Erlbaum.

SIMPSON, M.A. (1976). Brought in dead. *Omega: Journal on Death and Dying, 7*, 243-248.

SIPES, R.G. (1973). War, sports and aggression: An empirical test of two rival theories. *American Anthropologist, 75*, 64-86.

SKINNER, B.F. (1948). *Walden two*. New York: Macmillan.

SKINNER, B.F. (1971). *Par-delà la liberté et la dignité*. Paris: Laffont, 1972.

SLOAN, L.R. (1979). The function and impact of sports for fans: A review of theory and contemporary research. *In* J.H. Goldstein (dir.), *Sports, games and play: Social and psychological viewpoints*. Hillsdale, NJ: Lawrence Erlbaum.

SLOAN, L.R., LOVE, R. et OSTROM, T.M. (1974). Political heckling: Who really loses? *Journal of Personality and Social Psychology, 30*, 518-525.

SMEDLEY, J.W. et BAYTON, J.A. (1978). Evaluative race-class stereotypes by race and perceived class of subjects. *Journal of Personality and Social Psychology, 36*, 530-536.

SMITH, G.F. et DORFMAN, D.D. (1975). The effect of stimulus uncertainty on the relationship between frequency of exposure and liking. *Journal of Personality and Social Psychology, 31*, 150-155.

SMITH, S.M. (1973). *The battered child syndrome*. London: Butterworth.

SMYTHE, P.C. et BROOK, R.C. (1980). Environmental concerns and actions: A social psychological investigation. *Canadian Journal of Behavioural Science, 12*, 175-186.

SNYDER, C.R. et FROMKIN, H.L. (1980). *Uniqueness: The human pursuit of difference*. New York: Plenum Press.

SNYDER, C.R. et FROMKIN, H.L. (1980). *Uniqueness: The human pursuit of difference*. New York: Plenum Press.

SNYDER, C.R., HIGGINS, R.L. et STUCKY, R.J. (1983). *Excuses: Masquerades in search of grace*. New York: Wiley.

SNYDER, E.C. (1958). The Supreme Court as a small group. *Social Forces, 36*, 232-239.

SNYDER, M. et SIMPSON, J.A. (1984). Self-monitoring and dating relationships. *Journal of Personality and Social Psychology, 47*, 1281-1291.

SNYDER, M. et WHITE, P. (1982). Mood and memories: Elation, depression, and remembering of events of one's life. *Journal of Personality, 50*, 149-167.

SNYDER, M.L. (1979). Self-monitoring processes. *In* L. Berkowitz (dir.), *Advances in experimental social psychology* (vol. 12). New York: Academic Press.

SNYDER, M.L., CAMPBELL, B. et PRESATON (1982). Self-monitoring the self in action. *In* J. Suls (dir.), *Psychological perspectives on the self* (vol. 1). Hillsdale, NJ: Lawrence Erlbaum.

SNYDER, M.L. et CUNNINGHAM, M.R. (1975). To comply or not to comply: Testing the self-perception explanation of the foot-in-the-door phenomenon. *Journal of Personality and Social Psychology, 31*, 64-67.

SNYDER, M.L. et SWANN, W.B., Jr. (1976). When actions reflect attitudes: The policies of impression management. *Journal of Personality and Social Psychology, 34*, 1034-1042.

SNYDER, M.L. et TANKE, E.D. (1976). Behavior and attitude: Some people are more consistent than others. *Journal of Personality, 44*, 510-517.

SNYDER, M.L., TANKE, E.D. et BERSCHEID, E. (1977). Social perception and interpersonal behavior: On the self-fulfilling nature of social stereotypes. *Journal of Personality and Social Psychology, 35*, 656-666.

SOKAL, M. (1978). *James McKeen Cattell and American psychology in the 1920's*. Manuscrit inédit. Worcester Polytechnic Institute, Worcester, MA.

SOMMER, J.G. (1979). The rich, the poor and American private philanthropy. *In* R. Eells (dir.), *International business philanthropy*. New York: Macmillan.

SOMMER, R. (1969). *Personal space: The behavioral basis of design*. Englewood Cliffs, NJ: Prentice-Hall.

SOMMER, R. (1987). Dreams, reality, and the future of environmental psychology. In D. Stokols et I. Altman (dir.), *Handbook of environmental psychology* (vol. 2). New York: John Wiley & Sons.

SOMMER, R. et BECKER, F.D. (1969). Territorial defense and the good neighbor. *Journal of Personality and Social Psychology, 11*, 85-92.

SOUZA, E. et SILVA, M.C. (1977). *Social and cognitive dynamics of shyness*. Mémoire de maîtrise inédit. Stanford University, Stanford, CA.

SPENCE, J.T. et HELMREICH, R.L. (1977). *Masculinity and feminity*. Austin: University of Texas Press.

SROUFE, R., CHAIKIN, A., COOK, R. et FREEMAN, V. (1977). The effects of physical attractiveness on honesty. *Personality and Social Psychology Bulletin, 3*, 59-62.

STAM, H.J., ROGERS, T.B. et GERGEN, K.J. (dir.) (1987). *The analysis of psychological theory: Metapsychological Perspectives*. New York: Hemisphere.

STANG, D.J. (1974). Methodological factors in mere exposure research. *Psychological Bulletin, 81*, 1014-1025.

STANTON, A.L. (1987). Determinants of adherence to medical regimens by hypertensive patients. *Journal of Behavioral Medicine, 10*, 377-394.

STATISTIQUE CANADA (1991). Division des systèmes de soutien familiaux et sociaux. *Entraide collective: Actes du symposium sur les soutiens sociaux*. Ottawa: Statistique Canada.

STATISTIQUE CANADA (1992). Divorce 1990. *In Rapports sur la santé*, supplément n° 17, vol. 4 (4), 1992. Ottawa: Statistique Canada.

STATTIN, H. et MAGNUSSON, D. (1989). The role of early aggressive behavior in the frequency, seriousness and types of later crime. *Journal of Consulting and Clinical Psychology, 57*, 710-718.

STAUB, E. (1970). A child in distress: The influence of age and number of witnesses on children's attempts to help. *Journal of Personality and Social Psychology, 14*, 130-140.

STAUB, E. (1978). *Positive forms of social behavior*. New York: Academic Press.

STAUB, E. et SHERK, L. (1970). Need for approval: Child sharing behavior. *Child Development, 14*, 243-253.

STEELE, C.M. (1975). Name-calling and compliance. *Journal of Personality and Social Psychology, 31*, 361-369.

STEELE, F.I. (1973). *Physical settings and organization development*. Reading, MA: Addison-Wesley.

STEIN, A. (1976). Conflict and cohesion: A review of the literature. *Journal of Conflict Resolution, 20*, 143-172.

STEINER, I.D. (1972). *Group process and productivity*. New York: Academic Press.

STEINER, I.D. et RAJARATNAM, N. (1961). A model for the comparison of individual and group performance scores. *Behavioral Science, 6*, 142-147.

STEPHAN, W.G. et ROSENFIELD, D. (1978). Effects of desegregation on racial attitudes. *Journal of Personality and Social Psychology, 36*, 795-799.

STERN, P.C. et OSKAMP, S. (1987). Managing scarce environmental resources. *In* D. Stokols et I. Altman (dir.), *Handbook of environmental psychology* (vol. 2). New York: John Wiley & Sons.

STEWART, A.J. et RUBIN, Z. (1976). The power motive in the dating couple. *Journal of Personality and Social Psychology, 34,* 305-309.

STEWART, M.J. (1989). Social support: Diverse theorical perspectives. *Social Science & Medicine, 28,* 1275-1282.

ST-LAURENCE, J.S., HUSFELDT, B.A., KELLY, J.A., HOOD, H.V. et SMITH, S. Jr. (1990). The stigma of Aids: Fear of disease and prejudice toward gay men. *Journal of Homosexuality, 19* (3), 85-101.

STOKOLS, D. (1976). The experience of crowding in primary and secondary environments. *Environment and Behavior, 8,* 49-86.

STOKOLS, D. (1976). The experience of crowding in primary and secondary environments. *Environment and behavior, 8,* 49-86.

STOKOLS, D. (1978). In defense of the crowding construct. *In* A. Baum, J.E. Singer et S. Valins (dir.), *Advances in experimental psychology* (vol. 1). Hillsdale, NJ: Lawrence Erlbaum.

STONE, A. et NEALE, J. (1984). New measure of daily coping: Development and preliminary results. *Journal of Personality and Social Psychology, 46,* 892-906.

STONE, L.J. et HOKANSON, J.E. (1969). Arousal reduction via self-punitive behavior. *Journal of Personality and Social Psychology, 12,* 72-79.

STONER, J.A.F. (1961). *A comparison of individuals and group decisions involving risk.* Mémoire de maîtrise inédit. Massachusetts Institute of Technology, Cambridge.

STRECHER, V.J., McEVOY DeVELLIS, B., BECKER, M.H. et ROSENSTOCK, I.M. (1986). The role of self-efficacy in achieving health behavior change. *Health Education Quarterly, 13,* 73-91.

STRICKER, L.J., MESSICK, S. et JACKSON, D.N. (1970). Conformity, anticonformity and independence: Their dimensionality and generality. *Journal of Personality and Social Psychology, 16,* 494-507.

STRICKLAND, B.R. (1977). Internal-external control of reinforcement. *In* T. Blass (dir.), *Personality variables in social behavior.* Hillsdale, NJ: Lawrence Erlbaum.

STRICKLAND, B.R. et CROWNE, D.P. (1962). Conformity under conditions of simulated group pressure as a function of the need for social approval. *Journal of Social Psychology, 58,* 171-181.

STRICKLAND, L. (1958). Surveillance and trust. *Journal of Personality, 26,* 200-215.

STRODTBECK, F.L., JAMES, R. et HAWKINS, D. (1957). Social status in jury deliberations. *American Sociological Review, 22,* 713-719.

STRŒBE, W., INSKO, C.A., THOMPSON, V.D et LAYTON, B.D. (1971). Effects of physical attractiveness, attitude similarity, and sex on various aspects of interpersonal attraction. *Journal of Personality and Social Psychology, 18,* 79-91.

STRŒBE, W. et STRŒBE, M. (1987). *Bereavement and health: The psychological and physical consequences of partner loss.* New York: Cambridge University Press.

STRŒBE, W., STRŒBE, M. et DOMITTNER, G. (1985). *The impact of recent bereavement on the mental and physical health of young widows and widowers.* Reports from the Psychological Institute: University of Tubingen.

STRŒBE, W., STRŒBE, M., GERGEN, K.J. et GERGEN, M.M. (1982). The effect of bereavement on mortality: A social psychological analysis. *In* J.R. Eiser (dir.), *Social psychology and behavioral medicine.* Toronto: John Wiley & Sons.

STRUBE, M.J. et WERNER, C. (1984). Psychological reactance and the relinquishment of control. *Personality and Social Psychology Bulletin, 10,* 225-235.

SUCHNER, R.W. et JACKSON, D. (1976). Responsibility and status: A causal or only a spurious relationship? *Sociometry, 9,* 243-256.

SUDNOW, D. (1973). Dead on arrival. *Interaction,* novembre, 23-31.

SUEDFELD, P., BOCHNER, S. et MATAS, C. (1971). Petitioner's attire and petition signing by peace demonstrators: A field experiment. *Journal of Applied Social Psychology, 1,* 278-283.

SULLIVAN, H. (1953). *The interpersonal theory of psychiatry.* New York: W.W. Norton.

SULS, J. et FLETCHER, B. (1985). The relative efficacy of avoidant and non-avoidant coping strategies: A meta-analysis. *Health Psychology, 4,* 249-288.

SUNDSTROM, E. (1975). An experimental study of crowding: Effects of room size, intrusion, and goal blocking of non-verbal behavior, self-disclosure, and self-reported stress. *Journal of Personality and Social Psychology, 35,* 645-654.

SUNDSTROM, E. (1978). Crowding as a sequential process: Review of research on the effects of population density on humans. *In* A. Baum et Y. M. Epsein (dir.), *Human response to crowding.* Hillsdale, NJ: Lawrence Erlbaum.

SUSSMANN, M. et DAVIS, T. (1975). Balance theory and the negative interpersonal relationship: Attraction and agreement in dyads and triads. *Journal of Personality, 43,* 560-581.

SUTTLES, G.D. (1968). The social order of the slum. Chicago: University of Chicago Press.

SWANN, W.B., Jr. (1983). Self-verification: Bringing social reality into harmony with the self. *In* J. Suls et A. Greenwald (dir.), *Psychological perspectives on the self* (vol. 2). Hillsdale, NJ: Lawrence Erlbaum.

SWANN, W.B., Jr. et HILL, S.A. (1982). When our identities are mistaken: Reaffirming self-conceptions through social interaction. *Journal of Personality and Social Psychology, 43,* 59-66.

SWINTH, R.L. (1967). The establishment of the trust relationship. *Journal of Conflict Resolution, 11,* 335-344.

SZASZ, T.S. (1974). *Le mythe de la maladie mentale.* Paris: Payot, 1975.

TAJFEL, H. (1957). Value and the perceptual judgment of magnitude. *Psychological Review, 64,* 192-204

TAJFEL, H. (1973). The roots of prejudice: Cognitive aspects. *In* P. Watson (dir.), *Psychology and race.* Chicago: Aldine.

TAJFEL, H. et TURNER, J.C. (1979). An integrative theory of intergroup conflict. *In* W.G. Austin et S. Worchel (dir.), *The social psychology of intergroup relations.* Monterey, CA: Brooks/Cole.

TAJFEL, H. et TURNER, J.C. (1986). The social identity theory of intergroup behaviour. *In* S. Worchel et W.G. Austin (dir.), *Psychology of intergroup relations* (2e édition). Chicago: Nelson-Hall.

TARDE, G. (1903). *Écrits de psychologie sociale.* Toulouse: Privat, 1973.

TAVRIS, C. et OFFIR, C. (1977). *The longest war:* The psychology of sex differences. New York: Harcourt Brace Jovanovich.

TAYLOR, D.A. (1968). The development of interpersonal relationships: Social penetration processes. *Journal of Social Psychology, 75,* 79-90.

TAYLOR, F.W. (1911). *La direction scientifique des entreprises.* Paris: Dunod, 1957.

TAYLOR, M.C. (1979). Race, sex and the expression of self-fulfilling prophecies in a laboratory teaching situation. *Journal of Personality and Social Psychology, 37,* 897-912.

TAYLOR, R.B., DESOTO, C.B. et LIEB, R. (1979). Sharing secrets: Disclosure and discretion in dyads and triads. *Journal of Personality and Social Psychology, 37,* 1196-1203.

TAYLOR, S.E. (1981). A categorization approach to stereotyping. *In* D.L. Hamilton (dir.), *Cognitive processes in stereotyping and intergroup behavior.* Hillsdale, NJ: Lawrence Erlbaum.

TAYLOR, S.E. (1986). *Health psychology.* New York: Random House.

TAYLOR, S.E, CROCKER, J., FISKE, S.T., SPRINZEN, M. et WINKLER, J.D. (1979). The generalizability of salience effects. *Journal of Personality and Social Psychology, 37,* 357-368.

TAYLOR, S.E., FISKE, S.T., ETCOFF, N.J. et RUDERMAN, A.J. (1978). Categorial and contextual bases of person memory and stereotyping. *Journal of Personality and Social Psychology, 36,* 778-793.

TAYLOR, S.E. et METTEE, D.R. (1971). When similarity breeds contempt. *Journal of Personality and Social Psychology, 20,* 175-181.

TAYLOR, S.P., VARDARIS, R.M., RAWITCH, A.B., GAMMON, C.B., CRANSTON, J.W. et LUBETKIN, A.I. (1976). The effects of alcohol and delta-9-tetra hydrocannabinal on human physical aggression. *Aggressive Behavior, 2,* 53-161.

TEICHMAN, M. et FOA, U.G. (1975). Effect of resources similarity on satisfaction with exchange. *Social Behavior and Personality, 3,* 213-224.

TESSER, A. (1978). Self-generated attitude change. *In* L. Berkowitz (dir.), *Advances in experimental social psychology* (vol. 11). New York: Academic Press.

TESSER, A. et CONLEE, M.C. (1975). Some effects of time and thought on attitude polarization. *Journal of Personality and Social Psychology, 31,* 262-270.

TESSIER, R., FILLION, K., MUCKLE, G. et GENDRON, M. (1990). Quelques mesures-critères de stress et la prédiction de l'état de santé physique. Une étude longitudinale. *Revue canadienne des sciences du comportement, 22,* 271-281.

TETLOCK, P.E. (1979). Identifying victims of group think from public statements of decision makers. *Journal of Personality and Social Psychology, 37,* 1314-1324.

THELAN, M.H., DOLLINGER, S.J. et ROBERTS, M.C. (1975). On being imitated: Its effects on attraction and reciprocal imitation. *Journal of Personality and Social Psychology, 31,* 467-472.

THIBAUT, J.W. et KELLEY, H.H. (1959). *The social psychology of groups.* New York: John Wiley & Sons.

THOMAS, M.H. et DRABMAN, R.S. (1978). Effects of television violence on expectations of others' aggression. *Personality and Social Psychology Bulletin, 4,* 73-76.

THOMAS, M.H., HORTON, R.W., LIPPINCOTT, E.C. et DRABMAN, R.S. (1977). Desensitization to portrayals of real-life aggression as a function of exposure to television violence. *Journal of Personality and Social Psychology, 35,* 450-458.

THOMPSON, E.G., GARD, J.W. et PHILLIPS, J.L. (1980). Trait dimensionality and "balance" in subject-verb-object judgments. *Journal of Personality and Social Psychology, 38,* 57-66.

THOMPSON, W.C., LOWAN, J.W. et ROSENHAN, D.L. (1980). Focus of attention mediates the impact of negative affect on altruism. *Journal of Personality and Social Psychology, 38,* 291-300.

THORNDIKE, E.L. (1920). A constant error in psychological ratings. *Journal of Applied Psychology, 4,* 25-29.

TIMKO, C. (1987). Seeking medical care for a breast cancer symptom: Determinants of intentions to engage in prompt or delay behavior. *Health Psychology, 6,* 305-328.

TJOSVOLD, D. et SAGARIA, S.D. (1978). Effects of relative power on cognitive perspective-taking. *Personality and Social Psychology Bulletin, 4,* 256-259.

TOLMAN, E.C. (1948). Cognitive maps in rats and men. *Psychological Review, 55,* 189-208.

TOUGAS, F., BEATON, A.M. et JOLY, S. (1990). L'appui des femmes à l'action positive: une question d'image ou de colère? *Science et comportement, 20* (3-4), 211-222.

TOUGAS, F., BEATON, A.M. et VEILLEUX, F. (1991). Why women approve of affirmative action: The study of a predictive model. *International Journal of Psychology, 26,* 761-776.

TOUGAS, F., DUBÉ, L. et VEILLEUX, F. (1987). Privation relative et programmes d'action positive. *Revue canadienne des sciences du comportement, 19,* 167-176.

TOUGAS, F. et VEILLEUX, F. (1988). The influence of identification, collective relative deprivation, and procedure of implementation on women's response to affirmative action: A causal modeling approach. *Canadian Journal of Behavioural Science, 20,* 16-29.

TOUGAS, F. et VEILLEUX, F. (1989). Who likes affirmative action: Attitudinal processes among men and women. *In* F.A. Blanchard et F. Crosby (dir.), *Affirmative Action in Perspective.* New York: Springer-Verlag.

TOUGAS, F. et VEILLEUX, F. (1991). L'accès à l'égalité en emploi: rétrospective et perspectives d'avenir. *Journal of Psychiatry and Neuroscience, 16* (3), 166-169.

TOUGAS, F. et VEILLEUX, F. (1991). Les réactions des hommes à l'action positive: une question d'intérêt personnel ou d'insatisfaction face aux iniquités de sexe? *Revue canadienne des sciences administratives, 8* (1), 37-42.

TOUHEY, J.C. (1972). Comparison of two dimensions of attitude similarity on heterosexual attraction. *Journal of Personality and Social Psychology, 23,* 8-10.

TRACY, J. et CLARK, E. (1974). Treatment for child abusers. *Social Work, 19,* 338-342.

TREMBLAY, R.E., GAGNON, C., VITARO, F., LEBLANC, M., LARIVÉE, S., CHARLEBOIS, P. et BOILEAU, H. (1990). La violence physique chez les garçons: un comportement à comprendre et à prévenir. *Interface,* mars-avril, 11-18.

TREMBLAY, R.E., McCORD, J., BOILEAU, H., CHARLEBOIS, P., GAGNON, C., LEBLANC, M. et LARIVÉE, S. (1991). Can disruptive boys be helped to become competent? *Psychiatry, 54,* 148-161.

TRESEMER, D. (1977). *Fear of success.* New York: Plenum Press.

TRIANDIS, H.C. (1971). Attitude and attitude change. New York: Wiley.

TRIANDIS, H.C. (1976). *Interpersonal behavior.* Monterey, CA: Brooks/Cole.

TRIANDIS, H.C. (1977). *Interpersonal behavior*. Monterey, CA: Brooks/Cole.

TRIANDIS, H.C. et BRISLIN, R.W. (dir.) (1980). *Handbook of cross-cultural psychology: Social psychology* (vol. 5). Boston: Allyn & Bacon.

TRIANDIS, H.C. et DAVIS, E.E. (1965). Race and belief as determinants of behavioral intentions. *Journal of Personality and Social Psychology, 2,* 715-725.

TRUCHON-GAGNON, C. et HÉTU, R. (1988). Noise in day-care centers for children. *Noise control Engineering Journal, 30* (2), 57,64.

TUDDENHAM, R.D. et McBRIDE, P. (1959). The yielding experiment from the subject's point of view. *Journal of Personality, 27,* 259-271.

TUMES, J. (mai 1972). *The contingency theory of leadership: A behavioral investigation.* Communication présentée à l'Eastern Academy of Management, Boston.

TURNER, C.W. et SIMONS, L.S. (1974). Effects of subject sophistication and evaluation apprehension on aggressive responses to weapons. *Journal of Personality and Social Psychology, 30,* 341-348.

TVERSKY, A. et KAHNEMAN, D. (1980). Causal schemas in judgments under uncertainty. *In* M. Fishbein (dir.), *Progress in social psychology* (vol. 1). Hillsdale, NJ: Lawrence Erlbaum.

TÖNNIES, F. (1957). *Community and society.* East Lansing: Michigan State University Press.

UGWUEGBU, D.C. (1979). Racial and evidential factors in juror attribution of legal responsibility. *Journal of Experimental Social Psychology, 15,* 133-146.

UPSHAW, H.S. (1969). The personal reference scale: An approach to social judgment. *In* L. Berkowitz (dir.), *Advances in experimental social psychology* (vol. 4). New York: Academic Press.

U.S. RIOT COMMISSION (1968). *Report of the National Advisory Commission on Civil Disorders.* New York: Bantam Books.

U.S. SENATE, COMMITTEE ON LABOR AND PUBLIC WELFARE, SUBCOMMITTEE ON CHILDREN AND YOUTH (1973). *Child Abuse Prevention and Treatment Act: Hearing on S. 1191.* 93e congrès.

VALENZI, E.R. et ANDREWS, I.R. (1971). Effects of hourly overpay and underpay inequity when tested with a new

induction procedure. *Journal of Applied Psychology, 55,* 22-27.

VALLONE, R.P., ROSS, L. et LEPPER, M.R. (1985). The hostile media phenomenon: Biased perception and perception of media in coverage of the Beirut massacre. *Journal of Personality and Social Psychology, 49,* 577-585.

VALOIS, P., DESHARNAIS, R. et GODIN, G. (1988). A comparison of the Fishbein and Ajzen and the Triandis attitudinal models for the prediction of exercise intention and behavior. *Journal of Behavioral Medicine, 11,* 459-472.

VAN KIRK, M. (1978). *Response time analysis: Executive summary.* Washington, DC: Law Enforcement Assistance Administration.

VAN LIERE, K.D. et DUNLAP, R.E. (1981). Environmental concern: does it make a difference how it's measured? *Environment and Behavior, 13,* 651-676.

VAUGHAN, G.M. (1963). Concept formation and the development of ethnic awareness. *Journal of Genetic Psychology, 103,* 93-103.

VAUGHAN, G.M. (1964). Ethnic awareness in relation to minority group membership. *Journal of Genetic Psychology, 105,* 119-130.

VAUGHAN, K.B. et LANZETTA, J.T. (1980). Vicarious instigation and conditioning of facial expressive and autonomic responses to a model's expressive display of pain. *Journal of Personality and Social Psychology, 38,* 909-923.

VERPLANCK, W.S. (1955). The control of the content of conversation: Reinforcement of statements of opinion. *Journal of Abnormal and Social Psychology, 51,* 668-676.

V.G.-MORVAL, M. et BOUCHARD, L. (1987). *Enquête sur le vécu des étudiants et les comportements suicidaires à l'Université de Montréal.* Montréal: Table de prévention du suicide de l'Université de Montréal.

VIDMAR, N. et CRINKLA, L. (mai 1973). Retribution and utility as motives in sanctioning behavior. Communication présentée à la Midwestern Psychological Association, Chicago.

VINACKE, W.E. et ARKOFF, A. (1957). Experimental study of coalitions in the triad. *American Sociological Review, 22,* 406-415.

VOCKELL, E.L, FELKER, D.W. et MILEY, C.H (1973). Birth order literature 1967-1971: Bibliography and index.

Journal of Individual Psychology, 29, 39-53.

VOHS, J.L. et GARRET, R.L. (1968). Resistance to persuasion: An integrative framework. *Public Opinion Quarterly, 32,* 445-452.

VOISSEM, N.H. et SISTRUNK, F. (1971). Communication schedule and cooperative game behavior. *Journal of Personality and Social Psychology, 19,* 160-167.

WAGNER, C. et WHEELER, L. (1969). Model need and cost effects in helping behavior. *Journal of Personality and Social Psychology, 12,* 111-116.

WAGNER, R.V. (1975). Complementary needs, role expectations, interpersonal attraction and the stability of working relationships. *Journal of Personality and Social Psychology, 32,* 116-124.

WAHRMAN, R. et PUGH, M.D. (1972). Competence and conformity: Another look at Hollander's study. *Sociometry, 35,* 376-386.

WAHRMAN, R. et PUGH, M.D. (1974). Sex nonconformity and influence. *Sociometry, 37,* 137-147.

WALDON, I., ZYZANSKI, A., SHEKELLE, C.D., JENKINS, C.D. et TANNABA-UM, S. (1977). The coronary prone behavior pattern in employed men and women. *Journal of Human Stress, 3,* 2-18.

WALKER, T.G. (1973). Behavior of temporary members in small groups. *Journal of Applied Psychology, 58,* 144-146.

WALLACE, J. et SADALLA, E. (1966). Behavioral consequences of transgression: I. The effects of social recognition. *Journal of Experimental Social Psychology, 1,* 187-194.

WALLACE, I., WALLECHINSKY, D. et WALLACE, A. (1977). The people's almanac presents the book of lists. New York: William Morrow.

WALLACH, M.A., KOGAN, N. et BEM, D.J. (1962). Group influence on individual risk taking. *Journal of Abnormal and Social Psychology, 65,* 75-86.

WALLACH, M.A., KOGAN, N. et BEM, D.J. (1964). Diffusion of responsibility and level of risk taking in groups. *Journal of Abnormal and Social Psychology, 68,* 263-274.

WALLACH, M.A. et WING, C. (1968). Is risk a value? *Journal of Personality and Social Psychology, 9,* 101-106.

WALLER, W. (1932). *The sociology of teaching.* New York: Wiley.

WALLSTON, K.A. et WALLSTON, B.S. (1982). Who is responsible for your health?: The construct of health locus of control. *In* G.S. Sanders et J. Suls (dir.), *Social psychology of health and illness.* Hillsdale, NJ: Lawrence Erlbaum.

WALSTER, E. (1964). The temporal sequence of post-decision processes. *In* L. Festinger et coll., *Conflict, decision, and dissonance.* Stanford, CA: Stanford University Press.

WALSTER, E. (1965). The effect of self-esteem on romantic liking. *Journal of Experimental Social Psychology, 1,* 184-197.

WALSTER, E. (1971). *Did you ever see a beautiful conservative?* A note. Manuscrit inédit. University of Wisconsin, Madison.

WALSTER, E., ARONSON, V., ABRAHAMS, D. et ROTTMAN, L. (1966). Importance of physical attractiveness in dating behavior. *Journal of Personality and Social Psychology, 4,* 508-516.

WALSTER, E., TRAUPMAN, J. et WALSTER, G.W. (1979). Equity and extramarital sex. *The Archives of Sexual Behavior.*

WALSTER, E., WALSTER, G.W. et BERSCHEID, E. (1978). *Equity, theory and research.* Boston: Allyn & Bacon.

WALSTER, E., WALSTER, G.W., PILIAVIN, J. et SCHMIDT, L. (1973). "Playing hard to get": Understanding an elusive phenomenon. *Journal of Personality and Social Psychology, 26,* 113-121.

WALSTER, E., WALSTER, G.W. et TRAUPMAN, J. (1979). Equity and premarital sex. *Journal of Personality and Social Psychology, 36,* 82-92.

WALTERS, R.H. (1966). Implications of laboratory studies of aggression for the control and regulation of violence. *Annals of the American Academy of Political and Social Science, 364,* 60-72.

WARD, C.D. (1966). Attitude and involvement in the absolute judgment of attitude statements. *Journal of Personality and Social Psychology, 4,* 465-476.

WATSON, J.B. (1919). *Psychology from the standpoint of a behaviorist.* New York: J.B. Lippincott.

WATTS, W.A. et HOLT, L.E. (1979). Persistence of opinion change induced under conditions of forewarning and distraction. *Journal of Personality and Social Psychology, 37,* 778-789.

WEBB, E.J., CAMPBELL, D.T., SCHWARTZ, R.D. et SECHREST, L. (1966). *Unobtrusive measures: Nonreactive research in the social sciences.* Chicago: Rand McNally.

WEBB, S.D. (1975). The meaning, measurement and interchangeability of density and crowding indices. *Australian and New Zealand Journal of Sociology, 11,* 60-62.

WEBSTER, S.W. (1961). The influence of interracial contact on social acceptance in a newly integrated school. *Journal of Educational Psychology, 52,* 292-296.

WEGNER, D.M. et SHAEFER, D. (1978). The concentration of responsibility: An objective self-awareness analysis of group size effects in helping situations. *Journal of Personality and Social Psychology, 36,* 147-155.

WEICK, K.E. (1966). The concept of equity in the perception of pay. *Administrative Science Quarterly, 11,* 414-439.

WEICK, K.E. (1969). *The social psychology of organizing.* Reading, MA: Addison-Wesley.

WEIGEL, R.H. et COOK, S.W. (1975). Participation in decision-making: A determinant of interpersonal attraction in cooperating interracial groups. *International Journal of Group Tension, 5,* 179-195.

WEIGEL, R.H. et NEWMAN, L.S. (1976). Increasing attitude-behavior correspondence by broadening the scope of the behavioral measure. *Journal of Personality and Social Psychology, 33,* 793-802.

WEIGEL, R.H., VERNON, D.T.A. et TOGNACCI, L.N. (1974). The specificity of the attitude as a determinant of attitude-behavior congruence. *Journal of Personality and Social Psychology, 30,* 724-728.

WEIGEL, R.H., WISER, P.L. et COOK, S.W. (1975). The impact of cooperative learning experiences on cross-ethnic relations and attitudes. *Journal of Social Issues, 31,* 219-244.

WEINBERG, R.S., HUGHES H.H., CRITELLI, J.W., ENGLAND, R. et JACKSON, A. (1984). Effects of preexisting and manipulated self-efficacy on weight loss in a self-control program. *Journal of Research in Personality, 18,* 352-358.

WEINER, B., RUSSELL, D. et LERMAN, D. (1978). Affective consequences of causal ascriptions. *In* T.H. Harvey, W. Ickes et R.F. Kidd (dir.), *New directions in attribution research* (vol. 2). Hillsdale, NJ: Lawrence Erlbaum.

WEINSTEIN, N.D. (1983). Reducing unrealistic optimism about illness susceptibility. *Health Psychology, 2,* 11-20.

WEISSBROD, C.S. (1974). The effect of adult warmth on reflective and impulsive children's donation and rescue behavior. *Dissertation Abstracts International, 34* (No. 9-B), 4646. (Résumé)

WEISS, L. et LOWENTHAL, M.F. (1975). Life course perspectives on friendship. *In* M.F. Lowenthal, M. Thurnher et D. Chiriboga (dir.), *Four stages of life.* San Francisco: Jossey-Bass.

WEISS, R.F., BUCHANAN, W., ALTSTATT, L. et LOMBARDO, J.P. (1971). *Altruism is rewarding. Science, 171,* 1262-1263.

WEISS, R.F. et MILLER, F.G. (1971). The drive theory of social facilitation. *Psychological Review, 78,* 44-57.

WEISS, R.S. (1973). *Loneliness: The experience of emotional and social isolation.* Cambridge, MA: M.I.T. Press.

WELLENS, A.R. et THISTLETHWAITE, D.L. (1971). Comparison of three theories of cognitive balance. *Journal of Personality and Social Psychology, 20,* 82-92.

WELLS, G.L. (1980). Asymmetric attributions for compliance: Reward vs. punishment. *Journal of Experimental Social Psychology, 16,* 47-60.

WERNER, C. et PARMALEE, P. (1979). Similarity of activity preferences among friends: Those who play together stay together. *Social Psychology Quarterly, 42,* 62-66.

WERNER, P.D. (1978). Personality and attitude-activism correspondence. *Journal of Personality and Social Psychology, 36,* 1375-1390.

WERNER, P.D. et MIDDLESTADT, S.E. (1979). Factors in the use of oral contraceptives by young women. *Journal of Applied Social Psychology, 9,* 537-547.

WEST, S.G. et BROWN, T.J. (1975). Physical attractiveness, the severity of the emergency and helping: A field experiment and interpersonal simulations. *Journal of Experimental Social Psychology, 11,* 531-538.

WEST, S.G. et WICKLUND, R. (1980). *A primer of social psychological theories.* Monterey, CA: Brooks/Cole.

WEST, S.G., GUNN. S.P. et CHERNICKY, P. (1975).Ubiquitous Watergate: An attributional analysis. *Journal of Personality and Social Psychology, 32,* 55-65.

WEST, S.G., WHITNEY, G. et SCHNEDLER, R. (1975). Helping a motorist in distress: The effects of sex, race, and neighborhood. *Journal of Personality and Social Psychology, 31,* 691-698.

WESTERMARCK, E. (1908). *The origins and development of the moral ideas* (vol. 2). London: Macmillan.

WEYANT, J.M. (1978). Effects of mood states, costs and benefits on helping. *Journal of Personality and Social Psychology, 36,* 1169-1176.

WHEELER, L. et NEZLEK, T. (1977). Sex differences in social participation. *Journal of Personality and Social Psychology, 35,* 742-754.

WHEELER, L., SHAVER, K.G., JONES, R.A., GŒTHALS, G.R., COOPER, J., ROBINSON, J.E., GRUDER, C.L. et BUTZINE, K.W. (1969). Factors determining the choice of a comparison other. *Journal of Experimental Social Psychology, 5,* 219-232.

WHITE, L.A. (1979). Erotica and aggression: The influence of sexual arousal, positive affect, and negative affect on aggressive behavior. *Journal of Personality and Social Psychology, 37,* 591-601.

WHITNEY, R.E. (1971). Agreement and positivity in pleasantness ratings of balanced and unbalanced social situations: A cross-cultural study. *Journal of Personality and Social Psychology, 17,* 11-14.

WHYTE, W.F. (1943). *Streetcorner society.* Chicago: University of Chicago Press.

WICHMAN, H. (1970). Effects of isolation and communication on cooperation in a two-person game. *Journal of Personality and Social Psychology, 16,* 114-120.

WICKER, A.W. (1968). Undermanning, performances and students' subjective experiences in behavior settings in large and small high schools. *Journal of Personality and Social Psychology, 10,* 255-261.

WICKER, A.W. (1969). Attitudes versus actions: The relationship of verbal and overt behavioral responses to attitude objects. *Journal of Social Issues, 25,* 41-78.

WICKER, A.W. (1971). An examination of the other variables explanation of attitude-behavior inconsistency. *Journal of Personality and Social Psychology, 19,* 18-30.

WICKER, A.W. (1973). Undermanning theory and reasearch: Implications for the psychological and behavioral effects of excess populations. *Representative Research in Social Psychology, 4,* 185-206.

WICKER, A.W. (1979). *An introduction to ecological psychology.* Monterey, CA: Brooks/Cole.

WICKER, A.W. (1987). Behavior settings reconsidered: Temporal stages, resources, internal dynamics, context. *In* D. Stokols et I. Altman (dir.), *Handbook of environmental psychology* (vol. 1). New York: John Wiley & Sons.

WICKLUND, R.A. (1974). *Freedom and reactance.* Potomac, MD: Lawrence Erlbaum.

WICKLUND, R.A. (1982). How society uses self-awareness. *In* J. Suls (dir.), *Psychological perspectives on the self* (vol.1). Hillsdale, NJ: Lawrence Erlbaum.

WICKLUND, R.A. et BREHM, J.W. (1976). *Perspectives on cognitive dissonance.* Hillsdale, NJ: Lawrence Erlbaum.

WIDOM, C.S. (1978). Toward an understanding of female criminality. *In* B.A. Maher (dir.), *Progress in experimental personality research.* New York: Academic Press.

WIEDENFELD, S.A., O'LEARY, A., BANDURA, A., BROWN, S., LEVINE, S. et RASKA, K. (1990). Impact of perceived self-efficacy in coping with stressors on components of the immune system. *Journal of Personality and Social Psychology, 59,* 1082-1094.

WIGGINS, J.A., DILL, F. et SCHWARTZ, R.D. (1965). A status liability. *Sociometry, 28,* 197-209.

WILCOX, B.L. (1981). Social support in adjusting to marital disruption: A network analysis. *In* B. Gottlieb (dir.), *Social network and social support..* Beverly Hills, CA: Sage.

WILDER, D.A. (1978). Reduction of intergroup discrimination through individuation of the outgroup. *Journal of Personality and Social Psychology, 36,* 1361-1374.

WILDER, D.A. et THOMPSON, J.E. (1980). Intergroup contact with independent manipulations of in-group and out-group interaction. *Journal of Personality and Social Psychology, 38,* 589-603.

WILKE, H. et LANZETTA, J.T. (1970). The obligation to help: The effects of amount of prior help on subsequent helping behavior. *Journal of Experimental Social Psychology, 6,* 488-493.

WILLIAMS, J.E. (1975). Medium or message: Communications medium as a determinant of interpersonal evaluation. *Sociometry, 38,* 119-130.

WILLIAMS, J.E., BEST, D.L. et BOSWELL, D.A. (1975). The measurement of children's racial attitudes in the early school years. *Child Development, 46,* 501-508.

WILLIAMS, J.E. et BENNETT, S.M. (1975). The definition of sex stereotypes via the objective check list. *Sex Roles, 1,* 327-337.

WILLIS, R.H. et JOSEPH, M.L. (1959). Bargaining behavior: I. "Prominence" as a predictor of the outcome of games of agreement. *Journal of Conflict Resolution, 3,* 102-113.

WILSON, E.O. (1978). *On human nature.* Cambridge, MA: Harvard University Press.

WILSON, L. et ROGERS, R.W. (1975). The fire this time: Effects of race of target, insult and potential retaliation in black aggression. *Journal of Personality and Social Psychology, 32,* 857-864.

WILSON, W.C. (1963). Development of ethnic attitudes in adolescence. *Child Development, 34,* 247-256.

WINCH, R.F. (1958). *Mate-selection: A study of complementary needs.* New York: Harper & Row.

WINER, D.M., WALKLEY, R.P., PINKERTON, T.C. et TAYBACK, M. (1962). *The housing environment and family life.* Baltimore: Johns Hopkins University Press.

WISH, M., DEUTSCH, M. et KAPLAN, S.J. (1976). Perceived dimensions of interpersonal relations. *Journal of Personality and Social Psychology, 33,* 409-420.

WISHNER, T. (1960). Reanalysis of "impressions of personality". *Psychological Review, 67,* 96-112.

WILSON, W.R. (1979). Feeling more than we can know: Exposure effects without learning. *Journal of Personality and Social Psychology, 37,* 811-821.

WOLF, F.M. (1987). *Meta-analysis: quantitative methods for research synthesis.* Beverly Hills, CA: Sage.

WOLFGANG, A. et WOLFGANG, J. (1971). Exploration of attitudes via physical interpersonal distance toward the obese, drug users, homosexuals, police and other marginal figures. *Journal of Clinical Psychology, 27,* 510-512.

WORCHEL, P. (1979). Trust and distrust. *In* W.G. Austin et S. Worchel. *The social psychology of intergroup relations.* Monterey, CA: Brooks/Cole.

WORCHEL, S. (1974). The effects of three types of arbitrary thwarting on the instigation to aggression. *Journal of Personality, 42,* 301-318.

WORCHEL, S., ANDREOLI, V.A. et FOLGER, R. (1977). Intergroup cooperation and intergroup attraction: The effect of previous interaction and outcome of combined effort. *Journal of Experimental Social Psychology, 13,* 131-140.

WORCHEL, S., ARNOLD, S. et HARRISON, W. (1978). Aggression and power restoration: The effects of identifiability and timing on aggressive behavior. *Journal of Experimental Social Psychology, 14,* 43-52.

WORCHEL, S., LIND, E. et KAUFMAN, K. (1975). Evaluations of group products as a function of expectations of group longevity, outcome of competition, and publicity of evaluations. *Journal of Personality and Social Psychology, 31,* 1089-1097.

WORCHEL, S. et NORVELL, C. (1980). Effect of perceived environmental conditions during cooperation on intergroup attraction. *Journal of Personality and Social Psychology, 38,* 764-772.

WORCHEL, S. et TEDDLIE, C. (1976). The experience of crowding: A two-factor theory. *Journal of Personality and Social Psychology, 34,* 30-40.

WORTHY, M., GARY, A. et KAHN, G. (1969). Self disclosure as an exchange process. *Journal of Personality and Social Psychology, 13,* 59-63.

WORTMAN, C.B., ADESMAN, P., HERMAN, E. et GREENBERG, R. (1976). Self disclosure: An attributional perspective. *Journal of Personality and Social Psychology, 33,* 184-191.

WORTMAN, C.B. et BREHM, J.W. (1975). Responses to uncontrollable outcomes: An integration of reactance theory and the learned helplessness model. *In* L. Berkowitz (dir.), *Advances in experimental social psychology* (vol. 8). New York: Academic Press.

WRIGHTSMAN, L. (1960). Effects of waiting with others on changes in level of felt anxiety. *Journal of Abnormal and Social Psychology, 61,* 216-222.

WRIGHTSMAN, L.S. (1966). Personality and attitudinal correlates of trusting and trustworthy behaviors in two-person game. *Journal of Personality and Social Psychology, 4,* 328-332.

WYER, R.S. (1966). Effects of incentive to perform well, group attraction and group acceptance on conformity in a judgmental task. *Journal of Personality and Social Psychology, 4,* 21-27.

WYER, R.S. et SRULL, T.K. (1980). The processing of social stimulus information: A conceptual integration. *In* R. Hastie, T.M. Ostrom, E.B. Ebbeson, R.S. Wyer, D.L. Hamilton et D.E. Carlston (dir.), *Personal memory: The cognitive basis of social perception.* Hillsdale, NJ: Lawrence Erlbaum.

WYNNE-EDWARDS, V.C. (1962). *Animal dispersion in relation to social behavior.* Edimbourg: Oliver & Boyd.

WYNNE-EDWARDS, V.C. (1965). Self-regulating systems in populations of animals. *Science, 147,* 1543-1548.

YANCY, W. (1972). Architecture, interaction and social control: The case of a large-scale housing project. *In* J.F. Wohlwill et D.H. Carson (dir.), *Environment and the social sciences: Perspectives and applications.* Washington, DC: American Psychological Association.

YUKL, G.A., MALONE, M.P., HAYSLIP, B. et PAMIN, T.A. (1976). The effects of time pressure and issue settlement order on integrative bargaining. *Sociometry, 39,* 277-281.

ZAJONC, R.B. (1954). *Structure and cognitive field.* Thèse de doctorat inédite. University of Michigan, Ann Arbor. Résumé dans The process of cognitive tuning in communication. *Journal of Abnormal and Social Psychology, 1960, 61,* 159-167.

ZAJONC, R.B. (1965). Social facilitation. *Science, 149,* 269-274.

ZAJONC, R.B. (1980a). Feeling and thinking: Preferences need no inferences. *American Psychologist, 35,* 151-175.

ZAJONC, R.B. (1980b). Compresence. *In* P.B. Paulus (dir.), *Psychology of group influence.* Hillsdale, NJ: Lawrence Erlbaum.

ZAJONC, R.B., CRANDALL, R., KAIL, R.B. et SWAP, W.C. (1974). Effect of extreme exposure frequencies on different affective ratings of stimuli. *Perceptual and Motor Skills, 38,* 667-678.

ZAJONC, R.B., HEINGARTNER, A. et HERMAN, E.M. (1969). Social enhancement and impairment of performance in the cockroach. *Journal of Personality and Social Psychology, 13,* 83-92.

ZAJONC, R.B., MARKUS, H.M. et WILSON, W.R. (1974). Exposure effects and associative learning. *Journal of Experimental Social Psychology, 10,* 248-263.

ZAJONC, R.B., SHAVER, P. TAVRIS, C. et VAN KREVELD, D. (1972). Exposure, satiation and stimulus discriminability. *Journal of Personality and Social Psychology, 21,* 270-280.

ZAJONC, R.B., SWAP, W.C., HARRISON, A. et ROBERTS, P. (1971). Limiting conditions of the exposure effect: Satiation and relativity. *Journal of Personality and Social Psychology, 18,* 384-391.

ZALBA, S.R. (1967). The abused child: A typology for classification and treatment. *Social Work, 12,* 70-79.

ZALESKA, M. (1978). Some experimental results: Majority influence on group decisions. *In* H. Brandstätter, J.H. Davis et H. Schuler (dir.), *Dynamics of group decisions.* Beverly Hills, CA: Sage.

ZAND, D.E. (1972). Trust and managerial problem-solving. *Administrative Science Quarterly, 17,* 229-239.

ZANDER, A. (1971). *Motives and goals in groups.* New York: Academic Press.

ZANDER, A. et HAVELIN, A. (1960). Social comparison and interpersonal attraction. *Human Relations, 13,* 21-32.

ZANDER, A. et WOLFE, D. (1964). Administrative rewards and coordination among committee members. *Administrative Science Quarterly, 9,* 50-60.

ZANNA, M.P., HIGGINS, E.T. et TAVES, P.A. (1976). Is dissonance phenomenologically aversive? *Journal of Experimental Social Psychology, 12,* 530-538.

ZANNA, M.P., KIESLER, C.A. et PILKONIS, P.A. (1970). Positive and negative attitudinal affect established by classical conditioning. *Journal of Personality and Social Psychology, 14,* 321-328.

ZANNA, M.P., OLSON, J.M. et FAZIO, R.H. (1980). Attitude behavior consistency: An individual difference perspective. *Journal of Personality and Social Psychology, 38,* 432-440.

ZANNA, M.P. et PACK, S.J. (1975). On the self-fulfilling nature of apparent sex differences in behavior. *Journal of Experimental Social Psychology, 11,* 583-591.

ZANNA, M.P. et REMPEL, J.K. (1988). Attitudes: A new look at an old concept. In D. Bar-Tal et A. Kruglantski (dir.), *The social psychology of knowledge.* New York: Cambridge University Press.

ZAVALLONI, M. et COOK, S.W. (1965). Influence of judge's attitudes on ratings of favorableness of statements about a social group. *Journal of Personality and Social Psychology, 1,* 43-54.

ZAVALLONI, M. et LOUIS-GUÉRIN, C. (1984). *Identité sociale et conscience: Introduction à l'égo-écologie.* Montréal: Presses de l'Université de Montréal.

ZEHNER, R. (1972). Neighborhood and community satisfaction: A report on new towns and less planned suburbs. *In* J.F. Wohlwill et D.H. Carson (dir.), *Environment and the social sciences: Perspectives and applications.* Washington, DC: American Psychological Association.

ZEISEL, J. (1981). *Inquiry by design: tools for environment behavior research.* Monterey, CA: Brooks/Cole.

ZILLMANN, D. (1978). *Hostility and aggression.* Hillsdale, NJ: Lawrence Erlbaum.

ZILLMANN, D., JOHNSON, R.C. et DAY, K.D. (1974). Attribution of apparent arousal and proficiency of recovery from sympathetic activation affecting activation transfer to aggressive behavior. *Journal of Experimental Social Psychology, 10,* 503-515.

ZILLMANN, D., KATCHER, A.H. et MILAVSKY, B. (1972). Excitation transfer from physical exercise to subsequent aggressive behavior. *Journal of Experimental Social Psychology, 8,* 247-259.

ZILLMANN, D. et SAPOLSKY, B.S. (1977). What mediates the effect of mild erotica on hostile behavior by males? *Journal of Personality and Social Psychology, 35,* 587-596.

ZIMBARDO, P.G. (1969). The human choice: Individuation, reason and order versus deindividuation, impulse and chaos. *In* W.J. Arnold et D. Levine (dir.), *Nebraska Symposium on Motivation* (vol. 16). Lincoln: University of Nebraska Press.

ZIMBARDO, P.G. (1977). *Shyness: What it is, what to do about it.* Reading, MA: Addison-Wesley.

ZIMBARDO, P.G. et EBBESON, E.B. (1969). *Influencing attitudes and changing behavior.* Reading, MA: Addison-Wesley.

ZIMBARDO, P.G. et FORMICA, R. (1963). Emotional comparison and self-esteem as determinants of affiliation. *Journal of Personality, 31,* 141-162.

ZIMBARDO, P.G., PILKONIS, P.A. et NORWOOD, R.M. (1974). *The silent prison of shyness.* Office of Naval Research Technical Report (no Z-17). Stanford University, Stanford, CA.

ZLUTNICK, S. et ALTMAN, I. (1972). Crowding and human behavior. *In* J.F. Wohlwill et D.H. Carson (dir.), *Environment and the social sciences: Perspectives and applications.* Washington, DC: American Psychological Association.

ZUCKERMAN, M. (1978). Actions and occurrences in Kelley's cube. *Journal of Personality and Social Psychology, 36,* 647-656.

ZUCKERMAN, M. et REIS, H.T. (1978). Comparison of three models for predicting altruistic behavior. *Journal of Personality and Social Psychology, 36,* 498-510.

Sources

Tableaux

2-1   Higgins, E.T., Rholes, W.S. et Jones, C.R. Category accessability and impression formation. *Journal of Experimental Social Psychology,* 1977, *13,* 141-154. Reproduit avec la permission de l'Academic Press, Inc.

Encadré 3-2   L'Écuyer, R. (1978). *Le concept de soi.* Paris, P.U.F., 80.

4-1   Wilson, W.R. (1979). Feeling more than we can know: exposure effects without learning. *Journal of Personality and Social Psychology, 37,* 811-821. Copyright 1979 American Psychological Association. Reproduit avec permission. **4-2**   Hoyt, M. et Raven, B.H. (1973). Birth order and the 1971 earthquake. *Journal of Personality and Social Psychology, 38,* 123-130. Copyright 1973 American Psychological Association. Reproduit avec permission. **4-3**   Rands, M. et Levinger, G. (1979). Implicit theories of relationship: an intergenerational study. *Journal of Personality and Social Psychology, 37,* 645-661. Copyright 1979 American Psychological Association. Reproduit avec permission. **Encadré 4-1**   Gross, A.E. et Crofton, C. (1977). What is good is beautiful. *Sociometry, 40,* 89. Reproduit avec la permission des auteurs et de l'American Sociological Association. **Encadré 4-3**   Rubin, Z. (1970). Measurement of romantic love. *Journal of Personality and Social Psychology, 16,* 265-273. Copyright 1970 American Psychological Association. Reproduit avec permission.

5-1   Rosenkrantz, P., Vogel, S., Bee, H., Broverman, I. et Broverman, D.M. (1968). Sex-role stereotypes and self-concepts in college students. *Journal of Personality and Social Psychology, 32,* 287-295. Copyright 1968 American Psychological Association. Reproduit avec permission. **5-2**   Extrait de *Readings in Social Psychology,* sous la direction de Theodore M. Newcomb et Eugene L. Hartley. Copyright 1947 Henry Holt and Company, Inc. Nouveau © 1975 Theodore M. Newcomb et Eugene L. Hartley. Adapté avec la permission de Holt, Rinehart and Winston. **5-3**   Karlins, M., Coffman, T.L. et Walters, G. (1969). On the fading of social stereotypes: studies in three generations of college students. *Journal of Personality and Social Psychology, 13,* 1-16. Copyright 1969 American Psychological Association. Reproduit avec permission. **5-4**   D'après des données de Peabody, D. (1980). Reproduit avec la permission de l'auteur. **5-5**   Extrait de Deutsch, M. et Collins, M. (1951). *Interracial Housing.* University of Minnesota Press, Minneapolis. Copyright © 1951 University of Minnesota.

7-1   Adapté de *Studies in the Nature of Character* de Hugh Hartshorne et Mark A. May. Reproduit par Arno Press Inc., 1975. **7-2**   Bem, D.J. et Allen, A. (1974). On predicting some of the people some of the time: the search for cross-situational consistencies in behavior. *Psychological Review, 81,* 506-520. Copyright 1974 American Psychological Association. Reproduit avec permission.

8-1   Brown, P. et Elliott, R. (1965). Control of aggression in a nursery school class. *Journal of Experimental Child Psychology, 2,* 103-107. **8-2**   Taylor, S.P., Lubetkia, A.T., Gammon, C.B., Cranston, J.W., Vardares, R.M. et Rawitch, A.B. (1976). The effects of alcohol and delta-9-tetra hydrocannabinal on human physical aggression. *Agressive Behavior, 2,* 153-161.

9-1   Milgram, S. (1974). *Obedience to Authority,* 35-36 et 60-61. Copyright © 1974 Stanley Milgram. Reproduit avec la permission de Harper & Row, Publishers, Inc. et de Tavistock Publications Ltd. **9-2**   Kipnis, D. (1972). Does power corrupt? *Journal of Personality and Social Psychology, 24,* 33-41. Copyright 1972 American Psychological Association. Reproduit avec permission.

10-1   Deutsch, M. et Krauss, R.M. (1960). The effect of threat upon interpersonal bargaining. *Journal of Personality and Social Psychology, 61,* 181-189. Copyright 1960 American Psychological Association. Reproduit avec permission.

11-1   Schachter, S. Deviation, rejection, and communication. *Journal of Abnormal and Social Psychology,* 1951, *46,* 190-207. Reproduit avec permission. **11-2**   Zajonc, R.B. (1965). Social facilitation. *Science, 149,* 269-274. Copyright 1965 American Association for the Advancement of Science. Reproduit avec permission. **11-2**   Dashiell, D.F. (1935). Experimental studies of the influence of social situations on the behavior of individual human adults. *The Handbook of Social Psychology*, sous la direction de C. Murchison. Reproduit avec la permission de Clark University Press. **Encadré 11-4** Keyes, R. (1980). *The Height of Your Life.* Copyright © 1980 Ralph Keyes. Reproduit avec la permission de Little, Brown and Company et The Sterling Lord Agency.

12-1 Reproduit avec la permission de *Journal of Psychosomatic Research,* 1967, *11,* 213-218, Holmes, T.H. et Rahe, R.H. The social readjustment rating scale. Copyright 1967, Pergamon Press, Ltd. **12-2** Stroebe, W., Stroebe, M., Gergen, K.J. et Gergen, M.M. (1982). The effects of bereavement on mortality, a social psychological analysis. Extrait de J.R. Eiser (dir.), *Social Psychology and Behavioral Medicine.* Reproduit avec la permission de John Wiley & Sons, Ltd.

13-1 Wicker, A.W. (1968). Undermanning performance and students' subjective experiences in behavior settings of large and small high schools. *Journal of Personality and Social Psychology, 10,* 255-261. Copyright 1968 American Psychological Association. Reproduit avec permission. **13-2** Extrait de *Environmental Psychology: Man and His Physical Setting,* sous la direction de Harold M. Proshansky, William H. Ittelson et Leanne G. Rivlin. Copyright © 1970 Holt, Rinehart and Winston, Inc. Adapté avec la permission de Holt, Rinehart and Winston.

Figures

1-1 Berglas, S. et Jones, E.E. (1978). Drug choice as a self-handicapping strategy in response to noncontingent success. *Journal of Personality and Social Psychology, 36,* 405-417. Copyright 1978 American Psychological Association. Reproduit avec permission.

2-1 Pepitone, A. (1949). Motivation effects in social perception. *Human Relations, 3,* 57-76. Copyright 1949 Plenum Publishing Corporation.

3-1 Gergen, K.J. (1965). The effects of interaction goals and personalistic feedback on presentation of self. *Journal of Personality and Social Psychology, 1,* 413-425. Copyright 1965 American Psychological Association. Reproduit avec permission. **3-2** Suls, J. et Greenwald A. *Psychological Perspectives on the Self,* 1983, vol. 2. Copyright 1983 Lawrence Erlbaum Associates, Inc. Reproduit avec permission. **3-3** Markus, H. Self-schemata and processing information about the self. *Journal of Personality and Social Psychology,* 1977, 35, 63-78. Copyright 1977 American Psychological Association. Reproduit avec la permission de l'éditeur. **3-4** Schachter, S. et Singer, J.L. (1962). Cognitive, social and physiological determinants of emotional state. *Psychological Review, 65,* 121-128. Copyright 1962 American Psychological Association. Reproduit avec permission.

4-1 Sommers, R.(1969). *Personal Space: The Behavioral Analysis of Design.* © 1969, p. 33. Reproduit avec la permission de Prentice-Hall, Inc., Englewood Cliffs, New Jersey. **4-2** Kiesler, S.B. et Baral, R. (1970). The search for a romantic partner: The effects of self-esteem and physical attractiveness on romantic behavior. Extrait de K.J. Gergen et D. Marlowe (dir.), *Personality and Social Behavior.* Reading, Massachusetts, Addison-Wesley, 155-156. Reproduit avec la permission des auteurs. **4-3** Levinger, G. et Snoek, J.D. (1972). *Attraction in Relationships.* New York, General Learning Press. Copyright des auteurs, 1978. **4-4** Blood, R.O. (1967). *Love Match and Arranged Marriages.* Copyright © 1967 Free Press, une filiale de Macmillan Publishing Co., Inc.

5-1 Extrait de Teacher expectations for the disadvantaged de R. Rosenthal et L.F. Jacobson. Copyright © 1968 Scientific American, Inc. Tous droits réservés. **5-2** Charters, W.W. et Newcomb, T.M. Some attitudinal effects of experimentally increased salience of a membership group. *In* E. Maccoby, T. Newcomb et E. Hartley, dir. *Readings in Social Psychology,* 3ᵉ édition. Copyright 1958, Holt, Rinehart and Winston. **5-3** Campbell, A. (1971). *White Attitudes toward Black People.* Ann Arbor, Institute for Social Research, University of Michigan. **5-4** Mednick, M. (1975). Social change and sex-role inertia: The case of the kibbutz. Extrait de M. Mednick, S. Tangri et L. Hoffman (dir.), *Women and Achievement.* Washington, D.C., Hemisphere Publishing Corporation.

6-1 Hovland, C. et Weiss, W. (1951). The influence of source credibility on communication effectiveness. *Public Opinion Quarterly, 15,* 635-650. **6-2** McGuire, W.J. et Papageorgis, D. (1961). The relative effect of various types of prior belief-defense in producing immunity against persuasion. *Journal of Abnormal and Social Psychology, 62,* 327-337. Copyright 1961 American Psychological Association. Reproduit avec permission. **6-3** Brehm, J.W. (1956). Post-decision change in the desirability of alternatives. *Journal of Abnormal and Social Psychology, 52,* 384-389. Copyright 1956 American Psychological Association. Reproduit avec permission. **6-4** Calder, B.J., Insko, C.A. et Yandell, M. (1974). The relation of cognitive and memorial processes to persuasion in simulated jury trial. *Journal of Applied Psychology, 4,* 62-93. Copyright 1974 American Psychological Association. Reproduit avec permission. **6-5** Tesser, A. et Conlee, M.C. (1975). Some effects of time and thought on attitude polarization. *Journal of Personality and Social Psychology, 31,* 262-270. Copyright 1975 American Psychological Association. Reproduit avec permission.

7-1 Krebs, D. (1975). Empathy and altruism. *Journal of Personality and Social Psychology, 32,* 1134-1146. Copyright 1975 American Psychological Association. Reproduit avec permission. **7-2** Bibb Latané et John M. Darley (1970). *The Unresponsive Bystander: Why Doesn't He Help?* © 1970, p. 97. Reproduit avec la permission de Prentice-Hall, Inc., Englewood Cliffs, N.J. **7-3** Gergen, K.J., Ellsworth, P., Maslach, C. et Siepel, M. (1975). Obligation, donor resources and reactions to aid in a three-nation study. *Journal of Personality and Social Psychology, 31,* 390-400. Copyright 1975 American Psychological Association. Reproduit avec permission.

8-1 Donnerstein, M. et Donnerstein, E. (1977). Modeling in the control of interracial aggression: The problem of generality. *Journal of Personality, 45,* 100-116. Copyright 1977 Duke University Press. **8-2** Eron, L.D., Huesmann, L.R., Lefkowitz, M. et Walder, L.O. (1972). Does television violence cause aggression? *American Psychologist, 27,* 253-263. Copyright 1972 American Psychological Association. Reproduit avec permission. **8-3** Harris, M.B. (1974). Mediators between frustration and aggression in a field experiment. *Journal of Experimental Social Psychology, 10,* 561-571. **8-4** Zillmann, D., Johnson, R.C. et Day, K.D. (1974). Attribution of apparent arousal and proficiency of recovery from sympathetic activation affecting excitation transfer to aggressive behavior. *Journal of Experimental Social Psychology, 10,* 503-515.

9-1 Sherif, M. Superordinate goals in the reduction of intergroup conflicts. *American Journal of Sociology,* 1958, *63,* 349-356. Copyright 1958 University of Chicago Press. **9-2** Milgram, S. (1974). *Obedience to Authority,* 30, 35. Copyright © 1974 Stanley Milgram. Reproduit avec la permission de Harper & Row Publishers, Inc. et de Tavistock Publications Ltd. **9-3** Davies, J.C. (1962). Toward a theory of revolution. *American Sociological Review, 27,* 5-19. Reproduit avec la permission de l'auteur et de l'American Sociological Association.

10-2 Sidowski, J.B., Wykoff, L.B. et Tabory, L. (1956). The influence of reinforcement and punishment in a minimal social situation. *Journal of Abnormal and Social Psychology, 52,* 115-119. Copyright 1956 American Psychological Association. Reproduit avec permission. **10-3** Foa, U.G. (1971). Interpersonal and economic resources. *Science, 171,* 345-351, 29, janvier 1971. Copyright 1971 American Association for the Advancement of Science. Reproduit avec permission. **10-4** Gergen, K.J., Morse, S.J. et Bode, K.A. (1974). Over-paid or over-worked? Cognitive and behavioral reactions to inequitable rewards. *Journal of Applied Social Psychology, 4,* 259-274. Copyright 1974 American Psychological Association. Reproduit avec permission. **10-6** Deutsch, M. et Krauss, R.M. (1960). The effect of threat upon interpersonal bargaining. *Journal of Abnormal and Social Psychology, 61,* 181-189. Copyright 1960 American Psychological Association. Reproduit avec permission.

11-1 Moreno, J.L. Sociometry and the cultural order. *Social Psychology Quarterly,* 1943, *6,* 299-344. Copyright 1943 American Sociological Association. Reproduit avec permission. **11-2** Leavitt, J.J. (1951). Some effects of certain communications patterns on group performance. *Journal of Abnormal and Social Psychology, 46,* 38-50. Copyright 1951 American Psychological Association. Reproduit avec permission. **11-3** Hackman, J.R. et Morris, C.G. (1975). Group tasks, group interaction process, and group performance effectiveness: A review and proposed integration. Extrait de L. Berkowitz (dir.), *Advances in experimental social psychology.* New York, Academic Press. **11-4** Fiedler, F.E. (1978). The contingency model and the dynamics of the leadership process. Extrait de L. Berkowitz (dir.), *Advances in experimental social psychology.* New York, Academic Press, 59-112.

13-1 Altman, I. (1975). *Environment and social behavior: Privacy, personal space, territory, and crowding.* Monterey, CA: Brooks/Cole. **13-2** Glass, D.C. et Singer, J.E. (1972). *Urban Stress.* New York, Academic Press. **13-3** Matthews, Jr., K.E. et Canon, L.K. (1975). Environmental noise levels as a determinant of helping behavior. *Journal of Personality and Social Psychology, 32,* 571-577. Copyright 1975 American Psychological Association. Reproduit avec permission. **13-4** Jutras, S. (1977). *L'influence de variables individuelles sur la carte psychologique d'un groupe de Montréalais.* Mémoire inédit. Université de Montréal, Montréal. **13-5** Baum, A. et Valins, S. (1977). *Architecture and Social Behavior: Psychological Studies of Social Density.* Hillsdale, New Jersey, Lawrence Erlbaum, **Encadré 13-2** Lessard, M. et Jutras, S. (1984). *La qualité de l'environnement perçue par les résidents de Chisasibi. Résultats.* Montréal: Faculté de l'Aménagement, Université de Montréal.

Photographies

Pages 7 Gracieuseté de Clara Spain. **11** Nancey Ackerman, *The Gazette*, 29 août 1991. **18** Gracieuseté de Fritz Heider. **37** (4) Gracieuseté de Robert Karpen; (7) gracieuseté de Debra Kase; (9) gracieuseté de Dodie Shaw. **40** Gracieuseté de La Galerie nationale du Canada, Ottawa. **43** Cho. **45, 46** UPI. **86** Ed Gallob. **108** © Joel Gordon 1977. **110** Paul Tawrell. **112** Museo del Prado. **135** Gracieuseté de Mary Gergen. **144** Les archives Bettman. **154** Gracieuseté de Sylvie Jutras. **162** Archives nationales du Canada, PA 112539. **171** Paul Tawrell. **176** Allen McInnis, *The Gazette*, 26 août 1991. **178** Institut Teccart inc. **187** Paul Tawrell. **190** Gracieuseté de U.S. Information Agency et Signal Corps, National Archives. **204** Paul Tawrell. **222** Paul Seder. **231** Michael Abramson. **237** Kenneth Siegel © 1980. **246** Plan de parrainage du Canada, Minor Halliday & Associates Ltd. **247** Gloria Karlson. **256** Allen McInnis, *The Gazette*, 7 décembre 1991. **260** © 1976 Marjorie Pickens. **267** Paul Tawrell. **273** Paul Tawrell. **298** UPI. **299** Gracieuseté de Stanley Milgram. **302** Philip G. Zimbardo. **309** Paul Tawrell. **327** Gracieuseté de Sylvie Jutras. **328** Paul Tawrell. **331** Paul Tawrell. **342** Jean Boughton/Stock, Boston. **352** Canapress Photo Service. **335** John Timbers. **359** Paul Tawrell. **365** Bonnie Freer © 1978. **398** Paul Tawrell. **407** Gracieuseté de Sylvie Jutras. **412** Barbara Pfeffer. **413** Service de l'audiovisuel, Université de Sherbrooke, par Roger Lafontaine. **417** Campagne Menus pleins d'entrain, Paul Tawrell. **439** Gracieuseté du Bishop's College School, Lennoxville. **446** Wide Word Photos. **458, 459** Barbara Pfeffer.

Caricatures Toutes les caricatures sont l'œuvre de Tony Hall, © 1980, Harcourt, Brace, Jovanovich, Publishers.

Index des auteurs

Ference, T.P., 186
Ferguson, C.K., 159
Fernberger, S.W., 146
Feshbach, S., 190, 191, 266
Festinger, L., 73, 108, 195, 198, 200, 201, 283, 291, 349, 351, 353, 355, 358, 359
Festinger, M., 187
Feyerabend, P.K., 64
Fiedler, F.E., 353, 377, 378, 379
Field, P.B., 194
Fillion, K., 392
Fillion, L., 392
Fisch, E., 240
Fischoff, S., 367
Fishbein, M., 211, 212, 214, 215, 414
Fisher, J.D., 246, 247, 248
Flath, E., 315
Flay, B.R., 214
Fleishman, J.A., 239
Fletcher, B., 405
Flor, H., 402
Flowers, M.L., 354
Foa, E.B., 238, 324, 325
Foa, U.G., 238, 324, 325
Fodor, E.M., 304
Foley, L.A., 173
Folkman, S., 85, 388, 402
Ford, C.S., 131
Formica, R., 118
Foss, R.D., 310
Fouraker, L.E., 337
Fouts, G.T., 364
Fox, J.B., 353
Francescato, D., 443
Francis, J.L., 213
Frandsen, K.D., 191
Fraser, S., 310, 370
Freedman, J.L., 188, 204, 310, 329, 427, 428
Freeman, S., 364
French, J.R.P., 353
Freud, S., 257
Fried, M., 447
Friedman, H.S., 125
Friedman, M., 395, 396
Fried, R., 225
Friend, K.E., 368
Frieze, I.H., 148
Frodi, A., 262, 277, 284
Fromkin, H.L., 76, 119, 307
Fulero, S., 166

Gadlin, H., 23
Gaebelein, J.W., 262
Gaertner, S.L., 224, 234
Gagné, C., 24
Gagné, D., 232
Gagnon, C., 271
Gagnon, J.H., 93
Gaines, R.W., 277
Gallo, P.S., 340
Gallup, G., 168
Galton, E., 211

Gamson, W.A., 11, 350
Ganellen, R., 413
Ganster, D., 307
Garbarino, J.A., 275
Garcia, L., 155
Gardin, H., 342
Gard, J.W., 209
Garfinkel, H., 62, 131, 290
Garfinkle, E.M., 169
Garland, H., 364
Garrett, R.L., 195
Gary, A., 129
Gaskell, G., 257
Gasparini, A., 429
Gatchel, R., 405
Gatchel, R.J., 395
Geen, R.G., 263, 280, 361, 364
Geer, J., 223
Geffner, R., 351
Gelfand, D.M., 232, 273
Geller, D.M., 121
Gelles, R.J., 273, 274, 275, 276, 279
Gendron, M., 392
Gerard, H.B., 123, 210, 295, 350
Gerbner, G., 155
Gergen, K.J., 9, 10, 15, 21, 23, 24, 61, 72, 74, 75, 91, 122, 164, 222, 241, 246, 247, 248, 249, 283, 315, 329, 336, 337, 454
Gergen, M.M., 24, 61, 246, 283, 315, 456
Getty, L., 460, 462
Giannopoulos, C., 151
Gibb, C.A., 376
Gibbins, K., 165
Gilbert, D.T., 437
Gil, D.G., 274, 275, 276
Gillig, P.M., 186
Gilmore, I., 210
Gilovich, T., 60, 361
Ginsburg, G.P., 25, 324
Gitler, A.C., 204
Glanzer, M., 373
Glaser, R., 373
Glass, D.C., 164, 230, 395, 433, 434-435
Gleicher, P., 447
Glick, P.C., 130
Godbout, L., 316
Godin, G., 215, 216, 238, 404, 414
Goethals, G., 199
Goethals, G.R., 188, 203, 291
Goffman, E., 20, 91
Golden, B., 188
Golding, S.L., 343
Gold, J.A, 119
Goldschmidt, J., 211
Goldstein, A.P., 223
Goldstein, J.H., 280
Goldstein, M.J., 161
Gollob, H.F., 209
Goodacre, D.M., 353
Good, K.J., 364
Goore, N., 361
Goranson, R., 238

Gordon, S., 125
Gore, W.V., 361
Gormly, J., 119
Gotay, C.C., 249
Gottman, T.M., 136
Gouge, C., 370
Gouldner, A., 238
Gouldner, A.W., 326
Goyette, G., 25
Grâce de, G.-R., 126, 127
Graham, B., 125
Grandjean, E., 432
Graziano, W., 128
Green, A.H., 277
Greenberg, C.I., 428
Greenberg, M.S., 233, 246, 248, 249, 328
Greene, S., 49, 56
Greenglass, E., 146
Green, J.A., 280
Greenwald, A.G., 81, 186, 210
Greu, R., 226
Greydanus, A., 124
Griffitt, W., 117, 120, 154, 155, 284, 428
Grinder, R.E., 242
Gross, A., 248
Gross, A.E., 55, 117, 249, 310
Gross, E., 352
Gross, L., 155
Groupe d'experts sur les personnes âgées, 408
Gruder, C.L., 226, 236, 238, 291, 336
Grush, J.E., 109, 119, 120, 191
Grzelak, J., 130
Guérin, B., 361
Guetzkow, H., 352
Guimond, S., 58, 59, 177
Gunn, S.P., 57
Gurin, G., 191
Gurr, T.R., 256
Gurwitz, S.B., 173
Gutierres, S.E., 116
Guttentag, M., 246
Guyon, L., 151, 386, 388

Haberkorn, G., 315
Hackman, J.R., 374, 375
Hage, J., 127
Halcomb, C.G., 109
Halfner, D.P., 190
Hall, E., 424
Hall, E.J., 370
Hall, E.T., 110
Hall, J., 354
Hall, J.V., 109
Hall, V., 151, 153
Hamilton, D.L., 173
Hamner, W.C., 337, 338
Haney, C., 303
Hanley, G., 442
Hanusa, B.H., 400
Harackiewicz, J.M., 197
Harary, F., 208
Harburg, E., 395

Lott, A.J., 351, 353
Lott, B.E., 351, 353
Louis-Guérin, C., 92
Lourie, R.S., 277
Love, R., 195
Lowan, C.L., 223
Low-Beer, L., 433
Lowenthal, M.F., 131
Lubek, I., 255
Luce, R.D., 335
Lumsdaine, A.A., 188
Lund, A., 79
Lussier, Y., 57, 150
Lynch, J.G., 221
Lynch, K., 442
Lynn, D.B., 146
Lytton, H., 30

Maass, A., 314, 315
Macaulay, J., 262
Macaulay, J.R., 280, 370
Maccoby, E., 417
Maccoby, E.E., 147, 262
Maccoby, N., 195, 267
MacDonald, A.P., 123, 166, 167
MacLeod, L., 268, 275
Maddi, S.R., 413
Madem, M.F., 277
Maeland, J.G., 402
Magnan, M.A., 353
Magnusson, D., 244, 264
Mahan, L., 379
Maier, N.R.F., 368
Maier, S., 394
Maier, S.F., 400
Maisel, R., 125
Major, B., 334
Malinowski, B., 326
Maloney, M.P., 212, 461
Mandell, W., 189
Mann, F., 349
Mann, L., 199, 375
Mann, M., 306
Mann, R.W., 192, 214
Manning, M.M., 403
Manstead, A., 97
Marchon, I., 442
Margolin, L., 115
Markus, H., 38, 80, 81
Markus, H.M., 109
Marlowe, D., 336, 337
Marquart, D.I., 371
Marquis, D.G., 352
Marrow, A.J., 16
Marsden, H.M., 426
Marshall, J.R., 222
Marsh, H.W., 74
Marsh, P., 267
Martens, R., 361
Martindale, C., 17
Martin, G., 270, 271
Martin, H.J., 324
Martin, Y., 406
Martyna, W., 150

Marwell, G., 127, 327, 328
Marx, T., 176
Maslach, C., 88, 363, 392
Mason, J.D., 364
Masuda, M., 392
Matas, C., 165
Matter, W.W., 109
Matthews, K.A., 395, 396
Matthews, K.E., 226, 429, 436
Mayer, R., 26
Mayer-Renaud, M., 274
Maykovich, M.K., 158
May, M.A., 241, 242
Mayo, E., 353
Mazen, R., 188
McArthur, L.Z., 55, 61
McBride, P., 294
McCall, C., 232
McCallum, R., 428
McCauley, C., 354
McClelland, D.C., 211
McClintock, C.G., 340
McConaghy, N., 169
McConahay, J.B., 158
McCool, R., 311
McCrae, R.R., 244
McCuddy, M., 307
McDavis, K., 224
McDougall, W., 4, 256
McEvoy, J., 11
McGinnies, E., 186
McGovern, L., 223
McGuire, C., 75
McGuire, W., 75
McGuire, W.J., 52, 184, 193, 194, 308
McHenry, R., 117
McKay, G., 407
McKenna, W., 63
McKeough, K.L., 109
McNeel, S.P., 340
McPhee, W.N., 191
McSeveney, D., 310
Mead, G.H., 71
Mead, M., 258
Mebane, W., 443
Mednick, M., 178, 179
Mehrabian, A., 118
Melançon, L., 433
Meldman, P., 309
Meltzer, J.D., 364
Mermigis, L., 174
Merten, D., 129
Messé, L.A., 146, 341
Messick, S., 305
Metalsky, G., 399
Metcalf, F., 428
Meter, K., 222
Mettee, D.R., 120, 291
Mewborn, C.R., 191
Meyer, F., 238
Meyer, T.P., 277
Meyer, W., 151, 153
Mezei, L., 160
Michaels, G.Y., 223

Michelini, R.L., 341
Michelson, W., 447
Middlestadt, S.E., 215
Midlarsky, E., 225, 240
Midlarsky, M., 225
Milavsky, B., 273, 274
Miley, C.H., 123
Milgram, S., 9, 28, 31, 297, 298, 300, 427, 442, 443
Miller, F.G., 361
Miller, J., 433
Miller, J.K., 275
Miller, N., 195, 310, 353
Miller, N.E., 270, 271
Miller, R., 73
Miller, W.E., 191
Millham, J., 167
Mills, J., 187, 188, 249, 334
Mills, M.K., 233
Milton, G.A., 154
Minard, R.D., 161
Minas, J.S., 336
Mischel, W., 41, 242
Mitchell, H.E., 154, 368
Mitchell, R.E., 427, 429
Mixon, D., 31, 301
Moch-Sibony, A., 434, 436
Moghaddam, F.M., 174, 175
Moïse, L.C., 28
Moore, B., 226
Moore, G.T., 441
Moore, H.T., 294
Moore, T.E., 156
Moos, R.H., 406
Morawski, J.G., 17
Morelock, J.C., 298
Moreno, J.L., 350
Morgan, C.J., 234
Moriarty, T., 233
Morin, D., 127
Morin, S.F., 169
Morris, C.G., 374, 375
Morris, D., 6
Morris, W.N., 123
Morrison, B.J., 364
Morrissette, J.O., 372
Morse, S.J., 74, 248, 329
Morval, J., 98, 447
Morval M., 407
Moscovici, S., 312, 313, 314, 354, 373
Moss, H.A., 241
Mouton, G., 392
Mouton, J.S., 370
Mowrer, O.H., 270
Moyer, K.E., 257
Muckle, G., 392
Muir, D., 238
Mulder, M., 351, 372
Mullein, B., 353
Murdoch, P., 361
Murphy-Berman, V., 334
Murrell, S.A., 394, 453
Musante, L., 395

Index des sujets